DER EINE GOTT UND DIE GÖTTIN

QUAESTIONES DISPUTATAE

Begründet von
KARL RAHNER UND HEINRICH SCHLIER

Herausgegeben von
HEINRICH FRIES UND RUDOLF SCHNACKENBURG

135

DER EINE GOTT UND DIE GÖTTIN

DER EINE GOTT UND DIE GÖTTIN

Gottesvorstellungen des biblischen Israel im Horizont feministischer Theologie

GEORG BRAULIK
HANS-WINFRIED JÜNGLING
SILVIA SCHROER
HELEN SCHÜNGEL-STRAUMANN
GOTTFRIED VANONI
MARIE-THERES WACKER

HERAUSGEGEBEN VON
MARIE-THERES WACKER
ERICH ZENGER

HERDER
FREIBURG · BASEL · WIEN

Die Deutsche Bibliothek – CIP-Einheitsaufnahme

Der **eine Gott und die Göttin**: Gottesvorstellungen des biblischen Israel im Horizont feministischer Theologie / Georg Braulik ... Hrsg. von Marie-Theres Wacker; Erich Zenger. – Freiburg im Breisgau; Basel; Wien: Herder, 1991
(Quaestiones disputatae; 135)
ISBN 3-451-02135-8
NE: Wacker, Marie-Theres [Hrsg.]; Braulik, Georg; GT

Herstellung: Freiburger Graphische Betriebe 1991
ISBN 3-451-02135-8

Inhalt

Einführung

Für die christliche Frauenbewegung hat das Erste (Alte) Testament anfänglich vor allem deshalb Faszination ausgestrahlt, weil es voll ist von literarischen Erinnerungen an ungewohnte Frauenbilder, die heutigen Frauen dazu verhalfen, ihnen im Namen Gottes aufgezwungene Rollenmuster aufzubrechen. Mit den sich verschärfenden feministischen Analysen zum Ausmaß patriarchaler Gefangenschaft von Frauen geriet auch der Gott der Hebräischen Bibel in die Kritik. Suchten christliche Frauen zuweilen noch einen „feministischen" Jesus seinem jüdischen Kontext zu entreißen, so wurde vor allem in matriarchalfeministischen und postchristlichen Entwürfen die sich im Christentum fortsetzende monotheistisch-intolerante Zuspitzung der alttestamentlichen Rede von Gott als eine, wenn nicht *die* verhängnisvolle Weichenstellung herausgestellt und ihr gegenüber eine Spiritualität entwickelt, die im Rückgriff auf die archaische, im Patriarchat verschüttete Religion der kosmischen Göttin zu einer Rückgewinnung eigenständiger Weiblichkeit verhelfen sollte. Zunächst in den USA, seit einigen Jahren auch in Europa haben jüdische und christliche Feministinnen auf die impliziten und expliziten Antijudaismen solcher Sichtweisen aufmerksam gemacht. Andererseits wird auch unter jüdischen Feministinnen die Diskussion über problematische Aspekte der eigenen monotheistischen Tradition nicht mehr ausgeklammert. Eine vertiefende feministisch(-theologisch)e Aufarbeitung des wirkungsgeschichtlichen wie biblischen Befundes empfinden jüdische wie christliche Frauen als Desiderat.

Dazu bisher weitgehend parallel und ohne Querverbindungen verläuft seit nunmehr gut zehn Jahren eine fachexegetische Diskussion um ein neues Bild der Religionsgeschichte des biblischen Israel, die der Einsicht Rechnung tragen will, daß von einem Monotheismus im Israel der vorexilischen Zeit noch nicht gesprochen werden kann. Diese Diskussion wurde zunächst angestoßen durch die neuen Theorien über die Entstehung Israels in Kanaan/ Palästina. Nach der jahrelangen Konkurrenz unterschiedlicher „Landnahme-Modelle" (Eroberung, Einwanderung, Revolution, Evolution) wird dieser Prozeß nunmehr als ein komplexer Vorgang betrachtet, der Teil eines umfassenderen Prozesses der siedlungsmäßigen und politischen Neuordnung des Großraums Syrien-Palästina ist. Das „vorstaatliche" Israel ist demnach in vielfacher Hinsicht eine „Mischgesellschaft", in die die unterschiedlichen Gruppen, insbesondere die seßhaft werdenden Hirten Mittelpalästinas, die aus den spätbronzezeitlichen Städten ausgewanderten bzw. überlebenden Bauern und Handwerker sowie die kleine, aber einflußstarke Gruppe der JHWH-Halbnomaden aus der Sinaihalbinsel bzw. aus Ägypten, ihre je eigenen Traditionen einbrachten, womit zugleich jene religionsgeschichtlichen Überlagerungen weiterwirkten, die für die Spätbronzezeit Palästinas charakteristisch sind. Daß dabei im Bereich der lokalen bzw. regionalen Kulte und insbesondere in der Familienreligion auch die Traditionen von Göttinnen weiterlebten, bezeugen die ikonographischen Funde, wenngleich damals im gesamten Raum die männlichen Gottheiten und ihre Symbole stärker in den Vordergrund traten. Als religionsgeschichtlich und theologisch bedeutsam erwies sich, daß der kämpferische JHWH von der neu entstehenden Stämmegesellschaft als der für ihre politische Existenz zuständige Gott definiert und verehrt wurde.

Ob man diese Frühphase der Religion Israels pauschal als polytheistisch bezeichnen kann, wie dieses neuerdings mehrfach geschieht, erscheint zweifelhaft. Vielleicht ist der Begriff „funktionelle Monolatrie" (H.-P. Müller), der stärker die religiöse Praxis in den Blick nimmt und für unterschiedliche Lebensbereiche unterschiedliche göttliche Kompetenzen zuläßt, angemessener. Viel wichtiger ist freilich, daß die Ebenen von Religion deutlich unterschieden werden, über die eine religionsgeschichtliche Aussage gemacht wird: Familienreligion („Familienfrömmigkeit"), Lokalreligion („Dorf- und Stadtreligion") und Nationalreligion („Staatskult"). Es scheint, daß die Religionsgeschichte Israels sich vor allem als Aufnahme von Elementen der Familien- und Lokalreligion in die Nationalreligion vollzog, wobei dieser Prozeß nicht ohne Polemik und Abwertung familiärer und regionaler Überlieferungen ablief.

Ob der JHWH der Frühzeit eine Paredra hatte, ist ungewiß; derzeit spricht eher beinahe alles dagegen. Das ist freilich keine nebensächliche Feststellung, weil sie der (zu) einfachen religionsgeschichtlichen These von einer sukzessiven Verdrängung der weiblichen Dimension aus der JHWH-Überlieferung zuwiderläuft. Sollten andererseits die in Kuntilet ʻAǧrud und Ḳirbet el-Qōm gefundenen Inschriften mit ihrer Nennung von „JHWH und seiner Aschera" dem Gott JHWH eine Paredra zuordnen, wofür starke Argumente sprechen, müßte zumindest die Diskussion darüber ernsthaft eröffnet werden, wie und vor allem warum es zu dieser religionsgeschichtlichen Kompetenzerweiterung JHWHs kam. Der Weg JHWHs vom „einzigen" Gott der funktionellen Monolatrie zum „einen" Gott des reflektierten Monotheismus ist keineswegs als geradlinige Evolution zu begreifen, sondern muß als komplexer und mehrfacher Prozeß von Aufnahme und Ablehnung nichtjahwistischer Gottesvorstellungen gesehen werden, wobei auch die mit den Göttinnen bzw. „der Göttin" verbundenen religiösen Vorstellungen eine wichtige Rolle spielten. Dies bestätigt auch die Korrelation der materiellen Kultur, wie sie nun durch die Archäologie sichtbar wird, mit den biblischen Texten. Manches, was in den Texten „zwischen den Zeilen" oder nur in polemischer Verzeichnung erkennbar ist, erscheint nun in einem neuen Licht. Schließlich fordern die vielen Terrakottastatuetten „der Göttin" aus der Eisenzeit II und der Perserzeit, die im Gebiet des biblischen Israel in recht unterschiedlichen Kontexten gefunden wurden, daß eine religionsgeschichtliche Skizze Israels „die Göttin" viel stärker in die Diskussion einbeziehen muß, als dies bislang geschah.

Die Monotheismusdebatte wird damit komplexer, aber zugleich noch spannender, vor allem wenn sie als Teil der umfassenderen Diskussion über die Bedeutung von Religion und über die Korrelation von Theologie und gesellschaftlicher Wirklichkeit begriffen und geführt wird. Wird der „Aufstieg" JHWHs zum „einen" Gott als komplexe Auseinandersetzung auf dem Feld der Göttinnen- und Götterwelt des 1. Jahrtausends begriffen, so wird das gesellschafts- und religionskritische Potential des biblischen Monotheismus sichtbar, der die Religion Israels davor bewahrt hat, zu einer Institution der Bedürfnissättigung und der Vertröstung zu verkommen. Daß die monotheistische Dynamik des Gottes JHWH schließlich zu jener Theozentrik führte, die das Erste (Alte) Testament und das Zweite (Neue) Testament fundamental zusammenbindet und den im Christentum drohenden Häresien des Christomonismus oder einer polytheistisch mißverstandenen Trinitätslehre wehrt, ist für das heute geforderte Religionsgespräch zwischen Juden und Christen eine wichtige Vorgabe, an die „Alttestamentler“ immer wieder erinnern müssen.

Die Monotheismusdebatte steht also in vielfacher Hinsicht wieder „am Anfang“. Je stärker sich unser Wissen über die Religionsgeschichte nicht nur Israels, sondern auch seiner damaligen Nachbarn im Osten (Syrien, Ammon, Moab und Edom) und im Westen (Philister und Phöniker) erweitert und differenziert, um so komplexer und faszinierender zugleich wird das Argumentationsfeld. Dies war – neben der Herausforderung durch die feministische Theologie – die Erkenntnis, die die „Arbeitsgemeinschaft der deutschsprachigen katholischen Alttestamentler“ (AGAT) bewog, ihre 1984 auf der Würzburger Jahrestagung schon einmal geführte Monotheismusdebatte erneut aufzugreifen und weiterzuführen (die Referate der Würzburger Tagung sind als „Quaestio disputata“ Nr. 104 veröffentlicht: Gott, der einzige. Zur Entstehung des Monotheismus in Israel, hrsg. von E. Haag). Dies geschah auf unserer Jahrestagung vom 27. bis 31. August 1990 in Luzern.

Natürlich war uns bewußt, daß unsere neuerliche Diskussion über Entstehung und Gestalt des Monotheismus sowohl angesichts der neuen religionsgeschichtlichen Erkenntnisse als auch im Horizont der feministischen Theologie, über deren Notwendigkeit und Komplementarität im Chor der Theologien keine Zweifel mehr aufkommen sollten, nur fragmentarisch sein konnte. Um dennoch möglichst viele Aspekte anzusprechen, lagen der Planung der Tagung folgende Überlegungen zugrunde:

1. Ein einführendes Referat sollte den Problemhorizont so entwerfen, daß sowohl die aktuelle Diskussion über den jüdisch-christlichen Monotheismus überhaupt wie die Anfragen der feministischen Theologie zur Sprache kommen sollten.

2. Die neueren religionsgeschichtlichen Erkenntnisse, die sich aus der Epigraphik und insbesondere aus der Kleinkunst (vor allem aus der Aufarbeitung der in Kanaan/Israel gefundenen Siegel und Statuetten) ergeben, sollten möglichst breit, aber unter der besonderen Berücksichtigung „der Göttin“ dargestellt werden.

3. Durch Untersuchungen biblischer Texte, die aus unterschiedlichen Epochen und aus unterschiedlichen theologischen Strömungen stammen, sollte deutlich werden, *daß* und *wie* Israels Weg *zum* und *im* Monotheismus sich mit der weiblichen Dimension des Gottesgedankens produktiv auseinandersetzt.

Der vorliegende Band veröffentlicht die Referate und Korreferate, die den *ersten* und *dritten* Aspekt der Diskussion betreffen. Den *zweiten* Aspekt haben auf der Tagung Othmar Keel und Christoph Uehlinger (beide Fribourg) in zwei materialreichen Vorträgen behandelt. Sie haben diese Vorträge inzwischen so breit überarbeitet, daß sie als eigener Band, ebenfalls in der Reihe „Quaestiones disputatae", erscheinen. Dieser „Band" ist als Hintergrund und Bezugspunkt der im vorliegenden Band versammelten Referate „mitzudenken".

Der einleitende Beitrag von *Marie-Theres Wacker* (Limburg) arbeitet die feministisch-theologisch virulenten Aspekte der exegetischen Monotheismusdiskussion heraus und stellt diese Debatte in den zeitgenössischen Kontext von Bestreitung wie Beschwörung des Monotheismus als eines noch zukunftsfähigen biblischen Erbes. In der skeptischen Philosophie von Hans Blumenberg oder Odo Marquard stehen unter dem Stichwort „Monomythie" die noch nicht aufgeklärten, Individualität letztlich verunmöglichenden Spätfolgen des neuzeitlichen Aufstandes gegen den nominalistischen Willkürgott in der Kritik, demgegenüber ein entzauberter Polytheismus demokratischer Gewaltenteilung bzw. die konstruktive „Arbeit am Mythos" beschworen wird. In der Neuen Rechten richtet sich der Affront in antijüdischer Polemik gegen die angebliche Gleichmacherei und die damit ausgelöste Menschenverachtung des jüdisch-christlichen Monotheismus, zugunsten einer Rückkehr zur vorchristlich-heidnischen und damit „genuinen" Religion Europas. Dürfte hier wenig Boden für feministische Optionen zu gewinnen sein, so erscheint die „sanfte" Variante der Monotheismuskritik, wie sie in der New-Age-Bewegung explizit oder (zumeist) implizit zu finden ist, auch vielen Feministinnen berechtigt und zukunftsweisend, weist sie doch Dualismen aller Art entschieden zurück und entwirft die Vision einer ganzheitlichen Lebenshaltung, die das ökologische Gleichgewicht der Erde ebenso achtet wie die Verschiedenheit der Kulturen, Religionen und Rassen *und* die Gleichwertigkeit der Geschlechter. Die ausgrenzende, intolerante Seite der monotheistischen Tradition steht schließlich auch explizit zur Debatte, wo die Gewaltfrage aufgegriffen wird, auch hier häufig antijüdisch verzerrt, aber dennoch als Problemanzeige wahrzunehmen. In diesem Kontext hat die fachexegetische Diskussion um die vormonotheistische Religion Israels und ihre Spuren weiblicher Gottheiten eine hohe aktuelle Relevanz, steht doch in der religionsgeschichtlich nachzuzeichnenden Auseinandersetzung des biblischen Israel mit den „anderen“ Gottheiten der befreiende Impuls „des“ Gottes der Bibel selbst zur Diskussion. Wie also stellt sich diese vor-monotheistische Religion Israels dar, insbesondere was die Verehrung weiblicher Gottheiten betrifft? Was läßt sich über die Gründe und Hintergründe ihrer Bestreitung ausmachen? Und inwieweit wurde in dieser Auseinandersetzung weibliche Lebenswirklichkeit betroffen bzw. verändert?

Helen Schüngel-Straumann (Kassel) greift die Frage weiblicher Aspekte der Rede von Gott in der Schöpfungsgeschichte Gen 2–3 auf. Sie weist an Schöpfungstexten des altmesopotamischen Raumes auf eine immer wieder durchschlagende Überlagerung weiblicher Schöpfergottheiten durch männliche hin und deutet ähnliche Prozesse für die Überlieferungsgeschichte der biblischen Stoffe an. Dabei wird nicht nur die Komplexität des „jahwistischen“ Gottesbildes, insbesondere im geradezu widersprüchlich erscheinenden Handeln JHWHs am Ende der Paradieserzählung und am Ende der Sintfluterzählung, sichtbar, auch die sumerischen und akkadischen Überlieferungen werden hier – in dieser Form erstmals – als Ausdruck des spannungsreichen Mit- und Gegeneinanders männlicher und weiblicher Gottheiten nachgezeichnet. Die feministisch-kritischen Fragen, die sich daraus ergeben, faßt Frau Schüngel-Straumann so zusammen: „Daß eine ernsthafte feministische Theologie nicht naiv zurück kann zu alten Göttinnen, dürfte keine Frage sein. Sie muß vielmehr in die Zukunft gerichtet sein auf ein umfassendes Gottesbild, das nicht (mehr) auf Männlichkeit festgelegt ist ... Zunächst war ja die *Integration* der vielen Götter und Göttinnen in *einen* monotheistischen Gott sicher ein Gewinn, um dann aber durch eine zunehmende Verfestigung immer mehr wieder ein Defizit zu entwickeln. Darum hat zunächst eine nüchterne Bestandsaufnahme zu erfolgen anhand eines Materials, das gegenüber früheren Generationen immens ist; die memoria im Sinne einer ‚gefährlichen Erinnerung‘ an frühere Göttinnen könnte dann das Gottesbild bereichern, lebendiger, liebevoller und lebensnaher machen.“

Im anschließenden „Korreferat“, das nun gegenüber der in der Tagung selbst vorgelegten Fassung stark erweitert ist, geht *Hans-Winfried Jüngling* (Frankfurt – St. Georgen) den Fragen nach: „In welchem Ausmaß bestimmen frauliche Erfahrungen die Darstellungen von Göttinnen? Und umgekehrt: Welche Rückwirkung haben religiös sanktionierte Vorstellungen von weiblichen Gottheiten für die Sicht der Frau?“ Er zeigt zunächst, daß es problematisch ist, die

Komplexität des biblischen JHWH von einem Gegensatz männlich-weiblich her oder in einer Alternative Vater–Mutter aufzulösen. Sodann macht er am Beispiel der sumerischen Inanna-Dichtung der Sargontochter Enheduana deutlich, daß es auch den religionsgeschichtlichen Prozeß der Integration männlicher Züge in eine Göttin gibt (ein Phänomen, das O. Keel und Chr. Uehlinger in ihrem Vortrag mehrfach ikonographisch aufgewiesen haben, s. o.). In einer kurzen Interpretation des entsprechenden Abschnitts aus dem Atraḫasismythos (I 249–304) macht er schließlich darauf aufmerksam, daß dieser Mythos die Erschaffung „der Ehefrau und ihres Gatten" aus weiblicher Perspektive erzählt und darüber hinaus belegt, daß die Korrelation von Göttin und Frau, Gott und Mann im Rahmen der mesopotamischen Schöpfungsüberlieferungen nicht so fest ist, daß daraus vorschnelle Folgerungen über die Wechselwirkungen zwischen den Vorstellungen von Frau und Göttin gezogen werden. Insgesamt freilich – so H.-W. Jüngling – ist erstaunlich, welch offensichtlich großen Freiraum gerade der polytheistische Kontext des Alten Orients der Frau (z. B. für die Entwicklung eines eigenständigen Priestertums) ermöglichte.

Mit dem religionsgeschichtlichen Kontext sowie den theologischen und insbesondere anthropologischen Implikationen des bei Hosea und im Deuteronomium sichtbar werdenden Kampfes gegen die Göttin Aschera und den mit ihr verbundenen Kultpraktiken beschäftigt sich der Beitrag von *Georg Braulik* (Wien). Dieser Beitrag, der sozusagen die Phase der intoleranten Monolatrie Israels beschreibt, begegnet dem feministischen Verdacht, daß die Bekämpfung „der Göttin" in Israel einhergegangen sei mit der Verdrängung der Frau aus Aufgaben im öffentlichen Gottesdienst, vielleicht sogar ohne für diesen Rollenverlust irgendeinen Ersatz zu schaffen. Er kommt zu dem Ergebnis: „Verglichen mit dem Hoseabuch, das zwar gegen die weiblich-erotischen Gottheiten gekämpft, zugleich aber etwa in 14,9 durch eine kühne Metapher einzelne Züge in das Jahwebild integriert hat, geht das Deuteronomium noch stärker auf Distanz: Es verwirft die Aschera mit ihrem Kultsymbol und spricht die Astarte nur in höchst subtiler Weise auf ihre Fruchtbarkeitsfunktion reduziert Jahwe zu. Während Hosea die Frauen als Opfer männlicher Verfehlung in Recht und Kult nur beklagt, versucht das Deuteronomium sie dem Mann gesellschaftlich und kultisch weitgehend gleichzustellen."

In ihrem Korreferat hebt *Marie-Theres Wacker* zunächst die große Bedeutung des Beitrags von G. Braulik heraus, insofern dieser das Buch Deuteronomium „inklusiv“ als Dokument einer geschwisterlichen Gemeinde liest; sie versteht dies zugleich als Plädoyer für eine geschwisterliche Kirche, in der auch der Zutritt der Frauen zum Altar kein Tabuthema (mehr) sein darf. Ihre kritischen Rückfragen beziehen sich auf den religionsgeschichtlichen Gesamtrahmen, den G. Braulik seiner Skizze zugrunde gelegt hat; außerdem sucht sie die Diskussion um mögliche Gründe und Hintergründe der biblischen Ascherakritik voranzutreiben.

Der Beitrag von *Silvia Schroer* (Zürich) beschäftigt sich mit der nachexilischen Epoche des biblischen Monotheismus. Kreisen die bisher genannten Beiträge schwerpunktmäßig um Fragen der Zurückdrängung „der Göttin“, so führt Frau Schroer die Weisheitsüberlieferung insbesondere des Buches der Sprüche als gelungenes Beispiel eines „inklusiven“ Monotheismus innerhalb des Ersten (Alten) Testaments selbst vor. Ihre frauenbezogene Lesart der redaktionellen Bezüge zwischen Spr 1–9 mit ihren Reden der „Frau Weisheit“ und Spr 31, der Rede einer Königinmutter, führt zu der materialreich untermauerten These, in der Umbruchs- und Aufbauzeit der frühnachexilischen Epoche habe die „reflektierende Mythologie“ der Weisheitsspekulation Anleihen genommen bei den literarischen Gestalten weiser, tatkräftiger Frauen und es so ermöglicht, den Gottesgedanken im Bild einer Frau anschaulich zu machen. Ihre Hauptthese, die bei der Tagung in der anschließenden Diskussion sehr viel Zustimmung fand, lautet: „Die personifizierte Weisheit ist ... der völlig unpolemische Versuch, an die Stelle des männlichen Gottesbildes und neben dieses Gottesbild ein weibliches zu setzen, das den Gott Israels mit der Erfahrung und dem Leben besonders der Frauen in Israel, den Nationalgott mit dem Bereich der Hausreligion und darüber hinaus mit den Bildern und Rollen der altorientalischen Göttinnen verbindet ... Leider war dieser theologisch einzigartigen und bis heute unerreichten Spielart des Monotheismus in Israel geschichtlich kein großer Erfolg beschieden.“

Das Korreferat von *Gottfried Vanoni* (Mödling – Wien) stellt einerseits vor allem in methodischer Hinsicht kritische Rückfragen an das Referat von Frau Schroer, hält aber andererseits unmißverständlich fest: „Die Theologie der Spr ist nicht der einzige Versuch, ein einseitiges Gottesbild zu vermeiden oder aufzusprengen, sondern sie steht im Verein mit anderen exilischen, nachexilischen Ansätzen. Für mich ist dann weniger wichtig, wie das unübersehbare Schillern der ḥkmh ‚Weisheit' näher zu deuten sein wird. Vielleicht soll es eine erneute Polarisierung verhindern? Für mich ist dann auch nicht so wichtig, wie stark in späteren Texten das Gefälle weg von den exilisch, nachexilischen Versuchen ist. Schlimm genug, daß es ein Gefälle gibt."

Daß Israels Weg *zum* und *im* Monotheismus gerade, wenn er im Horizont der Fragen betrachtet wird, die die feministische Theologie stellt, eine Lebendigkeit des biblischen Gottesgedankens aufscheinen läßt, die oft übersehen oder verdrängt wird, ist die These, die alle hier versammelten Beiträge verbindet.

Ob und wie die hier sichtbar gewordenen Fragen und Erkenntnisse von der systematischen Theologie aufgegriffen werden können, wird sich erst noch zeigen. Daß dabei auch ein theologisch-praktisches Problemfeld mit Handlungsbedarf vorliegt, wurde übrigens in der Schlußdiskussion der Tagung sehr deutlich. Daß an der Tagung 17(!) promovierende, promovierte, habilitierende oder habilitierte Alttestamentlerinnen teilnahmen, wurde von den männlichen Kollegen als Hoffnungssignal für eine strukturelle Veränderung im universitären und kirchlichen Wissenschaftsbereich gewertet. Die Bibelwissenschaft, die sich mit den Wurzeln der Kirche beschäftigt, würde hier gerne zur „radikalen" Erneuerung beitragen.

Marie-Theres Wacker
Erich Zenger

I
Feministisch-theologische Blicke auf die neuere Monotheismus-Diskussion

Anstöße und Fragen

Von Marie-Theres Wacker, Nauheim/b. Limburg

„Du lästerst, Isaak, den einzigen Gott", murmelte finster der Rabbi, „du bist weit schlimmer als ein Christ, du bist ein Heide, ein Götzendiener ..."

„Ja, ich bin ein Heide, und eben so zuwider wie die dürren, freudlosen Hebräer sind mir die trüben, qualsüchtigen Nazarener. Unsere liebe Frau von Sidon, die heilige Astarte, mag es mir verzeihen, daß ich vor der schmerzenreichen Mutter des Gekreuzigten niederknie und bete ... Nur meine Knie und meine Zunge huldigt dem Tode, mein Herz bleibt treu dem Leben! ..."[1]

Ein Dialog, der mitten ins Thema führt. Er stammt aus dem „Rabbi von Bacherach", einem Romanfragment, an dem der große jüdisch-deutsche „Künstler, Tribun und Apostel"[2] Heinrich Heine in den zwanziger und dreißiger Jahren des vorigen Jahrhunderts gearbeitet hat. Ein Dialog um den wahren Glauben oder um die rechte Lebensphilosophie: der eine Diskussionspartner auf der Seite des einzigen Gottes, der andere zu Füßen der Liebesgöttin. Ein Dialog zwischen zwei Juden: der eine empfindet die Anschauung seines Gegenübers als Gotteslästerung, der andere greift bewußt auf eine in der jüdischen Tradition bekämpfte nicht-monotheistische Religionsform zurück. Ein Dialog, der auch das Christentum nicht schont: Auch die christliche Marienverehrung verdeckt nicht die Leib- und Sinnenfeindlichkeit, die dem Poeten Heine, jüdischer Herkunft und evangelischer Taufreligion, aus Judentum und Christentum gleichermaßen entgegenschlägt und die er eine Zeitlang durch Hinwendung zur saint-simonistischen „réhabilitation de la chair" zu überwinden suchte[3]. Ein Dialog schließlich zwischen zwei Männern, in dem das

---

[1] *Heinrich Heine,* Der Rabbi von Bacherach, in: ders., Sämtliche Schriften in 12 Bänden (hrsg. v. *Klaus Briegleb*), Frankfurt 1976, Bd. 1, 461–501, hier 498.

[2] Vgl. a.a.O. Bd. 5, 468.

[3] Vgl. *Dolf Sternberger,* Heinrich Heine und die Abschaffung der Sünde, Frankfurt 1976, passim.

Weibliche in Gestalt der „lieben Frau von Sidon" aufscheint, in der Gestalt des mit göttlicher Dignität umgebenen Sinnlichen und Schönen, des Ewig-Weiblichen, das den Mann hinanzieht.

Die historische Rekonstruktion nicht-monotheistischer Religionsformen des Alten Israel, wie sie seit nunmehr gut zehn Jahren in der deutschsprachigen Exegese zur Hebräischen Bibel diskutiert wird[4], verdankt sich nicht nur fachinterner Forschungslogik, sondern steht darüber hinaus in einer gegenwärtig wieder virulenten Tradition der philosophischen und gesellschaftlich-politischen Bestreitung wie Beschwörung des Monotheismus als derjenigen Religionsform, die seit Max Weber als „Angelpunkt der ganzen Kulturentwicklung des Okzidents"[5] gilt. Auch diesen Kontext zu berücksichtigen hatte Othmar Keel schon 1980 im Vorwort seines Sammelbandes zum Monotheismus den Fachkollegen nahegelegt[6]. Feministische Theologinnen werden aufgrund ihres spezifischen Ansatzes unmittelbarer auf die Wahrnehmung solcher Zusammenhänge geführt.

Ihr Ausgangspunkt ist die Reflexion auf die Erfahrung spezifischer Formen von Diskriminierung und Unterdrückung, wie sie Frauen allein aufgrund ihres Geschlechts zugemutet werden; sie setzen also an bei einer kritischen Analyse der gegenwärtigen Situation und fragen sowohl eher synchron-strukturell nach den aktuell wirkenden Mechanismen als auch historisch-genetisch nach Begründungen und Entstehungsbedingungen heutiger Frauenfeindlichkeit. Die Praxis und Sprache der christlichen Kirchen legen ihnen die Vermutung nahe, daß eine männerzentrierte Anthropologie und eine die Männlichkeit Gottes affirmierende oder zumindest nicht ausdrücklich kritisch in Frage stellende Gotteslehre sich gegenseitig verstärken in ihrer Weigerung, Frauen als eigenständige, mündige Partnerinnen vor Gottes Angesicht anzuerkennen. Eine einseitige

---

[4] Grundlegend: Monotheismus in Israels Umwelt und im Alten Testament (hrsg. v. *Othmar Keel*), Fribourg 1980; Der einzige Gott. Die Geburt des biblischen Monotheismus (hrsg. v. *Bernhard Lang*), München 1980; Gott, der einzige. Zur Entstehung des Monotheismus in Israel (hrsg. v. *Ernst Haag*), Freiburg 1985. Neueste Problemanzeigen im deutschsprachigen Raum: *Manfred Görg,* Monotheismus in Israel – Rückschau zur Genese: rhs 32/5 (1989) 277–285; *Manfred Weippert,* Synkretismus und Monotheismus. Religionsinterne Konfliktbewältigung im alten Israel, in: Kultur und Konflikt (hrsg. v. *Jan Assmann / Dietrich Harth*), Frankfurt 1990, 143–179; *Werner H. Schmidt,* „Jahwe und ..." Anmerkungen zur sog. Monotheismusdebatte, in: Die hebräische Bibel und ihre zweifache Nachgeschichte. FS R. Rendtorff (hrsg. v. *Erhard Blum u. a.*), Neukirchen 1990, 435–447.

[5] Vgl. *Wolfgang Schluchter,* Religion und Lebensführung. Studien zu Max Webers Religions- und Herrschaftssoziologie, 2 Bde., Frankfurt 1988, Bd. 2, 127–196 (Zitat ebd. 192).

[6] *Keel,* Monotheismus (s. Anm. 4) 11–30, bes. 12ff. und 28.

Betonung der Männlichkeit Gottes aber, christlich sicher begünstigt durch die jesuanische Vater-Anrede (und scheinbar affirmiert durch das Mannsein Jesu), bahnt sich bereits in der Hebräischen Bibel an und ist hier eng verschlungen mit der langen und intensiven Auseinandersetzung um andere Gottheiten außer dem Einen allein. Vielen christlichen feministischen Theologinnen ist daher daran gelegen, die Frage zu klären, inwieweit ihre gegenwärtig erfahrbare Diskriminierung als Frauen auf Weichenstellungen beruht, die zurückgehen auf diesen biblisch bezeugten Streit des einen Gottes gegen die Macht und Existenz anderer, insbesondere weiblicher Gottheiten, und ob nicht die Erinnerung an solche weiblichen Gottesvorstellungen ihrerseits die männlich geprägte Gottesrede kritisch aufzubrechen und der weiblichen Lebenswirklichkeit ihre theologische Analogiefähigkeit zurückzugeben vermag.

Von jüdischen Feministinnen wurde dabei auf die Gefahr der unkritischen Wiederaufnahme traditioneller antijudaistischer Klischees aufmerksam gemacht, ein Hinweis, der mir gerade für den deutschsprachigen Diskussionskontext zentral erscheint[7]. Andererseits versuchen aber auch jüdische Frauen auf ihre Weise, ihre eigene Tradition unter dem Stichwort Monotheismus kritisch zu sichten[8]. Beiden ist bewußt, daß solches Tun gleichsam quersteht zur gelebten Glaubensüberzeugung der Religionsgemeinschaften, denen sie angehören, und daß ihre Arbeit vereinnahmt werden kann für Interessen, die mit den ihren keineswegs vereinbar sind. So stehen jüdische und christliche Feministinnen, die kritisch auf Geschichte wie Vorgeschichte des biblischen Monotheismus zurück-

---

[7] Grundlegend: Verdrängte Vergangenheit, die uns bedrängt. Feministische Theologie in Verantwortung für die Geschichte (hrsg. v. *Leonore Siegele-Wenschkewitz*), München 1988, und die Papers des Dritten Kongresses der Europäischen Gesellschaft für theologische Forschung von Frauen, Arnoldshain September 1989, jetzt publiziert in „Kirche und Israel“; *Judith Plaskow,* Christlicher Antijudaismus und die Gottesfrage: Kirche und Israel 5/1 (1990) 9–25; *Asphodel Long,* Antijudaismus in Großbritannien, a.a.O. 5/2 (1990) 148–159; *Fokkelien van Dijk-Hemmes,* Feministische Theologie und Antijudaismus in den Niederlanden, a.a.O. 160–167; *Marie-Theres Wacker,* Feministische Theologie und Antijudaismus – Diskussionsstand und Problemlage in der Bundesrepublik Deutschland, a.a.O. 168–176.

[8] Vgl. besonders *Marcia Falk,* Toward a Feminist Jewish Reconstruction of Monotheism: Tiqqun 4/4 (1989) 53–57, aber auch *Judith Plaskow,* The Right Question Is Theological, in: On Being A Jewish Feminist (hrsg. v. *Susannah Heschel*), New York 1983, 221–233, die dafür plädiert, daß das Wort „Göttin“ für jüdische Frauen wieder zurückgewonnen werden muß, und demgegenüber Ellen Umansky, die einen positiven Wiederanschluß an Israels polytheistische Religion nicht für sinnvoll hält (Hinweis auf Ellen Umansky bei *Carol Christ,* The Laughter of Aphrodite, San Francisco 1987, 91 mit Anm. 18).

blicken wollen, vor der Herausforderung, sich den damit verbundenen hermeneutischen Schwierigkeiten in immer wieder neuen Anläufen zu stellen.

Feministisch-theologische Blicke auf die neuere Monotheismusdiskussion in der Exegese können nach dem Gesagten gar nicht anders als von der Verschränkung historischer, wirkungsgeschichtlicher und zeitdiagnostisch-kritischer Aspekte ausgehen. Ich werde demnach zunächst den aktuellen philosophischen und gesellschaftlich-politischen Kontext der exegetischen Diskussion wenigstens kurz skizzieren (I), vor diesem Hintergrund dann auf die exegetische Monotheismusdiskussion selbst eingehen, mit besonderem Blick auf die Frage weiblicher Gottheiten im biblischen Israel (II), und schließlich andeuten, inwiefern für eine feministisch interessierte Exegese der biblische Monotheismus unaufgebbar bleibt (III).

I. Monotheismus in der Kritik – der aktuelle Diskussionsrahmen

In vielerlei Instanz wird im Westeuropa des letzten Jahrzehnts Kritik am Monotheismus laut[9]. Philosophen, Politiker, Naturwissen-

---

[9] Schon Anfang 1985 hat die Zeitschrift „Concilium" (21/1) ein Heft dem Thema „Monotheismus" gewidmet und dabei ein weites Spektrum der in der Diskussion relevanten Bereiche bzw. inhaltlichen Aspekte einbezogen. Die folgenden Ausführungen können vielfach daran anknüpfen, setzen jedoch die Beobachtung von drei Defiziten voraus: Erstens halte ich es bei aller im Heft praktizierten sprachlichen und sachlichen Sensibilität für die große und lebendige Tradition des jüdischen Monotheismus doch für bedauerlich, daß keine jüdische Stimme in diesem Heft selber zu Wort kommt, zumal Argumente gegen den Monotheismus nicht selten antijudaistisch gefärbt sind. Zweitens wird der Ansatz feministischer Theologie zwar im Vorwort positiv erwähnt, ein eigener Beitrag aus der Feder einer feministischen Theologin ist aber leider nicht zustande gekommen. Und drittens stellt Bernhard Lang zwar die neuere exegetische Diskussion um das vormonotheistische Israel vor, aber keiner der anderen Beiträge bezieht sich konstruktiv oder kritisch darauf, so daß die Diskussionsstränge unverbunden nebeneinander stehen bleiben.

Meine Überlegungen wollen dem abhelfen. Sie bleiben allerdings insofern selber defizitär, als es an dieser Stelle nicht möglich ist, die seit Ende der siebziger Jahre neu aufgelebte theologisch-systematische Diskussion um die Trinitätslehre als spezifische Form christlicher Rede von dem einen und einzigen Gott (vgl. zusammenfassend: *Bernd Jochen Hilberath,* Der dreieinige Gott und die Gemeinschaft der Menschen, Mainz 1990, 57–92) in die Darstellung einzubeziehen. Dies wäre jedoch gerade im Blick auf jene Entwürfe nicht uninteressant, die – wie etwa Jürgen Moltmann (Trinität und Reich Gottes. Zur Gotteslehre, München 1980) – nicht mehr auf der Linie Augustins „psychologische" bzw. subjektphilosophische Analogien zur Interpretation der christlichen Theo-Logie heranziehen, sondern im Gefolge Richard von St. Viktors einer „sozialen" Trinitätslehre das Wort reden, die Gottes Einheit interpersonal zu denken erlaubten und als trinitarische Überwindung des Monotheismus und seiner philo-

schaftler und selbst Theologen beteiligen sich neben Feministinnen aus verschiedenen Bereichen der Kulturwissenschaften. Ihre Kritik äußert sich in vielfältigen Formen mit unterschiedlicher Zielsetzung, kommt aber doch in wesentlichen Motiven überein. Gemeinsam ist ihnen die in verschiedenen Varianten begegnende These, die Gegenwart des ausgehenden 20. Jahrhunderts sei gerade in ihren katastrophischen Aspekten ohne die wirkungsgeschichtliche Macht des jüdischen und christlichen Monotheismus nicht zu erklären.

1. Monotheismus: Totalitäres Einheitsdenken versus Gewaltenteilung und Pluralismus

Eine erste Variante dieser These identifiziert den Monotheismus und seine behaupteten Derivate von der Geschichtsphilosophie der Aufklärung bis hin zum Marxismusrevival der späten sechziger Jahre als die große Gefährdung aller neuzeitlichen Kultur. Schon 1966 hatte Hans Blumenberg die These vertreten, die besten Traditionen der Gegenwart wurzelten in der Selbstbehauptung des neuzeitlichen Menschen gegen die Herrschaft des nominalistisch-absolutistischen Willkürgottes[10]. Daran anknüpfend beschwört Odo Marquard seit Mitte der siebziger Jahre einen entzauberten Polytheismus, um im Namen der Freiheit der Individualität für die Teilung jeglicher Alleingewalt in eine Vielzahl von Gewalten zu plädieren. Monomythie in ihren Konkretionen als religiöser Monotheismus oder als dessen vermeintliches Säkularisat, der neuzeitlichen Geschichtsphilosophie, gilt ihm demgegenüber als extrem freiheitsgefährdend, da sie alle Menschen unter das Machtwort eines allmächtigen Gottes bzw. unter das Sinndiktat der herrschenden Partei und Lehre zwingen wolle, statt die Individuen ihre je eigene Geschichte und ihr je eigenes Glück im freien Spiel gesellschaftlicher Kräfte finden zu lassen[11].

---

sophischen, politischen und klerikalen Entsprechungen und Anwendungen zu begreifen seien. Auffällig nämlich ist gerade im Blick auf diesen Strang der neueren Trinitätstheologie, daß er sich von Geschichte und Existenz des Monotheismus der Hebräischen Bibel und jüdischen Tradition der Sache nach seltsam unberührt zeigt, geschweige denn die neuere exegetische Diskussion systematisch aufgreift. Vgl. dazu auch Anm. 29.

[10] *Hans Blumenberg,* Die Legitimität der Neuzeit, Frankfurt 1966; ders., Säkularisierung und Selbstbehauptung, Frankfurt 1974.

[11] *Odo Marquard,* Lob des Polytheismus. Über Monomythie und Polymythie, in: ders., Abschied vom Prinzipiellen. Philosophische Studien, Stuttgart 1982, 91–116 (zuerst in: Philosophie und Mythos [hrsg. v. *Heinz Poser*], Berlin 1979, 40–58); vgl. auch ders., Aesthetica und Anaesthetica. Philosophische Überlegungen, Paderborn 1989, 20 u.

Anders als Blumenbergs „Philosophie der Entlastung vom Absoluten" redet Marquard provokant und ausdrücklich von „Monotheismus". Dabei fungiert dieser Begriff nicht so sehr als zufällige Chiffre eines tendenziell totalitären Einheitskonzepts, vielmehr soll er darauf hinweisen, wo die Wurzeln des totalitären Denkens historisch zu suchen sind. Dem skeptischen „Lob des Polytheismus" wird die Kritik der jüdisch-christlichen Tradition zur Voraussetzung aller Kritik. Oder, mit Hans Blumenberg: „Nihil contra Deum nisi Deus ipse"[12].

Bleibt Marquard (der ja universalistische Prinzipien philosophisch in Anspruch nehmen muß und auch politisch-faktisch durchaus in Anspruch nimmt)[13] mit seiner die realen Verhältnisse allenfalls streifenden emphatischen Beschwörung von Pluralismus und Individualität noch durchaus der Aufklärung verpflichtet, so zielt ein anderer, unmittelbar politisch motivierter Strom zeitgenössischer Monotheismuskritik auf die Akzeptanzerhöhung klar aufklärungsfeindlicher, d. h. völkisch-neurechter Positionen. Im bundesrepublikanischen Kontext ist hier vor allem das Thule-Seminar in Kassel zu nennen, das in enger Zusammenarbeit mit der entsprechenden französischen Gründung, der „Forschungs- und Studiengruppe für die europäische Zivilisation", kurz und beziehungsvoll GRECE, das Programm einer europäischen Glaubensalternative gegen die nunmehr schon über tausend Jahre währende Überfremdung durch die jüdisch-christliche Tradition entworfen hat[14]. Für

---

passim. Der skeptische Grundzug solcher Rehabilitierung des Polytheismus begegnet bereits bei Max Weber mit seiner recht trostlos anmutenden Schilderung des neuzeitlichen Polytheismus der Wertreihen. Zur Interpretation seines berühmten Hinweises auf die erneut dem Grab entsteigenden alten Götter (in: *Max Weber,* Wissenschaft als Beruf [1919], in: ders., Ges. Aufs. zur Wissenschaftslehre, [3]1968, 603) vgl. *W. Schluchter,* Religion (s. Anm. 5) I, 274–314. – Von exegetischer Seite weist auf Marquard hin *Frank-Lothar Hossfeld,* Einheit und Einzigkeit Gottes im frühen Jahwismus, in: Im Gespräch mit dem dreieinen Gott. Elemente einer trinitarischen Theologie (hrsg. v. *Michael Böhnke / Hanspeter Heinz*), Düsseldorf 1985, 57–74, hier 57. Theologische Kritik am Blumenberg-Marquardschen Konzept der Polymythie bei *Johann Baptist Metz,* Theologie versus Polymythie oder: Apologie der Einfalt, in: Einheit und Vielheit (hrsg. v. *Odo Marquard*), Hamburg 1990, 170–186; zunächst veröffentlicht in etwas gekürzter Form und ohne Anmerkungen in: HerKorr 42 (1988) 187–193 unter dem Titel „Theologie gegen Mythologie. Kleine Apologie des biblischen Monotheismus". Vgl. neuestens ders., Religion, ja – Gott, nein, in: ders. / Tiemo Rainer Peters, Gottespassion, Freiburg u. a. 1990, bes. 25–33.

[12] *Hans Blumenberg,* Arbeit am Mythos, Frankfurt 1979, Vierter Teil: „Gegen einen Gott nur ein Gott"; Zitat a. a. O. z. B. 572 u. ö.

[13] „Das sind die geborenen Dolmetscher". Ein Gespräch mit Odo Marquard, in: Claus Leggewie, Multi Kulti. Spielregeln für die Vielvölkerrepublik, Berlin 1990, 110–119.

[14] Vgl. *Martina Koelschtzky,* Die Stimme ihrer Herren. Ideologie und Strategie der

ihren französischen Chefdenker Alain de Benoist heißt dieses Programm „Heide sein", Wiederanschluß an die vorchristliche, polytheistische und naturverbundene Religion Westeuropas. Denn während der jüdisch-christliche Monotheismus als Inbegriff menschenverachtender Gleichmacherei zu gelten habe, biete das europäische Heidentum mit seiner Heiligung der natürlich gegebenen Ordnungen die Grundlage für die Anerkennung der hierarchischen Vielfalt des Lebendigen, nicht zuletzt auch unter den Menschen mit ihren unterschiedlichen intelligenzmäßigen, rassisch vermittelten und geschlechtspezifisch gegebenen Möglichkeiten bzw. Beschränkungen[15]. Demgegenüber wirkt die profilierteste deutschsprachige Vertreterin der neuen Rechten, Sigrid Hunke, eher auf etwas verlorenem Posten, wenn sie um die Anerkennung der Gleichrangigkeit von Frau und Mann wirbt, wie sie in den germanischen Religionen vorgegeben sei. Sie vermeidet die Selbstbezeichnung als Feministin, Symptom dafür, daß die egalitären Anliegen des Feminismus in der Weltanschauung der Neuen Rechten keinen Ort finden können. Auch für Hunke steht an der Wurzel der gegenwärtigen kulturellen Misere die Deformation Europas durch das Judentum. Zwar spricht sie in Aufnahme religionshistorischer Theorien der zwanziger und dreißiger Jahre hier von der unheilvollen „hurritischen" Anschauung, aber auch in solcher Verkleidung ist die völkisch-antisemitische Herkunft ihrer These kaum verhüllt[16].

„Neuen Rechten" in der Bundesrepublik, Köln 1986; *Erhard Gugenberger / Roman Schweidlenka,* Mutter Erde. Magie und Politik. Zwischen Faschismus und Neuer Gesellschaft, Wien 1987; Rechtsdruck. Die Presse der Neuen Rechten (hrsg. v. *Siegfried Jäger*), Berlin – Bonn 1988 und in der „Stattzeitung" (Kassel) Nr. 166 vom November 1989, 12–16, den Beitrag „Das Thule-Seminar: eine geistige Wehrsportgruppe. Erster Wohnsitz: Kassel!" Dieser Beitrag wurde wiederaufgenommen in die Broschüre „Thule Seminar – Spinne im Netz der Neuen Rechten" (hrsg. v. *AK Neue Rechte*), Kassel 1990. – Für Literaturhinweise und -beschaffung zum Thema „Neue Rechte" danke ich *Helmut Kellershohn,* Duisburger Institut für Sprach- und Sozialforschung (DISS).

[15] *Alain de Benoist,* Heide sein. Zu einem neuen Anfang, Tübingen 1982; vgl. ders., Aus rechter Sicht, 2 Bde., Tübingen 1983 und 1984. In diesem Zusammenhang gilt ihm auch der Katholizismus, auf seinen monotheistischen Begriff gebracht, als revolutionär und also gefährlich; vgl. ders., Der Konflikt der antiken Kultur mit dem Urchristentum, in: Das unvergängliche Erbe. Alternativen zum Prinzip der Gleichheit (hrsg. v. *Pierre Krebs*), Tübingen 1981, 177–197, hier bes. 196f.

[16] *Sigrid Hunke,* Europas eigene Religion, Bergisch-Gladbach 1981; zuvor: Europas andere Religion, Düsseldorf – Wien 1969; dies., Am Anfang waren Mann und Frau, Hamm 1965; erw. Neuauflage Hildesheim 1987 (zur „Hurriterthese", die sie auf Goetze und Bilabel zurückführt, hier 40–71); dies., Die Zukunft unseres unvergänglichen Erbes in Mann und Frau: Elemente (Kassel) Juni/Sept. 1987, 27–34. Ihre bisherigen Schriften zusammenfassend (und mit deutlichen Worten gegen die New-Age-Amerikanisierung Europas): dies., Vom Untergang des Abendlandes zum Aufgang

2. Monotheismus: Dualistischer Weltbegriff versus Divinisierung des Kosmos

Die in der Neuen Rechten entworfene politisch-religiöse Alternative setzt eine weitere konzeptionelle Unterscheidung voraus: Dualismus versus Divinisierung des Kosmos. Denn der Monotheismus jüdisch-christlicher Provenienz gilt ihr als ein geheimer Dualismus, der Gott und Welt in schroffen Gegensatz bringe, die Welt zum Objekt und Gott zu ihrem absoluten Souverän stilisiere, während wahres Einheitsdenken Gott und Welt wieder zusammenbringe.

Die sanfte Variante dazu findet sich verbreitet vor allem in der New-Age-Bewegung. Naturwissenschaftlich ausgearbeitet wird sie etwa in Fritjof Capras „Wendezeit", einem Grundlagenwerk dieser neuen Weltanschauung[17]. Kennzeichen neuzeitlicher Naturwissenschaft, so Capra, war die Auffassung der Welt als eines gigantischen Mechanismus, eine Anschauung, die sich zunächst noch mit einem „monarchischen" Gottesbild, mit der Vorstellung Gottes als außerhalb der Welt und ihrer Gesetzmäßigkeiten stehenden Souveräns verband, ihn aber schließlich – vom Deismus zum Atheismus – als nutzlos gleichsam verabschiedete. An ihre Stelle tritt die sogenannte Gaia-Hypothese, die für Capra wie für andere New-Age-Denker wissenschaftlich untermauerte Auffassung der Erde als eines selbst belebten Organismus, eines als „Subjekt" begriffenen Makro-Lebewesens. Solcher wissenschaftlichen Aufnahme der Gaia-Mythologie entspreche auf spiritueller Ebene eine holistische oder ganzheitliche Grundhaltung, die Göttliches und Kosmisches identifiziert. Im Mythos der Gaia aber ist ein göttliches Symbol in weiblicher Gestalt gegeben, das Capra angesichts der uralten Gleichsetzung von Frau

---

Europas. Bewußtseinswandel und Zukunftsperspektiven, Rosenheim 1989. – Dieser Hintergrund macht deutlich, daß hierzulande auf viel kritischere Weise mit dem Begriff Neopaganismus umgegangen werden muß, als dies etwa in den USA nötig sein mag, wo die positive Wiederaufnahme des Begriffs in neuen religiösen Bewegungen auch innerhalb des Feminismus zu beobachten ist. Vgl. schon *Margot Adler,* Drawing Down The Moon. Witches, Druids, Goddess-Worshippers, and Other Pagans in America Today, New York 1979, und neuerdings etwa die „Special Section on Neopaganism"; Journal of Feminist Studies in Religion 5/1 (1989) 47–100. Zur kritischen Beleuchtung des Begriffs und seiner Wirkungsgeschichte vgl. insgesamt: Die Restauration der Götter. Antike Religion und Neo-Paganismus (hrsg. v. *Richard Faber / Renate Schlesier*), Würzburg 1986.

[17] *Fritjof Capra,* Wendezeit, Basel u. a. 1982. Kritisch dazu etwa: *Gotthard Fuchs,* Holistisch oder katholisch? Christliche Kritik am New Age in solidarischer Zeitgenossenschaft: Lebendige Seelsorge 39 (1988) 264–271.

und Natur auch ausdrücklich für eine Spiritualität des neuen Weltzeitalters bejaht[18].

Eine solch pantheisierende kosmos- und erdverbundene Spiritualität stößt heute, im Zeitalter der weltweiten ökologischen Krisen und Katastrophen, auf sehr viel Zustimmung gerade auch unter Feministinnen und feministischen Theologinnen. Grundlegend ist diese Spiritualität für die sogenannten matriarchalfeministische Richtung. Die alltäglich erfahrbare Frauenverachtung gilt ihr als nur eine Erscheinungsform eines umfassenden Syndroms patriarchaler Natur-, Leib- und Sinnenzerstörung, häufig genug an den Namen eines einzigen, allmächtigen männlichen Gottes im Himmel geknüpft. Um den Symbolkomplex Natur – Erde – Frau – Sinnlichkeit, der unter männlichem Zugriff immer als das „Andere", manchmal – siehe Heine – sehnsüchtig Vermißte, zumeist aber Abgeleitete und Minderwertige gegolten hat, als weiblichen positiv zurückzugewinnen, knüpfen matriarchale Feministinnen intellektuell und spirituell an die Traditionen des Weiblich-Göttlichen an. Im deutschen Sprachraum sind vor allem die Philosophin Heide Göttner-Abendroth und die evangelische Theologin Elga Sorge zu nennen[19]. Hier

---

[18] Capra selbst beruft sich ausdrücklich auf feministische Autorinnen und vereinnahmt deren Spiritualität für sich. Umgekehrt gibt es genügend Feministinnen, die sich ihrerseits dem New Age nahe fühlen. Als recht seichtes Beispiel nenne ich *Susanne Schaup,* Feminismus und „New Age". Überlegungen aus eigener Betroffenheit: Lebendige Seelsorge 39 (1988) 283–287. Schaup scheut sich hier nicht, ausgerechnet den Kulturphilosophen Otfried Eberz mit seinen recht asketisch-gnostisch anmutenden Vorstellungen über das Zeitalter der Versöhnung von Frauen und Männern und vor allem seinem fast unverhüllten Antijudaismus zum Kronzeugen eines frühen „feministischen" Bewußtseins zu stilisieren. Der Katholik Eberz ist im übrigen auch für Christa Mulack ein wichtiger und zweifelhafter Gewährsmann. – Allgemein vgl. *Susanne Lanwerd,* Zur Bedeutung von „Feministischer Spiritualität" in der Literatur des New Age: Die Religion von Oberschichten (hrsg. v. *Peter Antes / Donate Pahnke*), Marburg 1989, 269–277.

[19] Die Monographie von *Heide Göttner-Abendroth,* Die tanzende Göttin. Prinzipien einer matriarchalen Ethik, München, 2., überarb. Aufl. 1984, ist eine Art theoretischer Grundlegung für Göttin-Rituale, die in ihrer Akademie „Hagia" in Weghof/Bayern gefeiert werden. *Elga Sorge,* Autorin von „Religion und Frau", Stuttgart 1985, [2]1987, hat im Frühjahr 1990 durch die Gründung einer Frauenkirche von sich reden gemacht. Zur „Divinisierung des Weiblichen" als gewollter Denkfigur (mit praktischen Auswirkungen) vgl. besonders deutlich *Luce Irigaray,* Göttliche Frauen, in: dies., Genealogie der Geschlechter, Freiburg 1989, 93–120, aber auch schon *Carol Christ,* Warum Frauen die Göttin brauchen; Schlangenbrut 8 (1985) 6–20, und *Heide Göttner-Abendroth,* Du Gaia bist Ich, in: Feminismus. Inspektion der Herrenkultur. Ein Handbuch (hrsg. v. *Luise Pusch*), Frankfurt 1983, 171–195, sowie jetzt *Gerda Weiler,* Ich brauche die Göttin, Basel 1990. – Zur Ritualisierung der Göttinspiritualität vgl. auch die bei *Karin Gaube / Alexander Pechmann,* Magie, Matriarchat, Marienkult, Reinbek b. Hamburg 1988, genannten Gruppierungen bzw. Tendenzen.

geht es im Grunde um den Versuch, im Rückgriff auf die archaisch-utopische Religion der Göttin und über die Dimension des Ästhetisch-Sinnlichen[20] einen Raum des Sakralen zu schaffen, in dem Frauen geschützt, unantastbar, göttlich sind – ein fast verzweifelter Aufschrei, Kehrseite real erfahrener Verweigerung selbstbestimmten weiblichen Lebens[21].

3. Monotheismus: Gewalt versus Toleranz

Damit klingt jene Variante der Monotheismuskritik an, die ich unter die Begriffe „monotheistische Gewalt versus humane Toleranz" stellen möchte. Nicht nur in der Neuen Rechten ist heute die Überzeugung verbreitet, daß die unleugbare Gewaltgeschichte des Christentums ihre Wurzeln habe in denjenigen Texten der Hebräischen Bibel, die Gott mit Krieg, Rache, Ausrottung von anderen Völkern oder Tötung von Andersgläubigen in Verbindung bringen, daß also das Christentum an diesem Erbe der Durchsetzung des einen, intoleranten, aggressiven Gottes Israels leide – ich nenne an Bestsellern, die dieses Motiv aufnehmen, nur Franz Alts „Jesus – der erste neue Mann" und Karlheinz Deschners „Kriminalgeschichte des Chri-

---

[20] Diese hier nur angedeutete Dimension weist zurück auf einen Strang der Monotheismuskritik, wie er als Rezeption des antiken Mythos mit seinen Göttinnen und Göttern seit etwa der Mitte des 18. Jh. in Deutschland greifbar wird (Schiller, Goethe, Hölderlin) und der auch im Werk Heines noch durchscheint. Vgl. dazu *Heinz Gustav Schmiz,* „Kritische Gewaltenteilung". Mythenrezeption der Klassik im Spannungsfeld von Antike, Christentum und Aufklärung: Goethes „Iphigenie" und Hölderlins „Hyperion", Frankfurt u. a. 1988, sowie *Wolfgang Preisendanz,* Der Funktionsübergang von Dichtung und Publizistik bei Heine, in: Die nicht mehr schönen Künste. Grenzphänomene des Ästhetischen (hrsg. v. *Hans Robert Jauß*), München 1968, 343–374. Unter den matriarchalen Feministinnen ist die Philosophin und Literaturwissenschaftlerin Heide Göttner-Abendroth wohl diejenige, die diese Tradition am deutlichsten wahrnimmt.

[21] Diese Beschreibung bemüht sich um eine „sympathetische" Darstellung der matriarchalfeministischen Richtung. Daß ich ihr insgesamt kritisch gegenüberstehe, habe ich deutlich gemacht in: *Marie-Theres Wacker,* Die Göttin kehrt zurück. Kritische Sichtung neuerer Entwürfe: Der Gott der Männer und die Frauen (hrsg. v. ders.), Düsseldorf 1987, 11–25; dies., Matriarchale Bibelkritik – ein antijudaistisches Konzept?, in: Siegele-Wenschkewitz, Verdrängte Vergangenheit (s. Anm. 7) 181–242. Vgl. auch die Kritik bei *Sonja Distler,* Amazonen und dreifältige Göttinnen, Wien 1989. Vgl. zur Problematik des Rückgriffs auf „Archaisches" jetzt *Richard Faber,* Art. „Archaisch/Archaismus", in: Neues Handbuch religionswiss. Grundbegriffe II, Stuttgart 1990, 51–56. – Eine gute, „sympathetisch-kritische" Darstellung der „Göttin-Thealogie" bei *Emily Culpepper,* Contemporary Goddess Thealogy. A Sympathetic Critique, in: Shaping New Visions. Gender and Values in American Culture Today (hrsg. v. *C. Atkinson u. a.*), An Arbor/Mich. 1987, 51–71 (Literaturhinweise und -beschaffung verdanke ich *Daphne Hampson,* Fife/Schottland).

stentums"[22]. Solche Sichtweise ist kurzschlüssig, weil sie die Eigendynamik der Christentumsgeschichte zulasten des Sündenbockes Israel außer acht läßt und zudem die Hebräische Bibel auf ihre Gewalttexte reduziert. Aber auch differenzierende historische Betrachtung[23] kommt nicht an dem Problem vorbei, daß die biblische Geschichte des einen Gottes in der Tat auch gewalttätige Züge trägt: „Der eine Gott wird von bestimmten Trägergruppen bezeugt, die in seinem Dienst stehen – und in deren Dienst *er* steht."[24]

Vielen Frauen gilt, das Problem feministisch zuspitzend, der Zusammenhang von männlich geprägtem Monotheismus und Frauenverachtung bis hin zu tödlicher Gewalt gegen Frauen als sicher. Nicht alle gehen so weit wie Mary Daly, die – hier klingt wieder Heine an – sich von der „Nekrophilie" des Gottes christlicher wie jüdischer Prägung angewidert abwendet und die lebenliebende Göttin als Chiffre entfesselter Kraft des autonomen Weiblichen beschwört[25]. Vor allem Theologinnen unter den Feministinnen bemühen sich heute darum, die Zusammenhänge zwischen Monotheismus, männlich geprägter Gottesvorstellung und Gewalt differenzierter zu analysieren[26]. Durchweg aber klagen auch feministische

---

[22] Vgl. *Franz Alt,* Jesus – der erste neue Mann, München 1989, 118–138; vgl. auch schon ders., Frieden ist möglich. Die Politik der Bergpredigt, München 1983, 26 und 71 (jeweils mit Berufung auf Hanna Wolff und C. G. Jung). *Karlheinz Deschner,* Kriminalgeschichte des Christentums, I: Die Frühzeit, Reinbek b. Hamburg 1986, enthält ein erstes Kapitel, das insinuiert, daß die Ursprünge der christlichen Gewaltgeschichte im Alten Testament zu suchen seien (a.a.O. 71–116; vgl. auch 122f.). Zur Kritik an Alts unaufgeklärtem Antijudaismus vgl. den offenen Briefwechsel zwischen ihm und *Micha Brumlik* in der „Allgemeinen jüdischen Wochenzeitung" vom 20.10.89 und 1.12.89 und *Micha Brumlik,* Anti-Alt, Frankfurt 1991.

[23] Begonnen in: Gewalt und Gewaltlosigkeit im Alten Testament (hrsg. v. *Norbert Lohfink*), Freiburg 1984, und schon bei *Jürgen Ebach,* Das Erbe der Gewalt, Gütersloh 1980. Vgl. auch den Hinweis auf die Bedeutung der Gewaltfrage für die Monotheismusdiskussion bei *David L. Peterson,* Israel and Monotheism. The Unfinished Agenda, in: Canon, Theology and Old Testament Interpretation. FS Bruce S. Childs (hrsg. v. *Gene Tucker u.a.*), Philadelphia 1988, 92–107, hier 99f. Eine Bestandsaufnahme zu Aspekten des Themas auch bei *Bernhard Lang,* Segregation and Intolerance, in: What the Bible Really Says (hrsg. v. *Morton Smith / R. Joseph Hoffmann*), Buffalo 1989, 115–135.

[24] *Peter von der Osten-Sacken,* Grundzüge einer Theologie im christlich-jüdischen Gespräch, München 1982, 176. Vgl. zum Problem insgesamt a.a.O. 168–182.

[25] Besonders *Mary Daly,* Gyn/Ökologie. Zu einer Meta-Ethik des radikalen Feminismus, München 1983; ansatzweise schon: dies., Jenseits von Gottvater, Sohn und Co., München 1978.

[26] Vgl. exemplarisch *Phyllis Trible,* Texts of Terror, Philadelphia 1983; der Titel der deutschen Übersetzung „Mein Gott, warum hast Du mich verlassen", Gütersloh 1988, ist abschwächend. Vgl. auch *Rita Burrichter,* Die Klage der Leidenden wird stumm gemacht. Eine biblisch-literarische Reflexion zum Thema Vergewaltigung und Zerstörung der Identität, in: Weil wir nicht vergessen wollen … Zu einer feministischen

Theologinnen eine Form des Monotheismus ein, die das Andere und die Anderen nicht ausgrenzen oder gar dämonisieren muß, sondern in seiner Andersheit leben und bestehen lassen, mit Toleranz behandeln kann, einen Monotheismus, den etwa die jüdische Feministin Judith Plaskow gerade auch mit Blick auf ihre eigene Tradition einen inklusiven genannt hat[27]. Theologisch hängt für sie dabei viel an einer Revision der Schöpfungslehre.

Im Bestehen auf Toleranz und Inklusivität treffen sich feministisch-theologische Anliegen mit Überlegungen, wie sie auch im interreligiösen Dialog eine Rolle spielen[28]. Nicht zuletzt sind es ja seit den siebziger Jahren christliche Theologen, die auf den faktischen Zusammenhang zwischen der Gewaltgeschichte des Christentums und seinem Absolutheitsanspruch hinweisen, die eingestehen, daß die Geschichte der Wahrheit des einen Gottes der Christen zugleich die Geschichte einer Religion der Sieger ist, der immer wieder Menschen zum Opfer gefallen sind. Dies gilt insbesondere für das Verhältnis des Christentums zum Judentum, obwohl der trinitarische Glaube der Christen doch bekennt, von der jüdischen Wurzel getragen zu sein[29].

Theologie im deutschen Kontext (hrsg. v. *Christine Schaumberger*), Münster 1987, 11–46.

[27] Vgl. Anm. 7 und dies., Standing Again At Sinai, San Francisco 1990, 121 ff.

[28] Vgl. etwa schon im Monotheismusheft der Zeitschrift „Concilium" (s. Anm. 9) passim; kürzlich hat die Münchner Theologische Zeitschrift ebenfalls ein ganzes Heft dem Thema einer (christlichen) „Theologie der Religionen" gewidmet (41/1 [1990]). – *Georg Baudler*, „Erlösung vom Stiergott", München – Stuttgart 1989, gehört der Intention nach auch in diesen Zusammenhang, zeigt sich aber letztlich gegenüber der gemeinsamen Geschichte von Christentum und Judentum nicht sensibel; vgl. als Indiz nur S. 372, wo es um den zu führenden Dialog der Religionen geht: „Gewünscht wäre deshalb ein Buch ähnlicher Zielrichtung und ähnlicher Sprachgestalt (wie das seine, MTW) aus der Feder eines Moslem, eines Vishnu-Gläubigen oder eines Buddhisten" – daß ein Jude fehlt, ist um so befremdlicher, als hier offensichtlich Angehörige von Religionen monotheistischen Grundbekenntnisses oder monotheisierender Tendenz aufgezählt werden (davon, daß keine Autorinnen ins Auge gefaßt sind, einmal ganz zu schweigen ...).

[29] Exemplarisch *Johann Baptist Metz*, Ökumene nach Auschwitz. Zum Verhältnis von Christen und Juden in Deutschland, in: Gott nach Auschwitz. Dimensionen des Massenmordes am jüdischen Volk, Freiburg 1979, 121–144, bes. die Bemerkungen zur Wahrheitsfrage 127 f. – Daß gerade die Neue politische Theologie sich als Theologie nach Auschwitz artikuliert, zeigt, daß sie schärfer zugesehen hat als Erik Peterson, der die Erledigung jeder politischen Theologie auf der Grundlage des trinitarischen Christentums proklamiert und behauptet, politische Theologie sei nur auf dem Boden des monotheistischen Judentums und des Heidentums möglich (*Erik Peterson*, Der Monotheismus als politisches Problem, Leipzig 1935, 99 f.). Denn abgesehen davon, daß sich auch mit der Trinitätslehre Staat(stheorie) machen ließ, die These also historisch falsch ist (vgl. zusammenfassend *Bernd Wacker*, Art. „Politische Theologie": NHthG III, München 1985, 379–391, hier 384 ff.), hat sich der Patrologe und klassische Philologe

Blickt man von hier aus zusammenfassend auf die genannten Varianten der gegenwärtigen Monotheismuskritik zurück, so ist zunächst festzuhalten, in welch starkem Maße sie historisches bzw. exegetisches Wissen beanspruchen. Schon von daher wird die exegetische Auseinandersetzung mit den Ursprüngen und der Geschichte des biblischen Monotheismus heute notwendig. Die immer wieder zum Vorschein kommende antijüdische Wendung der Monotheismuskritik müßte dabei sicherlich Anlaß zu besonderer sprachlicher und sachlich-rekonstruktiver Sorgfalt sein, gerade für christliche Exegeten und Exegetinnen im deutschen Sprachraum. Andererseits ist aber mit aller Vorsicht die Frage zu stellen, ob nicht doch auch an der Geschichte hin zum Monotheismus in Israel selbst schon Aspekte einer Siegergeschichte sichtbar werden, ob nicht deshalb – bei aller Sensibilität gerade gegenüber dem christlich so oft mißbrauchten ersten Teil der Schrift – auch diese Geschichte wenigstens mit dem Versuch des Respekts vor den Unterlegenen und ihrer Religion zu rekonstruieren und zu schreiben wäre. Dies scheint mir nicht nur religionsgeschichtlich methodisch korrekt und aus feministischem Interesse wünschenswert, sondern auch theologisch geboten, wenn denn den diversen modernen Bestreitungen des einen und einzigen Gottes glaubhaft begegnet werden soll.

II. Blicke auf die exegetische Monotheismusdiskussion in feministisch-theologischer Absicht

Auf der Folie dieser Überlegungen sei, nach einigen allgemeinen Bemerkungen zum Stand der Annäherungen zwischen feministischem und neuerem exegetischem Zugang zur Frage, im folgenden die Diskussion um den Monotheismus des biblischen Israel genauer in den Blick genommen.

1. Feministische und neuere exegetische Monotheismusdiskussion – Defizite und Konvergenz

Das Thema des biblischen Monotheismus, das die christliche, insbe-

Peterson m.W. niemals intensiv mit der Hebräischen Bibel und d.h. insbesondere mit deren staatskritischer Tradition im Namen des einen Gottes auseinandergesetzt und konnte so das Judentum zu einer Zeit auf die Seite des Irrtums stellen, da in Deutschland der Antisemitismus bereits erste politische Früchte zeigte ... Diese Linie in Petersons Denken ist bisher in der Peterson-Forschung nicht aufgearbeitet.

sondere die katholische alttestamentliche Wissenschaft im deutschen Sprachraum seit nunmehr gut zehn Jahren wieder neu bewegt, ist bei uns mindestens ebensolang bereits auch in bestimmten Gruppen des religiösen Feminismus bzw. der feministischen Theologie[30] präsent. Allerdings fand die feministische Auseinandersetzung mit dem biblischen Monotheismus zunächst ohne Wissen um die exegetische Diskussion statt – noch das 1984 in erster Auflage veröffentlichte umfangreiche Buch der Psychologin Gerda Weiler über das verborgene Matriarchat im Alten Testament[31] kennt weder Othmar Keels noch Bernhard Langs Sammelband noch andere vergleichbare exegetische Arbeiten. Um so deutlicher wird das feministische Interesse an der Hebräischen Bibel: in der Geschichte der Durchsetzung des Monotheismus gegen die urisraelitische Religion der Göttin und ihres Sohngeliebten JHWH ist nach Gerda Weiler die gesamte folgende Geschichte der jüdisch-christlich-abendländischen Frauenverachtung und ihrer Überhöhung im Gottesbild des einen männlichen Herrschergottes grundgelegt, und eine Rückkehr zu den Ursprüngen deckt ihre Illegitimität auf. Die Hebräische Bibel: Dokument der Göttinreligion und ihrer Auslöschung.

Ein solch wirkungsgeschichtlich-kritischer Blick mit Rekurs auf das heile „Einst" ist der formalen Struktur nach zunächst nicht spezifisch feministisch, sondern, wie im ersten Teil deutlich geworden sein dürfte, geradezu klassisch für die neuere Monotheismuskritik. Neu ist die feministische Zuspitzung[32] auf den sich wirkungsgeschichtlich durchhaltenden Antagonismus männlich – weiblich,

---

[30] Vgl. vor allem das Grundlagenwerk für die deutschsprachige feministische Matriarchatsforschung: *Heide Göttner-Abendroth,* Die Göttin und ihr Heros, München 1980, aber auch die von der AGG Bonn herausgegebene Broschüre 2 × Patriarchat (1980, ²1982), bes. den Aufsatz von *Marga Monheim-Geffert,* Der Geschlechterkampf im Alten Israel, a. a. O. 200–216, sowie die frühen Jahrgänge der feministisch-religiösen Zeitschrift „Schlangenbrut" (seit Anfang 1983) und schließlich, anscheinend damals noch ohne Auswirkung auf die feministische Theologie, das schon 1977 in München übersetzt erschienene Buch der Amerikanerin *Elizabeth Gould Davis,* Am Anfang war die Frau.

[31] *Gerda Weiler,* Ich verwerfe im Lande die Kriege. Das verborgene Matriarchat im Alten Testament, München 1984. Die dritte, überarbeitete Auflage unter dem Titel „Das Matriarchat im Alten Israel", Stuttgart 1989, nimmt Bezug auf die neuere exegetische Diskussion.

[32] Ich sage bewußt „feministische" Zuspitzung, d. h. eine Zuspitzung im Interesse der Frauenbewegung, denn der genannte Antagonismus wurde, wie *Bernd Wacker,* „Mutterseelenallein ..." – Matriarchaliker und hebräische Bibel im Dunstkreis des Faschismus, in: Siegele-Wenschkewitz, Verdrängte Vergangenheit (s. Anm. 7) 204–223, gezeigt hat, von Männern des II. und III. Deutschen Reiches entdeckt und ausgewertet, bevor Feministinnen damit zu arbeiten begannen.

und neu ist der Anspruch, diesen Ursprungskonflikt im biblischen Israel selbst auch umfassend am Textmaterial der Hebräischen Bibel durchzuarbeiten. Gerade diese beiden Akzente machten den Entwurf wohl auch attraktiv für viele feministische Theologinnen.

Die heftige und kontroverse innerfeministische Diskussion um Weilers Buch, die im deutschsprachigen Raum sicherlich einen Sensibilisierungsschub gegenüber Antijudaismus, Rassismus und klassenspezifisch bedingter weiblicher Ohnmacht und Macht bewirkt hat[33], hat nicht zuletzt auch gezeigt, daß historisch wesentlich differenzierter gefragt und analysiert werden muß, als hier geschehen[34]. Umgekehrt ist ein solches Buch Signal dafür, wie wenig sich die traditionelle Exegese und selbst die neuere exegetische Monotheismusforschung bis dato auf Anfragen und Anregungen aus dem feministischen Diskurs eingelassen hatte und – auch das muß gesagt werden – wie wenig Frauen hierzulande bisher für sich die Möglichkeit sahen, sich auf den langen Weg einer theologischen und speziell exegetischen Fachqualifikation mit zudem äußerst wenig Berufsperspektive zu machen.

Der aktuelle Stand der Debatte von beiden Seiten scheint inzwischen einer Annäherung günstiger zu sein. Aus dem französischen und amerikanischen Sprachraum stammt die sich zunehmend auch bei uns durchsetzende Präzisierung, daß feministische Forschung noch vor der Bereitstellung inhaltlich bestimmter Hypothesen und Theorien eine bisher vernachlässigte Grundkategorie einzubeziehen und feministisch zuzuspitzen habe, eine Grundkategorie, die mit dem amerikanischen Begriff „gender" treffender benannt werden kann als mit deutschen Umschreibungen. Gemeint ist die methodisch umgesetzte Einsicht, daß ebenso bestimmend wie Zeitepoche, geographischer Ort und soziale Herkunft von Menschen auch deren Zugehörigkeit zum weiblichen oder männlichen Geschlecht ist und

---

[33] Vgl. *Wacker,* Die Göttin kehrt zurück (s. Anm. 21); die Diskussion in: Schlangenbrut 16–18 (1987) um Antijudaismus, der sich insbesondere an Gerda Weilers Buch festmachte, und *Wacker,* Matriarchale Bibelkritik – ein antijudaistisches Konzept? (s. Anm. 21 bzw. 7). Gerda Weiler hat in der dritten überarbeiteten Auflage ihres Buches (vgl. Anm. 31) auch zu dem an sie gerichteten Antijudaismus-Vorwurf in einem eigenen Nachwort Stellung genommen und bei der Überarbeitung Antijudaismen zu vermeiden gesucht.

[34] Kritische Anmerkungen zu Gerda Weilers Buch aus feministisch-exegetischer Sicht etwa bei *Wacker,* Die Göttin kehrt zurück (s. Anm. 21) 23–28 und, auch diese Überlegungen kritisch weiterführend, bei *Iris Müller,* Ziele und Anliegen der feministischen Theologie. Eine kritische Darstellung unter besonderer Berücksichtigung feministischer Interpretation des Alten Testaments, in: „Ihr alle aber seid Brüder" (sic!). FS A. Th. Khoury (hrsg. v. *Ludwig Hagemann / Ernst Pulsfort*), Würzburg 1990, 475–507.

daher gerade auch die historische Arbeit diesen Aspekt geschlechtsspezifisch bestimmter Lebensäußerungen nicht außer acht lassen kann. Dabei kann es nicht um letztlich biologische Fixierung des Geschlechts („sex“) gehen, gemeint ist vielmehr die Anerkennung der Bestimmtheit von „Geschlecht“ durch Rollen, kulturelle Praktiken und symbolische Formen. Daraus folgt, daß immer auch die Interaktion des Weiblichen und des Männlichen mitzubedenken ist und grobschlächtige Dichotomien wie „Natur/Kultur“ oder „häuslich/öffentlich“ aufzugeben sind zugunsten differenzierender Analyse[35]. Die spezifisch feministische Zuspitzung besteht dabei im bewußten und entschiedenen Achten insbesondere auf die weiblichen Lebenszusammenhänge, ihre konkrete Praxis wie ihre symbolischen Expressionen bzw. Festschreibungen. Maßgeblich sind hier etwa die französische Historikerin Michelle Perrot mit ihren Grundsatzüberlegungen zu einer weiblichen Geschichtsschreibung, die amerikanischen Ethnologinnen Michelle Rosaldo und Louise Lamphere mit ihrem schon 1974 erschienenen Sammelband „Women, Culture and Society“, die deutsche Althistorikerin Beate Wagner-Hasel mit ihren Arbeiten zum vorklassischen Griechenland und, für den alttestamentlich-exegetischen Bereich, wiederum in den Vereinigten Staaten, Exegetinnen wie Phyllis Bird, Susan Ackermann und Jo Ann Hackett, die alle auf ihre Weise auch um das Göttinproblem kreisen, sowie Carol Meyers mit ihren diversen Studien zum frühen Israel[36].

Von der fachexegetischen Diskussion her ergeben sich insbeson-

---

[35] Diese Kennzeichnung erfolgt in enger Anlehnung an *Michelle Perrot,* Vorwort, in: Geschlecht und Geschichte. Ist eine weibliche Geschichtsschreibung möglich? (hrsg. v. ders., Frankfurt 1989; Paris – Marseille 1984!) 15–26, hier 24f.

[36] *Perrot,* Vorwort (s. Anm. 35): zur Rezeption im deutschen Sprachraum: Weiblichkeit in geschichtlicher Perspektive. Fallstudien und Reflexionen zu Grundproblemen der historischen Frauenforschung (hrsg. v. *Ursula A. Becher / Jörn Rüsen*), Frankfurt 1988, besonders den anregenden Beitrag von *Beate Wagner-Hasel,* „Das Private wird politisch“. Die Perspektive „Geschlecht“ in der Altertumswissenschaft (a. a. O. 11–50); Women, Culture and Society (hrsg. v. *Michelle Z. Rosaldo / Louise Lamphere*), Stanford 1974; Gender and Difference in Ancient Israel (hrsg. v. *Peggy Day*), Minneapolis 1989; mit Beiträgen u. a. von Phyllis Bird zur Semantik der hebräischen Wurzel זנה; von Susan Ackerman zur jeremianischen Himmelskönigin und von Jo Ann Hackett zu Hagar); vgl. auch den unten Anm. 61 genannten Aufsatz von Jo Ann Hackett zu den „Fruchtbarkeitsgöttinnen“; *Carol Meyers,* Discovering Eve. Ancient Israelite Women in Context, New York – Oxford 1988. Leider ist in den Arbeiten der amerikanischen Exegetinnen kaum Interesse zu erkennen, die Diskussion in Europa zur Kenntnis zu nehmen oder gar sich damit auseinanderzusetzen … – Zur frauenzentrierten Entschiedenheit, ja „Parteilichkeit“ feministischer Forschung vgl. den Forschungs- und Problembericht bei *Hedwig Meyer Wilmes,* Rebellion auf der Grenze, Freiburg 1990.

dere über neu erschlossene inschriftliche und ikonographische Quellen Ansatzpunkte, dem Stellenwert des Weiblichen im Sozial- und Symbolsystem des biblischen Israel eigene Aufmerksamkeit zu widmen. Den Anfang machte Urs Winter in Fribourg mit seiner großen ikonographischen Untersuchung zum Thema „Frau und Göttin“[37]. Unmittelbar der Frage nach dem biblischen Monotheismus und seinen Auswirkungen auf das Weibliche hat sich dann in monographischer Form Erhard Gerstenberger unter dem Titel „Jahwe – ein patriarchaler Gott?“ gestellt[38]. Und schließlich nenne ich als bemerkenswerten Beitrag aus religionswissenschaftlicher Sicht die Überlegungen von Fritz Stolz zu feministischer Religiosität und feministischer Theologie, der auch viele der Fragen zur Hebräischen Bibel, die im folgenden anstehen, präzise zusammenfaßt[39].

2. Grundlegende Kennzeichen der exegetischen Monotheismusdebatte in feministisch-theologischer Einschätzung

Einzusetzen ist bei dem Faktum, daß im Israel der vorexilischen Zeit und wohl noch darüber hinaus neben JHWH auch andere Gottheiten verehrt wurden. Nach innerbiblischer Sichtweise gilt dies seit dem Exodus aus Ägypten, spätestens seit dem Landtag von Sichem als Abfall von JHWH, als Rückfall in Götzendienst. Aus religionsgeschichtlicher Perspektive ist aber auch für Theologen/-innen heute unstrittig, daß der vorexilische Gottesglaube Israels noch nicht monotheistisch genannt werden kann, insofern die Macht anderer Götter und die Faszination, die sie auf Israel ausüben, als sehr wirkungsvoll gerade noch vorausgesetzt wird, so daß wohl hier eher eine Bezeichnung wie Monolatrie zutrifft.

Umstritten dagegen ist erstens das Alter der JHWHmonolatrie in Israel. Läßt sie sich, wie prononciert von Bernhard Lang vertreten, als Forderung sicher erst ab Hosea nachweisen, oder muß, wie nicht minder prononciert im Sammelband „Gott, der einzige“ vor allem Norbert Lohfink dagegenhält, bis in die vorstaatliche Zeit zurückge-

---

[37] *Urs Winter,* Frau und Göttin. Exegetische und ikonographische Studien zum weiblichen Gottesbild im Alten Israel und in dessen Umwelt (OBO 53; Fribourg – Göttingen 1983) – Vgl. auch den Aufsatz von *Edmond Jacob,* Traits féminins dans la figure du Dieu d'Israël: AOAT 215 (Mél. Delcor), Kevelaer 1985, 221–230.

[38] *Erhard S. Gerstenberger,* Jahwe – ein patriarchaler Gott?, Stuttgart 1988.

[39] *Fritz Stolz,* Religiöser Feminismus – feministische Theologie. Religionswissenschaftliche Perspektiven: ZThK 86 (1989) 475–516. Vgl. ergänzend auch ders., Probleme westsemitischer und israelitischer Religionsgeschichte: Theol. Rundschau 56 (1991) 1–26 (Präzisierung anstehender Fragen anhand einer Literaturumschau).

gangen werden?[40] Mit dieser Alternative sind grundlegende Voraussetzungen methodischer Art gegeben: bei Bernhard Lang eine eher synchron-funktionalistische Betrachtungsweise, die den Streit um die Legitimität der je und je betrachteten Konstellation an dieser Stelle nicht führt; auf der anderen Seite das Bestehen auf der historisch-genetischen Herleitung einer gegebenen synchronen Konstellation und damit verbunden die engagiert geführte Auseinandersetzung um ihre Legitimität. Ist es eine Stärke des Ansatzes von Bernhard Lang, die konkrete Verstrickung des JHWHglaubens in soziale, politische, ökonomische Machtkämpfe nicht vorschnell apologetisch zu verschleiern, so die Stärke der von Norbert Lohfink vertretenen Sicht, die gerade im deutschen Sprachraum sehr problematische christliche Wirkungs- oder besser Rezeptionsgeschichte der Hebräischen Bibel im Auge zu behalten. Aus feministisch-theologischer Perspektive erscheint es mir, wie im ersten Teil deutlich geworden sein dürfte, wünschenswert, aber auch möglich, die Stärken beider Betrachtungsweisen miteinander zu verbinden.

Umstritten ist zweitens und mit dem ersten zusammenhängend die ursprüngliche Trägergruppe der JHWHmonolatrie. Sind es anfangs minoritäre und oppositionelle Gruppen, die erst unter Joschija erste breitere Erfolge haben und in nachexilischer Zeit schließlich die Religion des gesamten Volkes prägen, oder muß von vornherein mit einer breiten Basis als Trägerin der JHWHmonolatrie gerechnet werden, konkret dem vorstaatlichen Israel als akephaler Gesellschaft, das sich als Ganzes auf JHWH verpflichtet hat und dessen egalitärer Impuls sich während der monarchistischen Zeit je und je in der Kritik an den fremden Göttern artikuliert? Je nachdem wird der Akzent auf der revolutionären, schubweise erfolgenden Durchsetzung der JHWHmonolatrie mit ihren unterschiedlichen Motiven oder der jeweiligen Erinnerung an den Anfangsimpuls und den damals geltenden ebenfalls revolutionären Motiven liegen[41]. Es

---

[40] Vgl. *Bernhard Lang,* Die Jahwe-allein-Bewegung, in: ders., Der einzige Gott (s. Anm. 4) 47–83, bes. 63ff.; *Norbert Lohfink,* Zur Geschichte der Diskussion über den Monotheismus im biblischen Israel; in: *Haag,* Gott, der einzige (s. Anm. 4) 9–25, bes. 25.

[41] Gemeinsam ist beiden Ansätzen also die Betonung des „revolutionären" Moments im Gegensatz zu den klassischen, vom Evolutionsgedanken bestimmten religionsgeschichtlichen Thesen: Hier mißversteht m.E. *Peterson,* Israel (s. Anm. 23) 94 Anm. 22 den Ansatz von Lang. Darüber hinaus aber lassen sich die beiden Ansätze ihrer Intention nach wohl nicht so harmonisieren, wie dies etwa *Herbert Vorgrimler* (Theologische Gotteslehre, Düsseldorf 1985, bes. 44–53) versucht; er legt die Sicht Lohfinks von einer vorstaatlich schon gegebenen JHWHmonolatrie zugrunde und kombiniert damit die Lang-Thesen, so daß sich die Zeit der israelitischen Monarchie (bei der Langs Ana-

ist deutlich, daß hier eine je verschiedene Einschätzung des Verhältnisses zwischen Israel und seiner Umwelt, insbesondere der kanaanäischen, zum Tragen kommt: hält Lohfink den antikanaanäischen Impuls für gleichsam den Ursprungsimpuls schon des vorstaatlichen Israel, so bettet Lang das biblische Israel zunächst kaum unterscheidbar in seine Umwelt ein[42].

Für feministische Theologinnen ist es hier entscheidend, die gender-Testfrage zu stellen: Inwieweit sind die Hypothesen androzentrisch geprägt? Sind sie offen für die Wahrnehmung weiblicher Lebenswirklichkeit im biblischen Israel?

Eine dritte Divergenz der beiden Theoriezusammenhänge vermag die Brisanz der gender-Frage zu demonstrieren. In der Perspektive einer sich schubweise verbreiternden JHWH-allein-Bewegung ist viel Raum gewonnen für die Annahme einer nicht exklusiv JHWHgebundenen und dennoch genuinen israelitischen Religion, deren Bindung an einen Gott allein erst das Endergebnis langen Ringens im Innersten Israels selbst wäre. Der Ausgang von der Selbstverpflichtung der akephalen Bauerngesellschaft auf den einen Gott JHWH dagegen impliziert, der Sicht der Hebräischen Bibel gemäß, daß die Verehrung aller anderen Götter außer dem einen allein a limine als Abfall vom wahren Israel und dementsprechend als illegitim zu beschreiben ist. Insbesondere stünde dann auch eine Diskussion über die in Israel verehrten weiblichen Gottheiten von vornherein unter einem solchen negativen Vorzeichen und könnte es dem Selbstverständnis Israels gemäß dann bestenfalls noch darum gehen, wo und warum dem einen Gott eventuell auch weibliche Züge zugeschrieben wurden.

So gesehen erscheint, wenn ich zunächst bei der theorie-immanenten Betrachtung bleibe, die These von der minoritären JHWH-allein-Bewegung bzw. von Kanaan als der „Matrix" der Religion Israels für feministische Theologinnen als Rahmen geeigneter, den ihnen wichtigen Fragen nach der Verehrung auch weiblicher Gottheiten in Israel und deren Bekämpfung, nach dem Spektrum kulti-

---

lysen de facto erst einsetzen) als Periode des Abfalls und der schrittweisen Reformen darstellt ...

[42] Diese Diskussion dürfte im deutschen Sprachraum neu belebt werden durch die kürzlich veröffentlichte Arbeit von Herbert Niehr, die entschlossen die Religion Israels auf der „Matrix" Kanaan verstehen will: *Herbert Niehr,* Der höchste Gott. Alttestamentlicher JHWH-Glaube im Kontext syrisch-kanaanäischer Religion des 1. Jahrtausends v. Chr. (BZAW 190), Berlin 1990. Zur „Matrix" Kanaan vgl. die wiederholte Formulierung bei Niehr, etwa a. a. O. 184ff. und 225.

scher Betätigung von Frauen und nach den Auswirkungen der verschiedenen Phasen der JHWHmonolatrie auf weibliche Lebenswirklichkeit nachzugehen, vorausgesetzt, sie erliegen nicht der Versuchung, nun umgekehrt die Geschichte des JHWHglaubens nur noch als Negativgeschichte angesichts der verlorenen und verdrängten vormonotheistischen Religion Israels wahrzunehmen. Andererseits bietet es natürlich eine Herausforderung, auch die „demokratisch-antikanaanäische" Theorieversion gleichsam von innen heraus für die eben genannten „feministisch-theologischen Anfragen zu öffnen.

Historisch scheint mir ein wichtiger Ansatzpunkt dafür die Konzeption Israels als akephaler Gesellschaft zu sein. Autoren wie Norman Gottwald oder Christian Sigrist deuten zwar an, daß die Stellung der Frau in akephalen Gesellschaften im allgemeinen besser sei als in staatlich zentralisierten, lassen aber keinen Zweifel daran, daß das Egalitätsprinzip der von ihnen ins Auge gefaßten Gesellschaften keineswegs schon die Ungleichheit der Geschlechter aufhebt[43]. Haben sie dabei vor allem segmentäre, patrilinear strukturierte, stark männerdominierte Gesellschaften im Blick, so weisen feministische Ethnologinnen darauf hin, daß in Gesellschaften mit matrilinearem oder kognatischem Verwandtschaftssystem die Frauen zuweilen große Lebensbereiche in eigener Autonomie gestalten, die gerade nicht noch einmal von einer übergeordneten männlichen Instanz kontrolliert werden[44]. Deshalb käme aus feministischer Perspektive vieles darauf an, die Analogie „akephale Gesellschaft" für das vorstaatliche Israel noch näher zu präzisieren[45].

---

[43] *Norman Gottwald,* The Tribes of Yahweh, New York 1979, London 1980, warnt in einer Anmerkung (Nr. 628 zu Kap. XI, a. a. O. 797) vor einer schnellen feministischen Euphorie gegenüber seinen Thesen; *Christian Sigrist* betont in seinem Band: Regulierte Anarchie. Untersuchungen zum Fehlen und zur Entstehung politischer Herrschaft in segmentären Gesellschaften Afrikas, Olten 1967, Frankfurt 1979, die patrilineare Struktur und die Ungleichheit der Geschlechter zumindest für die segmentären Gesellschaften, die einen Teil der akephalen ausmachen.

[44] Vgl. etwa den Band: Von fremden Frauen (hrsg. v. d. *Arbeitsgruppe Ethnologie Wien,* Frankfurt 1989, oder den Katalog zur Ausstellung „Die Braut": Die Braut. Geliebt – verkauft – getauscht – geraubt. Zur Rolle der Frau im Kulturvergleich (hrsg. v. *Gisela Völger / Karin v. Welck*), Köln 1985, 2 Bde., bes. Bd. 2, 504–523 (*Keebet und Franz v. Benda-Beckmann,* Die rechtliche Stellung der Frauen bei den Minangkabau in Indonesien).

[45] Die jetzt von *Rainer Neu,* Patrilokalität und Patrilinearität in Israel: BZ 34 (1990) 222–233, veröffentlichten Überlegungen differenzieren noch zuwenig: Zwar wird sich in Israel kein „Matriarchat" finden lassen, aber es tut nachgerade weh, wie eindimensional Neu das frühe Israel auf seine patriarchal-kriegerische Komponente festlegt.

Für unseren Zusammenhang müßte insbesondere geklärt werden, wie umfassend, welche Lebensbereiche betreffend die Verpflichtung des akephalen Israel auf JHWH genauerhin zu denken ist und wie sich dies auf die Frauen ausgewirkt hat[46]. Vielleicht muß die Theorie gerade dahin modifiziert werden, daß Frauen aufgrund ihres andersartigen gesellschaftlichen Ortes nicht oder nicht in dem Maße und Umfang eingeschlossen waren wie Männer, daß man etwa den Frauen anfangs ihre eigenen nicht-JHWHzentrierten Kultformen, z.B. im Bereich des Totenkultes, beließ und eine zunehmende Ausweitung der Funktionsbereiche JHWHs irgendwann im Verlauf der Monarchie sich auch auf die spezifischen Frauenkulte zu erstrecken begann. Fritz Stolz gibt mit seinem Hinweis auf zwei nebeneinander bestehende Symbolsysteme in Korea, von denen das eine, das konfuzianische, von Männern, das andere, das schamanistische, von Frauen verwaltet wird, einen Fingerzeig in diese Richtung[47]. Möglicherweise ist auch die bekannte Auseinandersetzung um die Himmelskönigin in Jer 44 und – nach der Arbeit von Helgard Balz-Cochois[48] – die Religion der Gomer zur Zeit Hoseas in diesem Sinne zu interpretieren.

Ein solcher Prozeß wäre darüber hinaus sicher nicht abgelöst zu betrachten von den gesellschaftlich-politischen Umschichtungen im monarchischen Israel. Insbesondere könnte eine im amerikanisch-feministischen Kontext seit längerem diskutierte These ergiebig sein, wonach in Gesellschaften, in denen sich eine zentralisierte Leitungsinstanz herausbildet, ein Aufsteigen männlich geprägter Göt-

---

Der Fehler liegt m.E. in der Überschätzung des „nomadischen" Anteils, aus dem Patrilokalität und „segmentär-expansive(s) Organisationssystem" (233) abgeleitet werden.

[46] Schon *Gerhard von Rad* hatte in seinem religionsgeschichtlichen Einleitungsteil zur „Theologie des AT" (Bd. 1, München [6]1969) einerseits konstatiert, „der Ausschließlichkeitsanspruch des Jahweglaubens" hätte „ja von Anfang an kein friedliches Nebeneinanderexistieren der Kulte geduldet" (a.a.O. 39), andererseits angedeutet, wie er sich dennoch eine legitime Vielfalt von Kulten in der vormonarchischen Zeit erklärt: „Offenbar hat der Jahwekultus, dem sich das Ganze des amphiktyonischen Verbandes verpflichtet wußte, der religiösen Betätigung seiner Glieder *noch viel Freiheit gelassen* (Hervorhebung MTW), so daß in dieser Frühzeit zwischen Volks- und Stammesreligion unterschieden werden muß" (a.a.O. 33). Ersetzte man in diesem Zitat die Kennzeichnung „amphiktyonischer Verband" durch „akephale Bauerngesellschaft" und berücksichtigte bei der Unterscheidung von „Volks- und Stammesreligion" auch geschlechtsspezifische Gesichtspunkte, wäre die Richtung meiner Anfrage gut zusammengefaßt.

[47] *Stolz,* Feminismus (s. Anm. 39) 501 f. Vgl. auch den Hinweis bei *Neu,* Patrilokalität (s. Anm. 45) auf *W. Mühlmann,* Die Metamorphose der Frau. Weiblicher Schamanismus und Dichtung, Berlin 1981.

[48] *Helgard Balz-Cochois,* Gomer. Der Höhenkult Israels im Selbstverständnis der Volksfrömmigkeit. Untersuchungen zu Hosea 4,1 – 5,7, Frankfurt 1982.

ter zu beobachten ist, die Attribute und Funktionen anderer und insbesondere auch weiblicher Gottheiten absorbieren oder sie schlicht verdrängen[49]. Ein schönes Beispiel nennt Niehr: Der Usurpator Jechimilk von Byblos etabliert als höchsten Gott den Baalschamem und verdrängt damit die bis dahin höchste Gottheit der Stadt, die „Herrin von Byblos"[50]

Neben den beiden kontrovers aufeinander bezogenen Modellen von Lang und Lohfink zur Entstehung der JHWHmonolatrie in Israel kristallisiert sich im deutschen Sprachraum eine dritte, vermittelnde Sichtweise heraus[51]. Mit Lang geht sie darin überein, daß das 9. bzw. 8. Jahrhundert einen entscheidenden Einschnitt für die JHWHverehrung in Israel bedeutet, deren Novum in einer nun dezidiert anti-polytheistischen Einstellung besteht. Insistiert aber wird – darin Lohfinks Kritik aufnehmend – auf einer präziseren Beschreibung dessen, was „Polytheismus" für den Kontext des staatlichen und vorstaatlichen Israel konkret bezeichne; zu vermuten sei, ein solcher Polytheismus werde bei den relativ wenig komplexen politisch-sozialen Verhältnissen ebenfalls relativ wenig ausdifferenziert

---

[49] Hinweise bei *Rosemary Radford Ruether,* Sexismus und die Rede von Gott, Gütersloh 1985, 67ff. Weiter ausgearbeitet sind entsprechende Überlegungen schon bei *Hans-Gerd Kippenberg,* Bachofen-Lektüre heute, in: *Johann Jakob Bachofen,* Mutterrecht und Urreligion (hrsg. v. dems.), Stuttgart [6]1984, IX–XL, hier XXIVf. Die These, daß JHWH schon früh gerade auch weibliche Gottheiten absorbiert hätte oder daß diese aufgrund seiner religiös-politischen Bedeutung für Israel von vornherein aus dem Blickfeld verschwunden wären, liegt auch den Überlegungen bei *Patrick D. Miller,* The Absence of the Goddess in Israelite Religion: HAR 10 (1986) 239–248, zugrunde. – Die Hinweise auf Guy Swansons Thesen bei *Peterson,* Patrilokalität (s. Anm. 23) 100, nach denen Monotheismus nur auftrete in einigermaßen komplexen Gesellschaften mit hierarchischen Strukturen, stellen sogar grundsätzlich das Konstrukt einer egalitären Gesellschaft als Geburtsort der JHWHmonolatrie in Frage.

[50] KAI 4,3–5; *Niehr,* Der höchste Gott (s. Anm. 42) 26. – Während etwa die gleichzeitig mit Niehrs Arbeit erschienene Monographie von *Mark Smith,* The Early History of God, San Francisco 1990, selbstverständlich die Genderperspektive immer wieder artikuliert, fehlen solcherart Fragen bei Niehr völlig, obwohl sie doch bei seinem religionsgeschichtlichen Ansatz geradezu ins Auge springen müßten. So geht er etwa nur an einer Stelle kurz auf die außerbiblisch-israelitischen Ascherainschriften ein, a.a.O. 190. Zu fragen wäre aber zu seinem Thema etwa, ob der „höchste Gott" jeweils mit oder ohne weibliche Paredros zu denken sei und welcher Rang eine solche Paredros gehabt hat; sodann auch, wieweit die Entwicklung in hellenistisch-römischer Zeit hin zur Großen Göttin, der Dea Syria, ein Spätprodukt oder schon in früheren Konstellationen vorgeprägt ist und ob auf diesem Hintergrund nicht auch eine „höchste *Göttin*" denkbar wäre oder nachweisbar ist.

[51] Vertreten zuerst von *Fritz Stolz;* vgl. die beiden in Anm. 39 genannten Beiträge und schon seinen Artikel „Monotheismus in Israel", in: Keel, Monotheismus (s. Anm. 4) 143–184. Weiterentwickelt bei *Hossfeld,* Einheit (s. Anm. 11), und *Erich Zenger,* Das jahwistische Werk – ein Wegbereiter des jahwistischen Monotheismus?, in: Haag, Gott, der einzige (s. Anm. 4) 26–54.

gewesen sein, so daß er geradezu als „integrative" oder „unpolemische" JHWHmonolatrie bezeichnet werden kann. Aus feministisch (-theologisch)er Perspektive bleibt die Frage, welchen Anteil bzw. Stellenwert das Göttlich-Weibliche in einem solch „reduzierten" polytheistischen System gehabt hat und welches die Auswirkungen der anti-polytheistischen Strömung in Israel für die Wahrnehmung des Weiblich-Göttlichen sowie für die weibliche Lebenswirklichkeit waren.

3. Das Geschlecht der Gottheit

Die Gender-Frage wird demnach von Feministinnen und feministischen Theologinnen sowohl auf das Sozialsystem der jeweils analysierten Gesellschaft als auch auf ihr Symbolsystem bezogen. Dies setzt voraus, daß es Sinn hat, das Geschlecht einer Gottheit als prägend für ihre Wahrnehmung und Verehrung in den Blick zu nehmen, eine Voraussetzung, die sicherlich nicht schematisch gilt. Schon 1934 aber hatte Alfred Bertholet in seiner kleinen Studie zum Geschlecht der Gottheit[52] gemeint, zwar „den Gedanken eines Geschlechts der Gottheit" als etwas „für die Religion nicht primär Bedeutungsvolles beurteilen zu sollen"; in Wirklichkeit freilich sei „die Frage ihres Geschlechts in der Religionsgeschichte von nicht zu unterschätzender Bedeutung geworden" – ein Satz, der sich geradezu wie eine Aufforderung liest, solcher Bedeutung auch nachzugehen.

Von den biblischen Texten her erscheint die Frage nach dem Geschlecht einer Gottheit besonders ergiebig für das Hoseabuch[53]: Hier ist die Männlichkeit JHWHs explizit angesprochen, vermittelt über die soziale Ebene, in seiner Beziehung als Eheherr zur Ehefrau, Braut, Hure Israel. Wird damit also einerseits, wie in der Exegese wohl zu Recht betont, die Einbindung des Göttlichen in Natur durchkreuzt, die Unterschiedenheit von Gott und Welt festgehalten, so auf der anderen Seite durch die symbolische Identifikation Gottes mit einem Eheherrn und Israels bzw. des Landes mit weiblichen Analogien eine Weiche gestellt, die im Sinne unendlicher Überlegenheit des Männlichen über das Weibliche, im Sinne des im ersten

[52] *Alfred Bertholet,* Das Geschlecht der Gottheit, Tübingen 1934.

[53] Ausführlicher in: *Marie-Theres Wacker,* Weib – Sexus – Macht, in: dies. (s. Anm. 21) 101–125. Vgl. auch die Hinweise in meinem Beitrag „Aschera oder die Ambivalenz des Weiblichen" in vorliegendem Band.

Teil angesprochenen, der Achse männlich – weiblich entlanglaufenden Symboldualismus ausdeutbar ist. Schon bei Hosea, erst recht dann bei Ezechiel gehört dazu das von der jüdischen Feministin Drorah Setel[54] direkt pornographisch genannte Element der männlichen Gewalt gegen Frauen, das ja in Form von handgreiflicher Eifersucht nach Norbert Lohfink gerade die spezifische Weise ist, von JHWH als dem einzigen Gott Israels in einem polytheistischen Kontext zu sprechen[55]. Es ist dringend notwendig, daß auch dieser Aspekt des biblischen Erbes der Gewalt, der ja im monotheistischen Sprechen nicht einfach überwunden ist, sensibel und kompetent durchgearbeitet wird.

Die ikonographischen Forschungen besonders von Urs Winter und Silvia Schroer legen nahe, daß bei Göttinnendarstellungen des eisenzeitlichen, d.h. israelitischen Palästina die weibliche Biologie oder spezifisch weibliche Lebensvorgänge im Vordergrund stehen[56]. Dementsprechend ist die exegetische Diskussion der einschlägigen inner- und außerbiblischen Texte zumeist deutlich von der Überzeugung geprägt, bei den dort namentlich genannten – und durchaus nicht eindeutig mit dem ikonographischen Befund übereinzubringenden – Göttinnen handle es sich durchweg um erotische bzw. Muttergottheiten. In beiden Fällen ist dem weiblichen Geschlecht der Göttinnen Bedeutung und Relevanz zugesprochen.

Zu untersuchen wäre hier zunächst, auf welcher sozialen Ebene der Religionsausübung diese Göttinnen anzusiedeln sind: Handelt es sich durchweg um Gottheiten aus der Familienreligion oder Privatfrömmigkeit, oder spielen sie auch auf dörflicher oder gar nationaler Ebene eine Rolle? Oder, unter der gender-Perspektive gefragt: Sind diese Göttinnen besonders für Frauen und hier wiederum besonders in den jeweiligen Lebensabschnitten ihres Frauseins von

---

[54] *Drorah Setel,* Propheten und Pornographie. Weibliche sexuelle Metaphorik bei Hosea, in: Befreien wir das Wort. Feministische Bibelauslegung (hrsg. v. *Letty Russell*), München 1989, 101–112.

[55] *Norbert Lohfink,* Gott. Polytheistisches und monotheistisches Sprechen von Gott, in: ders., Unsere großen Wörter, Freiburg 1977, 127–145.

[56] *Winter,* Frau (s. Anm. 37) passim; *Silvia Schroer,* Die Zweiggöttin in Palästina/Israel, in: Jerusalem. Texte – Bilder – Steine. FS Othmar Keel und Hildi Keel-Leu (hrsg. v. *Max Küchler* u.a.), NTOA 6, Fribourg 1987, 201–225, und dies., Die Göttin auf den Stempelsiegeln aus Palästina/Israel, in: Othmar Keel / Hildi Keel-Leu / Silvia Schroer, Studien zu den Stempelsiegeln aus Palästina/Israel II (OBO 88), Fribourg 1989, 89–207. Vgl. dazu jetzt die nach einer diachronen Zusammenschau des Materials möglich gewordenen Differenzierungen bei Othmar Keel und Christoph Uehlinger in dies., Göttinnen, Götter und Gottessymbole, Freiburg i. Br. 1992 (i. V).

Bedeutung[57], oder stehen sie möglicherweise in irgendeiner Beziehung zu öffentlichem Einfluß von Frauen?[58] Damit verbunden ist zum einen die Präzisierung der Rede von „öffentlichem" bzw. „privatem" Bereich, bezogen auf die jeweilige Gesellschaftsform[59], zum anderen die genauere Beschreibung der Rollen und Funktionen, die Frauen auf kultischem Gebiet und speziell in Kulten weiblicher Gottheiten hatten[60].

Zu untersuchen wäre hier aber auch grundsätzlicher das Theorem des sogenannten Fruchtbarkeitskultes[61]: Was genau deckt dieser Terminus ab? Welches ist seine religionswissenschaftliche Herkunft mitsamt den zu hinterfragenden Prämissen? Sind die unter diesem Terminus versammelten Phänomene wirklich für Israel-Kanaan nachweisbar? Besonders betrifft dies die sogenannte „sakrale Prostitution", die zudem nach Phänomen und Bezeichnung oft nicht unterschieden wird von der sogenannten „Heiligen Hochzeit"[62]. Hier

---

[57] So insinuiert es der systematisierende Rahmen von Winter, der die Fülle der Bilder entsprechend dem weiblichen Lebensablauf zu ordnen sucht …

[58] Von den biblischen Texten hier besonders provokativ 1 Kön 15,14–19 – leider fehlt bisher eine gründliche feministisch-exegetische Analyse zur Rolle der Gevira in Israel/Juda. Hinweise bei *Silvia Schroer,* Weise Frauen und Ratgeberinnen in Israel – literarische und historische Vorbilder der personifizierten Chokmah: BN 51 (1990) 41–60. Vgl. auch meinen Beitrag zu „Aschera" in diesem Band.

[59] Beispielhaft für Athen: *Wagner-Hasel,* Das Private (s. Anm. 36).

[60] Prolegomena dazu bei *Phyllis Bird,* The Place of Women in the Israelite Cultus, in: Ancient Israelite Religion. FS F. M. Cross (hrsg. v. *Patrick D. Miller* u. a.), Philadelphia 1987, 397–419 (Ph. Bird kündigt hier eine größere Studie zum Thema an). Vgl. auch meinen Beitrag zu Aschera im vorliegenden Band. – Speziell zu den Frauen mit dem Spiegel am JHWH-Heiligtum vgl. *Winter,* Frau (s. Anm. 37) 58–65 und *Manfred Görg,* Der Spiegeldienst der Frauen: BN 23 (1984) 9–17, der die biblische Notiz in Zusammenhang mit weiblichen Kultvereinen im Dienst der ägyptischen Göttin Muth bringt. Einschlägig ist – neben der Frage nach den Frauen im Dienst der „Himmelskönigin" (Jer 7,18; 44,15–19) – auch etwa die Diskussion um die נערה bei Amos (2,7); vgl. *Hans Barstad,* The Religious Polemics of Amos, Leiden 1984, 11–36, der ihre Deutung als „Kultprostituierte" zu Recht ablehnt und sie als „some sort of a hostess attached to the mrzḥ" (35) versteht (anders *Hans-Ferdinand Fuhs,* Art. נער; ThWAT 5 [1986] 507–518, hier 517, der zu Recht die sozialkritische Perspektive des Amos hervorhebt, die Alternative soziale *oder* kultische Bedeutung von נערה m. E. aber zu exklusiv sieht). Eine mrzḥ-Zusammenkunft vermutet *Susan Ackerman* auch hinter Ez 8,7–13, vgl. dies. A Marzēaḥ in Ezekiel 8:7–13?: HTR 82 (1989) 267–238, allerdings ohne auf mögliches weibliches Kulturpersonal einzugehen. Zur Institution des mrzḥ vgl. *Heinz-Josef Fabry,* Art. מרזח; ThWAT 5 (1986) 11–16.

[61] Hinweise aus feministischer Sicht bei *Jo Ann Hackett,* Can A Sexist Model Liberate Us? Ancient Near Eastern „Fertility" Goddesses, in: Journal of Feminist Studies in Religion 5/1 (1989) 65–76, und schon bei *Balz-Cochois,* Gomer (s. Anm. 48) passim; jetzt auch, leider ohne Bibliographie, bei *Hubert Cancik,* Art. „Fruchtbarkeit", in: Handbuch religionswiss. Grundbegriffe II, Stuttgart 1990, 447–450.

[62] Vgl. zur sogenannten „Kultprostitution" *Marie-Theres Wacker,* Kosmisches Sakrament oder Verpfändung des Körpers? Zur sogenannten „Kultprostitution" im bibli-

kann, so vermute ich, gezeigt werden, daß eine Mischung aus harmonisierender Textinterpretation auf der Folie einer religionswissenschaftlich veralteten Globaltheorie und fast mythisch wirkendem Festhalten an der Faszination des ekstatisch-fremden und sinnlich-verschlingenden Weiblichen entstanden ist, die die Exegeten erst allmählich aus ihrem Bann entläßt – und auch viele Feministinnen beeindruckt hat, sahen sie doch hier das Faktum sakralisierter Erotik als genaues Gegenbild der alltäglich erfahrbaren Dämonisierung des weiblichen Körpers.

Zu differenzieren wäre schließlich auch die Rede von Muttergottheiten, ein noch zu wenig aufgearbeitetes Erbe der Monotheismuskritik. Goethes/Fausts Gang zu den Müttern, die saint-simonistische Erwartung der messianischen Mutter aus Ägypten, J. J. Bachofens Mutterrecht, die Proklamation des ursemitischen Matriarchats etwa bei W. Robertson Smith bis hin zur Religionswissenschaft der ersten Hälfte unseres Jahrhunderts mit ihrer von James Frazer inspirierten allgegenwärtigen Suche nach Erdmüttern, Baummüttern und Kornmüttern sowie der durch die Tiefenpsychologie Jungs bzw. Neumanns mächtig Auftrieb erhaltenden Rede von der „Großen Mutter“: all dies zeigt – hier kann ich mir eine ironische Beobachtung von Mircea Eliade zu eigen machen[63] – sicher mehr über die bewußten und unbewußten Sehnsüchte der jeweiligen Kritiker und auch Kritikerinnen als über die tatsächliche Verehrung des Weiblich-Göttlichen in antiken bzw. sogenannten primitiven Religionen[64].

4. Ein weibliches Gegenüber JHWHs?

Die Frage nach dem Geschlecht der Gottheit wird insonderheit in der Diskussion um eine mögliche Paredros – oder, wie sich im englischen und deutschen Sprachraum inzwischen sprachlich eingebürgert hat, eine Paredra – JHWHs relevant. Wann, wo und auf welcher Ebene der Religionsausübung wurde ihm eine Paredra beigegeben und welche? Handelt es sich – so die gängige exegetische Auskunft –

schen Israel und im zeitgenössischen hinduistischen Indien, in: Sehnsucht nach dem guten Leben. FS. W. Schottroff (hrsg. v. *Rainer Kessler u. a.),* Fribourg 1992.

[63] Vgl. *Mircea Eliade,* Das Okkulte und die moderne Welt. Zeitströmungen in der Sicht der Religionsgeschichte, Salzburg 1978, 11.

[64] Vgl. auch die Kritik von *Culpepper,* Goddess (s. Anm. 21), die unter dem Stichwort „Muttergöttin“ tragende Elemente der Göttin-Thealogie im Interesse eines reflektierteren feministischen Rückbezugs auf das Symbol des Weiblich-Göttlichen befragt.

um einzelne Phasen in der Religionsgeschichte Israels, die besonders unter fremdem Einfluß standen, etwa von Kanaan und Assur, bzw. betrifft dies nur geographische Randzonen, wie Elephantine oder Kuntilet ʿAğrud? Ist es Volksglaube oder „offizielle" Anschauung? Aber auch: Kann denn tatsächlich bei der Anat-Jahu von Elephantine bzw. der Aschera von Kuntilet ʿAğrud oder Ḥirbet el-Qōm von einer Paredra gesprochen werden, oder handelt es sich z. B. lediglich um eine hypostasierte Abstraktbildung? Oder müssen wir nicht ganz im Gegenteil von der Selbstverständlichkeit einer Partnerin JHWHs von den Anfängen an ausgehen, und wäre sie erst im Prozeß des Ringens um die Einzigkeit JHWHs zum Problem geworden?

Für feministische Theologinnen hat die Frage nach einer Paredra JHWHs und ihrem Stellenwert in der Religionsgeschichte Israels eine besondere Brisanz, ist doch hier der Ort des Weiblichen im Zentrum der Gottesauffassung Israels berührt. Allerdings scheint mir in der Exegese weithin unscharf bestimmt zu sein, was in dem Titel „Paredros" im einzelnen mitgesetzt sein soll. Geht es, wie etwa Silvia Schroer andeutet[65], um die gerade noch tolerierbare, die Einzigkeit Gottes nicht gefährdende Zu- im Sinne von Unterordnung eines Weiblich-Göttlichen, wie es etwa die Inschriften von JHWH und seiner Aschera nahelegen mögen, und läge dementsprechend der Grundkonflikt im Gegenüber von JHWH und einer Großen Göttin, die eines männlichen Partners nicht bedarf? Geht es, wie Andeutungen etwa bei Bernhard Lang entnommen werden könnte[66], eher um eine Form polytheistischer Religion, in der JHWH durch seine Paredra in ein ganzes Pantheon integriert wird? Oder geht es, wie zumeist in der Literatur vertreten, gleichsam quer dazu in erster Linie um die Betonung des erotisch-sexuellen Aspekts beider Gottheiten, um eine polare geschlechtsbestimmte Spannungseinheit, um das Männlich-Weibliche im Sinn von Divinisierung der Natur, und wäre der Kampf gegen die Paredra dann als Ringen auch um die Welttranszendenz Jahwes zu deuten?

Die im ersten Teil angedeuteten Konstellationen der aktuellen Monotheismusdebatte finden in dieser Diskussion um JHWHs Paredra ihr historisches Pendant. Wie sie im einzelnen historisch auch

[65] *Silvia Schroer,* In Israel gab es Bilder, Fribourg 1987, 44.

[66] Die Jahwe-allein-Bewegung (s. Anm. 40 bzw. 4) 60f. Vgl. auch *Helga Weippert,* Palästina in vorhellenistischer Zeit. Handbuch der Archäologie. Vorderasien I, München 1988, 621, die von der „Neigung" der Nationalgötter zu „Familienbildung" ausgeht.

zu entscheiden ist, in jedem Fall bleibt für feministische Theologinnen das Problem, daß die jeweilige Form des Weiblich-Göttlichen dem monotheistischen Gottesglauben der Hebräischen Bibel nicht tragbar war. Den Gründen dafür werden wir nachzugehen haben, nicht ohne darauf zu achten, was in den jeweiligen biblisch bezeugten Auseinandersetzungen auch an Mißverständnissen und Verzerrungen mitgespielt haben könnte.

Bestimmte Elemente des Weiblich-Göttlichen sind aber anscheinend auch als integrierbar oder nie anstößig empfunden worden – hierhin gehört insbesondere die in Gen 1 und öfter anklingende Vorstellung von der mütterlichen Erde und andererseits auch die JHWH-Mutter-Metaphorik. Warum gerade diese Vorstellungen beibehalten werden konnten, wäre zu untersuchen[67] – die an Hosea 11 entwickelte These von Helen Schüngel-Straumann jedenfalls steht im Raum, dergemäß die Rede von Gott als Mutter als Symptom einer politisch-religiösen Krise zu verstehen sei[68].

Die unbestreitbar positive Bedeutung des Göttlich-Weiblichen in seinen vielfältigen, nicht auf die Mutterrolle bzw. die weibliche Biologie beschränkten Facetten aber auch für den Glauben Israels wird sichtbar in der Weisheitsgestalt. Die Weisheitstraditionen sind zudem international eingebunden, verbinden den Blick auf Allgemein-Menschliches und auf Naturphänomene mit spezifisch israelitischen Erfahrungen und sind dadurch sicher diejenigen biblischen Traditionen, die am ehesten der heutigen nicht nur unter Feministinnen verbreiteten Sehnsucht nach Harmonie von Mensch und Natur, Leib und Geist entgegenkommen, die Transzendenz des einen Gottes und seine Weltimmanenz miteinander vermitteln.

Unter feministisch-theologischer Perspektive haben bisher in den Vereinigten Staaten vor allem Claudia Camp und im deutschsprachigen Raum Silvia Schroer an den Weisheitstraditionen exegetisch gearbeitet[69]. Im Hinblick auf die Monotheismusdiskussion interes-

---

[67] Vgl. zum Thema geschlechtsspezifischer Symbolik in den Schöpfungstraditionen die Beiträge von Helen Schüngel-Straumann und Hans-Winfried Jüngling in diesem Band.

[68] *Helen Schüngel-Straumann,* Gott als Mutter in Hosea 11: ThQ 166 (1986) 119–134; dazu bisher *Othmar Keel,* Jahwe in der Rolle der Muttergottheit: Orientierung 53 (1989) 89–92; *Siegfried-Kreuzer,* Gott als Mutter in Hosea 11?: ThQ 169 (1989) 123–132, und *Marie-Theres Wacker,* Gott als Mutter? Zur Bedeutung eines biblischen Gottes-Symbols für feministische Theologie: Concilium 25 (1989) 523–528. Vgl. neuestens: *Martti Nissinen,* Prophetie, Redaktion und Fortschreibung im Hoseabuch. AOAT 231. Kevelaer-Neukirchen-Vluyn 1991, 229–335.

[69] *Claudia V. Camp,* Wisdom and the Feminine in the Book of Proverbs, Sheffield 1985; dies., Woman Wisdom As Root Metaphor. A Theological Consideration, in: The Listening Heart. FS R. E. Murphy (JSOT Suppl. Ser. 58), Sheffield 1987, 45–76; *Silvia*

siert insbesondere, wann, wie und warum gerade die Gestalt der Weisheit eine so positive Bedeutung in der Religions- und Glaubensgeschichte Israels gewinnen konnte. Sollte angesichts der Weisheitsgestalt nicht eine Revision des in der Exegese im allgemeinen etwas starr gehandhabten Schemas vom nachexilisch definitiv errungenen Monotheismus fällig sein? Nicht zuletzt bietet das Spannungsverhältnis, das in der Hebräischen Bibel besteht zwischen der Weisheitsgestalt als eigenständig wirkender göttlicher Größe und ihrer Integration in den monotheistischen Gottesglauben, Anregungen dafür, wie ein inklusiver Monotheismus theologisch bzw. praktisch artikuliert werden könnte. Hierin dürfte die Weisheitstradition als eine Alternativbewegung zur prophetisch-kämpferisch-ausgrenzenden Linie anzusprechen sein und ist darin vielleicht zusammenzunehmen mit der unpolemischen Monolatrie des jahwistischen Werks, wie sie Frank-Lothar Hossfeld und Erich Zenger herausgearbeitet haben[70].

III. Auf dem Weg zu einer feministischen Theologie im Gespräch mit der Hebräischen Bibel

Das Einklagen von Ganzheitlichkeit und Inklusivität gilt gemeinhin dort, wo Männer bereit sind, religiösen Feminismus und feministische Theologie ernst zu nehmen, als deren grundlegendes Kennzeichen überhaupt. Auch Frauen fühlen sich vielfach gerade hier angesprochen, können sie doch so oft erstmals positiven Zugang zu ihrem eigenen Frausein finden. Selbst manche Kirchenmänner sind ganz angetan davon, daß jetzt mehr Bewegung, Tanz, Spiel, Emotionalität, kurz, Weiblichkeit in ihre Gemeinden und die Gottesdienste hineinkommt. Bei aller positiven Würdigung ist daran problematisch die Tendenz zu einer neuerlichen Festschreibung von Frauen

Schroer, Der Geist, die Weisheit und die Taube. Feministisch-kritische Exegese eines neutestamentlichen Symbols auf dem Hintergrund seiner altorientalischen und hellenistisch-frühjüdischen Traditionsgeschichte: FZThPh 33 (1986) 197–225; dies., Weise Frauen (s. Anm. 58) sowie ihren Beitrag im vorliegenden Band; auch: dies. / Helen Schüngel-Straumann, Sophia – Gott im Bild einer Frau. Themenheft Nr. 103, 26/3 (1990) von „Bibel heute". Vgl. auch *Susan Cady / Marian Ronan / Hal Taussig,* Sophia. The Future of Feminist Spirituality, New York 1986.

[70] *Hossfeld,* Einheit (s. Anm. 11); *Zenger,* Jahwistisches Werk (s. Anm. 51). – Zur Weisheit vgl. auch die Anmerkungen über ihre Trägerkreise bei *Frank Crüsemann,* Israel in der Perserzeit. Eine Skizze in Auseinandersetzung mit Max Weber: Max Webers Sicht des antiken Christentums (hrsg. v. *Wolfgang Schluchter*), Frankfurt 1985, 205–232, hier 220f.

auf ihre typisch weiblichen Rollen des Stiftens von Harmonie, Frieden und leicht erotisch aufgeladener Gemütlichkeit – also die Gefahr ihrer Fixierung auf die nur etwas hausbackenere Variante „unserer Lieben Frau von Sidon“ (Heine) ...

Deshalb möchte ich zum Schluß noch einmal auf die prophetisch-kämpferische Linie zurückkommen und mögliche Anschlußstellen für feministische Theologie aufzeigen.

Die prophetisch-kämpferisch ausgrenzende Linie mit ihren konkreten biblischen Inhalten ist im Blick, wenn als Kennzeichen des biblischen Ein-Gott-Glaubens, etwa bei Raffaele Pettazoni, dem sich Bernhard Lang und Othmar Keel anschließen, sein revolutionärer Charakter oder, mit Fritz Stolz, seine anti-polytheistische Stoßrichtung hervorgehoben wird[71]. Der Begriff „Monotheismus“ dagegen, eine neuzeitliche Prägung, scheint gerade in dem Moment breitere Rezeption gefunden zu haben, als die Suche nach einer aller historischen Partikularität enthobenen allgemeinen Vernunftreligion das eine höchste göttliche Wesen, befreit von seinen konkreten biblischen Bestimmungen, als gleichsam den gemeinsamen Nenner aller vernünftig denkenden Menschen proklamierte[72]. Daß aber die Nicht-Europäer und die Nicht-Männer dieser Vernunft als weithin nicht mächtig angesehen wurden und die vernunftkritische Gegenbewegung seit dem Ende des 18. Jahrhunderts denn auch gleichermaßen auf den edlen Wilden und die Verklärung des Weiblichen setzte, mag zu denken geben. Und ebenso zu denken gibt auch die Tatsache, daß das eine höchste göttliche Wesen (gerade wenn es nicht deistisch verstanden wurde) den aufkommenden Natur- und Humanwissenschaften zunehmend hinderlich bzw. entbehrlich wurde und daß, als schließlich bei Max Weber der okzidentale Rationalismus gerade als die vollendete Entzauberung des bereits selbst solche Entzauberung beginnenden prophetisch-ethischen Gottesgedankens dargestellt werden konnte, in unmittelbarer Umgebung Webers selbst aber wiederum eine von Frauen

---

[71] *Raffaele Pettazoni,* Die Entstehung des Monotheismus, in: ders., Der allwissende Gott. Zur Geschichte der Gottesidee, Frankfurt – Hamburg 1960, 109–118 (lt. Anm. 5 zu diesem Abschnitt [a.a.O. 138f.] erstmals 1950 publiziert); *Keel,* Monotheismus (s. Anm. 4) 21; *Lang,* Der einzige Gott (s. Anm. 4) 83 mit Berufung auf Keel; *Stolz* in: Keel (s. Anm. 51 und 4) 154.

[72] Der älteste Beleg für den Begriff „Monotheismus“ versteht ihn im Sinne eines Einheitsglaubens und bezieht ihn, in Abgrenzung vom biblischen Eingottglauben, auf den Pantheismus der Heiden. Insgesamt zur Begriffsgeschichte vgl. *R. Hülschewiesche,* Art. „Monotheismus“, in: Historisches Wörterbuch der Philosophie (hrsg. v. *Joachim Ritter / Karlfried Gründer*) VI (1984) 142–146.

mitgetragene Bewegung der Vernunftkritik am Werk war, die sich ihrerseits auf den von den Propheten bitter bekämpften frauenfreundlichen „Astartekult“ berief[73].

Die Alternative einer frauenfreundlichen Göttin-Religion muß dort beschworen werden, wo die biblische Monotheismustradition auf die Seite des jeweils Herrschenden geschlagen wird: etwa als Eurozentrismus in Politik und Wirtschaft, als Rassismus, als Androzentrismus. Demgegenüber haben charakteristischerweise nicht christliche Theologen, sondern Sozialwissenschaftler und Philosophen jüdischer Herkunft – ich meine die Denker (im Umkreis) der sog. „Frankfurter Schule“ – ein eminent herrschaftskritisches Moment der biblischen Monotheismustradition erinnert, die Solidarität mit den Marginalisierten, Leidenden und Toten, mit den Opfern der Geschichte, die in die Vision einer gerechten Welt einzubeziehen sind.

Nicht von ungefähr dürfte im bundesdeutschen Kontext gerade aus dieser Richtung heute der deutlichste Protest gegen einen pluralistischen Beliebigkeitszynismus und eine polymythische Nivellierung aller Wahrheitsansprüche zu hören sein[74]. Gleichzeitig versucht man hier zu zeigen, daß der Ruf nach universaler Solidarität oder Gerechtigkeit als der unaufgebbaren Wahrheit des biblischen Erbes nicht ihrerseits notwendig totalitär werden muß – dann nämlich nicht, wenn mit dem biblischen Bilderverbot, gedeutet im Sinne eines Verweises auf die Unverfügbarkeit Gottes, auch philosophisch und politisch-praktisch Ernst gemacht wird[75]. In solcher Umsetzung bedeutet das Bilderverbot eine stete Negation des vermeintlich akzeptablen Status quo, mit den Worten des französischen jüdischen Philosophen Bernard-Henri Lévy, des prominenten Kritikers von Alain de Benoist, „das Mißtrauen gegenüber allen

---

[73] Zu erinnern ist an die mit Weber befreundeten Richthofen-Schwestern, die mit Otto Gross in Schwabing/Ascona als „Sexualimmoralisten“ direkt oder indirekt der leib- und sinnenfreudigen Göttin huldigten. Vgl. *Wacker,* Mutterseelenallein (s. Anm. 32) 222 f. sowie *Schluchter,* Religion (s. Anm. 5) I, 188–195 u. 278 ff.

[74] In der Bundesrepublik hat es Hauke Brukhorst aus der Sicht Kritischer Theorie unternommen, den Streit mit Vertretern des neuen philosophischen Pluralismus als Streit um das unverzichtbare Erbe des Monotheismus aufzunehmen: vgl. *Hauke Brunkhorst,* Theodor W. Adorno. Dialektik der Moderne, München 1990, bes. 146–185 („Solidarität und Objektivität: Adorno, Rorty, Lyotard und Foucault“) und jetzt ders., Der entzauberte Inellektuelle. Hamburg 1990, bes. 189–290.

[75] *Brunkhorst,* Adorno (s. Anm. 74) 168 ff. mit Berufung auf Adorno; ders., Intellektuelle (s. Anm. 74), 267–290 („Exodus – Der Ursprung der modernen Freiheitsidee“). Vgl. die entsprechende Rede von Bilderverbot und Götterkritik in der Theologie der Befreiung, bes. in dem Sammelband: Die Götzen der Unterdrückung und der befreiende Gott (hrsg. v. *Hugo Assmann*), Münster 1984.

Normen, die Gestalt annehmen, allen profanen Göttern, allen Göttern überhaupt“[76].

Auch feministischen Theologinnen geht es um Gerechtigkeit für die Opfer der Geschichte, muß doch die Geschichte von Frauen in weitem Umfang als eine Geschichte der Unsichtbarmachung, Marginalisierung, Auslöschung geschrieben werden[77]. Ist aber die Forderung nach universaler Gerechtigkeit bleibend mit jenem Gott der Hebräischen Bibel verbunden, dann muß von diesem Gott heute so gesprochen und sein Name handelnd so bezeugt werden, daß deutlich wird, inwiefern „seine“ Gerechtigkeit gerade auch Frauen betrifft[78].

[76] *Bernard-Henry Lévy,* Das Testament Gottes, Frankfurt u.a. 1984, 13 – die Bemerkung ist hier im übrigen auf das jüdische Gesetz bezogen.

[77] Vgl. dazu vor allem *Christine Schaumberger,* Das Verschleiern, Vertrösten, Vergessen unterbrechen. Zur Relevanz politischer Theologie für feministische Theologie, in: Wacker, Gott der Männer (s. Anm. 21) 126–161 und *Christine Schaumberger / Luise Schottroff,* Schuld und Macht, München 1988.

[78] Als Prolegomena einer solchen feministischen Theologie der Gerechtigkeit können die Ausführungen von *Sharon Welch,* Gemeinschaften des Widerstandes und der Solidarität. Eine feministische Theologie der Befreiung, Fribourg 1988, gelesen werden, die den Ansatz von Michel Foucault für die feministische Theologie fruchtbar zu machen sucht. Vgl. die Rezension von *Doris Brockmann,* Befreiung als Perspektive: TAZ 23.3.89.

II
Weibliche Dimensionen in mesopotamischen und alttestamentlichen Schöpfungsaussagen und ihre feministische Kritik

Von Helen Schüngel-Straumann, Kassel

„Ich will fortan nicht mehr
die Erde um der Menschen willen verfluchen,
denn das menschliche Denken ist böse von Jugend auf.
Ich will fortan nicht mehr
alles Lebendige schlagen, wie ich getan habe.
Solange die Erde steht, soll nicht mehr aufhören
Saat und Ernte, Frost und Hitze,
Sommer und Winter, Tag und Nacht." (Gen 8,21-22)

Mit diesen Worten verspricht Jahwe nach der Sintflut, daß er nie mehr eine solche Katastrophe über die Erde verhängen würde. Hier zeigt sich Gottes menschenfreundliches Gesicht. Betrachtet man jedoch das Gottesbild der ganzen Sintflutgeschichte, erhält man einen eher ambivalenten Eindruck. Othmar Keel[1] hat im Hinblick auf diese Texte des Jahwisten darauf aufmerksam gemacht, daß die altorientalische Muttergöttin in entsprechenden Erzählungen die Menschen verschonen, während der neben ihr auftretende männliche Gott für die Vernichtung der Menschen eintreten will: „Gott ist vor und nach der Sintflut ein anderer. Im Selbstgespräch nach der Flut redet die eine Seele in seiner Brust mit der andern. Jene, die nicht strafen und vernichten will, gewinnt die Oberhand über die erzürnte, eifernde und strafende. Woher kommen diese zwei Seelen in Jahwes Brust?"[2] Während Jahwe vor der Flut selbst die Vernichtung von Menschen und Tieren beschlossen hat, reut es ihn nachher, und das obige Versprechen entspringt einzig *seiner* Haltung, denn die Bosheit der Menschen ist als etwas Bleibendes gedacht. „In der älteren Version der israelitischen Sintflutgeschichte wandelt sich Jahwe – plakativ gesagt – von Enlil zu Ischtar. Die menschliche Erfahrung, die dem Gottesbild *nach* der Sintflut zugrunde liegt, ist die Erfah-

---

[1] *Othmar Keel,* Jahwe in der Rolle der Muttergöttin: Orientierung 53 (1989) 88–92.
[2] Ebd. 90.

rung der Mutter, die das, was sie unter Mühen und Schmerzen hervorgebracht hat, unter keinen Umständen vernichtet sehen will. Die Menschheit hat sich durch die Katastrophe nicht verändert. Aber Jahwe hat die Position des kämpferischen, strafenden Richter- und Staatsgottes verlassen und die der uralten sumerisch-akkadischen Muttergottheit bezogen." [3]

Die Widersprüchlichkeit im Gottesbild beschränkt sich nicht auf die Sintfluterzählung. Auch in der Schöpfungs- und Sündenfallgeschichte des Jahwisten trägt Jahwe gelegentlich ambivalente Züge. Daß dem Jahwisten der ganze Komplex von Schöpfung bis Flut aus der mesopotamischen Tradition vorgegeben war, ist bekannt. Deswegen beschränke ich mich in der folgenden Auswahl auf Texte der sumerisch-akkadischen Tradition. Wie eng die Aussagen in der Sintfluterzählung mit denen der jahwistischen Schöpfungserzählung zusammenhängen, läßt sich besonders deutlich an den Aussagen über die *'ªdāmāh* (Erde) zeigen. Während Gen 3,17 ein *Fluch* über die *'ªdāmāh* ausgesprochen wurde, wird dieser von Gott nach der Sintflut explizit zurückgenommen! Mann und Frau werden ja Gen 3 nicht verflucht, ein Fluch wird einzig über die Schlange (Gen 3,14) und über die *'ªdāmāh* verhängt [4]. Sowohl hinter der *'ªdāmāh* als auch hinter der Schlange sind traditionsgeschichtlich unschwer altorientalische Göttinnengestalten auszumachen. Daß nun bei der einen, der (mütterlich vorgestellten) Erde, der Fluch nach der Flut von Gott selbst zurückgenommen wird, ist m.W. in bezug auf dahinterliegende weibliche Vorstellungen noch nicht reflektiert worden.

Im Zusammenhang der ganzen jahwistischen Urgeschichte lassen sich ähnliche Widersprüche in der Haltung Jahwes wie die von Keel beobachteten auch schon in Gen 2 und 3 entdecken. Jahwe tritt den Menschen sehr ambivalent entgegen: Einmal tritt er auf als einer, der die Menschen wegen ihrer Übertretung streng bestraft, in anderen Passagen wieder ist er außerordentlich milde, er beschützt die Menschen und macht ihnen Kleider aus Fellen (Gen 3,21). Er spricht mit ihnen, und zwar durchaus nicht nur strafend [5].

---

[3] Ebd.

[4] Vgl. zu Einzelheiten *Helen Schüngel-Straumann,* Die Frau am Anfang. Eva und die Folgen, Freiburg 1989. Dort ging es mir vor allem um die Anthropologie, um die Stellung der Frau und um die Aufarbeitung einer langen, frauenfeindlichen Wirkungsgeschichte von Gen 1–3. Dazu, daß ich auf das Gottesbild andernorts einzugehen gedenke, vgl. 145f. Anm. 224.

[5] Die gleichen Beobachtungen ließen sich übrigens auch in der Fortsetzung, in der Kaingeschichte Gen 4, machen. Darauf kann hier wegen der Beschränkung auf das Thema „Schöpfung" nicht näher eingegangen werden.

Im folgenden soll – ausgehend von der Urgeschichte des Jahwisten – in drei großen Schritten vorgegangen werden:

1. Es wird gefragt, wie weit und wo ältere Vorstellungen/Themen/Motive vom Jahwisten übernommen, abgewandelt, umgeformt oder auch verdrängt wurden. Dabei beschränke ich mich auf das Gottesbild und auf die Zuordnung männlich – weiblich in Gen 2 und 3. Wurden unter Umständen auch weibliche (oder so verstandene) Verhaltensweisen in männliche Formen übernommen? Dies läßt sich insbesondere zeigen an älteren Motiven wie der *'ᵃdāmāh,* der Schlange, evtl. der Rippe und besonders in der Namengebung, vor allem in dem alten Namen *Ḥawwāh.*

2. Altorientalische Schöpfungstexte sollen auf weibliche Gottheiten abgehört werden. Ich muß mich dabei aus den bereits genannten Gründen auf mesopotamische Quellen beschränken und vor allem Ägypten, aber auch Ugarit weglassen. Dies ist einmal wegen der Stofffülle notwendig. Daß es jedoch ausgerechnet die mesopotamischen Schöpfungsmythen waren, die in der jahwistischen Urgeschichte mit Händen zu greifen sind, ist ein unbestrittenes Faktum; deswegen bieten sich diese Texte für obige Fragestellungen geradezu an[6].

3. Im letzten Teil soll eine feministische Kritik und Auswertung versucht werden. Ausgewertet werden sollen die altorientalischen Zeugnisse auf die Frage: Was können weibliche Gottheiten Positives für die Frau im Alten Orient *und* im 20. Jahrhundert sowie für eine *ganzheitliche* Theologie, die Mann und Frau einschließen, beitragen? Kann es einen Weg zurück geben zu alten Göttinnen, oder wo kann/soll heutige feministische Theologie ansetzen, um eine ideologisierte Männlichkeit Gottes aufzubrechen? Genügt es, aus dem männlichen Gott einfach eine Mutter zu machen? Gibt der Jahwist selbst Ansätze dazu, wenn er die positiven mütterlichen Elemente der altorientalischen Göttinnen schlicht Jahwe-Elohim einverleibt? – Bedeutend ist die Frage zum Verhältnis der *realen* Stellung der Frau und weiblichen Gottheiten, anders ausgedrückt: Ist die soziale/politische/rechtliche Stellung der Frau dort besser, wo es weibliche Gottheiten gibt und umgekehrt?

---

[6] An Quellen werden die geläufigen Sammlungen von AOT, ANET sowie das Handbuch von Beyerlin herangezogen, vor allem aber *Giovanni Pettinato,* Das altorientalische Menschenbild und die sumerischen und akkadischen Schöpfungsmythen, Heidelberg 1971, neu: *Jean Bottéro / Samuel Noah Kramer,* Lorsque les dieux faisaient l'homme. Mythologie mésopotamienne, Paris 1989. Dies dürfte die vollständigste Quellensammlung zum Thema sein (mit ausgiebigen Kommentaren), alles in französischer Übersetzung ohne transkribierte Original-Texte wie bei Pettinato.

Für das Gottesbild des Jahwisten hängt viel davon ab, was man grundsätzlich als Ziel der Erzählungen von Gen 2–11 (2–3) ansieht. Folgende Möglichkeiten möchte ich zur Diskussion stellen:
- Leben, Tod und Arbeit erklärbar und erträglich machen,
- den Glauben an einen guten Gott zu stützen/Gott vom Übel/Bösen zu entlasten,
- die Ambivalenz des menschlichen Lebens den *Menschen,* nicht Gott anzulasten,
- die Menschen als verantwortlich für ihr Tun, mit allen Konsequenzen, zu schildern,
- die verschiedenen Beziehungen (Gott – Mensch, Mann – Frau, „Brüder", Mensch – Tier u. a.) in einem ausgewogenen Gleichgewicht darzustellen, ihren Zusammenhang und ihre Herkunft zu deuten.

Je nachdem, welches *Grund*ziel man mehr in den Vordergrund stellt, fällt die Antwort über das Gottesbild unterschiedlich aus. Bezüglich des Materials aus dem mesopotamischen Raum (s. u.) wird selbstverständlich nicht vorausgesetzt, daß der Jahwist dies alles in der uns vorliegenden Form gekannt hat. Es müßte vielmehr für jeden einzelnen Text genau untersucht werden, ob und wie israelitische Verfasser in der ersten Hälfte des ersten Jahrtausends davon Kenntnis gehabt haben können. Dies ist wegen der Anonymität der meisten Quellen und ihrer unterschiedlichen Fassungen gar nicht zu leisten. Allerdings setze ich voraus, daß die wesentlichen Züge der sumerisch/akkadischen Mythen in mündlicher oder schriftlicher Form in der genannten Zeit in Palästina gängig waren.

Bevor Einzelbeobachtungen angegangen werden können, wäre eine Analyse der beiden Kapitel von Gen 2 und 3 erforderlich; dafür ist hier kein Raum. Eine semiotische Analyse hat gerade Ellen van de Wolde[7] erbracht. – Betrachtet man die personalen Beziehungen der auftretenden Personen, so fällt zunächst auf, daß die Frau in Gen 2 und 3 enger mit der Gottheit und der Schlange verbunden ist als mit *'īšᵃdām,* analysiert man die verschiedenen Redegänge. Die Frau spricht mit Gott, die Frau spricht mit der Schlange, aber sie spricht nie mit *'ᵃdām'īš!* Dies ist auch noch so in Gen 4. Die Frau

[7] *Ellen van de Wolde,* A Semiotic Analysis of Genesis 2–3. A Semiotic Theory and Method of Analysis Applied to the Story of the Garden of Eden, Assen 1989. Vgl. für die Interpretation des ganzen Textes auch *Carol Meyers,* Discovering Eve. Ancient Israeliten Women in Context, Oxford 1988, und mein oben Anm. 4 erwähntes Buch.

spricht entweder *von* Gott, wenn sie mit der Schlange spricht oder wenn sie ihren Söhnen Namen gibt, oder *zu* Gott, wenn sie antwortet. Kein einziges Mal richtet sie ein Wort an *'ᵃdām'îš*. Hier kommen sicher noch sehr alte Züge zum Vorschein. Auch im Gilgamesch-Epos ist bekanntlich die Frau kultivierter und in der Entwicklung weiter fortgeschritten, während der Mann noch ein ungezähmter Wildling ist. Es sind daher besonders jene Züge von Interesse, die mit der Frau, ihrer Namengebung und mit der Schlange zu tun haben, sowie der grammat. fem. Terminus *'ᵃdāmāh*, aus dem *'ᵃdām* („Erdling") erschaffen wurde[8].

Exemplarisch soll hier der alte Satz, der wie ein erratischer Block in Gen 3 steht, mit dem Namen *Ḥawwāh* (Gen 3,20) genauer analysiert werden. *Ḥawwāh* kommt in der Hebräischen Bibel nur noch einmal Gen 4,1 vor. Dieser Satz Gen 3,20, der den Zusammenhang zerreißt und sicher hier nicht ursprünglich ist[9], ist traditionsgeschichtlich älter als die übrige Erzählung. *Ḥawwāh* wird im Text erklärt mit „denn sie ist (wurde) die Mutter aller Lebendigen". Die verschiedenen Deutungsmöglichkeiten sind bei Westermann aufgelistet[10], der die Deutungen vor allem von Vriezen diskutiert. Hervorzuheben ist die Interpretation als Schlangengöttin bzw. als Lebensgöttin (wegen der Ähnlichkeit mit aramäisch *ḥwjh* für Schlange), eine phönizische Unterwelt- und Schlangengöttin *Ḥvt;* weiter ist bemerkenswert die Deutung *Frau* oder *Mutter*[11]. Für Kapelrud ist der Name von kanaanäischer Grundlage herzuleiten, er habe jedoch im Alten Israel keinen festen Fuß fassen können, weil *ḥawwāh* ein

[8] In Gen 2 hat dieser Terminus im Rahmen der Erzählung lediglich die Funktion, das Material zu liefern, aus dem *'ᵃdām* geschaffen wird. Daß hier jedoch ein Relikt der alten Muttererde, die alles hervorbringt, vorliegt, wird dann in Gen 3 deutlich: in den sog. Strafsprüchen wird die *'ᵃdāmāh* verflucht (genauso wie auch die Schlange). Dies läßt sich nicht erklären, wenn die Erde nichts anderes wäre als toter Stoff. Hinter dem Begriff *'ᵃdāmāh* muß also mehr stecken als auf den ersten Blick in Gen 2 ersichtlich. Interessant ist, daß nach der Sintflut – nach der Reue Gottes – Jahwe diesen Fluch zurücknimmt. Das ist einzig in der ganzen Urgeschichte, daß ein von Gott explizit ausgesprochener Fluch revidiert wird.

[9] Vgl. dazu auch *Claus Westermann,* Gen 1–11 (BK AT I/1), Neukirchen ³1983, 364f.

[10] Ebd. 365f.

[11] Über das sumerische *ama* = Mutter (akkad. *awa*) sei die Brücke zu hebr. *ḥawwāh* = *'ēm* geschlagen (so *W. Baumgartner,* Hebräisches und aramäisches Lexikon zum AT I, 284). Wichtig scheint darum in diesem Zusammenhang, den Akzent nicht nur auf die (Volks)etymologie von *ḥaj* zu legen, sondern auch den anderen Bestandteil des Satzes, nämlich *'ēm* = Mutter, stärker zu berücksichtigen. *Israel Eitan* hat 1929 *ḥawwāh* als Synonym zu „Mutter", als hebräisches Äquivalent zum lateinischen genetrix erklärt, „one who brings forth, or bears, a mother", or figuratively, „one who produces" (Two onomatological studies, in: JOAS 49 (1929) 30–33, hier 31).

Fremdelement gewesen sei [12]. Heller, der 1958 die ausführlichste Untersuchung über den Namen Eva geliefert hat, faßt seine Ergebnisse 1967 in der Form zusammen, daß er „höchstwahrscheinlich in Zusammenhang mit dem Namen der bekannten churrischen Göttin Chepa zu bringen ist, deren Kult im vorisraelitischen Palästina gut belegt ist“ [13].

Die Deutungsmöglichkeiten für den alten Namen *Ḥawwāh* sind zahlreich, und die Unsicherheit bei den Interpreten ist groß, woher der Name letztlich herzuleiten und wie er zu interpretieren ist. Schließlich wird die churritische Göttin Chepa oder Hebat in manchen vorisraelitischen Texten auch wieder identifiziert mit der hetitischen Sonnengöttin von Arinna, die die höchste Gottheit im hetitischen Pantheon war [14].

Eine der einleuchtendsten Deutungen in „one of the most puzzling motifs in the Biblical paradise story“ gibt Kramer auf dem Hintergrund des sumerischen mythischen Materials [15]. Er zieht die sumerische Göttin Nin-ti(u) heran. Als der Gott Enki krank wurde, wird die Göttin Nin-ti geholt, um dessen Rippe (sumerisch -ti) zu heilen. Weil die Silbe -ti sowohl „Rippe“ als auch „lebendig machen“ bedeutet, verbinden sich mit dieser Erklärung ein Verständnis von *ḥawwāh* wie auch eine Deutung der vieldiskutierten Rippe. Kramer nennt dies eines der ältesten Wortspiele der Welt. So würde hinter dem Namen *Ḥawwāh* die Göttin Nin-ti, die Herrin des Gebärens, sichtbar, die dann auch in der Ableitung von hebräisch *ḥaj* = Leben noch durchschimmert. Wie allerdings ein sumerisches Wortspiel ins Hebräische hinübergewandert sein soll, ist eine offene Frage, denn im Hebräischen sind die Wörter für „Rippe“ und „Leben“ verschieden. Wenn auch die Pointe verlorenging, so wurde der Zusammenhang doch in der biblischen Paradiesgeschichte weitertradiert [16].

Ein wörtlicher Bezug zum Atrachasis-Epos kann in dem Satz „Mutter aller Lebendigen“ *(ʿēm kol ḥaj)* gesehen werden („X aller Y“). Dort wird die Göttin Mami mehrfach „Herrin *aller* Götter“ genannt *(belet kala ili)*. Darin sieht Kikawada die gleiche Form wie in

---

[12] *Arvid S. Kapelrud,* חַוָּה ḥawwāh; ThWAT I 794–798.

[13] *Jan Heller,* Namengebung und Namendeutung. Grundzüge der alttestamentlichen Onomatologie und ihre Folgen für die biblische Hermeneutik: EvTh 27 (1967) 255–266, hier 264. Vgl. auch *ders.,* Der Name Eva; Archiv Orientalni 26 (1958) 636–656.

[14] Vgl. dazu u. a. *E. O. James,* The Cult of the Mother-Goddess, London 1959, bes. 88 ff.

[15] *Samuel Noah Kramer,* The Sumerians. Their History, Culture and Character, Chicago 1963, bes. 149.

[16] Ebd.

Gen 3,20, es werden nämlich „Mami and Eve ... three-element-names of exactly the same type" gegeben[17].

Daß *Ḥawwāh* in Gen 3,20 „Mutter alles (oder jeglichen) Lebens" genannt wird, zeigt, daß sie in die Fußstapfen einer alten Muttergöttin, vor allem der Nin-ti, eintritt. Das ist wohl für diesen alten Satz unbestreitbar. Die jeweilige dahinterstehende *konkrete* Göttin läßt sich nicht mehr mit Sicherheit ausmachen. Dies zeigt eine Tendenz auf, die auch andernorts greifbar wird: nämlich eine *Typisierung* und *Ent-Individualisierung,* wobei einzig das Faktum der Mutterschaft, des Hervorbringens, von Bedeutung bleibt.

Der Kontext, in dem Gen 3,20 steht, ist allerdings nun ein ganz anderer als in den alten Mythen: eindeutig wird *ḥawwāh* Gen 3,20 durch den Mann *('īš)* mit einem Namen belegt. An dieser Stelle ist die Benennung eindeutig ein *Herrschaftsakt,* anders als in Gen 2, wo ja auch keine Namengebung vorlag, sondern eine reine Beschreibung („... sie wird *'iššāh* genannt werden, denn ..."). Dann hat aber der Verfasser – wer immer das sei, der Jahwist sicher nicht –, gerade weil ihm die alten Muttergottheiten noch präsent waren, die Aussage im jetzigen Zusammenhang zur Domestizierung der Frau umgeformt.

Zur Deutung von *Ḥawwāh* ist unbedingt noch Gen 4,1 heranzuziehen. Der Zusammenhang von Gen 3 und 4 ist inhaltlich und terminologisch viel enger, als meist angenommen wird (besonders wenn man Gen 2 und 3 allzu stark von Gen 4ff. abtrennt, wie dies Dohmen[18] tut). Gen 4,1, wo *Ḥawwāh* ein zweites Mal auftritt, wird das hohe Alter dieses Namens noch deutlicher. Hier spricht die Frau nach der ersten Geburt einen Satz, über dessen Auslegung noch lange nicht das letzte Wort gesprochen ist:

Ich habe einen Mann hervorgebracht *(qānīti)* wie Jahwe! (oder: mit Hilfe Jahwes!)

Feilschuss-Abir[19] sieht in diesem Satz ein Mythenfragment aus dem *Ḥawwāh*-Komplex, wo die schöpferische Frau die Hilfe einer männlichen Gottheit benötigt, analog dem Anfang des Atrachasis-Mythos. Gen 4,1 wäre dann Jahwe an diese Stelle getreten. Verf. sieht hier eine „Schöpfungsaussage über die Entstehung von *'īš*"[20].

---

[17] *Isaac M. Kikawada,* Two Notes on Eve: JBL XCI (1972) 33–37, hier 33f.

[18] *Christoph Dohmen,* Schöpfung und Tod. Die Entfaltung theologischer und anthropologischer Konzeptionen in Gen 2/3 (SBB 17), Stuttgart 1988, 33.

[19] *A.- S. Feilschuss-Abir,* Erschaffung, Bestimmung und Stellung der Frau in der Urgeschichte in anthropologischer Sicht: Theologie und Glaube 76 (1986) 399–423.

[20] Ebd. 417.

Sie erarbeitet in Gen 2ff. verschiedene Mythenfragmente, wobei *'ᵃdām* und *'īš* zwei unterschiedlichen Traditionen zugewiesen werden; bei der Frau gibt es sogar drei: *'adām – 'iššāh – ḥawwāh,* das Fragment mit *Ḥawwāh* ist dabei für Verf. das älteste. Während in Gen 4,1 die Frau mit Hilfe eines männlichen Gottes benötigt, war Gen 3,20 „dem Mythenkreis selbständiger Schöpferinnen zuzuschreiben“[21].

Tatsächlich ergibt sich vom Wortlaut im oben zitierten Stück des Atrachasis-Mythos eine genaue Parallele: die Schöpfergöttin Mami ruft Enki zu Hilfe, wörtlich „itti Enkima ibašši šipru“. *itti* entspricht dem hebräischen *'et.* Der Aspekt einer schöpferischen Muttergottheit, die einen männlichen Gott zu Hilfe ruft, wird Gen 4,1 noch deutlich, er wird zudem verstärkt durch das Verb *qānīti,* das „schaffen, erschaffen, hervorbringen“ bedeutet (vgl. Spr 8 für die Weisheit!).

Offensichtlich wurde mit dem Namen *Ḥawwāh* ältestes Material androzentrisch umgeformt. Weil sich dieser Name etymologisch nicht aus dem des Mannes ableiten ließ wie in der Volksetymologie *'īš – 'iššāh,* geschieht die Unterordnung hier durch Namen*gebung.* Damit sollen die „richtigen“, d.h. die patriarchalen Herrschaftsverhältnisse deutlich gemacht werden. In diesem Sinn ist der Satz Gen 3,20 *nach* den sog. Strafsprüchen und *vor* der Vertreibung in den Text eingefügt worden. Daß der Satz gerade an dieser Stelle steht, mag ausgelöst sein durch die Urmutter-Reminiszenz in V. 19 – Rückkehr zur Erde im Tod –, wie es schon Baudissin angedeutet hat[22].

Die drei Themen/Motive *Frau (ḥawwāh), Schlange* und *'ᵃdāmāh* sind eng verbunden, sie gehören zu den alten ursprünglichen Mythenstoffen über die Muttergöttin. Schlange und *'ᵃdāmāh* werden Gen 3 verflucht, nicht aber die Frau, auch nicht der Mann; allerdings wird das Los der Frau als das härtere dargestellt.

Außer diesem herausgegriffenen Beispiel wäre auf die Schlange, besonders als Symbol der Weisheit, als Symbol für Leben und Fruchtbarkeit zu verweisen; hierzu müßten jedoch unbedingt auch ägyptische Stoffe hinzugenommen werden. Das ist an dieser Stelle nicht möglich[23].

Insgesamt hat die feministische Interpretation von Gen 2 und 3 er-

---

[21] Ebd. 418.

[22] Zit. bei *Heller,* Der Name Eva (s. Anm. 13) 656.

[23] Vgl. hierzu bes. den ausgezeichneten Artikel *naḥaš* von *Heinz-Josef Fabry.* TWAT V 384–397.

bracht, daß diese Texte von der Engführung auf Sünde/Strafe gereinigt wurden[24]. Die Ausrichtung auf den sog. Sündenfall ist in dem Text überhaupt nicht in dem Maße verankert, wie dies im allgemeinen Bewußtsein der Fall ist. Damit fällt auch das eher düstere Gottesbild (der zornige Gott, der die Menschen übermäßig bestraft) schlicht weg. Diese strafende Gottheit ist nicht der Jahwe der Urgeschichte, sondern ein einseitig-männlicher Gott mancher Interpreten.

II. Sumerisch-akkadische Quellen

Im folgenden sollen sumerische und akkadische Texte auf weibliche (Schöpfer)Gottheiten, auf ihre Stellung, Darstellung und ihre Tätigkeit hin befragt werden. Nach Pettinato wird zwischen sumerischen und akkadischen Mythen unterschieden, obwohl diese Unterscheidung der Realität nicht immer gerecht wird[25].

1. Sumerische Texte

a) Enki und Ninmach[26]

In diesem alten, aber sehr schwierigen Text stehen *Enki,* der Weise, der Schöpfer aller Götter, und *Nammu,* die Mutter, die allen vorangeht, die Gebärerin der zahlreichen Götter, in einer gewissen Spannung (Z. 10). Während die Muttergöttin ihren schlafenden Sohn auffordert, Ersatz für die unteren Götter zu schaffen, damit diese nicht mehr so viel arbeiten müssen, gibt dann Enki seinerseits die Anweisung, wie die Muttergöttin die Geschöpfe aus dem Lehm for-

---

[24] Vgl. unabhängig voneinander *Carol Meyers, Ellen van de Wolde* und *Helen Schüngel-Straumann* (s. Anm. 4 und 7).

[25] Vgl. auch *J. M. Durand,* Les écrits mésopotamiens, in: Ecrits de l'Orient ancien et sources bibliques, Paris 1986, 109–155, hier 113.

[26] *Pettinato,* Menschenbild (s. Anm. 6) Nr. 1, 69 ff.; vgl. *Marie-Joseph Seux,* La création du monde et de l'homme dans la littérature suméro-akkadienne, in: La création dans l'Orient Ancien, Congrès de l'ACFEB Lille (1985), Paris 1987, 41–78, hier 49. Über den Text von Pettinato hinaus, der nur die engere Menschenschöpfung behandelt, bringt *J. van Dijk,* Le motif cosmique dans la pensée sumérienne: Acta Orientalia XXVIII/1–2, Copenhagen 1967, 1–59, auch den Anfang des Textes mit der Geburt von Himmel und Erde (in französischer Übersetzung). Vgl. auch *Bottéro/Kramer,* Lorsque (s. Anm. 6) 188 ff.

men soll. Die Menschen werden geschaffen, um den Göttern die Arbeit abzunehmen wie in fast allen sumerischen Schöpfungstexten. Auffallend ist bei der Beschreibung der Götter die Arbeitsteilung, aber auch die Konkurrenz zwischen Enki, Nammu und Ninmach: Enki schafft sozusagen das „Modell" der Menschen und läßt danach die Weisheit in das Innere der Geschöpfe eindringen, während Nammu das konkrete Formen übernimmt und zusammen mit Ninmach den Geschöpfen die Arbeit auferlegt (Z. 30). Ninmach hat noch sieben Geburtsgöttinnen zur Seite (Z. 35 ff.). Die Zahl Sieben kommt auch in späteren Texten im Zusammenhang mit der Muttergöttin wieder. – Die Rollenverteilung ist nicht immer ganz eindeutig[27]. Ebenso ist bei der Tätigkeit der Nammu zwischen Gebären und Formen nicht streng unterschieden.

Der Text ist in manchen Teilen sehr unsicher. Ninmach scheint eine ältere Göttin zu sein. Der vorliegende Text will Enki, den überaus weisen Gott, als Hauptperson herausstellen, obwohl die eigentlichen Schöpferinnen hier weiblich sind. Tatsächlich gibt es Belege aus den Götterlisten, daß die männlichen Götter die weiblichen ersetzt haben, und dies gilt vor allem für Enki, der dann an die Stelle der Muttergottheit tritt. Um 2000 ist in der Regel der Name der Muttergöttin durch Enki ersetzt. Dies zeigt eine ganz verbreitete Tendenz[28].

Da die Gottheit, die ersetzt wird, immer die ältere ist, läßt dieser Mythos ganz deutlich eine noch öfter zu beobachtende Tendenz erkennen: Die weiblichen Schöpfergottheiten werden ins zweite Glied versetzt oder gar ganz weggelassen. Für Enki und Ninmach (man beachte die Reihenfolge!) wären folgende Entwicklungsschritte auszumachen: Das erste Entstehungsprinzip ist *Nammu,* die Mutter aller Götter[29]. Enki ist eindeutig ihr Sohn (vgl. Z. 20 f.). In einem zweiten Schritt werden die weiblichen Gottheiten durch Ehe mit männlichen verbunden, d.h. durch Zuordnung zu einem männlichen Gott „degradiert", hier Nammu mit An, dem Himmelsgott. In einer dritten

---

[27] So *Pettinato,* Menschenbild (s. Anm. 6) 63. Um die Menschen in ihrer *leiblichen Existenz* zu erschaffen, braucht Enki die Hilfe der Göttinnen Nammu und Ninmach, so interpretieren *Bottéro/Kramer,* Lorsque (s. Anm. 6) 194 f., die Zusammenarbeit.

[28] Vgl. dazu *Mary K. Wakeman,* Ancient Sumer and the Women's Movement. The Process of Reading Behind, Encompassing and Going Beyond: Journal of Feminist Studies in Religion 1 (1985) 7–27, bes. 11 Anm. 5.

[29] So auch noch Z. 19:

„Nammu (aber), die Mutter, die allen vorangeht, die Gebärerin der zahlreichen Götter, ..."

(*Pettinato,* Menschenbild [s. Anm. 6] 71, vgl. auch *van Dijk,* Le motif [s. Anm. 26] 27).

Stufe werden dann häufig die Göttinnen ganz weggelassen, so daß ein männlicher Gott allein an der Spitze steht[30].

Außer dem Gegensatz männlich–weiblich gibt es jedoch einen anderen: Auch bei den Göttern spielt *oben* und *unten* eine entscheidende Rolle. Die oberen Götter beaufsichtigen die Arbeit, die unteren tragen den Tragkorb. Die Menschen – nicht unterschieden nach männlich und weiblich – werden für diese Arbeit geschaffen. Die Machtverhältnisse zeigen sich daran, wer welche Arbeit tut!

b) Sumerischer Sintflutmythos aus Nippur[31]

Pettinato gibt die umstrittene erste Zeile in eigener Übersetzung so wieder (ein Gott spricht):

Meine Menschheit will ich aus (dem Zustand) ihrer Verlassenheit heraus ihr (= der Nintu) zurückgeben, meine Geschöpfe ... ( ) will ich der Nintu zurückgeben,
das Volk will ich aus seinen Höhlen(wohnungen) umkehren lassen[32].

Hier wird von einer Göttin *Nintu* gesprochen, zu übersetzen mit „Herrin, die gebärt“[33]. Erst in Z. 10 werden die Götter An, Enlil, Enki und Ninchursaga genannt als Schöpfer der Schwarzköpfigen. Die Schöpfung selbst findet in zwei Akten statt: erst durch Hervorsprossen aus der Erde, dann Einführung der Zivilisation und Kultur.

Zu diesem Fragment ist der DILMUN-Mythos[34] zu vergleichen, der die Entstehung verschiedener Göttinnen nach der Trennung von Himmel und Erde berichtet. Dabei ist der Vorgang, der mehrmals wiederholt erzählt wird, kurz so wiederzugeben: Enki als zeugender Schöpfergott ist als Hauptperson überall aktiv im Vordergrund. Z. 65 wendet er sich Nintu zu, „der Mutter des Landes“, die auch „Herrin der Geburt“ genannt wird. Das Ergebnis ist nach einer Beschreibung der neun Monate Schwangerschaft in Z. 85–89 die Geburt einer weiteren Göttin: Ninmu. Die Szene wiederholt sich, Enki nähert sich nunmehr Ninmu, die wiederum eine Göttin zur Welt

---

[30] Vgl. die Genealogien bei *van Dijk,* Le motif (s. Anm. 26) 8f.

[31] Text bei *Pettinato,* Menschenbild (s. Anm. 6) Nr. 6, 97ff.; bei *W. G. Lambert / A. R. Millard,* Atra-ḫasīs. The Babylonian Story of the Flood, Oxford 1969, 138ff.

[32] *Pettinato,* Menschenbild (s. Anm. 6) 34.

[33] *Pettinato,* Menschenbild (s. Anm. 6) 19, vgl. Anm. 34. Es ist dies die sumerische Göttin, die für das Wortspiel „Rippe“ und „Leben“ herangezogen wird.

[34] *Mircea Eliade,* Die Schöpfungsmythen, Darmstadt 1977, 111ff. (deutsch), identisch mit „Enki und Ninhursag“ aus ANET, 37ff.

bringt: Ninkur(ra). Auch mit dieser dritten Göttin treibt Enki noch einmal das gleiche Spiel, und wiederum ist das Ergebnis die Geburt einer Göttin, diesmal Uttu mit dem Prädikat: die Schöne. Ninhursag will diesem Treiben ein Ende bereiten. Uttu wird nach einem Zwischenspiel, in dem verschiedene Früchte eine Rolle spielen, von Enki vergewaltigt, diesmal wird jedoch nicht mehr von der Geburt einer neuen Göttin gesprochen, die Reihe ist damit zu Ende[35].

c) Mittelassyrischer Mythos mit 73 Zeilen[36]

Dieser zweisprachige Text vermischt verschiedene Traditionen: Nachdem Himmel und Erde getrennt wurden, wird zuerst vom Hervorsprossen der Muttergottheiten gesprochen, namentlich genannt werden dann jedoch als Schöpfergottheiten lediglich vier Namen: An, Enlil, Uttu und Enki, die sich als die Anunna-Götter beraten, wie sie nun weiter vorgehen sollen. In Z. 67 ist die Verteilung der vier Gottheiten anders: nur drei Namen sind gleich wie am Anfang, anstelle Uttus steht hier *Ninmach*. Ninmach ist eine Muttergöttin, die auch in anderen Schöpfungstexten auftritt.

Zum Schluß wird für die Menschen Nisaba, die Göttin der Weisheit, als Herrin eingesetzt; das Wohlwollen der Götter, die Arbeit als Wohltat für die Menschen wird hier besonders deutlich. Die *Arbeit,* die im Zentrum aller sumerischen Texte steht, ist in Sumer etwas Positives. Erst in akkadischen Texten wird dies anders: Die Arbeit wird eine Strafe[37]. Wenn diese Unterscheidung stimmt, spiegeln Gen 2 und 3 beide Auffassungen wider: Gen 2 wird die Arbeit positiv, als Wohltat, gesehen, Gen 3 als mühsam und beschwerlich. Dazwischen steht aber die Übertretung eines Gebots, was die ganze Sachlage stark verändert!

Wichtig ist bei allen bisher erwähnten Texten: Auch hier haben

---

[35] Vgl. zusammenfassend *Durand,* Écrits mésopotamiens (s. Anm. 25) 126; *Bottéro/Kramer,* Lorsque (s. Anm. 6) 151 ff. Offenbar ist es Ninhursag bei der letzten Göttin (Uttu) gelungen, eine neue Zeugung zu verhindern. Bottéro/Kramer übersetzen die letzte Zeile dieses Stücks mit: Mais Ninḫursag lui ôta le sperme des cuisses! (a.a.O. 157). Danach leitet die Göttin die Fruchtbarkeit offenbar dahingehend um, daß acht neue Pflanzen entstehen. Die Frage sei erlaubt, ob mit dieser Schilderung eine Art „Wettbewerb" veranschaulicht wird, wer nun letztlich die Fruchtbarkeit hervorbringt, Enki oder Ninhursag? (Der gleiche „Kampf" läßt sich später bei Hosea zwischen Jahwe und Baal beobachten. Vgl. z. B. Hos 2,7 ff. u. a.).

[36] *Pettinato,* Menschenbild (s. Anm. 6) Nr. 2, 74 ff.; *Bottéro/Kramer,* Lorsque (s. Anm. 6) 502 ff.

[37] So *Pettinato,* Menschenbild (s. Anm. 6) vgl. 32 ff.

wir nie das erste, das *reine* Stadium! Dies gibt es schlechthin nicht[38]. Auch die ältesten Texte weisen bereits auf große Verschiebungen hin, auf – möglicherweise ältere – Texte, in denen Muttergottheiten immer mehr von ihren männlichen Nachfahren verdrängt werden. Alle Szenen spielen sich nicht nur in dem Gegensatz männlich-weiblich ab, sondern vor allem auch in dem von *oben* und *unten!*

INANNA, die sumerische Hauptgöttin (Exkurs)

Vor der Behandlung der akkadischen Texte sei ein Exkurs über Inanna erlaubt, die sumerische Göttin, die *keine* Muttergöttin ist. Deswegen wohl fehlt sie auch in den bekannten Schöpfungstexten[39]. Sie fällt aus dem heraus, was bisher über die schöpferischen, die schaffenden Muttergottheiten zu sagen war. Sie ist Stadtherrin, Kriegerin, Hetäre. Als Tochter des Mondgottes Nanna ist sie mit dem Himmel verbunden. Ihr Name wird gedeutet als Nin-an-na = Herrin des Himmels. Erst viel später wird ihr Verhältnis zu männlichen Göttern erotisiert. Als Kriegsgöttin verkörpert sie die Angriffslust wie ihre spätere Schwester, die ugaritische Anat. Vergleichbar etwa der hetitischen Sonnengöttin von Arinna, die die höchste Göttin im Pantheon war, wird sie erst später in Sumer mit einem männlichen Gott, dem Himmelsgott An, verbunden. Als Beispiel für ihre Herrschaft sei ein Text erinnert, der sie als Herrin aller *me,* als Kulturbringerin ersten Ranges, und als Schicksalsgöttin verehrt. Es ist der Hymnus der Enheduanna, offenbar von einer Frau verfaßt, einer Priesterin des Mondgottes Nanna von Ur, die große Tochter des großen Sargon[40]. Die Verfasserin Enheduanna, eine

---

[38] Viele Diskrepanzen sind durch zwei unterschiedliche Schöpfungsvorstellungen beeinflußt, die von van Dijk so charakterisiert werden: 1. das chthonische Motiv, wobei sich Apsu und die Muttererde vermischen (diesem Motiv entspricht die *formatio* des Menschen), und 2. das kosmische Motiv, wobei sich Himmel und Erde gegenseitig befruchten (Hierogamie), diesem Motiv entspricht bei der Schaffung des Menschen die *emersio* (Le motif [s. Anm. 26] 58 f.). – Daß hierbei auch die weiblichen Gottheiten unterschiedlich gesehen und geschildert werden, ist klar.

[39] Es müßten neben Schöpfungsmythen auch andere Texte, wie z. B. Hymnen und Gebete, hinzugenommen werden; wenigstens eine Ausnahme, ein kurzer Exkurs über Inanna, sei gemacht, dies schon deshalb, weil in der populären feministischen Literatur unter neu-mythischen und psychologisierenden Tendenzen gerade ein Buch erschienen ist mit dem Titel: Mondgöttin Inanna (von *Elisabeth Hämmerling,* Stuttgart 1990). Gegen diesen irreführenden Titel ist festzuhalten; die sumerische Inanna aus dem 3. Jahrtausend v. Chr. ist weder eine Mondgöttin noch eine Muttergöttin.

[40] Abbildungen der Enheduanna mit Weihinschrift finden sich bei *Anton Moortgat,* Die Kunst des alten Mesopotamien. Sumer und Akkad, Köln 1982, Tafel 132 und 135. Das Werk dieser Theologin verdiente eine eigene feministische Untersuchung! Vgl. dazu auch die Ausführungen in Jünglings Koreferat.

Theologin, schreibt ein exzellentes Sumerisch und dichtete mehrere Hymnen, darunter unseren (nin-me-sar-ra)[41]. Sie klagt der großen Göttin ihr Leid in politischen Schwierigkeiten. In diesem Hymnus der Enheduanna wird Inanna eine fast henotheistische Verehrung zuteil. Als Herrin über alles Schicksal und über Himmel und Erde ist sie vital, gefährlich, treulos und völlig unmoralisch (im Sinne bürgerlicher Moral). Sie ist keine Ganzheitsfigur (für eine weibliche Identifikation), denn dafür fehlen ihr Mutterschaft und Alter.

Trotz aller kriegerischen Attribute bleibt sie deutlich und eindeutig *weiblich*. Der Krieg aber wird schon im alten Sumer als typisch männlich angesehen[42]. Um diese Diskrepanz zu lösen, erscheint Inanna (später *Ischtar*) häufig mit männlichen Zügen. Diese Doppelgeschlechtlichkeit ist so zu verstehen, daß damit *Vollständigkeit* ausgedrückt werden soll bzw. nochmals eine Potenzierung all dessen, was an männlichen und weiblichen Machtaussagen möglich ist. Das Positive beider Geschlechter (nicht im moralischen Sinn!) soll vereinigt werden. Bekannt ist in diesem Zusammenhang die „bärtige Inanna/Ischtar“[43]. Mit der Zuordnung männlicher Attribute wird die übergreifende Macht dieser Göttin betont. Denn Virilität ist für dieses Denken das „Positive, Machtvolle, Staatserhaltende“[44], während das Weibliche in bezug auf „Macht“ als negativ und schwach gesehen wurde. Dafür sind sogar Fluchformeln und Rituale überliefert, in denen besiegte Feinde in Frauen, d.h. schwache und ungefährliche Wesen, verwandelt werden[45].

Wichtig für die Eigenständigkeit der sumerischen Inanna/Ischtar ist der Zug, daß sie nicht Partnerin wichtiger männlicher Götter ist, sondern alle wesentlichen weiblichen Fähigkeiten mit den männlichen in sich selbst verbindet. Trotzdem wurde sie immer als bewußt

---

[41] Vgl. den englischen Text bei ANET. – Weitere Literatur zu Inanna: *W. W. Hallo / J. J. A. van Dijk*, The Exaltation of Inanna (Yale Near Eastern Researches 3), New Haven – London 1968, *Diane Wolkstein / Samuel Noah Kramer*, Inanna. Queen of Heaven and Earth. Her Stories Hymns from Sumer, New York – Cambridge 1983; *Françoise Bruschweiler*, Inanna. La déesse triomphante et vaincue dans la cosmologie sumérienne, Löwen 1987; *C. Fontaine*, The Deceptive Goddess in Ancient Near Eastern Myth: Inanna and Inaras: Semeia 42 (1988) 84–102; *Bottéro / Kramer*, Lorsque (s. Anm. 6) 203 ff.

[42] Auch diese Aufteilung, das Kriegerische männlich, das Sanfte/Milde weiblich zu bestimmen, wäre nochmals zu hinterfragen. Jedoch darf hier nicht vorschnell unsere heutige Problematik hineingetragen werden!

[43] Belege bei *Brigitte Groneberg*, Die sumerisch-akkadische Inanna-Ištar: Hermaphroditos?: Die Welt des Orients 17 (1986) 25–46.

[44] Ebd. 41.

[45] Belege ebd. 40 f.

weibliche Gottheit verstanden, obwohl von ihr gesagt werden kann, „sie allein ist männlich", und im Mari der frühdynastischen und altbabylonischen Zeit wird sie sogar ausdrücklich als „Inanna.us = Inanna.Mann" verehrt[46]. Der männlich-kriegerische Aspekt der Inanna ist seit 2500 v. Chr. belegt. „Sie war eine Göttin, der männliche *Macht* zugeschrieben wurde"[47], sie bleibt aber immer deutlich als *Frau* erkennbar.

Inanna ist damit sozusagen ein Gegenstück zu den häufigen, bereits typisierten Muttergottheiten, eine andere Form der weiblichen Gottheit, wie sie in der späteren Zeit nur noch pervertiert oder degeneriert vorkommt.

2. Akkadische Texte

a) Enuma elisch[48]

Im akkadischen Schöpfungsmythos Enuma elisch taucht etwas Neues auf: die Erschaffung der Menschen aus dem *Blut* eines geschlachteten Gottes. Kingu, der den Aufstand der Götterwelt wegen der harten Arbeit angezettelt hatte, wird geschlachtet, und aus seinem Blut erschafft Ea die Menschheit (Z. 33) und „lud ihr die Fronarbeit der Götter auf und befreite die Götter (davon)" (Z. 34). Der Schöpfergott Ea, ausdrücklich „der weise" (Z. 35) genannt, tritt hier in der Rolle des sumerischen Enki auf.

Weibliche Gottheiten sind bei der Menschenschöpfung nicht beteiligt, wohl aber spielt am Anfang des Mythos bekanntlich *Tiamat* eine große Rolle. I, 4 wird sie auch *Mummu* genannt, vermutlich ein Beiname der Tiamat in der Bedeutung „die Mutter"[49]. Marduk schlachtet Tiamat/Mummu, aus deren beiden Hälften Himmel und Erde geschaffen werden. Es ergibt sich damit eine gewisse Parallelität zwischen Weltschöpfung und Menschenschöpfung: Beide Male wird eine Gottheit getötet. Das Schlachten der Ur-Muttergottheit ganz am Anfang deutet wiederum darauf hin, daß die männlichen Götter als Schöpfergottheiten erst in zweiter oder dritter Linie auftreten, daß sie die älteren Muttergottheiten abgelöst haben.

---

[46] Belege ebd. 42.

[47] Ebd. 44.

[48] *Pettinato,* Menschenbild (s. Anm. 6) Nr. 8, 105 ff.; vgl. *Bottéro/Kramer,* Lorsque (s. Anm. 6) 602 ff.

[49] Andere Meinungen bei *Eliade,* Schöpfungsmythos (s. Anm. 34) 124.

Bei der Menschenschöpfung steht Ea parallel bzw. in Konkurrenz zu dem (sicher späteren) Marduk, während es Textüberlieferungen gibt, die auch hier weibliche Gottheiten nennen[50].

Für meine Fragestellung besonders interessant sind einige Zeilen auf Tafel I, wo eine Szene erzählt wird, die sich später im Gilgamesch-Epos bei der Sintflut geradezu wiederholt. Apsu (der männliche Gott) findet das Treiben der ersten Göttergeneration unerträglich:

Mit lauter Stimme sprach er zu Tiamat:
„Unerträglich ist mir ihr Verhalten.
Tagsüber kann ich nicht ruhen, nachts kann ich nicht schlafen.
Ich will sie vernichten, um ihrem Treiben ein Ende zu machen.
Stille soll herrschen, damit wir (endlich) schlafen können!“[51]

Auf diese Worte hin stößt Tiamat einen Schmerzensschrei aus und sagt:

„Was? Vernichten sollen wir, was wir geschaffen haben?
Gewiß, ihr Verhalten ist peinlich,
doch wollen wir uns mit Sanftmut gedulden.“[52]

Hier spricht Tiamat – im übrigen keine Gottheit, die mit weiblicher Sanftmut besonders gesegnet ist, sondern als unbändige Naturgewalt geschildert wird – mit der gleichen Stimme wie Ischtar im Gilgamesch-Epos Tafel 11, 116–123[53]. Auch in diesem Text kommt die mütterliche Erfahrung zu Wort, die das, was sie hervorgebracht hat, nicht wieder vernichten kann und will, auch wenn es sich störend bemerkbar macht, während der männliche Gott schnell bereit ist, die Störung gewaltsam zu beseitigen.

b) Das Atrachasis-Epos[54]

Am meisten Material für obige Fragestellung dürfte der Atrachasis-Mythos bieten. Hier ist fast alles vereinigt, was an weiblichen Elementen in den Schöpfungsaussagen vorliegt.

Der Erschaffung des Menschen auf der ersten Tafel gehen lange

---

[50] *Eliade,* Schöpfungsmythen (s. Anm. 34) 132, nennt die Namen Aruru, Mami, Nintud oder Nin-Hursag, alles Muttergöttinnen, die z.T. schon aus sumerischen Zusammenhängen bekannt sind.

[51] Z. 36–40: *Eliade,* Schöpfungsmythen (s. Anm. 34) 135.

[52] Z. 45–47: *Eliade,* Schöpfungsmythen (s. Anm. 34).

[53] Vgl. auch das Zitat bei *Keel,* Jahwe (s. Anm. 1) 90.

[54] *Pettinato,* Menschenbild (s. Anm. 6) Nr. 7, 101 ff; *Bottéro/Kramer,* Lorsque (s. Anm. 6) 527 ff.

Auseinandersetzungen in der Götterwelt voraus. Hauptthema dabei ist die Arbeit, d.h. die Frage, wer die schwere Arbeit zu machen habe („den Tragkorb schleppen“). Zuerst lassen die großen Annuna-Götter die Fronarbeit von den Igigi, den unteren Göttern, verrichten. Schließlich treten diese in den Streik, indem sie die Arbeitsgeräte verbrennen und den Palast des Enlil belagern. Enlil beruft eine Götterversammlung ein, auf der Enki, der Gott der Weisheit, den Vorschlag macht, die Menschen zu erschaffen. Mami, die Muttergöttin, wird dazu beauftragt:

Schaffe den ersten Menschen, daß er das Joch trage,
das Joch soll er tragen, das Werk Enlils,
den Tragkorb der Götter soll der Mensch tragen[55].

In diesem Auftrag durch die Götterversammlung hat Mami mehrere Bezeichnungen: Erst wird sie zweimal „Mutterleib“ genannt[56], weiter „Hebamme der Götter“ und schließlich „Schöpferin (ba-mi-a-at) der Menschheit“ (Z. 20–25). Weiter bekommt sie noch die nähere Kennzeichnung „die *weise* Mami“. Ab Z. 29 trägt sie dann den Namen Nintu, offenbar ihr Eigenname im Vergleich zur „Gattungsbezeichnung“ Muttergöttin (Mami). Nintu ruft nun Enki zu Hilfe, der eine kultische Reinigung vollziehen läßt im Blut eines geschlachteten Gottes, dessen Name unklar bleibt. Damit soll Nintu Lehm mischen, so daß aus dieser Mischung die Menschen geschaffen werden (Z. 30–45). Nintu führt dies aus (Z. 55–57), und so wird der Mensch geschaffen aus einer Mischung von Lehm sowie Fleisch und Blut des geschlachteten Gottes, der Mensch offenbar gedacht als *männlicher* Mensch. Nachdem Nintu/Mami dies ausgeführt hat, kommen die Götter herbei und küssen ihr die Füße. Sie bekommt nun einen neuen Titel:

Früher – riefen wir dich Mami
jetzt sei Herrin der Götter (i-na-an-na be-le-et ka-la i-li) dein Name! (Z. 19–21)[57].

Hier ist wiederum die Rolle der Göttin Nintu interessant. Entgegen

---

[55] Übersetzt nach *Pettinato,* Menschenbild (s. Anm. 6); vgl. auch Z. 195 ff. bei *Wolfram von Soden,* Die erste Tafel des altbabylonischen Atramhasis-Mythus. ‚Haupttext' und Parallelversionen: ZA 68 (1978) 50–94.

[56] *Lambert* übersetzt mit „birth-goddess“; vgl. *Lambert/Millard,* Atra-ḫasīs (s. Anm. 31).

[57] Dies ist die Übersetzung von Pettinato. Richtig muß es aber heißen: „Herrin *aller* Götter ...“ So übersetzen auch *Bottéro/Kramer,* Lorsque (s. Anm. 6) 538:
Que ton nom, désormais,
Soit Dame-de-tous-les-Dieux!

ihrer klaren Bezeichnung als „Hebamme" und als „Mutterleib" bzw. „birth-goddess" erschafft sie jedoch die Menschen nicht durch eine Geburt, sondern durch *handwerkliches Formen* aus Lehm und Göttermaterial. Das Verb, das hierfür gebraucht wird, *banû(m)*, entspricht dem hebräischen Äquivalent *bānāh* = bauen, wie es im jahwistischen Schöpfungsbericht nur ein einziges Mal bei der Erschaffung der Frau durch Jahwe verwendet wird. Es handelt sich um eine handwerklich-künstlerische Tätigkeit; das Verb wird dann auch bereits in assyrischen Texten für das Bauen des Tempels verwendet; damit ist es weit entfernt von einem Geburtsvorgang, wie er bei einer Muttergöttin zu erwarten gewesen wäre.

Z. 189/190 bei von Soden läßt allerdings die vermutlich ältere Geburtsvorstellung noch deutlich werden:

189 es sitzt da B(elet-ili, der Mutter)leib.
190 Der Mutterleib lasse fallen und erschaffe,
191 dann soll der Mensch den Tragkorb des Gottes tragen![58]

Nach diesem ersten Stadium, in dem es sich offensichtlich um die Erschaffung des *awilum* handelt, kommen weitere Texte ins Spiel, in denen die Göttin Mami/Nintu männliche und weibliche Menschen *getrennt* erschafft. Die verschiedenen Fragmente zu diesem Schöpfungsvorgang[59] sind offenbar besonders an der Fruchtbarkeit der Menschen interessiert[60]. Mami/Nintu (bzw. in manchen Fragmenten zweimal sieben Geburtsgöttinnen) kneift vierzehn Lehmklumpen ab und erschafft sieben männliche und sieben weibliche Tonfiguren und stellt sie einander gegenüber. In diesen fragmentarisch erhaltenen Stücken ist mehr als bei den ersten Textauszügen an einen Geburtsvorgang gedacht[61]. Es werden die Werkzeuge der Hebamme (Ziegelstein, Messer für die Nabelschnur) ausdrücklich genannt. Über das Ziel dieser Erschaffung wird noch weiter reflek-

---

[58] *Von Soden,* Erste Tafel (s. Anm. 55) 63.

[59] Vgl. schon ANET 99f.; *Seux,* Création (s. Anm. 26) 57; *Lambert/Millard,* Atra-hasīs (s. Anm. 31) 61f.; *von Soden,* Erste Tafel (s. Anm. 55) 92f. Tafel I hat eine Lücke von ca. 20 Zeilen, die durch verschiedene Fragmente ergänzt werden kann.

[60] In I 276.300 ist sogar die Rede von *aš-ša-tum u mus-us-sa* (Ehefrau und ihrem Ehemann); hier ist der Mann durch seine Ehefrau bestimmt (vgl. dagegen Gen 2,25) – man beachte die Reihenfolge! (Diesen Hinweis verdanke ich meinem Koreferenten, Herrn Kollegen Jüngling, Frankfurt; vgl. dazu seinen folgenden Beitrag). Ob hier die „Ehefrau" wegen der besonderen Betonung der Fruchtbarkeit voransteht?

[61] Vgl. *von Soden,* Erste Tafel (s. Anm. 55) 92f.:
Z. 13 (Die Mut)terleibe waren versammelt,
Z. 14 daraufhin tritt sie (den) Lehm und legte sich ins Kindbett. ...

tiert, denn es geht um die „regulations for the human race“[62], genauer geschildert als das Zusammenliegen von Mann und Frau und die Geburt von Kindern. Nachdem dies alles geregelt ist, wird ausdrücklich die *Freude* der Muttergöttin über das Ergebnis ausgedrückt:

283 Hell strahlend und freudig war ihr Gesicht;
284 sie bedeckte ihren Kopf,
285 sie tat den Hebammendienst[63].

Danach richtet Nintu Gebärhäuser ein, wobei nochmals die verschiedenen Hebammenwerkzeuge aufgezählt werden. – Möglicherweise handelt es sich hier um ein Stück, das bei Geburten rezitiert wurde. Außer der aktiven Rolle der Nintu im Schöpfungsvorgang ist noch bemerkenswert ihre mehrmalige Charakterisierung als „*weise*“. Damit tritt sie in Konkurrenz zu Enki, der zumeist als Gott der Weisheit bezeichnet wird, allerdings nicht hier im Text. Es wäre zu fragen, wo die Bezeichnung ursprünglich hingehört. Möglicherweise ist die „Weisheit“ der Nintu allmählich zu Enki hinübergewandert, denn im Stück von IV, 30 ff. ist eine eigenartige „Zusammenarbeit“ zwischen Enki und Nintu zu beachten: Nintu betrachtet sich als ungeeignet und erbittet von Enki den Lehm. Dabei war sie doch schon vorher, in Z. 25, als „Schöpferin der Menschheit“ bezeichnet worden. Offenbar stand diese ihre Tat und ihr Titel schon fest, bevor die ausführliche Erzählung der Menschenschöpfung in der vorliegenden Form gestaltet wurde. Eine gewisse Konkurrenz zwischen Nintu und Enki wird hier deutlich. Ea/Enki schafft in diesem Text jedoch nicht selbst, er leitet nur sozusagen den Schöpfungsakt. Es liegt hier eine „Arbeitsteilung“ vor wie bereits in den älteren sumerischen Texten bei den Göttern: die überlegenen Götter sind die, die die Arbeit dirigieren, die niedrigeren, die sie ausführen. Somit wäre hier die Muttergöttin Mami/Nintu eindeutig in einer untergeordneten Rolle gezeichnet. Der Text läßt aber an mehreren Stellen durchschimmern, daß ihre Stellung eigentlich eine ganz andere ist.

---

[62] *Lambert/Millard,* Atra-ḫasīs (s. Anm. 31) 63:
9 Twice seven birth-goddesses had assembled,
Seven produced males
10 (Seven) produced females
11 The birth-goddesses, creatress of destiny
12 They completed them in pairs in her presence,
14 Since Mami conceived the regulations for the human race.

[63] *Von Soden,* Erste Tafel (s. Anm. 55) 69.

Auf Tafel II und III folgt dann die Schilderung, wie sich nach kurzer Zeit mit den Menschen die gleiche Situation wiederholt: Der Lärm der sich stark vermehrenden Menschheit wird den Göttern unerträglich, und so beschließen sie, die Menschheit zu bestrafen. Es folgt eine Sintflutgeschichte, wie sie ähnlich auch im Gilgamesch-Epos überliefert ist. Der Held heißt hier Atrachasis, der von Enki heimlich gewarnt wird und deshalb ein Boot baut. Nachdem die Flut hereingebrochen war, ist besonders charakteristisch die Reaktion der Göttin Nintu; denn sie schaut auf die Schöpfung zurück, wenn sie von ihren Menschen spricht. Sie wird als „große Herrin" und wiederum als „weise Mami" bezeichnet, sie weint und ist verzweifelt wegen der Zerstörung der Menschheit und macht sich laut Vorwürfe, dem Entschluß zugestimmt zu haben. Als Urheber des Übels ist Enlil genannt. Die Menschen nennt sie III, 44 „My offspring – cut off from me – have become like flies!"[64]

Hier sind offenbar die Menschen als *direkte* Nachkommen der Nintu gesehen, Nintu somit als Gebärerin der Menschheit. Die Spannung zu der oben geschilderten Bildung aus Lehm wird hier wieder deutlich.

IV, 4 ff. trauern die anderen Götter mit ihr:

12 She wept and eased her feelings;
13 Nintu wailed and spent her emotion.
15 The gods wept with her for the land,
16 She was surfeited with grief and thirsted for beer[65].

Während Enki als der bezeichnet wird, der *einen* Menschen gerettet hat, so daß das Leben der Menschheit weitergehen kann, wird nun Nintu in der Fortsetzung aufgefordert, für die Begrenzung der Geburten zu sorgen. In diesem Stück zeigt sich offenbar die Weisheit der Nintu darin, in Zukunft einen Vorgang wie die Sintflut zu verhindern. Bekanntlich war ja das ganze Unheil entstanden, weil die Menschen sich zu stark vermehrten und deswegen mit ihrem Lärm die Götter störten. Offenbar gab es in den engen altorientalischen Städten auch schon das Problem der Überbevölkerung. Darauf geht ein Fragment ein, in dem Nintu nach der Flut als birth-goddess angesprochen wird:

---

[64] *Lambert/Millard,* Atra-ḫasīs (s. Anm. 31) 95; vgl. *Bottéro/Kramer,* Lorsque (s. Anm. 6) 551 ff.

[65] *Lambert/Millard,* Atra-ḫasīs (s. Anm. 31) 97.

VII

1 In addition let there be a third category among the peoples,
2 (Let there be) among the peoples women who bear and women who do not bear.
3 Let there be among the peoples the Pāšittu-demon
4 To snatch the baby from the lap of her who bore it.
6 Establish *Ugbabtu*-women, *Entu*-women, and *Igiṣitu*-women,
8 And let them be taboo and so stop childbirth[66].

Zunächst wird darin eine Unterscheidung zwischen Frauen getroffen, die Kinder empfangen, und solchen, die steril bleiben. Danach wird ein Dämon erschaffen, der offenbar die Kinder im Mutterleib tötet. Als letztes werden drei Kategorien von Frauen erwähnt, die unfruchtbar sind und – aus welchen Gründen und mit welchen Mitteln auch immer – dem Kindergebären ein Ende setzen[67].

c) Neubabylonische Tafel von der Erschaffung des Menschen und des Königs VAT 17019 (BE 13383)[68]

Dieses neu veröffentlichte Stück – die Abschrift stammt aus der ersten Hälfte des 1. Jahrtausends – ist einmal verwandt mit dem Atrachasis-Mythos und bietet auch manche Parallele zu Gen 2. Deswegen sei es hier als letztes kurz vorgestellt.

Der Anfang ist verderbt, der erste Göttername ist ***Belet-ili,*** die Herrin aller Götter, die mit ihrem Zwillingsbruder Ea darüber spricht, daß den Göttern die Fronarbeit lästig geworden ist. Der gleiche Name bzw. Titel war im Atrachasis-Epos der Nintu beigegeben. Es wird beschlossen, eine Lehmfigur zu schaffen, um die Götter ausruhen zu lassen.

10 Ea hub an zu sprechen, indem er an Belet-ili das Wo(rt richtete):
11 (Belet)-ili, die Herrin der großen Götter bist du.
...
14 Da kniff Belet-ili den Lehm für ihn (den Menschen) ab;
15 (...) sie handelte kunstfertig.
16 (...) (rei)nigte sie und mischte den Lehm für ihn.
...

[66] *Lambert/Millard,* Atra-ḫasīs (s. Anm. 31) 103; vgl. auch *Bottéro/Kramer,* Lorsque (s. Anm. 6) 554.

[67] Dieser Text sei deswegen erwähnt, um zu zeigen, daß die Göttin Nintu nicht nur für die Fortpflanzung, sondern offenbar auch für deren Begrenzung zuständig war. Das Problem gab es somit auch schon im 2. Jahrtausend v.Chr.

[68] Bearbeitet von *Werner R. Mayer:* Or. 56 (1987) 55–68; vgl. auch *Hans-Peter Müller* in: Or. 58 (1989) 61–85.

Zeile 27 tritt Ellil auf, der Held der großen Götter.
28 (lullu-Mensch) machte er zu seinem Namen;
29 (die Fron)arbeit der Götter ihm aufzulegen befahl er.
V. 30 hebt Ea an zu sprechen: (wie Z. 10 und 11!)
31 „Belet-ili, die Herrin der großen Götter bist du.
32 Du hast den lullu-Menschen geschaffen:
33 bilde nun den König, den überlegend-entscheidenden Menschen!
34 Mit Gutem umhülle seine ganze Gestalt,
35 gestalte seine Züge harmonisch, mach schön seinen Leib!"
36 Da bildete Belet-ili den König, den überlegend-entscheidenden Menschen.
37 Es gaben dem König den Kampf die (großen) Götter.
38 Anu gab ihm die Krone, Ellil ga(b ihm den Thron),
39 Nergal gab ihm die Waffen, Ninurta g(ab ihm gleißenden Glanz),
40 Belet-ili gab (ihm ein schönes Aus)sehen.
41 Anweisung gab Nusku, erteilte Rat und sta(nd ihm zu Diensten). ...[69]

Der Mensch wird auch in diesem Texte geschaffen, um den Göttern die Arbeit abzunehmen. Wie im Atrachasis-Mythos sind Ea und die Muttergöttin mit der Bildung des Menschen beschäftigt, wobei wieder Belet-ili die konkrete Ausführung übernimmt. Neu ist, daß die Ausstattung der Menschen detailliert geschildert wird, die Verse sind allerdings schlecht erhalten; der Gott Ellil (= Enlil) bestimmt Namen und Aufgaben der Menschen. In einem zweiten Gang wird der König geschaffen und ausgestattet. Auf Befehl Eas ist wiederum Belet-ili die Ausführende. Nach allem, was diesem fragmentarischen Text zu entnehmen ist, scheint es sich sowohl beim ersten als auch beim zweiten Gang ausschließlich um die Erschaffung von *männlichen* Menschen zu handeln.

Belet-ili will nach Z. 8 den Menschen als eine Lehmfigur schaffen (sa-lam ti-it-ti). Es folgt dann aber kein Akt der Belebung wie z.B. Gen 2,7b und wie auch schon in sumerischen Texten. Die Selbstaufforderung erinnert stark an Gen 1,26, ebenso der Terminus *salam*. Der dreimalige Kohortativ zeigt, daß sich die Göttin mit anderen Göttern zusammenschließt.

Der Schöpfungsakt der Belet-ili ist in diesem Text, ähnlich wie Gen 2, nur durch das Material *Lehm* bestimmt, ohne Zumischung von Fleisch und Blut eines Gottes. Die Ähnlichkeit der Formulierung ist auch gegeben bei dem verwendeten Verb „sie handelte kunstfertig", das nach Müller dem Satz Gen 2,7a „und es formte *(yṣr)* Jahwe-Elohim" entspricht.

---

[69] *Mayer* (s. Anm. 68) 57f.

Die Worte „Sie mischte seinen Lehm“ sind auch Atr I, 226 bereits von der Göttin Nintu ausgesagt. Die Schöpfungsaussagen dieser Göttinnen (Nintu/Belet-ili/Mami) stehen somit in einer langen Tradition.

Die Rolle Ellils wird in diesem Text nicht ganz deutlich. „Dem menschenfeindlichen Charakter Ellils in Atr und im Gilg XI entspricht es, wenn er schließlich für die untere Menschenklasse eine demütigende Bestimmung festlegt: (‚den Tragkorb der Götter ihm aufzuerlegen befahl er‘ (Z. 29).“ [70] Ob Ellil in Z. 32 auch die Benennung der Menschen als *lullu* vornimmt, ist vom Text her nicht ganz sicher. Benennungen, die in Gen 2 eine große Rolle spielen, gehören jedenfalls auch schon in akkadischen Texten unmittelbar zu den Schöpfungserzählungen [71].

Zusammenfassend kann zur Tätigkeit der Belet-ili gesagt werden: Die konkrete Ausführung der Schöpfung übernimmt auch hier wieder die Herrin der Götter, die Muttergöttin. Somit tritt Jahwe-Elohim in Gen 2 in die Rolle der Muttergöttin ein, wenn er *'ᵃdām* wie ein Töpfer formt. Dies könnte eine Interpretationsmöglichkeit für die immer noch nicht endgültig geklärte Doppelbezeichnung *Jahwe-Elohim* sein, die sich ja nur in Gen 2 und 3 findet. Es scheint mir eine plausible Erklärung, daß der Jahwist mit dieser Gottesbezeichnung deutlich machen will, daß er *bewußt* die Linie außerisraelitischer Schöpfungsmythen aufnimmt. Er würde dann mit diesem göttlichen Doppelnamen ausdrücken, daß er in den Fußstapfen älterer Traditionen wandelt und dies auch kenntlich macht. Die universalistische Tendenz dieser Gottesbezeichnung Jahwe-Elohim gälte dann nicht nur für die *Adressaten* – alle Menschen sind in diesen Kapiteln gemeint, nicht nur Israel –, sondern auch für die *Herkunft*. Den Stoff, den der Jahwist bearbeitet, bezieht er somit ausdrücklich auch auf die umliegenden/vorisraelitischen Götter und Göttinnen.

3. Zusammenfassende Betrachtung zu den mesopotamischen Schöpfergöttinnen

Offenichtlich ist zu unterscheiden zwischen *Mutter*göttinnen und Göttinnen, denen dieser Aspekt fehlt, wie vor allem bei Inanna. Da-

[70] So *Müller* (s. Anm. 68) 72 f.

[71] Im übrigen sieht Müller mehr Anspielungen an Gen 1 (sowie Ps 8) als an Gen 2 f.

bei ist der Begriff der Muttergöttin „einer der schwierigsten Begriffe der Religionsgeschichte“[72].

In den ältesten Texten ist die sog. Muttergöttin unter verschiedenen Namen greifbar, so als Ninhursag, die in den Götterlisten meist an vierter Stelle auftritt, nach An, Enlil und Enki, gelegentlich auch an dritter Stelle, wobei dann eine eigenartige Konkurrenz mit Enki entsteht. Im Mythos Enki und Ninmach wird sie auch als Nin-Maḫ = erhabene Herrin, die Menschen erschafft, bezeichnet. Von Nammu, der Urmutter, die Himmel und Erde und alle Götter geboren hat, scheint sie verschieden zu sein[73]. Für die Fruchtbarkeit im Sinne von *konkreter* Schwangerschaft und Geburt ist dann vor allem Nin-tu, die auch „Herrin des Gebärens“ genannt und die direkt als Hebamme tätig wird, zuständig. – Bei dem Begriff „Fruchtbarkeit“ dürfen nicht allzu einfach Natur und Kultur unterschieden werden. Im alten Sumer war man sich bewußt, daß von selbst, ohne Kultur, ohne Technik (vor allem Bewässerung!) nichts entsteht und *be*steht. Vielleicht kann von daher die Konkurrenz zwischen Enki und der Muttergöttin Nintu erklärt werden. Enki, der Herr der Erde, auch des Wassers und der Bewässerung, ist ja auch ein Gott der Fruchtbarkeit, aber in einem etwas anderen Sinn; er herrscht über die Fluten und befruchtenden Flüsse, eher magisch-technisch. Die Gleichsetzung der sog. Muttergöttin etwa einzig mit der „Muttererde“ oder der „Mutter Natur“ ist vermutlich ein moderner romantischer Mythos, während im alten Mesopotamien die Verhältnisse wohl komplexer gesehen wurden. Wie oben gezeigt, waren die Muttergöttinnen nicht nur mit der Fruchtbarkeit, sondern gelegentlich auch mit deren Einschränkung betraut, handhabten also diese Dinge durchaus in einer sehr differenzierten Weise.

Bei der Muttergöttin, die unter verschiedenen Namen auftritt, zeigt sich eine Tendenz, der sich alle Interpreten anschließen: die verschiedenen Gestalten und Namen weiblicher Gottheiten in *eine*

---

[72] So schon *D. O. Edzard* in: Mesopotamien. Die Mythologie der Sumerer und Akkader, in: Wörterbuch der Mythologie I, 1965; vgl. auch oben im Beitrag von Marie-Theres Wacker, Abschnitt II, 3.

[73] Daß man sich der *Verschiedenheit* dieser Göttinnen wohl bewußt war, zeigt, daß sie zum Teil in den gleichen Götterlisten vorkommen. Van Dijk hat zahlreiche solcher Listen zusammengestellt und kommentiert. In der Liste SLT 122–124 zählt er neun Muttergottheiten auf: Ninhursaga, Nindingirene, Ninmah, Nintu, Ninmena, Aruru, Mah, Mama und Belet-ili, die für ihn aus verschiedenen lokalen Panthea stammen (vgl. *J. van Dijk*, Le motif [s. Anm. 26], bes. 3 ff.). Das bedeutet aber auch, daß man sich sowohl der individuellen Unterschiedlichkeit als auch der gleichen *Funktion*, nämlich der Mutterschaft, bewußt war!

einzige Gestalt zu verschmelzen. Während die männlichen Götter sehr differenziert auseinandergehalten und zunehmend individueller gezeichnet werden, werden die weiblichen oft, auch wenn sie nicht genau die gleichen Funktionen haben, unter den Oberbegriff „die große Muttergöttin" subsumiert. Das ist zumindest problematisch. Darum ist eine wichtige Frage, die unbedingt zu diskutieren ist, die *Reduktion* weiblicher Gottheiten auf *einen* Aspekt und ihre Ent-Individualisierung und Austauschbarkeit, während bei männlichen Gottheiten eher das Gegenteil zu beobachten ist. Welche Prozesse spielen sich hier ab, und was für Interessen stehen hinter solchen Vorgängen?[74]

III. Feministische Auswertung und Kritik

Da es noch keine feministische Schöpfungstheologie gibt, höchstens Ansätze für eine neue Betrachtung, sind hier lediglich fragmentarische Bemerkungen möglich. Am Anfang ist es wesentlich, die richtigen *Fragen* zu finden. Fragen sind zunächst wichtiger als Antworten, die es zur Zeit sowieso noch nicht gibt. Für das immense altorientalische Material fehlen zunächst zahlreiche Einzeluntersuchungen[75]. Zudem haben wir wie bei den biblischen auch bei allen altorientalischen Texten nie die Originale vor uns. Immer schon sind sie durch eine längere Tradition und Interpretation geprägt, die zunehmend androzentrisch bestimmt ist. Daß die Tendenz dahingehend verläuft, weibliche Akzente abzuschwächen und die männliche Herrschaft zu zementieren, läßt sich vielerorts beobachten, vor allem auch an den Erzählungen von Gen 2 und 3[76]. Das Weibliche in

---

[74] Dieser Prozeß hat in *vor*biblischer Zeit längst begonnen. Bereits in alten babylonischen Götterlisten werden dann die großen Muttergottheiten einzelnen männlichen Göttern verbunden (meist durch Heirat) und so ihrer Eigenständigkeit beraubt. Von den oben Anm. 73 aufgezählten neun Göttinnen werden in der Liste von Nippur *sieben* dem Gott Enlil durch Heirat zugeordnet (vgl. *van Dijk,* Le motif [s. Anm. 26] 8f., aber auch *W. G. Lambert,* Götterlisten: RA 472–479).

[75] Dies ist auch bereits erkannt, vgl. einige neuere Sammelbände mit zahlreichen Einzelbeiträgen, vor allem in englischer und französischer Sprache. Exemplarisch seien genannt: Women's Earliest Records. From Ancient Egypt and Western Asia (hrsg. v. *Barbara S. Lesko*), Atlanta 1989 (Literatur!); La Femme dans le Proche-Orient antique (hrsg. *Jean-Marie Durand*), Paris 1987.

[76] Die Weichenstellungen sind bereits in vorbiblischer Zeit erfolgt, im 2. Jahrtausend v. Chr. ist der Prozeß der Verdrängung der weiblichen Gottheiten bzw. ihre Unterordnung unter die männlichen Götter weitgehend abgeschlossen. Die anderen Beiträge dieses Bandes zeigen ein analoges Bild. Vgl. dazu auch *W. G. Lambert,* Goddesses in

einem dominanten, göttlich-überlegenen Sinn ist deswegen im AT von Anfang an abwesend[77].

Alle behandelten mythischen Texte sowie die biblischen Erzählungen der Urgeschichte verraten somit den *androzentrischen* Blickwinkel; nicht alle in gleichem Maße, aber die Tatsache dürfte wohl unbestreitbar sein. Androzentrismus bedeutet, daß die männliche Norm mit der menschlichen in eins gesetzt und die weibliche als Ausnahme erklärt wird, „daß die allgemeine maskuline Art des Denkens, der Sprache und Forschung ‚adäquat sei', für die Diskussion über Frauen als eines Objekts, das dem Menschengeschlecht eigentlich fremd ist, das erklärt und in die eigene Weltsicht eingepaßt werden muß ..."[78] Männliches Maß gilt als universal, weibliches als eingeschränkt, speziell, wenn nicht gar als be-schränkt. Wenn also theologische/mythische Texte in patriarchalem Kontext entstanden sind, reflektieren Texte wie ihre Interpretationen *männliche* Erfahrung. Jede Interpretation geht von irgendeiner Erfahrung aus, und von diesem Horizont aus wird interpretiert und neu-interpretiert. Eine rein „objektive" Interpretation, was immer das sei, gibt es nicht. Daß historische Rekonstruktion immer mit *Interpretation* zu tun hat und immer von einem hermeneutischen Vorurteil getragen ist, dürfte wohl niemand mehr bezweifeln. Jedoch darf diese Erkenntnis auch nicht dazu führen, einfach alles zu relativieren. In Geschichte und Soziologie sind hierzu Kriterien entwickelt worden, z.B. von Linda Gordon[79].

Da die bisherige Interpretation immer eine Dialektik zwischen

---

the Pantheon: A Reflection of Women in Society? im oben (Anm. 75) zit. Sammelband La Femme dans le Proche-Orient antique 125–130.

[77] Vgl. dazu *Patrick D. Miller,* The Absence of the Goddess in Israelite Religion: Hebrew Annual Review 10 (1986) 239–248, bes. 244f.: „... the extreme integration of divine characteristics, roles, and powers in Yahweh carries with it an absorption of the femine dimension in deity reflected in the goddess. That would mean, in effect, its disappearence as a separately identifiable dimension because the characteristics of goddesses in the ancient Near East are shared, except for child-bearing, by male deities also" (244).

[78] *Rita M. Gross,* Androcentrism and Androgyny in the Methodology of History of Religions, 1977, zit. bei *Anne Carr,* Frauen verändern die Kirche. Christliche Tradition und feministische Erfahrung, Gütersloh 1990, 109.

[79] „There may be no objective canons of historiography, but there are degrees of accuracy; there are better and worse pieces of history" (*Linda Gordon,* What's New in Women's History, in: Feminist Studies/Critical Studies, hrsg. v. *Teresa de Lauretis,* Bloomington 1986, 22), zit. bei *Peggy L. Day (Hrsg.),* Gender and Difference in Ancient Israel, Minneapolis 1989, 3. Für die deutsche historische Forschung vgl. das Werk von Annette Kuhn. – Für den Bereich der Philosophie vgl. auch die neue Zeitschrift „Die Philosophin", hrsg. v. diskord, Tübingen.

Text und männlicher Erfahrung spiegelt, die dazu gedient hat, die männliche Autorität/Superiorität/Vorherrschaft u.ä. zu konservieren, versuchen feministische Historikerinnen/Theologinnen, Texte von *weiblicher* Erfahrung aus zu interpretieren. Dabei bedeutet diese feministische Perspektive anderes und mehr, als einfach heutige Erfahrungen von Frauen in eine frühere Epoche zurückzuprojizieren[80]. Daß der Begriff „weibliche Erfahrung" an sich problematisch ist, möchte ich hier nur anmerken, weil die Unterschiede zwischen den feministischen Ansätzen und Richtungen zu groß sind; es gibt hier also keinen Konsens[81].

Eine weitere Unterscheidung, die in der amerikanischen feministischen Diskussion entstanden und von entscheidender Bedeutung für die gesamte feministische Fragestellung ist, ist hier hilfreich: die Unterscheidung von *sex* und *gender*[82]. Mit dem ersten Begriff ist die biologische Ebene gemeint, „the biological dichotomy between female and male, chromosomally determined, and for the most part unalterable"[83]. *Gender* meint dann dagegen, die *soziologisch-kulturelle* Dimension: Was eine Gesellschaft, eine Ordnung unter männlichen oder weiblichen Rollen versteht, was als männliche oder

---

[80] „... feminist historians have made female experience the object of historical inquiry, and in so doing have redefined what written history means. Advocacy for the importance of female experience is incorporated into the nature of the questions asked, just as historians of past generations have implicitly advocated the importance of male-centered experience and activity by the kinds of historical questions they have chosen to ask. This type of advocacy for the importance of female experience should not be confused with reading feminist values into past and distant cultures. We need to ask feminist questions, but we must be prepared to obtain answers that do not directly confirm the values we hold in the modern world" (*Day,* Gender [s. Anm. 79] 3).

[81] *Anne Carr* diskutiert diese Frage in einem eigenen Kapitel (a.a.O. [s. Anm. 78] 148ff.); vgl. die Zusammenfassung: „... wird deutlich, daß ‚Erfahrung' ein elastischer Begriff ist. Er umfaßt die persönliche und historische Vergangenheit, die verschieden interpretierte Gegenwart und die antizipierte Zukunft, eine Vielfalt von Hoffnungen, Sehnsüchten, Wünschen, die sicherlich einen Großteil der weiblichen Erfahrung ausmachen. Und keine dieser beiden Auffassungen liefert stichhaltige Kategorien. Feministische Theoretikerinnen betonen einmal die eine, einmal die andere Art, die Erfahrung von Frauen zu sehen, je nachdem, um welches Problem es sich gerade handelt. Aber einig sind sie sich alle in der Behauptung, daß Frauen in Geschichte und Gegenwart als eine Klasse unterdrückt worden sind, welche unterschiedlichen Erfahrungen sie auch immer unter den besonderen Bedingungen ihrer Unterdrückung gemacht haben" (154).

[82] Vgl. hier schon im Beitrag von Marie-Theres Wacker, Monotheismus bes. die Anm. 36 erwähnte Literatur. – Ferner auch *Sandra Harding,* Feministische Wissenschaftstheorie. Zum Verhältnis von Wissenschaft und sozialem Geschlecht, Hamburg 1990, bes. die Definition S. 11 sowie die oben Anm. 79 erwähnte Zeitschrift „Die Philosophin", bes. Heft 2 (Okt. 1990) mit mehreren Artikeln zur Geschlechterdifferenz sowie zwei Tagungsberichten zum Thema.

[83] *Meyers,* Discovering Eve (s. Anm. 7) 46.

weibliche Eigenschaften festgeschrieben wird. Diese Zuschreibungen sind veränderlich. So gibt es in jeder Gesellschaft spezielle feminine oder maskuline *patterns*. Diese Unterscheidung, die bei Carol Meyers in einem eigenen Kapitel diskutiert wird, ist eminent wichtig. In den USA wird diese Fragestellung unterdessen in allen Disziplinen angewandt. Für den Alten Orient ist diese Frage noch kaum gestellt, außer in wenigen Einzeluntersuchungen[84]. Anhand solcher Studien kann der Zusammenhang zwischen Rolle und Stellung der Frau in einer bestimmten Zeit in Beziehung gesetzt werden zum Gottesbild und zu den Rollen der Göttinnen und Götter. Auch hier ist man erst so weit, die richtigen Fragen zu finden[85].

Ein weiteres Stichwort ist schon gefallen, das bei einer feministischen Kritik zentral ist, nämlich *Interdisziplinarität*. So gut wie alle feministischen Untersuchungen sind interdisziplinär; das macht die Sache nicht leichter, weil nie nur auf *ein* Fach zurückgegriffen werden kann und man dabei regelmäßig zwischen mehrere Stühle zu sitzen kommt[86].

Was bedeutet dies nun alles konkret für die Beurteilung der vorgestellten Textbeispiele? Die besprochenen Texte – mit wenigen Ausnahmen –, die altorientalischen wie die jahwistischen, zeigen diesen androzentrischen Blickwinkel. Dies müßte nun für jeden Text im einzelnen nachgewiesen werden, was hier nicht nur aus zeitlichen, sondern auch aus sachlichen Gründen nicht möglich ist, denn sie sind ja so gut wie immer anonym. Trotzdem läßt sich dies an zahlreichen formalen und inhaltlichen Eigenheiten belegen, dafür nur wenige Beispiele: Die männlichen Götter treten mit voranschreitender Zeit immer mehr in den Vordergrund der Szene, auch dort, wo noch ersichtlich ist, daß eigentlich Muttergottheiten den ersten Platz einnehmen. Besonders deutlich wird dies bei Texten wie „Enki und Ninmach“ und „Enki und Ninhursag“[87], wo der männliche Gott eine Göttin nach der anderen vergewaltigt, aber auch bei dem für die Menschen positiv zu wertenden Schreien der Ischtar, das schon von Keel zitiert wurde: Auch dieser Text ist ganz und gar aus männlicher

---

[84] S. Anm. 75.

[85] „Assyriologists are, I think, still at the juncture of finding the right questions to put to the available sources rather than offering definitive answers to those questions. Unfortunately, we are always at the mercy of fragmentary, accidental materials, visual and written, which with few exceptions are male-authored, male-produced, and male oriented“ (*Rivkah Harris,* Independent Women in Ancient Mesopotamia?, in: Women's Earliest Records (s. Anm. 75), 145–156, hier 145).

[86] Auch Carol Meyers hat ihr Buch „Discovering Eve“ stark interdisziplinär angelegt.

[87] Siehe S. 77ff.

Perspektive geschrieben. Das einzige, was Männer bei einer Geburt miterlebten, war nämlich das Schreien der Gebärenden; alles andere blieb männlichen Blicken und Ohren verborgen. Bei sämtlichen alten Völkern wurde wenig so sehr männlicher Erfahrung entzogen wie die Geburt und die damit verbundenen Vorgänge. So ist das Schreien das einzige, was Männern zugänglich war und ihnen Angst machte, während Frauen diese Vorgänge vermutlich ganz anders geschildert hätten. Jedoch ist die männliche Perspektive nicht nur in den Texten zu belegen, sondern sie gilt ebenso für die männlichen *Interpreten*. Auch hier nur ganz wenige Beispiele, die mir allein bei der Lektüre von Sekundärliteratur aufgefallen sind: So spricht Pettinato immer vom Enki-Kreis oder vom Enlil-Kreis, d. h., Götter und Göttinnen werden fast automatisch einem männlichen Mittelpunkt zugeordnet, um den herum dann die weiblichen Gottheiten gruppiert werden, und zwar auch dort, wo diese eindeutig die Hauptpersonen sind. So besteht dann die große sumerisch/akkadische Göttertrias immer aus drei männlichen Göttern, denen die Göttinnen als Anhängsel zugeordnet werden. Dabei ist die Wirklichkeit sehr viel komplexer. Lambert macht in einer Untersuchung zahlreicher Götterlisten und Stadtpatrone/-innen deutlich, daß im alten Sumer Enlil und die Muttergöttin Ninhursag die Spitze des Pantheons bildeten. An zahlreichen Stellen kommen in der weiteren Tradition Ninhursag, Nintu, Belet-ili oder Ninmach an die dritte Stelle zu stehen (man beachte wieder, wie die weiblichen Gottheiten einfach ausgetauscht werden!). Als Resultat nennt Lambert die Degradierung der Muttergöttin an eine untergeordnete Stelle[88].

Wie aber ist es mit dem Gedanken der Weiblichkeit oder Männlichkeit einer Gottheit bestellt? Gibt es hier Ansätze für ausgewogenere Schöpfungsaussagen? Dabei sind die *Muttergottheiten* unbedingt von den weiblichen Gottheiten allgemein zu trennen! In den behandelten Schöpfungstexten sind regelmäßig Göttinnen in ihren mütterlichen Funktionen gezeichnet. Ohne die Mutter, die Neues

[88] Goddesses in the Pantheon (s. Anm. 76) 125–130. – Ein besonders typisches Beispiel für diesen androzentrischen Blickwinkel sei im folgenden ausgeführt: *Jean Bottéro,* La femme dans l'Asie occidentale ancienne. Mésopotamie et Israel, in: Histoire mondiale de la femme, Paris 1965, nennt 208 als Beispiel für die Stellung der Frau „... il a existé en Mésopotamie, depuis le IIIe millénaire, des ‚femmes-scribes', ancêtres de nos secrétaires. Ce métier supposait de longues années d'études et il donnait accès à la culture et à la ‚science'." Männliche „scribes" wären selbstverständlich die Vorgänger heutiger Wissenschaftler und Professoren, da es sich aber um einen weiblichen Stand handelt, können diese nur Vorgängerinnen untergeordneter Positionen wie Sekretärinnen sein, obwohl ausdrücklich erwähnt ist, daß hierzu jahrelange Studien erforderlich waren!

zur Welt bringt, entsteht nichts, weder auf Erden noch im Himmel. Das ist zum einen eminent wichtig, ja überlebenswichtig, und es ist zweitens schlechthin unübersehbar. Sosehr auch männliche Macht und männliches Schöpferhandeln betont werden, dieses weibliche Schöpfertum kann nicht übergangen werden. Jedoch zeigt nun der männliche Blick auf alle diese Vorgänge nur noch diese eingeschränkte Funktion, Weiblich/Göttliches kommt nur noch darin vor. So ist es bezeichnend, daß bei den Resten, die davon auch im Alten Testament zu finden sind, sei es bei Ḥawwah oder auch bei mütterlichen Gottesaussagen von Hosea 11 und Deutero- oder Trito-Jesaja, *das Mütterliche* der einzige Zug bleibt, der an weibliche Aussagen über die Gottheit als (noch) legitim angesehen wird[89]. Es ist dies jedoch ein einseitiger Blick und eine Einengung des Weiblichen auf eine einzige *Funktion*. Von daher sind auch die Aussagen solcher Texte – so schön sie z.T. sind – *kritisch* zu hinterfragen.

Eine Ausnahme von dem Gesagten scheint zunächst die sumerische Göttin Inanna zu sein. Sie ist gerade *keine* Muttergöttin, ihr fehlen die eben genannten Züge. Nach den bisher vorliegenden Einzeluntersuchungen scheint es tatsächlich so zu sein, daß die Lage der sumerischen Frau in frühsumerischer Zeit unter dieser Hauptgöttin zeitweise besser gewesen ist als später, auch als in alttestamentlicher Zeit[90]. Deswegen sind *immer* nicht nur die Männlichkeit oder Weiblichkeit einer Gottheit zu berücksichtigen, sondern auch die gesellschaftlichen Verhältnisse und die verschiedenen sozialen Schichten, die es für Frauen gab. Fast noch bestimmender als die Geschlechterunterschiede scheinen im alten Mesopotamien die Standesunterschiede gewesen zu sein[91]. Dies kam auch in den Schöpfungserzählungen zum Ausdruck, wenn die irdischen Verhältnisse in die Götterwelt projiziert wurden und über- und untergeordnete Gottheiten, die nicht auf männlich/weiblich zu verteilen sind, auftraten. Auch der Eindruck, daß Inanna eine unabhängige, selbständige Figur sei, ist möglicherweise ein Trugschluß, denn auch sie

---

[89] Eine Ausnahme gibt es in der Weisheitstradition Israels. Vgl. hierzu den Beitrag von Silvia Schroer in diesem Band.

[90] Vgl. *Julia M. Asher-Greve,* Frauen in altsumerischer Zeit (Bibliotheca Mesopotamica 18), Malibu 1985; *Rivkah Harris,* Independent Women (s. Anm. 85) und *W. W. Hallo,* Women of Sumer, in: The Legacy of Sumer (hrsg. v. *D. Schmandt-Besserat*) (Bibliotheca Mesopotamica 4), Malibu 1978.

[91] Auf die gegenläufige bzw. auch komplementäre Struktur von Symbolsystem und Sozialsystem bezüglich dieser Göttin macht auch *Fritz Stolz,* Feministische Religiosität – Feministische Theologie. Religionswissenschaftliche Perspektiven: ZThK 92 (1989) 477–516, aufmerksam, bes. 507ff.

ist eine männliche Projektionsfigur, jedenfalls in den vorliegenden Texten, „... a fascinating goddess ... of an eternally young, eternally sexually available female“ [92].

Am Anfang dieses Jahrhunderts gab es bereits einmal eine Diskussion über das Geschlecht der Gottheit, die dann vor dem Zweiten Weltkrieg abgebrochen ist [93]. Dabei zeigt sich religionsgeschichtlich eine außerordentliche Vielfalt. Man kann sich die Frage stellen, ob es überhaupt sinnvoll ist, über das Geschlecht der Gottheit zu diskutieren. Wenn Bertholet referiert, daß bei den Hebräern und Semiten männlich „alles Gefährliche, Wilde, Mutige, Geachtete, Große, Starke, Mächtige, Tätige, Herrschende, Hervorragende, Feste, Schädliche, Lästige, Verwundende, Scharfe, Harte; weiblich alles mütterlich Umfassende, Gebärende, Erhaltende, Ernährende, Gelinde, Schwache, Kleine, Furchtsame, Zierliche, Dienende, Beherrschte, unten Liegende, Schwankende, Lasten Tragende, minder Geachtete“ sei [94], dann gehört dies fast alles zu dem, was oben *gender* genannt wurde und kulturell bedingt ist. Diese eben zitierte Fülle von Zueignungen geht aber über Jahrhunderte weiter [95], sie haben sich bis vor kurzem nur in Nuancen, nicht grundsätzlich geändert. Damit ist aber deutlich, daß das Göttliche zunehmend mit dem verbunden wird, was als positiver, stärker, geachteter angesehen wird.

Unter polytheistischen Verhältnissen ist das Problem nicht so virulent, es spitzt sich erst im Monotheismus zu [96]. Weil ein einzelnes Geschlecht immer eine Beschränkung darstellt, wird gelegentlich

---

[92] So *Tikva Frymer-Kensky* eher ironisch in einer Besprechung des Buches von *Diane Wolkstein / Samuel Noah Kramer,* Inanna – Queen of Heaven and Earth: Biblical Archaeology Review 10/5 (1984) 62–64. Während Kramer Inanna ein „Divine Model of the Liberated Woman“ nennt, lehnt die Verfasserin dies ab, sie hat andere Vorstellungen einer befreiten Frau und bezeichnet Inanna geradezu als eine „macho-goddess“. Dies zeigt, daß es sehr schwierig ist zu beschreiben, was das Spezifische einer weiblichen Gottheit ausmacht, wenn man einmal von dem eindeutigen Muster der Mutterschaft und Geburt absieht.

[93] Vgl. z.B. *Alfred Bertholet,* Das Geschlecht der Gottheit, Tübingen 1934; s. dazu schon oben bei Marie-Theres Wacker, S. 39ff.

[94] *Bertholet,* Geschlecht (s. Anm. 93) 7.

[95] Es gibt ähnliche Kataloge auch noch in der frühen Neuzeit. Vgl. dazu vor allem *Elisabeth Gössmann,* Archiv für philosophie- und theologiegeschichtliche Frauenforschung, München 1985ff. (bisher sind 4 Bände erschienen).

[96] *Judith Ochshorn,* The Female Experience and the Nature of the Divine, Bloomington 1981, hat die These aufgestellt, daß die Gender-Frage in bezug auf die Macht der Gottheit im Alten Mesopotamien relativ unwichtig war, während die Männlichkeit Gottes in Israel eine wichtige Kategorie gewesen sei, die Hand in Hand mit der Unterordnung der Frau gehe.

der Ausweg über die Zweigeschlechtlichkeit gesucht (Inanna!). Dies ist im Alten Testament nicht geschehen, weil die Männlichkeit des (Hoch)Gottes bereits festgeschrieben war[97]. Wenn der Jahwist auch eine ganze Reihe von Zügen der mütterlich/mitleidenden, Menschen gegenüber milde gesinnten Muttergottheiten auf Jahwe-Elohim überträgt, so werden doch die meisten weiblichen Aspekte anderen, eher negativen Figuren (Schlange, *'ᵃdāmāh, ḥawwāh*) zugeordnet. Dies heißt aber, daß der Gott des Jahwisten letztlich doch ein männlicher Gott wird. Besonders dort, wo er in die Fußstapfen Enlils eintritt, wird er bewußt männlich gesehen[98]. Das Problem der Männlichkeit Gottes wird dann im Christentum noch verschärft, was z. B. den Dialog mit jüdischen Frauen erschwert[99]. Darum spitzt sich das Problem im Monotheismus immer mehr auf die Frage zu: Wie ist diese ideologisierte Männlichkeit Gottes abzubauen?[100]

Es genügt nicht, darauf zu verweisen, dies sei ein rein sprachliches Problem; auch die Sprache reflektiert ja nur die gewachsenen Zustände. Sicher hat eine aufgeklärte, differenzierte Theologie immer davon Abstand genommen, Gott einseitig männlich zu sehen; Gott ist über alle menschlichen Differenzierungen erhaben. Die Praxis entspricht jedoch diesen Axiomen nicht, weder sprachlich noch faktisch.

Daß eine ernsthafte feministische Theologie nicht naiv zurück kann zu alten Göttinnen, dürfte keine Frage sein. Sie muß vielmehr in die Zukunft gerichtet sein auf ein umfassendes Gottesbild, das nicht (mehr) auf Männlichkeit festgelegt ist. Die Erinnerung an weibliche Gottheiten oder ihre Spuren könnte dann die Funktion haben, eine ideologisierte Männlichkeit Gottes bewußtzumachen, anzugreifen und langsam abzubauen. Zunächst war ja die *Integration* der vielen Götter und Göttinnen in *einen* monotheistischen Gott zweifellos ein Gewinn, um dann aber durch eine zunehmende Verfe-

---

[97] S. Anm. 76.

[98] Dies wird auch deutlich in der Studie von *Herbert Niehr*, Der höchste Gott, über die oben (s. in dem Beitrag von Marie-Theres Wacker, S. 17 ff.) schon gesprochen wurde. Danach kommen im 1. Jahrtausend weibliche Gottheiten überhaupt nur noch am Rande vor. Gerade dieses Buch wäre als Ganzes wieder ein Beispiel für eine rein androzentrische Fragestellung und Ausführung!

[99] Vgl. hierzu das gerade erschienene (noch nicht übersetzte) Buch von *Judith Plaskow*, Standing Again at Sinai. Judaism from a Feminist Perspective, San Francisco 1990. „Eine feministische Kritik des jüdischen Redens von Gott beginnt mit der unausweichlichen Männlichkeit des dominierenden jüdischen Bildes von Gott" (zit. in FAMA 6 [1990] 6).

[100] Vgl. dazu z. B. *Frederic Raurell*, Der Mythos vom männlichen Gott, Freiburg 1989.

stigung immer mehr wieder ein Defizit zu entwickeln. Darum hat zunächst eine nüchterne Bestandsaufnahme zu erfolgen anhand eines Materials, das gegenüber früheren Generationen immens ist; die memoria im Sinne einer „gefährlichen Erinnerung“ an frühere Göttinnen könnte dann das Gottesbild bereichern, lebendiger, liebevoller und lebensnaher machen.

Bemerkungen zur Wechselwirkung zwischen den Auffassungen von der Frau und der Darstellung von Göttinnen

Von Hans-Winfried Jüngling, Frankfurt

Die folgenden Bemerkungen kreisen um zwei Fragen: In welchem Ausmaß bestimmen frauliche Erfahrungen die Darstellungen von Göttinnen? Und umgekehrt: Welche Rückwirkung haben religiös sanktionierte Vorstellungen von weiblichen Gottheiten für die Sicht der Frau?

Zunächst ist die grundsätzliche Problematik der Metaphorik „Frau – Mann" für die Gottheit zu erörtern (I), dann soll die Korrelation „Schöpfungsgöttin – Geschöpf" im Atrachasismythos betrachtet werden (II).

I. Zur Problematik der Metaphern „Frau" und „Mann" bei der Charakterisierung von Gottheiten

Jahwe-Gott handelt am Ende der Paradieserzählung am Menschen und seiner Frau auffällig gegensätzlich: Einmal stellt er fürsorglich Kleidung her und stattet damit den Menschen und seine Frau aus (Gen 3,21). Zum andern hindert diese Fürsorge nicht, daß Jahwe-Gott den Menschen aus dem Garten Eden wegschickt und vertreibt (Gen 3,23 a.24 a).

Auch die Sintflutgeschichte zeigt ein doppeltes Gesicht Jahwes: Einmal bereut Jahwe, den Menschen überhaupt geschaffen zu haben, da er feststellen muß, daß das Trachten des menschlichen Herzens nur böse ist. So will Jahwe den Menschen auslöschen (Gen 6,5–7). Zum andern aber will Jahwe die Erde nicht mehr um des Menschen willen verwünschen, obwohl – der hebräische Text liest hier כִּי, also: „weil" – das Trachten des menschlichen Herzen böse ist von Jugend an (Gen 8,21). Dem Gott, der wegen der Bosheit des Menschen diesen zu zerstören bereit ist, tritt zur Seite der Gott, der trotz aller Bosheit des Menschen ihn zusammen mit allem Lebendigen zu erhalten gewillt ist.

Obwohl es Gründe gibt, die Züge Jahwes, die ihn als strafende und zerstörerische Gottheit zeigen, als männliche Eigenschaften zu qualifizieren, die Züge Jahwes, die ihn als sorgende und barmherzige Gottheit vergegenwärtigen, als frauliche Attribute zu bezeichnen, ist diese exklusive Distribution der Eigenschaften nicht nur vom biblischen und altorientalischen Befund aus problematisch, sondern erweist sich auch dem Interesse der feministischen Kritik gegenüber als kontraproduktiv. Zu beiden Punkten ist kurz etwas zu sagen.

1. Ist Barmherzigkeit typisch für Frauen und die Göttinnen?

Schon im Jahre 1960 formulierte Alfons Deissler: „Der alttestamentliche Gott wird nur von solchen als einseitig männlich hingestellt, die das Alte Testament und seine Welt nicht kennen. Jedesmal, wenn der Hebräer das Prädikat barmherzig (rachum) von seinem Gott aussagen hörte oder es selber aussagte oder die verwandten Ausdrücke ‚sich erbarmen' und ‚Barmherzigkeit' benützte, da sagte er eigentlich ‚mütterlich'. Denn die Wurzel r-ch-m bezeichnet im Semitischen den Mutterschoß." [1]

In der Zwischenzeit ist die Einsicht in den Zusammenhang zwischen רחום und רחמים einerseits und רחם andererseits weit herumgereicht worden, wenn auch für einen native-speaker des Hebräischen der etymologische Zusammenhang zwischen dem „Mutterschoß" und der „Barmherzigkeit" keineswegs so aufdringlich zu sein scheint, wie es dem und der Hebräisch philologisch Betreibenden zunächst erscheinen mag [2].

Dezidiert hat kürzlich O. Keel darauf hingewiesen, daß Jahwe in der Rolle der Muttergottheit erscheint, wenn sein Vernichtungswille durch Liebe und Barmherzigkeit überboten und besiegt wird [3]. Da in mesopotamischen Texten, dem Atrachasismythos und von ihm ab-

---

[1] *Alfons Deissler,* Der Gott mit der väterlich-mütterlichen Liebe: Sein und Sendung 25 (1960) 150, zitiert in: Schott-Meßbuch: Die neuen Wochentagslesungen. Teil 3, 6.–20. Woche im Jahreskreis, Freiburg 1972, 362.

[2] Vgl. zum Problem *Mayer I. Gruber,* The Motherhood of God in Second Isaiah: RB 90 (1983) 352 Anm. 4. – Der Zusammenhang zwischen „Mutterschoß" und „Erbarmen" ist auch philologisch noch keineswegs geklärt, wie der Blick auf die jüngsten Äußerungen zur Konsonantenfolge רחם von *S. Simian-Yofre* und *Kronholm* (ThWAT VII 461 f bzw. 477 f) zeigt. Vgl. aber HAL s. v. רחם und רחמים.

[3] *Othmar Keel,* Jahwe in der Rolle der Muttergottheit: Orientierung 53 (1989) 89–92.

hängig in der Sintfluterzählung des Gilgamesch-Epos, Liebe und Barmherzigkeit gegenüber den Menschen angesichts des Vernichtungswillens eines Gottes in besonderer Weise Göttinnen zugeschrieben werden, kommt Keel zu der These: „In der älteren Version der israelitischen Sintflutgeschichte wandelt sich Jahwe plakativ gesagt von Enlil zu Ischtar. Die menschliche Erfahrung, die dem Gottesbild *nach* der Sintflut zugrunde liegt, ist die Erfahrung der Mutter, die das, was sie unter Mühen und Schmerzen hervorgebracht hat, unter keinen Umständen vernichtet sehen will. Die Menschheit hat sich durch die Katastrophe nicht verändert. Aber Jahwe hat die Position des kämpferischen, strafenden Richter- und Staatsgottes verlassen und die der uralten sumerisch-akkadischen Muttergottheit bezogen.“ [4]

Neben dem Atrachasismythos und dem Gilgamesch-Epos ist in diesem Zusammenhang auch eine kurze Passage im Weltschöpfungsmythos Enuma elisch als Beleg für diese Attitüde der Göttin gegenüber dem Vernichtungswillen eines Gottes auszuwerten. So wären anzuführen:

Ischtar (wahrscheinlich sekundär in dieser Funktion) gegenüber Enlil in der Sintflutgeschichte des Gilgameschepos (Gilg. XI, 116–123.162–169)[5], Nintu gegenüber Enlil im Atrachasismythos (III, III, 28–54; III, IV, 4–16)[6], Tiamat gegenüber Apsu in Enuma elisch (I, 41–46)[7].

Dem Befund im Atrachasismythos sind aber noch zwei Sachverhalte hinzuzufügen: a) Es ist wahr, daß Nintu ihrer Trauer über die Vernichtung der Menschen Worte verleiht und dabei ihre Zustimmung zum Vernichtungsbeschluß der Götter bereut; aber als erster erscheint im Text ein Gott, der völlig außer sich ist, da er „seine Söhne“ niedergeworfen sieht (Atrachasis III, III, 25–26)[8]. Der Text

---

[4] *Keel,* Muttergottheit (s. Anm. 3) 90.

[5] *Albert Schott / Wolfram von Soden,* Das Gilgamesch-Epos, Stuttgart 1958 (1982) 97 f, 99.

[6] *W. G. Lambert / A. R. Millard,* Atra-ḫasīs. The Babylonian Story of the Flood, Oxford 1969, 94–97; *Jean Bottéro / Samuel Noah Kramer,* Lorsque les dieux faisaient l'homme. Mythologie mésopotamienne, Paris 1989, 551 f.

[7] *Bottéro/Kramer,* Lorsque (s. Anm. 6) 606; vgl. auch *James B. Pritchard,* Ancient Near Eastern Texts Relating to the Old Testament (= ANET), Princeton/N. J. 1955, 61.

[8] *Lambert/Millard,* Atra-ḫasīs (s. Anm. 6) 94 f; *Bottéro/Kramer,* Lorsque (s. Anm. 6) 551. Die einschlägigen Zeilen gibt *Wolfram von Soden,* Konflikte und ihre Bewältigung in babylonischen Schöpfungs- und Fluterzählungen. Mit einer Teilübersetzung des Atramhasis-Mythos: MDOG (1979) 1–33 anders wieder. Er ergänzt „Enlil“ statt „Enki“: <Enlil> wurde nun anderen Sinnes; <auch> wurden seine Söhne auf den Weg gebracht vor ihn. (III, III, 25–27; vgl. S. 29). Auch wenn die Ergänzung „Enki“ un-

ist hier lückenhaft, aber daß es sich um einen Gott handelt, der durch die Vernichtung seiner Söhne aufs tiefste verstört ist, ist durch das suffigierte Personalsuffix in mārūšu deutlich. Die Ergänzung zu „Enki" ist plausibel. So sind die beiden Götter, die den Menschen erschaffen, die Muttergöttin Nintu und der Gott Enki (vgl. I, 189f), auch bei der Trauer über die Vernichtung der Menschen vereint, und der Gott reagiert als erster.

b) Wie es scheint, widersetzen sich sowohl Nintu als auch Enki dem Götterbeschluß, dem Willen Enlils nachzugeben und die Flut über die Menschheit zu bringen. Leider ist der Text in II, VI, 31–38 ganz fragmentarisch. Auf jeden Fall scheint eine Anspielung auf die Menschenschöpfung vorzuliegen (vgl. II, VI, 31–33 mit I, 239.242.242). Es könnte sein, daß die Göttin Nintu diese Anspielung macht. Deutlicher ist die Rede Enkis zu den Göttern:

„Warum wollt ihr mich binden mit einem Eid. Soll ich Hand anlegen gegen meine Menschen (ni-ši-ia-ma)?" (II, VI, 42–43).

Weder stimmt Enki dem Vernichtungsbeschluß zu, noch ist er bereit, „eine Flut zu gebären", da dies ja wohl Aufgabe Enlils ist (II, VII, 46f.; vgl. I, 201). Er ist es auch, der das Überleben eines Mannes mit seiner Familie sicherstellt[9].

Damit ist deutlich: Nicht nur die Muttergöttin Nintu tritt mit ihrer Trauer über den Verlust ihrer Menschen hervor. Auch der Gott Enki ist gegenüber dem Beschluß, die Flut über die Menschen zu bringen, entsetzt, wie er offenbar auch seine vernichteten Söhne betrauert. So erscheint die innere Bewegtheit über das Unglück der Sintflut durchaus nicht als exklusiv weiblich.

Der religionsgeschichtlich relevante Befund ist jedoch mit dem mesopotamischen Vergleichsmaterial nur teilweise wahrgenommen. Der ägyptische Mythos von der Himmelskuh stellt zu dem, was das mesopotamische Material im Zusammenhang mit der Flut vergegenwärtigt, das Konträre dar:

(1) Gegen die Sintflut steht der Sintbrand.

(2) Gegen die über die Vernichtung der Menschen klagende Göttin steht eine die Vernichtung der Menschen bewirkende und an dieser sich freuende Göttin.

---

sicher bleibt, ergibt doch die Wiedergabe des Verbums abāku D durch von Soden mit „auf den Weg bringen" keinen sonderlichen Sinn (vgl. AHw s. v. abāku). CAD notiert unter abāku (B) als Bedeutung „to turn upside down", für ubbuku „to overturn, uproot" (s. v.). Diese Möglichkeit erscheint im Zusammenhang sinnvoller.

[9] Vgl. *Lambert/Millard,* Atra-ḫasīs (s. Anm. 6) 84f; *Bottéro/Kramer,* Lorsque (s. Anm. 6) 547f.

(3) Gegen einen die Vernichtung der Menschen beschließenden Gott steht ein Gott, der Schöpfergott, der die Menschen der vernichtenden Göttin preisgibt, sie dann aber doch vor gänzlicher Ausrottung durch die Göttin schützt[10].

Das ägyptische Gegenstück zu mesopotamischen Texten zeigt jedenfalls zwei Sachverhalte:

(1) Gott wie Göttin können zerstörerisch wirken, Gott wie Göttin können Leben bewahren. Es ist jedenfalls zu einfach, daß man Jahwe empfiehlt, etwas mehr Weibliches anzunehmen, damit er akzeptabler wird[11].

Auch das Weibliche artikuliert sich zerstörerisch. Hier Hathor/Sachmet, Anat in den ugaritischen und Inanna/Ischtar in mesopotamischen Texten. Auf Inanna/Ischtar ist gleich näher einzugehen.

(2) Ein männlicher Gott, der zunächst auf Vernichtung der Menschen sinnt, da er durch deren Anschläge sich bedroht sieht, wird schließlich anderen Sinnes, bereut seinen Vernichtungsbeschluß und rettet die durch die Göttin bereits dezimierte Menschheit. Insofern ist Jahwes Haltung vor und nach der Flut mit der des Schöpfergottes im Mythos von der Himmelskuh vergleichbar. Er braucht keine Züge einer anderen Gottheit anzunehmen, um in seiner Haltung nach der Flut verständlich zu sein.

Im übrigen erscheint Hathor im Mythos von der Himmelskuh in einer fremden Rolle, wenn sie als zerstörerische Gottheit auftritt. Sie agiert in diesem Text wie die gefährliche Göttin Sachmet. Außerhalb dieses Mythos aber trägt Hathor Züge des Mütterlichen, Fruchtbaren, Schöpferischen. In Dendera heißt sie „Mutter des Re" und „Mutter der Mütter".

2. Frausein versus Mutter- und Gattinsein

Sosehr der etymologische Zusammenhang zwischen „Mutterschoß" und „Barmherzigkeit" für die feministische Betrachtung des Alten Testaments von heuristischem Wert war, so vorsichtig wird in der aktuellen feministischen Diskussion dieser Zusammenhang bewer-

[10] Vgl. *Erik Hornung*, Der ägyptische Mythos von der Himmelskuh. Eine Ätiologie des Unvollkommenen (OBO 46), Freiburg – Göttingen 1982, 37–40 (Zeilen 1–100).

[11] Dafür plädiert *Keel*, Muttergottheit (s. Anm. 3). Seine Skizze soll zeigen, „daß die Überlebenschancen bei künftigen Katastrophen immer geringer werden, je länger sich die Menschheit, Männer und Frauen, weigert, diesen in der altorientalischen Götterwelt typisch weiblichen Zug im Bilde des biblischen Gottes zum dominierenden Modell ihres Handelns zu machen" (92).

tet. Die Zurückhaltung und Vorsicht bestehen zu Recht. Denn der Mutterschoß ist keineswegs die Garantie für Barmherzigkeit und Liebe. Sogar ein solcher Text wie Jes 49, 15 zeigt nicht nur die bedingungslose Liebe der Frau zu ihrem Kind, sondern er rechnet auch mit der freilich entfernten Möglichkeit, daß die Bindung zwischen Mutter und Kind zerbricht, die Frau ihr Kind vergißt. Zum anderen erweist sich der Zusammenhang zwischen רחם und רחמים für feministische Anliegen insofern als problematisch, als damit Frausein sehr entschieden auf Muttersein und damit auch auf die Bestimmtheit durch den Mann festgelegt wird.

Wie wird Frausein einfach als solches und als Realisierung von Menschsein gewürdigt? Der Blick auf Gen 2, 18–24, die Erzählung von der Erschaffung der Frau, ist insofern hilfreich, als hier die Frau bei genauer Auslegung des Textes als vollgültige Partnerin dem Menschen, dem Adam, gegenübersteht. Von Mutterschaft ist in Gen 2 nicht die Rede. Aber wo findet sich ein Text, in dem die Frau als Frau und nur als Frau Thema ist? Die Literatur des Alten Mesopotamien bietet ein Textkorpus, das für die Frage nach der Stellung der Frau und von Göttinnen von nicht zu unterschätzender Wichtigkeit sein könnte. Es handelt sich um das literarische Werk einer Frau, das der Verherrlichung einer Göttin dient, die Inanna-Dichtung der Enheduanna.

Die Sargontochter Enheduanna gehört zu den ersten namentlich bekannten Dichterinnen und Dichtern der Menschheitsgeschichte[12]. Neben einem Zyklus von Hymnen auf Tempel, die die Hohepriesterin des Mondgottes Nanna von Ur auf der Höhe der theologischen Spekulation zeigen, ist zu ihrem Werk ein Zyklus von Hymnen auf die Göttin Inanna zu rechnen. Hier spricht die Autorin weniger objektiv. Vielmehr verficht sie sehr persönlich und leidenschaftlich engagiert die Sache ihrer Göttin vor ihrem Auditorium. Denn trotz ihrer Stellung als Priesterin des Mondgottes Nanna erscheint Enheduanna als Verehrerin der Göttin Inanna-Ischtar. Ihre Verehrung der Göttin geht fast bis zur Selbstidentifizierung mit der Göttin[13].

---

[12] Zum Folgenden vgl. die Bearbeitung und Kommentierung des Hymnus auf die Erhöhung der Inanna durch *William W. Hallo / J. J. A. van Dijk,* The Exaltation of Inanna (Yale Near Eastern Researches 3), New Haven–London 1968. Eine Übersetzung des Textes durch S. N. Kramer findet sich bei *Pritchard,* ANET (s. Anm. 7), 579ff (143ff). Vgl. auch *Claus Wilcke,* Hymne: RLA 4 (1975) 543.

[13] Das Faktum, daß in der Dichtung zu Ehren der Inanna die Göttin mit autobiographischen Zügen der Dichterin dargestellt wird, ist eindringlich von *Hallo/van Dijk,* Exaltation (s. Anm. 12) 4ff, herausgestellt worden. Eine Hypothese zur Erklärung, wie

Einer dieser Texte der Enheduanna, von den Bearbeitern als „Erhöhung der Inanna“ benannt[14], sei unter der folgenden Fragestellung betrachtet: Nimmt Enheduanna z. B. von einem männerzentrierten, androzentrischen Reden Abstand? Gibt es Merkmale, die die Dichtung der Enheduanna als Werk einer Frau ausweisen?

Zunächst ist festzustellen: Die Dichtung „Die Erhöhung der Inanna“ ist nicht im Emesal-Dialekt, dem sumerischen Soziolekt der Frauen, verfaßt, obwohl er in diesem Text als einem Lied auf die Göttin Inanna erwartet werden kann[15]. Denn in den Liedern, die um Inanna und Dumuzi kreisen, und in denen, die die heilige Hochzeit zwischen einer Priesterin und einem König zum Inhalt haben, hebt sich die Sprache der Frau und Göttin gegenüber der der Männer deutlich heraus[16]. Der Sachverhalt in dem Gedicht könnte so gedeutet werden, daß die Dichterin die vorgegebene Konvention, nach der Priesterinnen sich in einem eigenen Sprachduktus zu artikulieren haben, bewußt sprengt. Andererseits kann das Bestehen der „Frauensprache“ wohl als ein Indiz dafür interpretiert werden, daß die Priesterinnen und Sängerinnen selbstbewußt eine eigene Sprachebene geschaffen haben, auf der vor allem die Göttin Inanna gerühmt wurde. Im Rahmen eines so etablierten Erwartungshorizontes, der, wie gesagt, ein Resultat emanzipierten und kreativen Schaffens ist, erweist sich die Abweichung von der Norm dann nochmals als eigenständige Tat. Doch ist der Tatbestand, daß der Hymnus auf die Erhöhung der Inanna nicht im Emesal-Dialekt abgefaßt ist, in sich ambivalent. Er mag auf ganz anderen Faktoren beruhen als dem, der hier zunächst ziemlich spekulativ zur Diskussion gestellt wird[17].

---

die Hohepriesterin des Mondgottes Nanna zugleich die beredte Anwältin der Göttin Inanna sein konnte, bieten *Hallo/van Dijk,* ebd. 7 ff.

[14] *Hallo/van Dijk,* Exaltation (s. Anm. 12). Die Sumerologie bezeichnet nach sumerischem Vorgang die Dichtung nach ihren Anfangsworten nin-me-šár-ra.

[15] Vgl. *Kramer* (s. Anm. 12) 579 (143) Anm. 1: „Note that Enheduanna's prayer is not, as might have been expected, in the Emesal dialect.“ – Zur Beschreibung des Emesal-Dialekts vgl. *Adam Falkenstein / Wolfram von Soden,* Sumerische und akkadische Hymnen und Gebete (= SAHG), Zürich – Stuttgart 1953, 28 f; *Adam Falkenstein,* Das Sumerische (HdO I, II, 1–2, 1), Leiden 1959, 18; *Joachim Krecher,* Sumerische Kultlyrik, Wiesbaden 1966, 12 f.

[16] *Krecher,* Kultlyrik (s. Anm. 15) 12: „Wo das ganze Lied Inanna bzw. der Priesterin in den Mund gelegt ist, sollte es ganz im Emesal stehen.“

[17] Ein entscheidender Faktor für das Fehlen des Emesal-Dialekts in dem Gedicht der Enheduanna kann darin liegen, daß nicht das Verhältnis zwischen Inanna und dem Gott Dumuzi das Thema des Liedes ist. – Über die Herkunft des Emesal ist kaum etwas bekannt (vgl. *Falkenstein,* Das Sumerische [s. Anm. 15] 18). Der Dialekt findet sich in nachaltbabylonischer Zeit weit verbreitet in anderen Gattungen der kanonischen Lite-

Wenn aber nun doch auf zwei Einzelsachverhalte in der Dichtung aufmerksam gemacht werden kann, die ebenfalls in die angedeutete Richtung zeigen, dann erweist sich das eben Erwogene – im Hymnus wurde die Frauensprache *bewußt* vermieden – vielleicht als ein Gedanke, der nicht ganz von außen an den Text herangetragen ist, vielmehr ein nicht unwesentliches Charakteristikum der Dichtung trifft.

a) In sehr auffallender Weise spricht die Dichterin und Priesterin von der nächtlichen Inspiration zu der Dichtung:

Mit „Es ist genug für mich, es ist zu viel für mich!"
habe ich geboren,
o erhabene Herrin, (dieses Lied) für dich.
Das, was ich dir zur (Mitter)nacht rezitierte,
möge dir der Sänger wiederholen am Mittag!
(Zeilen 138–140)[18].

Leider ist der Ausdruck für das, was die Dichterin „gebiert", nicht ganz klar. Dennoch vermittelt die Dichterin mit diesen Zeilen in sehr persönlicher Weise, wie die Idee der Dichtung ihr während der Nacht zukam und die Formung der Wortgestalt der Dichtung sie wie die Geburt eines Kindes beanspruchte. Diese, wenngleich in ihren Einzelelementen nicht singuläre[19], dennoch sehr markante Schilderung der dichterischen Inspiration läßt fast moderne Vorstellungen aufkommen: Die Frau Enheduanna geht als Priesterin, Theologin und Dichterin ganz in ihren Aufgaben auf und verwirklicht sich in ihnen. Das Hervorbringen eines Gedichtes wie dieses Hymnus auf die Göttin ist der Geburt eines Kindes zu vergleichen. Im übrigen ist klar: Die Dichterin ist sich ihres Ranges als Autorin gegenüber dem wiederholenden Sänger sehr bewußt.

b) In der Dichtung, die auf die Erhöhung der Göttin über den Mondgott Nanna zielt, also den kultischen Primat der Göttin in Ur und Uruk herausstellt, wird an einer Stelle davon gesprochen, was

---

ratur. Aber auch wenn es nun Sänger sind, die die im Emesal-Dialekt erhaltenen Klagelieder vortragen, so scheint doch die Verwendung dieses Dialektes darauf hinzuweisen, daß auch diese Gattung ursprünglich einmal eine Domäne der Frauen gewesen ist. Die Verdrängung der Priesterin aus dem Kult durch den Priester scheint nicht erst in altbabylonischer Zeit erfolgt zu sein. Vgl. dazu *Krecher,* Kultlyrik (s. Anm. 15) 37 f. Zur Emesal-Literatur vgl. auch *Mark E. Cohen,* The Canonical Lamentations of Ancient Mesopotamia I, Potomac/Md. 1988, 11 ff.

[18] *Hallo/van Dijk,* Exaltation (s. Anm. 12) 33. Dazu ist der Kommentar S. 61 f zu vergleichen, auf den sich die folgenden Ausführungen stützen.

[19] *Hallo/van Dijk,* Exaltation (s. Anm. 12) 61, machen z. B. darauf aufmerksam, daß die Bezeichnung „gebären" für intellektuelle oder künstlerische Kreativität seine Entsprechung in dem Ausdruck „das Wort empfangen" findet. Vgl. auch *Wilcke,* Hymne (s. Anm. 12) 543.

sich verändert, wenn die Göttin in Uruk (?) nicht in der ihr gebührenden Weise verehrt wird. Dann hört die Liebe unter den Menschen auf. Wie hier das Aufhören der Liebe zwischen Frau und Mann zur Sprache kommt, verrät die frauliche Perspektive der Dichterin:

Über die Stadt, die nicht erklärt hat: „Das Land gehört dir",
die nicht erklärt hat: „Es gehört deinem Vater, deinem Erzeuger",
hast du gesprochen deinen heiligen Befehl,
hast sie abgekehrt von deinem Weg,
hast wirklich deinen Fuß fortbewegt aus ihrem Stall.

Ihre (scil. der Stadt) Frau spricht nicht länger mehr von Liebe mit ihrem Gatten.
Zur Nacht haben sie nicht länger mehr Geschlechtsverkehr.
Sie offenbart ihm nicht länger mehr ihre innersten Schätze.
(Zeilen 51–57)[20]

Worauf es hier ankommt: „Die Frau spricht nicht länger mehr von Liebe mit *ihrem Gatten.*" Die Zeilen 55–57 sind ganz vom Standpunkt der Frau aus formuliert. Der Mann ist definiert von der Frau her. Es heißt *nicht:* Der Mann spricht nicht mehr von Liebe mit *seiner Frau.* Androzentrisches Reden ist hier aufgegeben.

Zu den eben genannten Einzelzügen, die erhellend genug sind, ist ferner darauf zu verweisen, daß der Text der Dichterin über die Göttin nicht nur etwas über die Göttin, sondern zugleich etwas über das Selbstverständnis der Dichterin aussagt. Dies dann nochmals verstärkt, wenn die in der Dichtung herausgestellte Tendenz zur Identifikation der Dichterin mit der Göttin berücksichtigt wird. So vermittelt Enheduanna ein Leitbild der Frau, das sie als einen um seine Suprematie kämpfenden, im höchstem Maße seines Wertes bewußten Menschen zeigt. Die Analyse der Dichtungen der Enheduanna, der Tempelhymnen ebenso wie der Hymnen auf die Göttin Inanna, könnte sich als ein für feministische Fragestellungen sehr fruchtbares Unternehmen herausstellen.

In dem hier zur Rede stehenden Stück besingt Enheduanna die Göttin in ihrer Wut und zerstörerischen Kraft. Doch der Zorn ist nur die eine Seite der Göttin. Enheduanna preist auch die das Leben erhaltende Macht der Göttin. Beide Themata sind, wenn ich recht sehe, sogar sehr stark durch stilistische Mittel aufeinander bezogen. Kompositorisch steht die Zeile

---

[20] *Hallo/van Dijk,* Exaltation (s. Anm. 12) 21,52f.

Barmherzige, glänzend gerechte Frau,
ich habe deine göttlichen Attribute (me) für dich rezitiert
(Zeile 65)[21]

unmittelbar vor dem Beginn des Hauptteils der Dichtung, die mit einer betonten namentlichen Selbsteinführung der Dichterin einsetzt (Zeilen 66–67). Sie findet ihre Entsprechung in Zeile 135:

O meine Herrin, Geliebte des An,
ich habe erzählt deine Wut[22].

Die sumerische Göttin Inanna und ihre akkadische Entsprechung Ischtar spielen in zahlreichen anderen Texten Mesopotamiens die entscheidende Rolle. Diesen Zeugnissen kann entnommen werden, daß Inanna/Ischtar zwar eindeutig fraulich aufgefaßt ist, sie aber andererseits viele männliche Charaktereigenschaften auf sich gezogen hat. Da die Göttin nur sehr selten als Mutter vorkommt, erscheint sie in besonderer Weise geeignet, bei der Grundlegung des Weiblichen als eines in sich stehenden Wertes behilflich zu sein[23].

3. „Was ist Gott für den Menschen, wenn nicht sein Vater und seine Mutter?"

Inanna/Ischtar ist eine Göttin, als solche eindeutig weiblich. Aber

---

[21] *Hallo/van Dijk,* Exaltation (s. Anm. 12) 23. Zum sumerischen Terminus *me* vgl. ebd. 48–50.

[22] *Hallo/van Dijk,* Exaltation (s. Anm. 12) 33. – Zeilen 65 und 135 stehen jeweils vor emphatischen Ichäußerungen der Dichterin: Zeilen 66f bzw. Zeilen 136ff. Wie die Zeilen 63 und 65 sich in Zeile 135 wiederholen, so verweisen die Zeilen 60–65 durch die Aufnahme des Themas der „göttlichen Attribute" (me: Zeilen 60.64.65) auf den Eingang der Dichtung überhaupt zurück: Zeilen 1–8. Vgl. vor allem Zeile 2a mit Zeile 65a: „gerechte Frau" (mí-zi). Zur Disposition des Hymnus vgl. auch *Wilcke,* Hymne (s. Anm. 12) 340.

[23] Neuere Literatur über Inanna/Ischtar: *Claus Wilcke,* Inanna/Istar: RLA 5 (1976–1980) 74–87; *Diane Wolkstein / Samuel N. Kramer,* Inanna. Queen of Heaven and Earth. Her Stories and Hymns from Sumer, New York – Cambridge 1983; *Brigitte Groneberg,* Die sumerisch-akkadische Inanna/Istar. Hermaphroditos?: WdO 17 (1987) 25–46; *Carol Fontaine,* The Deceptive Goddess in Ancient Near Eastern Myth. Inanna and Inaraš: Semeia 42 (1988) 84–102; *Françoise Bruschweiler,* Inanna. La déesse triomphante et vaincue dans la cosmologie sumérienne, Löwen 1987. – Im Anschluß an *Tiqvah Frymer-Kensky,* Inanna, The Quintessential femme fatale: BAR 10/5 (1984) 62–64, hat auch *Marie-Theres Wacker,* Gefährliche Erinnerungen. Feministische Blicke auf die Hebräische Bibel, in: *dies. (Hrsg.),* Theologie feministisch, Düsseldorf 1988, 35 Anm. 19, an den Thesen von Wolkstein/Kramer Kritik geübt. Bei dem Entwurf des eigenständig Weiblichen könne nicht so verfahren werden, daß Göttin (und Frau) mit guter Natur identifiziert und das Widerständige, die Dunkelseite ausgeblendet wird. – Inanna/Ischtar-Texte liegen nun in einer neuen Übersetzung mit gediegenem Kommentar vor: *Bottéro/Kramer,* Lorsque (s. Anm. 6) 203–337.

ihr werden auch männliche Züge zugeteilt. Doch sofort stellt sich die Frage: Nach welchen Kriterien sind bei einer Göttin männliche Züge zu identifizieren? In den Texten erscheinen die männlichen Züge mit dem Kriegerischen assoziiert. Aber wiederum: Sosehr das Kriegerische sich mit dem Männlichen verbindet – Jes 42,13 und 42,14 gerade in der unvermittelten und deswegen besonders harten Folge von איש מלחמה und יולדה scheinen das überdeutlich zu belegen –, ist es doch voreilig, das Kriegerische ganz exklusiv und eindeutig an das Männliche zu binden. Die Gleichung Kriegerisch = Männlich ergibt sich für Inanna/Ischtar daraus, daß sie direkt als „Held" und „wilder Stier" angerufen wird, ja daß sogar von der Mann-Inanna die Rede ist[24].

Mag also der Sachverhalt der Übertragung männlicher Eigenschaften auf die Göttin bei Inanna/Ischtar auch besonders hervortreten, so bezeugen doch viele Gebetstexte, daß auch andere weibliche und männliche Gottheiten mit den jeweils komplementären Attributen vergegenwärtigt wurden. Da es jedoch äußerst schwierig ist zu sagen, was männliche und frauliche Attribute sind – z.B. können moralische Qualitäten wie etwa Barmherzigkeit, Liebe usw., nicht geschlechtsspezifisch auf Frau oder Mann verteilt werden; das gilt für alle Qualitäten, die dem Bereich des „gender" im Gegensatz zu dem des „sex" zuzurechnen sind –, beanspruchen diejenigen Texte besondere Aufmerksamkeit, in denen durch die Anrede der Gottheit als *Vater und Mutter zugleich* es ganz außer Zweifel steht, daß die angeredete Gottheit, sei sie Gott oder Göttin, männliche oder frauliche Qualitäten in sich vereint[25].

Ein in jüngerer Literatur mehrfach zitierter Beleg findet sich in der Tempelbauhymne Gudeas von Lagasch. Die Stadtgöttin Gatumdu wird so angesprochen:

Ich habe keine Mutter – meine Mutter bist du,
ich habe keinen Vater – mein Vater bist du,
meinen Samen hast du empfangen, hast mich im Heiligtum geboren:
Gatumdu, dein reiner Name ist süß!
(SAHG 140)[26]

---

[24] Vgl. dazu *Groneberg,* Hermaphroditos (s. Anm. 23) 45.

[25] Für Num 11,12 scheint es durch die verwendeten Verben הרה und ילד klar, daß Jahwe in der Rolle der Mutter erscheint. Ähnlich wird im Atrachasis-Mythos das Verbum walādu auf Enki bezogen, dabei sicherlich auch eine gewisse weibliche Metaphorik nahelegend (II,VI,46; *Lambert/Millard,* Atra-ḫasīs [s. Anm. 6] 84), wie die zu I,291 parallele Formulierung zeigt.

[26] *Falkenstein/von Soden,* SAHG (s. Anm. 15) 140. – Zitiert von *Keel,* Muttergottheit (s. Anm. 3) 91 Anm. 6; *Annemarie Ohler,* Ich bin Gott und nicht ein Mann (Hos 11,9):

Die Belege lassen sich für den mesopotamischen und den ägyptischen Raum vermehren. Auf einige Texte sei hier hingewiesen. Der sumerische Mondgott Nanna wird angeredet als

Mutterschoß, der alles gebiert, der unter den Menschen auf hohem Sitz thront,
gnädiger Vater, der das Leben des ganzen Landes in seine Hand genommen hat.
(SAHG 223)

In einem Gebet an Marduk heißt es:

Dein Herz möge sich wie das des Vaters, der mich zeugte,
und das der Mutter, die mich gebar, mir wie vordem wieder zukehren!
(SAHG 300)

Im übrigen beginnt dieses Gebet mit der Zusammenstellung von Zorn und Barmherzigkeit, wie sie bereits Enheduanna für Inanna kannte:

Beschwörung, Kriegerischer Marduk, dessen Zürnen ein Flutsturm ist,
dessen Besänftigtwerden (aber) ein barmherziger Vater, (SAHG 298)

Die Herzberuhigungsklage für jeden Gott und jede Göttin stellt etwas Besonderes dar. In Form der alternierenden Rede von Gott und Göttin wendet sie sich an die unbekannte Gottheit. Die Anfangszeilen lauten:

Möge sich der Zorn meines Herrn mir legen,
möge sich der Gott, den ich nicht kenne, mir beruhigen,
möge sich die Göttin, die ich nicht kenne, mir beruhigen.
(SAHG 225)

In diesem Gebet wird weder das Geschlecht der Gottheit bestimmt noch ihr Name genannt. So unbestimmt auch das Göttliche in ihm erscheint, eines ist sicher: Das Göttliche ist wie Mutter und Vater zugleich. So mündet der Text in die Worte:

Gott, den ich kenne oder nicht kenne, sieben mal sieben sind meine Sünden – löse sie,
Göttin, die ich kenne oder nicht kenne, sieben mal sieben sind meine Sünden – löse sie!
Löse meine Sünden, und ich will dich preisen!
Dein Herz möge sich mir wie das der leiblichen Mutter beruhigen,

---

Lebendige Seelsorge 41 (1990) 287; *Mark S. Smith,* The Early History of God. Yahweh and the Other Deities in Ancient Israel, San Francisco 1990, 99.

wie das der leiblichen Mutter, des leiblichen Vaters möge es sich mir beruhigen!
(SAHG 228)

In ägyptischen Gebeten läßt sich das gleiche Phänomen beobachten: Eine Gottheit wird als Vater und Mutter angeredet. Der Rekrutenschreiber Antef sagt zu Amun-Re:

Gegrüßet seiest du, AMUN-RE,
vollendeter Ba, ältester der Götter!
Vater und Mutter für den, der ihn sich ins Herz gibt,
aber sich abkehrend von dem, der an seiner Stadt achtlos vorübergeht.
(ÄHG 191)[27]

Ebenso heißt es in dem folgenden Gebet an Amun-Re:

Sagen nicht die Witwen: „Unser Gatte bist du!",
die Kleinen: „Unser Vater und unsere Mutter!"?
(ÄHG 401)[28]

Die Folge „Vater – Mutter" in den zitierten Texten verwundert zunächst nicht. Doch auch die Sequenz „Mutter – Vater" findet sich einige Male in den Gebeten an den Sonnengott:

Du bist Mutter und Vater für „jedes Auge",
du gehst täglich auf für sie, um ihren Lebensunterhalt zu schaffen[29].

Dazu findet sich eine strenge Parallele in dem folgenden Gebet:

(Du bist) der Eine, der die Menschheit gebar,
Mutter und Vater für „alle Augen".
Du (gehst auf) für sie täglich, um ihren Lebensunterhalt zu schaffen,
du einziger Hirte, (der) seine (Herde schützt)!
(ÄHG 238)[30]

---

[27] *Jan Assmann,* Ägyptische Hymnen und Gebete (= ÄHG), Zürich – München 1975, 191; *ders.,* Sonnenhymnen in thebanischen Gräbern (= STG), Mainz 1983, 230 (zu Text 165); *ders.,* Re und Amun. Die Krise des polytheistischen Weltbilds im Ägypten der 18.–20. Dynastie (OBO 51), Fribourg – Göttingen 1983, 166.

[28] Auch Osiris wird einmal „Vater und Mutter" genannt: oCairo 25209, vgl. STG (s. Anm. 27) 331 Anm. 1. Das Kairener Ostrakon ist von *Keel,* Muttergottheit (s. Anm. 3) 91 Anm. 6, und *Ohler,* Ich bin Gott (s. Anm. 26) 287, zitiert worden.

[29] *Assmann,* STG (s. Anm. 27) 363: Text 255, Zeilen 23–24 (STG 362 muß der Hinweis auf ÄHG „68" lauten, statt „98"!); *ders.,* Re und Amun (s. Anm. 27) 120 (in Anm. 124 muß es „Text 255" statt „Text 225" heißen!). Assmanns neuere Bearbeitungen des Gebetes bilden exakt die Folge im Hieroglyphentext ab. In der Fassung ÄHG (s. Anm. 27) 181 lautete der deutsche Text noch „du bist Vater und Mutter ..."!

[30] Vgl. auch *Assmann,* STG (s. Anm. 27) 153 (Text 113). Ferner STG 331 Anm. i:
Mutter der Erde, Vater der Menschheit,
der die Erde erleuchtet mit seiner Liebe (Louvre C 67).
Bei *Assmann,* Re und Amun (s. Anm. 27) 120, findet sich eine Sammlung der Belege.

Ferner:

Du bist Mutter und Vater für die, die du erschaffen hast,
ihre Augen – wenn du aufgehst, sehen durch dich.
(ÄHG 213)[31]

Der Sonnengott kann aber auch nur als Mutter bezeichnet werden, ohne daß ausdrücklich vom Vater gesprochen wird. Aber auch in einem solchen Text scheint der Vateraspekt nicht gänzlich zu fehlen[32].

Inschriften der 22. und 23. Dynastie formulieren wieder mit der Sequenz „Vater – Mutter“:

Denn du (scil. Amun) bist ja unser Vater (5), der uns versorgt, eine Mutter der „Brut“, die sie gut aufzieht, ein zuverlässiger Beschützer für den, der ihm dient[33]

Geradezu grundsätzlich heißt es:

Was (2) anders ist Gott für den Menschen, wenn nicht sein Vater und seine Mutter?[34]

Im Alten Testament werden die Metaphern „Vater“ und „Mutter“ einzeln für Jahwe selten verwendet[35]. Noch seltener jedoch verwendet das Alte Testament die Metaphern kumulativ. Der Beleg Ps 27,10: „Wenn Vater und Mutter mich verlassen haben, wird Jahwe mich aufnehmen“, fällt sehr auf, insinuiert diese Psalmstelle doch, daß Jahwe dem Beter Vater *und* Mutter bedeutet.

---

[31] Vgl. dazu auch *Assmann,* Re und Amun (s. Anm. 27) 120 Anm. 122.

[32] ÄHG 211, Text 89,42: „Wohltätige Mutter der Götter und Menschen“. Zur Interpretation *Assmann,* Re und Amun (s. Anm. 27) 119f.

[33] *Karl Jansen-Winkeln,* Ägyptische Biographien der 22. und 23. Dynastie, Wiesbaden 1985 (ÄAT 8,1 u. 2), Teil 1,28.

[34] *Jansen-Winkeln,* Biographien (s. Anm. 32) 50.

[35] Vgl. z. B. Dtn 1,31 und Dtn 8,5. An beiden Stellen ist auffällig von „dem Mann und seinem Sohn“ die Rede, als sollte der Ausdruck „Vater“ vermieden werden. – Eine synchrone Betrachtung des Jesajabuches ist jedoch aufschlußreich: Es beginnt mit der emphatischen Rede Gottes, der Söhne großgezogen und hochgebracht hat (Jes 1,2). Die beiden verwendeten Verben scheinen zu insinuieren, daß Jahwe hier die Tätigkeiten der Mutter zugeschrieben werden (vgl. Jes 23,4; siehe auch Ez 31,4 für die Kombination der Verben im Parallelismus: רמם hat ein feminines Subjekt: תהום!). In Jes 40–55 ist Jahwe in besonderer Weise als Mutter *und* Mann eingeführt (vgl. besonders Jes 42,13–14 und *Gruber,* Motherhood [s. Anm. 2]). In Jes 56–66 findet sich für Jahwe explizit die Metapher „Vater“ (63,16; 64,7, vgl. dazu *Irmtraud Fischer,* Wo ist Jahwe? Das Volksklagelied Jes 63,7 – 64,11 als Ausdruck des Ringens um eine gebrochene Beziehung [SBB 19], Stuttgart 1989; *H. G. M. Williamson,* Isaiah 63,7 – 64,11. Exilic Lament or Post-Exilic Protest?: ZAW 102 [1990] 48–58) und der Vergleich mit einer „Mutter“ (66,13).

II. „Die Frau und ihr Mann" im Atrachasis-Mythos[36]

Der Abschnitt Gen 2,18–23, der die Bemühung Jahwe-Elohims um die Frau als die dem Menschen gemäße Hilfe erzählt, stellt den Höhepunkt im Gesamttext der Darstellung von der Erschaffung des Menschen dar. Der das Kapitel krönende Charakter des Abschnittes geht nicht nur aus einer Analyse des vorliegenden Textes, nicht nur aus einer semantischen Aufschlüsselung des Terminus „Hilfe" (עזר) hervor[37], sondern ergibt sich auch aus der Tatsache, daß er singulär in der Literatur des Alten Orients zu sein scheint.

Der Abschnitt ist insofern einzigartig, als er nicht nur ausdrücklich die Erschaffung der Frau erzählt, sondern darüber hinaus die Frau dem Adam als ebenbürtige Partnerin zur Seite stellt[38].

Fast wie eine Bestätigung für die Behauptung, daß es in der altorientalischen, näherhin in der mesopotamischen Literatur keinen Text gibt, der von der Erschaffung der Frau direkt spricht, liest sich eine Monographie zum Thema „Vom mesopotamischen Menschen", die über den Menschen als Sohn (mār), Vater (abu) und Herrn (bēl), dann auch über die Stände des Bürgers (awīlum) und des Hörigen (muškēnum) informiert, aber nur sehr wenig über den Menschen als Frau (aššatum) und nur geringfügig mehr über den Menschen als Schwiegertochter (kallatum) zu sagen hat[39].

Aber gegenüber der Behauptung der Singularität des Genesiskapitels ist eine Einschränkung angebracht: Der Atrachasis-Mythos,

---

[36] Die Bearbeitung des altbabylonischen Mythos liegt in einer handlichen Ausgabe vor: *Lambert/Millard,* Atra-ḫasīs (s. Anm. 6). Im Folgenden wird auf diese Ausgabe als Textgrundlage zurückgegriffen. Eine deutsche Übersetzung des Textes stammt von *von Soden,* Konflikte (s. Anm. 8) 18–33. Die neueste Übersetzung, versehen mit einem Kommentar, liegt auf französisch vor: *Bottéro/Kramer,* Lorsque (s. Anm. 6) 526–601.

[37] Vgl. dazu *Jean-Louis Ska,* „Je vais lui faire un allié qui soi son homologue" (Gen 2,18). A propos du terme 'ezer – ‚aide': Biblica 65 (1984) 233–238; *Helen Schüngel-Straumann,* Die Frau am Anfang. Eva und die Folgen, Freiburg 1989, 108f.

[38] So stellte *John A. Bailey,* Initiation and the Primal Woman in Gilgamesh and Genesis 2–3: JBL 89 (1970) 137–150, fest: „Whereas the man's creation is described in one verse (7), *the woman's creation (vs 22) comes,* with the man's response to it (vs 23), *as the climax of vss 18–23, and indeed of the whole account of creation;* she is the crown of creation. This is all the more extraordinary when one realizes *that this is the only account of the creation of woman as such in ancient Near Eastern literature*" (143). – Daß Gen 2 in der Auslegungsgeschichte von männlichen Interpreten in seiner Aussage so sehr verkannt und malträtiert wurde, stellt eine nicht leicht abzutragende Hypothek dar. Zu der bedrückenden Auslegungsgeschichte vgl. neuerdings und zusammenfassend *Schüngel-Straumann,* Frau (s. Anm. 37) 9–90.

[39] *F. R. Kraus,* Vom mesopotamischen Menschen der altbabylonischen Zeit und seiner Welt, Amsterdam – London 1973. Der Ehefrau (aššatum) ist gerade eine Seite (49), der Schwiegertochter (kallatum) sind sechs Seiten (50–55) gewidmet.

diese grandiose „mythologische Synthese“[40], enthält Passagen, die dem Kapitel der Genesis an die Seite zu stellen sind. In beiden Texten geht es um die Frau – allerdings unter verschiedener Rücksicht. Gen 2 spricht von der Frau als Partnerin des Adam, nicht von der Mutterschaft. In dem Stück des Atrachasis-Mythos geht es um die Frau als Mutter. Obwohl der Text des Mythos noch immer erhebliche Lücken aufweist und die Lücken gerade das hier zur Rede stehende Thema betreffen, sei dennoch eine kurze Analyse versucht.

Der Mythos beginnt mit der programmatischen Zeile

Als Götter Mensch waren (I,1).

In dieser Verfassung als Mensch (awīlum) waren die Götter zu harter Arbeit genötigt (I,2–4). Die Göttergesellschaft spaltete sich dann in eine Klassengesellschaft: Nur die Igigu haben künftig die harte Arbeit zu verrichten. Die großen Annunaku waren der harten Arbeit ledig.

Das Auseinanderfallen der Göttergesellschaft in eine Klasse der Götter, die der Muße frönen, und in eine Klasse der Götter, die der Fron mühseliger Arbeit unterworfen sind, erzeugt die Dramatik des im ersten Teil des Mythos vergegenwärtigten Geschehens: des Aufstandes der arbeitenden Götter. Die bis hierhin im Mythos erzeugte Spannung wird durch die Erschaffung des Menschen gelöst. Die Mühsal, die auf den Göttern lastet, und der Tragkorb, den sie schleppen müssen, bleiben das Thema, bis Mühsal und Tragkorb den Göttern abgenommen und dem Menschen aufgebürdet werden.

Kompositorisch ist der erste Teil des Mythos sehr kunstreich angelegt. Die Eingangszeilen (I,1–4) finden in der Rede der Schöpfungsgöttin ihre exakte Entsprechung (I,240–243). Die entscheidenden Termini Mühsal (dullu), Tragkorb (šupšikku) und Mensch (awīlum) werden wiederholt. Mühsal und Tragkorb bestimmen nun die Kondition des Menschen, wie sie die Kondition der Götter prägten, als diese Menschen waren[41]. Was in den Zeilen I,240–243 zum Abschluß kommt, ist aber in den Zeilen I,190–191 und I,194–197

[40] Vgl. die eindringliche Würdigung des babylonischen Textes durch *Bottéro/Kramer*, Lorsque (s. Anm. 6) 600f.

[41] Die Leitworte Mühsal (dullu) und Tragkorb (šupšikku) geben dem Mythos in seinem ersten Teil (I,1–247) das Gepräge: Vgl. Zeilen 2.3.4.6 als Exposition, dann: 34.36.38.42.66. 149–150. 162–163. 177. 194–197. Hinzu kommt noch das Substantiv Beschwernis durch Arbeit (šapšāqum): Zeile 4.150 (?).163.177. Vgl. dazu AHw s.v. dullu, tupšikkum/supšikkum und šapšāqum.

vorbereitet: Die Götterwelt wendet sich an die Geburtsgöttin mit der Bitte, den Menschen zu erschaffen.

Die im Zusammenhang mit der Menschenschöpfung verwendete Terminologie ist aufschlußreich. Das Schöpfungswerk bezieht sich auf den *awīlum* (I, 191), wie auch Mami/Nintu als *baniat awīlūti* eingeführt wird (I, 194). Es ist hier nicht möglich und auch nicht nötig, auf alle interpretatorischen Schwierigkeiten der Darstellung der Erschaffung des Menschen, der den Namen „Lullu" trägt (I, 195), einzugehen[42]. Es scheint so, daß unter dem Menschen und der Menschheit (I, 241.242: awīlum, awīlūtu), deren Erschaffung die Göttin Mami als vollzogen meldet, Männer verstanden sind. Das legt sich aus folgenden Gründen nahe: Nach einer Lücke von etwa 15 Zeilen, die zur Not durch andere Fragmente gefüllt werden kann (I, 260–276), dem Abschnitt über die „Geburt der Gebärenden" (I, 277–300) – auf dieses Stück ist gleich zurückzukommen – und einer erneuten Lücke von ca. 20 Zeilen sind in der Hauptrezension zunächst nur Reste zu lesen. I, 328 ist die Rede von einem oder dem Menschen/Mann. In Zeile I, 330 heißt es

der Sohn zu (seinem) Vater.

Auch ist in Zeile I, 333 betont von einem „er" die Rede. Wie die Arbeit, zu der die Götter verurteilt waren, im fragmentarischen Text I, 19–38 als Männerarbeit eingeführt wurde, erscheint nun im ebenfalls fragmentarischen Text die Arbeit der Menschen als Männerarbeit (I, 337 f). Die Arbeit der Männer zielt auf die Ernährung der Menschen (nišū) und den Unterhalt der Götter (I, 339).

An dieser Stelle im Haupttext fällt für „Menschen" der Terminus, der vielleicht auch schon in den nun im Haupttext des Mythos fehlenden Partien gegeben war, sicher aber in dem Fragment S III, 14[43] belegt ist und im weiteren Text des Mythos eine entscheidende Rolle spielen wird: Das Wort ist das Abstraktnomen nišū in der Bedeutung „Leute, Menschen". Wenn von dem zahlenmäßigen Anwachsen der Menschen die Rede ist, das die Handlung im Mythos vorantreibt, wird für Menschen dieses Substantiv gebraucht (I, 353; II, I, 2). Es bleibt von jetzt an das im Mythos mit Vorliebe zur Bezeichnung der Menschheit verwendete Wort[44]. Dennoch begegnen

---

[42] Zur Interpretation des Abschnitts I, 192–247 vgl. *Bottéro/Kramer,* Lorsque (s. Anm. 6) 580–584.

[43] Vgl. *Lambert/Millard,* Atra-ḫasīs (s. Anm. 6) 62.

[44] Weitere Belege für das Substantiv nišū „Leute", „Menschen": II, I, 9; II, IV, 6; II, V, 20 (?); II, VI, 14.29; II, VII, 43 (?); II, VIII, 35; III, II, 40; III, III, 12; III, III, 54; III, V, 43;

an wichtigen Stellen des Mythos auch noch andere Termini. So beklagt sich der Gott Enlil über den „Lärm der Menschheit" (rigim awīlūti: I,358; II,I,7). Die Abstraktbildung „Menschheit" (awīlūtu) findet sich vielleicht noch in II,VI,32, wo sich möglicherweise Nintu auf ihr Werk der Menschenschöpfung zurückbezieht (vgl. I,242). Das substantivum concretum awīlum begegnet dann noch einmal, wenn Enlil höchst erbost die Frage stellt, wie Leben (napištum) der Flut entkommen und ein Mann (awīlum) die Zerstörung überleben konnte (III,VI,9–10)[45].

Der Überblick über die von I,352 an im Mythos verwendete Terminologie sollte deutlich machen, daß fortan im Mythos, wenn es um den Menschen geht – und es geht dauernd um ihn –, vor allem der Mensch als Mann im Vordergrund steht. Atrachasis – der die Flut überlebende Mensch – ist ein Mann. Er ist der Verehrer des Gottes Enki. Daß tatsächlich die Menschheit vornehmlich männlich gesehen wird, scheint die Trauer des Enki über „seine Söhne", die durch die Flut vernichtet wurden, deutlich zu machen (III,III,26)[46]. Allerdings ist wenigstens einmal davon die Rede, daß Atrachasis nicht allein ist. Er hat eine Familie (III,II,42: kimtum).

Gegenüber diesem sich nicht zuletzt in der Terminologie als männlich ausweisenden Standpunkt des Mythos läßt sich ein Abschnitt herausstellen, der aus einer weiblichen Perspektive erzählt ist: I, 249–304. Leider ist der Text der ersten Tafel hier besonders lückenhaft. Die fehlenden Zeilen (I,260–277) können durch die assyrische Version gefüllt werden. Doch ehe auf den rekonstruierten Text eingegangen sei, sei vermerkt: Die entscheidenden Elemente für die hier vorgetragene Deutung sind auch in der erhaltenen Hauptrezension des Textes gegeben. Es handelt sich um die zweimalige Formulierung „die Ehefrau und ihr Gatte" (I,276.300) und die unmittelbar folgende Abstraktbildung „Ehefrausein und Ehemannsein" (I,301).

Durch die Erschaffung des Menschen (awīlum) war die Problematik, die den Mythos in seinem ersten Teil bewegt hatte, gelöst

---

III,VI,48; III,VII,1–3; R 5; III,VIII,18. – Vgl. auch II,VI,13: tenīšu für den Plural von tenēštum „Menschen" (AHw s.v. tenīšu).

[45] awīlum auch noch in II,III,31; II,VII,31 (?); III,VIII,10. – Die Rede Enlils in III,VI,9–10 parallelisiert napištum und awīlum. napištum „Leben" findet sich vor allem im Zusammenhang mit Enki III,I,23; III,VI,19. Denn seine Aufgabe ist es, Leben zu retten. napištum „Leben" steht vielleicht auch in III,VII,11.

[46] Vgl. auch die Folge in III,III,12–13: „Leute", „Menschen" (nišū) werden durch „Brüder" (aḫu) erklärt – also durchaus ein vom Mann her bestimmter Standpunkt des Erzählens.

worden. Das Problem des zweiten Teils des Mythos ersteht aus dem zahlenmäßigen Anwachsen der Menschen (nišū) und ihrem Geschrei und Lärm. Durch das Geschrei der Menschheit (awīlūtu) wird der Gott Enlil in seiner Ruhe gestört und reagiert verärgert. Das Stück der Tafel I in den Zeilen 249–305 und darüber hinaus bis Zeile 352 müßte vom Erzählungsgefälle her dartun, wie der erschaffene Mensch dazu kommt, sich zu vermehren, und sich dadurch in der Lage sieht, Kulturarbeit zu leisten. Erwartet werden könnte auch eine Motivation für das den Gott Enlil so aufstörende Geschrei der Menschen.

Nach der Erschaffung des Menschen durch die Zusammenarbeit Enkis und Nintus eröffnen beide Gottheiten, jetzt als Ea und Mami bezeichnet, ein neues Stadium zur Formung des Menschen: Im Haus der Schicksalbestimmung in Gegenwart der Geburtsgöttinnen stampft Ea Lehm, während Mami die Beschwörung rezitiert. Schließlich kneift sie vierzehn Lehmstücke ab. Sieben legt sie zur rechten, sieben zur linken Seite. Zwischen die beiden Siebenerreihen legt sie einen Ziegel. Das läßt sich noch dem Text in der Hauptrezension entnehmen (I, 149–259). Einige Zeilen finden sich parallel in einem neuassyrischen Stück: das Abschnippen von vierzehn Stükken Lehm, die Aufteilung auf rechts und links von je sieben Stücken und die Trennung durch den Ziegel. Dann geht dieses Fragment aber weiter mit einer Erwähnung der Nabelschnur. Ferner treten die zweimal sieben Geburtsgöttinnen in Aktion. Sie erschaffen (banû) sieben Männer und sieben Frauen. Betont wird gesagt, daß die Geburtsgöttinnen sie in Paaren vollendeten in der Gegenwart der Geburtsgöttin Mami, der Schöpferin des Schicksals. Die Göttin Mami konzipiert die Regeln für die Weitergabe des menschlichen Lebens: S III, 5–14[47].

An diesem Stück, das in seinem genauen Sinn sehr schwer zu erfassen ist, wird aber deutlich: Wenn zunächst *der Mensch* erschaffen

[47] Siehe *Lambert/Millard,* Atra-ḫasīs (s. Anm. 6) 60ff. – Die im Text gegebene Deutung schließt sich an die Lesung und die Übersetzung von Lambert/Millard an. Doch ist der Text äußerst schwierig. Nach CAD, s. v. banû ist in den Zeilen 9–10 zu lesen „7-ú ba-na-a" (statt „7 ú-ba-na-a) und zu übersetzen „seven of them create males, seven of them females". – Rein philologisch können die Zeilen 12–13 nur ganz ungenau erfaßt werden. Ist die Verbform ú-ka-la-la von kullulu „krönen", „verhüllen" abzuleiten? Dafür plädieren sowohl CAD, s. v. kullulu, als auch AHw, s. v. šinašan „je zwei". Während AHw sich darauf beschränkt, die Stelle als „unklar" zu indizieren, gibt CAD für die beiden Zeilen die Übersetzung: „they will crown them (the women) two by two, they will crown them two by two in her (Mami's) presence." Vgl. auch *Bottéro/Kramer,* Lorsque (s. Anm. 6) 539.

wurde, so wird er in diesem Stadium in der Präsenz und durch das Wirken fraulicher Gottheiten *geschlechtlich als Mann und Frau* differenziert. Die das Geschlecht direkt bezeichnenden Ausdrücke werden gebraucht: *zikarum* und *sinništum* („männlich und weiblich").

Z. 9: 7 u-ba-na-a zikarī sieben erschufen Männer
7 u-ba-na-a sinišāti sieben erschufen Frauen

In seiner Zweistufigkeit erinnert der Mythos an die Zweistufigkeit der Erschaffung der Menschen in Gen 2,4b–25.

Die Differenz der Geschlechter führt zum Paar und zur Paarung. Die Betonung der paarweisen Vollendung durch die Göttinnen scheint nahezulegen, daß Mann und Frau als gleich vollkommen verstanden sind.

12 ši-na-šam u-ka-la-la-ši-na
13 ši-na-šam u-ka-la-la maḫ-ru-ša
14 u-ṣu-ra-te ša *nišī-ma* u-ṣa-ar d ma-mi.
12 Sie vollendeten sie in Paaren,
13 Sie vollendeten sie in Paaren in ihrer Gegenwart.
14 Mami ersann die Regulierungen für das Menschengeschlecht.

Die betont gesetzte Siebenzahl in diesem Abschnitt dürfte auf die Vollkommenheit des Schöpfungswerks verweisen[48].

Die weiteren Zeilen im Text widmen der schwangeren und gebärenden Frau die volle Aufmerksamkeit (S III, 15–19). Der neuassyrische Text bricht mit den Worten „der Mann für das Mädchen/die junge Frau ..." (zi-ka-ru ana ardate) ab (Z. 20). Wenn der Text der Hauptrezension wieder einsetzt, ist zunächst fragmentarisch von „ihren Brüsten", dann vom „Bart", ferner von der „Wange des jungen Mannes" die Rede (I, 272–274). Noch immer fragmentarisch folgt „die Ehefrau und ihr Gatte" (I, 276). Die Formulierung wird in I, 300 wiederholt. Doch ehe diese Formulierung wiederaufgenom-

[48] Die Formulierung šinašam ... šinašam in den Zeilen 12f hat vielleicht ein spätes Echo in Sir 33,15 gefunden! – In diesem Abschnitt scheint eher die Gleichheit von Mann und Frau angezielt zu sein als die Unterordnung der Frau unter den Mann. Für eine gewisse Unterordnung könnte einmal die Vorordnung des Mannes vor der Frau in der Formulierung zikarum – sinništum sprechen, sodann der Gesichtspunkt, daß Männer mit den Lehmstücken zur Rechten, Frauen mit den Lehmstücken zur Linken zu identifizieren sein könnten. Nicht selten signalisieren „rechts" und „links" „gut" und „schlecht". Vgl. zur Rechts-Links-Symbolik *Groneberg,* Hermaphroditos (s. Anm. 23) 43. An unserer Stelle aber scheint der Kontext, so fragmentarisch er auch ist, von einer Bewertung frei zu sein. Vielmehr legt sich die Gleichheit der jeweils als Paar geschaffenen und vollendeten Männer und Frauen nahe.

men wird, wird in den Zeilen 277–295 der Hauptrezension von der Schwangerschaft der Frau und von der Geburt gesprochen. Die Darstellung der Geburt stellt jedoch nicht die gebärende Frau in den Mittelpunkt. Die Geburt ist viel stärker in der Reaktion der Geburtsgöttin vergegenwärtigt. Nintu leistet die Hebammendienste und realisiert sich so als erschaffende Göttin (anākumi abni: I, 289, vgl. I, 194f).

Der ganze Abschnitt mündet ein in die Einrichtung der Ehe: I, 301 spricht von dem Ehefrausein und dem Ehemannsein (aššūtu u mutūtu).

Die gesamte Folge ist offensichtlich interessiert an der Schöpfung der Menschheit als Mann und Frau, deren Verbindung zur Ehe wird. Atrachasis ist ferner interessiert daran, daß die Verbindung von Frau und Mann fruchtbar ist. Es fällt der entsprechende Terminus:

Die Gebärende gebiert
a-li-it-tum u-ul-la-du-ma (I, 291; vgl. ebd. Z. 18).

Die Fruchtbarkeit der Menschen als Frau und Mann ist ja präzise das Movens für den weiteren Verlauf des Mythos[49].

Der leider nicht vollständig erhaltene Text spricht von der Phase der Menschenschöpfung, in der der Mensch als geschlechtliches Wesen differenziert wird. Dabei erscheinen Mann und Frau als gleichen Ranges. Aber noch mehr: Die Formulierung „Ehefrau und ihr Gatte" fällt auf. Zwei Dinge sind hier bemerkenswert. Einmal ist die Reihenfolge zu beachten: Die Ehefrau wird zuerst genannt. Zum andern aber wird der Ehemann durch die Frau bestimmt. Das steht in Gegensatz zu Gen 2, 25; 3, 8.21, wenn jedesmal gesagt wird „Adam und seine Frau"[50]. Noch wichtiger erscheint, daß in I, 301 die dau

[49] Nach der Flut fordert Enki von Nintu Regelungen für eine kontrollierte Vermehrung der Menschen ein: III, VII, 1–3. – Möglicherweise ist am Ende des Mythos nochmals von den Regulierungen für die Menschheit (uṣurāt nišī) die Rede, bei denen der Mann (zikarum), die junge Frau (ardatum), der junge Mann (eṭlum) und das Verhältnis zwischen den jungen Leuten eine Rolle spielen: eṭ-lu a-na ar-da-ti: *Lambert/Millard,* Atra-hasīs (s. Anm. 6) 104f., Zeilen 5–9.

[50] Oben S. 90 haben wir im Gedicht der Enheduanna die Formulierung „ihre Frau spricht nicht länger mehr von Liebe mit ihrem Gatten" als Sprechen von einem fraulichen Standpunkt aus bezeichnet. Ob er auch hier vorliegt, kann nicht mit Sicherheit behauptet werden. Sicher ist aber, daß die Folge „Ehemann und seine Frau" derart „natürlich" erscheint, daß sogar die jüngste Übersetzung des Atrachasis hier auf falsche Fährten führt. An beiden Stellen übersetzt Bottéro, der „natürlichen" Folge Rechnung tragend, „chaque mari et chaque femme" (I, 276) bzw. „mari et femme" (I, 299)! Vgl. *Bottéro/Kramer,* Lorsque (s. Anm. 6) 539, 540. – Zur Folge von aššūtum und mutūtu vgl. aber die nächste Anmerkung.

ernde Verbindung von Frau und Mann in der Ehe ebenfalls von der Ehefrau her definiert wird[51].

Wie schon vermerkt, erzählt der Mythos in der Folge stark männerorientiert. Er kehrt jedoch am Ende zu der Thematik der Fruchtbarkeit von Frau und Mann zurück. Nach der Flut fordert Enki von Nintu Regelungen für eine kontrollierte Vermehrung der Menschen (nišū: III, VII, 1–3).

Wenn auch Bēlet-ilī/Mami/Nintu nicht allein für das Erschaffen des Menschen verantwortlich ist und sie das auch eigens betont – nur mit Enki zusammen könne das Werk gelingen (I, 200 f) –, so ist doch andererseits nicht zu übersehen, daß der Hauptanteil bei der Göttin liegt. Das erkennen auch die Götter an (I, 244–247). Trotz der maßgeblichen Beteiligung der Göttin beim Schöpfungswerk des Menschen scheint das Resultat der Schöpfung zunächst männlich aufgefaßt zu sein. Erst in einem zweiten Gang wird der Mensch geschlechtlich differenziert geformt. Das große Stück I, 249–304, das leicht als ein eigenständiges Geburtsritual verstanden werden könnte, spricht sehr klar von einem fraulichen Standpunkt aus. In ihm tritt der Gott Ea in den Hintergrund, er ist gerade noch präsent, nachdem er Lehm gestampft hat. Die Hauptrolle des Hervorbringens der Männer und Frauen liegt bei weiblichen Gottheiten. Die Differenzierung des Menschen in Frau und Mann ist als Vollendung der Schöpfung verstanden. Frau und Mann erscheinen gleichen Ranges.

Zum Abschluß ist jedoch noch ein Blick auf einen Text aus Berlin angebracht, der wiederum bei der Schöpfung des Menschen vornehmlich eine Göttin engagiert zeigt: VAT 17019 (BE 13383)[52]. Er bringt das Novum, daß er nach der Schöpfung des Menschen noch

---

[51] Vgl. die Wiedergabe von aššūtum u mutūtu in I, 301 durch „marriage" bei *Lambert/Millard,* Atra-ḫasīs (s. Anm. 6) 64 f. Allerdings ist die Folge aššūtum u mutūtu nicht singulär, sondern ein auch außerhalb des Atrachasis-Mythos nicht selten belegter Ausdruck für den Zustand des Verheiratetseins (vgl. CAD s. v. aššūtu). So gilt es überhaupt zu betonen: Der eben erhobene Befund gilt nur für den Atrachasis-Mythos. Über den Mythos hinausgehende Verallgemeinerungen sind kaum möglich. Der Mythos scheint zwar bei der Folge zikarum – sinništum die auch sonst gängige Form wiederzugeben, nach der bei der Nennung beider Geschlechter zikarum voransteht (vgl. CAD s. v. sinništum). Dagegen ist die Folge bei aššatum und mutu nach den Belegen durchaus nicht so festgelegt, daß „Ehemann" an erster Stelle steht, wenn von beiden Eheleuten die Rede ist (vgl. CAD und AHw s. v. aššatum, mutu). Hier wären noch weitere phraseologische Untersuchungen nötig.

[52] Der Text liegt in der Bearbeitung von *Werner R. Mayer,* Ein Mythos von der Erschaffung des Menschen und des Königs: Or. 56 (1987) 55–68 vor.

einmal gesondert die Erschaffung des Königs erzählt. In diesem Text werden aber trotz der Göttin nur männliche Wesen erschaffen.

Die Göttin Bēlet-ilī ist es, die die Initiative gegenüber ihrem Zwillingsbruder Ea ergreift: Da den Göttern die Fronarbeit lästig geworden ist, sagt sie zu Ea:

„Wir wollen eine Lehmfigur schaffen, (ihr die Fronarbeit) auferlegen;
von der Müdigkeit wollen wir sie (= die Götter) ausruhen lassen für immer."
(Z. 8'–9').

Ea scheint dann einen Auftrag zu geben (Z. 10–13), aber die Göttin handelt selbst (Z. 14–16). Leider sind in den Z. 17–22 und 23–27 so viele Textlücken, daß nicht einmal klar ist, wer das Subjekt des mehrfach vorkommenden Verbums „setzen" (šakānum) ist. Ferner ist nicht klar, welche Rolle Ellil, der Held der großen Götter, im einzelnen spielt. Ellil scheint es zu sein, der benamt und dem geschaffenen Menschen die Fronarbeit der Götter auferlegt (Z. 28'–29').

Die lange Rede Eas (Z. 31'–35'), mit der er der Göttin den Auftrag zur Erschaffung des Königs gibt, bezeugt erneut die Hoheit der Göttin. Der Ausführungsbericht wird nur durch eine Zeile gegeben (Z. 36'). Größere Aufmerksamkeit beansprucht die weitere Ausstattung des Königs. Bei ihr sind maßgeblich die Götter Anu, Ellil, Nergal, Ninurta und Nusku beteiligt. Aber noch bevor Nusku die Götterreihe beschließt, wird erneut Bēlet-ilī, die Schöpfungsgöttin, genannt (Z. 37'–41'). Wir haben einen Text, der die Erschaffung von Männlichem erzählt, sie geschieht maßgeblich durch eine Göttin.

Der vorgeführte Befund zeigt, daß die Korrelation von Göttin und Frau, Gott und Mann im Rahmen der Erschaffung des Menschen nicht fest ist. Nach mesopotamischen Zeugnissen erschafft die Göttin nicht exklusiv Frauen und der alttestamentliche Gott erschafft nicht nur Männer.

Zusammenfassend: Die Wechselwirkung zwischen den Vorstellungen von Frau und Göttin ist einerseits sehr deutlich: Wo immer im Rahmen des Polytheismus Gottheiten weiblich konzipiert wurden, ist der Freiraum für die Entwicklung eines eigenständigen Priestertums der Frau gegeben.

Andererseits kann der Eindruck entstehen, die Stellung der Frau in der Gesellschaft des Alten Orients sei von religiösen Vorstellungen unabhängiger gewesen, als das der modernen Betrachtung plausibel erscheint, die dem Faktum Rechnung tragen muß, daß mindestens in den vergangenen 1500 Jahren die dem Mann untergeordnete Stellung der Frau religiös-theologisch legitimiert wurde. Auch unter der Rücksicht der Unabhängigkeit von religiöser Verankerung erregt immer wieder das ägyptische Paradigma Erstaunen – und Kontroversen: Im Alten Ägypten erscheint die Frau als souverän und selbständig, eben als emanzipiert[53], obwohl es z. B. keinen ausdrücklichen Text gibt, der die Erschaffung der Frau zum Thema hat und auf diese Weise die Würde der Frau theologisch-religiös begründet.

---

[53] Die interne Kontroverse der Ägyptologie bezüglich des Themas „Emanzipation der Frau im Alten Ägypten" ist einer breiteren Öffentlichkeit durch die verschiedenen Versionen der Ausstellung „Nofret – Die Schöne. Die Frau im Alten Ägypten" im Jahr 1985 bekannt geworden. Vgl. *Sylvia Schoske/Dietrich Wildung*, Vorwort, in: Nofret – Die Schöne. Die Frau im Alten Ägypten (I), Kairo – Mainz 1984, 7 mit *Wolfgang Helck*, „Wahrheit" und Wirklichkeit, in: Nofret – Die Schöne. Die Frau im Alten Ägypten (II). „Wahrheit" und Wirklichkeit, Hildesheim – Mainz 1985, 9–12. Zum Thema vgl. weiter *Emma Brunner-Traut*, Die Stellung der Frau im Alten Ägypten: Saeculum 38 (1987) 312–335. Trotz des populären Charakters und der dezidierten These ist *Peter H. Schulze*, Frauen im Alten Ägypten. Selbständigkeit und Gleichberechtigung im häuslichen und öffentlichen Leben, Bergisch-Gladbach 1987, eine gute Zusammenfassung des Materials. Vgl. z. B. die Bemerkungen zur oben angesprochenen Kontroverse S. 269. – Ob im Alten Ägypten von einer emanzipierten Stellung der Frau die Rede sein kann, mag hier auf sich beruhen. Sicher ist wohl das eine: Zeitgenössischen Nichtägyptern und -ägypterinnen (?) erschienen die Möglichkeiten der Lebensgestaltung, die der ägyptischen Frau offenstanden, als bemerkenswert.

III

Die Ablehnung der Göttin Aschera in Israel

War sie erst deuteronomistisch, diente sie der Unterdrückung der Frauen?*

Von Georg Braulik, Wien

Hat das Alte Testament, indem es die Göttin Aschera ablehnte, gleichzeitig die israelitische Frau aus Aufgaben im öffentlichen Gottesdienst herausgestoßen, vielleicht sogar ohne für diesen Rollenverlust irgendeinen Ersatz zu schaffen?[1] Diese Vermutung liegt nahe, falls der Aschera-Kult nicht nur weibliche Elemente mit der Jahwe-Vorstellung verbunden hatte, sondern auch den Frauen besondere Möglichkeiten kultischer Aktivität bot[2]. Mit einer solchen gesellschaftlichen Veränderung zuungunsten eines Geschlechts stünde das vom Jahweglauben beanspruchte Humanum in Frage. Die Erforschung der Geschichte der Göttin Aschera betrifft deshalb heute nicht nur ein Kapitel Geschichte der Jahwe-allein-Verehrung, sondern auch die Rolle von Mann und Frau innerhalb des alttestamentlichen Entwurfes von „Welt".

Genauer: Innerhalb einer ganz bestimmten Konstruktion der Gesellschaft „Israel", nämlich derjenigen, die in der Gesetzgebung des Deuteronomiums zu finden ist. Denn hier tritt ein zweites Problem hinzu. Die biblische Polemik gegen das hölzerne Kultobjekt und die damit anvisierte Göttin[3] wird heute fast allgemein als die Neuerung

---

* Ich widme diesen Beitrag Dr. Christine Mann zum Dank für die vielen Jahre gemeinsamer Arbeit im Institut für die Alttestamentliche Bibelwissenschaft an der Wiener Katholisch-Theologischen Fakultät.

[1] So zuletzt *Marie-Theres Wacker,* Jahwe und Aschera. Feministisch-theologische Überlegungen zu einem Götterkampf (unpubliziertes Vortragsmanuskript, 1990) 15.

[2] Das vertritt zum Beispiel *Silvia Schroer,* In Israel gab es Bilder. Nachrichten von darstellender Kunst im Alten Testament (OBO 74), Fribourg – Göttingen 1987, 41.

[3] Das Alte Testament bezeichnet mit Aschera sowohl die Göttin als auch ihr Kultsymbol, einen als Holzpfahl stilisierten Baum. Darauf hat jüngstens *John Day,* Asherah in the Hebrew Bible and Northwest Semitic Literature: JBL 105 (1986) 385–408, hier 397–406, hingewiesen. Daß die Göttin und ihr Kultobjekt nicht zu trennen sind, wurde zuletzt von *Urs Winter,* Frau und Göttin. Exegetische und ikonographische Studien zum weiblichen Gottesbild im Alten Israel und in dessen Umwelt (OBO 53), Fribourg – Göttingen ²1987, 555–560, betont. *Mark S. Smith,* The Early History of God. Yahweh

der Deuteronomisten betrachtet. Als typischer Vertreter des heute Gängigen kann Saul M. Olyan gelten, der Verfasser der jüngsten Aschera-Monographie[4]. Nach ihm hat die deuteronomistische Schule nicht etwa ein dem Jahwekult fremdes, heidnisches Element verworfen. Die Verehrung der Göttin und ihres Kultsymbols sei vom Staatskult in Israel und Juda, von der Volksreligion und von streng konservativen Jahwegläubigen als traditionellerweise legitim angesehen worden und habe in der Zeit der Monarchie auch große Popularität besessen. Erst die deuteronomistischen Neuerer hätten die Verehrung der Aschera aufgrund einer bewußten Assoziation der Göttin mit dem Baalskult als Apostasie gebrandmarkt – zu Unrecht, denn die kanaanäische Religion dieser Zeit habe Baal und Aschera gerade nicht miteinander verbunden[5]. Man konnte vorher gegen Baal sein, ohne etwas gegen die Aschera zu haben. Das damit gegebene religionsgeschichtliche Problem lautet nach Olyan so: „It is extremely difficult to explain why one group of anti-Baal Yahwists (Dtr) would oppose the asherah while other anti-Baal circles seem not to have opposed it, and possibly even approved of it.“[6] Seine Lösung besteht darin, daß die Deuteronomisten den Ausschließlichkeitsanspruch Jahwes logisch ausdehnten[7]. Also eine intellektuelle Operation. Zuerst habe es nur eine Rivalität zwischen Jahwe und Baal, zwei männlichen Gottheiten, gegeben. Aschera habe friedlich zu Jahwe gehört. Dann sei sie tendenziös Baal zugeordnet worden. Dadurch sei sie logischerweise in den Gegensatz hineingeraten.

Die Annahme, Aschera habe bis zum Deuteronomium einen

---

and the Other Deities in Ancient Israel, San Francisco 1990, 80–94, versucht zu zeigen, daß Jahwe und Aschera vielleicht schon in der frühen Richterzeit miteinander verschmolzen. Danach gab es nur mehr das Symbol der Aschera, den Holzpfahl. Er erfüllte ohne Verbindung mit der Göttin, der er seinen Namen verdankte, verschiedene Funktionen im Jahwekult. Trotzdem entzündete sich an dieser „Aschera“ unter deuteronomistischem Einfluß die Kritik. Ihr Name wurde mit der Göttin Astarte in Zusammenhang gebracht. Auch die Zuständigkeit der Aschera für Fruchtbarkeit und Heilung stieß auf Widerspruch, ihre mantische Verwendung provozierte die prophetische Ablehnung. Daß Aschera in der Königszeit eine israelitische Göttin war, ist zwar nach *Smith* eher unwahrscheinlich, bleibt allerdings bei anderer Bewertung der biblischen und außerbiblischen Texte durchaus diskutabel.

[4] Asherah and the Cult of Yahweh in Ancient Israel (SBL.MS 34), Atlanta/Ga. 1988, 3–22. *Olyan* arbeitet allerdings mit dem „Deuteronomistischen Geschichtswerk“ völlig unkritisch, unterscheidet nicht zwischen Quellen und Redaktion(en) und reflektiert auch nicht über Schichtung und Zeitansatz.

[5] *Olyan* ist sich allerdings bewußt, daß der Großteil der Autoren Aschera in der Eisenzeit als Gefährtin Baals – und nicht mehr Els, wie in der Bronzezeit – annimmt (Asherah [s. Anm. 4] 6 Anm. 16 und 38–61).

[6] *Olyan*, Asherah (s. Anm. 4) 3.

[7] *Olyan*, Asherah (s. Anm. 4) 4 und 72f.

selbstverständlichen Platz in der Religion Israels gehabt, wird vor allem von außerbiblischen Quellen her entwickelt. Biblische Notizen werden, soweit sie aufgrund von literar- und redaktionskritischen Überlegungen nicht schon sofort als deuteronomistisch oder noch jünger beurteilt werden, in dieses Bild eingepaßt.

Zu diesem Fragenkomplex, der offenbar auf mehreren Ebenen gleichzeitig verhandelt wird, möchte ich in folgender Reihenfolge einige Beobachtungen vorlegen.

1. Was ergibt sich denn wirklich aus nicht-biblischem Material für die Frage der Verehrung der Göttin Aschera im Israel der vordeuteronomischen und der beginnenden deuteronomischen Zeit? Hier ist darzustellen, was heute das religionsgeschichtlich relevante archäologische Material der Eisen-II-Zeit für die Aschera-Verehrung in Israel nahelegt.

2. Stimmt es tatsächlich, daß sich in den biblischen Quellen die Ablehnung der Aschera erst mit dem Deuteronomium und den Deuteronomisten verbinden läßt? Hier ist vor allem auf Hosea und die Nachrichten der Königsbücher einzugehen.

3. Hat das Deuteronomium zusammen mit der bei ihm zweifellos vorhandenen Verurteilung jeder Art von Aschera-Kult auch die Frau in Israel gesellschaftlich weiter an den Rand gedrängt? Hier läßt sich eine genau in die andere Richtung laufende Tendenz des Deuteronomiums aufweisen.

I. Archäologie und Inschriften: Ein religiöser Umbruch im 8. Jahrhundert?

John S. Holladay Jr. erfaßt in seinem Artikel „Religion in Israel and Judah Under the Monarchy: An Explicitly Archaeological Approach“[8] statistisch alle archäologischen Daten kultischer Architektur und „religiöser“ Gegenstände, die an „nichtkonformen“ Kultstätten und in Wohnquartieren gefunden wurden, und wertet sie für die religiöse Praxis aus. Das Bild hängt natürlich von den Zeiten ab, aus denen es Zerstörungsschichten gibt, und von den bisher vorliegenden Grabungsberichten, die weithin nur wichtige Städte betreffen. Trotzdem enthält die Untersuchung von Holladay für unsere Frage zwei wichtige Ergebnisse.

[8] In: *Patrick D. Miller / Paul D. Hanson / S. Dean McBride* (Hrsg.), Ancient Israelite Religion. Essays in Honor of Frank Moore Cross, Philadelphia 1987, 249–299.

Erstens liefern Lage, Größe und Bauweise eines „Heiligtums", aber auch die Anhäufung von religiösem Inventar archäologische Kriterien, um die offiziellen, nationalen Tempel und Gottesdienste klar von den damit nicht konformen, aber tolerierten Kultstätten und Kulten zu unterscheiden[9].

Spezielles Interesse verdienen zweitens die vielen verschiedenartigen Frauenfigürchen, die neben Pferd-Reiter-Darstellungen, Tierskulpturen, Gefäßen für Speisen, Keramikgeräten, Miniaturmöbeln, Lampen und anderem mehr in israelitischen wie judäischen Privathäusern entdeckt wurden[10]. Die gleichen Typen finden sich nämlich auch in philistäischen bzw. phönikischen Heiligtümern und in den nichtkonformen Kultstätten Israels und Judas. Das läßt darauf schließen, daß diese Gegenstände eine religiöse Funktion erfüllt haben. Innerhalb der städtischen Wohngebiete sind sie – wie die am besten dokumentierten Grabungen in Beerscheba, Tell Bet Mirsim, Tell en-Nasbeh und Hazor zeigen – regelmäßig, wenn auch in unterschiedlicher Verteilung, anzutreffen. Vom Typ her dominieren unter ihnen statistisch die sogenannten „Säulenfigürchen"[11]. Bei diesen Frauenplastiken handelt es sich offenbar um das religiöse Zentralobjekt der einzelnen Familien. In keinem der Häuser von Tell Bet Mirsim und Beerscheba zum Beispiel findet sich mehr als ein Exemplar dieser Statuette[12]. Die Säulenfigürchen dienten offenbar als „Hausikonen", konnten aber auch als „Ex Voto" mit einem bestimmten Gebetsanliegen für ein Heiligtum gestiftet oder Verstorbenen ins Grab mitgegeben werden[13]. Welche Göttin in ihnen dargestellt wird, wird diskutiert. Häufig wird sie als Aschera gedeutet, die möglicherweise Attribute der Anat und Astarte an sich gezogen

---

[9] Zur Theorie religiöser Organisation in typischen syro-palästinischen Nationalstaaten der Eisen-II-Zeit und ihrer archäologischen Verifizierung im davidisch-salomonischen Reich sowie den getrennten Monarchien s. *Holladay,* Religion (s. Anm. 8) 266–280. Als allgemeinen „Lehrsatz" formuliert *Holladay* (a. a. O. 267): „Corporate expression in a typical Iron II Syro-Palestinian nation-state should have operated on several different levels, each with its own place in the social order and each with its own set of material affects."

[10] S. dazu *Holladay,* Religion (s. Anm. 8) 275–280.

[11] Bei diesem Statuettentyp ist der Unterkörper nicht ausgebildet, sondern hat die Form eines Säulchens. Stark betont sind dagegen die Brüste, die oft von den Händen gehalten werden. S. dazu *James R. Engle,* Pillar Figurines of Iron Age Israel and Ashéra-Ashérim, Ann Arbor 1981. Die beiden Grundvarianten dieses Typs der „nackten Frau" und seine neueren Fundorte beschreibt zuletzt *Winter,* Frau (s. Anm. 3) 107–109.

[12] S. *Holladay,* Religion (s. Anm. 8) 276 f.

[13] *Winter,* Frau (s. Anm. 3) 131.

hat[14]. Aus dem Vorkommen der Frauenfigurinen hat man geschlossen, daß es in Israel nicht allzu gut mit der Ausschließlichkeit der Verehrung Jahwes gestanden sei und daß die Figürchen „Bestandteil des ‚Bodensatzes' der Volksfrömmigkeit" gewesen wären[15].

Holladay hat die Funde nach ihrem Vorkommen in den einzelnen Schichten aufgeschlüsselt[16]. Es zeigt sich, daß diese Hauskulte nicht zu allen Zeiten mit gleicher Intensität betrieben wurden. In Hazor zum Beispiel – wo wir über die beste Stratigraphie der Eisen-II-Zeit verfügen – erhöht sich die Zahl der religiösen Objekte im Stratum V (nach 750 v. Chr.) gegenüber den vorausgehenden Strata XI–VI und den folgenden Strata IV–III durchschnittlich um ca. 500 Prozent. In Lachisch dürfte der Kult der *dea nutrix* nur in der letzten Siedlungsperiode, also von 720 bis 587 v. Chr. bzw. von 610 bis 587 (je nach der Datierung von Lachisch III in 701 bzw. 597), vollzogen worden sein. Ähnliches gelte für die entsprechenden Funde aus Jerusalem Höhle 1 und Samaria Kultstätte E 207[17]. Jedenfalls dürfte sich in der enormen Zunahme der für die Eisen-II-C-Zeit typischen Säulenfigürchen während der zweiten Hälfte des 8. und im 7. Jahrhundert eine sprunghaft ansteigende Popularität der Verehrung der Göttin, wahrscheinlich der Aschera, spiegeln.

---

[14] Das Säulenfigürchen hat erstmals *Raphael Patai,* The Hebrew Goddess, New York 1967, 29–52, als Aschera identifiziert. *Ruth Hestrin,* The Lachish Ewer and the Asherah: IEJ 37 (1987) 212–223, hier 222, sieht im Säulchen einen Baumstrunk – die Aschera – dargestellt. Zusammen mit den großen Brüsten symbolisiere er die Leben und Nahrung spendende Muttergöttin. Die Interpretation der Säulenfigürchen als *'šrym* hat *Winter,* Frau (s. Anm. 3) 557, kritisiert. Seine Argumentation bleibt aber in falschen Alternativen stecken. Hinter den aktuellen Forschungsstand fällt der Hinweis von *Jeffrey H. Tigay,* Israelite Religion. The Onomastic and Epigraphic Evidence, in: Ancient Israelite Religion (s. Anm. 8) 157–194, 192f Anm. 116, auf die sogenannten „Astarte-Figürchen" zurück: Sie verkörperten nur, was Frauen sich am meisten wünschten und magisch herbeizuzwingen versuchten. Gegen die Darstellung einer Göttin spreche, daß in israelitischen Personennamen, im Unterschied etwa zu phönizischen, Göttinnen nicht erwähnt werden. S. dazu unten.

[15] So zum Beispiel *Martin Rose,* Der Ausschließlichkeitsanspruch Jahwes. Deuteronomische Schultheologie und die Volksfrömmigkeit in der späten Königszeit (BWANT 106), Stuttgart 1975, 185f, Zitat 186. *Rose* (a. a. O. 184–186) meint allerdings, die Säulenfigürchen, die er von einem kanaanäischen „Astarte-Typ" abhebt und einem „Aschera-Typ" zurechnet, wären vor allem im engeren Horizont Israels, besonders im südlichen Teil Palästinas, verbreitet gewesen und zögen sich durch alle Besiedlungsphasen bis zur späten Königszeit. Es sei unwahrscheinlich, daß sich der Verehrerkreis der Aschera nur aus dem kanaanäischen Bevölkerungsteil des Staatsverbandes zusammengesetzt hätte. Jedenfalls waren die Statuetten nicht nur in der ungebildeten, primitiveren Unterschicht beheimatet, sondern fanden sich – wie zum Beispiel die Ausgrabungen von Ramat Raḥel zeigen – auch im Bereich des königlichen Palastes.

[16] Religion (s. Anm. 8) 278–280.

[17] Religion (s. Anm. 8) 280; ferner 257f, 259f, 274f.

Von der Aschera sprechen ausdrücklich eine Inschrift von Ḳirbet el-Qōm und das Material aus Kuntilet ʿAğrud. Falls das Wort *ʾšrh hier nur als Nomen mit der Bedeutung „Frau, Gefährtin" verwendet würde – wofür es im Hebräischen jedoch keinen Beleg gibt –, bliebe offen, um welche Göttin es sich dabei handelt[18]. Doch würde selbst in diesem Fall die Wortwahl implizit wieder auf Aschera als Personennamen der Göttin deuten.

Die Grabritzungen in Ḳirbet el-Qōm, 14 km westlich von Hebron, also im judäischen Kernland, werden um 750[19] bzw. um 700 v. Chr.[20] datiert. Sie stammen somit aus der Periode, in der die Belege der Säulenfigürchen plötzlich zunehmen. Der Text ist von einem als vermögend bezeichneten Urijahu geschrieben, bildet also kein Relikt einer bloß in sozial unteren Bevölkerungsschichten vertretenen „Volksreligion". Transkription und Übersetzung der Grabinschrift sind zwar bis heute diskutiert[21]. Doch gibt es gute Argumente für die Annahme, daß hier Jahwe „durch seine Aschera", d.h. zumindest durch den mit dem Jahwealtar assoziierten Sakralpfahl der Göttin, den Urijahu segnet und vor den Feinden rettet[22]. Obwohl dabei die Aschera Jahwe untergeordnet ist, kommt ihr doch eine gewisse Eigenständigkeit zu, die von vergleichbaren Größen wie Altar oder Mazzebe nirgends nachweisbar ist[23]. Wir brauchen aber die Aschera gar nicht auf den im Holzpfahl anschaulich gemachten Aspekt der Segenskraft Jahwes, der erst auf dem Weg zur Personifizierung wäre, zu reduzieren[24]. Die Aschera kann Jahwe auch als eine eigen-

---

[18] So *Baruch Margalit,* The Meaning and Significance of Ashera: VT 40 (1990) 264–297, hier 276f.

[19] *William G. Dever,* Iron Age Epigraphic Material from the Area of Khirbet El-Kom: HUCA 40–41 (1970) 139–204, hier 165; *André Lemaire,* Les inscriptions de Khirbet El-Qom et l'Ashérah de Yhwh: RB 84 (1977) 597–608, hier 603.

[20] Frank Moore Cross nach einem Hinweis bei *Dever,* Khirbet El-Kom (s. Anm. 19) 165 Anm. 53.

[21] S. dazu zuletzt *Judith M. Hadley,* The Khirbet el-Qom Inscription: VT 37 (1987) 50–62 (Literatur); *Baruch Margalit,* Some Observations on the Inscription and Drawing from Khirbet el-Qôm: VT 39 (1989) 371–378, hier 372f.

[22] Die Lesung *ʾašerâ* bestreitet *Siegfried Mittmann,* Die Grabinschrift des Sängers Uriahu: ZDPV 97 (1981) 139–152. Dagegen interpretiert *Margalit,* Some Observations (s. Anm. 21) 371, sogar bestimmte Ritzer unter den ersten vier Zeilen als Skizze eines rudimentären Baums, auf den in weiteren zwei Zeilen *l'šrth* und *wl'[š]rth* folgen. Der Name der Göttin würde also auch durch ihr Kultsymbol gedeutet. Zum Lebensbaum auf Krug A aus Kuntilet ʿAğrud s. unten.

[23] *Klaus Koch,* Aschera als Himmelskönigin in Jerusalem: UF 20 (1988) 97–120, hier 99.

[24] Zum Beispiel gegen *André Lemaire,* Who or What Was Yahweh's Asherah? Startling New Inscriptions from Two Different Sites Reopen the Debate about the Meaning of Ashera: BARev 10 (1984) 42–51, hier 51. Nach *P. Kyle McCarter,* Aspects of the Reli-

ständige Göttin zugeordnet sein, wenn man *lyhwh* und *l'šrth* zum Beispiel als eine Art stereotypes Hendiadys interpretiert[25]. Die Formel „Sei gesegnet von Jahwe und seiner Aschera" dürfte in der Mitte des 8. Jahrhunderts sogar ein populärer Segen gewesen sein[26].

Er findet sich auf zwei mit Zeichnungen und Inschriften reich geschmückten Vorratskrügen von Kuntilet 'Ağrud 50 km südlich von Kadesch-Barnea[27]. Die ganze Anlage war höchstwahrscheinlich kein Wüstenheiligtum oder religiöses Zentrum, sondern eine Karawanserei bzw. Wegstation[28]. Die uns interessierenden Passagen der beiden wichtigsten Kruginschriften lauten in ihrer jüngsten Bearbeitung[29]: „... Ich segne euch durch Jahwe von Samaria und durch seine Aschera" (Krug A) bzw. „... Ich segne dich durch Jahwe von Teman[30] und durch seine Aschera. Möge er dich segnen und behüten ..." (Krug B). Die Segensformel *brk l-* läßt im Anschluß an die Präposition nur eine göttliche Person oder Wirksamkeit zu[31]. Vor al-

---

gion of the Israelite Monarchy. Biblical and Epigraphic Data, in: Ancient Israelite Religion (s. Anm. 8) 137–155, hier 149, meint *'ᵃšerat yahweh* „,the Sign/Mark of Yahweh' or perhaps even ,the Effective/Active Presence of Yahweh'". Als kultisch verfügbare Gegenwart Jahwes wäre die Aschera als „hypostatic personality" verehrt worden.

[25] Zu dieser Wiedergabemöglichkeit s. *Hadley,* Khirbet el-Qom Inscription (s. Anm. 21) 56f. Sie weist a.a.O. 58f auch die Deutung von *l'šrth* als Vokativ-*l* und *'ᵃšerātâ* mit doppelter Feminisation anstelle eines enklitischen Personalpronomens, wie sie *Ziony Zevit* (The Khirbet el-Qom Inscription Mentioning a Goddess: BASOR 255 [1984] 39–47, hier 45) vertritt, zurück. – Nach *Manfred Weippert,* Synkretismus und Monotheismus. Religionsinterne Konfliktbewältigung im alten Israel, in: *Jan Assmann / Dietrich Harth* (Hrsg.), Kultur und Konflikt (edition suhrkamp 1612), Frankfurt 1990, 143–179, hier 171 Anm. 40, spricht das Personalsuffix der 3. m. sg. in *'šrth* „seine Aschera" nicht gegen die Deutung von **'šrh* als Name einer Göttin. Da es Gottesbezeichnungen wie „die Anat des Bethel" und „die 'Aštar des Kamoš" gibt, kann auch die grammatische Möglichkeit, den im Genitiv stehenden Gottesnamen durch ein Possessiv-(= Genitiv-)Suffix (*'šrth = *'šrt YHWH* „die Aschera des Jahwe") zu ersetzen, kaum geleugnet werden.

[26] *Lemaire,* Yahwe's Asherah (s. Anm. 24) 44.

[27] Die jüngste Zusammenfassung der Diskussion der wichtigsten Texte und Zeichnungen der beiden Pithoi und zugleich überzeugende Lösungen ihrer Probleme bietet *Judith M. Hadley,* Some Drawings and Inscriptions on Two Pithoi from Kuntillet 'Ajrud: VT 37 (1987) 180–211. Ich verzichte deshalb im folgenden auf weitere Belege aus der älteren Literatur.

[28] *Hadley,* Two Pithoi (s. Anm. 27) 184 und 207f. Die Multifunktionalität dieses „microcosm of the cosmopolitan reality" Israels und darunter dann die kultische Bedeutung des Ortes unterstreicht *Michael David Coogan,* Canaanite Origins and Lineage. Reflections on The Religion of Ancient Israel, in: Ancient Israelite Religion (s. Anm. 8) 115–124, hier 118f.

[29] *Hadley,* Two Pithoi (s. Anm. 27) 182–187.

[30] Die Lesart „Jahwe von Teman" ist aber aufgrund weiterer Beobachtungen von *Hadley,* Two Pithoi (s. Anm. 27) 187f, wieder unsicher geworden.

[31] Das betont zuletzt *Margalit,* Meaning (s. Anm. 18) 276. S. auch *Manfred Weippert,* Zum Präskript der hebräischen Briefe von Arad: VT 25 (1975) 202–212, hier 210f.

lem aus paläographischen Gründen dürften beide Texte zwischen 776 und 750 v. Chr. geschrieben worden sein[32], stehen also in zeitlicher Nachbarschaft zu den bisher besprochenen Funden. Ob die beiden Bes(ähnlichen[33])-Figuren Jahwe und die Göttin Aschera darstellen und die Inschrift über ihnen dann einen Kommentar dazu bildet, ist diskutiert[34]. Sicher ist der (die) sie begleitende Leierspieler(in) nicht mit der Aschera zu identifizieren[35]. Die Göttin könnte (auch) in ihrem Symbol, dem von zwei Steinböcken flankierten Lebensbaum, auf der anderen Seite des Kruges A dargestellt sein[36]. Für diese Identifizierung spricht besonders auch die Anordnung dieses Motivs über einem Löwen[37]. Darüber hinaus werden in weiteren, fragmentarisch erhaltenen Bitten und Segenswünschen auf Steingefäßen, Wänden und Türpfosten neben Jahwe auch El, Baal und Aschera angerufen[38]. Insgesamt bezeugen die Inschriften wie die religiösen Darstellungen wohl eine multikulturelle Herkunft[39]. So

---

[32] *André Lemaire,* Date et origine des inscriptions hébraïques et phéniciennes de Kuntillet 'Ajrud: SEL 1 (1984) 131–143, hier 139.

[33] Zuletzt hat *Margalit,* Meaning (s. Anm. 18) 275 und 288 f, darauf verwiesen, daß die beiden Figuren rinderähnlich, der ägyptische Bes aber stets löwengestaltig ist.

[34] *Hadley,* Two Pithoi (s. Anm. 27) 189–196 und 207. Jüngstens sieht *Margalit,* Meaning (s. Anm. 18) 288–291, in der geringeren Größe, den Brüsten und der Stellung der rechten Figur hinter der linken im Vordergrund stehenden Gestalt weibliche Züge ausgedrückt. Auch die Unterschiede in der Haartracht würden für eine Darstellung von Mann und Frau sprechen. Die „Schleife" zwischen den Füßen beider Figuren sei „almost certainly an animal tail rather than a phallus" (a. a. O. 288). S. ferner a. a. O. 277 und 295.

[35] *Hadley,* Two Pithoi (s. Anm. 27) 196–207; *Margalit,* Meaning (s. Anm. 18) 289–291. – Einen assoziativen Zusammenhang von Inschriften und Zeichnungen und weitere kultische Konnotation der Aschera (und ihrer Segenskraft) auf den Krugscherben nimmt *Schroer,* Bilder (s. Anm. 2) 37, an.

[36] *Hadley,* Two Pithoi (s. Anm. 27) 204 f. Aus Palästina stammt auch ein halbes Dutzend Stempelsiegel, die säugende Capriden zeigen: *Othmar Keel,* Das Böcklein in der Milch seiner Mutter und Verwandtes. Im Lichte eines altorientalischen Bildmotivs (OBO 33), Fribourg – Göttingen 1980, 114 f. Das Motiv verkörpert zwar eine numinose Macht, ist aber nicht streng auf eine bestimmte Göttin bezogen (a. a. O. 142). Das säugende Muttertier findet sich in der palästinischen Glyptik bereits in der Spätbronze-II-B-Zeit, relativ häufig dann in der Eisen-I-Zeit und auch noch in der Eisenzeit-II-C (*Menakhem Shuval,* A Catalogue of Early Iron Stamp Seals from Israel, in: *Othmar Keel / Menakhem Suval / Christoph Uehlinger,* Studien zu den Stempelsiegeln aus Palästina / Israel, III: Die Frühe Eisenzeit. Ein Workshop [OBO 100], Fribourg – Göttingen 1990, 67–161, hier 105–111).

[37] *Schroer,* Bilder (s. Anm. 2) 38 f; *Hestrin,* Lachish Ewer (s. Anm. 14) 214 f und 221. Zurückhaltender urteilt *Hadley,* Two Pithoi (s. Anm. 27) 205.

[38] *Zeev Meshel,* Kuntilet 'Ajrud. A Religious Centre from the Time of the Judean Monarchy on the Border of Sinai (Catalogue [The Israel Museum] 175), Jerusalem 1978, ohne Seitenangaben.

[39] *Pirhiya Beck,* The Drawings from Horvat Teiman (Kuntillet 'Ajrûd): Tel Aviv 9 (1982) 3–86, hier 43–47.

wird man sagen müssen, daß Kuntilet ʻAǧrud über den spezifischen Bereich der gemeinsamen religiösen Tätigkeit („the specific area of *corporate* religious activity") im Israel oder Juda der Königszeit keine Auskunft gibt[40].

Jüngstens ist aus dem philistäischen Grenzgebiet zu Juda ein weiteres Zeugnis für Aschera ans Tageslicht gefördert worden. In Tell Miqne, der alten Philisterstadt Ekron, wurden 15 Inschriften, -fragmente und Buchstaben entdeckt[41]. Sie waren auf großen Vorratskrügen angebracht, die aus einem Gebäude des 7. Jahrhunderts v. Chr. in der „elite zone" der Stadt stammen. Die Anlage diente offenbar kultischen Zwecken. Denn mit den Krügen wurden im gleichen Raum auch Hörneraltärchen und Kelche ausgegraben. Ob die Inschriften in Althebräisch, Phönizisch oder Philistäisch verfaßt sind, läßt sich nicht sicher feststellen. Unter den sechs ganz erhaltenen Wörtern finden sich auf einem Gefäß *l'šrt* „für Aschera" und *qdš* „heilig"[42]; ferner (den bloß amerikanischen Angaben zufolge) „for the shrine" und „oil"[43] auf anderen Gefäßen. Nach dem Leiter der Grabung, Seymour Gitin, könnten die mit den Inschriften versehenen Vorratskrüge Öl für einen Ritus zu Ehren der Göttin Aschera gespeichert haben[44].

Die bei den Kruginschriften von Kuntilet ʻAǧrud erwähnte Verbindung eines heiligen Baumes mit der Aschera hat Silvia Schroer in ihrem Artikel „Die Zweiggöttin in Palästina/Israel. Von der Mittelbronze-II-B-Zeit bis zu Jesus Sirach"[45] ausführlich untersucht. Sie weist nach, daß der Baum bzw. Zweig oder das weibliche Schamdreieck ikonographisch mit einem Göttinnentyp austauschbar sind, den sie „Zweiggöttin" nennt. Ihre Bildtradition reicht in Palästina bis in die Mittlere Bronzezeit (1750 v. Chr.) zurück. Die lebenfördernde und lebenerneuernde Zweiggöttin wird später mit der hölzernen Aschera identifiziert. Sie findet sich im eisenzeitlichen Israel –

---

40 *Holladay,* Religion (s. Anm. 8) 259.

41 *Seymour Gitin,* Ekron of the Philistines, Part II: Olive-Oil Suppliers to the World: BARev 16/2 (1990) 33–42 und 59, 41 und 59 Anm. 18; Artifacts. News, Notes and Reports from the Institutes: Cultic Inscriptions Found in Ekron: BA 53 (1990) 232.

42 *Gitin,* Ekron (s. Anm. 41) 59 Anm. 48.

43 Inscriptions (s. Anm. 41).

44 Ebd.

45 In: *Max Küchler / Christoph Uehlinger* (Hrsg.), Jerusalem. Texte – Bilder – Steine. Im Namen von Mitgliedern und Freunden des Biblischen Instituts der Universität Freiburg Schweiz zum 100. Geburtstag von Hildi + Othmar Keel-Leu (NTOA 6), Fribourg – Göttingen 1987, 201–225.

neben einem Tonständer aus Taanach (10. Jahrhundert v. Chr.)[46] und der Krugmalerei aus Kuntilet 'Ağrud – auf einer Gruppe von skaraboiden Siegeln[47]. Sie stammen zumeist aus großen Städten. Auf ihnen wird ein stilisierter Baum von zwei Verehrern, die gewöhnlich, den Segen beschwörend, einen oder beide Arme erhoben haben, flankiert. Das Motiv taucht ab dem 12. Jahrhundert in ganz Palästina auf und läßt sich bis ins 8. Jahrhundert verfolgen[48]. Auffallend ist, daß weibliche Gottheiten in der Eisenzeit nicht mehr, wie es in der Mittel- und Spätbronzezeit üblich war, anthropomorph[49] dargestellt bzw. durch ihre Scham symbolisiert werden. Die ursprünglich primär weibliche Konnotation des stilisierten Baums ergibt sich nur mehr aus der Bezeichnung heiliger Bäume als Ascheren. Sehr selten findet sich in der Eisen-II-Zeit das Motiv eines einzelnen, vor einem Bäumchen stehenden oder sitzenden Verehrers[50].

Mit den architektonischen und ikonographischen Funden kontrastiert das außerbiblische onomastische Material der Königszeit, das Jeffrey H. Tigay[51] vom 9. Jahrhundert an auf seine theophoren Elemente hin durchgearbeitet hat. Demnach[52] sind von den aus In-

---

[46] Nach *Schroer,* Bilder (s. Anm. 2) 39, könnten auf diesem von P. W. Lapp ausgegrabenen Kultständer Jahwe und Aschera einander zugeordnet sein.

[47] *Schroer,* Zweiggöttin (s. Anm. 45) 212–215 bzw. 218.

[48] *Karl Jaroš,* Die Motive der Heiligen Bäume und der Schlange in Gen 2–3: ZAW 92 (1980) 204–215, hier 207–210; *Schroer,* Bilder (s. Anm. 2) 34 Anm. 63 und 64. Insgesamt handelt es sich um elf Siegel, die für Israel in Frage kommen. Sie stammen allerdings fast alle aus der Eisen-II-A/B-Zeit. Einer mündlichen Mitteilung von Christoph Uehlinger zufolge gehören die von *Schroer,* Zweiggöttin (s. Anm. 45) 212, angeführten Skaraboiden (Abbildung 25 und 26 a.a.O. 213) nicht zum Typ der Zweiggöttin, zeigen aber die Aschera des offiziellen Staatskultes.

[49] Zu den Siegelamuletten s. *Othmar Keel,* Früheisenzeitliche Glyptik in Palästina/Israel. Mit einem Beitrag von H. Keel-Leu, in: *Keel/Shuval/Uehlinger* (Hrsg.), Studien (s. Anm. 36) 331–421, hier 416 (hier wird auch eine vielleicht mögliche Ausnahme notiert). Nur der bereits erwähnte Ständer aus Taanach (s. dazu Anm. 46) zeigt in dem untersten Register die nackte Göttin, die als Herrin der Tiere zwei Löwen hält, während zwei Register darüber ein Baum mit Capriden, wiederum flankiert von zwei Löwen, zu sehen ist.

[50] Gegen *Schroer,* Zweiggöttin (s. Anm. 45) 212f, nach der dieser Bildtyp im 8.–7. Jahrhundert v. Chr. häufig anzutreffen sei. Sie belegt aber ihre Angabe nur mit einem Skaraboid aus Samaria und einer Keramikscherbe aus En-Gedi, die nicht spezifisch auf die Zweiggöttin zu beziehen sind (Hinweis von Chr. Uehlinger).

[51] You shall have no Other Gods. Israelite Religion in the Light of Hebrew Inscriptions (HSS 31), Atlanta/Ga. 1986. Die biblischen theophoren Personen- und Ortsnamen vor dem 9. Jhdt. bis zu David analysiert *Johannes C. de Moor,* The Rise of Yahwism (BEThL XCI), Löwen 1990, 10–41.

[52] No Other Gods (s. Anm. 51) 12–15. In der Statistik nicht berücksichtigt sind 77 weitere Namen mit dem theophoren Element *'el* „Gott" bzw. „El" und *'elî* „mein Gott", weil die damit gemeinte Gottheit unbestimmt bleibt (a.a.O. 12). Das Alte Testament kennt 466 Personen aus vorexilischer Zeit mit theophoren Namen. Von ihnen sind

schriften bekannten 592 Personennamen, die eine Gottheit erwähnen, 557 (94,1%) jahwehaltig. Nur 35 (5,9%) nennen wahrscheinlich andere Götter. Sie kommen zum Großteil aus Randbereichen des Landes. 5 von den 6 baalhaltigen Belegen stammen aus der Gegend von Samaria und aus dem 9. Jahrhundert[53]. Im übrigen ist Baal unter den Göttern der einzige, der sich auch im Alten Testament findet. Göttinnen fehlen überhaupt[54]. Allerdings spiegelt sich in Onomastika nicht immer exakt die tatsächliche religiöse Verehrung, vor allem nicht die Volksfrömmigkeit[55].

Es gab also in der Königszeit in Israel und Juda neben der offiziellen bildlosen Jahweverehrung sowohl in Heiligtümern außerhalb der Städte als auch in den Wohnquartieren einen nichtkonformen Kult. In ihm gab es „Bilder", vor allem Darstellungen der Göttin, wahrscheinlich der Aschera[56]. Dem archäologischen Fundmaterial nach zu schließen, war dieser subkutane Kult zunächst nur ein schmales Rinnsal, schwoll aber ab der zweiten, krisengeschüttelten Hälfte des 8. Jahrhunderts gewaltig an. Wenn daher in der Zeit vor

89% jahwistisch und 11% heidnisch. In der vom epigraphischen Befund erfaßten Periode der getrennten Reiche und des späten Juda ist das Verhältnis in der Bibel 96% zu 4% (a.a.O. 17f).

[53] No Other Gods (s. Anm. 51) 65–68. *Jeaneane D. Fowler,* Theophoric Personal Names in Ancient Hebrew. A Comparative Study (JSOT.SS 49), Sheffield 1988, 60–63, nennt 14 Vorkommen von Baal in außerbiblischen Namen, von denen 11 auf den Samariaostraka und zwei auf phönikischen Siegeln stehen.

[54] Diese Tatsache läßt sich nicht dadurch erklären, daß die Namen des Korpus vorwiegend Männern gehören. Denn in westsemitischen Onomastika finden sich Göttinnen in Männer- wie Frauennamen. Auch enthalten manche der israelitischen Frauennamen *YHWH* bzw. *'elî* als theophores Element: *Tigay,* No Other Gods (s. Anm. 51) 14. Nach *Fowler,* Theophoric Personal Names (s. Anm. 53) 313, fehlen in hebräischen Namen – im Gegensatz zu anderen semitischen Onomastika – sogar Titel weiblicher Gottheiten.

[55] *Olyan,* Ashera (s. Anm. 4) 35–37. So findet sich zum Beispiel in Ugarit kein theophorer Name mit Astarte und nur einer mit Aschera, obwohl beide Göttinnen zumindest im offiziellen Kult relativ wichtig waren, wie Mythen, Opferlisten und Verzeichnisse der Gottheiten beweisen (*Tigay,* No Other Gods [s. Anm. 51] 20).

[56] Bezeichnend ist, daß es bisher keine männliche Gottheit in Terrakotta, Metall oder Stein in eindeutigem eisenzeitlichem Zusammenhang gibt – abgesehen von einer kleinen Bronzefigur aus Hazor Stratum XI (11. Jahrhundert), möglicherweise einer Darstellung von El oder dem inthronisierten Baal. Ähnlich selten sind anthropomorphe Götterdarstellungen auf anderen Bildträgern. Bekannt sind nur eine (vielleicht zwei) Ritzzeichnung(en) auf einem 9 cm hohen Miniaturaltar aus Kalkstein aus der kanaanäischen Freistadt Gezer Stratum VIII (zweite Hälfte des 10. Jahrhunderts) mit dem kriegerisch „schlagenden" Gott Reschef; ferner ein Kalksteinskarabäus aus Achsib, auf dem ebenfalls ein schlagender Gott dargestellt ist. S. dazu *Othmar Keel / Christoph Uehlinger,* Göttinnen, Götter und Gottessymbole. Neue Erkenntnisse zur Religionsgeschichte Kanaans und Israels aufgrund alter und neu erschlossener Quellen (QD 132), Freiburg 1992.

Hosea zwar gegen Baal polemisiert, aber nur höchst sporadisch gegen die Aschera Stellung bezogen wurde, dann darf dieses Schweigen nicht als Anerkennung ihrer legitimen Verbindung mit Jahwe gedeutet werden. Der Kult der Göttin breitete sich eben erst in den letzten Jahrzehnten des Nordreichs als offenes, ungelöstes Problem des Jahweglaubens aus und wurde damals für breitere Kreise bewußtseinsbestimmend. Dieser Sachverhalt läßt sich mit dem Befund, daß die Personennamen mit theophoren Elementen auch weiterhin fast zur Gänze jahwehaltig sind, vielleicht so vereinen, daß man es sich nicht leisten konnte, sich auch durch den Namen zu einem nichtkonformen Kult zu bekennen. Dafür gab es offenbar eine gesellschaftliche Schranke. Man wußte ja zum Beispiel auch bei der Ortswahl und der Bauweise nichtkonformer Heiligtümer bestimmte Grenzen zu wahren. Der Kult war also vorhanden, durfte aber nicht ganz in die schon längst jahwistisch geprägte Öffentlichkeitssphäre der Personenidentifikation durch Namengebung hinein. Die blieb Jahwe reserviert. Das Namenstabu ist, so besehen, ein gewisses Zeichen für den Monojahwismus. Es schloß allerdings nicht aus, daß unterhalb der Schwelle vieles passierte, was man tolerierte, obwohl es dem offiziellen Jahweglauben widersprach und auch als nicht ganz legitim empfunden wurde.

II. Die Bibel: Kampf gegen Göttinnen schon vor dem Deuteronomium

Die Aschera wurde erst von der deuteronomisch-deuteronomistischen Literatur, also im 7. und 6. Jahrhundert, auf breiter Front abgelehnt[57]. Aus älterer Zeit stammt wahrscheinlich nur die Nennung von „Ascheren" in der Vernichtungsvorschrift für fremde Kultmale in Ex 34, 13, in der Erzählung Ri *6, 25–32 über die Zerstörung des Baalsaltars samt der danebenstehenden Aschera in Ofra[58] und in dem Verbot von Kultpfahl und Steinmal in Dtn *16, 21 f[59]. Vordeu-

[57] Zur Chr s. *Christian Frevel,* Die Elimination der Göttin aus dem Weltbild des Chronisten: ZAW 103 (1991) 263–271.

[58] Zu Ex 34, 13 und Ri 6, 25–32 s. zum Beispiel *Jörn Halbe,* Das Privilegrecht Jahwes Ex 34, 10–26. Gestalt und Wesen, Herkunft und Wirken in vordeuteronomischer Zeit (FRLANT 114), Göttingen 1975, 110–119. Ob die Beseitigung der Ascheren in Ex 34, 13 b ursprünglich zur Reihe der Vernichtungsvorschriften gehört hat, läßt Halbe zwar offen. Jedenfalls ist sie sprachlich wie sachlich vordeuteronomisch möglich (a. a. O. 114 f).

[59] Zu Jer 17, 2; Jes 17, 8; 27, 9; Mi 5, 13 s. *Olyan,* Asherah (s. Anm. 4) 14–17.

teronomisch, wenn auch ohne daß ein Name genannt wird, ist die Rede Hoseas in 4,18 gegen „die, deren Schilde Schande sind". Hos 14,9 dürfte durch ein Wortspiel und den Vergleich Jahwes mit einem üppig grünenden, fruchttragenden Baum implizit gegen das Weiblich-Göttliche polemisieren. Zu diesen Reaktionen des Propheten gegen Ende des Nordreichs kommen schließlich einige Mitteilungen der Königsbücher über die Aschera im Jerusalem der letzten Jahrzehnte des Südreichs.

1. Hosea 4,18 und 14,9[60]

Als Konkurrent Jahwes gegenüber seiner Geliebten „Israel" gelten für das Hoseabuch in der traditionellen Exegese allgemein Baal bzw. die Baale. Damit können nach üblicher Meinung verschiedenste im Land verehrte Gottheiten mit eigenen Namen, Heiligtümern und Kulten gemeint sein, vor allem natürlich Fruchtbarkeitsgottheiten. Auch Göttinnen dürfen nicht ausgeschlossen werden[61]. Hosea spricht sie aber wegen der Frau Israel als Liebhaber unter der männlichen Sammelbezeichnung „Baal" an. Ferner kann es sich nach manchen Autoren auch um Jahwe selbst handeln, insofern sich sein Bild und seine Verehrung immer mehr an die Baalsgestalt angeglichen hat und er deshalb als „Baal" bewußt vom „wahren" Jahwe abgesetzt wird. Das wird gewöhnlich einfach vom ganzen Hoseabuch gesagt. Doch dürfte es zunächst vor allem für Kap. 2 (2,10.
15.[18].19) gelten[62]. Außerhalb des eigengeprägten Buchteils Hos 1–3, in den diese Belege gehören, gibt es überhaupt nur drei Belege für das Wort Baal (9,10; 11,2; 13,1). In ihnen geht es wahrscheinlich gar nicht um einen göttlichen Gegenspieler Jahwes der Zeit Hoseas, sondern um eine Gottheit aus in der Geschichte zurückliegenden Sünden des Volkes[63]. Wenn also Baal keineswegs im gan-

---

[60] Die Authentizitätsfrage der Texte braucht in diesem Rahmen nicht diskutiert zu werden. Auch wenn sie nicht vom historischen Hosea stammen, sondern zum Beispiel erst von Schülern nach dem Fall Samarias in Juda redigiert wurden, dürften sie jedenfalls noch vor dem Deuteronomium entstanden sein. Dieser Zeitansatz genügt aber schon für unseren Argumentationszusammenhang.

[61] *Francis I. Andersen / David Noel Freedman,* Hosea. A New Translation with Introduction and Commentary (AB 24), Garden City/N. Y. 1980, 648.

[62] S. dazu *Dirk Kinet,* Ba'al und Jahwe. Ein Beitrag zur Theologie des Hoseabuches (EHS.T 87), Frankfurt – Bern 1977, 85–87, 90f, 209–212.

[63] 9,10 handelt von den Sünden in Baal-Pegor, nach *Andersen/Freedman,* Hosea (s.

zen Buch auf gleiche Weise präsent ist und Hos 1–3 außerdem eine von den folgenden Textbereichen gesonderte literarische Vorgeschichte hat[64], dann darf die Baalsgestalt nicht von vornherein dort eingetragen werden, wo Hosea den orgiastischen Höhenkult attakkiert. Die Frage, gegen welchen Kult der Prophet eigentlich polemisiert, steht damit erneut zur Debatte. Es gibt Texte, die viel eher an eine Göttin der Fruchtbarkeit denken lassen, auch wenn Hosea nicht den Namen *ašerâ* gebraucht[65].

So hat Norbert Lohfink in einem noch nicht veröffentlichten Artikel[66] gezeigt, daß Hos 4,4–19 den Schuldaufweis auf den Vorwurf des Dienstes an einer Göttin zuspitzt. Die symbolischen Geschlechterrollen sind hier anders als in Kap. 1–3 verteilt. Der Mann Israel-Ephraim ist nach 4,16–17 in eine unaufhebbare Unheilssituation hineingerissen, die es Jahwe unmöglich macht, ihn als Hirte zu weiden: „Auf ein Bildwerk[67] fixiert ist Ephraim – gib ihn auf!" (4,17). Das Idol aber, das Israel geradezu magisch fesselt, ist eine Göttin. Die folgende Szene des Opferkultes mit seinem reichlichen Weingenuß und sakralen Geschlechtsverkehr läßt erkennen, welcher Liebesvereinigung die Männer dabei verfallen sind:

„Wenn ihr Zechen ans Ende kommt,
treiben sie Unzucht um Unzucht.
Voller Inbrunst lieben sie
die (Göttin), *deren Schilde Schande sind*" (4,18)[68].

Anm. 61) 630, wahrscheinlich auch 13,1. 11,2, wo pluralisch von den Baalen gesprochen wird, steht Baal in einer Geschichtsrückschau.

[64] S. zum Beispiel *Jörg Jeremias,* Hosea / Hoseabuch, in: TRE XV, 586–598, hier 591 f.

[65] Gegen *Olyan,* Asherah (s. Anm. 4) 7 und 21. Er lehnt (a. a. O. 19–21) eine Anspielung auf die Aschera in 4,12 und 14,9 ab, doch überzeugt seine Argumentation nur bei der ersten Stelle; zu 14,9 s. Anm. 81.

[66] „Die, deren Schilde Schande sind" (Hos 4,18). Hat Jahwe im Hoseabuch eine göttliche Gegenspielerin?

[67] Der Plural *ʿaṣabbîm* dürfte wie ähnliche Ausdrücke bei Hosea *'ælohîm* imitieren und nur eine einzige Gottheit bezeichnen – *Andersen/Freedman,* Hosea (s. Anm. 61) 649 –, allerdings nicht Baal (gegen a. a. O. 378).

[68] Die Übersetzung des als textkritisch schwierig eingestuften masoretischen Textes folgt *Lohfink,* Schilde (s. Anm. 66), der sich in seiner Wiedergabe an *Henrik Samuel Nyberg,* Studien zum Hoseabuch. Zugleich ein Beitrag zur Klärung des Problems der alttestamentlichen Textkritik (UUÅ 1936: 6), Uppsala 1935, 32–36, anlehnt. Wie *Lohfink* ausführt, ist für das Verständnis entscheidend, daß sich die beiden zumeist emendierten singularischen Femininsuffixe in *māginnæhā* (4,18) und *'ôtāh* (4,19) auf ein weibliches Wesen beziehen müssen. Dieses ist das Objekt von *'ahᵃbû hebû.* Es ist in der Gestalt eines Relativsatzes ohne Relativpronomen formuliert: Sie lieben (diejenige, von der gilt) *qâlôn māginnæhā* „Schande sind ihre Schilde" (4,18). Vermutlich ist an einen Bildtyp gedacht, bei dem die Liebesgöttin mit Schilden geschmückt ist. Einige

Hosea würdigt die Göttin keines Namens[69], sondern identifiziert sie abwertend von einem ihrer Embleme her. Daß es eine Liebesgöttin ist, zeigt der Zusammenhang. Ob ihr Name Aschera oder Anat bzw. Astarte war, muß offenbleiben[70].

Die volle Beschreibung ihres Kultbetriebs und die verheerenden Folgen des Liebestreibens für die Frauen stehen in 4,11–14. Den äußeren Rahmen bilden orgiastische Opfermähler, bei denen Alkohol und Orakelbefragung das Volk zu einem „Geist der Unzucht“ *(rû^{a}ḥ z^{e}nûnîm* 4,12bα) verführen. Die Männer (!) „treiben unter ihrem Gott weg Unzucht“ *(wayyiz^{e}nû mittaḥat ^{æ}lohêhæm)*[71], opfern und räuchern (4,12bβ–13a). Die Schlüsselaussage steht in 4,13b.14aα. Sie nennt als die faktischen Opfer des Kultes der Göttin die Frauen, vor allem die „Töchter“ und „Schwiegertöchter“, die den sakralen Geschlechtsverkehr vollziehen müssen[72]. Schuld daran, daß Frauen im Namen der Göttin sexuell mißbraucht werden, sind letztlich die Priester, die mit profanen Dirnen *('im hazzonôt)* und mit Tempeldir-

---

Hinweise auf Göttinnen-Kultsymbole, bei denen Schilde eine Rolle spielen, hat *Lohfink,* Schilde (s. Anm. 66), zusammengestellt.

[69] Das entspricht durchaus seiner übrigen Götterpolemik, die höchstens Baal namentlich attackiert, wobei wir nicht einmal wissen, ob „Baal“ damals ein Gottesname war; s. die Zusammenstellung von Hosea-Bezeichnungen für andere Gottheiten bei *Andersen/Freedman,* Hosea (s. Anm. 61) 649f.

[70] S. dazu die ausführliche Diskussion der möglichen Bildertypen bei *Lohfink,* Schilde (s. Anm. 66).

[71] Die Wendung *znh mittaḥat* und ihre implizierte sexuelle Metaphorik findet sich im Alten Testament nur hier; vgl. damit das Gegenbild in der nur in Hos 9,1 belegten Wendung, wonach Israel *znh me'al* „von oberhalb (seines Gottes) Unzucht treibt“. Zu *znh* s. *Phyllis Bird,* „To play the Harlot“: An Inquiry into an Old Testament Metaphor, in: *Peggy L. Day* (Hrsg.), Gender and Difference in Ancient Israel, Minneapolis 1989, 75–94.

[72] Dabei geht es wahrscheinlich nicht um unbegrenzte Festpromiskuität (gegen *Helgard Balz-Cochois,* Gomer. Der Höhenkult Israels im Selbstverständnis der Volksfrömmigkeit. Untersuchungen zu Hosea 4,1 – 5,7 [EHS XXIII, 191], Frankfurt 1982, 151f), sondern um einen einmaligen Akt, nämlich den ersten Geschlechtsverkehr heiratender Frauen, den sie mit einem fremden Mann am Heiligtum hatten, um durch dieses Öffnen des Mutterschoßes von der Gottheit Gebärkraft zu erlangen. Der Initiationsritus geschah wohl zwischen dem rechtskräftigen Eheschluß („Verlobung“) und der Heimholung der Braut durch ihren Mann („Hochzeit“). Denn 4,13f macht dafür die Sippenhäupter, nicht aber die Ehemänner verantwortlich, und spricht nur von „Töchtern“ und „Schwiegertöchtern“, nicht aber von „Ehefrauen“. Zu dieser Erklärung, die trotz der Einwände von *Wilhelm Rudolph,* Präparierte Jungfrauen? (Zu Hos 1): ZAW 75 (1963) 65–73, hier in Kap. 4 (dagegen nicht notwendigerweise für die Biographie der Gomer von Hos 1–3), die beste Erklärung sein dürfte, s. *Leonhard Rost,* Erwägungen zu Hosea 4,13f, in: *ders.,* Das kleine Credo und andere Studien zum Alten Testament, Heidelberg 1965, 53–64, hier 57. *Hans Walter Wolff,* Dodekapropheton 1. Hosea (BKAT XIV/1), Neukirchen-Vluyn [2]1965, 108f und 14. Daß dieser Brauch mit der Verehrung der Anat/Astarte zusammenhängt, hat zum Beispiel auch *Jörg Jeremias,* Der Prophet Hosea (ATD 24/1), Göttingen 1983, 71, vermutet.

nen *(ʻim haqqᵉdešôt)*[73] beim Opferfest beiseite gehen (4,14αβ.b). Sie bringen durch ihr Beispiel das nichtsahnende Volk zu Fall (4,14b). Weil die Priester „das Wissen verworfen" und die „Tora vergessen" haben (4,6), zerbricht die fundamentale Institution menschlicher Hingabe (*ḥæsæd,* vgl. 4,1), die Ehe. Für Hosea zumindest finden die Frauen bei diesem Kult der Göttin also eher eine erniedrigende und sie ausbeutende Rolle, nicht etwa menschliche Erfüllung[74].

Vielleicht spricht auch Hos 10,5–8 von einer Göttin. Francis I. Andersen und David Noel Freedman spielen in ihrem Kommentar mit dieser Interpretationsmöglichkeit, wagen sie jedoch nicht zu entscheiden[75]. Ich erwähne sie deshalb nur, gehe aber nicht weiter auf sie ein[76].

Am Ende des Hoseabuches macht der „Dialog der Liebe"[77], den Jahwe mit Israel führt, deutlich, daß eine Liebes- und Fruchtbarkeitsgöttin unnötig ist. 14,9 sagt Jahwe:

A „Ephraim – was habe ich[78] noch mit dem Bildwerk[79] (gemein)?
B Ich selbst erhöre *(ʻānîtî)* und schaue auf ihn *(waᵃšûrænnû).*
B' Ich bin wie ein üppiger[80] Wacholder[81],

---

[73] Daß Hosea auch die weiblichen Tempelangestellten als Opfer männlicher Verfehlungen nennt, scheint mir der Behauptung zu widersprechen, daß es „dem Propheten nicht um die Frauen als solche" geht, „sondern um die Frauen in ihrer biologischen Besonderheit als (potentielle) Gebärerinnen, ohne die der Fortbestand Israels nicht denkbar ist" – gegen *Marie-Theres Wacker,* Frau – Sexus – Macht. Eine feministisch-theologische Relecture des Hoseabuches, in: *dies.* (Hrsg.), Der Gott der Männer und die Frauen (Theologie zur Zeit 2), Düsseldorf 1987, 101–125, hier 113.

[74] Ähnlich *Wacker,* Frau (s. Anm. 73) 108 Anm. 21.

[75] Hosea (s. Anm. 61) 555–559.

[76] Gegen *Andersen/Freedman,* Hosea (s. Anm. 61) 558, übersetze ich 10,7 „Vernichtet ist Samaria, sein König, ist wie ein abgebrochener Zweig auf dem Wasser." Der Ausdruck *qæṣæp,* der nur hier für „Holzstück" oder einen „abgebrochenen Zweig" verwendet wird, meint wohl den gehäuteten Holzkern von *ʻæglôt.* Hat Hosea das ausgefallene Wort gewählt, um damit auf den „Holzpfahl" bzw. den „Zweig", das Symbol einer Göttin, anzuspielen?

[77] S. dazu *André Feuillet,* „S'asseoir à l'ombre de l'époux" (Os., XIV,8ᵃ et Cant., II,3): RB 78 (1971) 391–405. Allerdings läßt sich 14,9 nicht in einen zweimaligen Redewechsel eines Zwiegesprächs zwischen Ephraim und Jahwe auflösen. Denn nach dem MT ist V. 9a eine Frage im Munde Jahwes, nicht aber Ephraims – gegen *Adam Simon van der Woude,* Bemerkungen zu einigen umstrittenen Stellen im Zwölfprophetenbuch, in: *André Caquot / Mathias Delcor* (Hrsg.), Mélanges bibliques et orientaux en l'honneur de M. Henri Cazelles (AOAT 212), Kevelaer 1981, 483–499, hier 483–485.

[78] *lî* darf nicht aufgrund der LXX zu *lô* emendiert und dann auf Ephraim bezogen werden. Für das Beibehalten des MT spricht stilistisch die Struktur von 14,9, in der *(ʼæprajim) mah-lî* und *mimmænnî (pærᵉkā)* miteinander korrespondieren. Sachlich bestätigen heute Epigraphie und Ikonographie die Aussage des MT – gegen *Wilhelm Rudolph,* Hosea (KAT XIII/1), Gütersloh 1966, 249.

[79] Zur Übersetzung s. Anm. 83.

[80] Zur Übersetzung s. *D. Winton Thomas,* Some Observations on the Hebrew Word

A' an mir findet sich Frucht für dich *(pærj^{e}kā).*"

Schon stilistisch akzentuieren die auf Jahwe bezogenen Präpositionalausdrücke (*lî* bzw. *mimmænnî*) der beiden Außenglieder (A – A') und das betonte „ich" *('ānî)* der Mittelglieder (B – B')[82] den Ausschließlichkeitsanspruch Jahwes auf Israel. Auch hier dürfte nicht Baal, sondern eine Göttin die Kontrahentin Jahwes sein, die wie in 4,17 mit dem „Bildwerk" *('^{a}ṣabbîm)* apostrophiert wird[83]. Das legt auch die Formulierung *'ānîtî wa'^{a}šûrænnû* nahe, die lautlich auf Anat bzw. Aschera anspielt[84]. Daß Jahwe in der Vorstellungsweise und Praxis Israels mit diesen Gestalten in Verbindung gebracht

---

רַעֲנָן, in: *Benedikt Hartmann u.a.* (Hrsg.), Hebräische Wortforschung. FS Walter Baumgartner (VT.S XVI), Leiden 1967, 387–397, hier 395f.

[81] Diese Übersetzung von *b^{e}rôš* ist – gegen *K. Arvid Tangberg,* „I am like an Evergreen Fir; from me comes Your Fruit". Notes on Meaning and Symbolism in Hosea 14,9b (MT): ScaJOT 2 (1989) 81–93, hier 83–85 – wegen der nur beim Wacholder, nicht aber bei der Kiefer verwendbaren Früchte vorzuziehen, von denen der folgende Stichos spricht.

[82] Zur palindromischen Struktur von 14,9 s. *Gale A. Yee,* Composition and Tradition in the Book of Hosea. A Redactional Critical Investigation (SBL.DS 102), Atlanta/Ga. 1987, 139f.

[83] Der Terminus ist nirgends so häufig belegt wie in Hosea. 8,4–6 und 13,2 verbinden *'^{a}ṣabbîm* mit dem „Kalb". Ein solcher Hinweis fehlt – offenbar sachbedingt – in 4,17 und 14,9. Da es in 4,17f um „die, deren Schilde Schande sind", geht, läßt sich vermuten, daß auch 14,9 mit dem „Bildwerk" diese Göttin meint.

[84] Man braucht dazu nicht auf die von *Julius Wellhausen,* Die kleinen Propheten, Berlin 1898, 134, vorgeschlagenen Konjekturen „ich bin seine Anat und seine Aschera" zurückzugreifen. Außerdem sieht Wellhausen nur in Anat eine Göttin, während er Aschera bloß als heiligen Pfahl kennt. Nach *John Day,* Ashera (s. Anm. 3) 404–406 (ausführlich in *ders.,* A Case of Inner Scriptural Interpretation. The Dependence of Isaiah XXVI.13–XXVII.11 on Hosea XIII.4–XIV.10 [Eng. 9] and Its Relevance to Some Theories of the Redaction of the „Isaiah Apocalypse": JTS 31 [1980] 309–319, hier 314–316), dürfte Jes 26,13 – 27,11 von Hos 13,4 – 14,10 inspiriert worden sein. Zwischen den beiden Perikopen gibt es nämlich dem Textverlauf entsprechend acht Korrespondenzen. Dabei bezieht sich Jes 27,9 auf Hos 14,9: Hängt die „ganze Frucht" der Befreiung Jakobs von seiner Sünde unter anderem davon ab, daß keine „Ascheren" errichtet werden (Jes 27,9), so kommt Ephraims „Frucht" nicht vom „Bildwerk", der Göttin, sondern von Jahwe (Hos 14,9). Das Verständnis von Hos 14,9 in Jes 27,9 muß zwar nicht den ursprünglichen Aussagesinn treffen, doch läßt sich auch nicht ausschließen, daß diese älteste Auslegung den Bezug zur Aschera richtig gesehen hat. Mit einem gezielten Wortspiel rechnet auch *Grace I. Emmerson,* Hosea. An Israelite Prophet in Judean Perspective (JSOT.SS 28), Sheffield 1984, 50. Eine Anspielung von *wa'^{a}šûrænnû* in Hos 14,9 auf *'aššûr* in V. 4 ist sowohl wegen des Inhalts als auch wegen der Möglichkeit eines parallelen Wortspiels zwischen *'ānîtî* und Anat unwahrscheinlich. Weil man in einem hebräischen Text des 8. Jahrhunderts keine Anspielung an die Göttin Anat erwarten dürfe – an ihre Stelle sei längst Astarte getreten –, ändert *Margalit* (Meaning [s. Anm. 18] 293) die Emendation Wellhausens **'ntw* zu **'(w)ntw* von *'nh* „(sexuell) antworten" (vgl. Hos 2,17). Diese Korrektur werde auch von seiner etymologischen Erklärung der Aschera als „Frau" gestützt, sei aber hier eher mit „Gefährtin, Partnerin" zu übersetzen. Konjektur wie Etymologie bleiben jedoch fragwürdig.

wurde, bezeugt seine Frage: „Was habe ich noch mit dem Bildwerk gemein?“ Aber Jahwe erfüllt allein die Funktionen, die Israel der Liebes- bzw. der Fruchtbarkeitsgöttin zuschreibt[85]. Denn er überbietet[86] wie ein üppiger Wacholder den Baum oder Holzpfahl der Göttin (14,9)[87], und nur an ihm findet „Ephraim“ seine „Frucht“ (vgl. 9,16).

2. Die Nachrichten der Königsbücher

Auch an einigen Stellen der Königsbücher dürfte Aschera als eigenständige Göttin hervortreten. Klaus Koch[88] hat darauf aufmerksam gemacht, daß von *der* Aschera *(hā'^{a}šerâ)* – von Ri 6,25–30 (und dem textkritisch unsicheren Hinweis 1 Kön 18,19) abgesehen – nur bei den Hauptstädten Samaria (1 Kön 16,33; 2 Kön 13,6) und Jerusalem (1 Kön 15,13; 2 Kön 18,4; 21,7 [anders V. 3]; 23, 4.6f) gesprochen wird. Die Jerusalemtexte, auf die Koch dann seine Analyse beschränkt, zeigen, daß „bei abgöttischen Bräuchen am Tempel die Aschera eine herausragende Rolle“ spielt. „Sie gilt als die große Versuchung für Hof und Volk. Zwar wird ihr II Kön 21,3; 23,4 ein Baal zur Seite gestellt; dessen Rolle bleibt jedoch blaß. Gegenüber der weiblichen Partnerin tritt er sichtlich in den Hintergrund, ihm wird“ – im Gegensatz zur Aschera in 1 Kön 15,13 bzw. 2 Kön 21,7 – „weder ein *mipläṣät* noch ein *päsäl* angefertigt.“[89] Soweit die Mitteilun-

---

[85] *Edmond Jacob,* Osée, in: *Edmond Jacob / Carl A. Keller / Samuel Amsler,* Osée, Joel, Abdias, Jonas, Amos (CAT XIa), Neuchâtel 1965, 7–98, hier 97, meint sogar, „YHWH absorbera Anat et Ashera. Il prend sur lui le rite assumé jusque là par les divinités de la fécondité; il sera lui-même l'arbre sacré“. Gegen letzteres spricht allerdings das *k^{e}* „wie“ des Vergleichs. Auch *Margalit,* Meaning (s. Anm. 18) 294f, überinterpretiert, wenn er eine weibliche Partnerin, eine Aschera, für Jahwe mit der Bemerkung ausschließt: „YHWH is an androgynous fertility deity providing both halves of the sexual act needed to ensure fertility and fruition. He is a unity of ‚Baal-and-Asherah', ‚husband-and-wife' in dialectical fusion, a theological hendiadys of law and love.“

[86] Diese Möglichkeit wird von *Olyan,* Asherah (s. Anm. 4) 21 nicht erwogen. Er rechnet auch nicht damit, daß *^{a}ṣābbîm* eine Göttin bezeichnen kann. Seine Argumentation gegen die Anti-(Anat-und-)Aschera-Polemik von 14,9 ist deshalb nicht zwingend.

[87] Vgl. *Emmerson,* Hosea (s. Anm. 84) 50. Vielleicht spielt dieses kühne, im Alten Testament einzigartige Jahwebild aber auch auf die Bäume an, unter deren Schatten man sich nach 4,12f durch Sexualriten die Fruchtbarkeit sichern wollte (vgl. 14,8). Dagegen denkt zum Beispiel *Wolff,* Hosea (s. Anm. 72) 307, einfach an den aus der altorientalischen Mythologie bekannten Lebensbaum.

[88] Aschera (s. Anm. 23) 100–107.

[89] *Koch,* Aschera (s. Anm. 23) 107. Möglicherweise ist die im frühen 6. Jahrhundert in Jerusalem verehrte Himmelskönigin (Jer 7,17f; 44,15–27) mit der Aschera gleichzusetzen – so *Koch,* Aschera (s. Anm. 23) 107–109, gegen *Saul M. Olyan,* Some Observations Concerning the Identity of the Queen of Heaven: UF 19 (1987) 161–174, der ihre

gen der Königsbücher historische Rückschlüsse auf die Rolle der Aschera im Jerusalem des 9. und 8. Jahrhunderts erlauben, fügen sie sich nach Abzug der deuteronomistischen Qualifizierungen gut in das archäologische Gesamtbild ein: Hin und wieder, speziell in den Haupttempeln, existierte ein Aschera-Kult. Aber es ist eher unwahrscheinlich, daß er das volkstümliche religiöse Leben tatsächlich geprägt hat[90]. Trotzdem wird die Aschera schon in vordeuteronomischer Zeit bekämpft. So läßt König Asa zu Beginn des 9. Jahrhunderts nach der kaum unhistorischen Notiz[91] in 1 Kön 15,13 das Kultbild, das seine Großmutter Maacha der Aschera errichtet hatte, umhauen und verbrennen. Doch im 8. Jahrhundert revitalisiert sich ihr Kult. Deshalb beseitigt Hiskija (2 Kön 18,4) und nach einer Restauration unter Manasse (2 Kön 21,3.7) im 7. Jahrhundert auch Joschija den Sakralpfahl der Aschera aus dem Jerusalemer Heiligtum (2 Kön 23,6). Das geschieht im Rahmen einer umfassenden, zum Teil auch archäologisch nachweisbaren Kultreform[92].

Zusammengefaßt: Es läßt sich ein durchaus nach Perioden differenzierbares Bild der Rolle der Aschera in der vordeuteronomischen/vordeuteronomistischen Religion Israels extrapolieren. Ihr Kult wird erst wieder in der Mitte des 8. Jahrhunderts vital und breit. Die Säulenfigürchen, die jetzt zunehmend in nichtkonformen Kultstätten und zahlreichen Haushalten der Verehrung dienen, finden in den Ascheren der offiziellen nationalen Heiligtümer ihr Gegenstück. Die soziologisch-archäologische Klassifizierung der Kultorte und die Unterscheidung zwischen herrschender Religion und privater Frömmigkeit erweisen sich, sobald eine bestimmte Schwelle überschritten wird, für die prophetische Kritik als irrelevant. Denn

---

Identifizierung mit Astarte für wesentlich wahrscheinlicher hält. *Susan Ackerman,* „And the Women knead Dough". The Worship of Queen of Heaven in Sixth-Century Judah, in: *Day* (Hrsg.), Gender (s. Anm. 71) 109–124, charakterisiert die Himmelskönigin als synkretistische Göttin, die Aspekte der westsemitischen Astarte und der ostsemitischen Ischtar in sich schließe. Diskutiert ist schließlich, ob mit dem „Standbild der Liebesleidenschaft" *(semæl haqqin'â),* das sich nach Ez 8,3–5 im Bereich des Nordtors des Tempels befand, eine nach Joschija von Jojakim wiedererrichtete Aschera-Skulptur gemeint ist – s. dazu *Schroer,* Bilder (s. Anm. 2) 25–28, und *Koch,* Aschera (s. Anm. 23) 111 f.

[90] Vgl. *Hermann Spieckermann,* Juda unter Assur in der Sargonidenzeit (FRLANT 129), Göttingen 1982, 212–221, besonders 214 und 215.

[91] *Spieckermann,* Juda unter Assur (s. Anm. 90) 213 f.

[92] Darüber informiert kurz *Norbert Lohfink,* Zur neueren Diskussion über 2 Kön 22–23, in: *ders.* (Hrsg.), Das Deuteronomium: Entstehung, Gestalt, Botschaft (BEThL 68), Löwen 1985, 24–48, hier 27 f, und die dort angegebene Literatur. S. ferner *Norbert Lohfink,* The Cult Reform of Josiah of Judah. 2 Kings 22–23 as a Source for the History of Israelite Religion, in: Ancient Israelite Religion (s. Anm. 8) 459–475.

der Kult der Göttin, gleichgültig, ob er auf den „Höhen“ und in Privathäusern oder an Staatstempeln wie in Samaria und Jerusalem vollzogen wird, ist für den authentischen Jahweglauben nicht tolerierbar[93]. Sofort setzt, vor allem bei Hosea greifbar, aber ebenso in Juda, im Namen Jahwes die Abwehr ein. Die Deuteronomisten stehen dabei nicht am Anfang. Eher stehen sie schon in der historischen Distanz einer Reflexionsstufe.

III. Das Deuteronomium: Abwertung der Aschera, Aufwertung der Frau

Was Hosea als akute Gefahr für den authentischen Jahweglauben und sein gesellschaftliches Ethos einklagte, das versuchte das Deuteronomium mit theologisch-pastoraler Strategie systematisch und auf dem Weg der Gesetzgebung zu bewältigen. Vor dem Horizont der oben zitierten Texte heißt das: Das Deuteronomium bekämpfte zwar die Liebes- und Fruchtbarkeitsvorstellungen der „Volksreligiosität“, integrierte aber ihre authentischen Erfahrungen in den Jahweglauben; es verbot magische Riten, auch eine kultisch verbrämte sexuelle Ausbeutung von Frau und Mann[94], übernahm aber die wahrhaft humanen Werte in die Erntefeste[95]. Zugleich sorgte das Deuteronomium durch eine neue Konzeption des Lernens dafür, daß sich alle Israeliten unabhängig von den Priestern sein liturgisches und soziales Programm aneigneten[96]. Natürlich müßten die eben angedeuteten religionsgeschichtlichen Bezüge ausführlicher

[93] S. dazu zum Beispiel *Werner H. Schmidt,* „Jahwe und ...“ Anmerkungen zur sog. Monotheismus-Debatte, in: *Erhard Blum / Christian Macholz / Ekkehard W. Stegemann* (Hrsg.), Die Hebräische Bibel und ihre zweifache Nachgeschichte. FS Rolf Rendtorff, Neukirchen-Vluyn 1990, 435–447, hier 442–445.

[94] *Rost,* Erwägungen (s. Anm. 72) 59, und im Anschluß daran auch *Wolff,* Hosea (s. Anm. 72) 109, verstehen Dtn 22,13–21, das Gesetz über die Anfechtung der Jungfräulichkeit, als gesetzliche Abwehrmaßnahme im Gefolge von Hosea. Gegen die in Hos 4,14b verurteilte Sakralprostitution mit weiblichen, aber auch gegen die mit männlichen Qedeschen richtet sich Dtn 23,18f. Ob auch sie zum Fruchtbarkeitsritual gehörte oder als Einnahmequelle für den Tempel diente (so *Karel van den Toorn,* Female Prostitution in Payment of Vows in Ancient Israel: JBL 108 [1989] 193–205, hier 203), kann hier offenbleiben.

[95] S. dazu *Georg Braulik,* Die Freude des Festes. Das Kultverständnis des Deuteronomiums – die älteste biblische Festtheorie, in: *ders.,* Studien zur Theologie des Deuteronomiums (SBAB 2), Stuttgart 1988, 161–218.

[96] S. dazu *Norbert Lohfink,* Der Glaube und die nächste Generation. Das Gottesvolk der Bibel als Lerngemeinschaft, in: *ders.,* Das Jüdische am Christentum. Die verlorene Dimension, Freiburg 1987, 144–166 und 260–263.

dargestellt werden. Ich beschränke mich aber im folgenden auf die dritte der zu Beginn gestellten Fragen, wie sich die Ausrottung der Göttin auf das Jahwebild und vor allem auf die Stellung der Frau in Kult und öffentlichem Leben ausgewirkt hat.

1. Von der Göttin zur Fruchtbarkeit, mit der Jahwe segnet

Hosea hat einen Kult kritisiert, in dem Israel auf das „Bildwerk" *('ᵃṣabbîm)* einer Göttin „fixiert ist" (Hos 4,17) und davon „seine Frucht" erwartet (vgl. Hos 14,9). Ein Kultbild, das eine Göttin repräsentiert, ist mit dem Ausschließlichkeitsanspruch Jahwes nicht (mehr) vereinbar. Es wird deshalb von Hosea auf verschiedene Weise parodiert und disqualifiziert (vgl. Hos 10,5f). Vielleicht findet sich ein Nachhall seiner Polemik gegen die *pᵉsîlîm*[97] (Hos 11,2) in den singulären Formulierungen vom „Schandbild für die Aschera" *(miplæṣæt lā'ᵃšerâ* 1 Kön 15,13) und dem „Kultbild der Aschera" *(pæsæl hā'ᵃšerâ* 2 Kön 21,7). Während aber in diesen Bezeichnungen noch der Anspruch der Aschera als einer Göttin durchscheint, spricht das Deuteronomium im Rahmen seiner Kultreinigung (7,5; 12,3; 16,21)[98] nur von einem Kultpfahl, dem jede numinose Dimension fehlt. Eine solche Aschera ist keine (Denk-) Möglichkeit innerhalb der Jahwereligion (vgl. Hos 14,9), sondern gehört nur mehr zu den Requisiten, mit denen „die Völker ihren Göttern gedient haben" (Dtn 12,2) bzw. mit denen sie Israel dazu „verleiten, anderen Göttern zu dienen" (Dtn 7,4). Die Aschera des Deuteronomiums zeigt auch keinen speziellen Bezug mehr zu Vegetationsriten. Das gilt sogar für die nur hier belegte Ausdrucksweise vom „Pflanzen einer Aschera" *(nṭ' 'ᵃšerâ* Dtn 16,21). Sie ist nämlich in Analogie zu akkadischen Wendungen vom „Aufstellen einer Stele" her zu interpretieren[99]. Im übrigen wird die Aschera nicht einmal eigens kritisiert, sondern in Dtn 7,5 und 12,3 – vermutlich im Anschluß an Ex 34,13 – zusammen mit dem übrigen fremdvölkischen Kultinventar ganz formelhaft verboten. Die Liste der einzeln

---

[97] Zu *pæsæl* als „Kultbild" s. *Christoph Dohmen,* Das Bilderverbot. Seine Entstehung und seine Entwicklung im Alten Testament (BBB 62), Frankfurt ²1987, 46–48.

[98] Die Stellen sind redaktionell miteinander vernetzt: 12,3 nimmt die Rahmenbestimmungen 7,5.25 auf, 16,21 f greift auf die beiden Rahmengesetze 12,2f.29–31 der Opferordnung 12,4–28 am Beginn der Kultgesetzgebung zurück (s. *Georg Braulik,* Die deuteronomischen Gesetze und der Dekalog. Studien zum Aufbau von Deuteronomium 12–26 [SBS 145], Stuttgart 1991, 47).

[99] *Spieckermann,* Juda (s. Anm. 90) 216. Ein versteckter Hinweis auf die assyrische Göttersphäre (a.a.O. 217) läßt sich daraus aber kaum ableiten.

aufgezählten Gegenstände einer Kulthöhe ist im Lauf der Zeit immer ausführlicher geworden. Nannte Hosea nur Altäre und Steinmale (10, 1.2; vgl. 3, 4) und fügte Ex 34, 13 auch noch die Kultpfähle an, so ist die Vernichtungsvorschrift in Dtn 7, 5 und 12, 3 um ein viertes Glied, nämlich die „Kultbilder" *(pesîlîm)*, verlängert. Sie werden hier von den vorausgehenden Mazzeben und Ascheren unterschieden und nehmen ihnen so den letzten göttlichen Schimmer[100]. Die mit den Kultobjekten verbundenen Verben reduzieren sie schließlich auf zerstörbares Material. So ist eine „Aschera" einfach „Holz" *('eṣ)*, das Israel „nicht pflanzen" (*nṭ'* Dtn 16, 21) darf; „Ascheren" müssen „umgehauen" (*gd'* pi. Dtn 7, 5) bzw. „im Feuer verbrannt" (*śrp bā'eš* Dtn 12, 3) werden.

Noch radikaler hat das Deuteronomium die Göttin Astarte entmythisiert. Sie findet sich – desemantisiert, aber doch etymologisch transparent –, wo Jahwe in Dtn 7, 13; 28, 4 *šegar 'alāpækā we'aštерrōt ṣonækā* „den Wurf[101] deiner Rinder und den Zuwachs[102] deines Kleinviehs" segnet bzw. in 28, 18.51 verflucht. *šægær* und * *'aštæræt*, die hier parallel gebraucht werden, sind in Ugarit, aber auch in der gegen Ende des 9. oder im frühen 8. Jahrhundert v. Chr. entstandenen[103], früh-aramäischen Tinteninschrift von Tell Deir 'Allā als Namen kanaanäischer Göttinnen[104] bezeugt. Hinter *'aštеrôt ṣo'n* steht die Rolle der Astarte als „Herrin der Tiere", besser: die Ernährerin von Ziegen[105], die durch ein (Mutter-)Schaf symbolisiert bzw. durch Opfer von (Mutter-)Schafen verehrt wird[106]. Das Deuteronomium[107]

---

[100] In Dtn 7, 5 und 12, 3 werden allerdings die Verben *gd'* pi. und *śrp* jeweils abwechselnd mit *'ašerîm* und *pesîlîm* verbunden, während die bei den Altären und Mazzeben verwendeten Verben gleichbleiben. Dieser Gebrauch könnte eine speziellere Beziehung zwischen Ascheren und Gottesbildern andeuten.

[101] Zu Herkunft und Übersetzung von *šægær* s. *Hans-Peter Müller*, Einige alttestamentliche Probleme zur aramäischen Inschrift von *Dēr 'āllā*: ZDPV 94 (1978) 56–67, hier 64f.

[102] *Walter Baumgartner*, Hebräisches und aramäisches Lexikon zum Alten Testament, Leiden 1983, 851.

[103] *Moawiyah M. Ibrahim / Gerrit van der Kooij*, The Archeology of Deir 'Alla Phase IX, in: *Jean Hoftijzer / Gerrit van der Kooij* (Hrsg.), The Balaam Text from Deir 'Alla Re-evaluated. Proceedings of the International Symposium held at Leiden 21–24 August 1989, Leiden 1991, 16–29, hier 27f; *Manfred Weippert*, The Balaam Text from Deir 'Allā and the Study of the Old Testament, in: Balaam Text a. a. O., 151–184, hier 176.

[104] *Hans-Peter Müller*, Die aramäische Inschrift von Deir 'Allā und die älteren Bileamsprüche: ZAW 94 (1982) 214–244, hier 214 mit Anm. 3 und 230. Allerdings ist unsicher, ob *šgr* eine Göttin oder ein Gott ist – a. a. O. 230 Anm. 106.

[105] *Hans-Peter Müller*, Art. עשתרת *'štrt*, in: ThWAT VI, 453–463, hier 461.

[106] *Mathias Delcor*, Astarté et la fécondité des troupeaux en Deut. 7, 13 et parallèles: UF 6 (1974) 7–14, hier 8–10. Wahrscheinlich ist auch *šgr* eine Fruchtbarkeitsgottheit – s. a. a. O. 14.

hat in einem *sprach*schöpferischen Akt die Namen **'aštæræt* und *šægær*, die früher für göttliche Spenderinnen der Fruchtbarkeit standen, entdivinisiert, indem es sie zu Bezeichnungen ihrer ursprünglichen Gaben gemacht hat[108], genauer: zu Auswirkungen des Segens, den Jahwe allein spendet. Sachlich ist die Entmythisierung durchaus älter. Wie Othmar Keel aufgrund der Glyptik feststellt, „erleichterte" „die mindestens ikonographisch schon in der EZ I (= Eisen-I-Zeit) vollzogene Reduktion weiblicher Gottheiten auf den von ihnen gestifteten Segen (säugendes Muttertier, Bäume) ... die Übertragung dieser Segensmacht auf einen einzigen (männlichen) Gott"[109].

Wenn das Deuteronomium die Göttin ächtet bzw. mit ihr nur mehr den Effekt der Fruchtbarkeit benennt, dann ist das allerdings nur die Kehrseite seiner umfassenden Theologie des Segens. Das läßt sich sogar im Kontext der Stellen, an denen die Vernichtung der Aschera befohlen wird, zeigen. So verheißt Kap. 7 im Rahmen schärfster Distanzierung von allen Fremdkulten (7,4f.25f) eine Fruchtbarkeit von Mensch, Acker und Vieh, die den Segen anderer Völker noch übertrifft. Denn sie kommt aus einer einzigartigen Liebesbeziehung zwischen Jahwe und Israel, die unlösbar mit der Kult- und Sozialordnung des Deuteronomiums verbunden ist (7,12–14). Deshalb dienen auch die Opfer, die nach Kap. 12 an dem einen legitimen Heiligtum und wiederum in Abhebung von kanaanäischen Kultbräuchen dargebracht werden (12,2f.29–31; vgl. 16,21f), nicht mehr dazu, sich die künftige Fruchtbarkeit rituell zu sichern, sondern werden dargebracht, weil sich Männer wie Frauen in gleicher Weise „vor Jahwe" über den von ihm geschenkten Segen freuen (12,4–28).

---

107 Nach *Josef G. Plöger*, Literarkritische, formgeschichtliche und stilkritische Untersuchungen zum Deuteronomium (BBB 26), Bonn 1967, 170–173, gehört die Wendung „der Wurf deiner Rinder und der Zuwachs deines Kleinviehs" in 28,4b und 18b wegen des fehlenden Beziehungswortes wahrscheinlich nicht zum alten, im Gottesdienst gebrauchten Segens- bzw. Fluchformular (28,3–6* bzw. 16–19* – s. dazu a.a.O. 141–144), sondern ist als deuteronomistische Erweiterung anzusehen. Aus dem gleichen Grund ist sie wahrscheinlich auch in 7,13 erst später zugewachsen. 28,51 ist überhaupt sekundär. Das Deuteronomium hat demnach an diesen Stellen weder einen alten kultischen Text aufgegriffen, noch ist die Formel so spät entstanden, daß sie schon keinen polemischen Charakter mehr gehabt hätte.

108 *Müller*, Inschrift (s. Anm. 104) 230 Anm. 102, rechnet an den Deuteronomiumsstellen mit einer „ad-hoc-Entmythisierung der Gottesnamen zu Appellativen"; vgl. *Delcor*, Astarté (s. Anm. 106) 14.

109 *Keel*, Glyptik (s. Anm. 49) 116.

2. Gleichsetzung von Mann und Frau im Recht, Opfer für Jahwe darzubringen[110]

Das Deuteronomium unterscheidet sich von den altorientalischen und den übrigen biblischen Gesetzgebungen vor allem dadurch, daß es nicht einfach männerorientiert, sondern geschwisterlich konzipiert ist[111]. Das gilt zumindest für die Endgestalt des Buches, die als systematische Gesamtkonstruktion der Gesellschaft „Israel" verstanden werden will. Ihre „Brüderlichkeit" wirkt sich vor allem bei den klassischen Randgruppen, den Waisen, Witwen, Gastbürgern und Fremden aus, die demarginalisiert und der Armut entrissen werden[112]. Das gleiche Leitprinzip verändert aber auch die Stellung der Frau. In 15,12 bezeichnet das Wort „Bruder" *('āḥ)* ausdrücklich auch die Frau. Das Deuteronomium tendiert zu ihrer Emanzipation[113]. Die deuteronomische Gesellschaftsreform läßt deshalb auch bei den liturgischen Vollzügen, konkret bei Opfern, eine Neubestimmung der Möglichkeiten der Frau erwarten, wenn auch manches nur mit höchster Vorsicht ausgedrückt sein mag. Darüber ist in der Exegese bisher noch kaum diskutiert worden. Ich setze im folgenden den gesetzgeberischen Einheitswillen bei der Liturgieerneuerung des Deuteronomiums voraus und beziehe mich in der Hauptsache synchron auf den Endtext.

Vor der eigentlichen Frage ist nüchtern zu klären, daß Opfer darzubringen im Deuteronomium nicht Sache der Priester, sondern Sa-

---

110 Diese These wird in *Georg Braulik,* Haben in Israel auch Frauen geopfert? Beobachtungen am Deuteronomium, in: Siegfried Kreuzer / Kurth Lüthi (Hrsg.), Zur Aktualität des Alten Testaments. FS Georg Sauer, Frankfurt 1991, 19–28, ausführlicher dargestellt und genauer begründet.

111 *Georg Braulik,* Deuteronomium 1–16,17 (Die Neue Echter Bibel), Würzburg 1986, 16f; ferner *Lothar Perlitt,* „Ein einzig Volk von Brüdern". Zur deuteronomischen Herkunft der biblischen Bezeichnung ‚Bruder', in: *Dieter Lührmann / Georg Strecker* (Hrsg.), Kirche. FS Günther Bornkamm, Tübingen 1980, 27–52.

112 *Norbert Lohfink,* Das deuteronomische Gesetz in der Endgestalt – Entwurf einer Gesellschaft ohne marginale Gruppen: BN 51 (1990) 25–40.

113 Vgl. *Moshe Weinfeld,* Deuteronomy and the Deuteronomic School, Oxford 1972, 291ff. Ausdrücklich (!) sind Frauen *und* Männer die Subjekte der folgenden Rechtsbestimmungen: Dtn 15,12–18; 17,2–7; 21,18–21; 22,5; (22,22.23f); 23,18.19; 29,9f.17; 31,12. Ihre Gleichberechtigung in gehobenen Schichten illustriert 28,53–57. Für Vater wie Mutter gilt 5,16 und 27,16. Söhne wie Töchter sind betroffen von 7,3; 12,31; 13,7; 18,10. Im übrigen wird ihnen – wie auch dem Sklaven und der Sklavin – sowohl die Sabbatruhe als auch die Teilnahme an den Opfern und Festen juristisch zugesichert. An beide Geschlechter, ohne daß hier eigens differenziert wird, ist wohl bei den Gesetzen für die Fremden und Waisen gedacht. Nach 32,18 hat Jahwe Israel „gezeugt" und „geboren", ist ihm also Vater und Mutter zugleich. Im Gegenbild dazu spricht 32,19 von Israel als „seinen Söhnen und Töchtern".

che aller Israeliten ist. Das stellt nämlich 18,3 in Abgrenzung von den Priestern ausdrücklich fest. Die Priester haben zwar das „Recht gegenüber dem Volk (*me'et hā'am),* gegenüber denen, die ein Schlachtopfer schlachten *(me'et zobḥê hazzæbaḥ)*", auf einen festgesetzten Opfertarif. Sie werden aber nicht für eine Opfertätigkeit entlohnt. Das gilt auch für ihre „levitischen Brüder", wenn diese nach Jerusalem übersiedeln und im Tempel priesterliche Funktionen übernehmen (18,6–8). Dabei geht es um Dienste an der Tora, die sich mit der Lade im Zentralheiligtum befindet. Opfer und Kult sind nicht als ihre Aufgaben genannt. Für die Leviten schließlich, die in anderen Städten leben, wünscht die deuteronomische Kultgesetzgebung zwar ihre Teilnahme an den verschiedenen liturgischen Akten, nennt aber auch sie nirgends als Opfernde[114].

Aus dem in 18,3 von den Priestern abgehobenen opfernden „Volk" werden die Frauen nirgends ausgeschlossen. Sie sind vielmehr nach 29,10 ausdrücklich Subjekt des Moabbundesschlusses, durch den Jahwe Israel zu seinem Volk einsetzt (29,9–14). 31,12 nennt sie eigens, wenn sich ganz Israel in einem festlichen Lernritual am Laubhüttenfest in jedem siebten Jahr die Tora in Erinnerung ruft und erneut in die Ursituation des Horeb gerät, der diese Sozialordnung entsprungen ist (31,10–13). Trotzdem läßt sich aus 18,3 allein natürlich nicht das Recht der Frau, ein Opfer darzubringen, ableiten.

Das Spezifische der deuteronomischen Liturgiereform liegt darin, daß sie den gesamten Kult Israels am Tempel von Jerusalem als dem einzig legitimen Jahweheiligtum konzentriert. Was zu dieser Liturgiereform führte, braucht hier nicht dargestellt zu werden[115]. Jedenfalls veränderte sich durch sie auch der Stellenwert der Opfer. Man darf ihr Verständnis nicht mit jenem priesterschriftlicher Texte har-

---

[114] Erst zwei der wahrscheinlich jüngsten Einfügungen im Deuteronomium reservieren den Zutritt zum Altar Jahwes, der Laien nach 12,27 für Brand- und Schlachtopfer grundsätzlich offenstand, dem Priester bzw. den Leviten. Bestimmte 26,10, daß der Bauer den Korb mit den Erstlingsfrüchten „vor Jahwe" stellen soll, so nimmt ihn nach dem sekundär vorgeschalteten V. 4 (*Siegfried Kreuzer,* Die Frühgeschichte Israels in Bekenntnis und Verkündigung des Alten Testaments [BZAW 178], Berlin – New York 1989, 150–156) der amtierende Priester entgegen, um ihn selbst „vor den Altar Jahwes" zu stellen. Nach 33,10b, einem Einschub in den Levispruch (*Antonius H. J.Gunneweg,* Leviten und Priester. Hauptlinien der Traditionsbildung und Geschichte des israelitisch-jüdischen Kultpersonals [FRLANT 89], Göttingen 1965, 41), legen die Leviten das Ganzopfer *(kālîl),* das im Deuteronomium allerdings sonst keine Rolle spielt, auf den Altar. Von diesen beiden einschränkenden Texten kann im folgenden abgesehen werden.

[115] S. dazu *Georg Braulik,* Freude (s. Anm. 95) 198f.

monisieren. Das Deuteronomium unterscheidet zwischen der „Profanschlachtung" zu Genußzwecken, die immer und überall erlaubt ist (12,15.21), und der Schlachtung zu Opferzwecken, die an das Zentralheiligtum gebunden ist (12,27). Auch die vegetabilischen Opfer müssen nun dorthin gebracht werden (12,6). Die Neuregelung entsprach auch der deuteronomischen „Theologie des Jahwevolkes". Denn sie ordnete eine bisher private Gestalt der Frömmigkeit der symbolischen Verwirklichung der Weltwirklichkeit der Gesellschaft „Israels" im Kult zu[116]. Ging diese Zentralisierung zu Lasten der Frau, die mit der Abschaffung der Ortsheiligtümer auch die Stätten verlor, wo sie „Führung, Befreiung und Tröstung" finden konnte?[117]

Für unser Thema sind vor allem die Teilnehmerlisten und das Abfolgeschema der Opfervorgänge in der Kultordnung des Deuteronomiums[118] von Interesse. Weil die Opfer hauptsächlich für den Segen danken, den Jahwe einer Familie geschenkt hat (12,7; 14,24; 16,10.17; 26,11), nehmen an ihnen die Familienmitglieder teil. Dazu kommen gewöhnlich noch die am Heimatort ansässigen Leviten, die das Deuteronomium vor allem mit Hilfe von Opfer und Fest sozial integriert. Schon wegen dieses „öffentlichen Interesses" der Gesellschaft Israels sollte man selbst die Opfer bei diesen Familienfeiern am Zentralheiligtum nicht als „Privatopfer" klassifizieren.

Die kürzeste Liste von Feiernden lautet: „du und deine Familie" (14,26; 15,20; vgl. 26,11) bzw. „ihr und eure Familien" (12,7). Diese Formel ist dem Deuteronomium zwar schon vorgegeben und wird auch nach ihm noch verwendet[119]. Welche gesellschaftliche Brisanz aber in ihr steckt, zeigt sich erst dort, wo die Kultgesetzgebung selbst sie interpretiert, indem sie die Mitglieder der Familie – wörtlich des

[116] *Norbert Lohfink,* Opfer und Säkularisierung im Deuteronomium (noch unveröffentlichter Vortrag vom 3. September 1990 in Fribourg); *Georg Braulik,* Die politische Kraft des Festes. Biblische Aussagen, in: *Helmut Erharter / Horst-Michael Rauter* (Hrsg.), Liturgie zwischen Mystik und Politik, Wien 1991, 465-76.

[117] Das behauptet *Phyllis Bird,* The Place of Women in the Israelite Cultus, in: Ancient Israelite Religion (s. Anm. 8) 397–419, hier 411. Sie sieht allerdings auch, daß vor allem die deuteronomische Gesetzgebung die Frauen stärker und unmittelbar in die religiöse Versammlung einbeziehen möchte und die Gemeinde von den Laien, Männern und Frauen, her definiert.

[118] Zum größeren Zusammenhang der folgenden Beobachtungen s. *Braulik,* Freude (s. Anm. 95) 161–218; *ders.,* Leidensgedächtnisfeier und Freudenfest. „Volksliturgie" nach dem deuteronomischen Festkalender (Dtn 16,1–17), in: Studien (s. Anm. 95) 95–121.

[119] *Gottfried Seitz,* Redaktionsgeschichtliche Studien zum Deuteronomium (BWANT 93), Stuttgart 1971, 191 Anm. 288.

„Hauses“ *(bayit)* – detailliert aufzählt und je nach Aussagezusammenhang unterschiedlich erweitert. Nach 12, 18 sind zum Opfer eingeladen: „du, dein Sohn und deine Tochter, dein Sklave und deine Sklavin sowie die Leviten, die in deinen Stadtbereichen Wohnrecht haben“. Gleiches gilt für das Wochen- wie das Laubhüttenfest (16, 11 und 16, 14) und für den Sabbat (5, 14). Im übrigen findet sich dieselbe Reihe auch in pluralischer Anrede (12, 12).

Die Liste zielt auf Vollständigkeit. Von den Personen, die bei einer israelitischen Großfamilie in Frage kommen, fehlen zwar die „Väter“ und „Brüder“, ferner die „Nächsten“. Aber diese haben alle ihre eigene Familie und sind deshalb vom „Du“ bzw. „Ihr“ der Gesetze direkt angesprochen. Um so mehr fällt auf, daß auch die „Frau“ nicht genannt wird. Das bedeutet entweder, daß die freie Frau und Familienmutter im angeredeten „Du“ (oder „Ihr“) mit angesprochen ist oder daß sie, während die ganze Familie, selbst die Sklaven eingeschlossen, auf Wallfahrt zieht und in Jerusalem das Opfermahl „genießt und sich freut“, grundsätzlich als einzige am Heimatort das Haus hüten und in dieser Zeit für alle die Arbeit leisten soll. Das zweite ist kaum denkbar[120]. Eine solche Auslegung widerspräche nicht nur der älteren Wallfahrtstradition (1 Sam 1), sondern auch der gleichen Wertschätzung beider Geschlechter, wie sie sich im Deuteronomium sonst zeigt.

Ebenso schwierig erscheint es allerdings, daß eine Familie einfach den Hof leer zurückläßt und mit ihrer ganzen Belegschaft nach Jerusalem zieht. Haben wir es bei dieser Anordnung also mit einer undurchführbaren „Theorie eines Ideologen“ zu tun? Die übrigen liturgischen Bestimmungen zeigen, daß es dem Deuteronomium

---

[120] Erst recht gilt das für den Sabbat, an dem bei dieser Deutung die Frau als einzige Person des Hauses zu arbeiten hätte. Ebenso unwahrscheinlich ist allerdings, daß die Frau im Sabbatgebot (5, 14) nicht genannt ist, weil sie „nicht als Arbeitskraft im Dienst der Familie betrachtet“ wird – gegen *Adrian Schenker,* Der Monotheismus im ersten Gebot, die Stellung der Frau im Sabbatgebot und zwei andere Sachfragen zum Dekalog, in: Text und Sinn im Alten Testament. Textgeschichtliche und bibeltheologische Studien (OBO 103), Fribourg – Göttingen 1991), 187–205, hier 196. Diese Ad-hoc-Interpretation für das Sabbatgebot würde die anderen Belege der Reihe nicht erklären. Auch stimmt sie nicht. Die Frau arbeitete durchaus. Frauen konnten sich nach dem Deuteronomium sogar selbst „verknechten“ (15, 12), um damit sich und ihre Familie in extremer Not zu erhalten. Interessant ist in diesem Zusammenhang vielleicht auch eine Gruppe von Siegeln aus vorexilischer Zeit (8. bis 6. Jahrhundert), auf die *Nahman Avigad,* The Contribution of Hebrew Seals to an Understanding of Israelite Religion and Society, in: Ancient Israelite Religion (s. Anm. 8) 195–208, hier 205 f, aufmerksam gemacht hat. Sie haben israelitischen Frauen gehört und illustrieren ihren gleichberechtigten sozialen Status, etwa in der Möglichkeit, gültige Verträge auszufertigen.

nicht um rubrizistische Kasuistik, sondern um die theologische Zielsetzung geht. Es wird vermutlich als selbstverständlich vorausgesetzt, daß auch Leute zu Hause bleiben – doch nichts spricht dafür, daß dies die spezifische Aufgabe der Familienmutter ist. Wenn die ganze Familiengemeinschaft zu Opfer und Fest geladen ist, ist es innerhalb der vom Deuteronomium entworfenen Welt genauso denkbar, daß die Frau an der Spitze der Ihren zum Opfer nach Jerusalem zieht – etwa wenn sich der Mann um das Haus kümmert oder wenn er durch Krieg bzw. Gefangenschaft an der Teilnahme gehindert ist. Offenbar richtet sich das „Du" *('attâ)* bzw. das „Ihr" *('attæm)* der Liste gleichermaßen an die Frau wie an den Mann[121]. Dafür sprechen auch noch weitere Beobachtungen.

Die literarische Technik, mit der das Deuteronomium unter der Hand der Frau den Zutritt zum Altar erlaubt, unterscheidet sich allerdings deutlich von der Weise, mit der es zentrale Programmpunkte wie die Kultzentralisation formuliert. Das mag verschiedene Gründe haben. Jedenfalls wird darüber, daß auch Frauen opfern dürfen, nichts explizit gesagt, sondern nur gewissermaßen einer künftigen Entwicklung juristisch ein Türspalt geöffnet. Seine Intention bringt das Deuteronomium aber dennoch klar zum Ausdruck. Wer das Buch zu lesen versteht, merkt sie.

Vom formelhaften Aufbau der Teilnehmerlisten her würde man ja erwarten, daß die Frau nicht bloß implizit, sondern ausdrücklich angeführt wird. Warum wird nicht in der Liste ein auf den Mann bezogenes „Du" – wie bei den „Söhnen und Töchtern" bzw. „Sklaven und Sklavinnen" – durch den Ausdruck „und deine Frau" ergänzt? Offenbar formuliert das Deuteronomium hier bewußt anders. Das angeredete „Du" gehört nämlich – und hier ist eine Unbestimmtheit der bisherigen Ausführungen zu präzisieren – noch gar nicht zur eigentlichen Liste. Das Deuteronomium will für Mann und Frau das gleiche Recht zu opfern fixieren, andererseits aber die noch unselbständigen Söhne und Töchter sowie das Gesinde von diesem Vorrecht ausschließen. Die eigentliche Liste bildet deshalb syntaktisch eine Parenthese, die erst dort eingeschaltet wird, wo das Ritual alle Teilnehmer betrifft, nämlich beim „Essen" *('kl)* und/oder beim „Sich-freuen" *(śmḥ)*. Wäre die Frau hier genannt, hätten die übrigen finiten Verben nur den freien Mann zum Adressaten. So aber sind

---

[121] Vgl. *George Adam Smith,* The Book of Deuteronomy (The Cambridge Bible), Cambridge 1918, 167: „Wives are not mentioned, for they are included in those to whom the law is addressed; a significant fact."

alle maskulinen Singularformen der entsprechenden Opfer- und Festgesetze textpragmatisch auf den Mann wie die Frau zu beziehen[122]. Durch das „Du", das sich auch auf die Frau bezieht, und durch ihr Fehlen in der eigentlichen Liste wird sie aus dem „Haus" herausgehoben und ist wie der Mann für alle Opferakte gleichermaßen kompetent.

Wenn die Frau geopfert hat, dann ist damit selbstverständlich nicht gesagt, daß sie die ganze Arbeit allein zu machen hatte. Wurde ein Tier geschlachtet, halfen normalerweise zweifellos mehrere Personen mit. Das geschah sicher auch im Tempel, wo die ganze Familie, auch die Knechte, am Opfer teilnahm. Der entscheidende Punkt ist also nicht, wer die Schlachtarbeit erledigte, sondern ob die Frau – etwa indem sie das Blut auf dem Altar ausgoß (12,27) oder den Korb mit den Erstlingsfrüchten vor den Altar stellte (26,10; vgl. 26,4) – formell den Opferakt gesetzt und als die Opfernde gegolten hat.

Wahrscheinlich hat erst das Deuteronomium den Frauen das Recht, zu opfern, eingeräumt. Alles geschieht ja sehr verdeckt, recht vorsichtig. Darauf lassen auch die unterschiedlichen Adressaten der Vorschriften für Wochen- und Laubhüttenfest in 16,9–12.13–15 bzw. 16,16f schließen[123]. Man mag darüber streiten, ob der alte Text

---

[122] *Phyllis A. Bird,* Translating Sexist Language as a Theological and Cultural Problem: Union Theological Seminary Quarterly Review 42 (1988) 89–95, hier 92f, verweist beim Hebräer-Sklavengesetz Dtn 15,12–18 darauf, daß die Bestimmungen in den Versen 12 und 17 ausdrücklich auf eine „Hebräerin" bzw. eine „Sklavin" ausgedehnt werden. Muß man aus diesen Präzisierungen nicht für die Gesetzestexte des Alten Testaments schließen, „that where unambiguous extension of a case to both men and women is intended, explicitly inclusive language is used" (a.a.O. 93)? Aber die ausdrückliche Nennung der Frau gerade in diesem Gesetz hat einen speziellen Grund, der sehr wohl damit vereinbar ist, daß das „Du" normalerweise „inklusiv" die Frau „impliziert". Hier wurde die Rechtstradition novelliert, so daß ohne ausdrückliche Nennung der Frau an dieser Stelle das „Du" automatisch auf exklusives Verständnis reduziert worden wäre. Wir besitzen die Vorlage des deuteronomischen Gesetzes, nämlich Ex 21,2–11. Das Bundesbuch behandelt im ersten Teil (Ex 21,2–6) das Thema „Mann", im zweiten Teil (21,7–11) das Thema „Frau". Das deuteronomische Sklavenbefreiungsgesetz (Dtn 15,12–18) entspricht nur dem ersten Teil, eine Entsprechung zum zweiten Teil fehlt. Dafür dehnt es den ersten Teil über die Selbstverknechtung des Mannes (Ex 21,2–6) auch auf die Frau aus. Weil also die vorausgehende Gesetzgebung anders lautete, mußte das Deuteronomium die Frau um der juristischen Klarheit willen eigens anführen. Aus dem Hinweis auf die „Hebräerin" bzw. „Sklavin" läßt sich somit nicht folgern, daß der maskuline Singular von Gesetzestexten normalerweise exklusiv gebraucht wird, sich also nur auf Männer bezieht. Die Maskulinformen der Opfergesetze des Deuteronomiums können durchaus inklusiv zu verstehen sein. Daß sie tatsächlich die Frau mit einschlossen, ergibt sich aus dem oben untersuchten Funktionieren der Teilnehmerlisten.

[123] 16,16f spiegelt teilweise noch die vordeuteronomische Gesetzgebung (vgl. V. 16 mit Ex 23,15b.17; 34,20b.23). Sie verlangte, daß an diesen Festzeiten „alle deine Män-

von 16,16f durch das Vorauslaufende schon ausgelegt wird oder ob die dort angesprochene Gleichberechtigung wieder relativiert und restringiert wurde, sobald 16,16f als späterer Zusatz den Festkalender redaktionell zusammenfaßte und damit von der ursprünglichen Opferpraxis her reinterpretierte[124].

Wir können aufgrund des Quellenmaterials heute noch nicht feststellen, ob israelitische Frauen in der Zeit vor dem Deuteronomium in nicht-jahwistischen Kulten eine wichtige Funktion ausgeübt haben[125], ja wie zahlreich sie überhaupt daran teilgenommen haben[126]. Wir wissen ebenfalls nicht, wieweit der deuteronomische Gesellschaftsentwurf einer auch im Kult gleichberechtigten und aktiven Frau Wirklichkeit geworden oder ein utopisches Programm geblieben ist. Jedenfalls aber rechnet er aufgrund des Jahweglaubens für die geltende Rechtsordnung Israels mit der Möglichkeit einer auch in der Liturgie geschwisterlichen Welt[127].

Verglichen mit dem Hoseabuch, das zwar gegen die weiblich-erotischen Gottheiten gekämpft, zugleich aber etwa in 14,9 durch eine kühne Metapher einzelne Züge in das Jahwebild integriert hat, geht das Deuteronomium noch stärker auf Distanz: Es verwirft die Aschera mit ihrem Kultsymbol und spricht die Astarte nur in höchst subtiler Weise auf ihre Fruchtbarkeitsfunktion reduziert Jahwe zu. Während Hosea die Frauen als Opfer männlicher Verfehlungen in

---

ner" ins Zentralheiligtum kommen, jedoch „nicht mit leeren Händen". Das bedeutete praktisch, daß sie auch das Opfer darbrachten. Dagegen bestimmen die vorauslaufenden deuteronomischen Festgesetze in 16,11 bzw. 14, daß am Wochen- und Laubhüttenfest „du, dein Sohn und deine Tochter, dein Sklave und deine Sklavin, die Leviten, Fremden, Waisen und Witwen" vor Jahwe fröhlich sein sollen. Die freiwillige Gabe, die 16,10 für das Wochenfest verlangt, wird vom Mann oder der Frau, dem „Du", an das sich das Gesetz wendet, geopfert.

124 Diese redaktionsgeschichtlichen Fragen werden von *Winter,* Frau (s. Anm. 3) 29–32, bei der Untersuchung der Stellung der Frau in Festfeiern nicht diskutiert. Praktisch beschränkt er sich im Zusammenhang von Ex 34,23; 23,17 auf die Verpflichtung von Dtn 16,16, die zwar – wie 16,14 nahelegt – „die Frauen nicht gänzlich von jeglichem Dabeisein ausgeschlossen haben" mag, „aber anscheinend von jeglicher aktiven Teilnahme, vor allem aber vom Opfer".

125 Vgl. *Bird,* Place (s. Anm. 117) 408.

126 *Holladay,* Religion (s. Anm. 8) 294 Anm. 126.

127 In ihr kommt nicht zur Sprache oder wird abgebaut, was nach *Bird,* Place (s. Anm. 117) 401, sonst im Alten Testament die Stellung der Frau im Kult bestimmte: „(1) the periodic impurity of women during their reproductive years; (2) the legal subordination of women within the family, which places the woman under the male authority of father, husband or brother, together with a corresponding subordination in the public sphere in which the community is represented by its male members; and (3) an understanding of womens's primary work and social duty as family-centered reproductive work in the role of wife-mother."

Recht und Kult nur beklagt, versucht das Deuteronomium, sie dem Mann gesellschaftlich und kultisch weitgehend gleichzustellen. Mehr noch: Ganz Israel soll das wahrhaft Humane in der Freude des Festes vor Jahwe und im Segen seiner Sozialordnung finden[128].

---

[128] Eine modifizierte Form dieses Tagungsreferates habe ich auch am 26.9.1990 in Jerusalem als Gastvorlesung vorgetragen. Ich danke *Norbert Lohfink*, mit dem ich das Manuskript mehrmals diskutieren konnte, für seine wertvollen Hinweise.

Aschera oder die Ambivalenz des Weiblichen

Anmerkungen zum Beitrag von Georg Braulik

Von Marie-Theres Wacker, Nauheim/b. Limburg

Ich empfinde es als wohltuend, daß G. Braulik in seinem pointierten, facettenreichen, viele neue Einzelthesen und -beobachtungen bietenden und hermeneutisch-theologisch entschiedenen Referat, vermittelt über seine Deuteronomiumexegese, ein deutliches Plädoyer für eine geschwisterliche Kirche gehalten hat, in der auch der Zutritt der Frauen zum Altar kein Tabuthema sein darf. Wir sind uns ebenfalls einig darin, daß, ganz gleich im Namen welcher Instanz er geschieht, und sei es auch eine Göttin, sexueller Mißbrauch von Frauen anzuprangern ist. Und schließlich möchte ich an dieser Stelle betonen, worum es mir in der Göttin-Diskussion theologisch geht: Theologisch *brauche* ich die Göttin nicht, *gebrauche* aber ihre Bilder gleichsam im Sinne eines Bildersturzes, um sichtbar zu machen, wo speziell *unsere*, d.h. christliche bzw. katholische theologische und kerygmatische Tradition der Selbstvergötzung des Männlichen erlegen ist, statt sich der Wirklichkeit Gottes, wie unvollkommen auch immer, anzunähern[1]. Ich bin daher letztlich auch durchaus *nicht* auf den positiven religionsgeschichtlichen Nachweis angewiesen, zu irgendeiner Zeit einmal wären Göttinnen oder eine Göttin unbestritten im Alten Israel verehrt worden. Dies alles vorweggesagt, stellt sich mir die historische und wirkungsgeschichtliche Sachlage um die Ascheraverehrung aber doch komplexer und uneindeutiger dar, als Braulik sie entwickelt hat, insbesondere dann, wenn sie unter gender-spezifischer feministisch-theologischer Perspektive betrachtet wird[2]. Nach einigen kritischen Blicken auf den Gesamt-

---

[1] *Marie-Theres Wacker*, Schwierigkeiten mit den Bildern. Anfragen einer feministischen Theologin an den „Gott der Väter": PuK 128 (1989) 243–251; *dies.*, Art. „Göttinnen", in: NHthG ²II, München 1991, 266–272 und *dies.*, Art. „Gott/Göttin (AT)", in: Wörterbuch der feministischen Theologie (hrsg. v. *Elisabeth Gössmann u. a.)*, Gütersloh 1991, 163–165.

[2] Vgl. zur Kategorie „gender" die Kurzumschreibung in meinem Eingangsbeitrag „Fe-

rahmen seiner Rekonstruktion (I–II) werden die folgenden Bemerkungen vor allem um mögliche Gründe und Hintergründe der biblischen Ascherakritik kreisen (III–VI)[3].

I. Ist Konformität gleich Authentizität?

Das von G. Braulik entworfene religionsgeschichtliche Bild sucht die Verehrung der Aschera in Israel zum einen für die frühe Zeit zu minimieren, zum anderen als ein kurzzeitig und vor allem in den Städten nachgewiesenes Krisenphänomen der mittleren und späten Königszeit einzugrenzen. So gewinnt seine implizit zugrundeliegende These an Plausibilität, die Religion der Königszeit in Israel sei in ihrem breiten Strom eine JHWHmonolatrie gewesen, die durch die Krise der beiden Jahrhunderte vor dem Exil gleichsam geläutert wurde zum Monotheismus hin.

Problematisierbar an der Argumentation ist die Vereinnahmung des onomastischen Befundes für eine (mono)jhwhistisch geprägte Öffentlichkeit, scheint doch die Praxis der Namengebung noch nichts Eindeutiges über die faktische Rolle von Gottheiten im Kult auszusagen[4]. Problematisierbar ist auch die Überbetonung der bedeutenden Städte gegenüber dem Versuch eines repräsentativeren Querschnitts durch israelitische Siedlungen unterschiedlicher Art[5].

---

ministisch-theologische Blicke auf die neuere Monotheismusdiskussion". S. 31f mit Anm. 36.

[3] Für klärende Gespräche danke ich Silvia Schroer, Zürich, und Christian Frevel, Bonn.

[4] Zuletzt hat *Mark Smith,* The Early History of God. Yahweh and the Other Deities in Ancient Israel, San Francisco 1990, XXI, die Argumente zusammengetragen: *Dennis Pardee,* An Evaluation of the Proper Names from Ebla from a West Semitic Perspective: Pantheon Distribution According to Genre, in: Ebalite Personal Names and Semitic Name-Giving (hrsg. v. *A. Archi*), Missione Italiana in Siria 1988, 119–151, nennt Beispiele von Gottheiten, die im Kult präsent sind, im Onomastikon aber fehlen; *Saul Olyan,* Asherah and the Cult of Yahweh in Ancient Israel (SBL.MS 34), Atlanta/Ga. 1988, 36f, verweist auf das punische Onomastikon, in dem kaum mit dem Namen Tannits gebildete Namen erscheinen, dagegen Hunderte Astarte-haltiger, obwohl der Tannit Tausende von Weiheinschriften auf Stelen gelten, während Astarte nur eine relativ geringe Rolle in Weiheinschriften spielt. In Ugarit fehlen Astarte-haltige Namen ganz und ist nur ein einziger mit Aschera gebildeter Name belegt.

[5] Sicherlich steht hier die Tatsache im Weg, daß hauptsächlich Ausgrabungsberichte über wichtige Städte vorliegen, aber Ergebnisse, wie etwa die bei *William G. Dever* (The Contribution of Archeology to the Study of Canaanite and Early Israelite Religion, in: Ancient Israelite Religion. FS F.M. Cross [hrsg. v. *Patrick D. Miller u. a.*], Philadelphia 1987, 209–247) referierten, mahnen zur Vorsicht bei Verallgemeinerungen. – Bei alldem ist überhaupt noch nicht ausgemacht, wo wir an spezifisch weibliche Le-

Problematisierbar aber erscheint mir vor allem die im Anschluß an J. Holladay getroffene Unterscheidung von „konformen" und „nonkonformen" Kultstätten[6]. Holladay ist an der archäologischen Klassifizierung unterschiedlicher Formen von Kultstätten interessiert und bedient sich dazu der Kategorien von „Konformität" bzw. „Nichtkonformität". Er definiert Konformität als Übereinstimmung mit der herrschenden, offiziellen Religion und Politik, hier der Eisen-II-Zeit im monarchischen Israel, und nimmt an, daß nichtkonforme Kultstätten bzw. Kulte in dem Maße toleriert wurden, wie sie die offizielle Politik nicht gefährdeten. Was er damit beschreiben kann, ist zum einen das Ausmaß, in dem der Kult die politische Zentralgewalt faktisch gestützt hat, und zum anderen eine unterschiedliche Art und Weise religiöser Ausdrucksformen im Bereich des Nationalkultes gegenüber anderen Ebenen der Religionsausübung. Bei Braulik wird diese soziologisch-archäologische Unterscheidung jedoch mit theologischer Wertung gefüllt, wird der herrschaftskonforme Kult zum Synonym für authentischen JHWHkult und Nichtkonformität synonym mit „an der Grenze des Erlaubten", so als ob der Nationalkult nicht nur die faktisch herrschende, sondern auch die theologisch adäquate Norm für die Religion Israels abgäbe. Eine solche, so scheint mir, μετάβασις εἰς ἄλλο γένος gerät schnell zu einer Option für die Religion der Herrschenden[7], wenn nicht die gerade für die Erhellung weiblicher Lebenswirklichkeit wichtige Frage weiterverfolgt wird, inwieweit die „nichtkonformen" Kulte auf Defizite der offiziellen Religion verweisen (theologisch-normativer Aspekt) oder schlicht die auch nicht zu erwartende vollständige Identität von nationaler, dörflicher und familiengebundener Religion reflektieren (faktisch-historischer Aspekt)[8].

---

benswirklichkeit stoßen. Vgl. zur besonderen Sprödigkeit auch archäologischen Materials dieser Frage gegenüber etwa *Carol Meyers,* Discovering Eve. Ancient Israelite Women in Context. New York – Oxford 1988, 16–19.

[6] Vgl. Anm. 8 in Brauliks Beitrag.

[7] *Braulik,* a.a.O. wendet die Dinge so, daß auch die Herrschenden an nichtkonformen religiösen Praktiken teilgenommen hätten und sie deswegen der (prophetischen) Kritik anheimgefallen seien. Mein Argument geht in die umgekehrte Richtung: Das Problem besteht darin, daß das, was faktisch als konform dasteht, gleich auch als authentisch gelten soll – wobei in Brauliks Darstellung zudem historisch-bibeltheologische und systematisch-theologische „Authentizität" ineinanderzuspielen scheinen.

[8] Bedenkenswert auch die nachdenkliche Anmerkung von *Fritz Stolz,* Probleme westsemitischer und israelitischer Religionsgeschichte: Theol. Rundschau 56 (1991) 1–25, hier 18, daß bei der Argumentation von Holladay „offenbleiben muß, inwieweit Zirkelschlüsse vorliegen".

In bezug auf das Hoseabuch dürfte es historisch der richtige Weg sein, die ikonographischen Nachrichten insbesondere über die Zweiggöttin[9], die Anspielungen auf Baumkult in Hos 4,12; 14,9 und eine Reihe textlicher Probleme[10] miteinander in Beziehung zu setzen und eine hoseanische Auseinandersetzung mit einer Baum- bzw. Vegetationsgöttin zu rekonstruieren. Sie gehört inhaltlich sicherlich schon zum Thema Ascherapolemik hinzu – ohne daß sicher wäre, ob Hosea auch nur auf den Namen Aschera anspielt[11]. Wenn es sich darüber hinaus bewährt, die Baalpolemik in Hos 4–14 (9,10; 11,2; 13,1) als historische Reminiszenz und weniger auf einen hoseanisch-zeitgenössischen Kampf gegen Baal zu deuten, dann wäre dies indirekt ein weiterer Hinweis darauf, daß die Vegetationsgöttin gar nicht primär an die Seite Baals gehört[12]. Schon bei Hosea geht es (nicht zuletzt) um das Neben- und Gegeneinander der Göttin in bezug auf JHWH selbst. Damit gewinnt das Problem des Antagonismus Weiblich-Männlich einen hohen Stellenwert in der Religionsgeschichte Israels. Die Gender-Perspektive ist demnach nicht nur „von außen" herangetragen, sondern wird gleichsam von den biblischen Quellen selbst eingenommen. Eine Religions- und Theologiegeschichte des biblischen Israel kann daher dieser Perspektive nicht ausweichen.

In ihren ikonographischen Studien zur Zweiggöttin ist Silvia Schroer zu der These gekommen[13], es habe einen zunächst nicht beanstandeten Baumkult in Israel gegeben, von dem auch in der He-

---

[9] *Silvia Schroer,* Die Zweiggöttin in Israel/Palästina von der Mittelbronze IIB-Zeit bis zu Jesus Sirach, in: FS O. Keel und H. Keel-Leu (hrsg. v. *Max Küchler / Christoph Uehlinger*), NTOA 6, Fribourg – Göttingen 1987, 201–225.

[10] Insbesondere zu Hos 4,18f. Vgl. neben *Henrik Samuel Nyberg,* Studien zum Hoseabuche, Uppsala 1935, 32–36, auch *Harry Torszyner,* Dunkle Bibelstellen: BZAW 41 (1925) 274–280 (zu Hos 4,17–19: 277), und *Grace I. Emmerson,* A Fertility Goddess in Hosea IV 17–19?: VT 24 (1974) 492–497.

[11] Die angebliche Anspielung auf „Aschera" in 14,9 (אשרנו) kann ebensogut als Wortspiel mit „Assur" (אשור; vgl. 14,2) gedeutet werden! Die midraschartige Entfaltung von Hos 13,4 – 14,10 in Jes 26,13 – 27,11 (vgl. in Brauliks Beitrag Anm. 84) belegt eine nachträgliche Deutung von Hos 14,9 auf Ascheren, nicht aber schon das ursprüngliche Verständnis dieser Stelle.

[12] Dies der m. E. wichtigste Ertrag der Studie von *Saul Olyan* (s. Anm. 4). – Die in exegetischen Kommentaren und Handbüchern zu findende – im übrigen unbefragt androzentrische – Konstruktion, daß der Gott Baal die ursprünglich an die Seite Els gehörige Aschera bei seinem eigenen Aufstieg und der Verdrängung des El gleichsam für sich heimgeführt hätte, bedarf dementsprechend der Korrektur.

[13] Vgl. Anm. 9.

bräischen Bibel, etwa in den Erzelternerzählungen, noch Spuren zu fassen seien. Dieser Baumkult, der auf die Vegetationsgöttin verweist, war in Israel wohl nicht von vornherein mit dem Namen Aschera verbunden, sondern erst seit der monarchischen Zeit[14]. Spätestens mit Hosea (aber, so füge ich hinzu, anscheinend auch nicht viel früher)[15] setzt die Kritik ein.

Eine solche These trägt einerseits der innerbiblisch bezeugten Ascherakritik Rechnung, läßt aber gleichzeitig explizit eine Phase der friedlichen Koexistenz zwischen JHWH und der Göttin zu, eine Phase des integrativen JHWHglaubens also, der, zweifelsfrei faßbar ab Hosea, eine kritisch-ausgrenzende, von einer JHWHmonolatrie zum Monotheismus führende folgt[16]. Dieses Modell integriert zudem neuere archäologische Befunde, nach denen die materiellen Spuren des eisen-I-zeitlichen Israel sich (noch) nicht von ihrer Umwelt unterscheiden[17]. Es vermag auch einen Erklärungsansatz zu bieten für die Präsenz der Aschera sowohl im offiziellen Kult der Tempel als auch auf den „Höhen" bzw. im Hauskult, ein Nebeneinander, das sowohl die biblischen Texte als auch der archäologische Befund zu bestätigen scheinen[18]: die mit heiligen Bäumen verbun-

---

[14] Die Nennung von Ascheren in Ex 34,14 hält auch Braulik nicht für unbedingt alt; die Erzählung Ri 6,25–32 wirkt wie eine sekundär konstruierte negative Vorbildgeschichte zu den Königen Israels, die in den Sünden ihrer Väter bzw. ihres Ahnen Jerobeam wandeln, insbesondere Ahab (1 Kön 16,31 ff.), der einen Baalsaltar errichtet und eine Aschere aufstellen läßt. Evtl. verarbeitetes vordeuteronomistisches Traditionsmaterial betrifft aber wohl kaum die Nennung der Aschere; vgl. die Zusammenstellung der literarkritischen Argumente bei *Hermann Spieckermann,* Juda unter Assur in der Sargonidenzeit, Göttingen 1982, 207 Anm. 112.

[15] In 1 Kön 15,9–13 mag – vermittelt über eine vordeuteronomistische Tradition in diesem Text – historische Erinnerung an die Beseitigung eines Aschera-Bildes verarbeitet sein; damit wären wir frühestens im 9. Jahrhundert. Vgl. dazu auch unten Anm. 24.

[16] Vgl. zur Charakterisierung dieses Modells *Frank Lothar Hossfeld,* Einigkeit und Einzigkeit im frühen Jahwismus, in: Im Gespräch mit dem dreieinen Gott (hrsg. v. *Michael Böhnke / Hanspeter Heinz*), Düsseldorf 1985, 57–74, und *Erich Zenger,* Das jahwistische Werk – ein Wegbereiter des jahwistischen Monotheismus?, in: Gott, der einzige (hrsg. v. *Ernst Haag*), Freiburg 1985, 26–54.

[17] Vgl. etwa *W. Dever,* Contribution (s. Anm. 5), 236, und die in diesem Sinne ausgewertete Entdeckung des „bull site" bei *Robert Wenning / Erich Zenger,* Ein bäuerliches Baal-Heiligtum im samarischen Gebirge aus der Zeit der Anfänge Israels: ZDPV 102 (1986) 75–86.

[18] Für die biblische Darstellung betrifft dies die Erwähnung von Ascherabildern im Kontext der Haupttempel von Samaria und Jerusalem einerseits und von Ascheren auf den „Höhen" andererseits, für den archäologischen Befund stellt sich das Problem etwa über den möglichen Nachweis einer „Aschere" (oder eines heiligen Baumes) nahe dem „konformen" Heiligtum in Lachisch V (vgl. *Helga Weippert,* Palästina in vorhellenistischer Zeit. Handbuch der Archäologie Vorderasien II, München 1988, 477 f, mit Verweis auf *Yochanan Aharoni,* Lachisch V, Tel Aviv 1975, 26–32) einerseits und den oft mit Aschera verbundenen pillar figurines aus dem Hauskult andererseits.

denen Kultstätten – naturgemäß unter freiem Himmel[19] – sind als traditionelle Lokalheiligtümer vorstellbar im Sinne von Vermittlungsorten sowohl an die offizielle Religion als auch an die private Frömmigkeit. Schließlich ist vom Theoriemodell her hier Raum gewonnen für feministisch-theologische Rückfragen nach der Göttinverehrung in Israel, ohne daß sie von vornherein ein negatives Vorzeichen erhalten.

III. Unterordnung der Göttin und Frauenmacht

Allerdings schreibt die Annahme einer integrativen JHWHverehrung noch nicht von vornherein fest, welcher Art die Zuordnung zwischen JHWH und der Göttin gewesen sein mag. Die einzigen bisher bekannten außerbiblischen Belege, die Inschriften von Kuntilet-'Ağrud und Ḥirbet-el-Qōm, legen es hier nahe, das integrative Nebeneinander von JHWH und seiner Aschera im Sinne einer Subsumierung des weiblich-vegetativen Elementes unter JHWH zu verstehen[20]. Auch das von O. Keel und Chr. Uehlinger dargebotene ikonographische Material[21] weist darauf hin, daß Göttinnen bereits dem frühen Israel nicht mehr als männlichen Göttern gleichrangige begegnet sind. Dadurch war es vielleicht überhaupt erst möglich, daß die Aschera als JHWH zu-, sprich untergeordnete Größe zunächst akzeptiert wurde. Entsprechend liegt die Vermutung nahe,

---

[19] Helga Weippert (s. Anm. 18) weist darauf hin, daß für die Eisenzeit bisher so gut wie keine umbauten Kultstätten nachgewiesen wurden, und vermutet, solche seien bei der Konzentration des Kultes auf den Nationalgott auch nicht zu erwarten (a.a.O. 447). Anders mag es mit „Freiluft"kultstätten aussehen, die archäologisch schwieriger nachzuweisen sind.

[20] Zuletzt hat dies *Baruch Margalit* dahingehend ausgefaltet, die Bezeichnung Aschera sei zu deuten als die, die einer Fußspur folge, Aschera also die Paredra JHWHs, die hinter ihm hergehe, wie das von einer Ehefrau erwartet wurde. Vgl. The Meaning and Significance of Ashera: VT 40 (1990) 264–297. – Der Hinweis von *Jeffrey Tigay,* A Second Temple Parallel to the Blessings from Kuntillet 'Adjrud: IEJ 40 (1990) 68, auf eine in der Mischna (Suk 4:5) belegte Anrufung „to Jah and to you, o Altar" am siebten Tag des Sukkotfestes, die er im Sinne einer Deutung der Aschera als personifiziertem Kultobjekt (und nicht einer Göttin) auswertet, erbringt m. E. nur so viel, daß man zur Zeit des Zweiten Tempels Formulierungen wie „im Namen JHWHs und seiner Aschera" monotheistisch (um)interpretieren konnte.

[21] Vgl. die Beiträge von Othmar Keel und Christoph Uehlinger in *dies.,* Göttinnen, Götter und Gottessymbole, Freiburg 1992 (in Vorb.), und schon *Othmar Keel,* Früheisenzeitliche Glyptik in Palästina/Israel (mit einem Beitrag von *Hildi Keel-Leu*), in: ders. / Menakhem Shuval / Christoph Uehlinger, Studien zu den Stempelsiegeln aus Palästina/Israel, III: Die frühe Eisenzeit (OBO 100), Fribourg – Göttingen 1990, 331–421.

daß die gesteigerte Aufmerksamkeit, die der Göttin ab dem 8. Jahrhundert offenbar zukam, von bestimmten (vor allem prophetisch-deuteronomistischen) Kreisen in Israel als der Versuch wahrgenommen wurde, sie aus ihrer bisherigen Rolle zu lösen, sie zu verselbständigen[22].

Eine solche Vermutung wird gestützt durch die Logik der Geschichte 1 Kön 15,9ff von der Amtsenthebung der Maacha[23]. In ihrer jetzigen deuteronomistischen Fassung ist sie Ascherakritik als Bilderkritik und bringt den König Asa in die Rolle eines frühen Vorläufers von Joschija. Sollte an einer vordeuteronomistischen Notiz über die faktisch geschehene Amtsenthebung der Maacha festgehalten werden können, die zudem mit der Beseitigung eines auch im 9. Jahrhundert schon als Ascherabild bezeichneten Kultgegenstandes verbunden war, so ist es schwierig zu entscheiden, ob dieses Ascherabild Anlaß der Maßnahme Asas war oder aus uns unbekannten (politischen) Gründen Maacha abgesetzt wurde „und mit ihr die Göttin, der ihre Verehrung galt“[24]. Die jetzige Geschichte jedenfalls erweckt den Eindruck, als habe sich der König gegen die Gevira gewendet, ja wenden müssen, weil sie auf der Seite Ascheras und nicht JHWHs stand: Der gezeichnete Konflikt, der angesichts von zwei beteiligten höchsten staatlichen Würdenträgern sicherlich nicht ohne religionspolitische Brisanz wahrgenommen werden soll, verläuft entlang geschlechtsspezifisch verteilter Oppositionen (Asa/JHWH versus Maacha/Aschera). Zudem stellt die Episode eine Gegengeschichte zur Ahab-Isebel-Geschichte dar: Hat sich Asa in der

---

[22] Vgl. *Silvia Schroer,* In Israel gab es Bilder (OBO 74), Fribourg–Göttingen 1987, 44f.

[23] Vgl. die kritischen Hinweise auf die Beiträge von *Georg Molin,* Die Stellung der Gebira im Staate Juda: ThZ 10 (1954) 161–175, und *Herbert Donner,* Art und Herkunft des Amtes der Königinmutter im Alten Testament, in: FS J. Friedrich (hrsg. v. *R. von Kiemle);* Heidelberg 1959, 105–145, bei *Marie-Theres Wacker,* Gefährliche Erinnerungen. Feministische Blicke auf die hebräische Bibel, in: Theologie-feministisch (hrsg. v. *ders.,* Düsseldorf 1988, 14–58, hier 36f Anm. 24), und zuletzt *Silvia Schroer,* Art. „Göttinnen“, in: NBL 1 (1991) 892–895, hier 894.

[24] *Spieckermann,* Juda (s. Anm. 14) 186. Seine Argumentation läuft bei Annahme einer vordeuteronomistischen Tradition darauf hinaus, daß es Asa nicht um die Aschera als solche, sondern um die politisch störende Rolle der Maacha ging. Da für ihn der Name „Aschera“ deuteronomistischer Deckname für die assyrische Ischtar ist (vgl. 216–221), hat aber auch er Interesse daran, die Bedeutung der Aschera für die vorassyrische Zeit zu minimieren. *Ernst Würthwein,* Die Bücher der Könige. 1. Könige 1–16 (ATD 11,1), Göttingen 1977, 187, hält das, was in 1 Kön 15,13aβ.b erzählt wird, für „so typisch dtr, daß man einen gewissen Zweifel an der historischen Zuverlässigkeit nicht unterdrücken kann“. Er referiert zwar die Argumente Donners und Molins für einen historischen Kern, sieht in seiner Textanalyse aber keine Möglichkeit, vordeuteronomistisches Textgut konkret festzumachen.

Ascherafrage gegen seine Gevira gestellt, so ist Ahab seiner phönizischen Frau (die als einzige nordisraelitische Königin auch mit „Gevira" bezeichnet wird; vgl. 2 Kön 10, 12) verfallen: nach seiner Hochzeit mit ihr errichtet er Baalsaltar und Aschere (1 Kön 16, 31 ff.). In beiden Fällen wird Ascheraverehrung mit einer mächtigen Frau in Verbindung gebracht, werden Frau und Göttin durch ihren wechselseitigen Bezug aufeinander stigmatisiert.

IV. Dienst an der Liebesgöttin oder patriarchale Ehe? Von verschiedenen Formen be-herr-schter weiblicher Sexualität

Die von N. Lohfink vorgeschlagene Deutung des 4. Hoseakapitels, wonach der Schuldaufweis für Ephraim-Israel darauf hinausläuft, es sei auf Bild und Kult einer Göttin fixiert[25], weist ebenfalls in die Richtung einer Anstoß erregenden Hochachtung der Göttin, hier allerdings durch die JHWH-Priester selbst, während die beteiligten Frauen von Hosea eher noch in Schutz genommen werden. Interpretiert man Hos 4 ohne Blick auf die Kapitel 1–3, mag der von Hosea inkriminierte Sexualritus in der Tat am ehesten als Initiationsritus für Bräute zu verstehen sein, von dessen sakraler Überhöhung durch kultische Umrahmung die Priester sicherlich finanziell profitierten[26]. Ein so rekonstruiertes historisches Szenarium erscheint unmittelbar transparent auf uns nähere Situationen, die hoseanische Kritik daran auch heute nachvollziehbar.

Was hier allerdings fehlt, ist der historisch-kritische Blick auf eine symbolische Opposition im Text, die auch die hoseanische Alternative nicht unproblematisch erscheinen läßt. In Hos 4, 12 heißt es:

a „Sie hurten *unter* ihrem Gott weg
b *auf* den Spitzen der Berge opfern sie

---

[25] Vgl. den Hinweis von *Braulik,* a.a.O.

[26] Zum Problem der sogenannten „Kultprostitution" vgl. *Marie-Theres Wacker,* Kosmisches Sakrament oder Verpfändung des Körpers? Zur sogenannten „Kultprostitution" im biblischen Israel im Vergleich mit dem zeitgenössischen hinduistischen Indien, in: Sehnsucht nach dem guten Leben. FS. W. Schrottroff (hrsg. v. *Rainer Kessler u. a.*), Fribourg 1992. Ich bin hier zu dem Ergebnis gekommen, daß das Globaltheorem „Fruchtbarkeitskult" eine adäquate Erfassung des Phänomens der Qedeschen bisher verstellt hat, und versuche (trotz der anerkanntermaßen problematischen Überlieferungssituation im AT, die die Rede von Qedeschen nur in polemischer Zuspitzung bietet), diese Tempelfrauen von ihrer „glückstragenden Sexualität" her zu verstehen. Eine Deutung von Hos 4, 13 f. auf Festpromiskuität erübrigt sich dann; die Anwesenheit der Qedeschen hätte vielmehr den Sinn, den Initiationsritus gleichsam unter ein glückliches Auspizium zu stellen.

c und *auf* den Hügeln räuchern sie
d *unter* Terebinthe und Pappel und Eiche
e denn angenehm ist ihr Schatten."

Einer Beobachtung von Phyllis Bird gemäß[27] wird hier die durch das Verb זנה („huren") anklingende Sexualmetaphorik in der zweimaligen Ortsangabe des Kultbetriebes mit על (*auf* den Bergen/*auf* den Hügeln), eingefaßt durch jeweils eine Wendung mit תחת, fortgesetzt: Sie hurten *unter* ihrem Gott weg (a); statt dessen begeben sie sich *auf* Bergspitzen und Hügel (b/c) und *unter* Bäume (d), deren letztgenannter, Eiche (אלה), sicherlich nicht zufällig als Femininform das „ihr Gott" (אלהיהם) aus 12a aufnimmt[28]. Die Abwendung von JHWH erscheint hier gleichbedeutend mit sexueller Perversion: Das Ausgangsbild ist die Frau, die sich ihrer ehelichen Pflicht entzieht und nicht „unter" ihrem Mann bleibt (auch im Deutschen gehen Sexualmetaphorik und Herrschaftsmetaphorik hier ineinander über) – statt dessen begeben sich die Männer Israels mit den von ihnen abhängigen Frauen „unter" die (Bäume der) Göttin.

Wie sehr gerade die Komposition Hos 1–3 der feministisch-theologischen Kritik am gewaltförmigen Umgang mit Frauen ausgesetzt ist, zeigen Beiträge wie die der niederländischen Exegetin Fokkelien van Dijk-Hemmes, der jüdischen Bibelwissenschaftlerin Drorah Setel oder der schwarzamerikanischen Religionswissenschaftlerin Renita Weems[29]. Solche (auch in Hos 4 greifbare) Metaphorik theologisch einzusetzen, wie Hosea es zur Kennzeichnung des Verhältnisses zwischen Israel und JHWH tut, steht in der Gefahr, nun seinerseits ein für Frauen damals wie heute problematisches Herrschaftsverhältnis sakral zu überhöhen, das der patriarchalischen

---

[27] *Phyllis Bird*. „To Play the Harlot": An Inquiry Into an Old Testament Metaphor, in: Gender and Difference in Ancient Israel (hrsg. v. *Peggy Day*), Minneapolis 1989, 75–94, hier 83f.

[28] אלה oder אלת ist die Femininbildung zu אל, Gott. In althebräischen Buchstaben steht die Bezeichnung אלת über der Zeichnung eines stilisierten Baumes mit eingeschriebenem Schamdreieck auf dem vielzitierten Krug von Lachisch (10. Jh.); vgl. *Ruth Hestrin*, The Lachish Ewer and the Asherah, IEJ 37 (1987) 212–223 (mit Abbildung).

[29] Vgl. *Fokkelien van Dijk-Hemmes*, Als H/hij tot haar hart spreekt. Een visie op (visies op) Hosea 2, in: Door het oog van de tekst. FS Mieke Bal (hrsg. v. *Ernst van Alphen / Irene de Jong*), Muiderberg 1988, 121–139, und *dies.*, The Imagination of Power and the Power of Imagination. An Intertextual Analysis of Two Biblical Love Songs: The Song of Songs and Hosea 2, in: JSOT 44 (1989) 75–88; *Drorah Setel*, Propheten und Pornographie. Weibliche sexuelle Metaphorik bei Hosea, in: Befreien wir das Wort. Feministische Bibelauslegung (hrsg. v. *Letty Russell*), München 1989, 101–112; *Renita Weems*, Gomer: Victim of Violence or Victim of Metaphor?: Semeia 47 (1989) 87–104.

oder genauer, androkratischen Ehe. Für eine heutige Hoseaexegese muß daher pointiert gesagt werden: wer über sexuellen Mißbrauch von Frauen bei Initiationsriten im Schatten einer Göttin spricht, wird über die im Namen „des“ Gottes verkündete Ideologie des Mannes als Haupt der Frau (vgl. Eph 5,21 ff.) mit ihren vielfältigen sublimen und offenen Formen des Mißbrauchs gerade auch in der Ehe nicht schweigen dürfen.

V. Aschera und die Landtheologie

Die Verehrung der Aschera ist – wie die von S. Schroer aufgezeigte Assoziation von Baumgöttin/Aschera/Frau/Schoß/Erde[30] ja auch nahegelegt haben muß – in der deuteronomistischen Literatur u.a. auch auf das Land bezogen worden, das Israel bewohnt. Dies zeigt vor allem die Geschichte 1 Kön 14. Hier geht es um die Frau des Jerobeam, die sich wegen ihres kranken Sohnes an den blinden Seher Ahija von Schilo wendet und dort nur erfahren kann, daß ihr Sohn gestorben sein wird, wenn sie die Schwelle ihres Hauses wieder übertritt. Jerobeams Götzendienst fällt damit auf seine Familie zurück. Die Geschichte ist redaktionell erweitert worden, u.a. um einen deuteronomistisch-prophetischen Spruch, der sie bezieht auf ein entsprechendes Schicksal, das ganz Israel droht: Israel werde herausgerissen aus seinem guten Land und ausgestreut werden jenseits des Stromes, weil es sich Ascheren gemacht habe, die JHWH reizen (vgl. 14,15). Israel soll also – in deutlich vegetativer Metaphorik – entwurzelt werden wie eine Pflanze (**נתש**) und wie Getreidekörner in alle Winde zerstreut (זרה Pi) werden. Kommentare zur Stelle sehen es als Problem an, daß als Begründung für Israels Landverlust hier einzig das Herstellen der Ascheren genannt wird, bieten jedoch keine befriedigende Erklärung dafür[31]. Was aber, wenn in Israel die Ascheren aufgefaßt wurden als sinnenfälliges Zeichen des Einwurzelns im Land, wenn die Göttin aufgrund ihrer Verbindung zur (fruchtbaren) Erde als eine Art göttlicher Garantin des Landbesitzes gegolten hätte? Dann ergibt es Sinn, daß das Entwurzeltwerden Is-

---

[30] *S. Schroer,* Zweiggöttin (s. Anm. 9) 218.

[31] Vgl. etwa *Martin Noth,* Könige I. Teilband. BK IX/1, Neukirchen 1968, 318, den die „alleinige Bezugnahme“ auf die Ascheren „befremdet“, oder *Würthwein* (s. Anm. 24) 178, der die Ascheren „stellvertretend für den gesamten kanaanäischen Fruchtbarkeitskult genannt“ sieht, aber nicht darauf eingeht, warum hier gerade die Ascheren herausgegriffen sind.

raels gerade mit der Anfertigung der Ascheren begründet wird[32]. Aus der Rückschau des Landverlustes hätte sich eine solche gleichsam naturwüchsige Identifikation zwischen Israel und dem Land selbst widerlegt, wäre es obsolet geworden, an die Wirksamkeit der Göttin Aschera als einer Land und Volk zusammenbindenden Kraft zu glauben. Die deuteronomisch-deuteronomistische Theologie des Landes als einer Gabe JHWHs, deren Besitz gebunden ist an Israels Handeln vor diesem Gott, wäre dann nicht zuletzt auch eine Anti-Aschera-Theologie.

Auf der anderen Seite aber ist die Sehnsucht nach dem Land Israel, nach der Eretz Jisrael, ein so hervorstechendes Kennzeichen in der Geschichte des Judentums und die Schilderung des fruchtbaren Landes etwa im Deuteronomium so glühend, daß der Sozialpsychologe Erich Fromm, selbst jüdischer Herkunft, vermutet, die auf der Ebene des Gottesglaubens bekämpfte Muttergöttin sei dem Judentum in der Vorstellung des üppigen, nahrungspendenden Landes als bedingungslos liebender Mutter doch erhalten geblieben und habe sicher als wichtiges Gegengewicht gegen den väterlich-männlichen Gottesbegriff fungiert[33].

VI. Vegetationsgöttin und kultische Rollen von Frauen

Geht man für die Frage nach den möglichen religionsgeschichtlichen Hintergründen der Ablehnung der Aschera den Texten des deuteronomistischen Geschichtswerkes entlang, so wird deutlich, daß diese Polemik der Geschichte Israels gezielt eingeschrieben ist und unter einem doppelten Vorzeichen steht. Einerseits nämlich sind die Ascheren ein Problem des Landes, in das Israel kommen wird, sind Teil des Kultinventars seiner Bewohner, von denen Israel sich fernhalten soll (vgl. Dtn 7 und 12), fallen unter das Fremdgötterverbot. Die erste Erwähnung von Ascheren erfolgt dementsprechend in der Darstellung der Richterzeit (Ri 3,7; 6,25ff). Danach

---

[32] Ähnlich, wenn auch nicht ausschließlich so, begründet Jer 17,1–4 den Landverlust mit dem Errichten von Ascheren.

[33] *Erich Fromm,* Die sozialpsychologische Bedeutung der Mutterrechtstheorie; Zeitschr. f. Sozialforschung 3 (1934) 196–226, hier 223 Anm. 3. Vgl. zum Kontext der „Matriarchatsrezeption" den Exkurs von *Bernd Wacker.* „Mutterseelenallein ..." Matriarchaliker und hebräische Bibel 1890–1940, in: Verdrängte Vergangenheit, die uns bedrängt. Feministische Theologie in der Verantwortung für die Geschichte (hrsg. v. *Leonore Siegele-Wenschkewitz),* München 1988, 204–223.

wird das Ascherenproblem erst wieder unmittelbar nach der Reichsteilung virulent, und es betrifft Rehabeam von Juda ebenso wie Jerobeam von Israel (1 Kön 14,15.23), so daß über beiden Teilreichen von Anfang an ein Fluch liegt. Asa von Juda tritt – hier wird Ascherenkritik zusätzlich zur Bilderkritik – gegen die Aschere seiner Gevira auf (1 Kön 15,9–13), während gegen Ende seiner Regierungszeit Ahab von Israel „die" Aschere in der Hauptstadt Samaria errichtet (1 Kön 16,33) und seine Frau Isebel die Propheten der Aschera am Hof verköstigt (1 Kön 18,19 MT), so daß, nachdem auch Joahas von Israel dies nicht änderte (2 Kön 13,6), schließlich das Nordreich nicht zuletzt auch daran zugrunde geht (2 Kön 17,10.16). Hat Hiskija von Juda es noch lediglich mit den Ascheren auf den Höhen zu tun (2 Kön 18,4), so rückt unter Manasse ein Ascherabild in den Tempel von Jerusalem selbst hinein (2 Kön 21,7). Obwohl Joschija es niederreißen läßt und dazu die Aschere in Bet-El zerstört (2 Kön 23,6.15), kann auch er den Untergang des Südreiches nicht mehr aufhalten.

Angesichts solch offensichtlich planvoll durchstrukturierter Ascherakritik mit den beiden Polen Fremdgötterkritik und Bilderkritik wird kaum mehr als Hypothesenbildung möglich sein, um der Frage nach Gründen und Hintergründen der Aschera-Ablehnung näherzukommen. Immerhin aber trifft der Vorwurf der „Fremdgötterei" wohl nicht die ganze Wahrheit, insofern die Annahme berechtigt erscheint, daß alte Lokalkulte in der Krisenzeit des 8. bis 6. Jahrhunderts eine neue Bedeutung erhielten.

Mit dem gesteigerten Ausmaß der Ascheraverehrung im eisen-II-zeitlichen Israel dürften drei kultische Tätigkeitsbereiche aufgewertet worden sein, die ihrerseits der biblischen Kritik verfallen und die auf eine besondere Beteiligung von Frauen weisen. Erstens scheint auch in Israel die Aschera, wie für die ägyptische Baumgöttin ikonographisch gut belegt, einen Bezug zur Totenwelt besessen zu haben[34]. Dies zeigt etwa die Notiz von der Bestattung Deboras, der Amme der Rebekka, unter der Eiche von Bet-El (Gen 35,8), oder die Tatsache, daß die den Schutz JHWHs und seiner Aschera erbittende Inschrift von Ḥirbet el-Qōm eine Grabinschrift ist. Andererseits wird durch 1 Sam 28 nahegelegt, daß die Totenbeschwö-

[34] So schon *Helgard Balz-Cochois,* Gomer. Der Höhenkult Israels im Selbstverständnis der Volksfrömmigkeit. Untersuchungen zu Hosea 4,1 – 5,7, Frankfurt 1982, 164ff; vgl. jetzt *Schroer,* Zweiggöttin (s. Anm. 9), 220, die diesen Bezug im Unterschied zum Ägypten ab der 18. Dynastie aber in Israel als nicht beherrschend ansieht.

rung in Krisenzeiten an Wichtigkeit gewinnt und Sache von Frauen ist. Zweitens mögen mit der Aschera auch in vorexilischer Zeit schon heilende Kräfte verbunden worden sein: so ist nach einer Notiz im babylonischen Talmud, Pesachim 25a in einer gesundheitlichen Notsituation jedes Heilmittel erlaubt, außer dem Holz einer Aschere[35]. Und schließlich könnten Texte wie Hos 4,12 („mein Volk befragt sein Holz") auf einen Bezug der (nachhoseanisch so genannten) Ascheren zu Divinationspraktiken in Israel hinweisen, was sich ja auch aus dem ersten Taanachbrief mit dem dort genannten *u-ma-an ᵈašīrtu* nahelegt[36]. Auch Heilkunst und Divination aber sind Bereiche, an denen im biblischen Israel Frauen aktiven Anteil gehabt haben dürften.

Damit stellt sich das Problem der Verdrängung von Frauen aus (jedoch wohl nicht die Ebene der Nationalreligion betreffenden) kultisch-religiösen Funktionen im Zusammenhang mit der Ablehnung der Aschera. So berechtigt die Kritik an der Aschera historisch und theologisch einerseits auch erscheinen mag (die Gründe im einzelnen bedürfen nach wie vor der Aufhellung), so ist doch andererseits zu fragen, ob hier nicht besonders den Frauen etwas genommen wurde, ohne ihnen im Rahmen der einzig als legitim erklärten JHWHverehrung eine Entsprechung anzubieten. Dies Problem ist in fast erschütternder Weise gegeben in der Auseinandersetzung mit der „Himmelskönigin" Jer 44, die K. Koch kürzlich ebenfalls (wieder) mit Aschera in Verbindung gebracht hat[37]. In diesem Text, der deutlich macht, daß der Kult der Himmelskönigin vor allem an den Frauen hing, werden insbesondere die Frauen[38] mit ihrer Sorge ums tägliche Brot zum Schweigen gebracht, ohne daß ihnen gesagt würde, an wen sie sich mit ihren Sorgen denn nun zu richten hätten. Die exegetische Forschung mit ihrer durchweg männerzentrierten

---

[35] Vgl. den Hinweis bei *Smith,* History (s. Anm. 4) 85 – auch in talmudischer Zeit war der Kampf gegen Aschera keineswegs erledigt (vgl. die bekannte Mischnastelle AZ 2,5–10), hat aber sicherlich neue Aspekte hinzugewonnen.

[36] A.a.O. 84.

[37] *Klaus Koch,* Aschera als Himmelskönigin in Jerusalem: UF 20 (1988) 97–120.

[38] Der – gut begründeten – Literarkritik von *Josef Schreiner,* Jeremia II 25,15 – 52,34 (NEB), Würzburg 1984, 230f, zufolge müssen wir sogar mit einer Textstufe rechnen, auf der lediglich die Frauen gegen Jeremia standen. Auch hier wären dann, wie im Fall 1 Kön 15,9–13, die Oppositionen im Text geschlechtsspezifisch verteilt gewesen (die Frauen mit der Himmelskönigin versus Jeremia/JHWH).

Sichtweise hat bisher kaum auf diese Fragen geachtet, stellt sich für sie ja auch nicht das Problem des Ausschlusses vom Kult[39].

Demgegenüber[40] hat G. Braulik zu zeigen gesucht, daß das Deuteronomium in seiner Endgestalt, wenn auch verdeckt und partiell und vielleicht als nie realisiertes Programm, den Frauen Zugang zum Opferwesen eröffne. Seine Exegese ist in diesem Punkt Beispiel für eine von feministischen Theologinnen vor allem in den USA geforderte inklusive Lesart biblischer Texte, die sich dort z.T. schon bis in die Lektionare niedergeschlagen hat. Zudem hat Braulik einen wichtigen Beitrag zu einer gender-spezifischen Exegese geleistet. Untersuchungen dieser Art, erst recht kontroverse Diskussionen dazu[41], und allemal unter Beteiligung von Fachfrauen, fehlen bisher weitgehend in der Exegese. Sie bedarf ihrer aber dringend, um ein Bild der Religions- und Glaubensgeschichte Israels zu entwickeln, das die Lebenswirklichkeit des ganzen Volkes, auch seiner schweigenden weiblichen Mitglieder, in den Blick nimmt und versucht, ihnen (nicht nur historisch) gerecht zu werden[42].

---

[39] An einer Dissertation zu Jer 44 und der Frage der „Himmelskönigin" arbeitet Renate Jost, Frankfurt.

[40] Vgl. den Bezug auf mein unveröffentlichtes Vortragsmanuskript in Anm. 1 von Brauliks Vortrag.

[41] So scheint mir die Alternative, daß die Frauen nach der Intention des Deuteronomiums entweder mitgemeint sind und sich den Wallfahrten anschließen sollen oder zu Hause bleiben und in dieser Zeit für alle die Arbeit leisten müssen, nicht die einzig mögliche zu sein. Aus Frauenperspektive drängt sich sehr schnell der Gedanke an Schwangerschaft, die weite Reisen beschwerlich oder sogar lebensgefährlich für Mutter und Kind macht, und Neugeborene bzw. Säuglinge, deren Leben ohnehin gefährdet genug ist, auf. Ist nicht auch denkbar, daß das Deuteronomium bewußt nur die Männer zu den Wallfahrten verpflichtet und die Teilnahme der Frauen der Entscheidung in der Familie überläßt? Jedenfalls kann in diesem Sinne 1 Sam 1,21–23 verstanden werden. Dies würde aber wiederum bedeuten, daß den Frauen kaum eine „gleichberechtigte" Rolle beim Opfer zugesprochen worden sein dürfte.

[42] Daß dazu auch ein Diskussions- und Umgangsstil zu entwickeln wäre, der nicht auf Abgrenzung und Profilierung basiert bzw. abhebt, andererseits aber auch die faktische Assymmetrie des Diskurses zwischen etablierten Fachwissenschaftlern und feministisch interessierten/engagierten Exegetinnen nicht verschleiert, sei abschließend als Desiderat formuliert.

IV

Die göttliche Weisheit und der nachexilische Monotheismus

Von Silvia Schroer, Zürich

Die feministische Theologie hat sich seit ihren Anfängen für die Göttin in Israel und für die wenigen mütterlichen JHWHbilder der Bibel interessiert. Sie hat sich jedoch erst spät und eher am Rande mit dem sicher ausgeprägtesten weiblichen Gottesbild der biblischen Schriften beschäftigt, nämlich der personifizierten Chokmah. So erschien erst 1986 eine kleinere nordamerikanische Monographie mit dem Titel „Sophia. The Future of Feminist Spirituality“ [1]. Ansonsten aber fristet die Sophia ihr Dasein meistens unter eher unpassenden Kapitelüberschriften wie „Gott, unsere Mutter“ [2] oder „Die Verwendung der Göttin im jüdischen und christlichen Monotheismus“ [3]. Während in zahlreichen Beiträgen der Bedeutung der *rwḥ* große Aufmerksamkeit gewidmet wird [4], spiegeln die feministischen Bemerkungen zur Weisheit vielfach dieselbe Ratlosigkeit gegenüber dieser Gestalt, die auch in der traditionellen Exegese festzustellen ist. Das Interesse der Frauen an der Sophia gilt ihrer Weiblichkeit und ihrer Göttinnenähnlichkeit, wobei die einen sie als „Reste eines Kultes altorientalischer weiblicher Gottheiten“ ansehen [5] oder von der „göttliche(n) Sophia als Israels Gott in der Sprache und Gestalt

---

[1] *Susan Cady / Marian Ronan / Hal Taussig,* Sophia. The Future of Feminist Spirituality, New York u.a. 1986.

[2] *Elisabeth Moltmann-Wendel,* Das Land wo Milch und Honig fließt. Perspektiven einer feministischen Theologie, Gütersloh 1985, 103 ff.

[3] *Rosemary Radford Ruether,* Sexismus und die Rede von Gott. Schritte zu einer anderen Theologie, Gütersloh 1985, 75 ff.

[4] Es ist anzumerken, daß eine feministische und zugleich historisch-kritische Bearbeitung der Bedeutung von *rwḥ* noch fehlt. *Helen Schüngel-Straumann* arbeitet an einer solchen Studie (vorgesehen für Stuttgarter Bibelstudien SBS 1992). Vgl. vorläufig *dies.,* Ruah, in: Maria Kassel Hrsg.), Feministische Theologie. Perspektiven zur Orientierung, Stuttgart 1988, 59–73 (mit weiteren Literaturhinweisen zum Thema *rwḥ*).

[5] Vgl. *Moltmann-Wendel,* Land (s. Anm. 2). 104.

der Göttin" sprechen[6], während andere hinter „der mächtigen Erscheinung der Weisheit" zwar die Göttin erkennen, aber feststellen, daß sie „im hebräischen Gedankengut … eher zu einem untergeordneten Zubehör Gottes oder einem Ausdruck des transzendenten männlichen Gottes geworden" ist „als zu einer autonomen weiblichen Offenbarung des Göttlichen"[7]. Nun ist anzumerken, daß es im europäischen Raum bisher nur sehr wenige feministisch-exegetische Beiträge zur personifizierten Weisheit gibt, die diese Gestalt im Kontext der jeweiligen Schriften untersuchen, also historisch-kritisch arbeiten[8]. Ein anderes Bild vermitteln hingegen die nordamerikanischen Publikationen, für deren fachliche Qualität im neutestamentlichen Bereich u.a. der Name Elisabeth Schüssler Fiorenza[9] bürgt, während ich für die alttestamentliche Forschung über die Chokmah den Namen Claudia V. Camp hervorheben möchte, die mit ihrem 1986 erschienenen Buch „Wisdom and the Feminine in the Book of Proverbs"[10] einen bahnbrechenden Beitrag zu einer kritisch-feministischen[11] Erforschung der personifizierten Chokmah geleistet hat.

---

[6] *Elisabeth Schüssler Fiorenza,* Zu ihrem Gedächtnis … Eine feministisch-theologische Rekonstruktion der christlichen Ursprünge, München–Mainz 1988, 180.

[7] *Radford Ruether,* Sexismus (s. Anm. 3) 78. Sehr skeptisch gegenüber der biblischen Weisheit äußert sich auch *Gerda Weiler,* Ich brauche die Göttin. Zur Kulturgeschichte eines Symbols, Basel 1990, 140.

[8] Zu erwähnen sind: *Dieter Georgi,* Frau Weisheit oder Das Recht auf Freiheit als schöpferische Kraft, in: Leonore Siegele-Wenschkewitz (Hrsg.), Verdrängte Vergangenheit, die uns bedrängt. Feministische Theologie in der Verantwortung für die Geschichte, München 1988, 243–276, und die Beiträge der Verf.: *Silvia Schroer,* Der Geist, die Weisheit und die Taube. Feministisch-kritische Exegese eines neutestamentlichen Symbols auf dem Hintergrund seiner altorientalischen und hellenistisch-frühjüdischen Traditionsgeschichte: FZPhTh 33 (1986) 197–225: *dies.,* Weise Frauen und Ratgeberinnen in Israel – literarische und historische Vorbilder der personifizierten Chokmah: BN 51 (1990) 41–60.

[9] A.a.O. (s. Anm. 6). Vgl. auch das Büchlein von *Deirdre J. Good,* Reconstructing the Tradition of Sophia in Gnostic Literature (SBL Monograph Series 32), Atlanta/Ga. 1987.

[10] Sheffield 1985; vgl. zudem *dies.,* Woman Wisdom as a Root Metaphor. A Theological Consideration, in: The Listening Heart. Essays in Wisdom and the Psalms in Honor of R. E. Murphy (hrsg. v. *K. G. Hogland* u. a.) (JSOTSS 58), Sheffield 1987, 45–76. Eine etwas ältere Publikation arbeitet mit archetypischen Kategorien: *J. Ch. Engelsman,* The Feminine Dimension of the Divine, Philadelphia 1979.

[11] Ich gebrauche die Bezeichnung „kritisch-feministisch" im Sinne der Hermeneutik von *Elisabeth Schüssler Fiorenza,* Gedächtnis (s. Anm. 6). 1–136, und *dies.,* Brot statt Steine. Die Herausforderung einer feministischen Interpretation der Bibel, Fribourg 1988, 9–109. Der Begriff impliziert den Anspruch historisch-kritischer Forschung und eine feministische Option.

I. Die zentralen feministisch-theologischen Fragestellungen zum Phänomen der personifizierten Weisheit

Das feministische Interesse an der Chokmah ist zunächst ein sehr konkretes. Kann diese Gestalt Grundlage einer neuen christlichen Spiritualität werden? Die Antworten fallen verschieden aus. Für wenige, wie Susan Cady, Marian Ronan, Hal Taussig[12] überwiegen die positiven Aspekte der biblischen Grundlagen für eine heutige Sophia-Spiritualität, die meisten sind eher skeptisch, da sie die Chokmah als Abglanz und Zähmung der starken altorientalischen Göttinnen wahrnehmen und die androzentrischen Texte der Bibel verdächtigen, nicht die ganze Wahrheit über diese Gestalt zu sagen – ein Verdacht, der nicht ganz unberechtigt ist.

Ich möchte im folgenden versuchen, die zentralen feministischen Fragen so zu formulieren, daß dabei die Ergebnisse, aber auch die Aporien der traditionellen historisch-kritischen Forschung einbezogen werden.

1. Der traditionellen Exegese ist es bis anhin nicht gelungen, einen Konsens zu finden über die Bedeutung der Chokmah/Sophia im religiösen Symbolsystem des nachexilischen Israel. Ist sie eine Hypostase[13], die personifizierte Stimme, die Selbstoffenbarung des Schöpfungsgeheimnisses[14] oder die Redefinition einer israelitischen Göttin?[15] Die zentrale Frage scheint nach wie vor ungelöst: In welchem Verhältnis steht die personifizierte Weisheit zu JHWH, dem Gott Israels, wie fügt sie sich in unser Bild von einer monotheistischen Religion der nachexilischen Zeit?

2. Die historisch-kritische Exegese hat in den letzten Jahrzehnten zwei verschiedene Zugänge zum Phänomen der Sophia gewählt, einen religionsgeschichtlichen und einen innerisraelitischen[16]. Während die religionsgeschichtlich orientierten Arbeiten die Weiblichkeit der Chokmah insofern ernst nahmen, als sie ihre vielfältigen Verwandtschaften mit dem Image vor allem ägyptischer und helleni-

---

[12] Sophia (s. Anm. 1) passim.

[13] Eine kleine Übersicht über die Beiträge zur Hypostasendiskussion gibt *Othmar Keel,* Die Weisheit spielt vor Gott. Ein ikonographischer Beitrag zur Deutung der *m^e^ṣaḥāqāt* in Sprüche 8,30f, Fribourg–Göttingen 1974, 12f.

[14] So *Gerhard von Rad,* Weisheit in Israel, Neukirchen-Vluyn 1970, ³1985, 189–204.

[15] So *Bernhard Lang,* Wisdom and the Book of Proverbs. An Israelite Goddess Redefined, New York 1986.

[16] Für das Folgende kann ich nur summarisch auf die sehr gründliche Revision der Forschung bei *Claudia Camp,* Wisdom and the Feminine 21–68 und 149–178 verweisen.

stischer Göttinnen untersuchten, gingen fast alle – mit Ausnahme von Bernhard Lang –, die die Sophia aus der israelitischen Tradition heraus zu verstehen suchten, auf ihre Weiblichkeit kaum ein. Es ist jedoch unzureichend, die Weiblichkeit einer so zentralen Gestalt allein damit zu erklären, daß *ḥkmh* im Hebräischen ein Femininum ist und die hebräische Sprache eine Vorliebe für weibliche Personifikationen hat. Auch ist es unzureichend, das Göttinnenerbe der Chokmah aufzuschlüsseln, ohne die Frage zu beantworten, was sie denn für die Menschen in Israel bedeutete oder wieso es möglich wurde, daß ein so göttinnenähnliches, weibliches Symbol in die unmittelbare Nähe JHWHs rücken konnte. Claudia Camp faßt die zweite zentrale Frage in der Einleitung zu ihrer Studie vereinfacht so zusammen: Ein Buch – nämlich die Sprüche – wurde mit dominanten weiblichen Bildern geschrieben und in den israelitischen Kanon aufgenommen. Warum?[17]

Methodisch ist dabei für die feministische Exegese besonders entscheidend, von den Texten über die personifizierte Weisheit zu den Kontexten zu gelangen. Das heißt:

1. Die personifizierte Weisheit muß im engsten Zusammenhang mit den jeweiligen Weisheitsschriften gelesen werden und innerhalb der Sprüche, des Buches Ijob usw. auf ihre Funktion überprüft werden, denn besonders bei Jesus Sirach steht sie ja in einem außerordentlich misogynen Kontext, und grundsätzlich müssen wir davon ausgehen, daß sie eine Gestalt des Patriarchats ist. Bei genauerem Hinsehen zeigt sich zudem, daß es *die* personifizierte Weisheit schlechthin gar nicht gibt, sondern daß die Chokmah/Sophia in den verschiedenen Weisheitsschriften sehr verschieden daherkommt.

2. Von den Texten zu den Kontexten gelangen heißt methodisch auch, Gottesbilder nicht nur als Ausdruck von geistes- und theologiegeschichtlichen Entwicklungen, sondern auch als Reaktion auf gesellschaftliche, soziale, politische, kulturelle und religiöse Veränderungen in einer bestimmten Epoche zu verstehen[18]. Es reicht nicht

---

[17] A.a.O. 17.

[18] Mehrere Beiträge der sozialgeschichtlichen Exegese zur „Krise der Weisheit" in der nachexilischen Zeit scheinen mir in diesem Zusammenhang als methodisch besonders wichtig: *Rainer Albertz,* Der sozialgeschichtliche Hintergrund des Hiobbuches und der „Babylonischen Theodizee", in: Joachim Jeremias / Lothar Perlitt (Hrsg.), Die Botschaft und die Boten, FS H. W. Wolff, Neukirchen-Vluyn 1981, 349–372; *Frank Crüsemann,* Die unveränderbare Welt. Überlegungen zur „Krisis der Weisheit" beim Prediger (Kohelet), in: Willy Schottroff / Wolfgang Stegemann (Hrsg.), Der Gott der kleinen Leute. Sozialgeschichtliche Bibelauslegungen, I: Altes Testament, München u.a. 1979, 80–104; *ders.,* Hiob und Kohelet. Ein Beitrag zum Verständnis des Hiobbu-

aus, festzustellen, daß die Chokmah hier und da eine Mittlerin-Rolle zwischen dem distanzierten JHWH und dem Volk einnimmt. Dieses Phänomen bedarf der Erklärung. Warum erscheint diese vermittelnde Größe gerade im Bild der Frau und gerade in der nachexilischen Zeit, und was vermittelt sie denn genau?

3. Es ist methodisch fruchtlos, die Texte unmittelbar mit theologischen Fragen wie dem Verhältnis der Chokmah zum Monotheismus zu konfrontieren. Wenn aber die personifizierte Weisheit als Frau auftritt und spricht, dann könnte es aufschlußreich sein, die Zusammenhänge zwischen dem Frauenbild der nachexilischen Zeit bzw. der jeweiligen Weisheitsbücher und diesem Gottesbild gründlicher zu untersuchen. Wie die Diskussion um die Göttin oder das Gottesbild eines Hosea gezeigt hat, treffen sich in Gottesbildern immer zentrale theologische mit anthropologischen Komponenten[19]. Die Bedeutung des Signifikats „Frau" in der Personifikation „Weisheit" ist ein wesentlicher Schlüssel zu deren richtigem Verständnis. Nur auf diesem Weg werden wir eine Erklärung dafür finden, warum erst in der nachexilischen Zeit das Erbe der altorientalischen Göttinnen unpolemisch rezipiert wurde, während diese Göttinnen in einem Großteil der biblischen Literatur bis zum Exil dämonisiert und verdrängt werden[20].

Das Ziel der feministischen Erforschung der göttlichen Weisheit möchte ich schließlich so formulieren: Es geht darum, die nachexilische Geschichte der Sophia als integrativen Bestandteil der Theologiegeschichte Israels und diese wiederum als integrativen Teil der Geschichte der israelitischen Frauen feministisch-theologisch zu rekonstruieren[21].

---

ches, in: Rainer Albertz u.a. (Hrsg.), Werden und Wirken des Alten Testaments, FS C. Westermann, Göttingen – Neukirchen-Vluyn 1980, 372–393.

[19] Vgl. *Marie-Theres Wacker,* Frau – Sexus – Macht. Eine feministisch-theologische Relecture des Hoseabuches, in: dies. (Hrsg.), Der Gott der Männer und die Frauen (Theologie zur Zeit 2), Düsseldorf 1987.

[20] Vgl. zur Dämonisierung der Göttin vor allem die große Studie von *Urs Winter,* Frau und Göttin. Exegetische und ikonographische Studien zum weiblichen Gottesbild im Alten Israel und in dessen Umwelt (OBO 53), Fribourg – Göttingen 1983.

[21] Das Postulat einer neuen israelitischen Religionsgeschichte, in der die israelitischen Frauen als Subjekte erscheinen, wird auch von *Phyllis Bird,* The Place of Women in the Israelite Cultus, in: P. D. Miller Jr. / P. D. Hanson / S. D. McBride (Hrsg.), Ancient Israelite Religion. Essays in Honor of F. M. Cross, Philadelphia 1987, 397–419, sehr hervorgehoben.

Im folgenden möchte ich beispielhaft am Frauen- und Gottesbild in der Rahmung des Sprüchebuches aufzeigen, wie feministische Exegese methodisch mit den Texten und den genannten Fragen umgeht.

Die personifizierte Chokmah tritt uns in ihrer vielfarbigsten und farbenkräftigsten Ausprägung in den Kapiteln 1–9 der Proverbien entgegen. Ich möchte die Aufmerksamkeit nun gern zum einen auf die Lokalitäten richten, bei denen oder von denen aus die Weisheit spricht und zum anderen auf einige sehr interessante Querverbindungen dieser Texte zum Schlußkapitel 31,10–31, dem sogenannten „Lob der tüchtigen Frau", hinweisen. Der erste Auftritt der Chokmah, ihre Gerichts- und Umkehrpredigt an die Einfältigen und Starrköpfigen, findet vor einer bedeutsamen Kulisse statt:

Die Weisheit ruft auf der Straße,
auf den freien Plätzen erhebt sie die Stimme,
hoch über lärmerfüllten Plätzen ruft sie,
am Eingang der Stadttore spricht sie ihre Worte (Spr 1,20f).

Auch im Kapitel 8 bildet eine ganz ähnliche Szenerie den Hintergrund für die lange Rede der Chokmah an die Männer Israels und die Menschenkinder:

Ruft nicht die Weisheit,
läßt nicht die Einsicht ihre Stimme erschallen?
Oben auf den Höhen am Wege,
da wo die Pfade sich kreuzen, steht sie.
Zur Seite der Tore,
am Ausgang der Stadt,
am Eingang der Pforten ruft sie laut … (Spr 8,1–3).

Trotz des in den Einzelheiten nicht unproblematischen hebräischen Textes[22] ist diese Kulisse unschwer zu deuten. Die Chokmah tritt mit ihrer Predigt oder Lehre an die öffentlichen Plätze der israelitischen Stadt, an die Öffentlichkeit schlechthin. Das Tor ist der Treffpunkt und Versammlungsplatz, dort werden Ankündigungen bekanntgegeben, Abmachungen getroffen, Recht gesprochen. Nach Neh 8,3 liest Esra auf dem Platz vor dem Wassertor die Tora. Ob im

[22] Vgl. bes. *Otto Plöger*, Sprüche Salomos (BKAT XVII), Neukirchen-Vluyn 1984, 11–21, 84–88.

Tor auch Schule gegeben wurde, möchte ich dahingestellt sein lassen[23].

Ein anderes Bild wird in Spr 9 eingeführt:

Die Weisheit hat ihr Haus gebaut,
hat ihre sieben Säulen aufgerichtet.
Sie hat ihr Geschlachtetes zubereitet,
ihren Wein gemischt,
auch schon ihren Tisch hergerichtet.
Sie hat ihre Mägde ausgesandt
und läßt rufen auf den Höhen der Stadt:
Wer einfältig ist, möge herkommen,
wer unverständigen Herzens ist, den redet sie an:
Kommt! Eßt von meiner Speise,
und trinkt von dem Wein, den ich gemischt habe! (Spr 9,1–5).

Hier fällt die Interpretation der Szenerie etwas schwerer. Was ist das für ein Haus, das die Weisheit baut und in das sie einlädt – ein Palast, ein luxuriöses Wohnhaus, ein Tempel?[24]

Das Wirken der Weisheit entfaltet sich offenbar in der Öffentlichkeit und im Haus, wobei die Verbindung in Kap. 9 durch die ausgeschickten Mägde hergestellt wird. Wenn die Weisheit hier im Bild der Frau erscheint, dann stellt sich folgende Frage: Was bedeutet es, daß gerade eine weibliche Gestalt in die Stadttore tritt und im Tor eine Lehre verkündet, daß sie als Hausbauerin und Gastgeberin auftreten kann? Welche Voraussetzungen mußten in der patriarchalen israelitischen Umwelt gegeben sein, damit sie in diesen Rollen als Personifikation überzeugend sein und als religiöses Symbol Akzeptanz finden konnte? Besondere Bedeutung kommt hier den biblischen „Vorbildern" für diese Frauenrollen zu[25].

Frauen steigen in der Literatur Israels nämlich nicht nur auf die

---

[23] *Bernhard Lang,* Wisdom (s. Anm. 15) 22–33, hat die Idee, daß im Tor Schulunterricht stattfand, zu einer Hauptstütze seiner Ausführungen über die Chokmah als „Schul-" bzw. „Schreibergöttin" gemacht. Zur Zeit ist seine These aber weder von den alttestamentlichen Texten her noch archäologisch beweisbar (vgl. *Horst Dietrich Preuß,* Einführung in die alttestamentliche Weisheitsliteratur, Stuttgart u.a. 1987, 45f). Es stellt sich u.a. die Frage, warum das Alte Testament, wenn im Tor so etwas wie Unterricht stattfand, so häufig das Rechtsprechen im Tor erwähnt, aber nie die Schule im Tor. Bernhard Lang engt die Gestalt der Chokmah m.E. zu stark auf ihre Lehrerinnenrolle ein. Ihr Anspruch, daß an ihr die Entscheidung über Leben und Tod fällt, ist ein prophetischer und kein pädagogischer.

[24] Vgl. die Erörterung bei *Plöger,* Sprüche Salomos (s. Anm. 22) 99–104 und *Lang,* Wisdom (s. Anm. 15) 90–96.

[25] Die Frage nach den literaturgeschichtlichen Vorbildern ist methodisch wichtig und charakteristisch für die Arbeiten von *Claudia Camp.* Vgl. zum Folgenden auch den Beitrag der Verf., Weise Frauen (s. Anm. 8) 46.

Stadtmauer, um Leute wie Abimelech mit einem Mühlstein zu erschlagen (2 Sam 11,21). Die weise Frau von Abel-Bet-Maacha ruft in 2 Sam 20 von der Stadt her (mn-hᶜjr) und stellt den Feldherrn Joab zur Rede, weil er wegen eines Mannes, der sich in Abel verschanzt hält, eine ganze Stadt mit einer alten Tradition von Weisheit und Beratung vernichten will. Die Septuaginta hat sowohl in 2 Sam 20,16 als auch in Spr 1,21 den Ort der Frauen, von dem aus sie sprechen, gegenüber dem masoretischen Text präzisiert, indem sie beide Frauen oben auf die Stadtmauer plaziert „ἐπ'ἄκρων δὲ τειχέων" und „ἐκ τοῦ τείχους". Die ganze Szene in 2 Sam 20 weist Ähnlichkeiten mit der Weisheit in den Toren im Sprüchebuch auf. Dem Appell zu hören folgt eine weisheitliche Rede mit provozierenden Fragen. Die Frau von Abel trägt zudem nicht nur den Titel „weise Frau" *('šh ḥkmh);* es wird am Schluß auch noch betont, daß sie der Bevölkerung der Stadt „in ihrer Weisheit" *(bḥkmth)* zuredet. Hier haben wir das Image einer beratend, belehrend und prophetisch tätigen Frau vor uns, das die lehrende Weisheit in den Toren oder auf der Stadtmauer literaturgeschichtlich vorbereitet und ermöglicht[26].

Die alttestamentliche Tradition kennt zudem Frauen in der Rolle der Hausherrin, Mahlbereiterin und Gastgeberin: Rahab von Jericho, die den Kundschaftern Herberge in ihrem Haus gibt (Jos 2; 6,15–27); Jael, die Sidera in ihr Zelt lockt (Ri 4,17–24); Tamar, die für Amnon Kuchen backt, aber auch die Frau von Schunem (2 Kön 4,8–17), die ein kleines gemauertes Obergemach für Elischa bauen und einrichten läßt und ihn bewirtet. Wenn Rebekka in Gen 27 das Mahl vorbereitet, mit dem Jakob den väterlichen Segen erlistet, und wenn Ester (Est 5–7) mit ihrem Gastmahl den Sturz Hamans in die Wege leitet, dann wird zugleich deutlich, daß Frauen in der Rolle der Mahlbereiterin oder Gastgeberin oft wichtigste Entscheidungen provozieren, sogar die Entscheidung über Leben und Tod.

Bedeutsamer als die literaturgeschichtlichen Vorbilder mögen für Spr 9 aber die realen geschichtlichen Vorbilder von hausbauenden Frauen gewesen sein. Frauen waren nach der Rückkehr aus dem Exil maßgeblich am Wiederaufbau von Häusern und Städten beteiligt. In Neh 3,12 wird ausdrücklich erwähnt, daß die Töchter des Schallum am Bau der Mauer in Jerusalem beteiligt waren, und die Frauen der armen Leute waren es nach Neh 5,1–5, die sich für den Erhalt von Boden- und Hausbesitz einsetzten, gegen die Schuldskla-

---

[26] Vgl. zur weisen Frau bes. *Claudia Camp,* Wisdom and the Feminine 120–123.

verei ihrer Söhne und Töchter protestierten und sich in jeder Hinsicht ebenso verantwortlich fühlten wie die Männer.

Aber werfen wir zuerst noch einen Blick auf das Schlußkapitel der Proverbien, das Lob der starken oder tüchtigen israelitischen Frau. Auch hier geht es ja um eine Frau, die einem Haus vorsteht:

Sie steht noch während der Nacht auf
und gibt Nahrung ihrem Haus
und Anweisung ihren Mägden (Spr 31,15).
Nicht fürchtet sie für ihr Haus den Schnee,
denn ihr ganzes Haus trägt Scharlachkleidung (Spr 31,21).
Sie überwacht die Vorgänge in ihrem Haus, und das Brot des Müßiggangs ißt sie nicht (Spr 31,27).

Zu Recht hat Pnina Navé Levinson betont, daß es nicht der Stoßrichtung des Gedichts entspreche, darin ein Lob auf die dem neuzeitlichen, christlich-bürgerlichen Eheideal entsprechende, tugendsam fleißige Hausfrau zu sehen, die Tag und Nacht für ihre Familie da ist[27]. Die *'št–ḥjl*, von der hier gesprochen wird, ist eine vermögende Frau, die ein ganzes Hauswesen in größter ökonomischer und finanzieller Freiheit regiert – viermal ist von *ihrem* Haus die Rede –, wobei ihr Wirken gerade nicht an der Haustür aufhört, sondern sich auf die Armen und Elenden erstreckt (31,20) und auch auf den Ruf ihres Mannes (31,23) in der Öffentlichkeit, in den Toren der Stadt[28]. Erstaunlich ist darüber hinaus in Spr 31,10–31 nicht nur die Selbständigkeit der *'št–ḥjl*, sondern eine größere Anzahl von Vergleichen und Wendungen im Text, die keinen Zweifel daran lassen, daß diese Frau in die Nähe Gottes und der göttlichen Weisheit gerückt wird. Es kann hier nur auf eine Auswahl der Motivzusammenhänge hingewiesen werden, die Hans Peter Mathys in seinem Habilitationsvortrag[29] eingehender untersucht hat.

Eine starke Frau – wer findet sie?
Weit über Korallen geht ihr Wert,

---

[27] *Pnina Navé Levinson*, Was wurde aus Saras Töchtern? Frauen im Judentum, Gütersloh 1989, 29.

[28] Einen ähnlichen Wirkungsradius beansprucht in einer älteren Erzählung auch Abigajil (1 Sam 25), deren Vorstellung von einer sinnvollen Ökonomie (inklusive der Steuerrechnung) sich mit der ihres Gatten allerdings weniger zu decken scheint als in Spr 31. Vgl. *Silvia Schroer*, Abigajil. Eine kluge Frau für den Frieden, in: Karin Walter (Hrsg.), Zwischen Ohnmacht und Befreiung. Biblische Frauengestalten, Freiburg 1988, 92–99.

[29] Zum Folgenden vgl. *Hans Peter Mathys*, Unveröffentlichtes Manuskript der Vorlesung zu Spr 31,10–31.

heißt es in 31,10. Der Vergleich mit den Korallen und anderen Kostbarkeiten wird an drei weiteren Stellen der Weisheitsliteratur auf Chokmah bezogen:

Die Weisheit ist kostbarer als Korallen,
und alle Kleinodien wiegen sie nicht auf (Spr 3,15).

Denn Weisheit ist wertvoller als Korallen,
und alle Kleinodien wiegen sie nicht auf (Spr 8,11).

Vergessen sind Korallen und Kristall –
der Weisheit Besitz geht über Perlen (Ijob 28,18).

Auch das Motiv des Findens verbindet die Ehefrau mit der Chokmah. In Spr 18,22 lesen wir:

Wer eine Frau gefunden,
hat etwas Gutes gefunden
und Wohlgefallen bei JHWH erlangt.

In Spr 8,35 bezieht sich das gleiche Glück auf die Weisheit:

Denn wer mich findet,
findet das Leben
und erlangt Wohlgefallen bei JHWH.

Wie die Chokmah hat die starke Frau Mädchen oder Mägde, denen sie Aufgaben zuteilt (9,3 und 31,15). Sie öffnet ihren Mund in Weisheit und gibt liebende Weisung (31,26). Kraft und Hoheit *('z-whdr)* ist nach Spr 31,25 ihr Gewand. Wer würde da nicht erinnert an Ps 96,6 oder 104,1, wo von Gott gesagt wird:

Hoheit und Pracht sind vor seinem Antlitz,
Macht und Herrlichkeit in seinem Heiligtum.

Oder:
O Herr, mein Gott, wie bist du so groß!
Pracht und Hoheit ist dein Gewand.

Auch sonst wird mit Lob und Ruhm der Frau in diesen Versen nicht gespart:

Ihre Söhne treten auf und preisen sie glücklich;
ihr Gatte ist voll ihres Lobes ...
eine JHWHfürchtige Frau,
die möge gelobt werden.
Zollt ihr, was sie verdient hat!
Ihre Werke verkünden ihr Lob in den Toren (Spr 31,28–31).

Im Alten Testament werden nur selten Menschen gelobt. In der überwiegenden Zahl der Belege ist Gott das Objekt des Lobes[30]. Auch verdient nach dem übereinstimmenden Zeugnis des Alten Testaments nur Gott – und in Spr 1,33 die Chokmah – berechtigtes Vertrauen *(bṭḥ)*[31]. In V. 11 heißt es jedoch:

Auf sie (die Frau) vertraut *(bṭḥ)* das Herz ihres Gatten,
und an Beute *(šll)* mangelt es nicht.

Das etwas unpassende Wort Beute spielt auf Spr 1,13f an, wo vor den Verführern gewarnt wird, die sagen: „Wir wollen unsere Häuser mit Beute *(šll)* füllen." Statt dessen soll man der Weisheit folgen, bei der allein sichere „Beute" ist. Wenn es schließlich ganz am Schluß des Gedichtes heißt, daß die Werke der Frau ihr Lob in den Toren verkünden, so dürfen wir zum einen durchaus an die Chokmah denken, die selbst ihr Lob in den Toren der Stadt anstimmt. Zum anderen erinnert diese Wendung wie noch einige weitere an das Rut-Büchlein[32]. Nach der Nacht auf der Tenne sagt Boas zu Rut:

Nun denn, meine Tochter, fürchte dich nicht;
alles, was du zu mir sprichst, will ich für dich tun,
denn jeder im Tor meines Volkes (das ganze Tor meines Volkes)
weiß, daß du eine tüchtige Frau *('št ḥjl)* bist (Rut 3,11).

Die Septuaginta hat die äußerst hohe Wertschätzung und den Lobpreis der Frau gerade am Schluß des Gedichtes nicht ertragen und den Text in Spr 31,28ff stark abgeändert. Nicht die *gottesfürchtige* Frau ist es, die gepriesen werden soll, sondern die *verständige* (γυνὴ γὰρ συνετή), *sie* soll die Furcht JHWHs preisen, und schließlich soll nicht *sie* im Tor gerühmt werden, sondern *ihr Mann*. Der hebräische Text hingegen läßt unzweifelhaft durchscheinen, daß die tüchtige Frau die Chokmah repräsentiert und als deren Repräsentantin Attribute verdient, die ansonsten JHWH allein vorbehalten sind.

Wenn wir nun noch einmal zur hausbauenden Weisheit im Sprüchebuch zurückkommen, so fällt auf, daß auch innerhalb des Corpus der älteren Sentenzensammlungen von Spr 10–30 zweimal die

---

[30] Vgl. *Claus Westermann* Art. *hll.*, in: ThWAT I, 494.

[31] *Erhard Gerstenberger,* Art. *bṭḥ,* in: ThWAT I, 303–305.

[32] Den vielen kleinen Beziehungen zwischen der starken Rut und ihrem Mann Boas und Spr 31,10–31 kann ich hier nicht nachgehen. Ich weise noch darauf hin, daß auch das Lob der Judit sich vom Stadttor von Betulia aus verbreitet (Jdt 13,17ff). Im Tor fällt die Entscheidung über die Tüchtigkeit oder Rechtschaffenheit einer Frau. Zugleich kann eine Frau wie Tamar (Gen 38,14), indem sie ins Stadttor geht, Entscheidung und Gericht über andere provozieren.

hausbildende Kraft der Weisheit genannt wird. So heißt es in Spr 14,1:

Frauenweisheit *(ḥkmwt nšjm)* hat ihr Haus gebaut,
Torheit reißt es mit eigenen Händen nieder

und in Spr 24,3:

Durch Weisheit *(bḥkmh)* wird ein Haus gebaut,
und durch Einsicht gewinnt es Bestand,
und durch Erkenntnis werden die Kammern gefüllt
mit allerlei kostbarem und wertvollem Gut.

Daß es da jeweils um mehr geht als um ein Haus aus Steinen, liegt auf der Hand. Es geht um die ganze Existenz, um das Leben in Gemeinschaft. Die Weisheit lädt in das Haus des Lebens; wer der Torheit in ihr Haus folgt, gerät in die Scheol und zerstört seine Existenz (Spr 9,18). Erstaunlicherweise wird in Spr 14,1 und 24,3 die hausbauende Kraft einmal als Chokmah und einmal als „Weisheit der Frauen"[33] bestimmt. Wiederum ist die konkrete Weisheit der Frauen also identisch und auswechselbar mit der personifizierten Chokmah, so wie in Kap. 31 die Weisheit der Frau die personifizierte Weisheit repräsentiert. Umgekehrt ist die Chokmah nicht einfach Personifikation von Weisheit schlechthin, sondern sie personifiziert in besonderer Weise im Bild der Frau die Frauenweisheit, die für das Leben eines Israeliten und einer Israelitin identitätsstiftende und lebenssichernde Bedeutung hat.

Das Buch Rut, dessen Abfassungszeit nicht allzu weit von der Rahmung des Sprüchebuches entfernt sein dürfte (etwa 450 v. Chr.), geht an einer Stelle, die jedoch mit guten Gründen der sekundären Bearbeitung aus dem 2. Jahrhundert v. Chr. zugeschrieben werden kann[34], deutlich noch weiter oder drückt etwas expressis verbis aus, das in den Sprüchen ebenfalls angelegt scheint. Wenn das Volk und die Ältesten zu Boas in Rut 4,11 sagen: „JHWH mache die Frau, die in dein Haus kommt, wie Rahel und Lea, die beide das Haus Israel gebaut haben", dann wird Ruts Wirken für das Haus des Boas gleichgesetzt mit der Bedeutung der beiden Stammütter, die am Haus Israel, an der Existenz und Identität Israels, gebaut haben. Was Rut im Haus tut, wird neue Gemeinschaft und neues Leben stif-

[33] Der masoretische Text vokalisiert zwar *ḥakᵉmōt nāšīm* „weise Frauen", jedoch steht der Rest des Verses eindeutig in Singularformen *(bnth bjth)*. Vgl. dazu *Plöger,* Sprüche Salomos, (s. Anm. 22) 166f und zur Deutung des Plurals weiter unten.
[34] Dazu *Erich Zenger,* Das Buch Ruth, Zürich 1986, 93.

ten. So ist diese Frau das Bild einer tüchtigen Frau der nachexilischen Zeit, die am Aufbau Israels mitarbeitet, dafür als Fremde ihr Leben und ihre Weisheit einsetzt und deren guter Ruf in den Toren der Stadt bekannt ist[35].

Ich möchte gern die kleinen Beobachtungen an den Texten noch etwas bündeln und dann zu einer thesenartigen Interpretation kommen. Es ist offensichtlich, daß die personifizierte Chokmah in Spr 1–9 und die tüchtige Frau in Spr 31 miteinander verwandt sind, insofern die eine die Frau „Weisheit" ist und die andere die weise Frau. Beide haben hausbauende und -erhaltende Funktionen, beide haben auf verschiedene Weise Einfluß in der Öffentlichkeit, beider Wirken hat etwas mit JHWHfurcht zu tun. Spr 14, 1 bestätigt direkt, daß wir bei der personifizierten Weisheit vor allem an Frauenweisheit zu denken haben. Der Platz dieser Frauenweisheit ist in der Öffentlichkeit wie im Haus, und die israelitische Frau gewinnt mit ihrer Arbeit im Haus Öffentlichkeit. Die personifizierte Weisheit ist undenkbar ohne die „weisen Frauen" in der Literatur und Geschichte Israels[36]. Auf der anderen Seite erfährt man die Arbeit einer tüchtigen Frau als Wirken der Chokmah und scheut sich nicht, sie zu rühmen und zu preisen wie die göttliche Weisheit und wie JHWH selbst. In der Frau von Spr 31 ist JHWH erfahrbar, und es ist JHWH, der in der personifizierten Chokmah von Spr 1–9 zu Israel spricht.

III. Die literarische und theologische Funktion der Personifikation der Chokmah im Buch der Sprüche

Im Vorangehenden ist von der „personifizierten" Weisheit die Rede, wie es in der Forschung zur Zeit auch am meisten verbreitet ist, ohne daß der Begriff der Personifikation näher definiert wurde. Die Rückfrage, was denn die eigentliche Funktion einer Personifikation

[35] Die hausbauende Kraft von Frauen kommt auch in 1 Sam 25, 28 zur Sprache, wenn Abigajil David verheißt: „JHWH wird dir gewiß ein dauerndes Haus gründen." In Ps 144, 12 b werden die Töchter Israels verglichen mit „Pfeilern gehauen nach dem Vorbild derer am Palast". Ob dabei an Säulen in Frauengestalt zu denken ist und ob die Architektur im Sinne der „haustragenden" Frauen signifikant ist, kann man erwägen. Tempelmodelle zeigen öfter zwei Frauen oder Göttinnen an Stelle von stilisierten Palmetten o. ä. (Beispiele: Der Königsweg. 9000 Jahre Kunst und Kultur in Jordanien (Ausstellungskatalog), Mainz 1987 , Nr. 128; *Amihai Mazar,* Pottery Plaques Depicting Goddesses Standing in Temple Facades: Michmanim 2 (1985) 5–18.

[36] Den Nachweis führt *Camp,* Wisdom and the Feminine 79–147.

ist, gibt aber sowohl für die literarische Gestaltung des Sprüchebuches als auch für die theologischen Fragen noch einige Aufschlüsse. Hinter den Texten in Spr 1–9 steht implizit zunächst eine Metapher „die Weisheit ist (wie) eine Frau, die ...“. Diese Metapher versucht, etwas Unbegreiflich-Abstraktes greifbarer, konkreter und vertrauter zu machen. Die weniger bekannte Größe, das Signifikat, ist die Weisheit, die zum Signifikant „Frau“ in einem Verhältnis der Analogie steht. „Frau“ ist ein Bild der „Weisheit“. Die Personifikation ist, als Untergattung der Metapher, ein Stilmittel, eine Redeweise, die Dinge mit Leben versieht, etwas als Person behandelt, das keine Person ist und so das Abstrakte mit dem Konkreten verbindet, das Unpersönliche personalisiert. In ihrer literarisch-poetischen Funktion betont die Personifikation die *Einheit* des Subjekts. Aus einer Vielzahl von Stadtbewohnern/-innen wird die Tochter Zion. Zugleich *generalisiert* sie die Vielfalt. Aus den verschiedenartigsten Bosheiten der Menschen wird *die* Bosheit, aus ihren verschiedenen Dummheiten *die* Torheit[37]. Die Personifikation packt ihre Leser/-innen nur, wenn sie in einer Tradition steht, sonst findet sie keine Akzeptanz. Für diese Akzeptanz ist vor allem das Prädikat, der Signifikant, ausschlaggebend, auf den wir zumeist auch unmittelbarer und emotionaler reagieren, also in diesem Fall das Bild „Frau“.

Nun hat Claudia Camp sehr gründlich erarbeitet, daß die „personifizierte Weisheit“ als literarisches Stilmittel in der ganzen redaktionellen Anlage des Sprüchebuches vor allem die Funktion der Vereinheitlichung übernimmt[38]. Der Schlußredaktor hat die verschiedenen Weisheitslehren der Sentenzensammlungen rahmen wollen durch die Kapitel 9 und den Schluß von Kapitel 31. Durch die personifizierte Weisheit werden nun diese Lehren der Sentenzen zu einer, zu *der* Weisheit vereint, also zu *einer* Lehre. Die Chokmah verkörpert damit die Lehrtradition der Sprüchekollektion und darüber hinaus die weisheitliche Lehrtradition Israels. So wird mit den ersten neun Kapiteln dem Leser und der Leserin des Sprüchebuches quasi die richtige theologische Brille für die Lektüre der Sentenzen aufgesetzt. Ich erachte in diesem Zusammenhang den Vorschlag von Fokkelien van Dijk-Hemmes und Athalya Brenner[39], daß in Spr 1–9

[37] Zur Funktion der Metapher vgl. *Othmar Keel,* Zeichen und Zeichensysteme, unveröff. Manuskript. – Zur Funktion der Personifikation *E. W. Bullinger,* Figures of Speech Used in the Bible, London 1898 (Michigan 1971), 861 ff.

[38] *Camp,* Wisdom and the Feminine 209–225.

[39] On Gendering Biblical Texts („Paper“ anläßlich des Kongresses der Society of Biblical Literature in Wien, August 1990). Das Arbeitspapier ist mir als Manuskript nach

nicht ein Vater Lehren an den Sohn weitergibt, sondern daß sich hier (fiktiv) die Mutter an den Sohn wendet, als sehr beachtenswert und schlüssig.

Zudem hat die Wahl des Stilmittels der Personifikation in den Rahmenkapiteln des Sprüchebuches eine theologische Bedeutung. Wenn es so ist, daß die Personifikation per definitionem auf die Vereinigung von Abstraktem mit Konkretem angelegt ist, dann ist die Frage falsch gestellt, ob und in welchem Maße die personifizierte Weisheit als menschliche oder göttliche Größe zu verstehen ist. Sie will in sich Gott und Frau verbinden, sie will das Menschliche, Konkrete, Diesseitige mit dem Göttlichen, Universalen und Jenseitigen verbinden, sie will JHWH mit der Straße, dem Haus, der Liebe, der Weisheitstradition und dem Leben der israelitischen Frauen verbinden, so daß das Wirken der weisen Frau auf JHWH hin transparent, ja transzendent wird und JHWH im Bild der „Frau" Weisheit erfahrbar. Die Pluralbildung *ḥkmwt* in Spr 1,20; 9,1; 14,1; 24,7; Ps 49,4 und Sir 4,11; 32/35,16 als pluralis intensitatis, vielleicht als bewußte Parallelbildung zu *'lhjm* zu deuten, wie dies schon vorgeschlagen wurde[40], erhält von daher zunehmende Plausibilität. Der Plural erinnert zugleich daran, daß die göttliche Weisheit mit den menschlichen Weisheiten in engem Zusammenhang steht.

Daß die Chokmah in der Rahmung des Sprüchebuches eine göttliche Gestalt ist, bedarf hier nicht der detaillierten Erläuterung. Dazu gibt es eine Fülle von Beiträgen älteren und jüngeren Datums. Ihren göttlichen Anspruch offenbart das betonte und gewichtige *'nj* der Ich-Reden, das die Selbstvorstellungen JHWHs in Ex 3 oder im Dekalog, vor allem aber die Selbstvorstellungen von Gottheiten in ägyptischen Götterreden in Erinnerung ruft[41]. Formgeschichtlich betrachtet, spricht die Chokmah wie eine Gottheit oder wie der Gott Israels.

Innerhalb der israelitischen Tradition wird die Weisheit auch durch das Motiv des Suchens und Findens z.B. in Spr 8,17 mit JHWH identifiziert:

Abfassung meines Vortrags zugekommen, weshalb ich es nicht in all seinen wichtigen Aspekten hier einbeziehen konnte.

[40] Vgl. zu den möglichen Erklärungen des Numerus *Plöger,* Sprüche Salomos (s. Anm. 22) 13.

[41] Dazu ausführlich *Christa Bauer-Kayatz,* Studien zu Proverbien 1–9 (WMANT 22), Neukirchen-Vluyn 1966, 75–95. Die Autorin differenziert (a.a.O. 85) die Vergleichbarkeit der JHWH-Reden im Ich-Stil mit der Ich-Rede der Chokmah, da die formalen Unterschiede recht groß sind. Vgl. Gottfried Vanonis Beitrag in diesem Band.

Ich habe lieb, die mich lieben,
und die nach mir suchen, werden mich finden.

Dieses Motiv ist in der Liebesmetaphorik (Hld 3,1 ff) beheimatet, aber auch in prophetischen Texten, wo es auf die Beziehung zwischen JHWH und den Israeliten/-innen angewendet wird:

Mit ihren Schafen und Rindern ziehen sie hin,
JHWH zu suchen, aber sie finden ihn nicht,
er hat sich ihnen entzogen (Hos 5,6; vgl. auch Amos 5,4–6; Dtn 4,29 u.ö.)[42].

Ein königlich-göttliches Image, allerdings außerisraelitischer Herkunft, legt sich die Chokmah des weiteren zu, wenn sie sich in Spr 8,14–16 als Patronin von Herrschern und als die Ordnung präsentiert, nach der Könige ihre Herrschaft ausüben[43]. Aber nicht nur hier ist die Chokmah der ägyptischen Maat nachgezeichnet. Auch der zentrale Text Spr 8,22–31 nimmt, um von ihrer göttlichen Herkunft zu sprechen, Anleihen bei ägyptischen Mythen und ägyptischer, aber auch syrischer Göttinnenikonographie, worauf Othmar Keel und Urs Winter besonders ausführlich eingegangen sind.[44] Dieser wichtige Text über die Chokmah am Uranfang der Schöpfung läßt keinen Zweifel daran aufkommen, daß sie eine göttliche Gestalt ist. Sie ist ja kein Schöpfungswerk, sondern schon vor allem Geschaffenen da, und sie ist maßgeblich an der Erschaffung der Welt beteiligt. Ihre Ursprünge läßt der Text im dunkeln, insofern es zwar heißt, „JHWH hat mich geboren/hervorgebracht" *(qnnj)*, gleich darauf aber das zweimalige gewichtige „ich wurde geboren" *(ḥlltj)* offenläßt, von wem und wie[45]. Im Zusammenhang des ganzen 8. Kapitels scheint es mir am sinnvollsten, die Aussage der Verse 22–31 darin ernst zu nehmen, daß sie das Verhältnis von JHWH und der Chokmah gar nicht definieren *wollen*. Sie können diese Beziehung nur so weit narrativ erklären, daß die Weisheit mit JHWH von

---

[42] Einzelheiten zu diesen metaphorischen Wendungen bei *G. Gerleman*, Art. *bqš*, in: THAT I, 333–336 und 922–925. – Auf die spezielle Bedeutung des Suchens und Findens in Hos 5,6 geht *Marie-Theres Wacker*, Frau (s. Anm. 19) 118 Anm. 50, kurz ein. Es könnte sich um einen mythologisch begründeten Ritus des Suchens und Findens (der verstorbenen Gottheit) gehandelt haben.

[43] *Lang*, Wisdom (s. Anm. 15) 60–70.

[44] *Keel*, Die Weisheit spielt (s. Anm. 13), und *Winter*, Frau und Göttin (s. Anm. 20) 516–523. Vgl. auch *Silvia Schroer*, Die Zweiggöttin in Palästina /Israel. Von der Mittelbronze-Zeit IIB bis zu Jesus Sirach, in: Max Küchler / Christoph Uehlinger (Hrsg.), Jerusalem. Texte – Bilder – Steine (NTOA 6), FS Hildi und Othmar Keel, Fribourg – Göttingen 1987, 218–221.

[45] Ich lege hier die Ergebnisse der detaillierten Exegese von *Keel*, Die Weisheit spielt (s. Anm. 13) 9–30, zugrunde.

ihrer Herkunft her in einer engen Verbindung steht, daß sie schon vor der Schöpfung da ist und daß sie mit ihrer lebendigen Kraft schöpferisch gewirkt hat. Eine lebensfrohe, junge Frau, nicht ein Kind[46], läßt die Schöpfung zu einem Werk werden, das aus dem kultischen Lachen und Scherzen und der Beziehung entsteht. Dabei wäre es falsch, immer mit Blick auf den Zusammenhang besonders des 8. Kapitels, dem Text zu unterstellen, daß die Weisheit hier JHWH *unter*geordnet werden soll. Sie wird ihm *zu*geordnet. Jede Aussage, die sich im Sinne einer klaren Unterordnung auslegen ließe, wird vermieden. Die Chokmah ist ein Gegenüber für JHWH, ein göttliches Gegenüber. Aber sie ist nicht Kind, nicht Tochter, nicht Göttin neben JHWH und auch keine vermittelnde Hypostase, die *einen* Aspekt dieses Gottes divinisiert. Die Chokmah ist der Gott Israels im Bild der Frau und in der Sprache der Göttinnen.

Auf das verhängnisvolle Ehebild, mit dem Hosea erstmals dem Weiblichen im Gottesbild Israels zugunsten des Nationalgotts JHWH den zweiten Rang zugewiesen hat, verzichtet Spr 8,22–31 ganz[47]. An eine eheliche Gemeinschaft JHWHs mit der Chokmah denken diese Verse nicht. Vielmehr wird in den Bildern von Spr 1–9 das Weibliche in neuer und kreativer Weise mit der Transzendenz und dem Himmel verbunden, und was über Jahrhunderte problematisch geworden war, wird hier erstmals wieder erfahren und gedacht: Die Transzendenz ist nicht nur weiblich, sondern auch erotisch und dies *innerhalb* des israelitischen religiösen Symbolsystems.

Ich möchte hier noch einen Schritt weitergehen. Es gibt m.E. keine Anhaltspunkte dafür, daß es vor der Chokmah eine altisraelitische Weisheitsgöttin gegeben habe, die nun in den Sprüchen gezähmt und in den Käfig eines bereits abgeschlossenen Monotheismus mit exklusivem, das Weibliche ausschließendem Charakter

---

[46] Der hebräische Text mit dem unsicheren *'āmōn* in Spr 8,30 hat hier vielfach sehr patriarchalen Spekulationen Vorschub geleistet. *Keel,* Die Weisheit spielt (s. Anm. 13) 21–30, hat jedoch einige triftige Argumente gegen das „Hätschelkind" und für eine kultisch agierende junge Frau, die mit ihrem Scherzen JHWH belustigt, angeführt. Die mythischen und ikonographischen Hintergründe für das Bild von der scherzenden Weisheit stammen vor allem aus Ägypten (Maat, Hathor, spielende Gottesgemahlin), aber auch die lebensfrohe Göttin auf den altsyrischen Rollsiegeln scheint Einfluß auf die israelitische Weisheit in diesem Texte gehabt zu haben (*Keel,* a.a.O. 31–68, und *Winter,* Frau und Göttin [s. Anm. 20] 516–523).

[47] Vgl. dazu *Marie-Theres Wacker,* Frau (s. Anm. 19) passim. JHWH wird als patriarchalem Eheherrn statt einer Göttin das Volk Israel bzw. das Land zugeordnet, das von JHWH „weghurt". Die weibliche Größe wird fest mit der untergeordneten Position innerhalb einer hierarchischen Ordnung verbunden.

eingesperrt worden wäre[48]. Wir haben nicht den leisesten Hinweis darauf, daß die Chokmah schon vor dem Exil personifiziert worden ist. Nichts weist darauf hin, daß diese Gestalt in den Sprüchen durch spezifisch patriarchale Interessen deformiert wurde. Bernhard Langs Hypothese beruht auf der m. E. fragwürdigen Beobachtung, daß mythische, ursprünglichere Personifikationen durch rationale Reflexion zu poetischen Personifikationen werden. Das ist aber keine Gesetzmäßigkeit, und ein Rückschlußverfahren problematisch, weil wir die „naiveren" mythischen Personifikationen auch nur in Formen der Dichtung überliefert bekommen haben und weil es nachweislich dichterisch erfundene Personifikationen gibt, die keine mythischen „Ahnen" haben[49]. Es spricht einiges dafür, daß die personifizierte Weisheit der Sprüche tatsächlich der theologischen Kunst des Schlußredaktors dieser Sammlungen zuzuschreiben ist. Dennoch ist die Chokmah eine Gestalt mit Vergangenheit. Denn sie lebt in den Bildern zu großen Teilen auch von den Göttinnen Ägyptens, Maat, Hathor, der Gottesgemahlin, evtl. auch Syriens. Die Göttinnen werden in vielen Aspekten in ihr anschaulich und lebendig. Ohne jede polemische Tendenz wird in reflektierender Mythologie[50] das Erbe der Göttinnen in die Personifikation der Weisheit aufgenommen und damit integriert. Die Kunst, mit den alten mythischen Bildern und zugleich der vitalen Kraft der Göttinnenkulte frei und phantasievoll umzugehen, beweist auch das Hohelied[51]. Schon in den Kreisen der älteren Weisheitsdichter war man mit diesem altorientalischen Erbe also wohlvertraut und hatte keine Hemmungen, es auch zur Sprache zu bringen.

---

[48] So die Hauptthese des Buches von *Lang,* Wisdom (s. Anm. 15).

[49] Vgl. zur Personifikation *Lang,* Wisdom (s. Anm. 15) 132–136. Als Beispiel für eine Personifikation ohne eigentlichen Mythos sei hier auf die griechische Tyche verwiesen (*Herbert Hunger,* Lexikon der griechischen und römischen Mythologie, Hamburg [6]1974, 415 f). Die Nike ist bei Homer noch unbekannt, bei Hesiod tritt sie als Personifikation des Sieges, den Zeus oder Athene verleihen, auf. Im griechischen Kult spielte sie aber kaum eine Rolle (a.a.O. 272). Der Hinweis bei *Bernhard Lang,* Wisdom (s. Anm. 15) 131, auf Aram Ach Pap 54,1 kann kaum als Indiz für eine personifizierte Weisheit außerhalb Israels oder des Judentums gezählt werden, da das Subjekt der Verse aus dem Zusammenhang nur erschlossen ist und der Text sehr viele Fragen offenläßt (dazu *Max Küchler,* Frühjüdische Weisheitstraditionen. Zum Fortgang weisheitlichen Denkens im Bereich des frühjüdischen Jahweglaubens (OBO 26), Fribourg – Göttingen 1979, 46, 388).

[50] Zur Begrifflichkeit vgl. *Schüssler Fiorenza,* Gedächtnis (s. Anm. 6) 180. Es ist anzumerken, daß jeder schriftliche Mythos in Israel „reflektierender Mythos" ist.

[51] Vgl. *Othmar Keel,* Das Hohelied, Zürich 1986. Rein poetisch scheinen die Göttinnen auch im Hohenlied nicht zu sein, wie z. B. der Schwur bei den Gazellen und Hinden der Liebesgöttin zeigt (*Keel,* a.a.O. 91–94).

Die personifizierte Chokmah ist kein Angriff auf die alte israelitische und in der Weisheitstradition nie grundsätzlich in Frage gestellte Überzeugung, daß JHWH der Nationalgott Israels ist. Sie ist auch kein Angriff auf den seit dem Exil explizit formulierten Glauben, daß neben JHWH überhaupt keine anderen Gottheiten existieren. Und die Verfasser scheinen es gar nicht für nötig erachtet zu haben, apologetisch das „richtige“, monotheistische Verständnis der Chokmah zu verteidigen. Die personifizierte Weisheit ist vielmehr der völlig unpolemische Versuch, an die Stelle des männlichen Gottesbildes und neben dieses Gottesbild ein weibliches zu setzen, das den Gott Israels mit der Erfahrung und dem Leben besonders der Frauen in Israel, den Nationalgott mit dem Bereich der Hausreligion und darüber hinaus mit den Bildern und Rollen der altorientalischen Göttinnen verbindet. Die Frage nach dem Verhältnis der Chokmah zum nachexilischen Monotheismus ist insofern etwas irreführend. Sie könnte dahin gehend mißverstanden werden, daß dieser Monotheismus bereits theoretisch und praktisch abgeschlossen und auf ein ausschließlich männliches Gottesbild festgelegt war, als die Weisheit auftrat. Tatsächlich aber ist die personifizierte Chokmah ein weisheitlicher Beitrag zur Entwicklung des frühnachexilischen Monotheismus, eine Spielart des Monotheismus, die sich Freiheiten über die patriarchalen Gottesbilder hinaus nehmen konnte und ohne Hemmungen die Göttinnen sogar mit ihrer erotischen Sphäre zu integrieren vermochte. Leider war dieser theologisch einzigartigen und bis heute unerreichten Spielart des Monotheismus in Israel geschichtlich kein großer Erfolg beschieden[52].

---

[52] Aus der Diskussion im Anschluß an den Vortrag dieses Manuskripts möchte ich hier gern einen m. E. wichtigen Gedanken nachtragen. Die Ent-faltung des monotheistischen Gottesbildes in eine männliche und weibliche Person, die in Beziehung zueinander treten, ist ein theologiegeschichtlich äußerst interessanter Schritt. Die jüdische Theologie (vgl. im Danielbuch „der Alte“ und „der Menschensohn“), vor allem dann aber die christliche Trinitätslehre haben den einen Gott in der Zwei- oder Dreifaltigkeit gesucht, dabei allerdings schließlich das weibliche Gottesbild verdrängt. Hinter diesen Versuchen der Ent-faltung des einen Gottes steht vielleicht die Erkenntnis, daß ein monolithisches und statisches Gottesbild Gefahren in sich birgt und daß auch ein „einziger“ Gott nur in personalen Kategorien von Beziehung beschreibbar ist.

IV. Frauenbild – Gottesbild – Monotheismus. Anhaltspunkte für eine feministisch-theologische Rekonstruktion der geschichtlichen und religionsgeschichtlichen Hintergründe

Obwohl ich mir bewußt bin, mit den folgenden Ausführungen eher Fragen und Hypothesen für die zukünftige feministische Forschung aufzuwerfen als bereits klare Antworten anzubieten, ist es mir doch wichtig, das weisheitliche Gottesbild der Sprüche in die größeren geschichtlichen und theologischen Zusammenhänge der frühnachexilischen Zeit zu stellen und darüber hinaus einen kurzen Blick auf das weitere Schicksal dieses weiblichen Gottesbildes zu wagen[53].

Das Exil bedeutet für die Israeliten und Israelitinnen den totalen Zusammenbruch der nationalen und religiösen Identität. Das Land wird ihnen genommen, aber auch der Tempel, Heimat des Kultes und Symbol von JHWHs Gegenwart im Land, und das Königtum, das die Funktion einer sakralen Mittlerinstanz zwischen JHWH und Israel gehabt hatte. Das religiöse Symbolsystem Israels ist zunichte, die Menschen erleben das Chaos in all seiner Schreckensmacht. Von daher ist es nicht erstaunlich, daß so viele nachexilische Texte immer wieder um das Thema Schöpfung kreisen in dem tiefen Bedürfnis, sich in einer chaotischen Zeit der noch bestehenden oder neu erwarteten Ordnungen zu vergewissern[54]. Die theologischen Reaktionen auf den Schock des Exils sind vielfältig und sehr verschieden, so verschieden wie die Gruppen, Bewegungen und Schichten, aus denen sie kommen. Vieles war auch nach der Rückkehr der Exilierten im Fluß, und jede neue Veränderung mußte theologisch verarbeitet werden.

Was sich u. a. verändert hatte, war die Welt der Frauen und damit das Frauenbild. Nach einem alten Gesetz scheint sich in Krisen- und Kriegszeiten die Position der Frau in einer Gesellschaft eher zu verbessern[55]. Dafür, daß die Katastrophe des Exils und der klägliche Wiederanfang die Rolle und das Ansehen der Frauen in Israel veränderte, gibt es einige Anhaltspunkte. Wenn gerade in der Exilszeit

---

[53] *Claudia Camp* hat einige sozialgeschichtliche, politische und kulturelle Aspekte des weisheitlichen Gottesbildes im vierten Teil ihres Buches (Wisdom and the Feminine 227–282) beleuchtet. Ich versuche, auf ihrer Arbeit aufbauend, noch weitere mögliche Zusammenhänge herzustellen, vor allem auch mit anderen Texten und Strömungen der nachexilischen Zeit.

[54] Vgl. dazu *Paul D. Hanson,* Israelite Religion in the Early Postexilic Period, in: Miller/Hanson/McBride, Ancient Israelite Religion (s. Anm. 21) 485–508.

[55] Dies gilt anscheinend, obwohl gleichzeitig Verelendung vor allem auf Kosten von Frauen und Kindern geht.

von der Priesterschrift die Einsicht formuliert wird, Mann und Frau seien Gott ebenbildlich, so ist dieser Zeitpunkt möglicherweise nicht ganz zufällig. Vor allem der Wiederaufbau, der Kampf ums Überleben war auch Sache der Frauen. Noomi und Rut müssen sich durchschlagen, und sie kommen zu Haus, Land und Familie. Das neue Leben, das für Ijob nach der Zeit der Krise beginnt, bedeutet auch, daß seine Töchter einen Namen bekommen und sogar einen Erbteil unter ihren Brüdern (Ijob 42,13–15)[56]. Die veränderte Position der Frauen in dieser Zeit spiegelt sich in nachexilischen Texten sprachlich möglicherweise darin, daß die weiblichen Formen von Substantiven oder Verben anscheinend häufiger benutzt werden. So erinnert im Buch Rut der ständige Wechsel des Genus in den Kapiteln 2 und 3 schon fast an die heutigen Bemühungen um inklusive Sprache[57]. Deuterojesaja, aber auch Esra und Nehemia erwähnen öfter ausdrücklich neben Söhnen auch Töchter, neben Männern auch Frauen usw. (Jes 43,6; Neh 8,3 u.ö.).

Es ist nicht zu übersehen, daß den Frauen in religiösen Dingen Geltung zukommt, daß sie als religiöse Subjekte erscheinen, und zwar nicht nur im Privaten, in den Häusern, sondern auch in der Öffentlichkeit und auf der Ebene der Nationalreligion. So wird in Spr 1,8 und 6,20 die Belehrung des Vaters und die Weisung der Mutter in einem Atemzug genannt[58]. Frauen übernahmen also die Weitergabe der religiösen Tradition, der Tora (Weisung). Eine ganze Schrift, das Rut-Buch, widmet sich dem Thema Frauensolidarität, aber auch dem Glauben zweier Frauen. Prophetinnen wie Noadja (Neh 6,14) mischen sich kräftig in das politisch-religiöse Tagesgeschehen ein, die Frau eines Ijob (2,9f) tritt als Sprecherin für eine theologische Position auf. Esra liest das Gesetz explizit Männern und Frauen vor (Neh 8,1–3; 10,29f). Deuterojesaja (Jes 51,2) erinnert die Leute nicht nur an Abraham, ihren Vater, sondern auch an Sara, „die euch geboren hat".

Das Haus, die Familie werden in der exilischen und frühnachexilischen Zeit nicht nur zur tragenden, das Überleben sichernden und

---

56 Im Zusammenhang des Erbrechts von Töchtern wären hier auch Num 27,1–11 und 36,1–12 über die Töchter Zelofhads noch genauer zu untersuchen (vgl. *Eberhard Bons*, Art. „Erbe/Erben", in: NBL, Lfg. 4, Zürich 1990, 555–558).

57 Vgl. zum Genuswechsel in der nachexilischen Sprache die kurzen Hinweise bei *Zenger*, Buch Ruth (s. Anm. 34) 27 und 53. Eine plausible Erklärung dieser sprachlichen Eigenart in Rut 2–3 gibt es jedenfalls bisher nicht. Vgl. anders Gottfried Vanonis Beitrag in diesem Band.

58 Nach Dtn 4,10; 11,19f sind die Eltern für die religiöse Ausbildung der Kinder zuständig.

einzig weiterfunktionierenden sozialen Einheit, sie werden im neuen religiösen Symbolsystem nun zugleich zu dem Ort, wo JHWH für Israel erfahrbar wird, wo die religiöse Identität sich neu konstituieren kann. Das Haus übernimmt Funktionen des Tempels und des Königtums. Dies hatte radikale Folgen, weil der während der ganzen monarchischen Zeit auf Palast und Tempel zentralisierte Kult des Nationalgotts JHWH nun plötzlich ganz auf die häuslich-familiäre Sphäre verwiesen wurde, in der dieser Nationalgott vor dem Exil keineswegs heimisch gewesen war. Wie in der vorstaatlichen Zeit, auf die man sich auch in den Erzählungen von Rut oder Ijob besinnt, werden als Reaktion auf die veränderten sozial-religiösen Verhältnisse die Gottesbilder familiärer[59]. Gott ist Löser und Vater (Rut; Jes 63,16ff; Mal 2,10), aber auch tröstende Mutter (Jes 49,15; 66,13) oder eine Frau in Geburtsschmerzen (Jes 42,14). Aber es dürfte, gerade aus den Kreisen der Frauen, auch Widerstand dagegen gegeben haben, daß der Nationalgott JHWH nun die Haus- und Familienreligion vereinnahmte. Jer 44, das Streitgespräch des Propheten mit den Frauen und Männern im ägyptischen Exil um den Kult JHWHs oder der Himmelskönigin, ist ein sehr aufschlußreicher Text. Er zeigt nämlich, daß die grundsätzlichsten und radikalen Anfragen an den Wert und Sinn der JHWH-Verehrung aus dem familiären Milieu kamen, in dem der Nationalgott gar keine große Rolle spielte, während man sich von der Himmelskönigin Brot, Sicherheit, Frieden und Wohlergehen versprach[60]. In diesen Spannungsfeldern sind die verschiedenen theologischen Strömungen der frühnachexilischen Zeit zu situieren.

Die Botschaft und die Praxis der Deutero- und Tritojesaja-Bewegung steht ganz im Zeichen der neuen Gotteserfahrung, der Erfahrung, daß Gott ein Gott der Armen ist, der gerechtes Handeln mehr liebt als verlogene Frömmigkeit im Dienst der Ausbeutung der eigenen Volksgenossen (z. B. Jes 58). Die Theologie der Schüler/-innen des Jesaja ist getragen von einem über Israel hinausweisenden, integrativen Univeralismus, der einen Kyros als Messias JHWHs zu deuten wagt (Jes 45), den Fremdlingen und Eunuchen volle Teilhabe an Gottes Heil zusagt (Jes 56), die ganze Schöpfung und alle Völker in die neue Geschichte Gottes mit Israel einbezieht. Dieser

[59] Vgl. dazu *Erhard S. Gerstenberger,* Jahwe – ein patriarchaler Gott?, Stuttgart u. a. 1988, 17–27.

[60] A.a.O. 27–37. Zum Kult der Himmelskönigin vgl. auch *Winter,* Frau und Göttin (s. Anm. 20) 455–460, 561–576.

Gott thront nach Jes 57,15 „in der Höhe und als Heiliger und bei den Zerschlagenen und Demütigen". Am Tempel als Wohnsitz Gottes und am mit dem Tempel verbundenen Kultwesen und Priestertum hat Deuterojesaja wenig Interesse, Tritojesaja äußert sich sogar angesichts der einsetzenden Restauration kritisch gegen den Tempel:

So spricht JHWH:
Der Himmel ist mein Thron und die Erde der Schemel meiner Füße.
Was wäre das für ein Haus, das ihr mir bauen wolltet,
und welches wäre die Stätte meines Wohnens? (Jes 66,1).

Wenn überhaupt ein Tempel, dann als Bethaus für alle Völker (Jes 56,7), und wenn überhaupt Priester, dann sollen die Elenden und Trauernden Priester JHWHs genannt werden (Jes 61,6). Für Deutero- und Tritojesaja schließt der Glaube an den in der Weltgeschichte und in der Schöpfung erfahrbaren Gott JHWH die Existenz anderer Gottheiten grundsätzlich aus, jedoch nicht die Rede von JHWH in weiblich-mütterlichen Bildern. Der Monotheismus dieser Bewegungen ist patriarchal, aber nicht im Sinne einer Frontstellung gegen Frauen oder weibliche Gottesbilder schlechthin[61].

Auch die in der Weisheitstradition beheimateten Kreise, denen Deuterojesaja eher skeptisch gegenübersteht (Jes 44,25), suchen nach Antworten auf die Herausforderungen der Zeit, sie wollen „Gott suchen und finden". Sprüche 1–9, aber auch Ijob (Ijob 24) beschreiben die Realität nach der Rückkehr aus dem Exil sehr ähnlich wie Tritojesaja (z.B. Jes 57). Es herrscht Unrecht und Ausbeutung im Volk, einer bringt den anderen um die Existenz, in ein und derselben Familie gibt es Reiche und Arme. Die Sprüche richten sich dabei mit ihren Appellen wahrscheinlich stärker an die Gruppe der potentiellen Ausbeuter, an die wohlhabenderen Leute einer gebildeten Oberschicht. Diese werden gewarnt:

... wenn dich die Sünder locken,
so folge nicht; wenn sie sagen:
Geh mit uns, wir wollen den Frommen auflauern,
den Unschuldigen nachstellen ohne Ursache ... (Spr 1,10f).

oder:

Weigre dich nicht, dem Bedürftigen Gutes zu tun,
wenn es in deiner Macht steht.
Sprich nicht zum Nächsten:

---

[61] *Gerstenberger*, Jahwe (s. Anm. 59) 26.

Geh hin und komm wieder,
morgen will ich dir geben,
wenn du's doch jetzt kannst.
Sinne nichts Böses wider den Nächsten,
während er arglos neben dir wohnt ... (Spr 3,27–29).

Spr 1–9; 31,10–31 wirbt, in der alten Logik des Tun-Ergehen-Zusammenhangs verwurzelt, mit einer neuen Gestalt für ein solidarisches Verhalten in Israel, für *ṣdqh*. Nicht mehr der mit Weisheit begabte König ist Garant der gottgewollten Ordnung, sondern die Weisheit selbst, Gott im Bild der Umkehr predigenden und das Haus Israel neu aufbauenden Frau, der Frauen, die den Elenden und Armen die Hand entgegenstrecken (Spr 31,20) oder, wie die fremdländische Mutter Lemuels, ihre Söhne mahnen, für das Recht der Witwen und Waisen, der Elenden und Armen einzutreten (Spr 31,8–9). Die Weisheit übernimmt die klassischen Funktionen, die der israelitische König innegehabt hatte (Offenbarer des göttlichen Willens, Garant der gottgefälligen Ordnung und Gerechtigkeit, Repräsentant der Herrschaft JHWHs, autoritativer Ratgeber)[62].

Die Appelle der Chokmah sind beschwörend eindringlich, argumentativ aber eher hilflos. Die Weisheit droht und verspricht, sie stellt sich selbst dem Wert jeden Kapitals und jeder Beute gegenüber (Spr 8,10f.18f) und sagt denen, die vom solidarischen Verhalten abweichen, voraus, daß sie sich damit selbst den Strick drehen werden, sie bezichtigt sie der Nekrophilie (Spr 8,36). Die Rahmung des Sprüchebuches atmet denselben Geist des Universalismus und des Grenzen überschreitenden Internationalismus wie Deutero- und Tritojesaja, geht aber mit dem Entwurf eines selbständigen weiblichen Gottesbildes einen entschiedenen Schritt weiter. Die Chokmah ist ein einladend-integratives Symbol. Den Zion und den Tempel braucht diese Theologie sowenig wie Tritojesaja.

Welche Rolle in dieser neuen Weisheitstheologie die „fremde Frau" spielt und auf welche konkrete Realität die Texte über die „fremde Frau" reagieren, ist nicht leicht herauszufinden. Es gibt zwar keine Anhaltspunkte dafür, daß die „fremde Frau" oder die „törichte Frau" in den Sprüchen bereits als Personifikationen konzipiert wären, aber als religiöse Symbole verkörpern sie doch das Gegenteil der Chokmah, nämlich Identitätsgefährdung statt -findung,

[62] *Claudia Camp*, Wisdom and the Feminine 272–275; vgl. *Silvia Schroer*, Weise Frauen (s. Anm. 8) passim.

Tod statt Leben[63]. Während es in den Sprüchen aber trotz des Interesses für diese Gestalt an sich nicht um sie geht, sondern um den Ehebruch der Männer und darum, daß diese die Frauen ihrer Jugend verlassen, reagiert Esra (Esra 9–10; Neh 13) mit fanatischen und letztlich wohl auch erfolglosen Gesetzen auf die Mischehen, indem er die fremden Frauen zum Teufel jagt. Esra wie auch Maleachi (2,16) können sich dabei auf das alte israelitische Mißtrauen gegenüber den Töchtern eines fremden Gottes berufen. Auf die fremdenfeindlichen und sexistischen Verhaltensweisen antwortet das Buch Rut mit der Erzählung von einer Moabiterin, die zu einer vorbildlichen JHWHanhängerin wird. Ruts Verhalten auf der Tenne ist ja gar nicht so verschieden von dem der fremden Frau in den Sprüchen. Aber diese Schrift versucht solidarisches Verhalten gegenüber den fremden Frauen zu wecken und der Frauenfeindlichkeit so entgegenzutreten.

Die Bemühungen um einen offeneren, integrativeren JHWHglauben, in dem Frauen als religiöse Subjekte ernster genommen und die JHWHreligion stärker auf den Bereich der Familie und damit das Frauenleben bezogen wurden, fanden in der Restauration ein rasches Ende. Serubbabel und Josua, unterstützt von Haggai und Sacharja, drängen auf den Wiederaufbau des Altars und des Tempels in Jerusalem. Esra vertreibt die Ausländerinnen und sorgt für die exakte Beachtung des Gesetzes (Esr 9,1–10; 44; Neh 8,1–8). Nehemia treibt den Mauerbau voran. Der Widerstand gegen die restaurativen Bestrebungen (vgl. z.B. Esra 4,1–23), an dem offenbar auch Frauen beteiligt waren (Noadja in Neh 6,14), hatte wenig Erfolg. Nach kurzer Zeit schon bahnt sich eine neue Allianz von Tempel, Gesetz und Priestertum an, die zur führenden Bewegung der nachexilischen Zeit wird und die andere unabhängige Traditionen in Israel, wie die Weisheitstradition, mehr und mehr theologisch an die Leine zu nehmen versteht. Für die Frauen wie auch für das weisheitliche Gottesbild hat diese Entwicklung zu einer erneut tempel- und

---

[63] Daß die „Frau von Torheit" eine Personifikation sei, wird inzwischen nicht mehr allgemein angenommen (*Plöger*, Sprüche Salomos (s. Anm. 22) 106–109). Die Rezeptionsgeschichte macht aus der „fremden Frau" ein Symbol des Dämonischen und Bösen (Qumran 4Q 184,13); vgl. dazu besonders *Max Küchler*, Schweigen, Schmuck und Schleier. Drei neutestamentliche Vorschriften zur Verdrängung der Frauen auf dem Hintergrund einer frauenfeindlichen Exegese des Alten Testaments im antiken Judentum (NTOA 1), Fribourg – Göttingen 1986, 192–209. Die Ergebnisse der Untersuchungen von *Claudia Camp* zur „fremden Frau" sind insofern noch etwas unbefriedigend, als sie das Nebeneinander der frauenfreundlichen Weisheitsgestalt und der frauenfeindlichen „fremden Frau" nicht ganz zu erklären vermögen (a.a.O., 136f, 265–271).

kultzentrierten Nationalreligion, die von zadokidischen Priestern beherrscht und von priesterlichen Reinheitsvorstellungen geprägt war, schwerwiegende Folgen gezeitigt. Das hierokratische und theokratische Modell ist zumindest in seinen Auswirkungen frauenfeindlich[64]. Ein Symbol für diese Frauenfeindlichkeit ist die siebente Vision Sacharjas, in der die Frau im Scheffel aus dem Land verbannt wird. In Schinar wird man ihr ein Haus bauen, wo sie bleiben soll, in Israel darf sie kein Haus haben (Sach 5,5–11).

V. Das Schicksal der göttlichen Weisheit in den späteren Weisheitsschriften

Jede der Weisheitsschriften, in denen die personifizierte Chokmah in der späteren Zeit noch auftritt, hat ihr eigenes Frauen- und Gottesbild und spiegelt damit jeweils das Frauen- und Gottesbild ihrer Zeit, aber auch ihres Verfassers oder der Kreise, in denen er sich bewegte. Grundsätzlich scheint eine Korrelation zwischen der personifizierten Weisheit und dem Weisheitsverständnis der jeweiligen Schrift nachweisbar. Zudem korrespondiert aber auch das weisheitliche Gottesbild mit dem Frauenbild[65].

Es fällt auf, daß außer in Sirach 24 die Weisheit nicht mehr in der ersten Person auf Israel zugeht und spricht. Schon die Chokmah in Ijob 28 ist im Vergleich mit der Vielfalt ihrer Aspekte in Spr 1–9 nur noch eine blasse Gestalt, die den Menschen verborgen und nur Gott zugänglich ist, eine himmlisch-kosmische Größe, die die Weltordnung repräsentiert. Erstaunlicherweise gestaltet dann aber im 2. Jahrhundert v. Chr. Jesus Sirach mit der personifizierten Weisheit

---

[64] Es ist mir ein Anliegen, den alten – zum Teil stark antijudaistischen – Klischees von der Restauration als pauschaler Ursache und Weichenstellung für alle heute unliebsamen Entwicklungen nicht Hand zu bieten. Ob das theokratische Symbolsystem per definitionem frauenfeindlich ist, müßte historisch sehr genau überprüft werden, auch von jüdischen Theologinnen. Eine differenzierte und vorsichtige Darstellung der restaurativen Gruppen in ihrer Auseinandersetzung mit anderen nachexilischen Bewegungen und Theologien ist von daher wünschenswert. Der Beitrag von *Phyllis Bird* (The Place of Women in the Israelite Cultus) scheint mir methodisch zu wenig abgesichert gegen die auch in der christlichen Frauenforschung immer wieder drohenden Antijudaismen (vgl. zum Diskurs *Leonore Siegele-Wenschkewitz* [Hrsg.], Verdrängte Vergangenheit [s. Anm. 8]).

[65] Die folgenden Ausführungen erheben nicht den Anspruch, mehr als eine Skizze und vielleicht ein Anstoß zur Diskussion zu sein. Sie resultieren aus den Vorlesungen zum „Frauenbild und Gottesbild in der israelitischen Weisheit“, die ich im Wintersemester 89/90 an der Theologischen Fakultät Fribourg (Schweiz) halten durfte.

die zentralen theologischen Kapitel, die Drehpunkte seines Buches[66]. Obwohl die Chokmah bei Jesus Sirach wieder etwas mehr Farbe gewinnt, auch mit neuen Bildern gestaltet wird[67], gehen meine Beobachtungen an den Texten doch eher dahin, daß der Verfasser die personifizierte Weisheit in den Dienst für eine ausgesprochen patriarchale Theologie genommen hat. Schon der Umfang der Texte über gute und schlechte Ehefrauen, Töchter, die der väterlichen Kontrolle bedürfen, und viele andere weibliche Gefahren[68], läßt vermuten, daß Ben Sira Frauen als ein „Hauptthema" ansah und sich diesem Thema auch mit einigem pastoralem Engagement widmete. Die Frauen in Israel werden wohl gerade nicht so unterwürfig gewesen sein, wie er es beschwört. Seine Texte bilden nicht allgemein herrschende Realitäten ab, sondern projizieren männliche Wunschbilder[69]. Unter Frauenweisheit versteht Jesus Sirach, daß die Frau den eigenen Mann ehrt (26,26), ihm gehorcht, ihn stützt (36,26), dafür sorgt, daß er in Frieden alt wird, und daß sie immer schweigsam ist (26,1–2). „Liefere dich nicht der Frau aus, sonst tritt sie deine Würde mit Füßen" (Sir 9,2), mit solchen und ähnlich deutlichen Sätzen stärkt der Verfasser das patriarchale Regiment der Männer in Israel.

Er kämpft dabei wohl auch mit theologischen Mitteln, denn in seinem weisheitlichen Gottesbild wird die Unterwerfung des Weiblichen unter das Männliche nochmals deutlich abgebildet. So entwickelt das programmatische erste Kapitel nachdrücklich den Ti-

---

66 Die personifizierte Chokmah tritt auf in den Kapiteln 1; 6,18–31; 14,20 – 15,10; 24; 51,13–30. Zur Theologie dieser Texte vgl. besonders die grundlegende Monographie von *Johannes Marböck,* Weisheit im Wandel. Untersuchungen zur Weisheitstheologie bei Ben Sira, Bonn 1971.

67 So kennt Sir 14,20 – 15,10 und besonders Sir 24 die Chokmah in der Gestalt der Baum- oder Zweiggöttin, die der Verfasser aus palästinischen wie ägyptischen Traditionen gekannt haben mag (dazu *Schroer,* Zweiggöttin [s. Anm. 44] 218–221).

68 Aufschluß über das Frauenbild des Verfassers geben Sir 3,2–16; 4,10; 6,1; 7,19–27; 9,1–9; 19,2; 22,4–5; 23,16–27; 25,1.8; 25,13 – 26,27; 28,14; 33,20; 35,17f; 36,23–27; 37,11; 41,20–22; 42,6–14; 47,19–20.

69 Zu diesem methodisch wichtigen Ansatz der kritisch-feministischen Exegese vgl. *Schüssler Fiorenza,* Gedächtnis (s. Anm. 6) 93–98. Androzentrische Texte – die Verfasserin wählt das Beispiel der Mischna – dürfen nicht als objektive Darstellung der historischen Realität gewertet werden. Vielmehr stehen sie unter dem Verdacht, „soziotheologische Männerprojektion" (a.a.O. 95) zu sein, d.h. Wirklichkeitskonstruktionen in Reaktion auf soziopolitische Strömungen ihrer Zeit. Wenn ein androzentrischer Text die Unterwerfung von Frauen unter patriarchale Herrschaft sehr betont, so ist dies eher ein Hinweis, daß diese Unterwerfung umstritten war als eine Beschreibung der Norm. – *Warren C. Trenchard,* Ben Sira's View of Women. A Literary Analysis, Chico/ Calif. 1982, greift mit seiner Untersuchung zu kurz, wenn er für den Frauenhaß Ben Siras nur persönliche Ursachen bei diesem selbst sucht.

telvers „Alle Weisheit kommt vom Herrn", einen Satz mit sehr ausschließlichem Anspruch[70]. Nur Gott ist nach Ben Sira weise, und Weisheit besteht einzig darin, Gottesfurcht zu üben (Sir 1,14–30). Solche Gedanken sind nicht neu, sie finden sich auch in den Sprüchen (Spr 2,6 u. ö.). Neu ist aber das Insistieren auf der engen Verbindung von Weisheit und Gottesfurcht. Kapitel 24, das die Sophia im Gewand der Baumgöttinnen Palästinas und Ägyptens zeigt, bindet diese Gestalt dann unmißverständlich an Israel als Nation, an Jerusalem und an den Dienst im Tempel. Schließlich wird sie, in Weiterentwicklung der schon in Dtn 4,5–6 vollzogenen Vereinigung von Gesetz und Weisheit, mit der Tora des Mose identifiziert (eine für die jüdische Religion ganz entscheidende Weichenstellung)[71]. Jesus Sirach, der in seiner Person den priesterlichen Schriftgelehrten und Weisheitslehrer vereint, macht die Chokmah zu einer hypostasenartigen Repräsentantin der „Weisheit des Herrn" und zu einer priesterlichen Mittlerin im Tempeldienst. Die Weisheit lädt nicht in *ihr* Haus, sondern in den Tempel und betritt als mütterlich-schwesterlich Geliebte die Studierstube des Schriftgelehrten[72]. Für Jesus Sirach ist der Monotheismus exklusiv patriarchal. Die Weiblichkeit der Chokmah hat darin einen eindeutig untergeordneten Rang, ihre Beziehung zu JHWH und ihr Wirkungsfeld werden festgelegt. Gehorsam nimmt sie ihren Platz dort, wohin JHWH sie weist (Sir 24,8).

Die Sapientia Salomonis ist in ihrem Weisheitsbild sehr zwiespältig. Zum einen geht keine alttestamentliche Schrift in der erotischen Sprache so weit, das Verhältnis zwischen Gott und der Sophia als intime Liebe und die Sophia als Paredros Gottes zu beschreiben[73]. Auch dürfte die Sophia der Weisheit Salomos von der (außerordent-

---

[70] Der Ausschließlichkeitsanspruch könnte sich gegen „Weisheit" der hellenistischen Philosophie oder nicht-israelitischer Religionen richten. Er könnte auch gegen innerjüdische Strömungen gerichtet sein, für welche die personifizierte Weisheit als weibliches Gottesbild eine eigenständige Bedeutung erlangt hatte.

[71] Ich beziehe mich auf die Untersuchungen von: *Küchler,* Frühjüdische Weisheitstradition (s. Anm. 49) und *Eckhard J. Schnabel,* Law and Wisdom from Ben Sira to Paul (WUNT 2. Reihe 16), Tübingen 1985.

[72] Erst Jesus Sirach bringt übrigens die Chokmah mit der Mutterrolle in Verbindung (15,12; evtl. 24,18).

[73] Weish 8,3f; 9,4. Die vielen erotisch gefärbten Wörter im Griechischen werden in den verbreiteten Bibelübersetzungen zumeist „entschärft" (vgl. dazu *Dieter Georgi,* Weisheit Salomos [Jüdische Schriften aus hellenistisch-römischer Zeit III, Lfg. 4], Gütersloh 1980, 429f (s. Anm. 2a). – Vgl. zur Sapientia die Beiträge von *Dieter Georgi,* Frau Weisheit (s. Anm. 8), und *ders.,* Zum Wesen der Weisheit nach der „Weisheit Salomos", in: Jakob Taubes (Hrsg.), Gnosis und Politik (Religionstheorie und Politische Theologie 2), München – Paderborn 1984, 66–81.

lich emanzipatorischen) Theologie der Isisreligion im 1. Jahrhundert mitgeprägt worden sein, wie John S. Kloppenborg in einem überzeugenden Beitrag nachgewiesen hat[74]. Zum anderen kann aber die Weisheit jetzt nur noch von einzelnen Erlesenen, einer Elite also, bei Gott erbeten oder im Studium erfahren werden. Die Sophia der Kapitel 6–9 hat entrückte und himmlisch-vergeistigte Züge[75].

Als für die Sapientia verantwortliche Gruppen kommen vielleicht ähnliche Gemeinschaften in Frage wie die von Philo in seiner Schrift „De vita contemplativa" erwähnten Therapeuten und Therapeutinnen. Diese Gruppe lebte abseits vom Trubel der Städte und führte ein ganz dem Schriftenstudium gewidmetes asketisch-vergeistigtes Leben, bei dem man sich wortwörtlich von der Speise der Weisheit nährte (De vita contemplativa § 35). Zur Gemeinschaft waren auch Frauen zugelassen, die zwar für sich lebten und studierten, aber bei der kultischen Tischgemeinschaft in keiner Weise diskriminiert wurden[76]. Der Preis für die Gleichberechtigung und die individuelle Würde, die auch die Sapientia (3,13; 4,1–2) der Frau zugesteht, dürfte aber heutige Frauen skeptisch machen. Spiritualisierung, Leibfeindlichkeit und Jenseitsvertröstung sind eine Erbschaft, die vor allem das Christentum ja nachhhaltig geprägt hat.

Daß die Virulenz der Weisheit als weibliches Gottesbild in den Jahrhunderten vor und nach der Zeitenwende nicht nachließ, beweist Philo von Alexandrien. Er vollbringt in einem ungeheuren akrobatischen Akt das Kunststück, die Weisheit männlich zu machen und sie „Vater" zu nennen[77]:

Nun wird jedoch (an unserer Stelle) Bathuel als Vater der Rebekka bezeichnet; wie kann man aber die Tochter Gottes, die Weisheit, mit Fug und Recht Vater nennen? Wohl weil nur der Name der Weisheit weiblich, ihre Natur dagegen männlich ist. Denn auch die Tugenden haben sämtlich weibliche Namen, ihre Kräfte und Handlungen aber sind die vollkommener Männer. Da nun dasjenige Prinzip, das auf Gott folgt, an zweiter Stelle steht, mag es auch unter allen übrigen Dingen das ehrwürdigste sein, so hat es gleichsam zum Unterschied von dem Schöpfer des Alls, als einem männlichen Wesen, einen weiblichen Namen erhalten infolge seiner Ähnlichkeit mit den übri-

---

[74] Isis and Sophia in the Book of Wisdom: HThR 75 (1982) 57–84.

[75] *Dieter Georgi* vermutet hinter dieser Schrift mystisch-spekulative, wahrscheinlich sogar gnostisch-esoterische Kreise (Weisheit Salomos [s. Anm. 73] 395; Zum Wesen der Weisheit [s. Anm. 73] passim).

[76] Vgl. zu den Therapeuten/-innen *Dieter Georgi,* Frau Weisheit (s. Anm. 8) 253–259.

[77] De fuga et inventione § 51 ff (zu Gen 25,20). Deutsche Übersetzung nach *Leopold Cohn u. a.* (Hrsg.), Philo von Alexandria. Die Werke in deutscher Übersetzung, 8 Bde., Berlin 1964.

gen Dingen. Denn stets hat das Männliche den Vorrang, das Weibliche ist mangelhaft und steht zurück. Wir wollen also, ohne uns an den in den Namen zum Ausdruck kommenden Unterschied zu kehren, die Behauptung aufstellen, daß die Tochter Gottes, die Weisheit, männlich und daß sie ein Vater sei, der in den Seelen Lernen, Bildung, Wissen, Einsicht und gute und lobenswerte Handlungen aussät und erzeugt.

Es gibt für diese abstrusen Spekulationen keine andere Erklärung, als daß Philo auf Kreise und Ansichten reagierte, in denen die Weiblichkeit der Sophia wörtlich genommen wurde[78]. Seine philosophisch-theologische Spekulation zielt darauf, die ursprünglichen, biblischen Attribute der Sophia dem männlichen Logos zuzuordnen und die Sophia zu einer Muttergestalt, zur Mutter des Logos zu machen[79]. Obwohl sich Philos Einfluß in den neutestamentlichen Schriften schon sehr stark bemerkbar macht – sie sprechen bereits bevorzugt vom Pneuma und Logos statt der Sophia –, ist doch von den Evangelien bis zu den Briefen ein vitales Weiterleben des weisheitlichen Gottesbildes und zudem die Entwicklung einer Sophia-Christologie rekonstruierbar. Elisabeth Schüssler Fiorenza[80] hat nachgewiesen, daß gerade dieses Gottes- und Christusbild dem jungen Christen/-innentum entscheidende emanzipatorische Impulse gegeben hat und die integrativ-offene Praxis der Tischgemeinschaft mit den Ausgestoßenen der damaligen Zeit theologisch getragen hat. Trotz dieses Revivals ist es den Kirchenvätern aber bereits in den ersten vier Jahrhunderten der Kirchengeschichte gelungen, die biblische Sophia erneut auszuschalten und zu verhindern, daß sie bei den Menschen und in der Trinitätskonzeption den Platz bekommen hätte, der ihr zusteht. Die christliche Ikonographie der Sophia, aber auch die Texte einer Hildegard von Bingen zeigen jedoch, daß es nie völlig gelungen ist, die weibliche Kraft dieser Gestalt zu brechen[81].

---

[78] Vgl. die Besprechung dieses Abschnittes bei *Georgi,* Frau Weisheit (s. Anm. 8) 249–253.

[79] Vgl. die Monographie von *Burton L. Mack,* Logos und Sophia. Untersuchungen zur Weisheitstheologie im hellenistischen Judentum (StUNT 10), Göttingen 1973.

[80] *Schüssler Fiorenza,* Gedächtnis (s. Anm. 6) 177–189; *dies.,* Auf den Spuren der Weisheit – Weisheitstheologisches Urgestein, in: Verena Wodtke (Hrsg.), Auf den Spuren der Weisheit. Sophia – Wegweiserin für ein weibliches Gottesbild, Freiburg i. Br. 1991, 24–40. Vgl. auch *Gottfried Schimanowsky,* Weisheit und Messias (WUNT 2. Reihe 17), Tübingen 1985, und *Karl-Josef Kuschel,* Geboren vor aller Zeit? Der Streit um Christi Ursprung, München – Zürich 1990.

[81] Vgl. den Beitrag von *Monika Leisch-Kiesl,* „Sophia" in der bildenden Kunst: Bibel heute 103 (1990) 158–160.

Vorausgesetzt, daß wir die Gestalt der personifizierten Weisheit nicht als abgeschlossen betrachten und sie quasi verbrauchergerecht aus der Verpackung des Alten Testaments herausnehmen wollen, möchte ich eine nachdrücklich positive Antwort auf die Frage geben, ob die Weisheit die Zukunft einer feministisch-christlichen Spiritualität sein könnte. Als Grundlage kommt dabei der Chokmah der Sprüche aus feministisch-theologischen Gründen sicher ein Vorrang zu. Was uns historisch berechtigt und bestärken sollte, das weisheitliche Gottesbild der biblischen Texte heute wieder in die Theologie und die Kirche einzubringen, ist vor allem die Vergleichbarkeit der exilisch-nachexilischen Epoche mit den Herausforderungen unserer heutigen Welt. Die alten Frauenbilder sind bei uns genauso am Zerbrechen wie die rein männlichen Gottesbilder. Die Kirche steht vor der Entscheidung, ob sie angesichts all der neuen Herausforderungen dieses Zeitalters die Restauration will oder den Mut hat, über die Grenzen zu gehen, die Mauern abzubrechen, statt neue aufzubauen. Die Chokmah könnte mehrere Beiträge zu einer integrativeren, offeneren christlichen Religion leisten[82].

1. Sie kann zu einem gleichrangigen weiblichen Gottesbild ausgestaltet werden, das austauschbar ist mit dem männlichen Gottesbild, neben dies treten kann, es aber zugleich kritisch korrigiert, ohne den Monotheismus in Frage zu stellen. Zudem gibt es eine biblische Tradition, die sie mit Christus identifiziert, der ja nicht männlich noch weiblich ist. Und innerhalb der Trinität kann die Sophia somit alternativ auch die Stelle des heiligen Geistes einnehmen.

2. Die personifizierte Weisheit integriert die altorientalischen und hellenistischen Göttinnen in reflektierter Mythologie, ja sie lebt von der Sprache, den Bildern, der Theologie und der Kraft der Maat-, der Hathor- oder der Isisverehrung. Hierin läge auch heute (und ich denke nicht nur an die Göttinnen suchenden Mitteleuropäerinnen, sondern auch an den hinduistisch-christlichen Dialog in Indien) eine Chance, die jüdisch-christliche Religion und Tradition zu einer Heimat für Frauen zu gestalten.

3. Die personifizierte Weisheit ist eine Verbindung und Verbundenheit schaffende Gestalt. Sie vereinigt die Transzendenz mit dem Weiblichen, Gott mit der menschlichen Erfahrung, die Theologie

---

[82] Die folgenden Punkte sind in Anlehnung an *Cady/Ronan/Taussig*, Sophia (s. Anm. 1) 76–93, zusammengefaßt.

mit dem Alltag, die Lehrerin mit der Lehre, die Schöpferin mit dem Schöpfungsprinzip. Sophia-Spiritualität wird im Dienst der Verbundenheit der Menschen untereinander und der Menschen mit der Schöpfung stehen, sie wird aus ihrer eigenen, inneren Kraft heraus die Grenzen der Kulturen, Nationen und Rassen, die Grenzen zwischen Arm und Reich, Mann und Frau und die Grenzen zwischen den Religionen überschreiten. Sie könnte einen Beitrag dazu leisten, daß unsere Theologie mehr mit der Welt zu tun bekommt und die Welt etwas aufmerksamer auf die Bedürfnisse der Frauen und die Stimme Gottes achtet.

Es ist diese integrierende Kraft, die die Chokmah als eine, vielleicht nicht die einzige, vielversprechende Zukunft christlicher Spiritualität erscheinen läßt. Durch den Reichtum der biblischen Gottesbilder könnten so unsere heutigen Gottesbilder bereichert werden. Denn „Du sollst dir nicht ein Bild von Gott machen" – so deutet und aktualisiert die jüdische Theologin Marcia Falk das Bilderverbot[83] –, das heißt nicht „Du sollst dir überhaupt kein Bild von Gott machen", sondern „Du sollst dir niemals nur *ein* Bild von Gott machen". Denn *ein* Bild von Gott ist ein Götzenbild.

---

[83] *Marcia Falk,* Toward a Feminist Jewish Reconstruction of Monotheism: Tikkun 4/4 (1989) 52–56.

Göttliche Weisheit und nachexilischer Monotheismus

Bemerkungen und Rückfragen zum Beitrag von Silvia Schroer

Von Gottfried Vanoni, Mödling

Der Beitrag von Silvia Schroer verdiente eine ernsthaftere Auseinandersetzung als die, die ich jetzt nach zehntägiger Ferienbetrachtung (fern von Büchern und Datenbanken) leisten kann. Unter diesem Vorzeichen bitte ich das Folgende anzuhören. Auch wäre es mir lieber gewesen, wenn man einen feministisch arbeitenden Menschen auf diesen feministischen Beitrag angesetzt hätte. Ich ließ mir jedoch vom Vorsitzenden sagen, daß weibliche und männliche Betrachtungsweise einander ergänzen könnten[1].

[1] Zunächst war geplant, mein Korreferat für den Druck in einen Aufsatz umzuarbeiten, der die Luzerner Diskussion zusammenfaßt und weiterführt. Nachdem mir Frau Kollegin Schroer mitgeteilt hatte, sie würde ihren Text im großen und ganzen stehen lassen und Ergänzungen in den Anmerkungen unterbringen, schien es mir im Sinne größerer Fairneß zu liegen, das Korreferat unverändert wiederzugeben und Belegmaterial sowie weiterführende Gesichtspunkte unter die Anmerkungslinie zu setzen. Den Leserinnen und Lesern bringt dieses Vorgehen zudem den Vorteil, sich unmittelbarer in die Luzerner Diskussion hineinversetzen zu können. Für Frau Schroer bringt es die Enttäuschung, daß ich meine konkreten Einwendungen nun doch mit dem Thema „Bilderverbot" eröffne. Ihr wäre es lieb gewesen, „wenn die Aufmerksamkeit nicht allzusehr auf diese Nebensächlichkeit gelenkt würde" (brieflich). Das war nicht meine Absicht in Luzern. Ich bin einfach so verfahren, wie wir es in den Gesprächen des Alltags tun, wenn wir nämlich dort einsetzen, wo die anderen aufgehört haben. Die Sache gibt mir dennoch zu denken. Hierzu ein paar Gedanken: Die Frage „Nebensächlichkeit oder nicht?" gehört in den subjektiven Bereich der Wissenschaft, über den vermehrt nachzudenken wäre. Muß die Wissenschaft langweiliger werden, wenn wir weniger „rote Tücher" voreinander ausspannen? Woher kommt es, daß wir Leute von der theologischen Zunft unsere wissenschaftlichen Arbeiten am Ende mit einem (für uns nebensächlichen) schönen oder frommen Zitat absegnen müssen?
Die folgenden Anmerkungen können nicht annäherungsweise dokumentieren, wie fruchtbar der Anstoß von feministischen Fragestellungen (so neu, wie es oben in der Captatio benevolentiae klingen mag, sind sie mir nicht!) für die eigene Arbeit sein kann. Mit Gewinn studiert habe ich vor allem Arbeiten aus der Sprachwissenschaft, jener Disziplin, deren feministische Brisanz (wenigstens im deutschsprachigen Raum) relativ spät entdeckt wurde. Für den Einstieg (und für umfangreiche Bibliographien) empfehle ich: *Senta Trömel-Plötz,* Frauensprache – Sprache der Veränderung (Fischer Taschenbuch 3725), Frankfurt 1982; *Luise F. Pusch,* Das Deutsche als Männersprache. Aufsätze und Glossen zur feministischen Linguistik (edition suhrkamp 1217), Frank-

Im konkreten Fall Schroer/Vanoni und aus der Sicht Vanoni schaut diese Ergänzung nun so aus: Es gibt Übereinstimmung im Anliegen, die exilisch-nachexilischen Aufbrechungen eines einseitig männlichen Gottesbildes ernst zu nehmen. Diese Aufbrechungen haben nicht nur Legitimations-, sondern auch Modellcharakter für eine integrative christliche Spiritualität. Ich denke, daß es da noch viel zu entdecken und aufzuarbeiten gibt. Anfragen und Kritikpunkte ergeben sich für mich vor allem in methodischer Hinsicht und in Detailfragen. Und da muß ich von vornherein festhalten, daß meine Kritik Gesichtspunkte betrifft, die mir nicht speziell in feministischer Argumentation auffallen, sondern allgemeine Verbreitung finden: Unterbewertung der Formalstruktur der Sprache trotz formaler, formgeschichtlicher Argumentation; Ausblendung beziehungsweise Vernachlässigung der Gegenprobe; Überzeichnung von Gegensätzen und dadurch Fehleinschätzung von Entwicklungen und Zusammenhängen. In manchen Punkten traue ich mir im Moment kein Urteil zu. Dann bringe ich meine Beobachtungen als Anfragen ein. Vielleicht sind sie bei den Gewährsleuten von Frau Schroer bereits beantwortet. Vielleicht können sie aus der Kollegenschaft beantwortet werden. Vielleicht sind sie Anlaß zu weiterem Forschen.

Als Beispiel für eine Überstrapazierung der Sprache möchte ich das Wortspiel mit dem Bilderverbot nennen. Die Formulierung *l't'śh lk psl* („du sollst dir kein Bild machen") in Ex 20,4 gibt die Deutung „niemals nur ein Bild" einfach nicht her. Ich würde mich in diesem Fall nicht auf das Bilderverbot berufen, sondern auf jene anderen biblischen Traditionen, die durch Zweizahl der Bilder beziehungsweise Postamente die Verwechselbarkeit mit Gott ausschließen: die Keruben und die goldenen Jungstiere[2]. Ich kann mir

---

furt 1984. Das relativ späte feministische „Erwachen" der Linguistik spiegelt sich auch in der Literaturliste bei *Claudia V. Camp,* Wisdom and the Feminine in the Book of Proverbs (Bible and literature series 11), Sheffield 1985, in der sprach- und literaturwissenschaftliche Arbeiten breit vorhanden sind. Der Exegese, die primär an toten Sprachen arbeitet, wird am ehesten der Ansatz der Komparatistik weiterhelfen. Den neuesten Stand mit ausführlicher Diskussion früherer Ansätze bietet: *Marlis Hellinger,* Kontrastive feministische Linguistik. Mechanismen sprachlicher Diskriminierung im Englischen und Deutschen (Forum Sprache), Ismaning 1990. – Zitate im Text ohne Quellenangabe beziehen sich auf die Luzerner Fassung des Referats von Frau Schroer.

[2] Keruben: 1 Kön 6,23–28. Jungstiere: 1 Kön 12,28–29. Die Verteilung der beiden Stiere auf Bet-El und Dan ist literarisch sekundär und historisch fraglich; vgl. *Gottfried Vanoni,* Literarkritik und Grammatik. Untersuchung der Wiederholungen und Spannungen in 1 Kön 11–12 (ATS 21), St. Ottilien 1984, 137–141.

auch die Stelle Gen 1,27[3], die im Referat erwähnt wurde, auf dieser Linie vorstellen.

Ich weiß nicht, ob die vorsichtige Vermutung, daß „in nachexilischen Texten ... die weiblichen Formen von Substantiven und Verben anscheinend häufiger benutzt werden", in unserer Frage weiterhilft. Eine solche These ist so sehr mit der ganzen Datierungsproblematik verknüpft, daß Zirkelargumentationen kaum zu vermeiden sind. Mir ist eher im Gedächtnis, daß in späten Texten das Phänomen der Genus-Disgruenz zunimmt und daß bei femininen Subjekten öfters maskuline Prädikate stehen[4].

Bleiben wir bei den femininen Morphemen[5]. Für mich ist nicht

---

[3] Wortwahl und Satzfigur („Gott schuf den Menschen als sein Abbild") erinnern nicht im geringsten an das Bilderverbot. Diskussion der wichtigsten Positionen zum „Abbild Gottes" bei *Erich Zenger,* Gottes Bogen in den Wolken. Untersuchungen zu Komposition und Theologie der priesterlichen Urgeschichte (SBS 112), Stuttgart 1983, 84–96. *Phyllis A. Bird,* „Male and Female He Created Them". Gen 1:27b in the Context of the Priestly Account of Creation: HThR 74 (1981) 129–159, lehnt eine Überinterpretation des Satzes „als Mann und Frau schuf er sie" ab: „It describes the biological pair, not a social partnership; male and female, not man and wife" (155), behauptet, die Priesterschrift enthalte keine „doctrine of the equality – or inequality – of the sexes" (157), besteht dann aber doch auf einer gewissen „Gleichheit": „*both* male and female must be characterized equally by the image" (159). So wichtig die Frage nach Rolle und Funktion des Menschen als „Abbild" ist, sie sollte nicht die Frage verdrängen, was das doppelte/paarhafte Vorhandensein des „Abbildes" in der Vorstellung und somit „theologisch" (im Hinblick auf Gott) bewirkt. Angezielt ist wohl nicht eine paarhafte bzw. doppelgeschlechtliche Gottesvorstellung, sondern vielmehr die Ablehnung einer direkten Gottesvorstellung durch Ausschluß der Verwechselbarkeit.

[4] Literatur bei *Vanoni,* Literarkritik (s. Anm. 2) 89. Zum fast völligen Zurücktreten bestimmter femininer Morpheme im späten Bibelhebräisch vgl. *Arno Kropat,* Die Syntax des Autors der Chronik verglichen mit der seiner Quellen (BZAW 16), Gießen 1909, 61–62. Die umfangreiche, differenzierte Materialsammlung bei *Jaakov Levi,* Die Inkongruenz im biblischen Hebräisch, Wiesbaden 1987, mahnt zur Vorsicht bei der Postulierung von einlinigen Entwicklungen; immerhin beobachtet er beim Verb „eine Entwicklung, die auf die Aufhebung der Unterscheidung zwischen Plur.m. und Plur.f. abzielt" (159), ähnlich bei den Pronomina (161). Der Verweis von *Silvia Schroer* (in diesem Band) auf *Erich Zenger,* Das Buch Ruth (ZBK AT 8), Zürich 1986, 27, bietet allerdings keine Stütze gegen meinen Einwand; Zenger weist auf ein anderes „Phänomen der späten Sprache" hin, das ich freilich allerdings auch (nicht nur wegen der Zirkelschlußgefahr) mit Skepsis betrachte.

[5] In Luzern wurde in Gesprächen am Rande die sogenannte „Markiertheit" diskutiert. Ich vertrat damals die Meinung, daß sich die Markiertheitstheorie von der Phonologie, wo sie entwickelt wurde, ohne weiteres auf alle höheren Sprachebenen übertragen läßt. Nach der Markiertheitstheorie kann das unmarkierte (merkmallose bzw. generische) Glied eines Oppositionspaares die Funktion des markierten (merkmalhaltigen bzw. nicht-generischen) Gliedes mit übernehmen. Es entspricht der Markiertheitstheorie, was *Zenger,* Ruth (s. Anm. 4) 53, für die Morphologie festhält: „Grammatisch kann im Plural die Maskulinform das Femininum mitvertreten bzw. miteinschließen; mit dem männlichen Oberbegriff ‚die Erntenden' bezeichnet der Erzähler ‚die Knechte und die Mägde', von denen die Rede ist." In der Zwischenzeit bin ich, vor allem durch das Studium von *Hellinger,* Linguistik (s. Anm. 1), zu einem differenzierteren Bild gelangt.

einsichtig, warum auf der einen Seite *ḥkmh* „Weisheit" in der Rahmung der Spr einseitig auf Frauenweisheit ausgelegt wird[6], während auf der anderen Seite schlimme Sündenfälle des Jesus Sirach darin bestehen, daß er JHWH-Furcht und Tora aufwertet, die ja auch feminin sind. Natürlich weiß ich, daß *yr'h* und *twrh* andere Fügungen eingehen als *ḥkmh*[7] und daß sich in der Weisheitsliteratur eine „Weisheit JHWHs" erst bei Sir findet[8]. Die JHWH-Furcht-Stellen in der Rahmung der Spr und die beiden *ḥkmh*-Stellen Spr 2,6, wonach

---

Wir haben es hier mit äußerst komplexen Verhältnissen zu tun, die nicht nur von Ausdruck zu Ausdruck (Hellinger, a.a.O. 95: „Ausdrücke wie ‚männliche und weibliche Prinzen' sind im Gegensatz zu ‚männliche und weibliche Kandidaten' nicht akzeptabel"), sondern auch von Sprache zu Sprache wechseln. So wird die Untersuchung der Verhältnisse im Bibelhebräischen zum schier unlösbaren Problem. Einige Grundsätze: (a) Nicht die Probleme der eigenen Sprache in andere Sprachen hineintragen (deutsch „Brüder" schließt „Schwestern" bestimmt nicht ein, weil eine andere Wurzel vorliegt; anders im Spanischen, wo auch noch für heutige native speakers in „hermanos" „hermanas" eingeschlossen sein können; ähnliches dürfte für hebräisch *'ḥym* „Brüder [und Schwestern]" und *bnym* „Söhne [und Töchter]" gelten; daß das Vermeiden von markierten Sprachelementen nicht unbedingt „patriarchalische" Gründe hat, zeigt das moderne Hebräisch, wo die komplizierte Feminin-Plural-Form des Verbs auch von Frauen kaum mehr verwendet wird; vgl. *Levi,* Inkongruenz [s. Anm. 4] 159)! Umkehrung: Diese Verhältnisse bei der Übersetzung berücksichtigen! (b) Zwischen syntaktischen („feminin") und semantischen („weiblich") Kategorien unterscheiden! Nicht jedes „Femininum" ist „weiblich" (*'bwt* „Väter" mit Feminin-Endung für Einzel-Plural; *'nyh* „Schiff" mit Feminin-Endung für Einzel-Singular; vgl. *Diethelm Michel,* Grundlegung einer hebräischen Syntax, Teil 1, Neukirchen-Vluyn 1977; bei der Personifikation ändern sich die Verhältnisse; vgl. *Donald G. MacKay / Toshi Konishi,* Personification and the pronoun problem: Women's Studies International Quarterly 3 [1980] 149–163). (c) Das markierte Glied ist nicht immer feminin (vgl. „Ziege" [auch als Oberbegriff] vs. „Ziegenbock"). (d) Das Problem stellt sich bei den Pronomina anders als bei den Nomina (gilt vor allem im Singular: „er" schließt „sie" nicht ein). Spezialfall: *'th* „du" in den Gesetzespartien: Im Anschluß an das Referat von *Georg Braulik* (in diesem Band) wurde in Luzern die Frage diskutiert, ob „du" die Frau mitmeinen kann. Ich denke, wir sollten nicht von der masoretischen Textfassung inklusive Matres lectionis ausgehen. Über die Schreibung des Schluß-*h* in maskulin „du" und die Aussprache von Auslaut-Vokalen in biblischer Zeit wissen wir zu wenig, um die vom Kollegen *Braulik* vorgeschlagene Lösung ablehnen zu können (zur Illustration des Problems vgl. *Klaus Beyer,* Althebräische Grammatik, Göttingen 1969, 40; zur Defektiv-Schreibung von maskulin „du" vgl. *Solomon Mandelkern,* Concordantiae 1261–62). Nachdem das Deuteronomium zum Lesen bestimmt war, werden alle, die es in die Hand bekommen haben, so gelesen haben, wie sie sich angesprochen hörten.

[6] Der in der Luzerner Diskussion vorgebrachte Einwand, die personifizierte Weisheit übernehme nicht nur Funktionen von Frauen, sondern noch viel deutlicher Funktionen des Königs, findet bei *Camp,* Wisdom (s. Anm. 1) 272–281, diskutable Berücksichtigung („Female Wisdom as a Mediator Between God and Humankind").

[7] Vgl. die Konkordanzen und die einschlägigen Artikel in THAT und ThWAT. *ḥkmh* steht außerhalb von Ijob, Spr und Koh viel häufiger im Status constructus/pronominalis (sonst nur Spr 5,1; 14,8; Koh 2,9; 8,1; 9,15.16).

[8] Sir 15,18; 36,8.11; „Weisheit Gottes" *(ḥkmt 'lhym)* sonst nur noch 1 Kön 3,28. Dagegen ist „Furcht JHWHs/Gottes" in der Weisheitsliteratur breit belegt.

„JHWH Weisheit gibt *(ntn)*", und Spr 3,19, wonach „JHWH die Erde in/mit Weisheit *(bḥkmh)* gründet", sollten doch bei der Betrachtung der nachexilischen Redaktion der Spr untergebracht werden und nicht erst im Vergleich mit Sir. Auch wenn es nur wenige Stellen sind: Sie stehen innerhalb der jüngsten Sammlung und verlangen gerade dann nach Integration, wenn der Schlußredaktion der Spr solches Gewicht zugemessen wird.

Ich hätte gerne eine Antwort darauf[9], ob und wie sich zwei Beobachtungsreihen in die These integrieren lassen, daß eine Personifikation der Weisheit vorliegt und daß diese Personifikation die Lehren der älteren Sentenzensammlungen „zu *der* Weisheit vereint, also zu *einer* Lehre". Erste Beobachtung: Im Vergleich mit Ijob, Koh und Sir finden sich in den Spr äußerst selten determinierte Fügungen von *ḥkmh,* nämlich nur zweimal (2,2; 5,1), im ersten Fall durch die LXX nicht gedeckt, während umgekehrt die LXX in mindestens sechs Fällen[10] die Determination setzt, wo sie im MT fehlt. Wäre bei Personifikationen nicht eher der Artikelgebrauch zu erwarten? Oder soll die indeterminierte Verwendung in Analogie zu Eigennamen stehen? Dagegen spricht jedoch die zweite Beobachtungsreihe: Nirgends so wie in der jüngsten Sammlung der Spr treten im Parallelismus zu *ḥkmh* Synonyme auf (in den älteren Sammlungen sind es eher Antonyme, und *ḥkmh* bleibt isolierter Gegenpol)[11]. Die Synonyme *tbwnh, bynh* „Einsicht", *mzmh* „Sinnen", *mwsr* „Zurechtweisung", *d't* „Wissen" (vielleicht darf man auch *yr'h* „Furcht" dazurechnen) treten auch da auf, wo Verb- und Nomenklasse des Kontextes tatsächlich für eine Personifikation sprechen wie etwa zu Beginn des wichtigen Kapitels 8. Läßt sich dafür eine Erklärung finden[12]?

[9] Auf der Luzerner Tagung blieben die Fragen unbeantwortet. Für manche Anregung habe ich der Münchener hebraistischen Arbeitsgemeinschaft zu danken, der ich die Fragen im Oktober 1990 vorlegen durfte.

[10] Spr 2,10; 3,19; 7,4; 8,1.12; 9,1 (vgl. noch 10,23; 20,13).

[11] Parallele Synonyme („!" bedeutet: mehrere Synonyme im Kontext): Spr 1,2!.7!; 2,2.6!.10!; 3,13.19; 4,5.7.11; 5,1!; 7,4; 8,1.11!.12!; 9,10!; 10,23; 14,6; 15,33!; 16,16; 21,30; 23,23!; 24,3!; 30,3!; 31,26. Parallele Antonyme (oft „Torheit"): 10,13; 11,2; 13,10; 14,1.8.33; 17,24; 28,26. Isoliertes Vorkommen von „Weisheit": 1,20; 9,1; 10,31; 17,16; 18,4; 24,14; 29,3.15. Als Gegenprobe zur oben im Text genannten Beobachtung kann die Beobachtung dienen, daß im Weisheits-Kapitel Sir 24 keine Parallelismen vorliegen.

[12] Oft wird in der Literatur die Frage diskutiert, ob Personifikation und/oder Hypostasierung der „Weisheit" vorliegt, wobei nicht immer klar ist, ob die Definitionen aus dem Bereich der Rhetorik/Literaturwissenschaft oder der Religionswissenschaft genommen sind; vgl. fürs erste *Helmer Ringgren,* Hypostasen, in: RGG[3] III (1959) 504–506. Seltener wird gefragt, welche Funktionen die Personifikation hat. Kaum jedoch wird die Frage angeschnitten, wie denn Personifikation sprachlich greifbar ist; zu

Den Vergleich der Sammlung 1–9 mit dem Schlußkapitel 31 kann ich zu einem Großteil nachvollziehen. Zu einem Teil kann ich auch der Argumentation folgen, daß *ḥkmh* Lob und Vertrauen zuteil werden wie sonst nur JHWH. Ich würde da aber die *bṭḥ*-„Vertrauen"-Stellen aus dem Spiel lassen, die einer Gegenprobe nicht standhalten (etwa Spr 1,33)[13]. Ich würde auch auf den Vergleich von Spr 31,25 mit Ps 96,6 oder 104,1 verzichten, da die Gemeinsamkeiten zu schwach sind[14]. Ich nenne diese Kleinigkeiten nicht, weil ich meine, daß mit ihnen die ganze Theorie zusammenfällt. Das Mosaik der Theorie würde aber an Schönheit und Akzeptanz gewinnen, wenn es nicht durch unpassende Steinchen beeinträchtigt würde. Ein wenig mehr stören mich zwei weitere Steinchen. Das eine ist die Behaup-

---

diesen Ausnahmefällen gehört die Arbeit von *Camp,* Wisdom (s. Anm. 1). Allerdings bleibt das Problem auf den Ebenen der Semantik (vgl. die von *G. G. Caird* übernommene Definition bei *Camp* a.a.O. 213: „to treat as a person that which is not a person") und Stilistik (vgl. die Kapitelüberschrift bei *Camp* a.a.O. 209: „Personification as a stylistic device"), die syntaktische Ebene wird leider kaum beschritten. Eingehende Untersuchungen könnten hier neue wichtige Gesichtspunkte in die Diskussion bringen. Einiges sei im Anschluß an *Camp* angedeutet. Sie behandelt drei Funktionen der Personifikation: (a) „Personification calls attention to the unity of the subject" (214); (b) „Personification makes generalizations from the multiplicity of human experience" (215); (c) „Personification combines a clear, literal subject with a metaphorical predicate" (217). Für unsere Fragestellung ist vor allem die erste Funktion interessant: Appellativa können die Funktion von Eigennamen bekommen. Insofern wäre der indeterminierte Gebrauch von *ḥkmh* „Weisheit" in den Spr im Sinne meiner Vermutung erklärbar. Tatsächlich ist Determination in Spr 8 auch sonst kaum zu belegen; Artikel findet sich nur 2mal bei Konkreta (V. 9.29; anderes *hḥkmh* „die Weisheit" in Ijob 28,12.20). Tatsächlich fehlt der Artikel auch in anderen Fällen von Personifikation (vgl. Ps 85,11: „Gerechtigkeit und Frieden küssen sich"; in den V. 11–14 überwiegt Indetermination). Indetermination bei Konkreta könnte auf Gebrauch als Eigenname weisen, etwa in Ps 72,1: „Verleih dein Richteramt *lmlk* (einem) König" (ist „Salomo" gemeint?). Ein wichtiges Merkmal für Personifikation ist also in Spr 8 gegeben. Alle drei von Camp genannten Funktionen treten jedoch in Konflikt zu meiner zweiten Beobachtungsreihe. Die Einheit und Klarheit des Subjekts ist nicht gegeben. Im Sinne der Referenzsemantik kann nicht von „Weisheit schlechthin" die Rede sein. Der massive Textbefund (vgl. Anm. 11) spricht für bewußte Aufweichung der personifizierten Figur. Ihrer Intention wird nur durch exakte Textanalysen auf die Spur zu kommen sein. Vgl. auch unten Anm. 19.

[13] Das Substantiv *bṭḥ* „Sicherheit" (oft mit „wohnen" verbunden) ist manchmal negativ besetzt („falsche Selbstsicherheit", vgl. nur Jes 47,8; Jer 49,31; Zef 2,15) und findet sich in positivem Sinn auch in nicht theologischer Verwendung (vgl. Ri 18,7; 1 Kön 5,5), weshalb in Spr 1,33 nicht automatisch theologische Konnotationen evoziert werden. *Erhard Gerstenberger, bṭḥ* vertrauen, in: ThWAT I, 300–305, führt die Stelle denn auch nicht unter der theologischen Rubrik an (303).

[14] Die Wortwahl von Spr 31,25a läßt sich aus dem Kontext erklären: Zwei der drei Ausdrücke sind Aufnahmen innerhalb des Gedichtes auf die „vermögende Frau": „Kraft" (17a), „ihr Gewand" (22b). Dieser Befund macht es unwahrscheinlich, daß zugleich eine intendierte Anspielung auf die beiden Psalmen vorliegt, wo sich jeweils nur zwei Ausdrücke finden, zudem in anderer Fügung.

tung, daß das *'ny* „ich“ der Ich-Reden die Selbstvorstellungsformel JHWHs in Ex 3 oder im Dekaloganfang evozieren soll. Für diesen Vergleich würde ich auf einer Übereinstimmung mindestens im Satztyp bestehen. Ich kann sie in keinem Fall finden (Gegenprobe: Ps 22,7)[15]. Das andere Steinchen ist die Gleichsetzung von *twrt 'mk* „Weisung deiner Mutter“ (in Spr 1,8; 6,20) mit der Tora. Der Parallelismus zeigt, daß es sich um familiäre Unterweisung handelt.

Das Stichwort Tora führt mich zu Sir zurück. Für mich ist Sir 24 eine gewaltige Synthese der alttestamentlichen Traditionen, wie man sie sonst kaum findet. Deshalb werden *ḥkmh* und *twrh* mit priesterlichen, geschichtstheologischen und prophetischen Motiven zusammengebracht. Kollegin Schroer sieht das Kapitel eher unter dem Blickwinkel der Vereinnahmung der Weisheit und redet von „Identität“ und „Identifikation“. Ich vertrete den Standpunkt, daß Synthese etwas anderes ist als Identifikation. Die Frauenfeindlichkeit des Jesus Sirach einmal eingestanden und auch eingestanden, daß für die *ḥkmh* der Spr durch die Synthese in Sir 24 Wichtiges verlorengeht: Die Abwärtsentwicklung scheint mir doch etwas überzeichnet[16], und sie gelingt nur durch das Herunterspielen wichtiger Textpartien im Buch der Spr. Die Warnungen vor der Frau in der jüngsten Sammlung (Spr 1–9) zum Beispiel machen immerhin exakt 25% des Textes aus.

Weitere Anfragen stelle ich nun aus Zeitmangel zurück. Ich

---

[15] Wer behauptet, Belege wie Spr 1,26; 8,12.14.17.27 würden Ex 3,6; 20,2 evozieren, müßte dies noch viel mehr für Ps 22,7 („ich bin ein Wurm“) annehmen. – Hier sei noch eine Anmerkung zur Form *ḥkmwt* für „Weisheit“ (Spr 1,20 u.a.) nachgetragen. Die Form ist, schon wegen der Vokalisierung, eher ein Singular (vgl. *Jacob Barth,* Die Nominalbildung in den semitischen Sprachen, Leipzig [2]1894, 411) als ein Abstrakt- oder Intensivplural, weshalb die Vermutung von *Silvia Schroer* (in diesem Band), es handle sich um eine „bewußte Parallelbildung“ zu *'lhym* „Gott“, fragwürdig wird, zumal kein Gleichklang vorliegt wie etwa bei den Nomina aus dem Götter-Verspottungs-Repertoire.

[16] Die Überzeichnung von Gegensätzen wirkt (auch wenn nicht intendiert) vorurteils- und schulbildend, weshalb sie (ebenso wie evolutionistische Niedergangs- und Aufstiegstheorien) wenigstens in der wissenschaftlichen Argumentation vermieden werden sollte. Ich finde jedenfalls die enge Verbindung von „Weisheit“ und „JHWH-Furcht“ (nicht „Gottesfurcht“!) schon in Spr (1,7; 9,10; vgl. 31,30). Damit ist ein Thema angeschlagen, das nach *Hubert Irsigler,* Besprechung zu *Camp,* Wisdom: BZ NF 34 (1990) 117–120, weiterer Klärung bedarf (119). Schon vor Sir 9,2 wird in Spr 31,3 vor der „Auslieferung an die Frau“ gewarnt. Daß eine Frau „immer schweigsam“ sein soll, ist nirgends die Meinung von Sir. Dagegen (und diese Art von Gegenprobe ist mir tausendmal wichtiger als die eben durchgeführte, die ja auch als männliche Empfindlichkeit interpretiert werden kann!) finden sich bei Sir neben seiner Hochachtung vor der Frau, die „schweigen“ kann (26,14), wiederholt Empfehlungen zum Schweigen auch für den Mann (20,5–8; 21,26; 32,8; vgl. schon Spr 11,12; 17,27–28).

möchte zum Schluß die Zustimmung unterstreichen, die in meiner Einleitung zur Sprache kam. Mein Votum lautet durchaus nicht: Im Prinzip ja, aber so nicht. Man/frau würde mich mißverstehen. Das Votum lautet: Ja, aber ohne die Auffüllungen/Extrapolationen, die die These ja auch gar nicht nötig hat. Das Votum lautet: *ḥkmh* in der jüngeren Weisheit (vor allem in Spr 8) ist eine Figur, die in die biblische Theologie integriert gehört und sie zu korrigieren hat. Das Bild muß noch verfeinert werden[17].

Gestatten Sie mir noch eine Anmerkung zu Ihrer Einschätzung von Deutero- und Tritojesaja. Sie formulieren negativ: Der Glaube an JHWH schließt „nicht die Rede von JHWH in weiblichen Bildern aus". Für Deuterojesaja kann meines Erachtens sogar positiv gelten, daß er sie einschließt. Jedenfalls scheint er für JHWH die Prädikation „Vater" *('b)* zu vermeiden, während „Frau" *('šh)* immerhin im Vergleich zur Sprache kommt (Jes 49,15). Deuterojesaja wirbt auch sonst für ein Umdenken im Gottesbild. In Jes 51,9–16 etwa soll der gewalttätige Drachendurchbohrer durch den eher weiblichen Tröster abgelöst werden[18].

Mit dieser Anmerkung zu Deuterojesaja bin ich nochmals bei dem Punkt, der mir besonders wesentlich scheint und der auch von Frau Schroer gesehen wird: Die Theologie der Spr ist nicht der einzige Versuch, ein einseitiges Gottesbild zu vermeiden oder aufzusprengen, sondern sie steht im Verein mit anderen exilischen, nachexilischen Ansätzen. Für mich ist dann weniger wichtig, wie das unübersehbare Schillern der *ḥkmh* „Weisheit" näher zu deuten sein wird. Vielleicht soll es eine erneute Polarisierung verhindern[19]? Für mich ist dann auch nicht so wichtig, wie stark in späteren Texten das Gefälle weg von den exilisch, nachexilischen Versuchen ist. Schlimm genug, daß es ein Gefälle gibt.

---

[17] Vgl. nun auch *Irsigler* in seiner positiven Besprechung (s. Anm. 16) zu *Camp,* Wisdom: Die Arbeit von Frau Camp „verlangt geradezu nach einer eingehenden exegetischen Einzeltextanalyse der Weisheitsgedichte von Spr 1–8, um die textuelle Eigengestalt der Rede von pers[onifizierter] W[eisheit] jeweils semantisch und funktional zu profilieren" (120).

[18] Begründung bei *Theodor Seidl,* Jahwe der Krieger – Jahwe der Tröster. Kritik und Neuinterpretation der Schöpfungsvorstellungen in Jesaja 51,9–16; Biblische Notizen 21 (1983) 116–134.

[19] Andere Kategorien zur Einordnung von eher polytheistischen Sprachspielen wendet *Herbert Niehr,* Der höchste Gott. Alttestamentlicher JHWH-Glaube im Kontext syrisch-kanaanäischer Religion des 1. Jahrtausends v. Chr. (BZAW 190). Berlin u. a. 1990, 205–220, an: „Rache des Mythos" und „literarischer Paganismus".

Autorinnen und Autoren

Georg Braulik OSB, geboren 1941 in Wien, Studien in Wien und Rom. Seit 1976 Professor für Alttestamentliche Bibelwissenschaft und Leiter der Abteilung Biblische Theologie an der Katholisch-Theologischen Fakultät der Universität Wien. Mehrfache Gastvorlesungen in Jerusalem. Veröffentlichungen u.a.: Psalm 40 und der Gottesknecht (fzb 18, Würzburg 1975); Die Mittel deuteronomischer Rhetorik, erhoben aus Deuteronomium 4,1–40 (AnBib 68, Rom 1978); Deuteronomium 1–16,17 (NEB 15, Würzburg 1986); Studien zur Theologie des Deuteronomiums (SBAB 2, Stuttgart 1988); Die deuteronomischen Gesetze und der Dekalog: Studien zum Aufbau von Deuteronomium 12–26 (SBS 145, Stuttgart 1991).

Hans-Winfried Jüngling SJ, 1938 in Breslau geboren, 1958 Eintritt in die Gesellschaft Jesu. Studium der Philosophie, Theologie, Bibelwissenschaft und Orientalistik in Pullach/München, Frankfurt am Main und Rom. Professor für Exegese des Alten Testaments an der Philosophisch-Theologischen Hochschule Sankt Georgen, Frankfurt am Main. Veröffentlichungen: Der Tod der Götter (1969); Richter 19 – Ein Plädoyer für das Königtum (1981); Ich bin Gott – keiner sonst (1981/1986).

Silvia Schroer, geb. 1958 in Münster/Westf., Studium der Altphilologie und Theologie in Münster, München und Fribourg. 1986 Promotion im Fach Altes Testament in Fribourg („In Israel gab es Bilder". OBO 74, Fribourg/Göttingen 1987), 1989 Habilitation mit einer ikonographischen Studie zu zwei Göttinnenmotiven auf den Stempelsiegeln aus Palästina/Israel (veröff. in: O. Keel / H. Keel-Leu / S. Schroer, Studien zu den Stempelsiegeln aus Palästina/Israel II: OBO 88, Fribourg/Göttingen 1991). Seit 1987 Leiterin der Bibelpastoralen Arbeitsstelle des Schweizerischen Kath. Bibelwerks in Zürich. Lehraufträge an verschiedenen theologischen Fakultäten und zahlreiche Publikationen im Bereich Ikonographie, Altes Testament sowie feministisch-kritische Bibellektüre.

Helen Schüngel-Straumann, geb. 1940 in St. Gallen/Schweiz, 1969 Promotion in Bonn (Fach Altes Testament), seit 1987 Professorin für Biblische Theologie an der Universität-Gesamthochschule Kassel. Zwei Söhne, geb. 1967 und 1970. Wichtigste Arbeitsgebiete: Altes Testament, Biblische Theologie, Feministische Theologie. Veröffentlichungen u.a.: Der Dekalog – Gottes Gebote?, Stuttgart [2]1980; Gott als Mutter in Hosea 11, ThQ 166 (1986) 119–134; Die Frau am Anfang. Eva und die Folgen, Freiburg 1989; Mitherausgeberin am Wörterbuch der Feministischen Theologie, Gütersloh 1991.

Gottfried Vanoni SVD, Dr. theol., geb. 1948 in Bad Ragaz (Ch), Studien in Mödling (Theologie) und München (Theologie, Semitistik). Professor für alttestamentliche Bibelwissenschaft und biblische Sprachen an der Theologischen Hochschule St. Gabriel (Steyler Missionare), A–2340 Mödling. Arbeitsschwerpunkte: Grammatik des Althebräischen, Deuteronomistisches Geschichtswerk, gesamtbiblische Theologie. Veröffentlichungen: Das Buch Jona. Literar- und formkritische Untersuchung (ATS 7), St. Ottilien 1978; Literarkritik und Grammatik. Untersuchung der Wiederholungen und Spannungen in 1 Kön 11–12 (ATS 21), St. Ottilien 1984.

Marie-Theres Wacker, geb. 1952 in Kaldenkirchen/Niederrhein. Studium in Bonn, Tübingen und Jerusalem (École Biblique), 1982 Promotion in Tübingen (Fach Altes Testament: „Weltordnung und Gericht. Studien zu 1 Henoch 22". FzB 45. Würzburg [2]1985). Seit 1978 verheiratet mit dem Theologen Bernd Wacker; zwei Töchter, geb. 1983 und 1986. Von 1981 bis 1989 Assistentin an der Universität-Gesamthochschule Paderborn, z. Zt. Habilitationsstipendium der DFG für ein Projekt zu Symbolik und Realität des Weiblichen im Hoseabuch. Veröffentlichungen u. a.: Der Gott der Männer und die Frauen (Hrsg.), Düsseldorf 1987; Theologie – feministisch (Hrsg.), Düsseldorf 1988; zus. m. Bernd Wacker: Verfolgt – verjagt – deportiert. Juden in Salzkotten 1933–1942, Wewelsburg 1988.

Erich Zenger, geb. 1939 in Dollnstein, Studium der Theologie und Orientalistik in Rom, Jerusalem, Heidelberg und Münster. 1971 Professor für Alttestamentliche Exegese in Eichstätt, seit 1973 in Münster. Veröffentlichungen u. a.: Die Sinaitheophanie (1971); Durchkreuztes Leben ([2]1982); Israel am Sinai ([2]1985); Der Gott der Bibel ([3]1986); Das Buch Judith (1986); Das Buch Exodus ([3]1987); Das Buch Ruth ([2]1991); Mit meinem Gott überspringe ich Mauern ([3]1991); Ich will die Morgenröte wecken (1991); Das Erste Testament. Die jüdische Bibel und die Christen (1991).

Black Religion / Womanist Thought / Social Justice
Series Editors Dwight N. Hopkins and Linda E. Thomas
Published by Palgrave Macmillan

"How Long this Road": Race, Religion, and the Legacy of C. Eric Lincoln
Edited by Alton B. Pollard, III and Love Henry Whelchel, Jr.

African American Humanist Principles: Living and Thinking Like the Children of Nimrod
By Anthony B. Pinn

White Theology: Outing Supremacy in Modernity
By James W. Perkinson

The Myth of Ham in Nineteenth-Century American Christianity: Race, Heathens, and the People of God
By Sylvester Johnson

Loving the Body: Black Religious Studies and the Erotic
Edited by Anthony B. Pinn and Dwight N. Hopkins

Transformative Pastoral Leadership in the Black Church
By Jeffery L. Tribble, Sr.

Shamanism, Racism, and Hip Hop Culture: Essays on White Supremacy and Black Subversion
By James W. Perkinson

Women, Ethics, and Inequality in U.S. Healthcare: "To Count Among the Living"
By Aana Marie Vigen

Black Theology in Transatlantic Dialogue: Inside Looking Out, Outside Looking In
By Anthony G. Reddie

Womanist Ethics and the Cultural Production of Evil
By Emilie M. Townes

Whiteness and Morality: Pursuing Racial Justice through Reparations and Sovereignty
By Jennifer Harvey

Black Theology and Pedagogy
By Noel Leo Erskine

The Theology of Martin Luther King, Jr. and Desmond Mpilo Tutu
By Johnny B. Hill

Conceptions of God, Freedom, and Ethics in African American and Jewish Theology
By Kurt Buhring

The Origins of Black Humanism in America: Reverend Ethelred Brown and the Unitarian Church
By Juan M. Floyd-Thomas

Black Religion and the Imagination of Matter in the Atlantic World
By James A. Noel

Bible Witness in Black Churches
By Garth Kasimu Baker-Fletcher

Enslaved Women and the Art of Resistance in Antebellum America
By Renee K. Harrison

Ethical Complications of Lynching: Ida B. Wells's Interrogation of American Terror
By Angela D. Sims

Representations of Homosexuality: Black Liberation Theology and Cultural Criticism
By Roger A. Sneed

The Tragic Vision of African American Religion
By Matthew V. Johnson

Beyond Slavery: Overcoming Its Religious and Sexual Legacies
Edited by Bernadette J. Brooten with the editorial assistance of Jacqueline L. Hazelton

Gifts of Virtue, Alice Walker, and Womanist Ethics
By Melanie Harris

Racism and the Image of God
By Karen Teel (forthcoming)

Self, Culture, and Others in Womanist Practical Theology
By Phillis Isabella Sheppard (forthcoming)

Women's Spirituality and Education in the Black Church
By Yolanda Y. Smith (forthcoming)

Bernadette J. Brooten, editor

Supported by a grant from the Ford Foundation.

Love Between Women: Early Christian Responses to Female Homoeroticism. Chicago: University of Chicago Press, 1996.

Winner of the 1997 Lambda Literary Award in the Lesbian Studies Category.

Winner of the 1997 Judy Grahn Award for Lesbian Non-Fiction, sponsored by the Publishing Triangle.

Winner of the 1997 American Academy of Religion Award for Excellence in the Study of Religion in the Historical Studies Category.

Nominated for the 1996 National Book Award.

Women Leaders in The Ancient Synagogue: Inscriptional Evidence and Background Issues. Brown Judaic Studies 36. Chico, CA: Scholars Press, 1982.

Frauen in der Männerkirche? (coedited with Norbert Greinacher). Mainz: Grünewald; Munich: Kaiser, 1982.

Numerous articles on Jewish and Christian women's history in the Roman period.

Beyond Slavery

Overcoming Its Religious and Sexual Legacies

Edited by

Bernadette J. Brooten

with the editorial assistance of
Jacqueline L. Hazelton

November 4, 2010

For Sue,
with gratitude for
your support of this
project and with admiration
of your work,
best wishes,
Bernadette

palgrave
macmillan

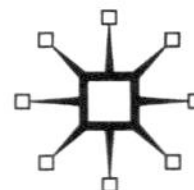

BEYOND SLAVERY

First published in 2010 by
PALGRAVE MACMILLAN®
in the United States—a division of St. Martin's Press LLC,
175 Fifth Avenue, New York, NY 10010.

Where this book is distributed in the UK, Europe and the rest of the world, this is by Palgrave Macmillan, a division of Macmillan Publishers Limited, registered in England, company number 785998, of Houndmills, Basingstoke, Hampshire RG21 6XS.

Palgrave Macmillan is the global academic imprint of the above companies and has companies and representatives throughout the world.

ISBN: 978–0–230–10016–9 (hardcover)
ISBN: 978–0–230–10017–6 (paperback)

Library of Congress Cataloging-in-Publication Data

Beyond slavery : overcoming its religious and sexual legacies / edited by Bernadette J. Brooten; with the editorial assistance of Jacqueline L. Hazelton.
p. cm.—(Black religion/womanist thought/social justice series)
ISBN 978–0–230–10016–9
1. Women slaves—United States—History. 2. Women—Sexual behavior—United States—History. 3. Slavery—Religious aspects I. Brooten, Bernadette J. II. Hazelton, Jacqueline L.

E443.B45 2010
306.3′62082—dc22 2010001492

A catalogue record of the book is available from the British Library.

Design by Newgen Imaging Systems (P) Ltd., Chennai, India.

First edition: October 2010

10 9 8 7 6 5 4 3 2 1

Printed in the United States of America.

Contents

Introduction

Bernadette J. Brooten

I, too, live in the time of slavery, by which I mean I am living in the future created by it.

—Saidiya Hartman[1]

This book invites and enables readers to engage with the history of slavery over centuries and across continents—in particular, with its effects on enslaved women and girls and past religious complicity in it.[2] I hope that this new way of viewing slavery will motivate readers to create new strategies for overcoming the vestiges of slavery that continue to shape our daily lives in ways that are often difficult to see. Consider the following modern-day experiences:

> "As a descendant of African slave women," writes Amina Wadud, a leading scholar of Islam who usually wears the Muslim headscarf in public, "I have carried the awareness that my ancestors were not given any choice to determine how much of their bodies would be exposed at the auction block or in their living conditions. So, I chose intentionally to cover my body as a means of reflecting my historical identity, personal dignity, and sexual integrity.[3]

When Doris Davis, an Orthodox Jewish teacher from Long Island, sought a divorce, her husband refused to write her a bill of divorcement (Hebrew: *get*). Without a *get*, the Orthodox Jewish community would not recognize her divorce, and she would not be allowed to remarry within the community. In 2004, she sought the help of the Organization for the Resolution of Agunot, which staged rallies outside the husband's home and then posted his photo in synagogues in Brooklyn, where he lived. This community solidarity succeeded, and he eventually wrote her the *get*.[4]

In the summer of 2008, a group of young white women attended a bachelorette party on the West Coast. They hired a male stripper—blond, muscular, tattooed, dressed in a tight black swimsuit—and took turns playing with him, laughing at the raunchy fun. The stripper grabbed one woman by her hair, pushing her head down toward his groin. He grabbed another woman, pushed her down on all fours, and straddled her from behind as she laughed and he grinned at the camera. One of the women at the party, a devout Catholic who attends church with her adoring husband every Sunday, captured each moment of sexual play on her digital camera.[5]

How do these contemporary situations relate to the history of slavery? Each of these women's stories began generations before they were born, when owning or dominating a human body was not only legal but morally permissible and codified by their religions. Slavery had a profound impact on Jewish, Christian, and Islamic thinking and laws about bodies, sex, and marriage, as well as property and ownership. As a result, many slaveholders forced enslaved persons into sex, compelled individual enslaved women and men to breed enslaved babies, and forcibly broke up intimate relationships between enslaved persons—debasing the humans they owned as well as corrupting sex, marriage, families, and themselves. Slavery therefore influenced how enslaved persons thought about their bodies, how they moved and used their bodies, and which choices were open to them. Enslaved persons, women and girls in particular, often succumbed to the terror of sexual violence, but they also resisted attempts at their dehumanization.

Although slavery technically has been outlawed around the world, its repercussions continue to ripple through modern society, influencing how women perceive themselves and are treated. The effects are both so entrenched in our culture and internalized by individuals that many people often do not see or think about them. With slavery so deeply ensconced in our history and having been so intimately connected with sex, it would be surprising if the imagery of slavery had simply disappeared from our consciousness and imagination. Yet this book proposes ways to imagine and build relationships and communities that are not tainted by the lingering effects of past slavery.

The three stories of contemporary women above echo those of such women from the past as Essie Mae Washington-Williams, the daughter of onetime segregationist U.S. Senator Strom Thurmond, who had impregnated her mother, a fifteen-year-old family servant. (Thurmond went on to become president of the Baptist Young People's Union.) Or of Callie House, who led 300,000 ex-slaves to petition the U.S. government for reparations in the nineteenth and early twentieth centuries. Or of Sally Hemings, enslaved by Thomas Jefferson, who entered into a sexual relationship with Hemings when she was thirteen or fourteen and Jefferson was in his mid-forties. Or of Rosa, a fifteenth-century Russian slave woman who sued for her freedom in Valencia, in what is now Spain, on the grounds that her Christian owner, and father of her two children, had treated her more like a mistress than a slave.[6] Or of Mariyya the Copt, given by the Christian military ruler of Alexandria, Egypt, to the Prophet Muhammad, who took her as a concubine and freed her after she bore him a child. Or of Monica, mother of early Christian theologian Augustine, who told her friends that in becoming wives, they had become slaves. Or of Hagar in Genesis, whom Sarah gave to her husband Abraham in the hope that Hagar would bear them a child; Abraham cast her out into the wilderness for acting uppity to Sarah, but Hagar managed to survive and raise her son Ishmael. Slavery shaped all of these women's lives, as well as those of the men and children connected to them.

In today's world, slavery's legacies for sexuality and marriage are myriad, as are women's responses to them. One woman covers her body to shield herself from the bold gaze of male onlookers, a freedom denied to enslaved women whose bodies were used for sex without their consent. Another woman struggles with the thin line between slavery and marriage that is enshrined in religious law: just as only an owner may free an enslaved person, so too may only a husband free his wife from the marriage bond. Yet other contemporary women enjoy the freedom to explore their sexuality, which can include domination and slavery imagery.

Slavery as a legal institution has existed for most of recorded history and was allowed by Jewish, Christian, and Islamic sacred texts, traditions, and religious law. The forms of slavery varied considerably but shared the underlying concept of owning a human body. That concept has had a profound impact on Jewish, Christian, and Islamic thinking about sexuality and about marriage between women and men. At the same time, these religions have within them the mercy and compassion necessary to overcome slavery and its long-term effects.

Legal slavery ended in the United States nearly 150 years ago. For that reason, many people think that slavery and its reverberations are a thing of the past. Sadly, slavery continues to exist; the International Labour Organization estimates that 12.3 million people live in conditions of forced labor or virtual slavery.[7] The goal of ending slavery once and for all is both urgent and possible.

Legal slavery has been part of the world's civilizations for so long, and absent so briefly, that the habit of mind that considers slavery normal continues. But people are beginning to ask: Under what conditions are our food and manufactured goods produced? Do persons from whose labor we benefit live in debt bondage from which they can never escape? Do our neighbors have domestic workers whom they do not pay, whose passports they have removed, and whom they physically abuse? What are the working conditions of sex workers, including those in the pornography industry; do their economic circumstances allow them to consent freely to sex work; are they unionized; what is their medical condition, and do they have health benefits? The answers to these questions can help us prevent worker exploitation and forced labor, and the physical and sexual violence that often accompany them.

The authors in this book propose that facing up to slavery can free people and society from its taint. These authors optimistically assess the possibilities for creating joyous, healthy expressions of sexuality, starting today. They argue that communities can eroticize racial and gender equality by creating a healthy society and beneficial interactions among individuals and groups.[8] Men do not have to dominate women. Sexuality does not have to be racially charged. But that requires taking an earnest look at the persistent effects of slavery on social values, religious thought, and economic realities. Such is our task.

Reading Sacred Texts and Religious Law

Some readers may wonder whether it might not be better to ignore biblical, Talmudic, and Qur'anic texts about slavery and their connection to marriage and sexuality. After all, legal slavery has been abolished, rendering texts on slavery irrelevant. But the interpretation of sacred texts lies at the heart of Judaism, Christianity, and Islam because many followers of these religions seek to base their lives on the values expressed in these and other classical texts.

Slaveholding societies have left their mark not only on the wording of sacred texts but also on the ways in which religious people interpret them. For most of history, Jews, Christians, and Muslims read these texts through the lens of slavery: most religious leaders in the past considered slavery morally acceptable, and that belief colored their thinking on all aspects of social and personal interactions. Overcoming the legacy of slavery therefore requires reading scripture and religious law through the lens of freedom—all texts, not only those about slavery. This means reading sacred texts with compassion for enslaved persons and creating religious support for freedom for all persons. It is illogical, for instance, to separate the biblical texts on slavery from those on marriage, family, and sexuality by arguing that although the slavery passages no longer apply, the overall texts in which they are embedded should guide contemporary life.

A number of this volume's essays demonstrate how teachings on slavery in the Jewish and Christian Bibles, the Talmud, the Qur'an, and early Islamic jurisprudence affected enslaved women differently from enslaved men, and how toleration of slavery shaped religious teachings about marriage and sexuality. For example, enslaved women's sexual vulnerability and ability to give birth to children had a profound impact on their experience of slavery.[9] The essays by David P. Wright, Jennifer A. Glancy, Sheila Briggs, Sylvester A. Johnson, and Fay Botham show that slavery is deeply embedded within Christian scripture. Read together, the essays by Wright and by Gail Labovitz show that slave law and marriage law were interconnected in ancient Israelite (biblical) and early rabbinic thinking. Kecia Ali shows the need to rethink literal Qur'anic interpretation, because the Qur'an accepted slavery as an institution and tolerated the master's sexual access to enslaved women, a toleration that has implications for sexual ethics more generally because it enshrined different moral standards for women than for men. Mende Nazer's responses to Qur'anic and biblical texts, based on her experience as a girl enslaved in Sudan, provide a moral challenge to all readers of those texts to listen to the voices of enslaved people when encountering them. Nazer's experience of slavery as the sundering of family ties shapes how she reads these texts, and should shape our understanding as well.

Yet although slavery and slavery-derived concepts are embedded in these texts, freedom and compassion are quintessentially biblical, Talmudic, and Qur'anic values. Generations of Jews and Christians have found hope in God's deliverance of the people of Israel from bondage into freedom in the Book of Exodus. At Passover, Jews remember their escape from slavery in Egypt.[10] In the New Testament, Paul sees life in Christ as giving people new freedom and as making them aware of the freedom that the world does not yet enjoy. The Qur'an encourages Muslims to ransom or set free enslaved persons.[11]

These religious claims raise the question of who deserves to be free, a question that resonates in public-policy choices in the United States, both historical and contemporary. The answer is that every human deserves to be free. But Judaism, Christianity, and Islam did not always find this to be true. Whereas ancient Israelite (biblical) law closely regulated the enslavement of fellow Hebrews, it allowed Israelites to enslave foreigners forever. Early rabbinic (Talmudic) law granted enslaved foreigners some rights. For most of Christian history, enslaved Christians did not have an advantage over non-Christians. Islam did not allow the enslavement of fellow Muslims, but it did allow Muslims to enslave non-Muslims. The founders of the United States saw no conflict between declaring liberty to be an inalienable right and distinguishing in the Constitution between "free Persons," "Indians," and "all other Persons" (enslaved persons, who were each counted as three-fifths of a free person). In the eighteenth and nineteenth centuries, virtually all Christian supporters of slavery in the United States drew on the Bible to make their case, and abolitionists did the same. The majority of people in the United States at this time were Protestant Christians, most of whom shared the Protestant view that the meaning of the Bible was plain for all to see and that the Bible should form the basis of public policy.[12] The country was riven over whether the Bible supported slavery or condemned it. This created a theological crisis that still echoes today, because some Christians still struggle over whether to interpret the Bible literally and whether it should play a role in public policy.[13]

In the nineteenth century, a Southern woman named Ella Gertrude Clanton Thomas so firmly believed that the Bible should shape public policy that the abolition of slavery in the United States shook her Christian faith in the Bible, as illustrated by a journal entry from October 8, 1865:

> We owned more than 90 Negroes with a prospect of inheriting many more from Pa's estate—By the surrender of the Southern army slavery became a thing of the past...I did not know until then how intimately my faith in revelations and my faith in the institution of slavery had been woven together—true I had seen the evil of the latter but if the *Bible* was right then slavery *must be*—Slavery was done away with and my faith in God's Holy Book was terribly shaken. For a time I doubted God...When I opened the Bible the numerous allusions to slavery mocked me. Our cause was lost. Good men had had faith in that cause.[14]

Thomas felt that biblical values had been defeated. For her, the Bible set forth divinely ordained social institutions. If one institution was gone, what could she trust?

Thomas was not entirely wrong. In her Bible, she would have read that Israelites were not to treat their own people as slaves but that they may treat foreigners as slaves: "And ye shall take them as an inheritance for your children after you, to inherit them for a possession; they shall be your bondmen for ever: but over your brethren the children of Israel, ye shall not rule one over another with rigour."[15] And she would have learned that the New Testament teaches: "Servants, obey in all things your masters according to the flesh; not with eyeservice, as menpleasers; but in singleness of heart, fearing God."[16]

If Protestants looked to the Bible for guidance, Roman Catholics also looked to the bishops and to the pope. In 1866, the Vatican stated:

> Slavery itself, considered as such in its essential nature, is not at all contrary to the natural and divine law, and there can be several just titles of slavery... It is not contrary to the natural and divine law for a slave to be sold, bought, exchanged, or given.[17]

These Christians who believed in the justice of slavery were basing their belief upon centuries of religious thought. As Johnson argues, one can make a strong biblical case for slavery. The laws of ancient Israel allowed slavery, Abraham was a slaveholder, Jesus never prohibited slavery, and the New Testament commands enslaved persons to obey their owners in all things. But one can also mount a biblical case against slavery. African American abolitionist David Ruggles, Johnson writes, defined slavery in the United States as adulterous, pointing to the increase in mixed-race children born to enslaved women, to the fact that enslaved persons were not legally allowed to marry, and to the silence of slaveholders' wives in the face of their husbands' adultery. Ruggles unmasked slavery's contradiction of the Christian values of chastity, marriage, and family.[18]

Jewish leaders and the American Jewish community were also drawn into the debates over slavery. In 1861, Rabbi Morris Raphall delivered a sermon in the B'nai Jeshurun Synagogue of New York, expressing surprise that anyone should doubt Scripture's support for slavery.[19] Raphall cited biblical laws on slavery from Exodus, Leviticus, and Deuteronomy to demonstrate the legitimacy of slavery. He also found justification for enslaving the "fetish-serving benighted African" in Genesis 9:25, where Noah cursed Ham's son Canaan, stating that Canaan should be the "meanest of slaves" to his brothers.[20]

In contrast, Rabbi David Einhorn of Baltimore argued that the Bible tolerates but does not promote slavery, just as it tolerates polygamy, which the members of his congregation would certainly oppose. In 1861, in the slaveholding state of Maryland, Einhorn, sharply criticizing Raphall, appealed to Jews to reject slavery:

> *Such* are the Jews! Where they are oppressed, they boast of the humanity of their religion; but where they are free, their Rabbis declare slavery to have been sanctioned by God, even mentioning the holy act of the Revelation on Sinai in defense of it.[21]

These debates show that everyone was reading their sacred texts and religious laws through the lens of their own experiences with slaveholding and the lens of their own vision of justice. Although some Christians and Jews insist that the meaning of the Bible is plain for all to see, its meaning has been contested since it came into existence, and the Bible contains differing policies on slavery.

The rise of modern racism created yet another lens through which to read the Bible's teachings on slavery. Unlike in ancient slavery, which was not based on race, modern racist theories undergirded the trans-Atlantic slave trade. These racist theories supported not only the enslavement of Africans but also racial apartheid in Africa and segregation in the United States, including laws prohibiting interracial marriage (known as anti-miscegenation statutes). Just as slavery supporters and antislavery advocates appealed to the Bible, judges in the United States from the nineteenth through the twentieth centuries justified bans on interracial marriage with religious and biblical arguments; and public officials, including former President Harry S. Truman, viewed interracial marriage as contrary to biblical teaching.[22] Botham explains that opponents of interracial marriage developed a theology of separate races that drew upon the story in Genesis 10–11 of the dispersion of the sons of Noah throughout the world. They claimed that the biblical account represented God's plan for the races to live separately from one another and not to intermarry.

Johnson and Botham, troubled by past Christian appeals to the Bible in support for slavery and by laws against interracial marriage, draw parallels to contemporary debates over sexual orientation.[23] They argue that earlier generations' use of the Bible to support policies that most Americans now consider wrong warns us about the dangers of basing public policy on the Bible.

Whereas Johnson and Botham examine modern uses of the Bible, Wright and Glancy examine biblical texts within the context of the eras in which they were written. Wright analyzes the ancient Israelite statutes on slavery within the context of ancient Near Eastern law, arguing that the biblical writers were responding to the Babylonian Laws of Hammurabi and the laws of other neighbors of ancient Israel. Like other scholars, he traces changes over time in these laws on slavery, arguing that slave law developed in three stages. Wright shows that the Laws of Hammurabi were more lenient toward persons in debt bondage than the earliest version of Israelite slave law, the Book of Exodus. He also demonstrates that the ancient Israelite lawgivers tried to improve the situation of enslaved persons by making changes in the laws. But each attempt to resolve one ethical problem created another. For example, whereas in the first set of laws, in Exodus, slaveholders were to release enslaved male Israelites after six years; and in Deuteronomy, slaveholders were to release enslaved male and female Israelites after six years; in the last-written set of laws, Leviticus, owners were to treat fellow Israelites as hired laborers rather than slaves—but owners could force their indebted fellow Israelites to work for them for up to forty-nine years.[24] Writing both as an historian and as an ethical critic, Wright proposes that the Bible can help thoughtful people today if they consider the questions it raises rather than the answers it gives.

Nineteenth-century slavery supporters stressed that Jesus and his apostles, who saw slavery all around them, did not call for its abolition. Glancy finds that she has to agree. Although Jesus did challenge social hierarchies, he did not call upon his followers to refrain from slaveholding. And despite Paul's preaching a message of freedom, he did not speak out against the sexual use of enslaved women, even though that reality was known throughout the Roman world. Briggs points out that when Paul condemned prostitution, he focused on how going to a prostitute dishonored the male body, not on how prostitution exploited the female body, even though many prostitutes in the Roman world were enslaved and were therefore left without choice.[25]

Jews in the rabbinic tradition, which includes most religious Jews today, do not interpret the Bible separately from ancient and medieval rabbinic commentary on it. Unlike Protestants, rabbinic Jews do not believe that one should go back to the Bible alone, ignoring later commentary. Although reading the Bible in conjunction with rabbinic commentary brings in a certain elasticity missing from Protestant literalist interpretation, Labovitz shows that rabbinic thinking about slavery and gender has its own problems. For example, one ancient rabbinic commentary interpreted the term "soul" in the biblical phrase "who purchases a soul" to include both a wife and a slave.[26] Labovitz argues that Jews need to rethink the rabbinic metaphor of "acquisition" of a woman in marriage and to find ways of thinking about marriage that do not involve the ownership of property.

Many verses in the Qur'an refer to unfree persons. Although the Qur'an encourages believers to seek freedom, it also allows male slaveholders sexual access to "what their right hands possess," that is, to their enslaved women.[27] Ali argues that verses containing broad principles of justice should take precedence over verses bound by the specific historical circumstances of the time, such as slavery. Ali thus presents a way to live and honor the precepts of the faith without perpetuating injustices grounded in historical behavior that we now consider abhorrent.

The Legacies of Slavery for Women and Girls

Religious Understandings of Marriage between Women and Men

Slavery as a legal category has had a powerful impact on religious marriage law and continues to influence ideas about relationships between husbands and wives. Ancient Israel and other cultures of the Ancient Near East, the Roman world that shaped early Christian and early rabbinic understandings of marriage, and the Arab society in which early Muslim communities developed Islamic marriage law were all slaveholding societies. These societies were hierarchical, granting the male head of the family power over his household; these men, if not slaveholders, probably aspired to be such. Although Jewish, Christian, and Muslim religious leaders have always recognized the difference between slavery and marriage between men and women, they have sometimes applied concepts from slavery to marriage.

The example of Monica, mother of fourth- and fifth-century church father Augustine, illustrates how deeply interconnected slavery and marriage were. As Briggs writes, Monica reminded her friends not to resist their husbands, even when their husbands beat them so severely that their faces were disfigured, because their marriage contract rendered them slaves. The long Christian toleration of wife beating and spousal rape is part of this history, as is the double standard regarding fidelity, which punishes a wife's extramarital sex more harshly than a husband's, or even dismisses a husband's sexual affairs.[28] Christian leaders (nearly all male) knew that Roman law (made by men) did not prohibit male slaveholders from having sex with their slave girls or women, and that some did so. Even though Christian leaders considered sex with one's slave girl or woman to be fornication (if the man were unmarried) or adultery (if he were married), they did not make prevention or church punishment (such as temporary or permanent excommunication) a moral priority. Slavery and chastity have thus coexisted uneasily within Christian history.[29] By promoting chastity while tolerating slavery, Christian leaders created an impossible situation for both free wives and enslaved girls and women. Free wives suffered their husbands' infidelities with enslaved women, while enslaved women were vulnerable both to male sexual advances and wives' jealous anger.[30]

The interweaving of slavery and marriage, far from being incidental to Christian thought, reaches back into the New Testament, which commands wives to obey their husbands, children their parents, and slaves their masters.[31] These texts highlight the tension inherent in slavery. Enslaved wives may not have been able to obey their enslaved husbands if the master or mistress gave a contradictory command. Enslaved children may not have been able to obey their parents, if the slaveholder even allowed the children to live with their parents. And enslaved Christian women, told to obey their masters in everything, faced the dilemma of how to deal with a master who sought sexual relations with them. Enslaved women and men did not have the same freedom as did free women and men to pursue the Christian virtue of avoiding fornication. I highlight these tensions within the New Testament not to condone wifely obedience, children's obedience in all things, or problematic understandings of sexual transgression, but rather to illustrate how slavery can strike at the heart of the institution of the family and render enslaved persons sexually vulnerable even when they defiantly resist and seek to preserve family bonds not recognized by law and express their sexuality as they see morally fit.

Although church leaders no longer officially teach that slaves should obey their masters, the New Testament texts commanding wives to obey their husbands are often read at Christian wedding ceremonies. In this way, the structure of the slaveholding household continues to affect people's lives. And Christian children whose parents sexually or physically abuse them still have inadequate support to resist the command to "obey [their] parents in everything."[32] The New Testament also commands husbands to love their wives and never to treat them harshly, fathers not to provoke their children, and masters and mistresses to treat their slaves justly and fairly.[33] But for most of history, Christian leaders did not see corporal punishment of wives, children, and enslaved persons as contrary to these commands.

Ancient rabbis, who also lived in slaveholding societies, developed the concepts of Jewish marriage law that remain foundational for many Jews today. Labovitz shows how these rabbis drew parallels between the acquisition of a free wife and the acquisition of an enslaved person. Metaphorically, they classified wives as ownable and marriage as the purchase of property. The Hebrew word for husband is *ba'al*, which one can also translate as "master" or "owner." The early rabbis also derived legal practices concerning betrothal and marriage from a father's biblical right to sell his daughter into slavery.[34] Labovitz argues that the rabbinic concept of marriage as a man's acquisition of a wife underlies the rabbinic teaching that a man may divorce his wife, but a woman may not divorce her husband. This inequality in divorce remains a problem for Orthodox Jewish women today.

Ali demonstrates that the early Islamic jurists similarly thought of marriage between a man and a woman as ownership. They employed the category of "dominion over" (Arabic: *milk*) for both slavery and marriage, and they drew analogies between divorcing a wife and freeing an enslaved laborer. Further, the

Qur'an and classical Islamic jurisprudence draw an explicit parallel between a man's wife and his slave woman: a man is permitted to have sex with both. The concept of marriage as a man's dominion over a woman presents challenges for contemporary Muslims seeking to create religious marriages based on gender equality.

Slavery's Corruption of Sexuality

Slavery as an economic institution is not separate from marriage, sexuality, family, and childbirth. Centuries of accepting slavery as normal have left their mark on how the descendants of slaveholding societies think about moral issues. The concept of owning another human being's body led to the right of sexual access to that body. As the authors of this volume document, from the time of the ancient Israelites through to the spread of slavery in the New World, slavery included masters having sex with enslaved women and girls; jealous mistresses taking out their rage on enslaved persons who were unable to defend themselves against either master or mistress; and owners increasing their wealth by making sure that their enslaved laborers had as many children as possible. To be sure, slavery differed from culture to culture and by legal system. Slavery in the United States (and the Americas as a whole) was much harsher than in many other times and places.

The historical depth and cross-cultural sweep of this volume demonstrate that slaveholders' control of the sexual and reproductive functions of enslaved girls and women was central to the institution of slavery.[35] This feature of slavery is at least as old as ancient Israel. Wright argues that Exodus allows a father to sell his daughter into slavery in part because Israelite lawgivers saw female sexuality as inherently the property of a man, whether the father, the husband, or the slaveholder. The New Testament, which commands slaves to obey their owners in all things, never explicitly prohibits the sexual use of enslaved persons. Glancy raises a troubling question. Jesus taught his disciples not to imitate the hierarchies that they saw around them, not to be a lord or a tyrant, but instead to become a "slave to all."[36] Although appreciating the radical character of this teaching, Glancy asks what it might have meant for women whose enslavement included sexual exploitation.

Chastity and slavery have rarely coexisted. Male slaveholders—Jewish, Christian, and Muslim—considered sexual access to their enslaved women to be their right. As Glancy shows, Ambrose, an early Christian theologian and bishop, assumed that Christian men would continue to have sex with their enslaved women even though he preached against it. Ambrose was not principally concerned with the welfare of the enslaved women. On the contrary, he warned Christian husbands that if they entered into relationships with their enslaved women, these females, like Hagar in Genesis, would get uppity, and their wives would get angry. Ambrose warned Christian men that if they had sex with their enslaved women they should ensure that these women still submitted to their mistresses.[37] Other early Christian theologians also warned men against sex with their enslaved women, and canon law (early Christian religious law) did not penalize Christian men who had done so.[38] Similarly, the early rabbis, who also lived in a world in which slavery included sexual contact between owners and enslaved girls and women, did not explicitly prohibit it.

As Ali shows, the Qur'an and the early Islamic jurists explicitly allowed male slaveholders sexual access to their slave girls and women. In contrast to the Jewish and Christian leaders who preceded and were contemporaneous with them, the early Islamic jurists gave some rights to enslaved women who bore children fathered by their owner, if the owner acknowledged paternity. The children were born free, the owner was not allowed to sell the mother, and the mother was to be freed upon the owner's death.

Slavery in the United States differed markedly from other systems of slavery in that enslaved women had virtually no hope that they or the children they bore their masters might benefit from the connection to the master.[39] This harshness affected both the slaveholders and the enslaved. Given what we know about Jefferson's sexual relationship with Hemings, his words in *Notes on the State of Virginia* strike a poignant note: "The whole commerce between master and slave is a perpetual exercise of the most boisterous passions...The man must be a prodigy who can retain his morals and manners undepraved by such circumstances."[40]

Far from being unique, Jefferson's sexual contact with his enslaved girl represents the logic of slavery documented throughout this volume. Their sexual contact began when Jefferson was in his mid-forties and Hemings was thirteen or fourteen and living in Jefferson's Paris home as a maid. At the same time, Jefferson sought to live a moral life and to inspire the people of the United States to do so as well. Jefferson found a moral guide in Jesus of Nazareth and set out to extract from the New Testament those sayings and actions of Jesus that he deemed historically authentic. Among these, Jefferson included this passage from the Gospel of Matthew 5:27–28:

> Ye have heard that it was said by them of old time, Thou shalt not commit adultery:
>
> But I say unto you, That whosoever looketh on a woman to lust after her hath committed adultery with her already in his heart.[41]

Jefferson's relationship with Hemings was not technically adultery because he was a widower and she was unmarried, but Jesus was not using "adultery" in a technical sense. Jefferson chose to include this expansive understanding of adultery in his collection of key precepts even though chastity and slavery did not coexist in his own home. Jefferson did not free Hemings, and it would have been impossible for him to marry her even had he wished to do so.

The problem of not being able to live up to one's morals runs deep in the history of slavery in the United States. Responding to romantic notions about the sexual relationship between Jefferson and Hemings, Mia Bay argues that asking whether Hemings consented to the relationship and whether she loved Jefferson are the wrong questions. Jefferson literally owned the bodies and the fecundity of his enslaved women. He wrote, "I consider a woman who brings in a child every two years more profitable than the best man on the farm," because the enslaved babies she produced were "capital."[42] Hemings, like other enslaved women, did not have any legal right to refuse to have sex with Jefferson. Jefferson, like other slaveholders of his time, could not have been prosecuted in the United States for raping Hemings.[43]

Catherine Clinton puts the relationship between Jefferson and Hemings in a broad historical context by narrating three hundred years of the history of European American men's sexual contact with enslaved and free (but subordinate) Black women. In doing so, Clinton highlights the hypocrisy of slavery, exposing "the contradictions within racial separatism and the American ideals of sexual purity and Christian virtue."[44]

Just as slavery affects sexuality, it also shapes the body of the enslaved person on a daily basis. As Glancy describes of the Roman Empire and Nazer confirms from her own experience, enslaved persons learn—without being told—how to hold and move their bodies: head and gaze lowered, hunched over, always aware that a beating may come.[45] Always, slaves were under observation and subject to punishment.[46] Beginning with the Book of Exodus, religious texts have allowed owners to beat their enslaved laborers; Exodus says that only a beating that causes death within one or two days is too much.[47] In the New Testament, the First Epistle of Peter states that enslaved persons who endure unjust beatings "have God's approval." This statement takes for granted that there are just beatings.[48]

Racial-Sexual Stereotypes: Blaming the Victim

Because of the U.S. history of slavery, assumptions about the sexuality of African American women in the United States differ from those made about European American women.[49] Dorothy Roberts analyzes the paradox between the media's display of scantily clad Black women in hypersexual poses and the deafening silence about Black women's sexual desires. Roberts, Emilie M. Townes, and Dwight N. Hopkins demonstrate how racial stereotypes rooted in the beliefs of the slavery era pervade U.S. culture. These include the asexual Black Mammy who cares for white children but not for her own; the hypersexual, irresponsible Jezebel who tempts white men to sin; the Welfare Queen who cheats the taxpayers; and the domineering Black Matriarch who is to blame for her children's failures. The sexual stereotype of enslaved women as licentious extends far back into history; modern racism extended it to all Black women and also used the myth of Black hypersexuality as a reason to enslave Black people. Johnson and Roberts review, for example, the nineteenth-century slavery advocate Josiah Priest's depiction of Black sexual depravity and promiscuity as grounds for enslavement.

Two stories illustrate how slaveholders have blamed the enslaved victims for their sexual exploitation. The nineteenth-century U.S. slave narrative written pseudonymously by Harriet A. Jacobs describes how her owner, "Dr. Flint," who had recently become a church member, told her to obey him by having sex with her. The fifteen-year-old "Linda" sensed Mrs. Flint's jealousy, even though "I had hitherto succeeded in eluding my master, though a razor was often held to my throat to force me to change this line of policy."[50] Dr. Flint, already the father of eleven slaves, threatened to sell her or to beat her if she did not give in, and said, "I would cherish you. I would make a lady of you. Now go, and think of all that I have promised you."[51]

Centuries earlier, around the second century CE, the popular *Acts of Andrew* recounted the legend of Maximilla, a Christian woman who tried to lead a celibate life, much to the chagrin of her pagan husband, Aigeates.[52] To avoid sex with her husband, Maximilla devised the remarkably successful plan of selecting her beautiful and "by nature extremely undisciplined" slave woman to act as her surrogate.[53] The slave woman's character and euphemistic name "Euklia" (Greek for "of good reputation") seem to have predestined her for the task. Not being pure (because she was enslaved and thus by definition impure), she could not be corrupted. The whole plan went horribly wrong when Euklia, like Hagar in Genesis, took pride in sleeping with the master and even told others. In response, her master mutilated her body and cast her out into the street until she should die and the dogs consume her corpse. But the *Acts of Andrew* describes Maximilla as the "blessed one," not criticizing her with a single word.

The logic of slavery is to blame the enslaved for their plight. As Briggs writes, this connection of slavery, impurity, and criminality was also evident in the entertainments put on for the masses in Roman amphitheaters. The elaborate shows included nude, enslaved prostitutes and public execution of criminals.[54]

Resilience and Resistance

Throughout history, enslaved women and girls, men and boys, have resisted the role of victim. Beginning with Genesis, in which Hagar fled her mistress Sarah's harsh treatment, fleeing slavery is an age-old form of resistance.[55] Flight from cruelty testifies to enslaved persons' rejection of their treatment as lesser beings or as property and challenges anyone today who believes that slavery may have been morally tolerable in the past. If slavery were morally acceptable to enslaved people, why do the most ancient of historical sources document their attempts to flee their owners?[56]

In some circumstances, enslaved women were able to take legal steps to challenge their position. Of the ninety-four lawsuits demanding freedom that were filed between 1425 and 1520 in Valencia, in what is now Spain, thirty-three were filed by enslaved women who claimed that their masters had fathered their children or that their own fathers were free men, and thus they were due their freedom under the law. They characterized themselves as virtuous or as devoted concubines to their masters. Of these thirty-three women, Debra Blumenthal writes, fifteen won.[57]

Enslaved women in the United States had no such right. Antebellum inheritance cases illustrate how little enslaved women in the United States could hope to gain from a liaison with the master. In Louisiana, some masters freed their enslaved sexual partners in their wills. But heirs frequently contested these manumissions because under state law, a man was not allowed to bequeath more than ten percent of his estate to a concubine. If the value of the concubine herself exceeded ten percent of her master's estate, she remained enslaved.[58] In the "sexual economy" of slavery in the United States, judges had to walk a fine line between recognizing men's right to control and dispose of their property as they wished, and preserving the racial hierarchy that kept wealth in the hands of whites while keeping many African Americans enslaved.[59]

In spite of their precarious position, enslaved girls and women sometimes initiated sexual relationships with their masters or other free men.[60] Sexual attractiveness and the ability to bear the master or his son a child could be an enslaved woman's best hope for a better life and could even entitle her to legal rights. In the Roman Empire, including among early Christians, most unmarried men could free an enslaved woman and then legally marry her. Similarly, a woman enslaved to a Muslim man who acknowledged paternity of her children gave birth to free children, could not be sold, and would be free upon the master's death. Contrast Hemings's situation as Jefferson's slave with that of Caenis, formerly enslaved concubine of first-century CE Roman Emperor Vespasian: "Even after he became emperor he treated her almost as a lawful wife."[61]

Public Policy and Law

When the Civil War ended in 1865, the majority of religious people in both the North and the South who found biblical support for slavery did not turn to the Book of Deuteronomy, which commanded slaveholders to give freed slaves what they needed to start a new life.[62] They turned back to what they knew: slavery as a God-given right. De facto slavery persisted, particularly in the Southern states. A number of African American men were arrested on trumped-up charges such as loitering and forced into industrial slavery.[63] The Ku Klux Klan, a Protestant Christian terrorist organization, employed all means of violence against formerly enslaved people and their descendants.[64] The Klan's reign of terror included sexual violence against women and men, practiced with impunity.[65]

Several of this volume's authors suggest that the U.S. criminal justice system still reflects the attitudes of the slavery era. This will seem implausible to some readers, especially decades after the Civil Rights Movement. In fact, the conceptual linkage between slavery and imprisonment in the United States dates to at least the Thirteenth Amendment to the Constitution, which abolished slavery in 1865: "Neither slavery nor involuntary servitude, except as a punishment for crime whereof the party shall have been duly convicted, shall exist within the United States, or any place subject to their jurisdiction." But the problem of how U.S. society treats African Americans (and others) who break the law actually lies deeper, in the assumption that only the virtuous deserve freedom or citizenship. Nineteenth-century abolitionists understood this assumption, promoting narratives of formerly enslaved women and men who strove to attain Christian virtue.[66]

Every society needs a criminal justice system to hold perpetrators accountable for their behavior. That justice system, if it is to retain its authority and effectiveness, must carefully determine guilt and innocence, and it must treat convicted persons according to the highest moral standards. A moral society is one that treats all its members—even the weakest, most vulnerable, and most damaged—with equal respect for their rights as human beings. But as Ellen Barry documents, African Americans are incarcerated in numbers highly disproportionate to their percentage of the population, which means that prison policies disproportionately affect them.[67] Certain prison practices echo the treatment of women enslaved in the United States, including shackling while women are giving birth (a practice that in its brutality goes even beyond the treatment of most enslaved women in the United States), the removal of newborns from their mothers, and using men to guard female prisoners.[68]

The attitudes of the slavery era also continue to shadow the U.S. justice system's treatment of women who have been sexually assaulted. In the time of slavery, European Americans portrayed Black women as hypersexual, and enslaved women had no legal right to protection from rape.[69] After the Civil War, the Ku Klux Klan used sexual violence against African Americans with impunity. Today, Black women are less likely to report a rape, prosecutors are less willing to file charges, and juries are less prone to convict than if the rape complainant were white.[70]

What Has Changed and Why?

Changing the Stories We Tell

People in the United States are beginning to recognize the ways in which the stories they tell about themselves and each other reinforce the damage done by slavery. They are also starting to realize that it is possible to change those stories to reflect the society that they wish to create. In this volume, Frances Smith Foster analyzes how stories about slavery can keep women whose ancestors were (or could have been) enslaved separated from those whose ancestors were (or could have been) slaveholders.[71] The difficulty of sustaining interracial friendships between women hinders the struggle for racial and sexual equality, making it more difficult to promote the goals of feminist sexual ethics: sexual relationships based on meaningful consent (that is, consent without any form of pressure, whether economic, familial, social, or political) and the mutual respect and pleasure of each partner. Foster uses Sherley Anne Williams's *Dessa Rose* to illustrate how differing stories about slavery keep women apart. In the novel, Ruth, a white woman, remembers the love of her "Mammy," the Black woman who cared for her as a child. Dessa asks what "Mammy's" real name was, and Ruth replies sharply that "Mammy" was her name. But Dessa says that "Mammy" had a name of her own and children of her own. Foster argues that we can change our stories, because it has been done before. Nineteenth-century progressive African American women claimed the title "Mrs." (whether or not they were married) to counter the prevailing view that they lacked sexual virtue and family ties. Foster challenges the reader to create new stories that will unite rather than divide. This includes recognizing that many enslaved women were not raped, not all African Americans are the descendants of slaves, and many enslaved women resisted victimhood.[72]

Florence Ladd creates a new story in her poetic meditation on Winslow Homer's painting *A Visit from the Old Mistress*.[73] In point/counterpoint, she gives voice to the differing narratives of the previously enslaved family and the former mistress who visits their cabin. Ladd lays bare the chasm between the two sides, inviting the reader to a greater understanding of the costs of slavery to both enslaved and enslaver.

Nancy Rawles creates a new story in her prayer for her daughter, that her child not be afraid; that she understand her ancestral history, but never experience its humiliations; that she know the power of love over hate; and that she gain strength from her mother's love.[74]

Religious Communities and Governments Face Up to Past Support for Slavery

In 1975, John Francis Maxwell, a Roman Catholic priest, introduced his collection of Catholic historical sources on slavery by arguing that it was not good enough to sweep evidence of the church's complicity under the rug. He proclaimed that an error of such gravity requires official correction, investigation of its causes, and attempts to ensure that it does not happen again.[75] This eminently reasonable proposal matches what we expect from government, business, and nonprofit organizations, but we rarely expect religious institutions to correct their mistakes.[76] Yet the church was complicit in slavery. Popes were slaveholders; canon law excommunicated those who persuaded an enslaved person to flee from their master; in the fifteenth century, the Vatican granted official approval to Portugal and Spain to engage in the slave trade in West Africa "to invade, conquer, crush, pacify, and subjugate any whomsoever Saracens, and pagans, and other enemies of Christ... and to reduce their persons to perpetual slavery";[77] and the Vatican supported slavery as late as 1866.[78]

This book aims to do precisely what that brave priest called for thirty-five years ago. The authors examine why Roman Catholicism and other branches of Christianity, Judaism, and Islam accepted slavery for so many centuries, and they consider how slavery shaped gender and sexual ethics in these three religious traditions. They also consider how Jews, Christians, and Muslims can draw upon the compassionate values of their traditions to overcome the lingering effects of slavery.

The Book of Leviticus prefaces its slave law with instructions on how to prevent slavery: "If any of your kin fall into difficulty and become dependent upon you, you shall support them; they shall live with you as though resident aliens." Leviticus also reminds the Israelites of their own past enslavement.[79] As in the time of Leviticus, society can create public policies that support the millions of persons worldwide at risk of enslavement.

In this volume, Christian ethicist Townes proposes a way to think about public policy that is free of the racial-sexual stereotypes developed during and after the U.S. system of slavery. She describes how the lingering perception of African American families as depraved has shaped contemporary welfare policy. She suggests that the stereotypes of the Welfare Queen and the Black Matriarch, for example, led lawmakers to focus on preventing teenage pregnancy rather than on resolving the deeper structural problems of bad schools and the lack of affordable day-care centers.[80] Townes argues that the Protestant work ethic, combined with the focus on the individual in isolation from the community, has contributed to the injustice of social policy in the United States. But Christian values can also help to create a more just society. Townes implies that sexual morality never exists in a vacuum—that people make sexual decisions within the context of their educational opportunities, their ability to engage in meaningful work, and their access to health care. She calls upon individuals to care for one another, rather than first and foremost for themselves. For Christians, their life's meaning lies in their relationship to God and to others in the world, and not just in their job.

Creating a sexual ethics untainted by slaveholding values requires first gaining a clear understanding of the religious belief that owning another person's body is morally permissible and then developing sexual ethics based on the premise that all human beings deserve freedom. By "sexual ethics," the authors of this volume mean far more than individual decisions about whether to have sex, when, or with whom. These authors are thinking about the whole person within the context of the social units to which they belong: a family (however configured), a circle of friends, a support group, a workplace, a school, a religious or spiritual community, a city, an ethnic group, a nation, a transnational community. Sexual ethics includes a society's assumptions about the sexuality of an ethnic group; the ways in which young people's access to health care, safe neighborhoods, and a good education affect their sexual experiences and choices; how a criminal justice system treats an incarcerated woman while she takes a shower or gives birth; whether religious marriage grants equal rights and responsibilities to each party; whether religious and civil marriage are restricted to one man and one woman or include same-gender marriage; whether prosecutors and juries respond to all rape complaints based on the merits of the case rather than on biased assumptions; and how families and communities respond to sexual abuse within a family.

This book's authors are full of hope because numerous Jews, Christians, and Muslims already *are* reading their sacred scriptures and religious law through the lens of freedom, and because most people today, and the laws of all nations, reject slavery. Why did this seismic shift happen? Perhaps, in line with the essays of Hopkins, Townes, and Nazer, religious people chose the most compassionate aspects of their tradition, those that stress human equality and caring for one another. Nazer cites the Islamic principle that all human beings are equal, "like the teeth of a comb."[81] Or perhaps, as Briggs suggests, religious people have adopted the human rights values that became the basis of secular society, that is, Enlightenment values. There is a fruitful tension between Briggs and Townes on this point. Whereas Townes argues against the individualism that grows out of the Enlightenment value of personal responsibility as opposed to dependency, Briggs links the abolition of slavery to a secular Enlightenment discourse of human rights and human equality and to a secular belief that humans can improve their condition on earth. Townes stresses the problems with the Enlightenment value of individualism, but Briggs sees the Enlightenment's focus on human rights as a resource for religious communities.[82]

We are witnessing unprecedented progress in facing up to the history of slavery. The Church of England has apologized for having sustained and benefited from slavery in the Caribbean in the eighteenth century. Archbishop of Canterbury Rowan Williams explained, "The Body of Christ is not just a body that exists at any one time; it exists across history and we therefore share the shame and the sinfulness of our predecessors, and part of what we can do, with them and for them in the Body of Christ, is prayerful acknowledgement of the failure that is part of us, not just of some distant 'them.' "[83]

In the United States, both the House of Representatives and the Senate have apologized for slavery and for subsequent discriminatory laws.[84] Congressman John Conyers, Jr., Democrat of Michigan, has introduced House Resolution 40, the *Commission to Study Reparation Proposals for African-Americans Act.*[85] Supporters include religious and civic organizations.[86] Some other religious denominations and groups have apologized for slavery but made no move toward reparations.[87]

Biblical slave law calls for owners to supply their freedpersons with some of the wealth that they helped to create: "Thou shalt furnish him liberally out of thy flock, and out of thy floor, and out of thy winepress; out of that wherewith the LORD thy God hath blessed thee shalt thou give unto him."[88] In this volume, Hopkins argues the case for reparations for slavery on the basis of the theology of enslaved women. Formerly enslaved African Americans fought hard for reparations, beginning in the nineteenth century.[89] For example, Maria Stewart wrote in her 1834 autobiography, "We will tell you, that it is our gold that clothes you in fine linen and purple, and causes you to fare sumptuously every day; and it is the blood of our fathers, and the tears of our brethren that have enriched your soils. AND WE CLAIM OUR RIGHTS."[90] Hopkins bases his argument for reparations today on the long-term and deeply entrenched disparities in wealth between African Americans and European Americans.[91] None of this is to deny African complicity in the slave trade, which, however, does not diminish European and European American responsibility.[92] In contrast, in opposing reparations, Nazer argues that they mean placing a monetary value on human life, a choice that she finds repugnant.[93]

Readers of this book may find many and diverse ways to address the long-term economic effects of slavery. Some may support governmental reparations to direct descendants of enslaved persons, or scholarships or health care targeting affected communities. Others may work toward the public disclosure of past relationships to slavery, such as the statutes enacted by some cities and states, which may expose past corporate relationships to slavery.[94] For example, in 2005 J. P. Morgan Chase Bank apologized for its predecessor bank in Louisiana's ownership of slaves and acceptance of slaves as collateral, and it established a $5 million scholarship fund for Black students in Louisiana.[95]

Some readers will reject the idea of reparations, instead working for racial and ethnic equality through other means. I hope that all readers of this volume will see that moving beyond slavery urgently requires action of some type.

This Volume Builds on the Path-Breaking Research of Others

Over the last three decades, historians, theologians, creative writers, legal historians, and literary scholars have created a renaissance in the study of enslaved girls and women and of female slaveholders. Angela Y. Davis was one of the first to examine the situation of enslaved women in the United States, calling upon historians to write their complete history.[96] Deborah Gray White's *Ar'n't I a Woman? Female Slaves in the Plantation South* was the first such major study.[97] Numerous scholars have established the field, examining enslaved girls' and women's labor, sexual vulnerability, resistance, religious beliefs and practices, and literary activity, and they have created a theoretical framework for a world untainted by slaveholding values.[98] Without their work, this volume would not be possible.

We Can All Take Actions, Large and Small, to Move Beyond the Legacies of Slavery

- We must directly face the history of slavery.
- We must work for change on all levels: within ourselves, in our religious communities, and in civic and governmental institutions.
- We must create conditions in which sexual intimacies will be based on the meaningful consent (that is, consent without any form of pressure, whether economic, familial, social, or political) and the mutual respect and pleasure of each partner.

Following are some possible projects.

Jewish, Christian, and Muslim Examinations of their Religion's Past Involvement in Slavery, as Well as of the Religious Values Leading These Communities to Renounce Slavery

- Individual congregations can investigate their past relationship to slavery. If a church, synagogue, or mosque were built with the labor of enslaved persons, a congregation could erect a plaque to memorialize those laborers.
- Jews, Christians, and Muslims can look closely at the question of how slavery shaped religious thought and law about sexuality and marriage.
- Jews, Christians, and Muslims can read their sacred texts and religious laws through the lens of freedom, rather than through the lens of slavery. This means giving preference to texts and traditions based on compassion with enslaved persons and with free wives and free children—whose treatment continues to be based on concepts founded in slavery, although to a much lesser extent than in the past.
- Creative members of these religious communities can continue to find ways to reformulate marriage and family law so that all parties are equal.

Religious and Public Policymakers' Recognition of Slavery's Effects on Sexuality and of the Damage of Racial-Sexual Stereotypes

Sexual decisions are not isolated, individual choices. Decisions are more likely to be free and fully consensual when communities support individuals, including through education, health care, and employment. Public statements recognizing slavery's effects will better equip everyone to

- transform society into one in which all members enjoy reproductive freedom and opportunities for free and healthy expressions of sexuality;
- live without fear of sexual coercion;
- enjoy equality within heterosexual and same-gender marriage;
- have full access to excellent education, health care, and employment opportunities.

Removal of Echoes of Slavery in the Criminal Justice System

This step is necessary to ensure that

- reports of sexual assault are judged on the merits of the case, without racial prejudice;
- incarcerated women and their children are treated according to international human rights standards, which grant greater rights to incarcerated persons than does U.S. law.

People also need to consider the negative effects of the extremely high incarceration rates in the United States on African American and other communities and to find ways to lower these rates.

Creation of a National Slavery Museum and Slavery Museums in Each State

Exhibits need to explore the following issues:

- the sexual exploitation of enslaved persons and their resistance to it
- the effects of slavery on the family, including the lack of legal recognition of slave marriage, the breakup of families, slave-breeding by masters, and enslaved persons' creation of families under the most difficult of circumstances
- the economic advantages of slavery to consumers
- religious, governmental, and other institutional roles in condoning slavery
- tributes to those persons who fought back

Curators can do this in ways sensitive to the presence of children, and they can develop educational programs on enslaved children.

Inclusion of Slavery Education in All School Curricula

- The curriculum must be honest.
- All teaching must recognize that legal slavery in the United States was a national phenomenon that benefited Northern slave traders, Northern textile mills and other industries, and consumers throughout the nation and in countries that imported U.S. products.

Enactment of Slavery-Era Disclosure Statutes in Towns, Cities, and States

- Publish findings locally.
- Issue public apologies to descendants of enslaved persons.

Serious Consideration of Reparations for Slavery and for the Discriminatory Laws and Public Policies that Lasted into the 1960s and Beyond

These could be trust funds for direct descendants of enslaved persons and for those who experienced substantial discrimination during the Jim Crow period *and* who did not benefit from affirmative action. These funds could be directed toward the following areas:

- health care
- education
- housing

Serious Consideration of Alternatives to Reparations for Those Who Disagree with the Concept

Create public policies that end the long-term effects of slavery. Ensure that all descendants of the enslaved have full access to the following:

- health care
- equal employment opportunities
- reproductive freedom
- education
- housing

Prevention of Forced Labor and Contemporary Slavery

Activists need to prevent all forms of forced labor and child labor. Some activists target sexual slavery alone, as if it were possible to eradicate sexual slavery before abolishing other types of forced labor.[99] But as the essays of this volume illustrate, sexual exploitation is inherent to slavery because of the enslaved person's economic and political vulnerability. The International Labour Organization, a United Nations agency, monitors forced labor and reports on initiatives to prevent it.[100] Free the Slaves is one particularly effective organization.[101]

* * *

Everyone can contribute something to freedom each day, in memory of those who lived in slavery all the days of their lives and in compassion with those who are living in slavery now.

Notes

1. Saidiya Hartman, *Lose Your Mother: A Journey Along the Atlantic Slave Route* (New York: Farrar, Straus, and Giroux, 2007) 133.
2. This is not to deny how horrific slavery was for men or its long-term effects on them but rather to fill in an important gap in the public and religious understanding of slavery.
3. Amina Wadud, *Inside the Gender Jihad: Women's Reform in Islam* (Oxford: Oneworld, 2006) 221.
4. In Hebrew, *'agunot* means "chained women" and designates wives whose husbands refuse to give them the bill of divorcement that would allow them to remarry. According to rabbinic law, only the husband may write a bill of divorcement. See Rebecca Spence, "Protesters Rally Outside a Home as Debate Continues Over Best *Get* Tactics," *Jewish Daily Forward*, March 20, 2009, http://www.forward.com/articles/103844/ (accessed September 7, 2009). Also see the Web site of Organization for the Resolution of Agunot, http://www.getora.com/ (accessed September 7, 2009) and of the Jewish Orthodox Feminist Alliance, http://www.jofa.org/ (accessed September 7, 2009), which seeks a rabbinic solution to the problem.
5. This story occurred as described.
6. The master's wife eventually granted Rosa her freedom. See Debra Blumenthal, " 'As If She Were His Wife': Slavery and Sexual Ethics in Late Medieval Spain," in this volume; and ARV Gobernación 2383: M. 20: 1r.
7. Beate Andrees and Patrick Belser, eds., *Forced Labor: Coercion and Exploitation in the Private Economy* (Boulder, CO: Rienner, 2009) 181; and "Forced Labour," under

"Themes," International Labour Organization, http://www.ilo.org/global/Themes/Forced_Labour/lang–en/index.htm (accessed October 9, 2009).

8. "Eroticizing equality" is Gloria Steinem's brilliant term, the alternative to the eroticized domination of much of history and much of the present. *On Point*, "Gloria Steinem," NPR, December 6, 2006, http://www.onpointradio.org/2006/12/gloria-steinem (accessed October 9, 2009).
9. In some systems of slavery, all children born to enslaved women were enslaved, which enriched the owner. In other systems, such children were enslaved only under some circumstances.
10. Mishnah, Tractate *Pesachim* 10:5.
11. Qur'an 2:177.
12. By comparison, the Roman Catholic hierarchy taught that Catholics should follow the biblical interpretation of the pope and the bishops, while Jewish rabbis taught that Jews should follow the centuries of rabbinic interpretation of the Bible.
13. Mark A. Noll, *The Civil War as a Theological Crisis* (Chapel Hill: University of North Carolina Press, 2006).
14. *The Secret Eye: The Journal of Ella Gertrude Clanton Thomas, 1848–1889*, ed. Virginia Ingraham Burr (Chapel Hill: University of North Carolina Press, 1990) 276–277.
15. Leviticus 25:46 (King James Version).
16. Colossians 3:22 (KJV).
17. Instruction of the Holy Office, June 20, 1866, signed by Pope Pius IX; cited by J[ohn] F[rancis] Maxwell, "The Development of Catholic Doctrine Concerning Slavery," *World Jurist* 11 (1969–1970) 306–307.
18. David Ruggles, *The Abrogation of the Seventh Commandment, by the American Churches* [1835], in *Early Negro Writing, 1760–1837*, ed. Dorothy Porter (Boston: Beacon, 1971) 478–493.
19. "Bible View of Slavery," in *Fast Day Sermons; or, The Pulpit on the State of the Country* (New York: Rudd and Carleton, 1861) 235–236, under "Jews in the Civil War" at Jewish-American History on the Web, http://www.jewish-history.com/civilwar/raphall.html (accessed November 6, 2009); discussed by Mark A. Noll, *The Civil War as a Theological Crisis* (Chapel Hill: University of North Carolina Press, 2006) 3. Raphall notes that the English translation used by his congregants had "servant of servants" for *'eved 'avadim*, but he himself offered the rendering "meanest of slaves."
20. Jewish Publication Society translation.
21. "David Einhorn's Response to Rabbi Morris Raphall's 'A Biblical View of Slavery'" (1861), Jewish-American History on the Web, under "Jews in the Civil War," http://www.jewish-history.com/civilwar/einhorn.html (accessed April 12, 2008).
22. "Truman Opposes Biracial Marriage," *New York Times*, September 12, 1963.
23. See also the summary of Barbara D. Savage's paper "The Same-Sex Marriage Debate in the African American Churches: An Historical Perspective" (presented at the "Beyond Slavery: Overcoming Its Religious and Sexual Legacy Conference," Brandeis University, October 16, 2006), at the Feminist Sexual Ethics Project Web site, under "How Slavery Has Shaped Our Understandings of Marriage and Friendship," http://www.brandeis.edu/projects/fse/Conference/Conf-main4.html#savage (accessed December 6, 2009).
24. Exodus 21:2–11; Deuteronomy 15:12–18; Leviticus 25:35–43. On the year of the jubilee, see Leviticus 25:8–12 (New Revised Standard Version; Jewish Publication Society).
25. 1 Corinthians 6:13–18 (NRSV).
26. The *Sifra* on Leviticus 22:11 (the Hebrew uses the term "soul").
27. Qur'an 4:3; 23:5–6; 70:29–30.
28. Fourth-century Bishop Basil of Caesarea, for example, requires husbands to divorce unfaithful wives but prohibits wives from divorcing their unfaithful husbands. *Canonical Letter* 188, canon 9; *Canonical Letter* 199, canon 21; see also *Canonical Letter* 199, canon 34, in *St. Basil: The Letters*, vol. 3, trans. Roy J. Deferrari, Loeb Classical Library (Cambridge, MA: Harvard University Press, 1930) 34–39; 112–113; 124–125.

29. While enslaved men were vulnerable to sexual exploitation by their masters and mistresses, enslaved women were doubly vulnerable in that their capacity to give birth was also owned by another.
30. Basil of Caesarea recognized that enslaved girls and women could be violated by their own masters, but wives were not allowed to divorce their husbands for that reason. *Canonical Letter* 199, canon 49, in *St. Basil: The Letters*, vol. 3, trans. Roy J. Deferrari, 134–135. On sexual relations between male slaveholders and their enslaved women or girls, see Margaret Y. MacDonald, "Slavery, Sexuality, and House Churches: A Reassessment of Colossians 3.18–4.1 in Light of New Research on the Roman Family," *New Testament Studies* 53 (2007) 94–113, and many essays in this volume, along with the literature to which they refer.
31. Colossians 3:18–4:1; Ephesians 5:21–6:9; Titus 2; 1 Peter 2:13–3:7; see also 1 Timothy 2:8–15; 6:1–2 (New Revised Standard Version).
32. Colossians 3:2 (NRSV).
33. Colossians 3:19, 4:1; cf. Ephesians 5:25, 6:4, 9 (NRSV).
34. Exodus 21:7–11 (NRSV; Jewish Publication Society).
35. On the ambivalence of enslaved motherhood as represented in music, see Judith Tick and Melissa J. de Graaf, "Slave Lullabies in the American South: Mothers' Voices Recovered," Feminist Sexual Ethics Project, http://www.brandeis.edu/projects/fse/slavery/slave-lullaby/slav-lul-index.html (accessed December 6, 2009).
36. Mark 10:44; cf. Matthew 20:26–27, 23:11; Mark 9:35; and Luke 22:26 (NRSV).
37. Ambrose, *On Abraham* 4.26; Ambrose, *On Abraham*, trans. Theodosia Tomkinson (Etna, CA: Center for Traditionalist Orthodox Studies, 2000) 14.
38. Basil of Caesarea acknowledged that masters can force sex on their enslaved women, but he chose not to penalize Christians for so doing, instead simply pronouncing these women not guilty; *Canonical Letters* 199, canon 49, in *St. Basil: The Letters*, vol. 3, trans. Roy J. Deferrari, Loeb Classical Library (Cambridge, MA: Harvard University Press, 1930). According to the *Apostolic Constitutions* 8.32.12 (early fourth century), a Christian man with a concubine (either enslaved or free) is to stop extramarital sexual relations with her and marry her legally or face excommunication, but the *Apostolic Constitutions* stop short of penalizing him for any past sexual acts; Marcel Metzger, ed. and trans., *Les Constitutions apostoliques*, vol. 3; Sources chrétiennes 336 (Paris: Du Cerf, 1987) 238–239.
39. For a summary of Adrienne Davis's paper "Miscegenation and Morality: The Contemporary Politics and Racial Meanings of Marriage" (presented at the "Beyond Slavery: Overcoming Its Religious and Sexual Legacy Conference," Brandeis University, October 15, 2006), visit Feminist Sexual Ethics Project, http://www.brandeis.edu/projects/fse/Conference/Conf-main4.html#davis (accessed November 30, 2009).
40. Thomas Jefferson, *Notes on the State of Virginia*, ed. David Waldstreicher (Boston: Bedford/St. Martin's, 2002) 195; discussed in Mia Bay, "Love, Sex, Slavery, and Sally Hemings," in this volume, 191.
41. Thomas Jefferson, *The Jefferson Bible: The Life and Morals of Jesus of Nazareth* (1904; reprint, Boston: Beacon, 1989) 46.
42. Thomas Jefferson to John Wayles Eppes, Monticello, 1820, in *Thomas Jefferson's Farm Book with Comments and Relevant Extracts from Other Writings*, ed. Edwin Morris Betts (Princeton: Princeton University Press, 1953) 45–46.
43. Sharon Block, *Rape and Sexual Power in Early America* (Chapel Hill: University of North Carolina Press, 2006) 65.
44. Catherine Clinton, "Breaking the Silence: Sexual Hypocrisies from Thomas Jefferson to Strom Thurmond," in this volume, 213.
45. Jennifer A. Glancy, "Early Christianity, Slavery, and Women's Bodies," in this volume; and Mende Nazer, with Bernadette J. Brooten, "Epilogue," in this volume.
46. As New Testament scholar Clarice J. Martin writes of enslaved persons in the Roman Empire, "There was no way they could escape the uninhibited supervisory gaze of their owners." Martin, "The Eyes Have It: Slaves in the Community of Christ-Believers," in

A People's History of Christianity, vol. 1, *Christian Origins*, ed. Richard A. Horsley (Minneapolis: Fortress, 2005) 233.

47. Exodus 21:20–21 (New Revised Standard Version).
48. 1 Peter 2:20 (NRSV).
49. Assumptions about women of other ethnic backgrounds also exist, but they differ from those about women whose ancestors could have been enslaved or could have been slaveholders.
50. Harriet A. Jacobs, *Incidents in the Life of a Slave Girl: Written by Herself: Contexts, Criticism*, ed. Nellie Y. McKay and Frances Smith Foster (1861; New York: Norton, 2001) 29.
51. Jacobs, *Incidents*, 32.
52. *Acta Andrea*, ed. Jean-Marc Prieur, Corpus Christianorum, Series Apocryphorum 5–6 (Tournhout, Belgium: Brepols, 1989). Prieur dates the final edition of the *Acts of Andrew* to the second half of the second century, *Acta Andrea*, vol. 5, 414. English translation in *New Testament Apocrypha*, ed. Wilhelm Schneemelcher, trans. R. McL. Wilson, vol. 2 (Louisville, KY: Westminster/John Knox, 1992) 101–151.
53. This incident is in *Acts of Andrew*, chaps. 17–22; *New Testament Apocrypha*, vol. 2 (1992) 139–141 (Detorakis's edition, 339–341).
54. Sheila Briggs, "Gender, Slavery, and Technology: The Shaping of the Early Christian Moral Imagination" in this volume.
55. Genesis 16 (New Revised Standard Version; Jewish Publication Society).
56. E.g., Laws of Hammurabi 16–20; Deuteronomy 23:15–16 (which commands that Israelites grant refuge to fugitives).
57. Debra Blumenthal, "'As If She Were His Wife': Slavery and Sexual Ethics in Late Medieval Spain," in this volume.
58. *Civil Code*, article 1468. See Judith Kelleher Schafer, *Slavery, the Civil Law, and the Supreme Court of Louisiana* (Baton Rouge: Louisiana State University Press, 1994) 185.
59. Adrienne D. Davis, "The Private Law of Race and Sex: An Antebellum Perspective," *Stanford Law Review* 51 (1999) 221–288.
60. Lalita Tademy's historical novel *Cane River* (New York: Warner, 2001), which is based on cryptically brief family records, vividly helps readers to imagine how enslaved girls could have hoped that their relationship with the master's son or another free white boy or man would be different—that he truly cared for her and would care for their children—even as their respective mothers and grandmothers realistically planned for their futures. I thank Barbara Brooten Job for this reference.
61. Suetonius, *Lives of the Caesars: Vespasian* 3; *Suetonius*, vol. 2, trans. J. C. Rolfe, Loeb Classical Library (rev. ed., Cambridge, MA: Harvard University Press, 1997) 271. As a man of the senatorial class, Vespasian was not allowed to marry a freedwoman.
62. Most read the King James Version of Deuteronomy 15: [13]And when thou sendest him out free from thee, thou shalt not let him go away empty: [14]Thou shalt furnish him liberally out of thy flock, and out of thy floor, and out of thy winepress: of that wherewith the Lord thy God hath blessed thee thou shalt give unto him. [15]And thou shalt remember that thou wast a bondman in the land of Egypt, and the Lord thy God redeemed thee: therefore I command thee this thing to day. [17]...And also unto thy maidservant thou shalt do likewise. [18]It shall not seem hard unto thee, when thou sendest him away free from thee; for he hath been worth a double hired servant to thee, in serving thee six years: and the Lord thy God shall bless thee in all that thou doest.
63. Douglas A. Blackmon, *Slavery by Another Name: The Re-Enslavement of Black Americans from the Civil War to World War II* (New York: Doubleday, 2008). On complaints of involuntary servitude and peonage filed between 1961 and 1963, see Harry H. Shapiro, "Involuntary Servitude: The Need for a More Flexible Approach," *Rutgers Law Review* 19 (1964–1965) 65–85, who outlined the enormous hurdles faced by plaintiffs in establishing that involuntary servitude or peonage was occurring.

64. Kathleen M. Blee, *Women of the Klan: Racism and Gender in the 1920s* (Berkeley: University of California Press, 1991), shows that women, including feminists, were involved in the Klan. She documents the Klan's emphasis on attending church and its increasing anti-Catholicism. Blee's illustration number 11 (from the Library of Congress) of a 1924 Klan baby christening is particularly chilling.
65. Lisa Cardyn, "Sexualized Racism/Gendered Violence: Outraging the Body Politic in the Reconstruction South," *Michigan Law Review* 100 (2002) 675–867. For a summary of Lisa Cardyn's paper "Practices of Sexual Terrorism in the Reconstruction South" (presented at the "Beyond Slavery: Overcoming Its Religious and Sexual Legacy Conference," Brandeis University, October 16, 2006), visit the Feminist Sexual Ethics Project Web site, http://www.brandeis.edu/projects/fse/Conference/Conf-main3.html#cardyn (accessed September 19, 2009).
66. William Grimes, *Life of William Grimes, the Runaway Slave: Written by Himself* (New York: 1825), available at Documenting the American South, http://docsouth.unc.edu/neh/grimes25/menu.html (accessed December 1, 2009). Grimes's work forms a rare exception in its straightforward depiction of the range of human moral behavior. I thank Joan Bryant for this reference.
67. Ellen Barry, "From Plantations to Prisons: African American Women Prisoners in the United States," in this volume.
68. Several states have banned shackling during labor and delivery: See Cal. Penal Code § 5007.7 (West 2008); Cal. Penal Code § 3423 (West 2008); 55 Ill. Comp. Stat. Ann. 5/3-15003.6 (West 2008); 730 Ill. Comp. Stat. Ann. 125/17.5 (West 2008); 28 V.S.A. § 801a (West 2008); N.M. Stat. Ann. § 33-1-4.2 (West 2009); Tex. Gov't Code Ann. § 501.066 (Vernon 2009); Tex. Hum. Res. Code Ann. § 61.07611 (Vernon 2009); Tex. Loc. Gov't Code Ann. § 361.082 (Vernon 2009); and N.Y. Correct. Law § 611 (McKinney 2009). In a recent decision, a federal court of appeals held that the Eighth Amendment to the U.S. Constitution protects pregnant women in prison from the unnecessary and unsafe practice of shackling during labor. The federal court found that constitutional protections against shackling pregnant women during labor are clearly established by previous decisions of the Supreme Court and the lower courts. This is the first time a circuit court has made such a determination, *Nelson v. Correctional Medical Services, et al.* F.3d, 2009 WL 3151208 (8th Cir. 2009). Shawanna Nelson, the woman who had been shackled, alleged permanent damage to her hips, stomach, and other parts of her body, resulting in a disability. Senator Richard J. Durbin, Democrat of Illinois, was instrumental in altering the policy employed by the Federal Bureau of Prisons, Program Statement: Escorted Trips, No. 5538.05 at §570.45 (October 6, 2008), available at http://www.bop.gov/policy/progstat/5538_005.pdf (accessed October 31, 2009). I thank Amy Fettig of the ACLU National Prison Project and Gail T. Smith of Chicago Legal Advocacy for Incarcerated Mothers (http://www.claim-il.org/ [accessed December 1, 2009]) for the information on shackling.

    Although allowing male guards to guard female prisoners flies in the face of international norms, a federal appeals court has held that assigning male guards to prison areas in which incarcerated women were unclothed did not violate their right to privacy, if the prison made reasonable efforts to reduce the women's exposure to viewing by the male guards. *Forts v. Ward*, 621 F.2d 1210 (2d Cir. 1980). For the international standards, see United Nations, *Standard Minimum Rules for the Treatment of Prisoners*' August 30, 1955, UN High Commissioner for Refugees, Refworld, http://www.unhcr.org/refworld/pdfid/3ae6b36e8.pdf (accessed August 26, 2009); rule 53 states: "(1) In an institution for both men and women, the part of the institution set aside for women shall be under the authority of a responsible woman officer who shall have the custody of the keys of all that part of the institution. (2) No male member of the staff shall enter the part of the institution set aside for women unless accompanied by a woman officer."
69. See the essays by Dorothy Roberts, Emilie M. Townes, Dwight N. Hopkins, Mia Bay, and Catherine Clinton in this volume, as well as the unusual 1859 Virginia case, *Commonwealth v. Ned*, in which the judge joined the cases of an enslaved African

American girl and a free European American girl who complained of sexual assault by an enslaved man. The court found the man, named Ned, guilty. For a summary of Wilma King's paper " 'He said He Would Give Us Some Flowers': Sexual Violations, Girls, and the Law in the Antebellum South," (presented at the "Beyond Slavery: Overcoming Its Religious and Sexual Legacy Conference," Brandeis University, October 16, 2006), which analyzes *Commonwealth v. Ned*, visit the Feminist Sexual Ethics Project, http://www.brandeis.edu/projects/fse/Conference/Conf-main3.html#king (accessed September 19, 2009). In response to *George [a slave] v. State*, 37 Miss. 316 [1859], which quashed the indictment of an enslaved man for raping an enslaved girl under the age of ten, the Mississippi legislature passed a highly unusual statute that criminalized the rape of a "female negro or mulatto," if she were under the age of twelve and the assailant a "negro or mulatto" (Mississippi Session Acts, ch. 62, p. 102 [1860]). See Helen Tunnicliff Catterall, ed., *Judicial Cases Concerning American Slavery and the Negro*, vol. 3 (Washington, DC: Carnegie Institute, 1932) 363. I thank Wilma King for this reference.

70. I thank Anita F. Hill for the idea to commission research on this topic and for her collaboration in supervising it with a grant from the Ford Foundation. See Elizabeth Kennedy, *Victim Race and Rape* (Waltham, MA: Feminist Sexual Ethics Project, Brandeis University, 2003), http://www.brandeis.edu/projects/fse/slavery/slav-us/slav-us-articles/slav-us-art-kennedy-full.pdf (accessed August 26, 2009); and Jennifer C. Nash, *Black Women and Rape: A Review of the Literature* (Waltham, MA: Feminist Sexual Ethics Project, Brandeis University, 2009), http://www.brandeis.edu/projects/fse/slavery/slav-us/slav-us-articles/Nash2009–6-12.pdf (accessed August 26, 2009).
71. Frances Smith Foster, "Mammy's Daughters; Or, the DNA of a Feminist Sexual Ethics," in this volume.
72. See also Frances Smith Foster, ed., *Love and Marriage in Early African America* (Hanover, NH: University Press of New England/Northeastern University Press, 2007); and *'Til Death or Distance Do Us Part: Love and Marriage in African America* (New York: Oxford University Press, 2010).
73. Florence Ladd, "A Visit from the Old Mistress," in this volume.
74. Nancy Rawles, "Prayer for my daughter," in this volume.
75. John Francis Maxwell. *Slavery and the Catholic Church: The History of Catholic Teaching Concerning the Moral Legitimacy of the Institution of Slavery* (Chichester: Barry Rose, in association with the Anti-Slavery Society for the Protection of Human Rights, 1975) 11.
76. Even the intense public scrutiny in the clergy sexual abuse scandal in the Catholic Church has not resulted in adequate institutional reflection on the moral priorities of the hierarchy, and the Vatican continues to resist giving laypeople oversight over personnel or financial decisions. For more, see Voice of the Faithful, http://www.votf.org/ (accessed September 26, 2009) and Survivors Network of those Abused by Priests, http://www.snapnetwork.org/ (accessed September 26, 2009).
77. Pope Nicholas V, *Romanus pontifex* (January 8, 1455), papal bull granting King Alfonso V of Portugal the rights named above; and Pope Alexander VI, *Inter caetera* (May 3, 1493), papal bull granting Castille's rulers and successors the same rights. See John T. Noonan, Jr., *A Church that Can and Cannot Change: The Development of Catholic Moral Teaching* (Notre Dame, IN: University of Notre Dame Press, 2005) 62–65, and for the fuller history, chaps. 4–17.
78. See also the documentation by Kenneth J. Zanca, ed., *American Catholics and Slavery: 1789–1866: An Anthology of Primary Documents* (Lanham, MD: University Press of America, 1994).
79. Leviticus 25:35; see also 25:36–38 (New Revised Standard Version).
80. Emilie M. Townes, "From Mammy to Welfare Queen: Images of Black Women in Public-Policy Formation," in this volume, note 61.
81. Mende Nazer, with Bernadette J. Brooten, "Epilogue," in this volume.

82. Townes, "From Mammy to Welfare Queen," in this volume; Sheila Briggs, "Gender, Slavery, and Technology: The Shaping of the Early Christian Moral Imagination," in this volume.
83. Stephen Bates, "Church Apologises for Benefiting from Slave Trade," *Guardian*, February 9, 2006, http://www.guardian.co.uk/uk/2006/feb/09/religion.world (accessed October 4, 2009). For the full speech, see "Bicentenary of the Act for the Abolition of the Slave Trade: Speech to General Synod," February 8, 2006, Archbishop of Canterbury Web site, under "Articles, Interviews, and Speeches," http://www.archbishopofcanterbury.org/315 (accessed October 4, 2009).
84. *Apologizing for the Enslavement and Racial Segregation of African-Americans*, HR 194, 110th Cong., 2nd sess., *Congressional Record* 154, no.127, daily ed. (July 29, 2008) H 7224; *Apologizing for the Enslavement and Racial Segregation of African-Americans*, S. Con. Res. 26, 111th Cong., 1st sess. (June 11, 2009), *Congressional Record* 155 (June 18, 2009) S 6761.
85. For details on HR 40, *Commission to Study Reparation Proposals for African-Americans Act*, visit Library of Congress, THOMAS database, under "Bills, Resolutions," http://thomas.loc.gov/cgi-bin/bdquery/z?d110:h40: (accessed December 6, 2009).
86. Supporters include the NAACP, Southern Christian Leadership Conference, Nation of Islam, and National Baptist Convention. Several largely white religious denominations have also moved toward support for reparations. In 2001, the United Church of Christ General Synod and the Disciples of Christ General Assembly passed a joint resolution on reparations for slavery, which calls upon congregations, regions, agencies, and national ministries "to join in active study and education on issues dealing with reparations for slavery." The United Church of Christ version amended the resolution to distinguish between reparations and restitution, stating that reparations "can never be singularly reducible to monetary terms." See "The Twenty-Third General Synod Adopts the Resolution 'A Call for Study on Reparations for Slavery,'" United Church of Christ, http://www.ucc.org/synod/resolutions/CALL-FOR-STUDY-ON-REPARATIONS-FOR-SLAVERY.pdf (accessed October 4, 2009).

    In 2004, "[d]elegates to the top legislative assembly of the United Methodist Church voted to support a study of reparations for African Americans and to petition the vice president and House of Representatives to support the passage and signing of House Resolution 40." See Linda Green, "United Methodist Church Supports Reparations for African Americans," May 7, 2004, United Methodist News Service, http://archives.umc.org/interior.asp?ptid=17&mid=4711 (accessed October 4, 2009).

    Also in 2004, the Presbyterian Church (USA) "adopted the report of the Task Force to Study Reparations," which states: "The point is not to indict any particular group of people for such atrocities. Rather, as members of the same body, the body of Christ, we must all bear equal responsibility for the sins of our past. The Scriptures call us to bear one another's burdens and so fulfill the law of Christ (Gal. 6:2, NRSV). We do so first, by remembering what we have done and failed to do; second, by doing everything in our power to restore the human dignity and material loss of our sisters and brothers; third, by repairing the moral and spiritual breach that was formed between the offended and the offenders; and fourth, by sincerely attempting to reconcile all differences that are directly related to our behaviors of the past." See *Report of the Task Force to Study Reparations*, http://www.pcusa.org/racialjustice/pdf/reparations-paper-final2005.pdf (accessed October 4, 2009).

    In 2006, the General Convention of the Episcopal Church (USA) passed a resolution acknowledging its complicity in slavery and in segregation and the economic benefits it derived from slavery, and it urged its members to take measures to be "'the repairer of the breach' (Isaiah 58:12), both materially and relationally." See "Study Economic Benefits Derived from Slavery," Archives of the Episcopal Church, resolution number 2006-A123, http://www.episcopalarchives.org/cgi-bin/acts/acts_resolution-complete.pl?resolution=2006-A123 (accessed October 4, 2009).

The remarkable documentary *Traces of the Trade: A Story from the Deep North*, directed by Katrina Browne (Ebb Pod Productions, 2008), has helped the Episcopal and other churches in these efforts. Browne, a descendant of the largest slave-trading family in the United States, a family that was heavily involved in the Episcopal Church, retraced the triangle trade of her ancestors, from Rhode Island to Ghana to Cuba and then back to the United States, seeking ways to repair the damage to today's descendants of those enslaved by her ancestors. Visit http://www.tracesofthetrade.org/ (accessed October 4, 2009).

87. These include the Southern Baptist Convention, which in 1995 called on convention delegates to "lament and repudiate historic acts of evil such as slavery from which we continue to reap a bitter harvest"; *Christian Century*, July 5, 1995. In 2000, according to the *National Catholic Reporter*, sisters from three Roman Catholic orders in Kentucky—the Dominicans, the Lorettos, and the Sisters of Charity of Nazareth—held a reconciliation service to ask "forgiveness for their orders' participation in slavery"; Dennis Coday, "Exhibit Aims to Dispel 'Myth' About Sisters," February 17, 2009. On Jesuit slave holding, see, e.g., R. Emmett Curran, "Splendid Poverty: Jesuit Slave-Holding in Maryland, 1805–1838," in *Catholics in the Old South: Essays in Church and Culture*, ed. Randall Miller and Jon Waklyn (Macon, GA: Mercer University Press, 1983) 125–146; and Thomas Murphy, *Jesuit Slaveholding in Maryland, 1717–1838* (New York: Routledge, 2001).
88. Deuteronomy 15:14 (King James Version, the translation read by most slaveholding Christians in the nineteenth century).
89. Callie House led an organization of 300,000 formerly enslaved persons to petition the government for an old-age pension in recognition of their unpaid work during slavery. Mary Frances Berry, *My Face Is Black Is True: Callie House and the Struggle for Ex-Slave Reparations* (New York: Knopf, 2005).
90. Maria W. Stewart, "Productions of Mrs. Maria W. Stewart Presented to the First African Baptist Church & Society of the City of Boston," in *Spiritual Narratives*, ed. Schomburg Library of Nineteenth-Century Black Women Writers (1835; reprint, New York: Oxford University Press, 1988) 17–21. See Dwight N. Hopkins, "Enslaved Black Women: A Theology of Justice and Reparations," in this volume.
91. See, e.g., Melvin L. Oliver and Thomas M. Shapiro, *Black Wealth/White Wealth: A New Perspective on Racial Inequality* (New York: Routledge, 2006); and Thomas M. Shapiro, *The Hidden Cost of Being African American: How Wealth Perpetuates Inequality* (New York: Oxford University Press, 2004).
92. See the Transatlantic Slave Trade Database, http://www.slavevoyages.org/tast/index.faces (accessed May 28, 2010).
93. For the debate on reparations, see, for example, Michael T. Martin and Marilyn Yaquinto, eds., *Redress for Historical Injustices in the United States: On Reparations for Slavery, Jim Crow, and Their Legacies* (Durham, NC: Duke University Press, 2007); Alfred L. Brophy, *Reparations: Pro and Con* (New York: Oxford University Press, 2006); Pamela D. Bridgewater, "Ain't I a Slave: Slavery, Reproductive Abuse, and Reparations," *UCLA Women's Law Journal* 14 (2005) 89–161; Raymond A. Winbush, ed., *Should America Pay? Slavery and the Raging Debate on Reparations* (New York: Amistad/HarperCollins, 2003); David Horowitz, *Uncivil Wars: The Controversy over Reparations for Slavery* (San Francisco: Encounter, 2002); Adrienne D. Davis, "The Case for United States Reparations to African Americans," *Human Rights Brief* 7:3 (2000) 3–5; and Randall Robinson, *The Debt: What America Owes to Blacks* (New York: Dutton/Penguin, 2000).
94. Among others, these include the cities of Chicago, Los Angeles, Detroit, San Francisco, and Philadelphia; and the states of Illinois, Iowa, California, and Maryland.
95. Richard Slawsky, "Bank One Seeks to Make Amends for Past Ties to Slavery," *Louisiana Weekly*, February 14–20, 2005, section A. (J. P. Morgan Chase assumed responsibility because it had bought out Bank One.)
96. Angela Y. Davis, *Women, Race, and Class* (New York: Random House, 1981) 3–29.

97. Deborah Gray White, *Ar'n't I a Woman? Female Slaves in the Plantation South* (New York: Norton, 1985).
98. Limited space permits me to mention only a few of the many contributions: Dorothy Sterling, ed., *We Are Your Sisters: Black Women in the Nineteenth Century* (New York: Norton, 1984); Jacqueline Jones, *Labor of Love, Labor of Sorrow: Black Women, Work, and the Family, from Slavery to the Present* (New York: Basic, 1985); Jean Fagan Yellin, ed., *Incidents in the Life of a Slave Girl: Written by Herself*, by Harriet A. Jacobs, ed. L. Maria Child (Cambridge, MA: Harvard University Press, 1987); Katie G. Cannon, *Black Womanist Ethics*, American Academy of Religion Series 60 (Atlanta: Scholars, 1988); Melton A. McLaurin, *Celia: A Slave* (Athens: University of Georgia Press, 1991); Delores S. Williams, *Sisters in the Wilderness: The Challenge of Womanist God-Talk* (Maryknoll, NY: Orbis, 1993); Karen Baker-Fletcher, "The Difference Race Makes: Sexual Harassment and the Law in the Thomas-Hill Hearings," *Journal of Feminist Studies in Religion* 10 (1994) 7–15; Karen Baker-Fletcher, "Womanism, Afro-centrism, and the Reconstruction of Black Womanhood," *Journal of the Interdenominational Center* 22 (1995) 183–197; Katie Geneva Cannon, *Katie's Cannon: Womanism and the Soul of the Black Community* (New York: Continuum, 1995); Wilma King, *Stolen Childhood: Slave Youth in Nineteenth-Century America* (Bloomington: Indiana University Press, 1995); David Barry Gaspar and Darlene Clark Hine, eds., *More Than Chattel: Black Women and Slavery in the* Americas (Bloomington: Indiana University Press, 1996); Brenda E. Stevenson, *Life in Black and White: Family and Community in the Slave South* (New York: Oxford University Press, 1996); Catherine Clinton and Michele Gillespie, eds., *The Devil's Lane: Sex and Race in the Early South* (New York: Oxford University Press, 1997); Charlotte Pierce-Baker, *Surviving the Silence: Black Women's Stories of Rape* (New York: Norton, 1998); Darlene Clark Hine and Kathleen Thompson, *A Shining Thread of Hope: The History of Black Women in America* (New York: Broadway, 1998); Kelly Brown Douglas, *Sexuality and the Black Church: A Womanist Perspective* (Maryknoll, NY: Orbis, 1999); Martha Hodes, ed., *Sex, Love, Race: Crossing Boundaries in North American History* (New York: New York University Press, 1999); Thandeka, *Learning to Be White: Money, Race, and God in America* (New York: Continuum, 1999); Traci C. West, *Wounds of the Spirit: Black Women, Violence, and Resistance Ethics* (New York: New York University Press, 1999); Carolyn M. West, ed., *Violence in the Lives of Black Women: Battered, Black, and Blue* (New York: Haworth, 2002); Anthony B. Pinn and Dwight N. Hopkins, eds., *Loving the Body: Black Religious Studies and the Erotic* (New York: Palgrave Macmillan, 2004); Patricia Hill Collins, *Black Sexual Politics: African Americans, Gender, and the New Racism* (New York: Routledge, 2004); Patrick Minges, *Far More Terrible for Women: Personal Accounts of Women in Slavery* (Winston-Salem, NC: Blair, 2006); Traci C. West, *Disruptive Christian Ethics: When Racism and Women's Lives Matter* (Louisville, KY: Westminster John Knox, 2006); Annette Gordon-Reed, *The Hemingses of Monticello: An American Family* (New York: Norton, 2008); Renee K. Harrison, *Enslaved Women and the Art of Resistance in Antebellum America* (New York: Palgrave Macmillan, 2009); and M. Shawn Copeland, *Enfleshing Freedom: Body, Race, and Being* (Minneapolis: Fortress, 2010).
99. Some forms of sex work are consensual, whereas others are forced and are as brutal as any other form of slavery.
100. The International Labour Organization defines the characteristics of child labor that should be eliminated. See the ILO International Programme on the Elimination of Child Labour, under "About child labour," http://www.ilo.org/ipec/facts/lang–en/index.htm (accessed November 25, 2009).
101. Free the Slaves, http://www.freetheslaves.net (accessed October 30, 2009).

I

A Prayer

1

Prayer for my daughter

Nancy Rawles

Dear Lord

Lift this burden from my heart
that I might not give it
to my daughter

This passel of bitterness
I have carried many lives
May I spare my child
the weight of it

Bring me to healing waters
so the sores of my womb
may be washed in faith

She need not be afraid

Teach me to protect her
without frightening her
When I see her trembling eyes Lord
When I hear her violent tears
Make me forget the times I've trembled
with rage and longed for comfort

Let me go to her
on legs of grace
not feet worn down
by the sharp smell of acrimony

When words pierce her soul
Let those words not
be mine

Keep her from the sorrow
of my hand may she bear
no mark of me against her
heart

She need not be afraid

For comfort shall be hers
When condemnation flees my lips

She will have my arm to squeeze
my shoulder on which to cry out
the pain of years

the proverbs of our ancestors
Let me take the best of them
and walk with her down
tender streets

Let her not be visited by
the ghosts of Senegambia
Let her not be defeated by
the ghosts of Mississippi
Let her grow in stride with the spirits
of change and redemption

She need not be afraid

May I teach her to gaze upon
our age-old enemies
with knowledge of their
fearful humanity

Let me lead her to recognize
Hatred
for what it is—
a foe that won't withstand
the light of reason
the heat of love

You need not be afraid

Let my world not be your world
dear daughter
May the world of our fathers
fall down and be calmed
at the sight of you

May you not know
the grief of your grandfather who
worked all his life at jobs he
loathed and would have gladly
traded for the pleasure of slipping
under cars in a torn checkered robe

or your pepe proud and tall refusing
to bow when the government black
listed him and people had to bring
him food in return for knowledge
traded in secret like the family
who threw themselves over
the garden wall and hid for
months under the beds
when the state police came round

May you never understand
your grandmother's humiliation

when her immigrant friends realize
they are White nurses aides
Irish Polish Russian slaves no more
in this different place where
they prove their Americaness by
disproving of us

like the Italian policeman who made
your grandmarie cry in front of
her children on the way to school
she ran a stop sign he said and for this
she was denounced on the side of the road
and called many things none of them
great-grandchild oh you daughter
of a long remembered rape

Your face is like the face of
your aunt cocooned inside her polyester
house dress reading foreign dictionaries
teaching herself Hebrew and Farsi her
spirit broken by the move from her
island country where she played

Chopin as her sisters waltzed
the polished wooden floors gleaming
beneath flat brown feet while
servants cooked the evening meal
in the outdoor kitchen
reste avec nous
one and two and three and Lord
the last supper how she played

We all remember
the girls whose mothers sold
them at the gas station
the girls whose fathers took
them in the night
the girls captured by the
soldiers claiming to be from God
we remember and

Weep not daughters

of Jerusalem of Darfur of Hebron of
Mosul and Kabul and Mumbay
weep not for the children of statues
the sons of stone
the children of guilt and iron

give them your good counsel
give them your loud protests
your long dissent
your fierce opposition
not your tears

save those for your children
the children of flesh
save your tears for
the children of poetry
flesh made the word
flesh given over
to mouths for food
that yielding flesh
given up for thoughts of purity
impossible innocence never possessed
that patient flesh
made sacred by desire
made holy by need

Oh, Guadalupe
Oh, Magdalena
Oh, Yemanja
Oh, Kuan Yin

I call upon you

God of Hager
God of Sara and Rochel
Astraea, Goddess of Justice
Aphrodite, Goddess of Love
All you cursed and conquered

I cry unto you

La Virgin
Las Madres de la Plaza
La Black Madonna

I weep with you

Malaika, Gabriela, Angelina
Messengers of God
My God
Lama sabachtani
Elohenu melech ha'olam
¿Por que me deja plantada?

I waited for thee

My daughter my love
Your tiny arms around my neck

What will I say when the time comes to talk
about Tulsa Selma Birmingham Watts Detroit
When you come upon the hell of Bergen-Belsen
Baba Yar Phnom Penh Kigali Lahore
Wounded Knee

How will I answer for the
cruelty of animals
skinned and left to perish in the fire of day
the day that God has made

You must be strong

I thank you for the blessing of thunder
You who look me in the eye from a height
I never imagined

If I can love you well
Then love will be yours all the days of your life
And when I am gone
love will speak to you still
in a great booming voice

On that hallowed ground
In that fervent whisper
With that breathless ache

I could not protect you
I could not unknow you
I could only claim you as mine

She need not be afraid of me

I am lost and gone
I am lost and nearly gone
What for me was never ending
Is completed every time
I gaze upon your face

Oh, daughter of the desert
daughter of forest and mist
daughter of oceans and rivers

Forgive

II

Overcoming Slavery's Legacies in the United States

2

The Paradox of Silence and Display: Sexual Violation of Enslaved Women and Contemporary Contradictions in Black Female Sexuality

Dorothy Roberts

Introduction

In 1994, twenty-four-year-old artist Kara Walker mounted her first exhibition of visual vignettes set in the antebellum South. Composed of life-sized stylized silhouettes cut from black paper, a genteel nineteenth-century art form, they were pasted directly onto the New York gallery's expansive white walls. Stock racial characters—Mammies, Pickaninnies, Sambos, Jezebels, Southern belles, and Confederate soldiers—cavorted across the walls in lewd scenes that were at once seductive and repulsive, comic and tragic.

> Against a lush moonlit landscape, a gentleman at left courts a lady in petticoats, while his sword threatens to poke his bastard child, who is wringing the neck of a chicken; the child's mother, a slave wench floating in the water, looks on in outrage. Center stage, children engage in sex play, while the wench lifts her leg to do a jig and squeezes out a couple more babies. She then flies off shrieking stage right, carried by her master, whose head is partly buried under her skirt.[1]

By dragging these latent images into the limelight, Walker hoped to enable viewers to confront, interrogate, and disrupt them.

Commentators likened Walker's cutouts to a Rorschach test that elicits highly subjective and starkly different interpretations.[2] The silhouettes were met with immediate and widespread acclaim, including a prestigious 1997 MacArthur "genius" award, for compelling viewers to explore a more complicated understanding of our collective past by insisting that they deal with deeply repressed fantasies about slavery. But the silhouettes also gravely offended many African Americans, who charged that they merely reinforced damaging racist images that appealed to white collectors' own prejudices. The elder artist Betye Saar initiated a ferocious letter-writing campaign to politicians and art organizations denouncing what she saw as the uncritical and premature celebration of Walker's work in venues where African American artists who depict more uplifting aspects of black culture are underrepresented.[3]

The vociferous reaction to Walker's work confirms that slavery's sexual imagery still resonates in our imaginations, not only because of anger at the *past* injustices it depicts but even more because it continues to influence attitudes about black women's bodies and character. Black female sexuality is most prominently characterized by two starkly conflicting features that can be traced to slavery. There is a profound silence in scholarship, including feminist writing, as well as in public discourse about black women's subjective sexual experiences. The unattractive, asexual black woman is the most prominent icon of black female respectability. At the same time, public displays of black women's bodies that replay myths about black female promiscuity abound. Black female sexuality is at once hidden and paraded. How tricky it is for contemporary black women to resist these sexual stereotypes without bowing to the dominant values that delight in placing black female bodies on display or to the requirements of respectability that tend to silence sexual expression.

In this essay, I seek to understand the paradox of silence and display that characterizes contemporary black female sexuality by examining its relationship to the sexual violation of enslaved women and girls. I argue that slavery's identification of black female sexuality with licentiousness and black female acceptability with asexuality led to silencing the subjective sexual experiences of black women even while the media are full of images of black women flaunting their bodies in sexual displays. In what follows, I first describe the legally sanctioned sexual exploitation of black women and girls during slavery and the degrading mythology that supported it. The dichotomy between the mythical Jezebel, which portrayed black female sexuality as inherently depraved, and the Mammy, which portrayed black female respectability as necessarily asexual, is the source of the paradox of silence and display.

I then elaborate this paradox by discussing displays of black women's sexuality in contemporary U.S. culture, especially rap music videos, as well as the ways in which black women are encouraged to be silent about their sexual desires, pleasures, and decisions. In particular, after Emancipation, black elite women created a "politics of respectability" that emphasized chastity as a key means of erasing the sexual stigma inherited from slavery. Thus, black women's subjective sexual experiences have been silenced by stereotypes that excused and enabled whites' sexual abuse of enslaved women as well as by black communities' attempts to contest these stereotypes.

I then contend that the extremes of promiscuity and asexuality have left a gaping void in the cultural terms needed for black women to freely and publicly define their own sexual identities. Although black women have historically struggled to create alternative sexual ethics, both through their artistic expression and social activism, their impact has been limited by slavery's legacy. Although white women are also affected by racism and sexism, they are not seen as *inherently* licentious; U.S. culture therefore gives them greater leeway to explore sexual expression while remaining socially respectable. I move on to discuss examples of black women's use of the arts to fill this cultural void. I conclude that challenging the paradox of silence and display in black female sexuality requires subverting racist sexual stereotypes as well as changing unjust social policies, institutions, and conditions that reinforce them and that deny black women the cultural and material resources needed to promote their own sexual identities and ethics.

The Paradox's Origins in Slavery

The sexual violation of enslaved women and girls set a long-lasting foundation for contemporary notions about black female sexuality. White slaveholders classified Africans as an animal-like race that could be legally treated as chattel. The colonists relied on the biblical story of Noah and his sons Ham, Shem, and Japeth to explain race and justify their enslavement of Africans.[4] According to this legend, Noah cursed Ham's son Canaan to be enslaved by Noah's other two sons. Whites claimed that Africans were the descendants of Ham, and their enslavement was the fulfillment of Noah's prophecy.

One of the most horrific aspects of slavery's ownership of black bodies was enslaved women's experience of sexual exploitation by white men. The institution of slavery created for slaveholders the possibility of unrestrained sexual access and control. This encompassed both slave masters' sexual aggression at will against their female slaves and their requirement that enslaved girls have early sexual experiences with them and enslaved men. The pervasiveness of sexual victimization in the lives of enslaved women and girls is reflected by the fact that "[v]irtually every known nineteenth-century female slave narrative contains a reference to, at some juncture, the ever present threat and reality of rape."[5] Equally prominent in these women's stories is their effort to resist sexual violation so as to preserve some control over their own sexuality.

Although black women and girls served as objects of sexual gratification, their own sexual health, desires, and decisions were disregarded.[6] The autobiography of Harriet Jacobs, who was sexually pursued by her white owner from age thirteen, dramatically describes how her reduction to a sexual object shaped every aspect of her life.[7] "Slavery is terrible for men," wrote Harriet Jacobs, "but it is far more terrible for women."[8] Jacobs referred not only to forced sex but also to the premature exposure of girls to sexualization by masters, impressing on girls at an early age that their value was reduced to sexual commodity.[9]

The law sanctioned whites' denial of black women's humanity by deeming any child born to an enslaved woman to be a slave. This permitted owners to profit from their assaults and failed to recognize the rape of an enslaved woman as a crime. Not only did slave masters have the legal right to treat their enslaved property as they wished, but enslaved women had no legal interest in preserving their own bodily integrity. The law did not recognize the rape of black women by *any* man. When a slave named George was charged with having sex with a child under the age of ten, a Mississippi court dismissed the indictment on grounds that "the crime of rape does not exist in this State between African slaves."[10] The laws that regulated sex among whites were simply not relevant to slaves: "Their intercourse is promiscuous" and "is left to be regulated by their owners," the court wrote. In 1860, the Mississippi legislature responded to the dismissal by passing a law punishing enslaved men for the rape of "negro or mulatto" girls under twelve years of age.[11] It is unlikely, however, that this law stemmed sexual abuse of enslaved girls because slave owners had an economic interest in avoiding criminal punishment, especially execution, of their male slaves.[12]

The law also failed to protect enslaved women by punishing their acts of resistance against sexual abuse. Because black women did not have the right not to be raped, they could not appeal to laws that made white women's self-defense against rape justifiable. When an enslaved girl in Missouri named Celia killed her master, Robert Newsom, who had raped her repeatedly from the time he purchased her in 1850, she was hanged.[13]

Slavery also put black women's bodies on display. White society did not accord enslaved women the physical privacy that Victorian standards of modesty required. Women were paraded on auction blocks for sale with potential customers invited to feel the most intimate parts of their bodies to test their fertility and fitness for field labor.[14] Enslaved women were often provided only scanty clothing and were stripped naked for beatings. White men's voyeuristic obsession with black women's bodies turned enslaved women into pornographic objects because white men had the power literally to treat these women's bodies as property.[15] In the early nineteenth century, European whites kidnapped Sarah Baartman, the so-called Hottentot Venus, from what is now South Africa to use her as an illustration of the physical differences between blacks and whites. She was exhibited in a cage at Piccadilly Circus in London and paraded at fashionable parties in Paris, barely clothed, for the entertainment of the white guests. After her death in 1815, she was literally reduced to her sexual parts when her body was dissected and her genitalia and buttocks placed on display at the Musée de l 'Homme in Paris. It was not until 1974 that her remains were placed in storage; she was finally buried in her homeland of South Africa in August 2002.

Emancipation did little to protect black women from sexual victimization. No longer the property of a particular white slaveholder, freed black women were vulnerable to sexual assault by any white man.[16] Indeed, Reconstruction escalated sexual violence against black women as a tool of racial terror to reinstitute white supremacy.[17] Even after the rape of black women constituted a crime, rape law barely applied to them because prosecutors and jurors presumed they were unchaste.[18] White law enforcement has historically trivialized the sexual assault of black women because it failed to see the injury these women suffered. Thus, black women were twice victimized: they were physically assaulted and then denied legal recognition of the harm.

The sexual exploitation of enslaved women generated a degrading iconography of black female sexuality designed to legitimize white men's immorality. These images were created within the broader backdrop of an ideology about black sexuality that was essential to whites' rationale for enslaving other human beings. Sexuality is a critical arena for establishing differences among human beings—among races and classes, as well as between genders.[19] The biological classification of Africans as an animal-like race separate from and inferior to whites justified the legal classification of enslaved Africans as chattel. Whites held that blacks demonstrated their proximity to animals in their wild behavior owing to their inability to control their bodily impulses. They claimed that blacks' position between human beings and apes was especially manifested in black women, who were thought to be more attractive to male orangutans than were female orangutans.[20]

A key aspect of the Western view of blacks' instinctual nature was the myth of black wantonness. Because black people were classified as biologically close to animals so that they could be treated legally as such, they were seen to have the same sexuality as animals. Like animals, blacks were thought to be promiscuous because they were uncivilized and incapable of reason and culture.[21] This imaginary association of Africans with wild animals also reflected whites' fear of black sexuality and belief that it had to be contained. In his influential book, *Slavery, as It Relates to the Negro, Or African Race* (1843), New Yorker Josiah Priest defended slavery as an essential means of protecting the white race from the dangers of black sexual perversity.[22]

Two of the most prominent images of enslaved women are erotic opposites—the oversexed Jezebel and the asexual Mammy. Jezebel, a woman governed by her sexual desires, was one of the most prevalent images of enslaved women.[23] Whites appropriated Jezebel from the Bible, where she is portrayed as the evil Phoenician princess and wife of King Ahab of Israel.[24] The Bible suggests that Jezebel led King Ahab astray by encouraging him to worship Baal, the Phoenician's pagan idol, and to oppose the Lord's prophets.[25] Jezebel meets a grisly fate when she is thrown from a window at the command of Jehu, the newly anointed king, and trampled to pieces by horses.[26] Jezebel represented women's power to use their sexual allure to trap innocent men. The ideological construct of the lascivious Jezebel legitimized white men's sexual abuse of black women; for if black women were inherently promiscuous, they could not be violated. This myth allowed white men to perpetrate a colossal hoax: white men could use their power to commit sexual aggressions while pretending to maintain the moral superiority that justified their slaveholding status.[27] Recent revelations about the secret sexual liaisons of revered Southern statesmen Thomas Jefferson and Strom Thurmond with vulnerable black women poignantly illustrate this deception.[28]

In addition, Jezebel defined black women in contradiction to the prevailing image of the True Woman, who was virtuous, pure, and white. Black women's sexual impropriety was contrasted with white women's sexual purity. While white wives were placed on pedestals of spotless morality, all black women were, by definition, whores. As an unidentified Southern white woman wrote in 1904, "I cannot imagine such a creature as a virtuous black woman."[29] Some whites defended the sexual exploitation of enslaved women as necessary to protect white womanhood from men's base passions; slaveholders, they argued, could satisfy their sexual appetites with enslaved women, thereby preserving white women's purity.

In contrast to Jezebel, the myth of the happily subservient Mammy served to justify the exploitation of house slaves' labor and to symbolize ideal slave behavior.[30] Mammy was both the perfect mother and the perfect slave: whites saw her as a totally loyal caregiver whose only desire was to serve her white master by caring for his children.[31] Unlike the exotic Jezebel, Mammy was totally unattractive according to white standards. She was depicted as overweight, having distinctly African features and a dark complexion, and always wearing a head rag and apron. This portrayal accentuated her domesticity and lack of sex appeal, especially for white men.[32] Her advanced age also negated any threat of sexual liaison between her and her white charges.[33] Mammy represented the utmost safety in womanhood because she was both asexual and enslaved. Her absolute, desexed devotion to the master's children eased white people's fear of uncontrollable black sexuality.

The sexual distinction between Jezebel and Mammy reflected slavery's division of blacks into two classes of workers: those who labored in the fields and house servants, who worked in close proximity to whites. Mammy (and Uncle Tom) represented domesticated blacks who were suitable to work in white homes because they had been "stripped of their predilection for unrestrained sexuality and violence (in other words, their stereotypical Blackness)."[34] This early dichotomy between the natural black woman who is sexually licentious and the respectable black woman whose sexuality is erased marks the origins of the contemporary paradox of black female sexuality as something that is at once concealed and displayed.

These images reinforced a corollary belief that black women procreate recklessly and pass on an immoral lifestyle to their offspring. Because Mammy was asexual, she could serve as a surrogate mother to children who were not born of her own sexual activity. Mammy, moreover, remained under the moral supervision of her white mistress. Jezebel, by contrast, was portrayed as a bad mother because her sexuality was inherently depraved. In his 1889 book *The Plantation Negro as a Freeman*, historian Philip A. Bruce explicitly tied black women's sexual impurity to their dangerous mothering. He claimed that black women raised their children to follow their own licentious lifestyle, charging that "no principle is steadily instilled that makes [their children] solicitous and resolute to preserve their reputations untarnished."[35]

The Paradox of Black Female Sexuality: Display and Silence

The sexual exploitation of enslaved women and girls, and the degrading mythology that supported it, continues to affect black female sexuality today. The dichotomy between the intrinsic depravity of Jezebel and asexual respectability of Mammy reverberates in the pervasive displays of black women's bodies in the media at the same time that black women's sexual desires, pleasures, and decision making remain largely hidden.

Black Female Sexuality on Display

It is not hard to find displays of black female sexuality in contemporary U.S. culture. The media, music videos, and policy discourse all scream images of oversexed black women. During the last three decades, black women's reckless childbearing has been a central focus of domestic policy proposals. The Reagan administration blamed the (black) Welfare Queen, who bred children to fatten her government check, for the crisis of welfare dependency. One of the main purposes of the federal welfare reform law passed in 1996 was to curb the supposed irresponsible sexuality of welfare recipients, who were incorrectly seen as predominantly African American.[36] (Black women made up 37 percent of the welfare population in 1996.[37]) These prominent policy discourses constantly remind the American public that black women's sexuality is a major social problem.

Also in the early 1990s, the depiction of women in the most popular music videos by black male artists shifted dramatically from celebrating black women's bodies to objectifying them.[38] Much of rap music expresses black youth's urgent challenge of oppressive U.S. institutions, including mass incarceration, police abuse, inner-city poverty, and a bankrupt education system.[39] Rap artists have been unfairly targeted by law enforcement and demonized by mainstream media for their militant form of social protest. A great deal of rap, however, is full of misogynistic and homophobic lyrics that have little to say about racial injustice. Unlike the politically subversive elements of hip-hop culture, these rap videos peddle sexist values that are prominent in the dominant culture, including disparaging notions of black female sexuality, to white as well as black audiences.[40]

In these videos, the male star is typically surrounded by black women whose scant clothing reveals large breasts and backsides and whose only function in the scene is to add sexual titillation. Often a particular body part—these days, usually the "booty"—is the focus of attention. In an especially egregious scene in his video "Tip Drill" (referring to an ugly woman with a nice body), the rapper Nelly slides a credit card down a faceless woman's rear, as if making a direct payment to a prostitute, pornographically deploying the dominant values of sexism and commercialism at once. Some rap lyrics portray women purely as sexual objects whose purpose is to be "busted" or "hit" (violent terms for sexual penetration) and discarded; the message is that men enjoy sex most if it hurts and humiliates women.[41] These violent lyrics are reminiscent of white masters' attitudes that enslaved women were suited for sexual assault and degradation.

Black male artists (and the powerful businessmen who produce and market their music) invoke a readily available sexual mythology to make money while black women adopt the very poses that have stereotyped them to gain entrance into the entertainment business. Although many prominent black female vocalists, such as India Arie, Erykah Badu, Lauren Hill, and Jill Scott, have powerfully challenged racist and sexist stereotypes, others like Lil' Kim, Trina, and Foxy Brown revel in them. As Tricia Rose observes, "This explosion of sexually explicit expression by black female performers simply represents the music and film industry's profiting from the long-standing sexual ideas about black women."[42]

In addition to profiting from the objectification of black women, these videos reinforce gender inequality among young black men and women. Sarita, a twenty-two-year-old black woman interviewed by Tricia Rose, commented on a music video by the rapper Redman in which he looks down from a rooftop on a scene of black prostitutes "with blond wigs on, short shorts and halter tops and really slimy outfits":

> Why is it that you can represent me like that? Why are you representing me like that to the world? . . . I have a lot of anger about it; it directly affects the way black men treat black women because we're seen as objects, commodities. Like when

> I'm hanging around Malcolm's [her boyfriend's] house, guys drop by all the time from around the way and just shoot the shit and then leave. So they'll come in, completely ignore me, shake Malcolm's hand, and sit down. If Malcolm doesn't introduce me, they can't come to me as an individual and say hello. They have to do it through a man because in their eyes, I'm his bitch—I'm his property.[43]

Through the perpetuation of degrading sexual stereotypes, the long shadow of slavery links white slave masters' use of black women as property to Sarita's sense of being treated as property by black men.

Sexual Silence and the Politics of Respectability

In the face of these explicit displays of black female sexuality is an acute secrecy surrounding black women's subjective sexual experiences. Paradoxically, perhaps the most common scholarly observation about black female sexuality is the silence surrounding it. In 1999, Evelyn Hammonds pointed out that there was no full-length historical study of African American women's sexuality.[44] "Black feminist theorists have almost universally described black women's sexuality, when viewed from the vantage of the dominant discourses, as an absence," she wrote. When sexuality is discussed, black writers have emphasized how it has been an object of repression by others, with less attention to black women's own sexual desires, pleasures, and decision-making capacity.[45]

Moreover, black women's efforts to discredit the myth of sexual decadence has often focused more on hiding black women's sexuality than expressing it in egalitarian, self-affirming ways. Black women's own narratives about sexuality are rarely voiced in public. With relatively few positive accounts of black female sexuality and ethics, healthy black sexuality still sounds like an oxymoron.

The sexual violation of enslaved women and girls led to a politics of silence about black women's sexuality. One of the premier goals of black women's politics after Emancipation was to redeem black women's honor from the scurrilous libel of sexual immorality perpetrated during slavery. At the turn of the twentieth century, social clubs organized by elite black women refuted the myth of black female licentiousness in part by educating the public about white men's victimization of black women, imploring white men to stop exploiting black women and black men to do a better job of defending them.[46] During the same period, a women's movement within the black Baptist church also engaged in a "politics of respectability" that defended black women's sexual identities from white reproach.[47] The black Baptist women played key roles in the church and in 1900 established a national Woman's Convention, auxiliary to the National Baptist Convention, then the largest organization of African Americans.

Black club women pointed out the hypocrisy in whites' judgments about black immorality. According to Mary Church Terrell, the first president of the National Association of Colored Women's Clubs, established in 1896, images of black women's sexual depravity proliferated because "[f]alse accusations and malicious slanders are circulated against them constantly, both by the press and by direct descendants of those who in years past were responsible for the moral degradation of their female slaves."[48] One of her aims for the organization was to uncover "the enormity of the double standard of morals, which teaches that we should turn a cold shoulder upon a fallen sister, but greet her destroyer with open arms and a gracious smile."[49]

Most of black club women's efforts, however, were directed at elevating the status of black motherhood and the morality of black domestic life.[50] They waged a campaign of respectability intended both to train poor and working-class black women in bourgeois culture and to show whites that black women were capable of this civility.[51] Rejecting the belief that sexual immorality was an inherent racial trait, they attempted to make up for the deficits in moral, social, and hygienic values caused by slavery and discriminatory socioeconomic conditions.[52] Similarly, the black Baptist women advocated "adherence to temperance, cleanliness of person and property, thrift, polite manners, and sexual purity...to refute the logic behind their social subordination."[53]

Black club women and churchwomen established kindergartens and day nurseries that trained children in the basics of moral living, as well as mothers' classes that educated women in homemaking skills. They also built homes for working girls who migrated from the South to Northern cities in search of better lives working as domestic servants but who, because of poverty wages and racial discrimination, sometimes turned to prostitution to survive. (Darlene Clark Hine argues that Southern black women's reasons for migrating north included escaping sexual exploitation and rape by both white and black men.[54]) These shelters rescued girls from the urban streets and helped to replace a lifestyle that reinforced sexual stereotypes with an image of moral womanhood.

On one hand, these elite club women and churchwomen saw the fate of all black women as linked and understood that racial betterment necessitated universal programs for the benefit of entire communities. As Terrell noted about the organization's motto, "Lifting as We Climb," "[i]n no way could we live up to such a sentiment better than by coming into closer touch with the masses of our women."[55] On the other hand, club women and churchwomen's interest in regulating the sexual behavior of less privileged black women centered too much on white people's approval.[56] In Terrell's view, the most fortunate black women had both a moral obligation to and selfish interest in helping improve the moral status of poorer women in the race. Terrell reasoned that white Americans judged black people on the basis of the "most illiterate and vicious representatives [rather] than by the more intelligent and worthy classes."[57] It behooved educated Negro women, then, to work toward reforms that would elevate the morality and intellect of their most disadvantaged sisters.

Darlene Clark Hine argues that black women created a "culture of dissemblance" that self-consciously resisted disparaging images of their sexuality.[58] Lacking the power to eradicate these images, "it was imperative that they collectively create alternative self-images and shield from scrutiny these private, empowering definitions of self." A "secret, undisclosed persona" allowed black women to survive in an extremely hostile culture that sanctioned violence against them and perpetuated demeaning characterizations of their sexual identities. In addition, by making educated and socially accomplished women the representatives of true womanhood, the black community embraced a definition of femininity based on intellect as much as physical beauty.[59]

There is little record, however, of the positive notions of their own sexuality that black women may have harbored in secret at the turn of the twentieth century. Instead, club women's focus on propriety as the primary means to erase sexual stigma promoted a silence about black female sexuality. Although calling attention to black women's victimization, the campaign for respectability placed most of the responsibility for redressing it on the victims themselves. The prescribed remedy was a hidden sexuality that denied sexual expression rather than a liberated sexuality that promoted black women's own desires and decisions. The elite crusaders emphasized chastity as the key means of throwing off the degrading sexual stereotypes they inherited from slavery. As Deborah Gray White observes, "chastity became the litmus test of middle-class respectability."[60] With little power to influence white behavior in the era of Jim Crow, black club women and churchwomen relied on black women's moral improvement as the most feasible weapon for challenging sexual exploitation and vilification. The race and sex inequalities of the time left little opportunity for these women to defeat the myth of sexual wantonness by creating their own emancipated sexual ethics.

In addition to silencing sexuality, the focus on respectability made this silence a racial obligation. Black club women and churchwomen recognized that whites used stereotypes about black female sexuality to reinforce sexual myths about black men and to defend the brutal enforcement of taboos about interracial sex. In *The Plantation Negro as a Freeman*, Philip A. Bruce traced the alleged propensity of black men to rape white women to "the sexual laxness of plantation women as a class."[61] According to Bruce, black men lacked any understanding of sexual violation because the women of their race were always eager to engage in sex. Black women's sexual purity, then, improved the status of black men by refuting the myth about their sexual inclination toward white women. It also helped to restore black men's dominance in relation to black women, which had been demeaned by slavery. Thus, reconstructing black women's sexuality became as much a duty to salvage the entire race from disrepute, violence, and discrimination as a means to liberate black women themselves.[62]

The Continuing Deviance Divide

Many middle-class black women continue to take pains to differentiate themselves from the stigmatized promiscuity and fertility of their poorer sisters. Legal scholar Regina Austin presents an illustration of this "deviance divide" in a defamation lawsuit brought against the American Broadcasting Network (ABC) by a black woman, Ruby Clark, after her photograph appeared in a television program about prostitution.[63] The photo's placement called into question whether ABC portrayed Mrs. Clark as a prostitute or as one of the neighborhood residents who complained about prostitution taking place near their homes. Mrs. Clark, a slim, young, stylishly dressed woman, was juxtaposed with two "matrons," including an obese, bespectacled black woman carrying groceries, who clearly represented residents who were protesting the problem. Austin notes that this ambiguity about Mrs. Clark invited viewers to engage in the same humiliating speculation as white johns cruising the neighborhood: "Is she or isn't she?"[64] To win her claim, Mrs. Clark had to distinguish herself from two stereotypical groups of black women: "On the one side are the 'de-sexed,' 'de-heterosexed,' and androgynous females who are lumped in with the self-declared lesbians; on the other are the wild, wicked women who are written off as whores."[65] But what cultural terms could Mrs. Clark deploy to explain her sexuality as neither nonexistent nor deviant?

The asexual norm of acceptable black womanhood is reinforced by network television depictions of "modern mammies," hardworking professionals who are completely devoted to their jobs, typically institutions of law and order, and who apparently have no family life.[66] Characters like Washington DC police department data analyst Ella Farmer in *The District* (played by the late actress Lynne Thigpen) and Anita Van Buren, a New York City police department lieutenant in *Law and Order* (played by S. Epatha Merkerson) are "tough, independent, smart, and asexual."[67] These representatives of black female respectability remain completely clothed and on the job. Switch channels, though, to MTV or Black Entertainment Television, and one will be deluged with images of nearly naked black women dancing in sexually explicit postures to lyrics that describe them as sexual commodities. The Mammy and the Jezebel are alive and well on television sets across the nation.

Young black women beginning to shape their own sexual ethics have a woefully cramped set of options to work with. Today, there may be more pressure on female students to accept a sexually demeaning role than to preserve their chastity. In *Shifting: The Double Lives of Black Women in America*, Charisse Jones and Kumea Shorter-Gooden note the contradiction between black college women's academic achievements and their tolerance for sexist mistreatment by black men. "Thus, even as many of these women study by day to become independent professionals, by night they party to sexist fraternity chants like: 'We pimp the ho's, we drink the wine, come on (boys), it's party time!"[68] In contrast, other black college women have challenged their portrayal in rap and hip-hop videos, such those at Spelman College whose protests of "Tip Drill" forced the rapper Nelly to cancel a benefit concert on campus.

The Paradox's Repressive Impact

The asexual Mammy and hypersexual Jezebel work together to suppress black women's own liberated sexual ethics that reflects their perspectives, values, and humanity. Slavery's stereotypes linking natural black femaleness to sexual promiscuity and black female respectability to sexlessness leave a crippled cultural language for black women to define an alternative sexual ethics. There is a significant difference between the Mammy/Jezebel dichotomy and the Madonna/whore dichotomy, which helps to police white women's sexual behavior. Black sexuality is defined as *inherently* and *essentially* immoral; the black female body represents promiscuity. Unlike black women, white women were never defined as animal-like and naturally immoral. Indeed, at the time of African enslavement, Victorian culture treated white women as essentially pure and moral, corruptible but not innately corrupted. Evelyn Brooks Higginbotham observes that the pervasive imagery of black female promiscuity had the effect of "ascrib[ing] pathological uniformity onto black women as a group, such that every black woman, regardless of her income, occupation, or education became the embodiment of deviance."[69] Thus, redeeming the black female body has often meant desexualizing it. It is extremely difficult in a culture seeped with these slavery images to imagine a positive black female sexuality because black women's bodies and behavior are so easily seen as depraved.

The easy association of the black female body with wanton sexuality can be plainly seen in the common experience of professional women like Mrs. Clark who are mistaken for prostitutes. Sex researcher Gail Wyatt recounts in her book *Stolen Women* a disturbing encounter she had while waiting in a hotel lobby for her husband to accompany her on an evening out to celebrate their wedding anniversary. Dressed in her finest suit, Dr. Wyatt was accosted by a group of white men who audibly wondered what her price was, suggesting she was a prostitute.[70]

Two recent television spectacles further reflect the presumption of black women's sexual availability. When white actor Adrien Brody stepped on stage to accept the Oscar for best actor at the 2003 Academy Awards ceremony, he grabbed the African American actress Halle Berry, who made the announcement, and very forcefully, without seeking permission, French-kissed her. "[Brody] felt so entitled...he saw a black woman he thought was attractive, and didn't think anything of it," observed critical studies professor Todd Boyd.[71] Some blacks were disappointed that Halle Berry won the Academy Award for best actress the year before for a role that was memorable largely for its graphic sex scene with white actor Billy Bob Thornton. At the opposite end of the sexual spectrum, Hattie McDaniel, a heavy-set, dark-skinned woman, received an Academy Award for best supporting actress in 1940 for her performance as Mammy in *Gone with the Wind*. The Academy apparently only bestows its honors on black women who fulfill the sexual stereotypes.[72]

Like Adrien Brody, the white pop star Justin Timberlake received relatively light reprimand when he ripped black vocalist Janet Jackson's bodice during the 2004 Super Bowl halftime show, exposing the singer's breast to a prime-time audience. Although the incident generated a huge amount of press coverage and government attention, most of the blame focused on Jackson, who was demonized for being a degenerate exhibitionist. These public displays of sexual manhandling mirror the private, everyday encounters at work, school, and clubs that black women have with white men who assume their sexual availability.[73] Although sexual harassment is a common form of gender discrimination, black women appear more likely to experience an especially direct form of it. A study of 248 women in Los Angeles County found that, of those who reported at least one incident of sexual harassment at work, 67 percent of black women, compared with 45 percent of white women, were directly propositioned.[74]

It takes little sexual accoutrement to make a black woman appear indecent. In defending *Smooth*, a magazine catering primarily to young African American men, editor Sean Cummings noted the double standard applied to black and white women who pose for magazines. "If you have a white girl in a bikini lounging on a chair, she's a beautiful girl next door," he told a *New York Times* reporter. "The minute you put a woman of color who's a Size 10 in the same setting, she's a whore. Mainstream Americans still fear black sexuality."[75] Because whites view black women as naturally depraved, any allusion to their sexuality seems to be immoral and dangerous. White women, on the other hand, have greater leeway to appear sexual but not immoral because they lack this historical association with natural depravity. This type of cultural policing limits black women's ability to freely and publicly explore their own conceptions of black female sexuality.

A 2004 program on National Public Radio about the impact of pop stars' provocative attire on the fashion industry illustrates Cummings's astute observation. Reporter Karen Michel began by describing white celebrity Britney Spears's sexually suggestive look: "Even when she wasn't like a virgin but allegedly was one, Britney Spears didn't wear much. Her boobs, back, midriff and whatever else was available looked available. And gazillions of teens and twenties, with both taut and flabby flesh, emulated the look."[76] How did Britney avoid appearing too sexually deviant to be an appropriate role model for American teenagers? Harold Koda, curator of The Costume Institute at the Metropolitan Museum of Art, explained that Spears was able to maintain respectability while flirting with a provocative style "because she is so all-American that to transpose, for example, a bare midriff or a piercing on that kind of wholesome canvas suddenly makes it accessible for a broader spectrum of individuals."[77] "All-American" is a code word for "white" in the dominant culture that still considers whiteness to be the ideal national identity.

Britney Spears's whiteness gave her flexibility within the virgin/whore dichotomy to experiment with sexiness while remaining socially acceptable. A black woman's body, by contrast, could never serve as a "wholesome canvas" on which to benignly transpose sexual symbols. A bare midriff or a piercing would have precisely the opposite effect in juxtaposition with black female sexuality. Our society accords black women little flexibility to "flirt with more dangerous and marginal" aspects of sexuality without falling off the precipice of deviance.

Another critical limitation on black women's sexual creativity that stems from slavery is the link between sexuality and whiteness as the standard for physical beauty. Black women's kinky hair, dark skin, and broad facial features and body shape all fall short of the white ideal. Although the obsession with unrealistic beauty standards affects all women, there is a qualitative difference between white and black women's failure to meet them. The despair felt by Pecola Breedlove, the character in Toni Morrison's *The Bluest Eye* who spends her childhood praying for blue eyes, is deeper than the disappointment by a little white girl who prefers different features.[78] Pecola is despondent "not because she's even further away from the ideal of beauty than white women are, but because Beauty *itself* is white, and she is not and can never be, despite the pair of blue eyes she eventually believes she has."[79]

Like Pecola, many black women have internalized the message that black bodies are not beautiful and succumb to monumental social pressure to modify their appearance to look more like white women. Since the late 1800s, the cosmetics and hair products industries have helped to define femininity in white terms and offered to "make over" black women with whitening creams, face powders, and hair straighteners as a route to greater social acceptance.[80] Many black women believe that they can be beautiful only by acquiring these features that represent whiteness.[81]

The white ideal is profoundly damaging to notions of black female sexuality because feminine identity and sex appeal are strongly tied to outward appearance. The self-hatred that stems from failure to meet beauty standards also limits black women's ability to define their own self-affirming sexuality.[82] Cocoa, a thirty-seven-year-old African American woman interviewed by Tricia Rose, connected the European standard of beauty with conflicting understandings of black female sexuality:

> I don't think that society understands black women's sexuality or that they represent it well because, again, when I look at it and society, when they think that black women are very pretty, they hardly ever go to the dark-skinned woman as being pretty and sexy. They go to a light-skinned woman with long hair and say this is pretty, and when they see the dark-skinned lady, they say this is the nurturing type... Or if they show a dark-skinned woman in a sexual light, she's poor, she's loud talking, she's not intelligent, she's not smart.[83]

From this vantage, the black female body may be lurid, but it is not beautiful; it is the object of lust, but not admiration. Although Mammy and Jezebel were sexual opposites, neither was fully feminine. Mammy's appearance negated sexual allure; Jezebel's depraved sexuality also distinguished it from white women's ladylike loveliness and sensuality. In many rap lyrics, black women's bodies are described as "nasty" and "freaky," not attractive and alluring. Sexual *beauty*, as opposed to sexual depravity, is reserved for white women.

Black Women Artists Challenging the Paradox

Slavery's stereotypes of natural sexual licentiousness and respectable asexuality continue to constrain black women's ability to describe their subjective sexual experiences and define their own sexual ethics. Because of the voluminous sexual baggage black women carry, any public expression of sexuality by black women is likely to be controversial. We should not only criticize the myth of black female licentiousness but subvert it in a way that makes room for black women to delineate their own sexuality apart from this stereotype on the one hand and the silence imposed by asexual respectability on the other.

The arts have provided a limited space where black women could explore their sexual desires, pleasures, and self-definition. Hazel Carby, Angela Davis, and others have identified the blues as a medium through which black working-class women exerted a sexual identity that was unconstrained by both white slave masters and bourgeois ideals of sexual purity and true womanhood.[84] "The Blues singers had assertive and demanding voices; they had no respect for sexual taboos or for breaking through the boundaries of respectability and convention," writes Carby.[85]

Cautioning against a neat sexual polarity between club women's bourgeois respectability and working-class blues singers' sexual expressiveness, Carol Batker argues that novelist Zora Neale Hurston made use of both club writings and blues lyrics to disrupt this opposition.[86] Janie Mae Crawford, the central character of Hurston's best-known novel *Their Eyes Were Watching God*, is a Southern black woman in the 1930s seeking freedom from the constraints of respectability imposed by her grandmother, Nanny, and of her husbands' expectations in her two unhappy marriages. She ultimately finds fulfillment with a third husband named Tea Cake. Batker writes that Hurston "collapses the dichotomy between Nanny and Tea Cake, between respectability and desire, in order to position Janie as sexual but not libidinous."[87] Through literature, blues, and club-movement politics, black women actively struggled in sometimes-contradictory ways to establish their own sexual identities and ethics. Their disenfranchisement in the national community and gendered obligations to the race worked against a more widespread exploration of black female sexual ethics that rejected racist sexual ideology without repressing sexual expression.

Black female rappers provide a more contemporary example of challenging the paradox of silence and display. In contrast to black male rappers who exploit sexual stereotypes, some black women artists have employed sexuality symbolically in rap lyrics as a means to liberation from a subordinated role. Legal scholar Imani Perry describes how BWP's (Bytches With Problems) "Two-Minute Brother" uses comedy to irreverently reject both societal expectations of respectable behavior and male expectations of female submissiveness.[88] By poking fun at a man's conceit about his sexual prowess, the female rappers deflate the very phallocentric sexuality so rampant in videos by male rappers (who are fond of grabbing their crotches), emphasizing instead the women's own sexual experience and power. [89] Black women rappers who refuse to adopt a sexually demeaning posture, however, remain relatively obscure in the entertainment industry.

Conclusion

In this essay, I sought to understand the paradox of silence and display that characterizes contemporary black female sexuality by examining its relationship to the sexual violation of enslaved women and girls. The law of slavery sanctioned sexual exploitation of black women and girls, supported by a degrading mythology about their sexuality. This mythology featured a dichotomy between the mythical Jezebel, which portrayed black female sexuality as inherently depraved, and Mammy, which portrayed black female respectability as necessarily asexual. Slavery's identification of black female sexuality with licentiousness and black female acceptability with asexuality led to silencing the subjective sexual experiences of black women, even while the media flaunt their bodies in sexual displays. The extremes of promiscuity and asexuality have left a gaping void in the cultural terms needed for black women to freely and publicly define their own sexual identities. Although black women have historically struggled to create alternative sexual ethics, both through their artistic expression and social activism, their impact has been limited by slavery's legacy.

The racist imagery of black women discussed in this essay has shaped and been reinforced by unjust social policies and institutions. The opposition of black female sexuality and moral motherhood was perpetuated in the 1960s stereotype of the black matriarch whose sexual aggression emasculated black men and drove them from the household. Daniel Patrick Moynihan and others blamed female-headed households for the demise of the black family.[90] In the last two decades, the pregnant crack addict was added to the iconography of depraved black maternity. Newspaper articles portrayed crack addicts as careless and selfish black women who put their love for crack above their concern for their children. Reinforcing the link between black female sexual immorality and maternal irresponsibility, reporters often represented them as prostitutes who became pregnant after trading sex for crack.[91] Unlike any other drug, the chemical properties of crack were said to destroy the natural impulse to mother.

As I have elaborated elsewhere, these deeply embedded stereotypes of black female sexual and reproductive irresponsibility support welfare reform and law enforcement policies that severely regulate poor black women's sexual and child-bearing decisions.[92] In the 1990s, for example, hundreds of women were charged criminally for using drugs while they were pregnant. Although black women have similar rates of substance abuse as white women,[93] the vast majority of prosecutions were against black crack-cocaine users. During the same period, poor black women were the targets of campaigns to distribute risky, long-acting contraceptives; policies that denied welfare recipients any additional aid if they had more children; and even proposals to condition welfare receipt on sterilization. Judges, prosecutors, and legislators see black women as suitable subjects for harsh reproductive penalties because mainstream society does not view them as suitable mothers in the first place.

The inequitable sexual roles among black people portrayed in some rap lyrics are also reinforced by repressive social conditions that affect the sexual relationships in inner-city neighborhoods. Recent social-science research shows that, by skewing the ratio of women to men, the mass removal of men from inner-city communities to prisons is affecting gender norms. The men and women anthropologist Donald Braman interviewed in the District of Columbia described high incarceration rates as "both encouraging men to enter into relationships with multiple women, and encouraging women to enter into relationships with men who are already attached."[94] Because both men and women perceive a shortage of men in communities already blighted by poverty, women have less leverage in intimate relationships and are therefore more vulnerable to male exploitation. As Louise, a twenty-three-year-old woman who is HIV-positive, explains about "rollers," men who can afford to pay the bills, "it's almost a given he's got a chick on the side. You're not really his woman. It's more like rental property. It's all temporary."[95] Although state and federal governments are enforcing welfare policies that attempt to impose sexual ethics by penalizing poor black women for having children outside of marriage, they perpetuate a prison policy that discourages marriage and other stable intimate relationships in these women's communities. Sexual ethics are not just a matter of dictating individual morality but also of addressing the social conditions that affect people's sexual decisions and relationships.

Filling the void created by the paradox of silence and display requires subverting racist sexual stereotypes as well as changing unjust social policies, institutions, and conditions that reinforce them and that deny black women the cultural and material resources needed to promote their own sexual identities and ethics.

Notes

I wish to thank Monica Hunt for her enormously helpful research assistance, made possible by the generous support of the Kirkland & Ellis Research Fund, and Erin Chapman and participants in the Feminist Sexual Ethics Project for their suggestions.

1. Hilarie M. Sheets, "Cut It Out!" *ARTnews* 101 (2002), http://artnews.com/issues/article.asp?art_id=1097 (accessed July 16, 2009).
2. Kara Walker lecture at The Renaissance Society at the University of Chicago, during the exhibit "Presenting Negro Scenes Drawn Upon My Passage Through the South and Reconfigured for the Benefit of Enlightened Audiences Wherever Such May Be Found, By Myself, Missus K. E. B. Walker, Colored," shown January 12–February 23, 1997.
3. Juliette Bowles, "Extreme Times Call for Extreme Heroes," *International Review of African American Art* 14 (1997) 2–16; Christine Temin, "Recasting Racism or Renewing It?" *Boston Globe*, March 13, 1998, Living and Arts section.
4. Sylvester A. Johnson, "The Bible, Slavery, and the Problem of Authority," in this volume; Stephen R. Haynes, *Noah's Curse: The Biblical Justification of American Slavery* (New York: Oxford University Press, 2002). An influential exposition of this defense of slavery is Josiah Priest, *Slavery, as It Relates to the Negro, Or African Race* (1843; reprint, New York: Arno, 1977).
5. Darlene Clark Hine, "Rape and the Inner Lives of Black Women in the Middle West: Preliminary Thoughts on the Culture of Dissemblance," *Signs* 14 (1989) 912–920.
6. Rennie Simson, "The Afro-Female: The Historical Context of the Construction of Sexual Identity," in *Powers of Desire: The Politics of Sexuality*, ed. Ann Snitow, Christine Stansell, and Sharon Thompson (New York: Monthly Review, 1983) 229–235.
7. Harriet A[nn] Jacobs, *Incidents in the Life of a Slave Girl*, ed. L[ydia] Maria Child (1861; reprint, New York: Simon & Schuster, 2009. Citation is to 1861 edition); and Henry Louis Gates, "To Be Raped, Bred, or Abused," *New York Times*, November 22, 1987, Book Review section.
8. Jacobs, *Slave Girl*, 119.
9. Wilma King, "'He Said He Would Give Us Some Flowers': Sexual Violations, Girls, and the Law in the Antebellum South" (paper presented at "Beyond Slavery: Overcoming Its Religious and Sexual Legacy," a conference convened by the Feminist Sexual Ethics Project at Brandeis University, Waltham, MA, October 15–16, 2006); and Nell Irvin Painter, *Soul Murder and Slavery* (Waco, TX: Baylor University Press, 1995) 16.
10. Dorothy Roberts, *Killing the Black Body: Race, Reproduction, and the Meaning of Liberty* (New York: Pantheon, 1997) 31.
11. King, "Sexual Violations, Girls, and the Law."
12. King, "Sexual Violations, Girls, and the Law."
13. King, "Sexual Violations, Girls, and the Law"; Darlene Clark Hine, "For Pleasure, Profit, and Power: The Sexual Exploitation of Black Women, or Anita Hill and Clarence Thomas in Historical Perspective," in *Speak Truth to Power: Black Professional Class in United States History* (New York: Carlson, 1996) 83–93; and Harriet C. Frazier, *Slavery and Crime in Missouri, 1773–1865* (Jefferson, NC: McFarland, 2001).
14. Deborah Gray White, *Ar'n't I a Woman? Female Slaves in the Plantation South* (New York: Norton, 1985) 32.
15. Patricia Hill Collins, *Black Feminist Thought: Knowledge, Consciousness, and the Politics of Empowerment* (Boston: Unwin Hyman, 1990).
16. Patricia Hill Collins, *Black Sexual Politics: African Americans, Gender, and the New Racism* (New York: Routledge, 2004) 65.
17. Gerda Lerner, "KKK Terror During Reconstruction," in *Black Women in White America: A Documentary History* (New York: Pantheon 1972; Vintage, 1973. Citations are to Vintage edition.) 180f; and Hannah Rosen, "'Not That Sort of Women': Race, Gender, and Sexual Violence During the Memphis Riot of 1866," chap. 13 in *Sex, Love, Race: Crossing Boundaries in North American History*, ed. Martha Hodes (New York: New York University Press, 1999) 267–293.

18. Angela Harris, "Race and Essentialism in Feminist Legal Theory," *Stanford Law Review* 42 (1990) 581–616; and Kimberlé Crenshaw, "Mapping the Margins: Intersectionality, Identity Politics, and Violence Against Women of Color," *Stanford Law Review* 43 (1991) 1241–1299.
19. E. Frances White, *Dark Continent of Our Bodies: Black Feminism and the Politics of Respectability* (Philadelphia: Temple University Press, 2001) 157.
20. Erlene Stetson, "Studying Slavery: Some Literary and Pedagogical Considerations on the Black Female Slave," Chapter 8 in *All the Women are White, All the Blacks Are Men, But Some of Us Are Brave*, ed. Gloria T. Hull, Patricia Bell Scott, and Barbara Smith (New York: Feminist Press, 1982) 73.
21. Collins, *Black Sexual Politics*, 100.
22. Priest, *Negro, or African Race.*
23. Deborah Gray White, *Ar'n't I A Woman?* 28f.
24. 1 Kings 16:31.
25. 1 Kings 16:18–21, 16:31f.
26. 2 Kings 9:30–37.
27. Mae C. King, "The Politics of Sexual Stereotypes," *Black Scholar* 4 (1973) 14.
28. Thomas Jefferson held the view that black women had an animalistic sexuality; see Thomas Jefferson, *Notes on the State of Virginia*, in *Basic Writings of Thomas Jefferson*, ed. Philip Sheldon Foner (1782; New York: Willey, 1944; Halcyon, 1950. Citation is to Halcyon edition.) 145.
29. Quoted in Beverly Guy-Sheftall, *Daughters of Sorrow: Attitudes Toward Black Women, 1880–1920* (New York: Carlson, 1990) 46.
30. Deborah Gray White, *Ar'n't I a Woman?* 49; and Collins, *Black Feminist Thought*, 71.
31 bell hooks, *Ain't I A Woman: Black Women and Feminism* (Boston: South End, 1981) 85.
32. Collins, *Black Feminist Thought*, 78.
33. Deborah Gray White, *Ar'n't I a Woman?* 60.
34. Collins, *Black Sexual Politics*, 57.
35. Philip Alexander Bruce, *The Plantation Negro as a Freeman: Observations on His Character, Condition, and Prospects in Virginia* (Williamston, MA: Corner House, 1889).
36. Roberts, *Killing the Black Body*, 17–19.
37. Z. Fareen Parvez, *Women, Poverty and Welfare Reform*, a fact sheet distributed by Sociologists for Women in Society (2002), available at http://www.socwomen.org/socactivism/factwelfare.pdf.
38. Collins, *Black Sexual Politics*, 128.
39. Paul Butler, "Much Respect: Toward a Hip-Hop Theory of Punishment," *Stanford Law Review* 56 (2004) 983–1016; bell hooks, *Yearning: Race, Gender, and Cultural Politics* (Boston: South End, 1990); and Tricia Rose, *Black Noise: Rap Music and Black Culture in Contemporary America* (Hanover, NH: University Press of New England, 1994).
40. hooks, *Yearning*; bell hooks, *Outlaw Culture: Resisting Representations* (New York: Routledge, 1994); and Leola Johnson, "Rap, Misogyny and Racism," *Radical America* 26 (1992) 7–19.
41. Crenshaw, "Mapping the Margins," 30.
42. Tricia Rose, *Longing to Tell: Black Women Talk About Sexuality and Intimacy* (New York: Farrar, Straus, and Giroux, 2003) 398.
43. Rose, *Longing to Tell*, 45.
44. Evelynn M. Hammonds, "Toward a Genealogy of Black Female Sexuality: The Problematic of Science," in *Feminist Theory and the Body: A Reader*, ed. Janet Price and Margaret Shildrick (New York: Routledge, 1999) 93–104.
45. Hammonds, *Genealogy.*
46. Deborah Gray White, *Too Heavy a Load: Black Women in Defense of Themselves, 1894–1994* (New York: Norton, 1999) 69–71.
47. Evelyn Brooks Higginbotham, *Righteous Discontent: The Women's Movement in the Black Baptist Church, 1880–1920* (Cambridge, MA: Harvard University Press, 1993).

48. Beverly Washington Jones, *Quest for Equality: The Life and Writings of Mary Eliza Church Terrell, 1863–1954* (New York: Carlson, 1990) 155f.
49. Jones, *Quest for Equality*, 155.
50. Deborah Gray White, *Too Heavy*, 69f.
51. E. Frances White, *Dark Continent*, 35.
52. Carol Batker, "'Love Me Like I Like to Be': The Sexual Politics of Hurston's *Their Eyes Were Watching God*, the Classic Blues, and the Black Women's Club Movement," *African American Review* 32 (1998) 201; and Deborah Gray White, *Too Heavy*, 71.
53. Higginbotham, *Righteous Discontent*, 193.
54. Hine, "Middle West."
55. Jones, *Quest for Equality*, 347.
56. E. Frances White, *Dark Continent*, 36f; and Higginbotham, *Righteous Discontent*, 196.
57. Jones, *Quest for Equality*, 154.
58. Hine, "Middle West."
59. Shirley J. Carlson, "Black Ideals of Womanhood in the Late Victorian Era," *Journal of Negro History* 77 (1992) 69.
60. Deborah Gray White, *Too Heavy*, 70.
61. Bruce, *Negro as a Freeman*, 84f.
62. Rose, *Longing to Tell*, 391.
63. Regina Austin, "Black Women, Sisterhood, and the Difference/Deviance Divide," *New England Law Review* 26 (1992) 877–887.
64. Austin, "Difference/Deviance Divide," 881.
65. Austin, "Difference/Deviance Divide," 885.
66. Collins, *Black Sexual Politics*, 140f.
67. Collins, *Black Sexual Politics*, 141.
68. Charisse Jones and Kumea Shorter-Gooden, *Shifting: The Double Lives of Black Women in America* (New York: HarperCollins, 2003) 51.
69. Higginbotham, *Righteous Discontent*, 190.
70. Gail Elizabeth Wyatt, *Stolen Women: Reclaiming Our Sexuality, Taking Back Our Lives* (New York: John Wiley, 1997).
71. Joshunda Sanders, "Jackson Exposed More Than Flesh," *San Francisco Chronicle*, February 15, 2004, E7.
72. Jones and Shorter-Gooden, *Shifting*, 30f.
73. Jones and Shorter-Gooden, *Shifting*, 32f, 169–171.
74. Gail Elizabeth Wyatt and Monika Riederle, "The Prevalence and Context of Sexual Harassment Among African American and White American Women," *Journal of Interpersonal Violence* 10 (1995) 309–321.
75. Lola Ogunnaike, "New Magazines for Black Men Proudly Redefine the Pinup," *New York Times*, August 31, 2004, B1.
76. *Morning Edition*, "Flesh and Fashion: Shifting Erogenous Zones of Style," National Public Radio, September 10, 2004.
77. *Morning Edition*, "Flesh and Fashion."
78. Toni Morrison, *The Bluest Eye* (New York: Holt, 1970; Knopf, 1993).
79. Harris, "Race and Essentialism," 597.
80. Kathy Lee Peiss, *Hope in a Jar: The Making of America's Beauty Culture* (New York: Metropolitan, 1998).
81. Jones and Shorter-Gooden, *Shifting*, 177.
82. Cheryl Townsend Gilkes, "The 'Loves' and 'Troubles' of African-American Women's Bodies: The Womanist Challenge to Cultural Humiliation and Community Ambivalence," in *A Troubling in My Soul: Womanist Perspectives on Evil and Suffering*, ed. Emilie M. Townes (Maryknoll, NY: Orbis, 1993) 232–249.
83. Rose, *Longing to Tell*, 169.
84. Collins, *Black Sexual Politics*, 72f; Hazel V. Carby, "It Jus' Be's Dat Way Sometime: The Sexual Politics of Women's Blues," in *Feminisms: An Anthology of Literary*

Theory and Criticism, eds. Robyn R. Warhol and Diane Price Herndl (New Brunswick, NJ: Rutgers University Press, 1991) 746–758; and Angela Yvonne Davis, *Blues Legacies and Black Feminism: Gertrude "Ma" Rainey, Bessie Smith, and Billie Holiday* (New York: Pantheon, 1998).
85. Carby, "Be's Dat Way," 754.
86. Batker, "Love Me Like."
87. Batker, "Love Me Like," 203.
88. Imani Perry, "It's My Thang and I'll Swing It the Way That I Feel!" in *Gender, Race, and Class in Media: A Text-Reader*, ed. Gail Dines and Jean McMahon Humez (Thousand Oaks, CA: Sage, 1995) 524–530.
89. Perry, "It's My Thang," 526.
90. Department of Labor, Office of Policy Planning and Research, *The Negro Family: The Case for National Action*, Daniel Patrick Moynihan (Washington, DC: Government Printing Office, 1965).
91. Roberts, *Killing the Black Body*, 156.
92. Roberts, *Killing the Black Body*, 156.
93. Daniel R. Neuspiel, "Racism and Perinatal Addiction," *Ethnicity and Disease* 6 (1996) 47–55.
94. Donald Braman, "Families and Incarceration," in *Invisible Punishment: The Collateral Consequences of Mass Imprisonment*, ed. Marc Mauer and Meda Chesney-Lind (New York: New, 2002) 117–135, 127f.
95. Lynette Clemetson, "Links Between Prison and AIDS Affecting Blacks Inside and Out," *New York Times*, August 6, 2004, A1.

3

From Mammy to Welfare Queen: Images of Black Women in Public-Policy Formation

Emilie M. Townes

White supremacist ideology in the United States depends on creating and maintaining a nonhuman status for Black and other darker-skinned peoples. We may think of White supremacists as long gone, merely a dark part of the American past, but the fundamental belief of this ideology, that non-Whites are lesser breeds, still exerts a strong influence on how we think of ourselves and each other and the decisions we make as a society. One way to trace the continuing impact of the slaveholding White supremacist ideology is to see how its racial and sexual stereotypes affect our public-policy decisions. This ideology includes stereotypical images of Black womanhood: we are all familiar with the Mammy who loves her White master's children as though they were her own, the Black Matriarch who rules her home and her neighborhood yet cannot keep a husband and thus cannot raise her children right, and the Welfare Queen who lives in luxury thanks to the hard work of the taxpayer. The negativity of these images, particularly those of the Black Matriarch and the Welfare Queen, allows us to assume the worst about Black women (and all Black folk). We then go on to develop welfare policies based on these imaginary characters' personal failings—policies that affect not only poor people of all colors, but all of us. In forming these policies, we rarely question the justice of the structures in which we all exist and the economic, moral, political, and social impact these structures have on our lives.

Recognizing these brutalizing images of Black womanhood for what they are provides an opportunity to think through how to address the legacies of slavery that remain in our minds, in our environment, and in our public policies, where they play out with perhaps the greatest cost in the lives of Black women and girls. I will explore the sources of these stereotypes, how they serve the dominant culture that created them, and their impact on public policy, especially welfare policy. This exploration of the religious, historical, and intellectual roots of our demonization of poor people will also show how we have come to live in a selfish, me-first society where many people believe that those down on their luck have only themselves to blame; the rich are in their position because they are blessed; government is only a hindrance, never a help; and none of us bears any responsibility to those around us. I conclude by offering a religious ethical critique with constructive proposals for forming a society that provides justice for all.

Whereas many people think of sexual ethics as a purely individual matter, in reality, people's experience of sexuality and their decisions about it never occur in a vacuum. The racial-sexual stereotypes that I discuss here, along with the unjust social structures that they justify, limit Black women's opportunities to live prosperous lives and harm their physical and mental health. In the area of sexuality, the toll is heavy, including greater vulnerability to HIV/AIDS, decreased access to reproductive health services and neonatal care, and the greater hurdles faced by Black rape complainants than by White ones in the criminal justice system.[1]

Images of the Perfect Black Woman: Perfectly Good, Perfectly Bad

The American imagination is peopled with a handful of images of Black women. This family of stereotypes, all useful to the dominant White culture that spawned them, includes fat, old Mammy with the rag around her head; Jezebel in her provocatively torn dress; the determined, emasculating Black Matriarch; and the weak-willed, sly Welfare Queen, out for all she can chisel from the well-meaning, naïve taxpayer. All play a role in the way we view one another. I will begin with the older images of the Mammy and the Jezebel for the sake of historical depth, then focus on how the contemporary images of the Black Matriarch and the Welfare Queen allow Americans to demonize the poor as we shape public policies.

We must start with the Mammy, because she came first in the White popular imagination. The most positive image of Black womanhood from this imagination is the asexual, overly nurturing Mammy. This mythological creation does not want freedom. In fact, she neglects her own kids to care for White children and their families. Mammy does not display any need for sex: this perfect Black woman focuses totally and completely on White people and their needs. Mammy is fat, an excellent cook and housekeeper, and above all loyal to her (White) family.

Unlike the Mammy, the more recently invented Black Matriarch does not forsake her family to care for Whites. She runs her household (with or without a man) and is responsible for the moral upbringing of her own children. She is the failed Mammy because she violates the image of the submissive, hardworking servant of White masters, even when she is in fact an employee serving the needs of White families. The Black Matriarch is a bane to the American cultural order because she works instead of tending to her children. But she has brought this upon herself. The Black Matriarch is single because she is overly aggressive and unfeminine. She emasculates her lovers and husbands, who then refuse to marry her or desert her.[2] Because she is a single working mother, she cannot supervise her children and contributes to their lack of success in school and in society. This makes the Black Matriarch a failure to her own Black community as well.

The Welfare Queen is the Matriarch's companion—the bad Black mother. She drives a white Cadillac, the story goes, and pays for her steaks with food stamps. The Welfare Queen is, like the Black Matriarch, a failure twice over. She is a failed Mammy because she does not care for her own children (or anyone else's), and she is a failed Matriarch because she relies on the welfare system (the rest of us) to support her family.

Where Did They Come From?

If we rely on the popular "historical" accounts, we must believe that Mammies existed in legion. In fact, most of the White antebellum evidence for Mammies comes from fictional sources and romanticized memoirs. Catherine Clinton's exhaustive study *The Plantation Mistress: Woman's World in the Old South* shows that only a handful of women actually fit the Mammy image.[3] Herbert Gutman's research also reveals that the prevalence of Mammies has been completely distorted.[4] He found that there were few older Black women who served the role of Mammy as late as the 1880s, when Southern memoirs began to tout her presence and importance. Gutman shows that most domestic workers in White households were young single girls rather than mature Black women. The conditions of slavery rarely allowed for such a large old woman to be in a position to care for the master's and mistress's children.[5]

The stereotype that we know as the Black Matriarch first received wide attention with the work of Daniel Patrick Moynihan's 1965 government report, *The Negro Family: The Case for National Action*, better known as the Moynihan Report.[6] The two highly respected Black academics on whose work Moynihan relied had seen the rise of the strong female figure in Black society as the *result* of racial oppression and poverty.[7] Moynihan himself, however, labeled female-led families as the *cause* of Black poverty and moral depravity.

One of Moynihan's sources was W. E. B. Du Bois, a founding figure in American sociology, who published *The Negro American Family* in 1908. Du Bois painted Black enslaved women as victims of slavery: depraved mothers, brutalized sex objects, and promiscuous. Discussing the Black women of his own era, he focused on their sexual behavior, pointing to high rates of illegitimacy and a lack of chastity.[8] Even more potent ammunition for Moynihan's viciously drawn image of the Black Matriarch came from E. Franklin Frazier, one of the premier Black sociologists of his time. Frazier began positively in *The Negro Family in the United States*, published in 1939, stating, "The Negro woman as wife or mother was the mistress of her cabin, and, save for the interference of master and overseer, her wishes in regard to mating and family matters were paramount." Further, "neither economic necessity nor tradition had instilled in her the spirit of subordination to masculine authority."[9] Later, in *The Negro in the United States*, appearing in 1949, Frazier described Black female-male relationships with such phrases as "considerable equality," "generally equalitarian," "tradition of independence," "spirit of democracy," and "considerable cooperation."[10] By 1957, however, in examining the rise of the Black middle class, Frazier presented wives as the masters of their husbands and essentially accused Black men of not being manly enough.[11]

Seizing on these negative portrayals, Moynihan labeled Black women as doubly deviant: they were masculine, and they were unnaturally superior. He portrayed Black men as deviant, effeminate, and passive.[12] Moynihan argued that female-headed households, which were more common in Black communities, were the *cause* of Black poverty and moral depravity. Moynihan did not believe that Black women played any positive role.

The Welfare Queen of all colors took her place on the American stage at least as far back as the 1976 presidential campaign, when Ronald Reagan conjured her up to personify the need for welfare reform. "She has 80 names, 30 addresses, 12 Social Security cards, and is collecting veteran's benefits on four non-existing deceased husbands," Reagan would say. "She's got Medicare, getting food stamps and she is collecting welfare under each of her names. Her tax-free cash income alone is over $150,000."[13]

The stereotype of the Welfare Queen spread further after a 1986 CBS special report, "The Vanishing Family: Crisis in Black America," portrayed the Welfare Queen as a failed Black Matriarch who is depicted as the domineering female head of the American Black family. Both figures represent, Bill Moyers told us, the moral corruption of Black childbearing.

Why White Society Needs the Mammy, the Matriarch, and the Welfare Queen

White society created these stereotypes, and they persist in our collective imagination because they serve a purpose. Mostly, these images let Whites off the hook for the injustices of the dominant group—themselves. The image of the Mammy allows Whites to praise Blacks who follow her contentedly subservient path and to criticize those who do not. Mammy is a super-mother, but she conveys an ambiguous message about motherhood: to be the perfect Mammy, the Black woman must neglect her own family.[14] The de-eroticized Mammy also provides a fantastic facade meant to disguise White men's sexual exploitation of Black women during the post–Civil War era. Who would abuse a fat, old Black woman? She is "confirmation" that White men did not find Black women desirable. This convenient fiction allows Whites to overlook the living proof that Blacks and Whites were reproducing together. More recently, the imagined Mammy has served the needs of nostalgic White southerners seeking to make sense of and defend slavery and segregation by creating plantation legends featuring a bucolic, idyllic society filled with nurturing Mammies who embraced their servitude along with the White children they raised. The stereotypes place the perceived moral failures of Black children and Black men in the laps of Black women.

The images of the Black Matriarch and the Welfare Queen allow us to feel better about cutting back the help that we, as a society, give to poor people. These false images open the floodgates for theorizing about Black poverty as an affliction passed down through the generations. Black poverty persists, this theory has it (see Moynihan, Frazier, and Moyers), because the female heads of Black households pass down the alleged values or lack of values that "support" poverty from one generation to the next. From the viewpoint of an elite

White male, Black children lack the attention and care allegedly showered on middle- and upper-class White children, and this deficiency retards Black children's achievement. These children grow up to fail. The Black Matriarch and the Welfare Queen become *the* cause of all social problems because of their singleness, their blackness, and their children. The authors of the 1996 welfare reform legislation, those whose debate shaped the legislation, and the rhetoric of welfare reform today, all vilify these mythical, bad Black women.

The images of the Black Matriarch and Welfare Queen throttle Black life into narrow, haunting spaces. They take bits of Black reality and transform them into a norm of immorality. These two stereotypes divert our attention from structural inequalities—economic, political, and social—that affect not only Black mothers and their children but all of us. The structural causes of poverty are many. A partial list includes a tax system designed to keep and grow wealth in the hands of those who already have it (Whites); less funding for education, health care, transportation, housing, infrastructure, and other public services in poor areas; and a justice system tilted for the haves and against the have-nots.

But belief in the stereotypes of the Welfare Queen and the Black Matriarch make all those problems go away. If you agree with these stereotypes, the public-policy solution becomes simple: teach good values in the home and anyone can rise from poverty. Although it is important to teach good values and reinforce those values throughout our lives, this is not the sole or even best response to the structural inequalities that spawn poverty. Blaming Blacks who are poor for their plight and using Black women's imagined failure as mothers and wives to explain economic apartheid yokes classism, racism, and sexism into a tight, neat package that labels Black family structures deviant because they fall short of patriarchal assumptions about the family ideal.

Religious Roots of the Demonization of the Poor

The Mammy, the Black Matriarch, and her sister the Welfare Queen are the female faces of the poor in America. These images, combined with a work ethic that considers wealth a sign of God's grace and condemns poverty as a personal failing, added to the American cult of the individual, create a noxious stew of White supremacist ideology that infects every discussion of public policy involving the poor and the Black in the United States. The result is an attitude that considers the poor and the Black different from other Americans: less responsible, lazier, more undisciplined, less able to make the right decisions for themselves, and less deserving of society's consideration.

The foundation of the belief in the virtue of wealth is the work of the sixteenth-century theologian and Protestant reformer John Calvin, who believed that we achieve the Christian life by being obedient to God. For Calvin, obedience includes recognizing that God has given us our station in life.[15] A secular version of Calvin lives on today, one in which God is stripped out: each person is solely responsible for her or his place in the social order. Although there are myriad explanations for why people are poor, assumptions about the lazy poor run through public-policy discussions today, even though Calvin himself may not have been that harsh.[16]

The eighteenth-century Enlightenment thinkers who were interested in understanding the individual separate from society made a significant contribution to the religious identity of many Protestants in the United States. This inheritance is a sense of self that is rooted in the Enlightenment understanding that all people have inherent rights and that each person is an independent unit. But the Enlightenment notion of the self has evolved into a rampant sense of individualism that stresses personal responsibility and despises any hint of dependency (while refusing to recognize the benefits that the government lavishes on those with advantages). This mean-spirited duo of skewed Calvinistic and Enlightenment thinking encourages the view that government is a necessary evil that we must keep from cutting into our personal freedom.

Calvin's emphasis on the godly nature of work, combined with the legacy of the Enlightenment, formed a worldview that served the needs of the eighteenth- and nineteenth-century Industrial Revolution. It provided the industrializing world with hardworking, thrifty entrepreneurs who took pride in and derived their sense of self from being driven and prudent businesspeople. They had to work hard, limit their consumption, and reinvest their profits to produce greater wealth. The ability to do this required a strong sense of duty to one's work, based on the following convictions: work gives meaning to life; hard work is necessary and one should give work the best of one's time; work contributes to the moral worth of the individual and to the health of the social order; wealth is a major goal in life; leisure is both earned by work and prepares one for it; success in work results primarily from personal effort; and finally, the wealth that one amasses from work is a sign of God's favor. We are inheritors of a work ethic that has abandoned its roots in the individual's sense of community to trumpet the value of the independence of the individual from the community.

Values and Policies Today

The so-called Protestant work ethic, formed from the views of Calvin, Enlightenment thinkers, and the demands of the Industrial Revolution, remains with us, and recognizing it helps us understand many contemporary U.S. public policies.[17] These policies grow from religious values of which we are often unaware and which the makers of these policies are ill equipped to recognize because they cannot remember what they never knew.[18] At the same time, in a more positive vein, the Enlightenment view of the independent self and the Protestant work ethic have helped to build large segments of our culture and society. They have aided in carving out enormous national wealth based on a capitalist economy. And these beliefs have often fueled movements for social change, including the Civil Rights Movement; attempts by residents of public housing complexes, often led by women, to take back and define their living spaces; and movements for economic empowerment in which churches set up independent corporations to address community problems. These movements rest, to varying degrees, on the values of hard work and thrift *and* the dignity and worth of the individual.

The difference between these movements and the view that government is a necessary evil lies in their conception of the proper relationship between the individual and society. These movements yearn for a robust, inclusive, interdependent society. In many dispossessed communities, the notion of personal freedom remains a utopian folly: constraints are everywhere. In sharp contrast, those who see government as a necessary evil attempt to limit and direct its scope in ways that have stunted the daily lives of poor people, to the point where many Black folk see current public policies as attempts at genocide. Efforts to limit the size of government fall punitively on poor people because they deprive those most in need of teachers, doctors, food, child care, public transport, and other necessities. The Welfare Queen and her children are at the mercy of public policies that stress equality and personal liberty, as if our societal playing field were equitable and fair, with equal access to goods and services for all.

But we have become an intensely stratified nation economically. The top 10 percent of U.S. households owns over 71 percent of this nation's wealth.[19] The top 1 percent of families owns slightly more than 34 percent of this nation's wealth. At the other end of the spectrum, under the 1996 welfare reforms, a family of three (a mother with two children under age 18) qualifies for federal cash assistance if its gross income is below $784 a month and its assets are worth less than $1,000. There is a four-year lifetime limit on receiving assistance from this program, and work is a major component, with the hope that it will help recipients gain the experience needed to find a job and become self-sufficient.[20]

Public-Policy Making

The inequities of our system are no accident. Public policies reflect our national value judgments. Our decision as a society to hold the poor morally responsible for their plight is a gruesome and death-dealing one. The poor in U.S. culture are alternately ignored, rendered faceless, and labeled undeserving; or considered an eyesore, their own worst enemy, or simply down on their luck. When we do see the face of the poor, it is often the face of the Black Matriarch or the Welfare Queen. Both stereotypes played a tremendous (sub)conscious role in the minds of those crafting the 1996 welfare reforms. We know this from the language that they used. The degrading stereotypes of Black women reassure us that poverty is a glitch, a bump in the road that does not contradict the grand narrative of progress and success that fuels our culture. The message is that we must simply work harder to reap the benefits that are there for the taking. This attitude prevents us from considering the possibility that we live in a socioeconomic system that is structured to ensure inequality but touts an alleged openness to all. If we question the status quo, we might choose to contest it, and a challenge would not serve the needs of those who benefit from our system's structural inequities.

Our culture suffers from the enormous impact of market forces on everyday life. Neoliberal economics, with its emphasis on limiting government intervention in the domestic economy and its focus on lessening restrictions on business operations and property rights, is now the order of the day. This philosophy places the interests of those who own or manage corporations and wealth at the center of all major public-policy considerations. Although this approach has a new name today, it has prevailed in the United States for most of our history. We see its constraints when we look at who can get and afford adequate health care, when we see employment patterns that show discrimination by race and gender, when we recognize how limited the access to affordable housing is, and when we note the lack of public transportation systems that address the needs of citizens. This tumble-down (versus trickle-down) economic reality exists amid a mix of racist, sexist, and classist ideologies that mask the morally bankrupt economic system of the United States. These deadly ideologies disguise the fact that the majority of the poor and those on welfare are White.[21] Policy makers view and present inner-city neighborhoods, largely inhabited by darker-skinned racial and ethnic groups, as sites of pathology and hopelessness. They ignore rural areas, which are largely inhabited by Whites, or paint them with the pastoral gloss of rugged individualism and as the last vestige of true Americana.

Our views of welfare and welfare reform grow from downright incorrect views of life in America. The previous welfare law needed reform because it did not adequately require or provide opportunities for work and parental caretaking to help families to get off the rolls. Indeed, it often locked families into dependency that could, but did not necessarily, become generational. But the myth that led to the welfare reforms of 1996 was that of the Black Matriarch and the Welfare Queen, with their irresponsible sexual activity, childbearing, and childrearing and their female-headed households. Thus the reforms were intended to reduce the number of out-of-wedlock pregnancies and promote the formation and maintenance of two-parent families in poor communities, rather than to address the structural problems that hobble the ability of poor people to get and keep jobs and take care of their children at the same time—problems like bad schools and no affordable day care centers.

Our views of what we think the poor are like make it easy to stereotype poor Black women as Welfare Queens. We have created a society that simply refuses to care beyond our narrow self-interests. We are not even concerned enough to recognize that welfare-reform efforts are doomed if we craft them to fit the familiar stereotypes and abstractions. To speak of "the poor" in U.S. society is to lump together highly diverse groups of people who need different kinds of help. The single White woman with a baby and no high school diploma; the elderly Black man living on his Social Security checks; the strong young man who cannot hold a job because he is developmentally disabled; the middle-aged factory worker whose skills have been swamped by the onrushing twenty-first-century economy—these are some of America's poor. Some will need public assistance only briefly; others will always need our help. Some need cash aid or food stamps; others need job training or doctor visits, or a way to get to the doctor's office. Welfare is a set of complex and interlocking dynamics that combine, at bare minimum, education, jobs, housing and homelessness, crime, addictions, race, gender, class, health care, and geography. As long as policy makers try to formulate a single policy to deal with the poor, they will fail, because they will not be addressing the structural problems that create poverty. The fallout for our society and many of its members will continue to be disastrous.

The bottom line is: can these reforms, built on mean-spiritedness, self-interest, stereotypes, and political expediency, enhance the lives of those who are living in whirlpools of catastrophe? The religious values of justice and love contradict public policies that require low-income and poor people to bear the weight of balancing the budget. Policy makers slash social spending on welfare and education while promoting tax cuts for the wealthy that have sent the federal debt spiraling beyond $11 trillion. Our religious values ask, What do politicians mean when they argue for tax cuts, Charitable Choice, the Defense of Marriage Act, the Contract with the American Family and its predecessor the Contract with America, charter schools, and empowerment zones? The latest assault on welfare recipients is a strategy that political leaders—Democrat and Republican—are using to shift attention away from the government's redistribution of wealth to the rich through tax cuts, attempts to dismantle Social Security, and pandering to big business (e.g., the Deficit Reduction Act of 2005).[22] Left behind as political fodder in this race to help the wealthy are the Welfare Queen, her children, and many of her friends.

Building a Just Society

I have examined the sources of the religious values at the core of American policies that harm people in need, including the identification of the individual as an independent unit, the emphasis on personal responsibility, and the disgust at dependency. We have seen how these values protect us from facing the structural evil created over generations that has resulted in inequities in our society. These values encourage us to label the victims irresponsible (at best) and to shrug off any responsibility of our own. In the face of these injustices, we must form public policies that move *beyond* the notion that government must work through individuals who care about themselves first and foremost. We need public policies that offer strategies more complex than the incremental conversion of individual souls. As a society, we concentrate far too much on individual morality. We discuss pieces of the social structure that we want to change rather than examining the structure in its entirety. Religious values led us into this situation, and they also offer us a way to consider that structure ethically, in its entirety, and to work our way toward the creation of a more just society for all.

Perhaps one reason we remain skeptical of the government's ability to do much about poverty is that our theological worldviews do not offer us much of an alternative, either. And yet, viewing the self as the center of the universe actually turns the Christian Gospel on its head. Moreover, the Bible hardly supports the notion embedded in welfare reform that a person must first earn merit (meet an obligation) before being accepted (receiving an entitlement). The Christian faith is built on God's grace. For Protestants, this grace is not rare and does not have to be earned; it is constant and free. One is accepted first (the entitlement), and then one follows with a life of joyous (but sometimes cranky) response (obligation).

If, however, we see ourselves as the independent Enlightenment self, refusing to yoke our identities and concerns into the community, we will never be able to engage in democratic politics with a spirit of justice or peace. If we remain absorbed in the consumer market, we will be unable to offer any genuine alternative to the way public policy has been formed; instead, we will continue to make and accept political deals. We will continue to lose our essence, that is, a genuine power arising from our desire for salvation. We will be even more complicit with the dominant political powers, for religious folk and religious discourse and religion itself will no longer be the sigh of the oppressed or the heart of the world without a heart, as Karl Marx said so well.

As we engage in public-policy debates, we often lose track of the fact that although Calvin viewed the world as sinful, his ethic is also one of grateful obedience that leads to self-denial. He held together love of God and love of neighbor, calling for us to extend charity to our neighbor and to share with that person our blessings. For Calvin, neighbors include those we do not know and those we consider to be enemies.

When it comes to work, the work ethic, and public-policy making, we would do well to incorporate other elements of Calvin's work ethic: work as a calling or vocation rather than simply a career or job, and work in service to others and not only for our own self-fulfillment. We should acknowledge that work does not give us our basic identity or meaning; this comes from our relationships with God, from the world around us, and from the people in it.

Building on Calvin, three basic public-policy questions emerge. The first two, What kind of society do we want? and What sort of people do we need to be to achieve this society? dominate current public-policy debates and decisions. They are, unsurprisingly, based on the conception of the individual as an independent being who should take responsibility for his or her situation despite the structural inequalities in our society. These two questions are vital for our lives together, but they do not go far enough. It is the third question that helps to balance and enrich public-policy formation: What kinds of social structures do we need to help form people to make the society we want to live in? This last question pushes beyond a concentration on the self and individual character to include an examination of social institutions and structural change. It also recognizes our individual responsibility to one another and to our society as well as to ourselves.

It is apt, then, to add another set of religious values that shape public policies as we answer the third question, about shaping ourselves and our society. One of the earliest words we learn in church is "love." We take great delight in telling the story that love can lift us, that Jesus loves us, that Jesus loves all the little children of the world. Yet love without justice is asking for trouble. Justice is that notion that each of us has worth, and that each of us has the right to have that worth recognized and respected. In short, justice lets us know that we owe one another respect and the right to personal dignity.

Justice leads to public policies that claim rights as a part of the assertion of our dignity. Justice has to do with our relationships with one another. It leads to a sense of caring that takes concrete form in the provision of accessible and affordable health care and child care, and in the development of urban and rural infrastructures that promote the health, safety, and well-being of residents. This includes public transportation, green spaces for recreation and exercise, and zoning policies that support neighborhoods and communities. It recognizes the interdependence in which we all actually live.

Justice, then, is more than giving to each what is due or treating all cases equally. It requires attention to our diversities and particularly to those people most marginalized. Simply put, justice involves uncovering, understanding, and rejecting oppression—that is, structural evil. This means recognizing the privileges and benefits that come a-waltzing to some in concert with the oppression of others. The point is fundamental structural transformation. Reform is not enough.

As we consider notions of democracy and public policy within *conscious* religious frameworks, we need to make explicit our conception of the common good in terms of how we understand it from our various religious and nonreligious worldviews, and to realize that we will not always agree. More importantly, for those of us who are middle-class Christians, we need to bring the poor to the center of our decision making. We need to set aside our images of Mammy, the Black Matriarch, and the Welfare Queen and engage with poor people to develop the questions we need to ask about the common good, and then develop strategies to achieve it.

I envision the common good as including social structures that benefit all people in an inclusive and democratic social and moral order. This society would include accessible and affordable health care, a just political system that holds all people to the same law, a fair educational system, effective and nondiscriminatory public safety, a clean environment, and an effective and humane social welfare system. The common good calls us to think more deeply and strategically about our conceptions of community. Rather than community shaped by competition and domination, community can be a site of strength and meaning that helps citizens take an active role in society. This understanding of community embraces individualism by encouraging self-definition and self-determination but always in the context of the larger community's defining and shaping of the common good.

Such a conceptual shift requires that we recognize the ways in which each of us takes on powerful roles and powerless ones at different times and in varying circumstances. In recognizing the myriad views that we adopt with our different roles, we may begin to see that where we stand offers only a partial perspective on the world. We are unable to perceive absolute truth, but as individuals working together, we can share our perspectives as we participate in constructing the common good, one that does not grow from the demonizing stereotypes of the White supremacist worldview.

Establishing and maintaining the common good requires all of our cooperation, and this demanding task is part of what genuine democracy is about. To settle for a weak democratic system that runs roughshod over people is to reconcile ourselves to structural evil. Our diversity helps us in our quest for a rich and vital common good, because within it we understand the need for each of us to hear other perspectives if we are to "see" more fully the world around us and how we are shaping it. This is a very different stance from one that rests on the independent self as the center of the universe or the Welfare Queen as an accurate depiction of Black women and Black culture. It is very different from a society that demonizes Black women who leave the home to earn money to support their children, shames Black women who stay home and accept public assistance to feed their families, condemns as emasculating those Black women who take on the burden of heading up their families and their communities, and defines Black women by their sexuality and their breeding ability.

Rather than settling for half-truths and inaccurate information, we commit to understanding the sometimes harsh realities of life in the United States. Instead of negative competition that seeks to dominate and win at all costs, in achieving the common good we practice a competition that pushes all of us toward excellence and growth. This competition builds a vital and healthy social order rather than one that can fall like a house of cards under the unrelenting pressure of capitalism's market forces. In this contest, we shift our perspective just enough to realize that we are members of the same community, the same society, and that we can respect and value individual freedom *and* pursue those goals we hold in common.

Traditionally, society gives us a choice: to submit either to religious values focused on private character or to those that stress public morality. There is at least one other option: find a healthier ground where we can craft a creative, progressive, and inclusive space for *everyone*. This space would demand the best from us as individuals; this space would expect nothing less than attempts by all of us, as a group, to create a just society.

Notes

1. See Dorie J. Gilbert and Ednita M. Wright, eds., *African American Women Living with AIDS: Critical Responses for the New Millennium* (Westport, CT: Praeger, 2003); Quinn M. Gentry, *Black Women's Risk for HIV: Rough Living* (New York: Haworth, 2007); Dorothy Roberts, *Killing the Black Body: Race, Reproduction, and the Meaning of Liberty* (New York: Vintage, 1998); Elizabeth A. Howell, Paul Hebert, Samprit Chatterjee, Lawrence C. Kleinman, and Mark R. Chassin, "Black/White Differences in Very Low Birth Weight Neonatal Mortality Rates Among New York City Hospitals," *Pediatrics* (2008) 121(3) 407–415; Jennifer C. Nash, *Black Women and Rape: A Review of the Literature* (Waltham, MA: Feminist Sexual Ethics Project, Brandeis University, 2009), http://www.brandeis.edu/projects/fse/slavery/slav-us/slav-us-articles/Nash2009-6-12.pdf (accessed August 3, 2009); and Elizabeth Kennedy, *Victim Race and Rape* (Waltham, MA: Feminist Sexual Ethics Project, Brandeis University, 2003), http://www.brandeis.edu/projects/fse/slavery/slav-us/slav-us-articles/slav-us-art-kennedy-full.pdf (accessed June 20, 2009).
2. Robin Good, "The Blues: Breaking the Psychological Chains of Controlling Images," in *Dismantling White Privilege: Pedagogy, Politics, and Whiteness*, ed. Nelson M. Rodriquez and Leila E. Villaverde (New York: Peter Lang, 2000) 112. Patricia Hill Collins, *Black Feminist Thought: Knowledge, Consciousness, and the Politics of Empowerment* (Boston: Unwin Hyman, 1990) 73f.
3. Catherine Clinton, *The Plantation Mistress: Woman's World in the Old South* (New York: Pantheon, 1982) 201f, notes:

    The Mammy was created by white Southerners to redeem the relationship between black women and white men within slave society in response to the antislavery attack from the North during the ante-bellum era, and to embellish it with nostalgia in the post-bellum period. In the primary records from before the Civil War, hard evidence for her existence simply does not appear.
4. Herbert G. Gutman, *The Black Family in Slavery and Freedom 1750–1925* (New York: Vintage, 1976) 443.
5. Patricia A. Turner, *Ceramic Uncles and Celluloid Mammies: Black Images and Their Influence on Culture* (New York: Anchor, 1994) 44. Turner writes, "At no time during the pre–Civil War era did more than 25 percent of the white Southern population own slaves…most slave owners possessed ten or fewer slaves, the majority of whom—men and women—were consigned to field labor. Like the field hands, those black

bondswomen who worked indoors were unlikely to be overweight because their foodstuffs were severely rationed. They were more likely to be light than dark because household jobs were frequently assigned to mixed-race women. They were unlikely to be old because nineteenth-century black women just did not live very long; fewer than 10 percent of black women lived beyond their fiftieth birthday."

6. Daniel P. Moynihan, *The Negro Family: The Case for National Action* (Washington, DC: U.S. Government Printing Office, 1965). Moynihan misappropriated E. Franklin Frazier's *The Negro Family in the United States*. The 1948 abridged edition of Frazier's work, which is the most widely available, paints a much more complex and rich description of the Black family and the roles of Black men and women in it. Moynihan did not include this material. It is important to note that the 1939 unabridged edition of Frazier's work contains more material than the 1948 edition. In short, Moynihan did a highly selective and suspect reading of Black life. See E. Franklin Frazier, *The Negro Family in the United States* (Chicago: University of Chicago Press, 1939). See also W. E. B. Du Bois, *The Negro American Family* (Atlanta: Atlanta University Press, 1908).
7. Collins, *Black Feminist Thought*, 75.
8. See Patricia Morton, *Disfigured Images: The Historical Assault on Afro-American Women* (Westport, CT: Praeger, 1991) 58.
9. Frazier, *Negro Family*, 125.
10. Cheryl Townsend Gilkes, "They Have Careers! Women, Class, and Families in the Sociology of E. Franklin Frazier [or "Re-Reading" Frazier's Sociology of Women Through the *Black Bourgeoisie*]" (unpublished manuscript) 7. See also Frazier, *The Negro in the United States* (New York: Macmillan, 1949).
11. Frazier, *Black Bourgeoisie: The Rise of a New Middle Class* (New York: Free, 1957) 221; Gilkes, "They Have Careers!" 7.
12. Moynihan, *Negro Family*; Patricia Bell Scott, "Debunking Sapphire: Toward a Non-Racist and Non-Sexist Social Science," in *All the Women Are White, All the Blacks are Men, But Some of Us are Brave: Black Women's Studies*, eds. Gloria T. Hull, Patricia Bell Scott, and Barbara Smith (Old Westbury, NY: Feminist, 1982) 87.
13. Walter Mears, "'Welfare Queen' Becomes Issue in Reagan Campaign," *New York Times*, February 15, 1976.
14. Cheryl Thurber, "The Development of the Mammy Image and Mythology," in *Southern Women: Histories and Identities*, ed. Virginia Bernhard, Betty Brandon, Elizabeth Fox-Genovese, and Theda Purdue (Columbia, MO: University of Missouri Press, 1992) 88.
15. See John Calvin, *Institutes of the Christian Religion*, vol. 1, ed. John T. McNeill, trans. Ford Lewis Battles (Philadelphia: Westminster, 1960) 724. Ethicist Joan Martin notes that Calvin's rigid social class structure became problematic for the later development of a notion of the work ethic because the contemporary social order is more complex and fluid than Calvin could have imagined. Joan M. Martin, *More Than Chains and Toil: A Christian Work Ethic of Enslaved Women* (Louisville, KY: Westminster John Knox, 2000) 124.
16. In an interesting twist, in a speech he made at Columbia University in September 2000, billionaire Warren Buffett pointed out the inequities of wealth: "I hear friends talk about the debilitating effects of food stamps and the self-perpetuating nature of welfare and how terrible that is. These same people are leaving tons of money to their kids, whose main achievement in life had been to emerge from the right womb. And when they emerge from the womb, instead of a welfare officer, they have a trust fund officer. Instead of food stamps, they get dividends and interest." Beth J. Harpaz, "Billionaire Buffett Takes a Swipe at Rich Kids Living Off Trust Funds," Associated Press, September 27, 2000.
17. Max Weber, *The Protestant Ethic and the Spirit of Capitalism*, trans. Talcott Parsons (New York: Scribner, 1958).
18. Katie Geneva Cannon, "Remembering What We Never Knew," *The Journal of Women and Religion* 16 (1998) 167–177.
19. A further breakdown reveals that the bottom 40 percent of the U.S. population owns less than 1 percent of the nation's wealth. These figures represent the most recent survey,

conducted in 2004. For the most recent statistics on the distribution of wealth in the United States, see the Survey of Consumer Finances, sponsored by the Federal Reserve Board, which provides data from 1983 onward: http://www.federalreserve.gov/pubs/oss/oss2/scfindex.html (accessed June 20, 2009).

20. The 1996 welfare reform bill, the Personal Responsibility and Work Opportunity Reconciliation Act (PRWORA), includes the Temporary Assistance for Needy Families (TANF) block grants to states, which replaced the Aid to Families with Dependent Children (AFDC) program that had provided cash welfare to families with children since 1935.
21. Martin Gilens, *Why Americans Hate Welfare: Race, Media, and the Politics of Antipoverty* (Chicago: University of Chicago Press, 2000) 67–72.
22. The Deficit Reduction Act of 2005 was signed in February 2006. It includes cuts to spending on Medicare, Medicaid, and education. The Congressional Budget Office estimates that the Medicaid cuts alone will cause 65,000 people (mainly children) to lose health insurance, and cause many who are able to retain insurance to forgo medical care because they cannot afford the increased co-payments.

4

From Plantations to Prisons: African American Women Prisoners in the United States

Ellen M. Barry

Although the United States was founded on principles of liberty and justice, in practice this country has a long and unfortunate history of denying justice to subgroups in its population, particularly on the basis of race. From the initial forays of Europeans into what they saw as a new continent and the resultant decimation of Native tribes, to the adoption and spread of the slavery system and its devastation of African families and communities, to contemporary attacks on undocumented immigrants, this country has denied justice to marginalized populations within its borders.[1] Today, research documents the impact of racial discrimination at every level of the criminal justice system, from arrest through sentencing and incarceration.[2]

The U.S. prison-industrial complex incarcerates marginalized groups at rates staggeringly disproportionate to their presence in the larger population. In 2008, the number of U.S. citizens in prisons, jails, and detention centers exceeded 2.3 million, and more than 65 percent of those people were men, women, and children of color. That racial breakdown is the opposite of our overall societal mix: 66 percent of the total population is white.[3] Yet in 2000, one in twenty African American men over the age of eighteen were incarcerated, in contrast to one in 180 white men. African American men are almost six times as likely to go to prison as white men are.[4] Although there are significantly fewer women in prison than men, over the past several decades this country has jailed a growing percentage of women of color compared with white women.[5] African American women are five and a half times more likely than white women to experience incarceration.[6] In 2006, one in every 279 African American women was behind bars, compared to one in every 1,064 white women.[7]

Women are often imprisoned in appalling conditions. Inadequate medical care, even the punitive denial of care, and sexual abuse and assault at the hands of guards are two of the more egregious areas of human rights violations. The practice of employing male guards to oversee women prisoners flies in the face of international norms, and the routine removal of newborns from their imprisoned mothers shocks the conscience.[8] Thousands of women have testified to such treatment in legislative hearings, court proceedings, and other public forums; and international human rights groups and United Nations investigations have confirmed their testimony.[9] The majority of women prisoners have made bad choices in their lives, committing criminal acts for a variety of complex reasons. Regardless of their actions, these women—like all of us-are still entitled to their constitutional and human rights.

Why do we imprison vastly higher numbers of African Americans than whites, and why do we treat our prisoners so poorly? Our judicial system, like our society, has been shaped by our history of slavery. Racism and slavery are not unique to the United States. When, however, the Thirteenth Amendment to the Constitution abolished slavery in 1865, it read, "Neither slavery nor involuntary servitude, except as a punishment for crime whereof the party shall have been duly convicted, shall exist within the United States, or any place subject to their jurisdiction." Although we generally assume that the Thirteenth Amendment put an end to slavery, this language indicates that slavery was actually codified and restricted to the prison setting, not abolished outright. Thus, the effort to abolish slavery is, in a sense, ongoing.

It is easy to condemn the actions of our white forefathers, who benefited financially, politically, and personally from the slaughter and enslavement of hundreds of thousands of indigenous people and forcibly transported Africans. It is difficult for us as a society to acknowledge the ways in which our racially biased criminal justice system evokes memories of and replicates the American plantation slavery system and to take the steps necessary to move toward a fair and equitable system of justice.

In this essay, I draw parallels between the experiences of African American women in slavery and in modern-day prisons in order to explore one way in which our shared past as a slaveholding/enslaved nation shadows and weakens our society.[10] Without an impartial judicial system supported by citizens' belief that they will be treated fairly if they break laws, no democratic society can flourish. Young people of color from low-income communities experience a very different sense of justice than do many white youths. As the terms "driving while black" and "living while black" imply, youths of color are routinely exposed to a level of scrutiny and suspicion from police, prosecutors, judges, and juries that creates a deep and abiding distrust of the legal system. Communities of color experience racism at every level of the criminal justice system, from unjustified searches and traffic stops; to higher instances of arrest for similar conduct; to inequity in bail, higher levels of prosecution, more frequent convictions, and longer prison sentences.[11]

My discussion is drawn from my experience working with women, particularly African American women, in U.S. prisons and includes first-person accounts that bring home the abuses and the costs—individual and societal—built into our judicial system. Each woman's case illustrates a pattern of mistreatment and abuse experienced by numerous women in California prisons and jails and is documented in interviews, letters, and legal files. These patterns are not unique to any one state or jurisdiction.[12]

A. Z. was a slight African American woman in her teens. She and her Asian American husband and infant were attacked by a group of young white men at a lake in rural California. The gang spewed racial epithets at the family and started to beat A. Z.'s husband. Defending her husband, her baby, and herself, A. Z. stabbed one of their attackers with a steak knife. Even though she had no prior convictions, A. Z. was sentenced to prison for attempted murder.

Women Imprisoned

The imprisonment of women of color has increased in the past generation for several reasons, including the War on Drugs, the sentencing disparity between powder- and crack-cocaine offenses, and increasingly harsh social policies regarding low-income women.[13] In the early 1980s, with the inception of the War on Drugs, the prosecution of women of color rose dramatically. Women, who rarely held positions of power in the drug trade, but were used as runners and mules, were often the most vulnerable to prosecution. With little information to trade, they received more severe sentences in proportion to their culpability than "kingpins" who profit from the trade.[14] Because of the international nature of the drug trade and the imposition of mandatory minimum sentences in federal court, many noncitizen women entered the federal prison system, most of them women of color. Later in the 1980s, crack cocaine became readily available, often replacing more expensive powder cocaine in low-income communities. New laws criminalized the use and sale of crack cocaine at a dramatically higher level than that of powder cocaine, the drug of choice in well-heeled white communities.[15] In addition, during the mid-1980s, pundits and policy makers demonized pregnant women addicted to drugs and alcohol, claiming they disregarded the health of their fetuses.[16] Many judges began to sentence pregnant, drug-addicted women to serve time. This punishment was most often applied to poor women of color.[17]

Historical Parallels between American Slavery and the U.S. Criminal Justice System

Sexual Violence and Physical Abuse

Sexual assault and abuse of African American women and girls by slave owners and overseers was widespread during slavery. Women were frequently flogged and mutilated, even raped, as an expression of the owner's mastery.[18]

Women in U.S. prisons and jails are subjected to daily humiliation and insults, often including racially and sexually demeaning terms, intrusive pat-down searches, demands for sexual favors in exchange for privileges, and rape by male guards and staff members—all conducted to demonstrate mastery over their prisoners. Although sexual misconduct by guards has received a great deal of scrutiny in the past several years, and domestic as well as international human rights groups are challenging such behavior, it remains one of the most prevalent violations of the rights of women imprisoned in the United States.[19]

Incarcerated women have little or no recourse against their abusive keepers, making them a particularly vulnerable group. Between 48 and 80 percent of women in prison report a history of physical and/or sexual abuse by parents and/or male partners.[20] Mistreatment at the hands of guards and other staff is likely to trigger memories of this prior abuse.[21]

B. Y. was an African American woman who shared a cell with C. X., a Latina who spoke no English. Although they did not know each other well, B. Y. realized that C. X. was extremely frightened. One afternoon, B. Y. returned to their cell to discover a male guard raping her roommate. B. Y. confronted the guard, who hit her and told her to shut up. B. Y. screamed until other guards arrived. B. Y. was later brutally assaulted by the guard who raped C. X. Both B. Y. and C. X. were placed in solitary confinement and eventually transferred to different correctional facilities. The guard was not prosecuted for the rape of C. X. or the assault on B. Y. This failure to prosecute is a very common phenomenon.

D. W. was an African American woman who served time in a federal prison camp. While incarcerated, she was transferred to the male-segregated housing unit and subjected to rape and assault by male prisoners who entered her cell with the knowledge and consent of guards. Guards also pimped two other women prisoners to this group of male prisoners.[22]

E. V. was an African American woman and a devout Muslim. While imprisoned in a federal facility, she experienced daily taunts and sexual innuendoes from male guards, as well as pat searches a dozen times a day and occasional strip searches. Although all women at the prison were subjected to this degrading treatment, E. V. and other devout Muslim prisoners were particularly affected by this routine sexual humiliation because modesty in the presence of men is part of their religion.

F. V. was an African American woman with multiple sclerosis who was serving time in a California state prison. On several occasions while she was confined to the prison infirmary, a male prison nurse entered her cell at night and sexually assaulted her. She compared the experience to the many times that she had been molested by her stepfather as a child. She also witnessed the same male nurse molesting another African American woman prisoner paralyzed by a stroke.

G. T. was a slightly built, five-foot African American woman who suffered from paranoid schizophrenia. While in a psychotic state, she boarded a bus and stuck a stranger in the shoulder with a hatpin. G. T.'s insanity defense failed, and she was sentenced to prison where she remained in solitary confinement most of the time. She was systematically taunted, harassed, and sexually assaulted by two male guards. When she was brought out of her cell for visits with her attorney, she was forced to wear a black hood. She never received appropriate treatment for her mental illness.[23]

Control of Reproduction

African women enslaved by white Americans were often stripped of control over their reproductive capacities. Regardless of whether they became pregnant by their husband or partner or were raped, they had little control over the outcome of their pregnancies or the fate of their children.[24] Women in U.S. prisons and jails sometimes lose their right and their ability to determine the outcome of their pregnancies, or the ability to maintain custody of or contact with their children.[25]

H. S. was a nineteen-year-old African American who was approximately four months pregnant when she entered state prison for selling a small amount of marijuana. Within a few weeks, she started to experience uterine cramping and vaginal bleeding. Over the next three months, as her symptoms worsened, she went repeatedly to the prison medical clinic, asking and finally begging for help. The chief medical officer, an orthopedist by training, finally saw her. Without giving her a physical examination or ordering laboratory tests, the doctor prescribed Flagyl for a vaginal infection, a drug contraindicated during pregnancy because it can trigger labor. Within days, H. S. went into premature labor. Her son was born in the ambulance on the way to the outside hospital. He was dead within two hours of birth. Prison officials insisted that H. S. be returned to prison immediately after her baby died. When she returned to the prison and became upset about her baby's death, she was placed in solitary confinement for a week.

I. R. was an African American woman in an urban county jail. She requested an abortion, but a high-ranking jail official opposed to abortion told her, incorrectly, that it was illegal for her to receive one. She finally received an abortion after the sheriff intervened. Access to abortion is a recurring problem for women in county jails, which are often subject to less external scrutiny than state prisons.[26]

Removal of Children

Of all the negative consequences of slavery in the United States, perhaps the most horrific is the multigenerational damage caused by the rending of children from their mothers and fathers. There are searing accounts of separation of African mothers from their children throughout the literature on American slavery.[27] Mothers in U.S. prisons are also subjected to separation from their children, an experience that many find the most painful part of their experience of incarceration.[28] The costs of removing children from their families can also create further personal and social problems. Young people who grow up in foster care without a permanent family are substantially more likely to face criminal prosecution than children who do not share this experience.[29]

J. Q. was an African American woman who killed her husband after enduring years of serious physical and emotional abuse. She was sentenced to six years in prison and gave birth to her youngest daughter while she was inside. When she was in her early teens, the daughter became pregnant by a forty-five-year-old man who also introduced her to methamphetamine. J. Q. did not find out about her granddaughter until the baby was eight months old and her daughter had had a mental breakdown. When the baby was made a dependent of the juvenile court, J. Q. petitioned the court for custody of her granddaughter but was denied primarily because of her twenty-one-year-old felony conviction.

Withheld or Inadequate Medical Care

During the generations in which slavery was practiced in the United States, a slave owner's interest in protecting his or her investment was the primary determinant of a slave's welfare.[30] Conditions in today's prisons and jails reflect a remarkably callous attitude toward prisoners, particularly with respect to treatment for medical problems and mental illness. Prison staff and guards who do not themselves mistreat prisoners may look the other way when fellow employees treat them as less than human.[31]

K. P. was an African American woman with a genetic predisposition for early-onset breast cancer. She discovered a lump in her breast at the age of twenty-eight, while she was serving time in state prison. When she went to the clinic to have the lump examined, the doctor sexually assaulted her. Like many women in U.S. prisons, K. P. had been a victim of childhood sexual and physical abuse, making her experience even more traumatic. She was subjected to this abuse several times and finally stopped going to the clinic until the lump grew so large that it was visibly protruding from her skin. When her regular physician went on vacation, another doctor, a woman, finally saw her. The new doctor immediately scheduled her for a mammogram and biopsy, and K. P. was given a radical mastectomy within a month. Tragically, the cancer had already spread to her lymph system, and K. P. died a long and very painful death. Prison authorities rarely permitted her anything stronger than Tylenol with codeine for her cancer pain.

L. O. was an African American woman diagnosed with late-stage Lyme disease while she was in prison. As she lay dying in the (misnamed) skilled nursing facility, she was ignored for long periods by medical staff and forced to lie in her own excrement. She was unable to speak and could only move her left hand, but she would moan at night because she was being undermedicated for pain. To punish her for moaning, guards turned the television set in her room to the wall so that she couldn't see.

M. N. was an African American woman serving a life sentence for killing her abusive partner. She had been diagnosed with sickle-cell anemia when she was a child, but prior to her incarceration, she had successfully managed her disease. Once in prison, M. N. no longer received appropriate treatment for her illness. She lived in almost constant pain, eventually losing her eyesight and some major organ function. In spite of her illness, M. N. took on the mantle of lead plaintiff in litigation on behalf of women prisoners seeking proper medical care.[32] *She was badly treated by many members of the correctional and medical staff, but she prevailed and eventually gained the respect of a handful of staff as well as the majority of other prisoners. Although the lawsuit was successfully settled on behalf of women prisoners, M. N. died before advocates could obtain her compassionate release from prison.*

Resistance

Just as women in slavery resisted their oppressive environment, women in U.S. prisons have banded together against unjust conditions. And just as enslaved women suffered retaliation for their resistance, incarcerated women organizing against abusive prison conditions have also suffered consequences.

Resistance within the prison walls often must take place underground. The network of rebellion can be more visible in the community at large, although people who are formerly incarcerated may still face retaliation for organizing against the prison-industrial complex. Despite the great deal of racial conflict among prisoners on the inside and between formerly incarcerated people on the outside, women from different racial groups have sometimes come together, both inside prisons and out, to accomplish their goals. Women have rallied around medical issues, AIDS education, programs for children of incarcerated mothers, issues affecting lifers, treatment of pregnant women and battered women in prison, and in the context of lawsuits, legislative hearings, and special events.[33]

Traditional religion and religious organizations also played, and still play, a complex role in resistance to and collaboration with the system of slavery and the criminal justice system. There are many instances in which priests, ministers, imams, rabbis, and other religious volunteers have figured prominently in humanizing the correctional system and in challenging the abuses that they have witnessed. In a few documented cases, however, clergy have sexually abused women prisoners.[34] Many nonprofit organizations working with prisoners and their families have strong religious ties, and these organizations have played a variety of roles as well. Some organizations have urged radical change in an unjust legal system, opposing the death penalty and other abuses. Other groups have stayed more neutral, providing necessary services to prisoners and their families.

Punishment Through the Generations

It is worth probing further the causes and consequences of the justice system's removal of children from their imprisoned mothers. When men go to prison, wives, girlfriends, and mothers most often maintain the home environment, providing care and continuity for children and remaining in contact with their loved one in prison. When women go to prison, their male partners rarely maintain custody of the children and often do not continue to have contact with their wives or partners.[35] In more fortunate situations, grandmothers or aunts care for these children. Sadly, increasing numbers of children of incarcerated mothers are becoming dependents of the juvenile courts, and when children are placed in foster care, incarcerated mothers may face permanent termination of parental rights.[36]

In the United States, women who are sentenced to jail or prison are generally not allowed to remain with their children. Although administrative regulations vary from state to state, when pregnant women give birth in prison, they are routinely separated from their newborns within twenty-four to seventy-two hours. Because of the great distances between most women's prisons and the urban areas where the majority of imprisoned women are from, almost all imprisoned mothers see their children infrequently or not at all.[37] Even in the best cases, when children are placed with grandmothers or other relatives, families can rarely afford the cost of regular visits or expensive collect phone calls, and children often suffer deeply from this separation. If the mother is unable to reunite with her child in a relatively short time, federal and state laws allow permanent severance of parental rights, even when the mother has never mistreated her child.[38] A study of proceedings terminating the rights of parents between 1997 and 2002 found a significant increase in the number of cases filed against incarcerated parents; parental rights were terminated in 92.9 percent of cases involving mothers and in 91.4 percent of cases involving fathers.[39]

Costs of the U.S. Prison System

Since the mid-1970s, we have seen a dramatic increase in the percentage of women who are being sent to prison; and we see a dramatic and widening gap between the percentage of African Americans and other people of color in jail and the percentage of white people in jail.[40] Every day that goes by, we come closer to the point of no return, when people in communities of color will be shut out of society by their status as criminals. Fewer people in these communities will be able to hold a meaningful job, get an education, or even vote for those who govern them. In recent years, with laws varying by state, people with felony convictions have been barred from receiving public housing, Pell grants and other college financial aid, welfare benefits, and licensure for many forms of employment.[41] People pushed out of mainstream society because of their felony convictions no longer have an investment in the American dream. Langston Hughes and Lorraine Hansberry have cautioned us about the consequences of a dream deferred.[42]

Creating Justice: Ending the Slavery of Imprisonment

Fifty years from now, if we continue along this route, we will find that we have created a society so deeply divided that there will be no bridge that can span it. We must envision sweeping changes in our criminal justice system. People of conscience are challenging the growth of the prison-industrial complex at every level, every day. These day-to-day steps are crucial to success, but I lay out some wider ideas as a way of pointing to a future beyond slavery, beyond imprisonment, beyond injustice.

Regarding women in prison:

1. We need to develop clear standards and practices regarding guards' sexual and physical assault of women. These standards must address the range of inappropriate behaviors, from the use of sexually based and racist language to rape; must incorporate safe and effective ways for women prisoners to report inappropriate conduct; must include consequences for the abusers; must allow for medical and psychiatric treatment for rape and assault to take place outside the jurisdiction of the correctional system; and must be implemented nationwide through an impartial non-correctional agency.
2. We must address serious systemic inadequacies within women's prisons concerning medical, dental, psychiatric, and mental health treatment. Pregnant women in prisons and jails must have access to competent obstetrician-gynecologists, standard pregnancy care, reproductive services, and postpartum follow-up. Women with serious and life-threatening illnesses must have access to appropriate medical specialists, medications, surgeries, and follow-up care. Women living with HIV/AIDS or hepatitis C must have access to medical care that is responsive to the ways in which these conditions affect women differently. Elderly women and women with disabilities must have access to geriatric medical care and to

appropriate accommodations. Women with mental illnesses (including postpartum depression) must be treated by trained and compassionate medical and correctional staff, and dying women must have hospice services and be able to die with dignity.

3. Incarcerated mothers and their children need more consistent and positive ways of maintaining contact with each other, including expanded visiting hours; humane, child-friendly conditions for visiting; elimination of exorbitant charges for collect phone calls; and, most importantly, non-correctional alternatives to incarceration that allow for placement of women with their children in residential programs in the community.
4. Children of incarcerated mothers should only be placed in non-relative foster care as a last resort. When grandparents or others are available to provide a temporary home for children, they should be provided with financial subsidies comparable to the subsidies that would be provided to non-relatives. The period of time for reunification between incarcerated mothers and children in foster care must be adjusted to the period of incarceration when possible.

At a broader level, we must move toward the abolition of the prison-industrial complex, just as we moved to abolish the system of slavery:

1. We need to de-carcerate as many people as possible, starting with low-level, nonviolent prisoners; elderly and dying prisoners; battered women who have committed their crimes in defense of themselves and their children; mentally ill and mentally fragile individuals who can be placed in community-based treatment facilities; people who have already received parole dates but have not been paroled; people who have been sentenced under racially biased laws (as in the case of the crack/powder-cocaine sentencing disparity); people who are seeking recovery from drug and alcohol addiction; and, most significantly for this essay, mothers of infants and young children.
2. We must remove the many and growing collateral consequences of felony convictions from people who have shown that they have been rehabilitated, including by lifting restrictions on voting rights, educational opportunities, and employment.
3. The role of the justice system should be reexamined at every level, from the streets to the courts, from arrest to reentry, to determine how we define crime and responsibility, guilt and innocence, and to address its racial and class bias.
4. We need to redirect funding from the prison-industrial complex toward health and human services agencies to improve physical and mental health, drug and alcohol recovery, and education services.[43] Our focus is skewed: from 1988 to 2008, state correctional budgets grew 303 percent while public-assistance budgets grew 9 percent.[44]
5. We must reduce prison construction, prison beds, and correctional jobs; and we should increase funding for educational programs, schools, and teaching jobs.
6. Finally, we need to broaden and deepen our commitment to restorative justice, giving as much weight and value to the experiences of communities that have been historically enslaved, excluded, and disproportionately incarcerated as we do to communities with historically greater privilege.

Notes

I would like to acknowledge Bernadette Brooten, Jill Hazelton, and Lisa Cardyn, whose careful editing contributed greatly to my analysis in this chapter. In addition, I am deeply grateful to the following individuals for their work, their wisdom, and their input in my writing and thinking process: Michelle Alexander, Pat Allard, JoAnne Archibald, Sandra Barnhill, Jane Barry, Kathy Boudin, Susan Burton, Sheila Briggs, Cynthia Chandler, Angela Y. Davis, Angela J. Davis, Harriette Davis, Juanita Diaz-Cotto, Bernadine Dohrn, Linda Evans, Bernadette Gross, Paula Johnson, Naneen Karraker, Dorsey Nunn and Karen Shain (and the folks at LSPC), Beth Richie, Claudette Spencer-Nurse, Cassandra Shaylor, sisters Brenda and Gail Smith, and Julia Sudbury. And a final acknowledgment to fallen comrades, who continue to inspire me: Mayda Alsace, Margaret Barry, Virginia Blackburn, Haywood Burns, Patty Contreras, Sherrie Chapman, Sheila Hackett-Nunn, Imara Safiya, and Charisse Shumate.

1. John Hope Franklin, *From Slavery to Freedom: A History of African Americans* (New York: Knopf, 1947); and Howard Zinn, *A People's History of the United States: 1492–Present* (New York: HarperCollins, 2003).
2. Angela J. Davis, *Arbitrary Justice: The Power of the American Prosecutor* (Oxford: Oxford University Press, 2007) 186–189. Criminal justice statistics are not perfect; for accuracy they rely on processes of definition, reporting, compilation, and presentation that are not necessarily race neutral. Black women are significantly less likely to go to the police when they have been raped, for example. See Elizabeth Kennedy, *Victim Race and Rape* (Waltham, MA: Feminist Sexual Ethics Project, Brandeis University, 2003), http://www.brandeis.edu/projects/fse/slavery/slav-us/slav-us-articles/slav-us-art-kennedy-full.pdf (accessed August 26, 2009); and Jennifer C. Nash, *Black Women and Rape: A Review of the Literature* (Waltham, MA: Feminist Sexual Ethics Project, Brandeis University, 2009), http://www.brandeis.edu/projects/fse/slavery/slav-us/slav-us-articles/Nash2009-6-12.pdf (accessed August 26, 2009).
3. Jennifer Warren, *One in One Hundred: Behind Bars in America 2008* (Washington DC: Pew Center on the States), http://www.pewcenteronthestates.org/uploadedFiles/8015PCTS_Prison08_final_2-1-1_forweb.pdf (accessed August 17, 2009). Census data find that 12.8 percent in the United States are black, while non-Hispanic whites make up 66 percent of the population. See U.S. Census Bureau, "State and County QuickFacts," under "Data Access Tools," http://quickfacts.census.gov/qfd/states/00000.html (accessed August 25, 2009).
4. The Sentencing Project, *New Incarceration Figures: Thirty-Three Consecutive Years of Growth* (Washington DC: Sentencing Project, 2006), http://www.sentencingproject.org/doc/publications/inc_newfigures.pdf (accessed August 17, 2009).
5. Paula C. Johnson, *Inner Lives: Voices of African American Women in Prison* (New York: New York University Press, 2003) 34–39.
6. Bureau of Justice Statistics, *Prevalence of Imprisonment in the U.S. Population, 1974–2001* (Washington, DC: U.S. Department of Justice, 2003) 5.
7. Warren, "One in One Hundred," 34, table A-6.
8. United Nations, *Standard Minimum Rules for the Treatment of Prisoners*, August 30, 1955, UN High Commissioner for Refugees, Refworld, http://www.unhcr.org/refworld/pdfid/3ae6b36e8.pdf (accessed August 26, 2009).
9. Radhika Coomaraswamy, *Report of the Mission to the United States of America on the Issue of Violence Against Women in State and Federal Prisons*, Addendum E/CN.4/1999/68/Add.2 (New York: United Nations, 1999); and Human Rights Watch, *All Too Familiar: Sexual Abuse of Women in U.S. State Prisons* (New York: Human Rights Watch, 1996).
10. In this essay, I focus specifically on the experience of African American women in U.S. prisons in order to explore the connections between the legacy of slavery in the United States and today's criminal justice system. In doing so, in no way do I wish to minimize the experiences of women prisoners of other races and ethnicities, nor do I mean to imply that African American women, or women in general, are subject to greater mistreatment in prisons than African American men, or male prisoners. For a broader analysis of slavery, race and incarceration in the United States, see Michelle Alexander, *The New Jim Crow: Mass Incarceration in the Age of Colorblindness* (New York: New

2010). For further information on Native American women in prisons, see Luana Ross, *Inventing the Savage: The Social Construction of Native American Criminality* (Austin: University of Texas Press, 1998); and Andrea Smith, *Conquest: Sexual Violence and American Indian Genocide* (Cambridge, MA: South End, 2005). On Latina prisoners, see Juanita Diaz-Cotto, *Gender, Ethnicity, and the State* (Albany: State University of New York Press, 1996). On women imprisoned outside the U.S., see Julia Sudbury, *Global Lockdown: Race, Gender, and the Prison-Industrial Complex* (New York: Routledge, 2005).

11. Jolanta Juszkiewicz, Pretrial Services Resource Center, *Youth Crime/Adult Time: Is Justice Served?* (Washington, DC: Building Blocks for Youth, 2000), http://www.buildingblocksforyouth.org/ycat/ (accessed August 27, 2009); Tushar Kansal, *Racial Disparity in Sentencing: A Review of the Literature* (Washington, DC: Sentencing Project, 2000), http://www.sentencingproject.org/doc/publications/rd_reducingracialdisparity.pdf (accessed August 27, 2009); Ian Ayres and Joel Waldfogel, "A Market Test for Race Discrimination in Bail Setting," *Stanford Law Review* 46 (1994); and David Cole, *No Equal Justice: Race and Class in the American Criminal Justice System* (New York: New, 1999). Blacks convicted of drug trafficking receive sentences 13.7 percent longer than whites, according to a study by David B. Mustard, "Racial, Ethnic, and Gender Disparities in Sentencing: Evidence from the U.S. Federal Courts," *Journal of Law and Economics* 44 (2001) 285–314.
12. Cases cited in this article concern clients and former clients of Legal Services for Prisoners with Children (LSPC), a program the author founded in 1978 and directed through 2001. Clients are referred to by coded initials. The length of this essay limits the number of case examples that can be used and also restricts the level of detail. There is extensive documentation of these and numerous other cases. For further information, contact LSPC staff or Ellen Barry at 1540 Market Street, Suite 490, San Francisco, CA 94102, or visit the LSPC Web site at http://www.prisonerswithchildren.org, and click on the link to this chapter.
13. On causes of the increasing incarceration of women of color, see Amnesty International, *Not Part of My Sentence: Violations of the Human Rights of Women in Custody* (Washington, DC: Amnesty International, March 1999) 5. On the sentencing disparities between powder- and crack-cocaine offenses, see Paula C. Johnson, *Inner Lives: Voices of African American Women in Prison* (New York: New York University Press, 2003) 46; and Tanya Telfair Sharpe, *Behind the Eight Ball: Sex for Crack Cocaine Exchange and Poor Black Women* (New York: Haworth, 2005). On the harsh social policies affecting low-income incarcerated women generally, see Beth Richie, "Challenges Incarcerated Women Face as They Return to Their Communities: Findings from Life History Interviews," *Crime and Delinquency* 47 (2001) 368–389; Johnson, *Inner Lives*; and Barbara Bloom and Meda Chesney-Lind, "Women in Prison: Vengeful Equity," in *It's a Crime: Women and Criminal Justice*, 2nd ed., ed. Roslyn Muraskin (Upper Saddle River, NJ: Prentice Hall, 2000) 183–204.
14. Drug Policy Alliance Network, "Women of Color," under "Communities Affected," "Race and the Drug War," http://www.drugpolicy.org/communities/race/womenofcolor/ (accessed August 17, 2009). By 1995, 55 percent of all women sentenced under the federal mandatory minimum drug laws were classified as low-level drug mules and street dealers.
15. United States Sentencing Commission, *Report to the Congress: Cocaine and Federal Sentencing Policy* (Washington, DC: U.S. Sentencing Commission, 2007), http://www.ussc.gov/r_congress/cocaine2007.pdf (accessed August 17, 2009), B-18. Eighty percent of defendants sentenced under federal crack-cocaine laws were African American, though more than two-thirds of people who use crack cocaine are white or Hispanic.
16. For more on stereotypes about black women's alleged lack of maternal instinct, see Emilie Townes, "From Mammy to Welfare Queen: Images of Black Women in Public-Policy Formation," and Dorothy Roberts, "The Paradox of Silence and Display: Sexual Violation of Enslaved Women and Contemporary Contradictions in Black Female

Sexuality," both in this volume. For more on the intersection of race and pregnancy, see the following by Roberts: "Race and the New Reproduction" and "Making Reproduction a Crime," chaps. 28 and 34, respectively, in *The Reproductive Rights Reader: Law, Medicine, and the Construction of Motherhood*, ed. Nancy Ehrenreich (New York University Press, 2008); "Creating and Solving the Problem of Drug Use During Pregnancy," *Journal of Criminal Law and Criminology* 90 (2000) 1353–1370; and *Killing the Black Body: Race, Reproduction, and the Meaning of Liberty* (New York: Pantheon, 1997; Vintage, 1999).

17. Lynn M. Paltrow, *Punishing Women for their Behavior During Pregnancy: An Approach that Undermines the Health of Women and Children* (New York: National Advocates for Pregnant Women, 2006), http://advocatesforpregnantwomen.org/file/Punishing%20Women%20During%20Pregnancy_Paltrow.pdf (accessed August 27, 2009); Ellen Barry, "Pregnant, Addicted and Sentenced," *Criminal Justice* 5 (1991) 22–27; Bari Becker and Peggy Hora, "The Legal Community's Response to Drug Use During Pregnancy in the Criminal Sentencing and Dependency Contexts," *Southern California Review of Law and Women's Studies* 2 (1993) 303f, 321–323; and Silja Talvi, "Criminalizing Motherhood," *Nation*, December 11, 2003.
18. Angela Y. Davis, *Women, Race, and Class* (New York: Random House, 1981) 7.
19. Brenda Smith, "Sexual Abuse of Women in Prison: A Modern Corollary of Slavery," *Fordham Urban Law Journal* 33 (2006) 571; and Larry Cox and Dorothy Thomas, *Close to Home: Case Studies of Human Rights Work in the United States* (New York: Ford Foundation, 2004) 98–103.
20. Barbara Bloom, Barbara Owen, and Stephanie Covington, *Gender-Responsive Strategies: Research, Practice, and Guiding Principles for Women Offenders* (Washington, DC: National Institute of Corrections, 2003), http://www.nicic.org/pubs/2003/018017.pdf (accessed August 17, 2009) 5.
21. Human Rights Watch, *All Too Familiar: Sexual Abuse of Women in U.S. State Prisons* (New York: Human Rights Watch, 1996). See *Jordan v. Gardner*, 986 F.2d 1521 (9th Cir. 1993), *en banc*, which held that cross-gender random body searches constitute cruel and unusual punishment and cited the emotional distress experienced by female prisoners when they are searched by male guards; compare with *Forts v. Ward*, 621 F.2d 1210 (2d Cir. 1980), which held that assigning male guards to areas of the prison where female prisoners were unclothed did not violate the prisoners' constitutional right to privacy, so long as the prison made reasonable efforts to reduce the opportunities for viewing unclothed prisoners.
22. Bobbie Stein, "Sexual Abuse: Guards Let Rapists into Women's Cells," *Progressive* (July 1996); Nina Seigal, "Locked Up in America: Slaves to the System," *Salon.com*, September 1, 1998, under "Mothers Who Think," http://www.salon.com/mwt/feature/1998/09/cov_01feature.html; Radhika Coomaraswamy, *Report of the Mission to the United States of America on the Issue of Violence Against Women in State and Federal Prisons*, Addendum E/CN.4/1999/68/Add.2 (New York: United Nations, 1999); and Amnesty International, *Not Part of My Sentence: Violations of the Human Rights of Women in Custody* (Washington, DC: Amnesty International, March 1999).
23. Cassandra Shaylor, "'It's Like Living in a Black Hole': Women of Color and Solitary Confinement in the Prison Industrial Complex," *New England Journal on Criminal and Civil Confinement* 24 (1998) 385.
24. Angela Y. Davis, *Women, Race, and Class* (New York: Random House, 1981) 7. Several historians have also noted the extraordinary measures that many African American women took while enslaved to maintain control over their bodies and reproductive capacities, including escaping, fighting back, marrying men who were sterile, and murdering their masters/rapists, and in extreme cases, even killing their own infants. Deborah Gray White, *Ar'n't I a Woman? Female Slaves in the Plantation South* (New York: Norton, 1999) 76–85.
25. Rachel Roth, "Searching for the State: Who Governs Prisoners' Reproductive Rights?" *Social Politics: International Studies in Gender, State, and Society* 11 (2004) 411–438.

26. *Roe v. Crawford*, 514 F.3d 789, 794–798 (8th Cir. 2008) *reh'g en banc* denied, No. 06–3108 (8th Cir. Feb. 27, 2008); and Mark Egerman, "*Roe v. Crawford*: Do Inmates Have an Eighth Amendment Right to Elective Abortions?" *Harvard Journal of Law and Gender* 31 (2008) 423–446.
27. John Hope Franklin, *From Slavery to Freedom: A History of African Americans* (New York: Knopf, 1947); and Angela Y. Davis, *Women, Race and Class*, 9.
28. Ellen Barry with River Ginchild and Doreen Lee, "Legal Issues for Prisoners with Children," chap. 10 in *Children of Incarcerated Parents*, ed. Katherine Gabel and Denise Johnston (New York: Lexington, 1995) 149; and Creasie Finney Hairston, "Prisoners and Their Families: Parenting Issues During Incarceration," chap. 8 in *Prisoners Once Removed: The Impact of Incarceration and Reentry on Children, Families, and Communities*, ed. Jeremy Travis and Michelle Waul (Washington DC: Urban Institute, 2005) 271.
29. Nell Bernstein, *All Alone in the World: Children of the Incarcerated* (New York: New, 2005) 147.
30. Angela Y. Davis, *Women, Race, and Class*, 6f.
31. Ellen Barry, "Women Prisoners and Health Care: Locked Up and Locked Out," in *Man-Made Medicine: Women's Health, Public Policy, and Reform*, ed. Kary Moss (Durham, NC: Duke University Press, 1996) 249–271.
32. *Shumate v. Wilson*, No. CIV-S-95–619 WBS PAN, U.S. Dist. Ct. (E.D. Cal. April 4, 1995). Settlement agreement signed 1998.
33. Kathy Boudin et al., "Voices: Women of Ace (AIDS Counseling and Education) Bedford Hills Correctional Facility," in *Women, AIDS and Activism*, ed. Marion Banzhaf et al. (Boston: South End, 1990) 143–156; and Ellen Barry, "Women Prisoners on the Cutting Edge: Development of the Activist Women Prisoners' Rights Movement," in *Social Justice* 27 (2000) 167–175.
34. *Patterson v. DeShores*, No. ECDV-95–397, U.S. Dist. Ct. (Cent. D. Cal. October 31, 1995). This civil case was brought against a prison chaplain who was fired by the prison administration for sexually abusing two women on separate occasions who had come to him for counseling. Both women were in emotional crisis and had been previous victims of sexual and physical assault. A settlement agreement was sealed. See Associated Press, "Priest Pleads Guilty to Prison Sex Abuse," CBS News online, November 15, 2007, http://www.cbsnews.com/stories/2007/11/15/national/main3504883.shtml (accessed August 7, 2009).
35. In *Children of Incarcerated Parents*, eds. Katherine Gabel and Denise Johnston (New York: Lexington, 1995), see the following: Ellen Barry with River Ginchild and Doreen Lee, "Legal Issues for Prisoners with Children," chap. 10; Philip M. Genty, "Termination of Parental Rights Among Prisoners: A National Perspective," chap. 11; and Gail Smith, "Practical Considerations Regarding Termination of Incarcerated Parents' Rights," chap. 12.
36. Patricia Allard et al., *Rebuilding Families, Reclaiming Lives* (New York: Brennan Center, 2006); and Smith, "Incarcerated Parents' Rights."
37. Nell Bernstein, *All Alone in the World: Children of the Incarcerated* (New York: New, 2005) 80–85.
38. Allard et al., *Rebuilding Families*, 23f.
39. Arlene Lee, Philip Genty, and Mimi Laver, *The Impact of the Adoption and Safe Families Act on Children of Incarcerated Parents* (Washington, DC: Child Welfare League of America, 2005) 7–9. This is despite the strong preference in U.S. family law for the rights of biological parents, especially mothers.
40. Natasha A. Frost, Judith Greene, and Kevin Pranis, *Hard Hit: The Growth in the Imprisonment of Women, 1977–2004* (New York: Women's Prison Association, 2006), http://www.wpaonline.org/institute/hardhit/HardHitReport4.pdf (accessed July, 19 2009); and Bureau of Justice Statistics, "Jail Incarceration Rates by Race and Ethnicity: 1990–2008," Office of Justice Programs, U.S. Department of Justice, under "Key Facts at a Glance," http://www.ojp.usdoj.gov/bjs/glance/tables/jailrairtab.htm (accessed August 15, 2009).

41. Legal Action Center, *After Prison: Roadblocks to Reentry* (New York: Legal Action Center, 2004), http://www.lac.org/roadblocks-to-reentry/ (accessed August 15, 2009).
42. Langston Hughes, *Collected Poems of Langston Hughes* (New York: Knopf, 1994); and Lorraine Hansberry, *A Raisin in the Sun* (New York: Random House, 1959).
43. Ruth Wilson Gilmore, *Golden Gulag: Prisons, Surplus, Crisis, and Opposition in Globalizing California* (Berkeley: University of California Press, 2007); and Bernadine Dohrn, "The Modern Slave Ship," in *Race Course Against White Supremacy*, ed. William C. Ayers and Bernadine Dohrn (Chicago: Third World, 2009) 60–62.
44. Susan Urahn et al., *One in Thirty-one: The Long Reach of American Corrections* (Washington DC: Pew Center on the States, 2009), http://www.pewcenteronthestates.org/uploadedFiles/PSPP_1in31_report_final_web_3-26-09.pdf (accessed August 17, 2009) 11.

III

Overcoming Slavery's Legacies in Religious Law

5

The Purchase of His Money: Slavery and the Ethics of Jewish Marriage

Gail Labovitz

An infidel said to Rabban Gamli'el, "Your God is a thief, for it is written, 'And the Lord God caused a deep sleep to fall upon the man, and he slept. And He took one of his ribs.'"

His daughter said to Rabban Gamli'el, "Leave him be, for I will answer him." She said to the infidel, "Get me an officer!"

He said, "Why do you need him?"

[She said] "Thieves came to us last night and took from us a silver pitcher and left us a gold pitcher!"

He said to her, "Oh! Would that they would come to us every day!"

[She said] "And was it not well for the first man that a rib was taken from him, and he was given a slave-woman to serve him?"

— *Babylonian Talmud*[1]

"You Are Designated to Me": Introduction

At my wedding, in the summer of 1988, my husband placed a ring on my index finger and proclaimed, "*Harei 'at m'kuddeshet li b'taba'at zo, k'dat Moshe v'Yisra'el*," or "You are designated to me with this ring, according to the law of Moses and Israel." This was in keeping with the law as laid out in the Mishnah, a text codified in Roman Palestine around the beginning of the third century CE. The Mishnah is the foundational text of rabbinic Judaism, which established the codes of conduct that continue to shape life and worship for many Jews today.[2] The opening of the section in the Mishnah on betrothals reads:

> A woman is acquired in three ways, and acquires herself in two ways. She is acquired by money, by document, and by sexual intercourse. And she acquires herself by a divorce document, and by death of the husband.[3]

Following this law, the ring that my husband placed on my finger represents some amount of money, and with it he "acquired" me as his wife.

My wedding is a demonstration that classical rabbinic discourse on marriage (and many other areas of Jewish life and practice) is by no means a thing of the past, confined to distant historical works of literature. Despite being known as the "People of the Book," Jews do not take Biblical law on its own but rather in conjunction with and through the lens of generations of rabbinic commentators. We can trace back the roots of practices observed today through Jewish legal codes, other legal writings, and commentaries on classical rabbinic literature. Rabbinic literature is still a voice of authority for many modern Jews; even among those who do not consider themselves bound by Jewish law, these texts, along with the laws and ideas they expound, often have a vote—if not a veto—in discussions of Jewish ethics and practice.

This text from the Mishnah, laying out the laws of Jewish life, considers marriage to be a man's acquisition of property. In the continuation of the passage cited above, the Mishnah moves on to discuss the acquisition of slaves, animals, movables, and real estate, thereby placing the acquisition of a woman squarely within the context of property transactions.[4] This classification, as I have demonstrated elsewhere, reveals that the rabbis whose work makes up the Mishnah and related words developed their concepts of marriage and gender relations by thinking metaphorically about marriage as the purchase of property and women as ownable.[5] Indeed, the Hebrew word for husband, *ba'al*, can also mean "master" or "owner."

When I say that these men thought about the purchase of property as a metaphor for marriage, I do not mean that they used property and ownership as literary or rhetorical devices. I mean that they went through a process of understanding and reasoning about one broad area of life (marriage) by linking it conceptually to another broad area (ownership).[6] In rabbinic literature, rabbis put this metaphorical association of wives with property, and marriage with purchase, to highly productive use as they engage in legal and ethical dialogues. The model of woman as ownable and marriage as the acquisition of property allows rabbis to use a variety of concepts and precedents from the realm of property to think about marriage, gender relations, and sexuality.[7] Their ideas about marriage as ownership continue to influence the lives of many Jews today.

Along with wives, another type of owned human being also appears regularly in rabbinic literature: the slave. We may not usually associate Judaism with slaveholding, except perhaps for the dramatic story of the Israelites' flight from slavery in Egypt. Yet, it should not be surprising that rabbinic texts discuss and legislate for a slave society. Biblical law includes regulations for slaveholding within Israelite society, and both the Greco-Roman and Sassanian (ancient Iraqi/Iranian) societies in which rabbinic Judaism developed were slaveholding societies. Some Jews of late antiquity, including rabbis, owned slaves, and some Jews were held as slaves.[8] Rabbinic sources regularly consider the presence of slaves and slaveholding not only in the surrounding culture and communities but also as deeply embedded elements of their own culture and material lives.[9] No rabbinic text ever considers the notion that slavery should be abolished or even addresses slavery as a particular evil.[10]

Most scholars now agree that it is unlikely that Jews in late antiquity conformed their slaveholding practices to rabbinic laws. Rather, Jews followed the norms of the surrounding cultures.[11] For this reason, it has been easy for researchers studying rabbinic Judaism to overlook, even suppress, the questions that might arise from acknowledging slavery as an integral part of rabbinic ideology and Jewish life in the rabbinic era. Indeed, the topic of slavery in the rabbinic world has elicited very little modern research.[12] The continued importance of rabbinic literature and thought to the structuring of Jewish identities, communities, and practices, combined with the permeating presence of slavery in these texts, suggests, however, a critical need for a fundamental reconsideration of our analyses of rabbinic rhetoric.

One key area for this reconsideration is the intersection of slavery and marriage. We may be surprised to find ways in which the former lies at the heart of rabbinic thinking about the latter. Such a discovery demands that we consider the ethics of Jewish marriage practices today. I hope to contribute to the beginning of this work here by examining slavery as it existed in ancient Jewish communities, considering rabbinic thinking about female sexuality, and discussing the ways in which these commentators entwined marriage and slavery in these foundational texts. My goal is to begin a conversation about how recognizing the rabbinic acceptance of slavery changes our understanding of Jewish marriage and sexual ethics as they exist to this day.

"The Purchase of His Money": The Intersections of Gender and Slavery

Let me turn, then, to considering the rabbinic reading of a verse in the biblical Book of Leviticus that describes two classes of subordinate people found in the households of male priests, classes of people who thus may eat the sanctified food (*t'rumah*) designated exclusively for the priestly caste. The verse reads, "And a priest who purchases a soul, the purchase of his money, he may eat of it; and the one born of his house, they may eat of his bread."[13] When the ancient rabbis interpret this passage, they understand the first category of person cited, those purchased by money, to include not only the slaves of priests but also the wives of priests:

> From where (in scripture) do we learn that if a priest married a woman or bought slaves, they eat of *t'rumah*? The text teaches "And a priest who purchases a soul..."[14]

Nor is the rabbinic categorization of wives with slaves unique. Roman legal works such as Ulpian's *Digest* and Gaius's *Institutes* defined the "familia" as comprising two groups: the children of the householder (the "paterfamilias") on the one hand, and his wife and slaves on the other. Children have a relationship to the father through blood, but both wives and slaves come into the household and under the power of the paterfamilias by law rather than by 'natural' kinship. Both were considered "outsiders-within."[15]

This clear association between slavery and marriage appears in rabbinic literature from both Roman Palestine and Babylonia, and from the Mishnah to the close of the Babylonian Talmud. Rabbis sometimes merge and sometimes differentiate between wives and slaves, and between marriage and servitude, but they continue to think about each in relation to the other. First and foremost, the rabbinic texts classify both wives and slaves as purchased possessions of the husband/master.[16] Both the men writing these commentaries and their intended audience probably understood the ownership of a slave, as well as the acquisition of a wife, as metaphorical. The idea of a living human being as property is a claim "both true and untrue."[17] Thus wives and slaves share similarities in their relationship to the householder. For example, legal procedures by which they become part of or leave the household bear striking similarities, and, as members of a household, they fulfill some very similar roles, particularly as regards the household economy.[18]

This is not to say that there were no critical differences in power, social standing, and economic status between free women and slaves. Rabbinic texts specify, for example, that free women may own slaves and may oversee their husbands' slaves. Nonetheless, free women's status and privilege could be constructed, defined, and described precisely by the ways in which it contrasted to that of enslaved women. Here, too, Jewish society of that time and place was not unique in its conceptual treatment of free women and enslaved women. The contrast was also apparent in Roman society, where the fundamental distinction between slave and free was often defined in terms of honor: the free person had, and was expected to maintain, personal honor, while the slave had none. For women, "the very existence of women who were not free gave meaning to the status of those who were."[19] In what follows, I will explore the ways in which similarities and differences between slavery and marriage appear in rabbinic thought and writing.

"Behold You Belong to Yourself": The Comings and Goings of "Outsiders-Within"

In the two rabbinic passages discussed so far, Mishnah Qiddushin 1:1–5 and the midrashic commentary on Leviticus 22:11, the rabbinic authors directly link a man's acquisition of a wife to a man's acquisition of slaves. The connection appears elsewhere as well. According to rabbinic law, a father has the authority to arrange his underage daughter's betrothal.[20] In the *Mekhilta*, the midrashic commentary on Exodus, the rabbis locate this exercise of paternal power in Exodus 21:7–11, which details a father's right to sell his daughter into servitude and possibly eventual marriage to the master or his son.[21] The author of this passage reasons that if the father has the right to sell his daughter as a slave, thereby preventing her from marrying (unless she marries her master or his son), then even more so does he have the right to arrange an actual marriage for her.[22]

Although it is unlikely that this material reflects the actual practices of Jewish communities of the time, Exodus 21:7–11 became a critical source for rabbinic discourse on marriage. The same commentary on Exodus also uses the biblical connection between betrothal and sale as authority for the rabbinic rule that giving money seals a marriage. Because the biblical passage goes on to discuss a case in which the master/son takes a second wife along with the first wife—the former slave—one rabbi, Rabbi 'Aquiva', suggests that the Bible means to compare the two women. He proposes an analogy: just as the husband (that is, the former master) acquired his first wife through a payment, so too he should be able to acquire his second wife with money.

Later rabbinic scholars further developed the association between the acquisition of a slave and the acquisition of a wife. The writings examined so far explain the use of money to seal a marriage. The Babylonian Talmud also uses this association to explain the amount of money necessary for this purpose.[23] One view is that marriage can be created with a very small sum because it is the minimal amount with which a slave could buy her freedom (after the purchase price has been reduced due to the time she has already served). Alternately, a larger amount should be required because "just as a Hebrew slave woman is not sold for a penny, so too a [free] woman is not betrothed for a penny."[24] Either way, slavery is the model that rabbis use to justify the different points of view on this question.

Clearly, the rabbis think about enslaved women and wives in similar ways. Just as a father has the power either to sell or betroth his daughter, the legal formalities involving both types of transactions are similar. The language and structure is identical, except for the verb, and the rabbinic author of one passage presents them together:

> "I, So-and-so, have sold my daughter to So-and-so."
> "I, So-and-so, have betrothed my daughter to So-and-so."[25]

So similar are the two statements that only the difference of one word prevents them from being mistaken for each other. Of course, marriage was also celebrated with a variety of rituals and ceremonies beyond the legal acquisition, making it clear that there were real differences in status between a free wife and an enslaved person. Despite this, the examples I have given show that the legal core is similar in both types of transactions.

This understanding of marriage as a property relationship also structures the way that rabbinic authors understand the process by which a woman may leave a marriage. In the model of marriage in this literature, the husband is the active agent and the woman the object of his activity. The man alone can decide to end the marriage. In ancient rabbinic law, divorce is a unilateral decision by the husband:

> The man who divorces is not like the woman who is divorced; the woman goes out [*of the marriage*] whether she desires it or not, but the man sends out [*his wife*] only if he desires it.[26]

So too a slave can be freed only by the unilateral action of her/his master. The rabbis thus develop a model in which they understand the dissolution of a marriage to be like the freeing of a slave. In both cases, a male free agent relinquishes his rights over the other person.[27]

Most significantly, the legal formulas for divorce and manumission parallel each other and are presented in the same passage in the Mishnah. The divorce document says, "Behold you are permitted to any man." The manumission document says, "Behold you are a free woman, behold you belong to yourself."[28] As with the sale or betrothal of a daughter, the similarities between a deed of divorce and a deed of manumission raise concerns in the rabbinic texts about possible confusion between the two. The rabbis warn that telling a wife she is a free woman is legally meaningless, just as it is similarly inconsequential to tell an enslaved woman that she is "permitted to any man." On the other hand, the rabbis do consider the possibility that if the statement "Behold, you belong to yourself" frees a slave, then all the more so the same statement can release the wife from marriage.[29] Wives are already free, as distinct from enslaved women. Unlike wives, female slaves are not defined by their availability as marital partners, that is, as "permitted to any man."[30] But both are owned, to a greater or lesser degree, and thus both can be given over into their own possession if a man decides to do so.

There are also other legal parallels between divorce and manumission. Thus, the rabbis repeatedly discuss these processes and the legal documents that accompany them together in ways that are nearly identical. For example, corresponding rules direct how the documents must be delivered if sent from one place to another and who may sign them. In fact, the Babylonian Talmud includes an extended discussion listing similarities between the two cases.[31]

Coming and going, free wives and slaves are "outsiders-within" in the rabbinic family structure. They are brought into the household when purchased by a man and released from it only by the will and at the discretion of the husband or owner. The texts surveyed here are merely a sample of those showing how often rabbinic thinking connected marriage and slavery.

"Treating Her Like Ownerless Property": Slavery, Honor, and Sexual Ethics

Free wives and slaves not only cross paths in rabbinic literature when they become part of or leave households. Inside the home, they may fulfill almost interchangeable needs for the male householder. In one rabbinic account, a rabbi allows a deaf-mute man to take a wife (this is significant because the deaf-mute's inability to communicate means that she or he is not usually able to participate in a binding legal act such as marriage). What is more, the rabbi goes so far as to allot a very large marriage settlement (Hebrew: *ketubah*) for the bride. The rabbi is reported to have considered the matter of the deaf-mute man in this way: "If he wanted a female slave to serve him, would we not buy one for him? All the more so should we find him a wife, where there are two benefits."[32]

Elsewhere in the Babylonian Talmud we find linguistic as well as legal slippage between the two categories of wives and slaves. In one passage, a wife who brings a slave with her into marriage is imagined as telling her husband, "I have brought you a 'woman' in my place."[33] Given that the one whose place is being taken is the wife and that the Aramaic term for woman that is used here can mean "wife" as well as "woman" (as is also the case in Hebrew), the text implies that the slave is a wife of sorts. In a few sources, including the one quoted at the beginning of this chapter, the wife herself may be directly referred to as a female slave.[34] Both wives and slaves perform domestic and other labor on behalf of the male householder.

Yet in the story of the rabbi and the deaf-mute man, the man's wife provides a second, unspecified benefit to her husband. Something differentiates between—as well as unites—the free wife and the slave. In Greco-Roman culture, the most notable difference was honor, something no enslaved person could have.[35] Moreover, for women, honor was particularly about sexual behavior. No slave had the ability or right to protect the boundaries of his or her body from the hands of the free, whether by physical or sexual abuse. The free woman could consider herself somewhat protected from random assault. But she had to maintain her honor by protecting the inviolability of her body. Any violation of her chastity affected her status and, more importantly, the legitimacy, honor, and authority of her male relatives.[36]

The presence of slaves in Jewish communities of this era, as in those of early Christian communities (see, for example, Jennifer Glancy's essay in this volume), require us to reconsider our ideas about rabbinic sexual ethics. We need to think about how the practice of slavery, and the sexual demands made of slaves, affected rabbinic ideas and ideals about female sexual self-determination, sexual availability, and chastity. Again, we must take on this task because rabbinic ideas and ideals about marriage and women remain important for many Jews today. Do rabbis consider the sexual behavior expected of the free woman in contrast to, and as the opposite of, that expected of the enslaved woman? This is a topic that has hardly been raised in the study of rabbinic literature, if at all. Here I offer only an initial, tentative survey of the question.

To answer, let us return to the account of the rabbi who found his deaf-mute neighbor a wife. The amount of the marriage settlement (*ketubah*) promised by the deaf-mute man to his future wife gives us a clue from which to start our examination of the sources. The marriage system created by the rabbis requires that divorced or widowed wives receive a set amount of money that the groom had promised to his bride in their marriage contract. The minimum payment varied according to circumstances that were tied to assumptions about social status and chastity. A virgin, for example, would receive a settlement of 200 coins of a certain value. A widow, presumed to not be a virgin, would get half that. Women who had converted to Judaism, or Israelite women who had been held captive and then returned to the community, or who had been freed from enslavement, fell into two categories. Those who had been converted, redeemed, or freed before the age of three years and one day would receive the same amount as the virgin. Converts, captives, and freedwomen who did not meet the age requirement only got half as much.[37]

Note the assumption that a full-fledged Israelite girl will be a virgin at marriage. She will receive a premium on her virginity. Also note that the rabbis consider the convert, captive, and freedwoman to be non-virgins and thus not eligible for the full payment. They assume that these women may have been subject to sexual violence or morally lax sexual behavior. Even the presumption that a girl removed from any of these sexually dangerous situations before the age of three years and one day is physically a virgin is not based on an idealistic belief that girls below this age would not be subject to sexual violence.

Rather, this supposition grows from a rabbinic belief that the physical signs of virginity cannot be permanently destroyed in girls younger than this.[38]

Just as the groom is responsible for pledging the marriage settlement, the betrothed girl or woman is responsible for preserving her virginity. If she has not done so, her husband can sue her to dissolve the marriage, or reduce the amount of his marriage settlement. Her value lies in her virginity. She is somewhat protected by the possibility that she can claim that any premature loss of her virginity was the result of rape or coercion.[39] The enslaved woman has no such protection.

Why might the freedwoman not be a virgin? Because the texts assume that she is now part of the Jewish community, this suggests that she was previously enslaved in a Jewish household. Thus her possible sexual partner/abuser could well have been the male head of the household or a son of the family. Indeed, the texts take for granted the chance of sexual contact between a Jewish man and an enslaved woman. For example, the rabbis discuss the potential consequences of such behavior, including the possibility that a child will be born to the slave woman and thus what her child's religious and social status should be.[40] The question they debate is not the morality of such sexual contact. Rabbinic texts contain no explicit prohibition of sexual engagement between slave and free.[41]

The presumed sexual availability of the enslaved woman in the Jewish household means that rabbis, like some of their Roman contemporaries, sometimes project responsibility for her violation onto the enslaved woman herself. As one rabbi put it, "The more slave women, the more lewdness."[42] Others say that both male and female slaves may be judged by their lack of "proper" sexual restraint. It is even suggested in a pair of parallel passages that a male slave may prefer slavery to freedom if it gives him continued access to sexually unrestrained enslaved women.[43]

The free woman must behave in ways that distinguish her from the enslaved, such as not interacting with slaves in too familiar a manner, so as to avoid calling her chastity into question. At the same time, the enslaved woman may aspire to the ideals of honor, self-restraint, and dignity that mark the free members of the community. The positive influence of her master or mistress may guide her. One story in the Palestinian Talmud presents an ideal version of an enslaved woman who resists a man's demand for sex. Her would-be partner suggests that she is like a beast in having no bodily integrity to preserve. She accepts his characterization of her as a beast, but she then cleverly parries by quoting to him Exodus 22:18, that anyone who has sex with a beast must be stoned to death.[44] The ideal enslaved woman protects her virtue at the cost of her dignity.

The rabbinic description of enslaved women as sexually available "ownerless property" opens up an array of paradoxes. The "ownerless property" is in fact owned property. Further, the texts reveal that ownership by a husband is meant to protect a wife from being treated like "ownerless property." Marriage is meant to preserve free women from sexual exploitation by others. Thus, the enslaved woman is actually at greater risk of being sexually "ownerless." The enslaved woman has no right to claim rape or coercion, whereas the free wife's status as a possession should save her from exploitation.

Other sources using the same language show that the picture is even more complicated. In rabbinic Judaism, an enslaved woman cannot legally marry a free Jewish man, but the master has the right to create sexual partnerships between his slaves. He can save the enslaved woman from being like ownerless property by pairing her with an enslaved man.[45] This ruling suggests that no woman should be like ownerless property, that is, that no woman's sexuality should go uncontained. Every woman, free and enslaved, should be in a relationship with a man who has (and will protect) exclusive sexual access to her. The master's responsibilities include containing and regulating the sexual activity of both the free and enslaved women in his household.

One rabbinic report of a case involving a sexually active enslaved woman is revealing:

> There was a female slave in Pumbedita' with whom men were committing forbidden acts. 'Abbaye said: If it were not the case that Rav Yehudah said in the name of Shmu'el that anyone who emancipates his slaves violates a positive commandment,[46] I would force her master to write her a document of emancipation.
>
> Ravina' said: In such a case, Rav Yehudah would agree [*that emancipating the slave is permissible*], in order to prevent the forbidden activity.
>
> And as for 'Abbaye, he would not [*free the slave woman*] because of the forbidden activity?!
>
> ...[*in our case*], it is possible for him [*the master*] to designate her for a male slave [*rather than emancipate her*], and he [*the slave*] will guard over her.[47]

The rabbis who address this case consider the slave woman's activity a matter of concern to the community, but they do not express any concern for the woman herself. They argue that it is her master's responsibility to control his possession's sexuality and that he can do so by pairing her with one of his male slaves, who "will guard over her." The result is that the woman will be owned by two men: her master and her slave partner.

In sexuality, as in other areas, the rabbinic texts distinguish between free women and enslaved women by highlighting the contrasts between them. The free woman is protected by the honor she gains from her status, and she must take responsibility for protecting that honor. Her honor, moreover, holds meaning because the community denies it to the enslaved woman. At the same time, the patriarch must contain the sexuality of both types of women, free and enslaved. For the rabbinic thinkers, gender and freedom converge and diverge over and over again, but they are always twined together.

"An Exclusive Conjugal Servitude": Ethical Implications of the Metaphors We Marry By

I will conclude by jumping forward again more than a millennium in time and across an ocean in space, back to my own wedding. Other rites observed on that occasion provide evidence that we cannot dismiss the purchase model of marriage as a symbolic, innocuous vestige of the past. My husband gave me not only a ring, but also a *ketubah*, a marriage contract much like that described in the rabbinic texts. In fact, my *ketubah* specifies that I have been promised the 200-coin marriage settlement due a first-time bride. Many *ketubot* continue to identify the bride as a "virgin," "convert," or "divorcée," with the appropriate amount specified. Yet no one would expect me to ever try to collect that money were I to become entitled to it. These documents have mostly become a ritualized and standardized part of (some) Jewish weddings rather than enforceable contracts.

My marriage contract does include, however, one clause that would not have appeared in an ancient marriage contract. This is the "Lieberman clause,"[48] which dictates that should either my husband or I choose to summon the other to the *bet din*, the court of Jewish law, of the Conservative Movement (with which we are affiliated), the person summoned will appear and abide by its dictates. It is meant to be enforceable as a civil, as well as religious, contract. The need for this clause stems from the fact that the purchase model of marriage still underlies not only the making of Jewish marriages but also Jewish divorce.

A divorce performed according to Jewish law, as interpreted in both the Conservative Movement and in all streams of Orthodoxy, remains a unilateral act in which the husband releases the wife. This has led to the phenomenon of "chained" women (Hebrew: *'agunot*) whose husbands refuse to divorce them, or who use the threat of refusal to extract money, child custody, and/or favorable divorce terms from their wives. Such women, if they wish to abide by Jewish law, cannot remarry. The Lieberman clause in my marriage contract is meant to protect me from that fate.

The rabbinic leaders of Orthodoxy have been more reluctant to endorse a resolution to this problem. As recently as 1998, one Orthodox scholar used a telling metaphor to bolster his argument that divorce should remain a male prerogative in Jewish law:

> The legalistic essence of marriage is, in effect, an *exclusive conjugal servitude* conveyed by the bride to the groom...Understanding that the essence of marriage lies in the conveyance of a "property" interest by the bride to the groom serves to explain why it is that only the husband can dissolve the marriage. As *the beneficiary of the servitude*, divestiture requires the husband's voluntary surrender of the right that he has acquired.[49]

As of this writing, there continue to be a significant number of *'agunot* in Diaspora Orthodox communities and in Israel, where Orthodox religious authorities control the marriages and divorces of Jewish citizens.

But even the solutions offered by the Conservative Movement, including the Lieberman clause in my marriage contract, try to resolve the harm done by the ownership metaphor in Jewish marriage law without addressing the fundamental inequity at its heart. Other adaptations of the wedding ceremony, such as double ring ceremonies, or ceremonies in which the bride states her willingness to be bound by the marriage, attempt to make the ceremony seem more equal. But they leave the traditional legal act of acquisition at the ceremony's center, and they do not resolve the ethical issue. The definition of marriage as a man owning a woman remains. As the feminist theologian Rachel Adler has observed, herself invoking slavery as a metaphor, a master who promises to treat his slave as an equal leaves his slave reliant upon no law for redress, with only the hope that "his owner was an exceptionally nice guy."[50]

Drawing out the associations between marriage and slavery in rabbinic literature forces us to ask probing and unsettling questions about Jewish traditions, laws, and practices in our own day. But until we confront this element of Jewish marriage and reconfigure it on a model that does not involve metaphors of ownership, slavery will continue to exert its legacy on Jewish women. Many of us may find it easier to accept the continued authority of these traditions (even as we might subject them to reinterpretation) and harder to imagine what we might put in their place that would still satisfy our desire to feel and act "authentically" Jewish. One possible beginning is Adler's proposal for a Lovers' Covenant (Hebrew: *B'rit 'Ahuvim*). She suggests a ceremony based on rabbinic laws for business partnerships, between equal partners, as a metaphorical model to help us build marriages between two beings, rather than between owner and property.[51] Whether we continue to develop Adler's model or experiment with other possibilities, a feminist ethics of sexuality and relationship demand no less than our best effort.

Notes

1. Babylonian Talmud, Tractate *Sanhedrin* 39a.
2. The rabbinic movement of late antiquity flourished in both Roman Palestine and Sassanian Babylonia (modern-day Iran/Iraq), originating in Palestine around the beginning of the common era and continuing in Babylonia well into the sixth century. The major literary works of rabbinic Judaism are composed of the Mishnah, Tosefta, a variety of midrashic (biblical exegetical) works, and the Palestinian (or "Jerusalem") and Babylonian Talmuds. The Mishnah was redacted in Roman Palestine at approximately the beginning of the third century of the common era. It is made up of material primarily from the latter half of the first and from the second centuries (although some earlier materials are included). The Tosefta includes additional materials from the same general time period as those found in the Mishnah; although scholars disagree as to its approximate date of redaction, it is agreed that its redaction postdates that of the Mishnah. Several midrashic (exegetical) works are also attributed to this period, notably Mekhilta to Exodus, Sifra to Leviticus, and Sifre to Numbers and Deuteronomy. Again, dating the redaction of these works is difficult and unsettled but is generally thought to be post-Mishnaic.

   Commentary on the Mishnah is referred to as *gemara*; Mishnah and *gemara* together comprise the Talmuds. Both Talmuds follow the Mishnah's format and were developed in Roman Palestine and Sassanian Babylonia. The redaction of the Palestinian Talmud is generally presumed to have taken place in the early fifth century CE. Citations to the Palestinian Talmud are by the relevant paragraph of Mishnah, and/or by folio and column (a–d). Scholars date the reaction of the Babylonian Talmud (the Bavli) to approximately the middle of the sixth century CE. Citations to the Bavli are by folio and side (a or b). For a variety of literary and historical reasons, the Babylonian Talmud is generally considered the more authoritative of the two Talmuds; indeed, this is generally what is meant when someone refers simply to "the Talmud." Several Palestinian midrashic collections, notably Genesis Rabbah and Leviticus Rabbah, are also attributed to the Talmudic period.

   All translations from primary texts, biblical and rabbinic, are my own unless otherwise noted. I have added explanatory notes and additions as needed in brackets and italic type.

3. Mishnah, Tractate *Qiddushin* 1:1.
4. Mishnah, Tractate *Qiddushin* 1:2–5.
5. Gail Labovitz, *Marriage and Metaphor: Constructions of Gender in Rabbinic Literature* (Lantham, MD: Lexington, 2009).
6. For an introduction to this understanding of metaphor, see George Lakoff and Mark Johnson, *Metaphors We Live By* (Chicago: University of Chicago Press, 1980). Lakoff has also authored and co-authored a number of subsequent works elaborating his cognitive theory of metaphor.
7. A source far removed in time and space from classical rabbinic literature, one of William Shakespeare's plays, provides a particularly good example of the kind of metaphorical reasoning I am describing here. In *The Taming of the Shrew*, Petruchio, defending his right to remove his new wife, Kate, from her family and their wedding feast, says,

   I will be master of what is my own.
   She is my goods, my chattels; she is my house,
   My household stuff, my field, my barn,
   My horse, my ox, my ass, my anything...(III. ii. 229–232)

   The theory of metaphor I am espousing here would suggest that this is not to be read as "merely" poetry. Rather, there is an intimate connection between Petruchio's metaphoric speech and his subsequent behavior, depriving Kate of food and sleep to secure her obedience to him. That is, Petruchio is engaging in metaphorical reasoning, using his knowledge about the rights an owner has over his chattel to reason about the nature of his relationship to Kate, and the results of his reasoning have far-reaching implications for his behavior toward her.
8. See, for example, Dale B. Martin, "Slavery and the Ancient Jewish Family," in *The Jewish Family in Antiquity*, ed. Shaye J. D. Cohen (Atlanta: Scholars, 1993) 113–129; Catherine Hezser, "The Social Status of Slaves in the Talmud Yerushalmi and in Graeco-Roman Society," in *The Talmud Yerushalmi and Graeco-Roman Culture*, vol. 3, ed. Peter Schäfer (Tübingen: Mohr [Siebeck], 2002) 91–137 (particularly 93–104); and Hezser, *Jewish Slavery in Antiquity* (New York: Oxford University Press, 2005).
9. Turning even to just the Mishnah, we find that slaves may be part of a woman's dowry upon entering marriage (Tractate *Yevamot* 8:1, Tractate *Ketubot* 5:5); though usually ineligible to serve as witnesses, slaves may testify to a man's death in order to allow his widow to remarry (Tractate *Yevamot* 17:7); a rabbi mourns his deceased slave and defends his behavior when questioned by his students (Tractate *Berakhot* 2:7).
10. With the obvious exception of horror expressed at the capture and enslavement of Jews by non-Jews.
11. Martin, "Ancient Jewish Family," 113. See also Isaiah M. Gafni, *The Jews of Babylonia in the Talmudic Era* (Hebrew; Jerusalem: The Zalman Shazar Center for Jewish History, 1990) 134; Hezser, "Social Status of Slaves"; Hezser, *Jewish Slavery in Antiquity*, 14f; 380–392; and Natalie B. Dohrmann, "Manumission and Transformation in Jewish and Roman Law," in *Jewish Biblical Interpretation and Cultural Exchange: Comparative Exegesis in Context*, ed. Natalie Dohrmann (Philadelphia: University of Pennsylvania Press, 2008) 52f; and 251, note 35. Elsewhere in this volume, David P. Wright makes a similar claim regarding biblical slave law and the actual practices of slaveholding in ancient Israelite communities.
12. The most comprehensive recent work on this topic is Hezser, *Jewish Slavery in Antiquity*. Other recent works beyond those cited above include Paul Virgil McCracken Flesher, *Oxen, Women, or Citizens? Slaves in the System of the Mishnah* (Atlanta: Scholars, 1988) and Dina Stein, "A Maidservant and her Master's Voice: Discourse, Identity, and Eros in Rabbinic Texts," *Journal of the History of Sexuality* 10 (2001) 375–397. See also Tal Ilan, *Jewish Women in Greco-Roman Palestine* (Peabody, MA: Hendrickson, 1996) 205–211. Some slightly earlier works include: Yu. A. Solodukho, "Slavery in the Hebrew Society of Iraq and Syria in the Second through Fifth Centuries A.D.," in *Soviet Views of Talmudic Judaism*, ed. Jacob Neusner (Leiden, Netherlands: Brill, 1973) 1–9; Dean A. Miller, "Biblical and Rabbinic Contributions to an Understanding

of the Slave," in *Approaches to Ancient Judaism: Theory and Practice*, ed. William Scott Green (Missoula, MT: Scholars, 1978) 189–199; and E[fraim] E[limelech] Urbach, *The Laws Regarding Slavery as a Source for Social History of the Period of the Second Temple, the Mishnah, and Talmud* (New York: Arno, 1979).

13. Leviticus 22:11.
14. *Sifra, 'Emor, parasha* 5:1. Later, parallel versions of this tradition appear in the Palestinian Talmud, Tractate *Yevamot* 7:1 [7d–8a] and the Babylonian Talmud, Tractate *Yevamot* 66a. See also Palestinian Talmud, Tractate *Ketubot* 5:4 [29d], and Babylonian Talmud, Tractates *Ketubot* 57b and *Qiddushin* 5a.
15. See Holt Parker, "Loyal Slaves and Loyal Wives: The Crisis of the Outsider-Within and Roman *Exemplum* Literature," in *Women and Slaves in Greco-Roman Culture: Differential Equations*, ed. Sandra R. Joshel and Sheila Murnaghan (New York: Routledge, 1998) 154.
16. Scholars often assume that ownership defines slavery and distinguishes it from all other social statuses; that is, the ownership of one human being by another constitutes slavery, and a slave is distinguished from other (subordinate) members of society by virtue of being human property. Yet, as Orlando Patterson has written in his groundbreaking work on slavery, "to define slavery *only* as the treatment of human beings as property fails as a definition, since it does not really specify any distinct category of persons. Proprietary claims and powers are made with respect to many persons who are clearly not slaves...The fact the we tend not to regard 'free' human beings as objects of property—legal things—is merely a sociological convention." Orlando Patterson, *Slavery and Social Death: A Comparative Study* (Cambridge, MA: Harvard University Press, 1982) 21f. Among Patterson's examples of persons who can be sold and/or owned without thereby being defined as slaves are brides in tribal Africa and elsewhere, and American professional athletes.
17. Thomas Ross, "Metaphor and Paradox," *Georgia Law Review* 23 (1989) 1069f; see also the reference in note 43 (1070). Ross was writing about the Dred Scott case, in which the Supreme Court of the United States decided that a slave was not an American citizen: "If a slave is literally a chattel, there is no sense in even asking whether it might be a 'citizen.' It would be like asking whether a chair was a citizen...In that time, however, to say that a living human being was a chattel would have been heard by many as both true and untrue—as metaphor. 'Surely the slave is a chattel,' they might have said, 'but surely she is not like other chattels.' "
18. Space limits me from discussing the latter of these points in this article. See Gail Labovitz, *Marriage and Metaphor: Constructions of Gender in Rabbinic Literature* (Lantham, MD: Lexington, 2009) 168–185; and Labovitz, "The Scholarly Life—The Laboring Wife: Gender, Torah, and the Family Economy in Rabbinic Culture," *Nashim* 13 (2007) 8–48.
19. Joshel and Murnaghan, "Introduction: Differential Equations," in *Women and Slaves*, ed. Joshel and Murnaghan, 4. See also Patricia Clark, "Women, Slaves, and the Hierarchies of Domestic Violence: The Family of St. Augustine," in the same volume, 118.
20. Mishnah Tractate, *Ketubot* 4:4.
21. Exodus 21:7–10: "When a man sells his daughter as a slave, she shall not be freed as male slaves are. If she proves to be displeasing to her master, who designated her for himself, he must let her be redeemed ... And if he designated her for his son, he shall deal with her as is the practice with free maidens. If he marries another, he must not withhold from this one her food, her clothing, or her conjugal rights" (New Jewish Publication Society translation).
22. *Mekhilta, Mishpatim, parashah* 3. It should be noted that in the rabbinic understanding, the marriage between the master/son and Hebrew slave woman is a full marriage (not concubinage), in which she now has the status of a freedwoman. See Michael L. Satlow, *Jewish Marriage in Antiquity* (Princeton: Princeton University Press, 2001) 195.
23. A point discussed in Mishnah, Tractate *Qiddushin* 1:1, after the section cited above.

24. Babylonian Talmud, Tractate *Qiddushin* 11b–12a. See also Palestinian Talmud, Tractate *Qiddushin* 1:1 [58c].
25. Palestinian Talmud, Tractate *Qiddushin* 1:2 [59a].
26. Mishnah, Tractate *Yevamot* 14:1. See also Tosefta, Tractate *Bava' Batra'* 11:5, cited below. There are a few grounds within rabbinic law for a wife to petition the court for divorce. Yet even if the (all-male) court finds merit in her request, the ultimate power to grant or withhold the divorce remains with the husband; the court may attempt coercive measures to get the husband's "consent" but cannot grant a divorce on its own. See Judith Romney Wegner, *Chattel or Person? The Status of Women in the Mishnah* (New York: Oxford University Press, 1988) 80–84, 135–137; and Judith Hauptman, *Rereading the Rabbis: A Woman's Voice* (Boulder, CO: Westview, 1998) 114–121.
27. "One writes a divorce document for a man [*to divorce his wife*] without the consent of the wife, but one only writes [*it*] with the consent of the man... [*One writes a document of manumission*] for the master without the consent of the slave, but one only writes [*it*] with the consent of the master." Tosefta, Tractate *Bava' Batra'* 11:5. Although a woman who owned slaves would be also be able to manumit them (with some restrictions if married, given that a husband usually has rights over the profits and disposition of his wife's property), rabbinic texts generally address and legislate toward a male reader.
28. Mishnah, Tractate *Gittin* 9:3. See also Palestinian Talmud, Tractate *Gittin* 9:2 (3) [3b], in which the same manumission formula is applied to a male slave.
29. Babylonian Talmud, Tractate *Gittin* 85b and *Qiddushin* 6a–b. See also Palestinian Talmud, Tractate *Gittin* 9:2 (3) [3b].
30. Though female slaves are, not unexpectedly, often presumed to be sexually available to free men—a topic that will be discussed in the next section.
31. See, for example, Mishnah, Tractate *Gittin* 1:1 and 1:4, Tosefta, Tractate *Gittin* 1:4, and Babylonian Talmud, Tractate *Gittin* 9b–10a.
32. Babylonian Talmud, Tractate *Yevamot* 113a. In the Palestinian Talmud, Tractate *Ketubot* 4:8 [28d], a similar equation between buying a man a female slave and finding him a wife is made: "Rabbi Mana' said, 'Is it not reasonable that we employ a slave for him or allow him to marry a wife so that she will serve him?' "
33. Babylonian Talmud, Tractate *Ketubot* 61a.
34. See also Babylonian Talmud, Tractate *Nedarim* 58b; similarly, Palestinian Talmud, Tractate *Yevamot* 13:2 [13c] and *'Avot de Rabbi Natan*, version A, chap. 16.
35. Richard P. Saller, "Symbols of Gender and Status Hierarchies in the Roman Household," in *Women and Slaves in Greco-Roman Culture: Differential Equations*, ed. Sandra R. Joshel and Sheila Murnaghan (New York: Routledge, 1998) 85.
36. Sandra R. Joshel and Sheila Murnaghan, "Introduction: Differential Equations," in *Women and Slaves*, ed. Joshel and Murnaghan, 4.
37. Mishnah, Tractate *Ketubot* 1:2, 4.
38. Mishnah, Tractate *Niddah* 5:4.
39. Mishnah, Tractate *Ketubot* 3:1.
40. Mishnah, Tractate *Qiddushin* 3:12; *Mekhilta Mishpatim* [*Neziqin*] 2; and *Sifra, Behar, parasha* 6:3; the status of such a child follows that of the enslaved mother. The possibility that a free woman might bear a child by a male slave is also considered. The law on the status of this child is not settled in rabbinic literature. All authorities recognize the child as Jewish, but some argue that the child should be considered to be of impaired caste status. See Mishnah, Tractates *Qiddushin* 3:12 and *Yevamot* 7:5; and Tosefta, Tractates *'Eduyot* 3:4 and *Qiddushin* 4:16.
41. With the possible exception of the case of a man who has sex with the "designated" slave woman, as described in Leviticus 19:20–22. Rabbinic sources addressing this passage include Mishnah, Tractate *Kritot* 2:5; Tosefta, Tractate *Kritot* 1:17; *Sifra*, *Qedoshim*, *pereq* 5:1–10; and Leviticus *Rabbah* 9:5.
42. Mishnah, Tractate *'Avot* 2:7. See also Genesis *Rabbah* 86:3.
43. Babylonian Talmud, Tractates *Gittin* 13a and *Ketubot* 11a.
44. Palestinian Talmud, Tractate *Berakhot* 3:4 [6c].

45. *Mekhilta, Mishpatim* [*Neziqin*] 2, commenting on Exodus 21:4; and see sources cited below.
46. Based on a strong reading of Leviticus 25:45f, regarding slaves of non-Israelite origins: "These shall become your property: you may keep them as a possession for your children after you, for them to inherit as property *for all time*." Emphasis added.
47. Babylonian Talmud, Tractate *Gittin* 38a–b; see also Babylonian Talmud, Tractates *Gittin* 43b and *Yevamot* 66a.
48. Named for the rabbi and rabbinic scholar who drafted it. Saul Lieberman, "Ketubah," *Proceedings of the Rabbinical Assembly of America* 18 (1954) 66–68.
49. J. David Bleich, "*Kiddushei Ta'ut*: Annulment as a Solution to the *Agunah* Problem," *Tradition* 33:1 (1998) 114; emphasis added.
50. Rachel Adler, *Engendering Judaism: An Inclusive Theology and Ethics* (Philadelphia: Jewish Publication Society, 1998) 191.
51. See Adler, *Engendering Judaism*, 192–207, 214–217. (It should be noted that Adler's ceremony is also intended to be usable no matter the gender of the two partners involved.)

6

Slavery and Sexual Ethics in Islam

Kecia Ali

All religions that survive for any appreciable period of time must eventually confront the problem of adapting to historical change. How much can beliefs and practices shift without losing the tradition's essence? How does one determine which things may change and which may not? These are especially complicated questions for faiths with fixed scriptures and carefully preserved texts against which adherents can measure deviation. Just as Christians and Jews have struggled to interpret and apply biblical, rabbinic, and priestly guidance in circumstances quite unlike those of the traditions' origins, Muslims have engaged their sacred heritage in a wide variety of settings over the centuries. Some of the things that appear as ordinary and normal in the core texts of all three faiths, such as death by stoning for certain types of sexual misconduct, are no longer widely accepted by individual believers.[1] But how does someone who believes in the divine provenance of scriptural rules reconcile them with a manifestly different set of ordinary ideas about what is right and wrong? These questions arise urgently when one considers that classical Islamic law accepts both slavery as an institution and the sexual use of female slaves, whereas the overwhelming majority of Muslims today completely reject all forms of slavery.

The dissonance between medieval views and modern ones is illustrated by two dramatically different summaries of the Islamic stance on lawful sex. Ibn Rushd, a highly respected twelfth-century jurist from Muslim Spain, was in many respects a freethinker. Yet he took for granted the acceptability of concubinage, that is, a man's sexual access to his female slaves: "A woman becomes permissible [to a man] in two ways: marriage or ownership by the right hand."[2] On the other hand, Ahmed Hassan, in his twentieth-century translation of *Sahih Muslim*, a respected collection of hadith (i.e., reports about the Prophet Muhammad and the first Muslims), repeatedly shows his deep commitment to the classical tradition. Nonetheless, he rejects one of its elements in an offhand way, prefacing the chapter on marriage by insisting that only sex within marriage is lawful "in Islam." His claim for "the absolute prohibition of every kind of extra-matrimonial connection" notwithstanding, the chapter contains numerous references to Muslim men having sex with their female slaves and no hint of condemnation of their actions.[3]

For historians, other scholars of the classical era, and traditionally trained Muslim scholars, slavery obviously has a place in Muslim sacred history and religious texts, just as in other ancient and premodern religions and societies. Yet quite a number of late twentieth-century and early twenty-first-century Muslim authors and laypeople gloss over the existence of slavery, and especially concubinage, in Muslim history and texts. One explanation for this attitude lies in the common view of Islam as uniquely oppressive toward women. Western media frequently portray Muslim men as lascivious and wanton toward sexually controlled females. Ignoring or denying the place of slavery and slave concubinage is one way to reject this portrait of Islam as a debased religion. Hassan's attempt to position Islam as morally superior on sexual matters relies on the simple pretense that slave concubinage did not exist. His words are not rhetoric aimed at non-Muslim Westerners but rather an indicator of the extent to which premodern and modern expectations and assumptions clash, even among Muslims.

Given that the vast majority of contemporary Muslims reject slavery, many have chosen to ignore the issue. Rather than reiterate the classical religious permission for slavery and slave concubinage, even to oppose it, they seem to believe that a moderate or progressive agenda is better served by emphasizing the contemporary agreement that slavery, and especially concubinage, is forbidden as completely outside the bounds of Muslim sexual morality. Although a few authors deny the validity of slave concubinage outright, asserting that "those jurists of Islamic law who laid down the rule that a master may have [a] sexual relationship with his female slave without marriage are totally mistaken,"[4] most simply ignore what prevailed as the consensus for over a millennium. Nonetheless, I see at least three reasons for explicitly engaging with scriptural and legal permission for the sexual use of female slaves: (1) the contemporary reality of actual enslavement and slavery-like conditions in some places in the Muslim world; (2) the influence of slaveholding values on the development of doctrines and attitudes concerning sex and marriage that many Muslims consider binding today; and (3) the power of slavery as an example to illustrate the need to rethink the literal application of other scriptural and prophetic prescriptions.

First, slavery in Muslim societies has had lingering contemporary effects, especially in certain parts of Africa and the Gulf states. These regions were the world's last to outlaw slavery; Saudi Arabia did so in 1962. Vestigial effects of domestic slavery persist there and in other rich Gulf nations in the failure of police and lawmakers to protect immigrant household workers against potential abuses. Female "guest workers" employed as maids and nannies have little recourse against sexual coercion or beatings; in some cases, those who have escaped and sought refuge with police have been forcibly returned to their abusive employers. Such women are not legally enslaved, and they generally receive compensation for their work, which distinguishes their situation from that of women in debt bondage. Nevertheless, because of the acceptance of controls on their mobility (employers often take their passports) and the refusal of law enforcement officials to respond to complaints of maltreatment, female "guest workers" are particularly vulnerable.[5] In some African nations, such as Mauritania, actual slavery continues, despite repeated declarations of abolition, the last in 1980; according to one recent report, 90,000 black Mauritanians remain essentially enslaved to Arab/Berber owners. In southern Sudan, Christian captives in the civil war are often enslaved, and female prisoners are used sexually, with their Muslim captors claiming that Islamic law grants them permission.[6]

Islamic law is not, however, the only salient frame of reference in these cases, even if it is sometimes used as justification for enslavement and slaveholding. Custom plays a role. Although premodern Muslim jurists permitted slavery without qualms, they surrounded its practice with a number of limitations and absolutely forbade the enslavement of other Muslims. Contrary to this principle, Muslim combatants sometimes take Muslim captives, usually from other ethnic groups, in today's civil or tribal conflicts. In a chilling memoir, Mende Nazer, a Sudanese Muslim (and contributor to this volume), recounts her own experiences of capture and enslaved domestic labor in the Sudan and the United Kingdom, where she eventually escaped her captors.[7] Though most common in Africa, slavery also occurs elsewhere; one scholar has suggested that among the Taliban's "atrocities" toward Afghani Shiites was "the enslavement of Hazara women as concubines."[8]

The existence of actual slavery and quasi-slavery is by no means unique to the Muslim world; slavery and slavery-like practices are found in numerous states and societies worldwide. Further, they are not found everywhere in the Muslim world. Rather than "Islam" being the cause, specific socioeconomic and political factors help to account for their existence. Still, the religious justifications for slaveholding in some of these cases make addressing them particularly urgent. Although the vast majority of contemporary Muslims agree that there is no place for slavery in the modern world—and some nineteenth- and twentieth-century reformers, such as Sir Sayyid Ahmad Khan, opposed the practice—the pressure to abolish slavery generally came from some combination of European colonial powers and economic and demographic shifts that lessened the utility of slaveholding.[9] Although all Muslim-majority nations eventually abolished slavery, activists, legislators, and government officials did not primarily frame their critiques of slaveholding in religious terms. By contrast, isolated defenders of slavery have used religious tradition to justify the practice; a few Muslim clerics, such as one writing in the mid-nineteenth-century Arabian Peninsula, opposed abolition on the grounds that slavery was accepted in religious texts.[10] Similarly, one scholar argues, "slavery enjoyed a high degree of legitimacy in Ottoman society. That legitimacy derived from Islamic sanction," among other factors.[11] Indeed, today there are some fringe elements that insist that slavery would still be a viable part of the social order if Muslims were to return to their natural place of political and military supremacy in the world.[12]

Second, slavery was a key part of the ancient societies where the core discourses of Islam developed.[13] Recognizing this allows one to appreciate the extent to which particular ideas about sex and gender affected the development of legal doctrines and attitudes concerning marriage and divorce. Both marriage and slavery were forms of ownership or control (in Arabic: *milk*) that legitimized sex. In the case of slavery, the category of ownership or control applied only when the owner was male and the owned, female. In this model, the early Islamic jurists make frequent analogies between the dower paid to a wife and the purchase price paid for a slave. They also link divorce and manumission.[14] Dower payment to the wife and the exclusively male right to extrajudicial divorce are vital elements of the regulations governing marriage that many Muslims still consider authoritative.

Indeed, it is in the matter of divorce that slavery's legacy to contemporary sexual ethics is most clear. The principle that divorce is a husband's prerogative that cannot be tampered with stems from the view that only a husband, like a slave's master, is in a position to unilaterally dissolve the tie joining the parties. The practice of repudiation by a husband's declaration already existed in pre-Islamic Arab society, along with other forms of divorce, and it is not directly a result of slavery. Despite this, it was strengthened as medieval texts made free use of analogies between a husband's repudiation of his wife and a master's manumission of his slave. Some referred to both wives and slaves as belonging to an "owner." Though a wife was emphatically not her husband's slave, she could no more simply decide to divorce him than a slave could decide to free himself or herself.

That is not to say that wives did not have some rights to divorce; they could do so by mutual agreement, by a stipulation put in their marriage contract, or through obtaining a judicial divorce for cause. These rights, which have existed since early Muslim history, have been the basis for many legal reforms in the modern Muslim world expanding women's access to divorce. Even so, reformers have found it a greater challenge to restrict unilateral extrajudicial divorce by men. Indeed, for Muslims living as minorities in countries where Islamic law is not enforced in any way by the state, some Muslims assume that a man's declaration of divorce is both sufficient and necessary to sever the religious bond between the spouses. This may leave a woman believing that her civil divorce is insufficient to allow her to remarry religiously. Alternately, if her husband has pronounced a religious divorce and then contests a civil divorce, it may make the situation difficult for the woman.[15]

To take a further example, the double standards surrounding marital sexuality—namely, the notion that women's sexuality must be exclusive to one husband and that wives' sexual rights in marriage are a matter of ethics while husbands' sexual rights are a matter of legal obligation—are part and parcel of the view of male sexuality as unrestricted and multiple, which formed part of the slaveholding ethos. Again, this is not to suggest that slavery *caused* this mindset—such double standards have been present in many societies without the concomitant practice of slavery—but rather that it helped shape the surrounding discourses in Islam's formative years. These seldom-acknowledged interrelationships continue to affect attitudes surrounding marriage, divorce, and sex. The once-ubiquitous conceptual vocabulary of ownership or dominion applied to slavery is seldom used today to discuss marriage, and the previously common parallels between husbands and masters as well as wives and slaves have largely disappeared from learned discourse. Yet understanding the historical and legal dimensions of Muslim slavery, particularly regarding sexual access, is a necessary precursor to thinking through an ethics of sex.

Finally, and of greatest importance, the way that Muslims treat slavery has enormous implications for the way that they address other matters on which there is explicit scriptural, prophetic, and legal regulation. If one acknowledges that the Qur'an and Muhammad's *sunnah* (i.e., the Prophet as a model) accept slavery but views slavery as subject to historical change, so that slaveholding is unthinkable for Muslims today, that same insight can be applied to such other matters as inequities in divorce rights, corporal punishments for theft, and gender disparities in inheritance. If one simply ignores slavery or treats it as an aberration—the result of past generations of misinterpretation of the sacred texts—one misses an opportunity to promote changes in the way one approaches other vital areas.

Slavery in the Qur'an, Muhammad's Example, and Islamic Law

Before the abolition of slavery in the nineteenth and twentieth centuries, marriage was not the exclusive mode of licit sexual relationship in most Muslim societies but rather coexisted with slave concubinage, which was practiced by men wealthy enough to afford it. In concubinage, men would have sexual relationships, potentially of long duration, with their female slaves. This possibly resulted in offspring, who would be legitimate and of equal standing with heirs born to wives. The regulations eventually finalized by Muslim jurists governing owners' treatment of female slaves had certain unique features, such as protection from being sold and eventual manumission for those who bore children to their masters. Yet the use of enslaved women as sexual partners was broadly accepted throughout the ancient Mediterranean and Near Eastern world, where Islam originated in the seventh century. Indeed, in seeking to establish friendly relations with the Prophet Muhammad, the Christian commander of Alexandria sent him two enslaved sisters as a gift, along with a donkey and other goods. Medieval Muslim tradition records that the Prophet took one of these young Coptic women, Mariya, as his concubine, eventually freeing her after she bore him a child.[16]

Maria the Copt, as she is generally known, appears in most premodern sources as the Prophet's slave, but many twentieth- and twenty-first-century works authored by Muslims imply or outright declare that she was his wife. For example, Henry Bayman writes, "[T]he Prophet was *legally married* to all his wives, even to slave girls with whom he was presented."[17] Bayman's statement is circular: by definition, Muhammad was married to his wives; it is only through marriage that a woman becomes a wife. He presumably means that Muhammad was married to all the women with whom he had sex. Connecting the subject of concubinage to broader questions about sexual morality, Bayman insists that Muhammad did not simply have sex with "slave girls." Nor did he seek them out; rather, he "was presented" with them. Bayman's remarks associate Muslim marriage with lawfulness ("legal marriage") and safety ("protective umbrella"), thereby claiming Islamic superiority in matters of sex. Nonetheless, to accept his characterization—as with the translator Hassan's comments on

Sahih Muslim—requires one either to ignore the Islamic legal tradition's permission for slave-concubinage and the hadith evidence showing that the Prophet (or even just his Companions, whose behavior has not been questioned by revisionists) had sex with female captives and slaves, or to define both legal doctrine and Muslim history as falling outside the scope of "Islam."

Many Muslims today find it almost unimaginable that a sexual relationship between a man and a woman bound to him only by the tie of ownership and not matrimony could be legal, much less moral. And yet, because the Prophet is the standard for morality, the exemplar of uprightness, understanding his actions, both personal and as a leader of Muslims, takes on importance. His deeds are only intelligible (if nonetheless still troubling for some) within the context of broader medieval sensibilities. The fact that a seventh-century Christian figure saw nothing amiss in sending a female as a gift to a powerful leader shows that using women and girls as sexual commodities was widely acceptable throughout the region. In pre-Islamic Arabia, as well, men frequently used women captured in intertribal warfare as sexual partners. Early Muslim interpreters consider this practice approved in the Qur'an's repeated references to the permissibility of men's sexual relations with women "that their right hands own."

The Qur'an makes numerous references to persons in bondage: servants, captives, and slaves. These categories are not mutually exclusive and frequently overlap.[18] Like numerous passages in the Hebrew Bible and the New Testament, the Qur'an assumes the permissibility of some individuals owning or controlling others—"what their right hands own"—which was an established practice in Arabia before its revelation. The Qur'an does not explicitly condemn the practice of slavery or attempt to eradicate it, but it does attempt to improve the situation of those who are owned. It recommends freeing slaves, especially "believing" slaves, a mode of classification that presumes sufficient personhood on the part of those owned to have individual faith.[19] Expiation for certain misdeeds requires manumission of a slave, and owners are told to allow slaves who demonstrate good qualities to purchase their own freedom.[20] Enslavement was not always a permanent state.

The Qur'an also suggests means of integrating enslaved captives into the Muslim community, with special attention to interpersonal relationships. It allows slaves to marry other slaves or free persons and prohibits owners from prostituting unwilling female slaves.[21] Despite this protection against one form of sexual exploitation, female slaves did not fully control sexual access to their own bodies. Rather, the Qur'an includes "what your right hands own" alongside "wives" or "spouses" as those to whom sexual access is licit, thus distinguishing between spouses and slaves or captives, who are mentioned separately, and establishing their joint status as lawful sex partners.[22]

In the first generations of Muslims, there was ambiguity and variability in status among enslaved women, with less clear differentiation between the pre-Islamic category of captured wives and the Islamic category of female captives taken as war booty and subject to sexual use.[23] The hazy distinctions among those classified as "what your right hands own" were subject to refinement over time. The classical jurists elaborated significantly on the Qur'anic material concerning slavery, drawing on the practice of the Prophet and the first Muslims as well as on the customs of conquered areas, as the Muslim empire expanded and solidified under the Umayyads and then the Abbasids. Legal works from the eighth through the twelfth centuries regulate the enslavement of war captives along with the purchase and sale of slaves. Although it was decidedly forbidden to enslave other Muslims, if a non-Muslim converted to Islam after enslavement, he or she remained a slave and could be lawfully bought and sold like any other slave. (This rule, justifiable on the basis of the Qur'anic praise of freeing "believing" slaves, meaning that the simple fact of belief does not itself free the slave, closes a potential loophole allowing slaves to gain their freedom through conversion.) The jurists also prescribed penalties for slave owners who maltreated or abused their slaves, up to and including freeing the slave without compensation to the owner.

Regulations for slave marriage and concubinage also developed over time, with special emphasis on rules to determine the paternity and/or ownership of children born to a female slave. A man could not simultaneously own and be married to the same female slave. The male owner of a female slave could either marry her off to a different man, thus renouncing his own sexual access to her (while retaining a right to have her perform other work), or take her as his own concubine, using her sexually himself. Both situations had a specific effect on the status of any children she bore. When female slaves were married off, any children born from the marriage became slaves belonging to the mother's owner, though her husband was established as their legal father. When a master took his own female slave as a concubine, by contrast, any children she bore would be free and legitimate, with the same status as any children born of a free wife. The slave who bore her master's child became what is known in Arabic as an *umm walad* (literally, "mother of a child"), gaining certain protections. Most importantly, she could not be sold, and she was automatically freed upon her master's death. These guidelines for the *umm walad* were not set forth in the Qur'an; they are frequently attributed to the caliph 'Umar (d. 644), though the Prophet's precedent in freeing Mariya after she bore him Ibrahim (who died in infancy) was, no doubt, influential.[24]

Concubines often received additional privileges, such as better quality food and clothing and usually exemption from duties of household service. They were also subject to extra restrictions, often related to keeping them exclusively available to their masters to remove any doubts about paternity in case of pregnancy. A concubine's status was, however, informal; law and custom allowed a master to have sex with any of his (unmarried) female slaves. It was also insecure: a concubine could be freed and married by her owner, or she could be sold off, so long as he had not impregnated her.

Although the Qur'an accepts the notion of men's sexual access to some enslaved women, whose social if not legal status may have been ambiguous,[25] it does not explore the possibility of large-scale concubinage, nor was such practiced in the first Muslim community. Some modern authors have argued that sex with captive or enslaved women only became permitted by marriage, but this is not the view of the medieval jurists, nor, if one accepts the hadith sources as historically accurate, was it the practice of the first Muslim community; records show that the Prophet as well as a number of his Companions had a concubine or two. Still, after the Arab conquests of the seventh and eighth centuries, when the wealth of the Muslim elite increased dramatically, rulers mimicked their non-Muslim Sassanian predecessors, keeping dozens if not hundreds of female slaves and using many of them for sexual pleasure.

The widespread availability of female slaves as sexual objects had dramatic implications for the development of Muslim thought on sex and marriage, even if in practice the "harem" culture of the elite bore little resemblance to the practices of the majority of the populace.[26] Demographic and financial realities meant that most men did not take a second wife, let alone a third or fourth, nor did they own concubines. Yet the jurists defended their prerogative to do so for more than a millennium, seeing, as in Ibn Rushd's remarks, a close connection between marriage and concubinage.[27] The seventeenth-century chief jurist of Damascus, Muhammad 'Ala al-Din Haskafi, made remarks that clarify both the connection and the distinction between the two types of sexual relationship. A firm limit on the number of wives ("a free man may marry four") contrasted with the lack of any such limit on female slaves ("he may take as many concubines as he wishes"). He considered it sacrilegious to attempt to limit this divinely bestowed privilege:

> If a man has four free [wives] and a thousand concubines and wants to buy another [concubine] and a man reproaches him for that, it will be as if [that man] had committed unbelief. And if a man wants to take a concubine and his wife says to him "I will kill myself," he is not prohibited [from doing so], because it is a lawful act, but if he abstains to save her grief, he will be rewarded, because of the hadith "Whoever sympathizes with my community, God will sympathize with him."[28]

No man should criticize another's choice to take an excessive number of concubines (though the absurdly high number as well as the accusation of unbelief seem to be rhetorical flourishes). A wife's appeal carries a bit more weight; Haskafi recognizes that a man's taking a concubine might cause her "grief." Nonetheless, "he is not prohibited" from taking a concubine "because it is a lawful act"; ethics remains distinct from law.

The jurists' discussions did not reflect most people's practice; large-scale ownership of female slaves for sexual use was limited to the elite. But slavery was a social fact in most of the Muslim world, though practices could vary dramatically across time and space. Many slaves, male and female, were employed in domestic service as well as commerce until abolition occurred in the late nineteenth and twentieth centuries. Although often there were distinctions made between types of slaves based on race, slavery as a whole was not racialized in Muslim contexts in the way that it was in the American South.[29] Large-scale agricultural slavery was seldom practiced in the Muslim world, not because such forms of slave labor were prohibited but because of economic and geographical factors. This does not mean that Islamic slavery was not harsh, as some apologists have argued, or that masters were not sometimes brutal to their slaves. Nonetheless, despite the fact that some unscrupulous owners violated legal protections for enslaved persons, most scholars and officials assumed that Muslims would follow Islamic law with respect to their slaves.

Paradoxically, slavery did not always equal low social status. In medieval Egypt, the Mamluk (literally, "owned") dynasty ruled for some time, with manumitted military slaves rising to govern others. The conscript slave troops (*janissaries*) of the Ottomans are another example. Most striking is the case of the royal concubines who wielded tremendous influence and amassed considerable wealth in the later centuries of the Ottoman Empire. Their situation was unusual, however, and some have suggested that scholarship should not treat them alongside other slaves, or perhaps even as slaves at all.[30] If nothing else, their situation serves as a reminder that "regardless of law or theory, a slave's actual status could historically vary along a broad spectrum of rights, powers, and protections."[31] The same is true for women in general: there have historically been other types of constraints governing female sexuality, and the patriarchal, hierarchical kinship structures found throughout the Muslim world varied dramatically in their effects depending on women's class, age, and marital history.

Moving Beyond Apologetic and Denial

Recognizing the historical practice of slavery in Muslim societies, though, is not the same thing as grappling with the religious implications of slavery for Muslim practice in the modern world. Muslims often attempt to separate what "Muslims" have done from what "Islam" allows. But the case of slavery is important precisely because Muslims widely reject it today despite the fact that the Qur'an and records of Muhammad's exemplary conduct (in Arabic: *sunnah*) clearly show that it was once acceptable. The usual approach of bypassing the troublesome topic in silence does not always work, and sometimes the silences speak volumes.

One Saudi author, Ghazi Algosaibi, presents an egregious example of this attempt to get around the critical moral and interpretive issues raised by sex with enslaved women in his short work *Revolution in the Sunnah*, a selection of seven reports about the Prophet and the first Muslims (that is, hadith) with his commentaries. Algosaibi chose his title, he explains, because the hadith he recounts were revolutionary in their original Arabian context and "continue to represent a real 'revolution' against the outmoded and discredited practices prevailing in these areas of life in some, if not the vast majority of, Muslim countries." By making a distinction between "Islam" and "culture," although not in so many words, Algosaibi aims to prove that instead of "need[ing] to import reform from abroad," Muslims can find the necessary resources for reform within Islam, "provided the opportunistic selectivity with which Islam is practised in Muslim countries is brought to an end."[32]

Yet Algosaibi himself practices "opportunistic selectivity." In order to make a point about the permissibility of contraception, he uses an account of Muslim combatants having sex with Arab women they had captured in battle: the soldiers report that they "were suffering from the absence of our wives, and we wished to have sexual intercourse with them," that is, the captives, "engaging in coitus interruptus" (in Arabic: *'azl*). The men, however, were concerned about the moral status of practicing withdrawal as a contraceptive measure and considered it necessary to consult the Prophet. His answer was, "It does not matter if you do not do it, for every soul that is to be born up to the Day of Resurrection will be born."[33] Muslim scholars debate whether the Prophet's words, reported with slight variations in other versions of this story, mean that one *may* practice withdrawal but *should* not, or whether they grant permission without taint of disapproval, serving only as a warning that conception may occur despite the measure taken to avoid it. The moral status of withdrawal concerned the victorious Muslim soldiers enough that they asked the Prophet about it, yet all the men involved, including the Prophet himself, took for granted the permissibility of sex with the prisoners. (There is no indication of what the captured women thought, or the soldiers' wives.) Not only do the Prophet and the soldiers ignore the question of the women's consent or lack thereof but so does Algosaibi, focusing solely on contraception in his discussion of this hadith.[34]

The nonconsensual elements of the tale were not surprising or troubling for the seventh-century narrator, Abu Said al-Khudri, but are deeply problematic for many Muslims today who view the Prophet as an inerrant champion of justice and protector of the weak. What does it mean for those who view the Prophet's actions as exemplary to accept that he tacitly allowed the rape of female captives? Is it correct to refer to the actions of the Muslim soldiers as rape, or does that term have connotations that are contextually inappropriate? Does the fact that "marriage" by capture was a common Arab custom at the time make Muhammad's actions intelligible? Acceptable? Finally, assuming one accepts that the accounts in the authoritative hadith compilations are essentially accurate, what are the implications of the Prophet's action for the contemporary world? Is his precedent binding, or is it to be understood as limited to the particular circumstances of his time and place?

Muslim silence on these questions and their implications is deafening. Algosaibi mentions the incident in passing, under the title "Family Planning," without any analysis or acknowledgment of its significance for matters beyond contraception. Other influential works treat the issues of slavery differently but no more satisfactorily. For instance, in his 1991 translation of the classic legal manual *Reliance of the Traveller*, Nuh Keller excises nearly all mention of slavery from the English text, leaving it, bracketed off, in the parallel Arabic discussions of marriage, divorce, and other social transactions.[35] The translation carries no ellipses or notation that something has been removed. As a result of this editorial sleight of hand, the importance of slavery to the medieval Middle Eastern context in which this text originated simply disappears. By way of rationale for these frequent changes, Keller affirms in his introduction that "[n]ot a single omission has been made from it," that is, the Arabic text, "though rulings about matters now rare or non-existent have been left untranslated unless interesting for some other reason."[36] A specific reference to the missing material on slavery comes in place of a translation of the chapter on manumission: "Like previous references to slaves, the following four sections have been left untranslated because the issue is no longer current."[37] Keller thus suggests that the regulations on slavery, a now-obsolete social institution, are somehow separable from the rest of the work; meanwhile, the other rules contained in this "classic manual of Islamic sacred law," as the translation's subtitle proclaims, are directly relevant to the lives of contemporary Muslims.

A different approach, utilized by the official Saudi council that issues fatwas (nonbinding legal opinions), as well as some other twentieth- and twenty-first-century jurists, has been to reiterate classical doctrines as though slavery had never been abolished by national governments. In their responses to legal queries, which have influence far beyond Saudi boundaries through online distribution and subsidized translations into European languages, they maintain references to slavery throughout, just as their medieval counterparts would have. Evaluating the conditions making polygamy permissible, the late Saudi mufti Ibn Baz stated, "If a person fears that he will not do justice [between wives], then he may only marry one wife in addition to having slaves."[38] Though seemingly the opposite of Keller's strategy of excision, this rote inclusion of material presuming the existence of slavery (even when slavery was not mentioned in the original question) demonstrates the same unwillingness to engage with the basic problem at hand: how does one reconcile the presumption of slaveholding in the Qur'an, hadith, and classical jurisprudence with the contemporary reality of the Muslim world, where legal slavery no longer exists? Although the vast majority of Muslims do not consider slavery, especially slave-concubinage, to be acceptable practices for the modern world, the reticence to confront the juristic, as well as social, legacies of slavery has resulted in blindness to the hierarchical residue of its practice to Islamic gender relations broadly, and to marriage and sexual relations in particular.

Slavery is deeply embedded in Muslim history and Islamic tradition, but many Muslims overlook its relevance. Slavery, particularly the sexual use of female slaves, appears in the Qur'an, is attested in the practice of the Prophet and his Companions, and is explicitly permitted by classical Islamic jurisprudence. In this last realm, it deeply affected the development of legal regulations surrounding marriage that many Muslims still treat as authoritative today. Recognizing that the structure of marriage is based on patriarchal and hierarchical assumptions that they already reject in connection with slavery opens new ways to conceptualize relations between spouses. Even more radically, the rejection as unfitting for Muslim life today of one practice that appears as lawful and normal in the Qur'anic text and the Prophet's *sunnah* opens the way to consider other issues in a historically contextualized fashion. Accepting that the Qur'an is not determinative in all its particulars for every time and place in the case of slavery makes it possible to argue against the literal implementation of verses regulating family relationships, criminal punishments, and other features of social life.

Contemporary Muslims, especially in the West, have devoted little attention to thinking about or discussing the religious, ethical, and legal issues associated with slavery, perhaps because it is difficult to acknowledge and confront the scriptural and traditional permission for it.[39] Although other religions and cultures have practiced slavery, Islam is often singled out for criticism, and Muslims may be reluctant to provide more fodder for Islamophobic discourses. This understandable defensiveness is an obstacle to honest and open engagement with the relevance of slaveholding values to Muslim history and Islamic religious norms. Confronting this legacy is a vital task, not only because some Muslim women continue to be subject to actual slavery or quasi-slavery, but also because the conceptual vocabulary of ownership was central to classical

Muslim legal discourses on marriage and sex. Although legal reforms in many nations have meant that classical legal doctrines are not directly implemented today—it makes more sense to speak of "Moroccan law," "Pakistani law," and "Indonesian law" than "Islamic law"—key elements of those legal frameworks draw on rules and doctrines that originated in a time in which a man's sexual access to enslaved women was taken for granted.

The vast majority of contemporary Muslims find the scriptural and legal acceptance of slavery troubling, when they think about it at all. Because of the repugnance with which Muslims view slavery today, arguing that other matters are linked with or analogous to slavery creates an opening for Muslims to think differently about them. I claim no originality for this tactic; the Pakistani scholar Fazlur Rahman applied it to good effect at least two decades ago, when he compared slavery to polygamy.[40] Both, he argued, were institutions that were impossible to eradicate at once but that were harmful and that God intended to abolish, even if one had to follow indications in the Qur'an of a trajectory toward abolition rather than its literal words. Treating the Qur'an as a document with some verses bound by context but others containing broad principles of justice that should take precedence over specific, time-bound commands is one essential element of feminist and other reformist interpretations of scripture.[41] For many ordinary Muslims, particularly those for whom slavery is distant history, it is simple common sense. This should not, however, be mistaken for the view that it is "obvious" that Islam disallows slavery and that it was always intended for abolition.[42]

Some Muslim thinkers who explicitly reject slavery as unjust have argued that this rejection of slavery is based in the Qur'an, that abolition is implicit in the Qur'anic message, and that Muslims—blinded by their social circumstances—simply did not see it before. The implications of rejecting slavery are more powerful, though, if one acknowledges that abolition was not a foregone conclusion but rather the result of both nonreligious historical processes and interpretive choices by individuals.

Developing Rahman's approach, others have argued for a trajectory from hierarchical institutions to more egalitarian ones, from acceptance of slavery to its abolition: the practical limitations of the Prophet's mission required the distasteful but necessary acquiescence to slave ownership, but God intended this to be only a temporary measure. According to a similar interpretation, the Prophet's acceptance of husbands' rights to practice polygamy and to control their wives was an unavoidable compromise with patriarchal power in the interests of ensuring the success of Islam.[43] Both perspectives contain valid points: the presuppositions of interpreters matter a great deal in the implementation (or lack thereof) of the Qur'an's precepts, and there is evidence that in some instances the Qur'an accommodates or gradually prohibits certain practices that God and/or Muhammad might have preferred to abolish immediately (for example, consumption of alcohol). This approach to revelation allows one to interpret scripture without being bound by the assumptions of previous generations of exegetes who accepted male superiority and other social hierarchies, including slavery, without question. One can see certain passages and Prophetic *sunnah*s as gestures in the direction of egalitarianism, capable of full realization only in a world where equality and freedom are commonly shared values.

Egalitarian Sexual Ethics and Islam

For Muslims committed to egalitarian sexual ethics, addressing the presence of slavery and slaveholding values in religious texts and history is vital, not only for the sake of intellectual honesty but because this acknowledgment provides a way to approach the fundamental questions: What is the best way for Muslims to structure intimate relationships? Which values are the most important guides? And how do these relate to the specific prescriptions and examples set forth in the Qur'an and *sunnah*?

Previous generations of scholars have attempted to answer these questions. In the classical legal model, as articulated by Ibn Rushd above, lawfulness is established when a man has exclusive control of a particular woman's sexuality, either in marriage or in concubinage. Many consequences flow from this model of licit relationships, not the least of which is the view that divorce is a male prerogative—just as manumission is the right of the master, not the slave. Women did have legal avenues to get out of marriages in law and practice in the past, and modern national reforms have often increased the scope of these options. Nonetheless, the underlying view that the husband's desire alone can determine whether a marriage lasts grows out of a legal view of marriage as a relationship of control or ownership. Of course, marriage was never tantamount to slavery, and wives were not their husbands' slaves. Moreover, even slaves, especially concubines, had protections; and wives had rights beyond those granted to slaves. Many thinkers stressed the importance of a man's good treatment of his wife, his satisfaction of her sexual needs, and the general climate of kindness and tenderness that ought to prevail between spouses. Yet, unless modern thinkers explore the linkage between the statuses of wife and slave—and repudiate it—marriages cannot be fully egalitarian. Unless Muslims treat the Qur'anic regulations for the conduct of marriage and divorce, like those governing slavery, as not binding in their particulars for all of history, marriages cannot be fully mutual. The Qur'an itself advocates that its readers follow the best meaning in it.[44] The subordination of one human being to another in intimate contexts is not the best meaning; reciprocal love, mercy, and tranquility, which the Qur'an also advocates, ought to be—and it is a human responsibility to make them reality.[45]

Notes

An earlier version of this essay first appeared in a somewhat different form as "'What Your Right Hands Possess': Slave Concubinage in Muslim Texts and Discourses," chap. 3 in Kecia Ali, *Sexual Ethics and Islam: Feminist Reflections on Qur'an, Hadith, and Jurisprudence* (Oxford: Oneworld, 2006). Those interested in following up on the topics presented here will find resources in its more extensive endnotes. My thinking on the topic of slavery has been shaped by productive exchanges with other contributors to this volume at three Feminist Sexual Ethics Project colloquia; in addition to Bernadette Brooten, whose insight over the last six years has been particularly valuable, I would especially like to thank Jennifer Glancy, Emilie Townes, and John Noonan, who presented formal responses to my drafts at those events. More recently, Jill Hazelton provided very helpful suggestions for revision, and Alexander Barna helped track down a few stubborn citations. Needless to say, I alone am responsible for any errors of fact or interpretation herein.

1. In the case of Islam, stoning is not a Qur'anic punishment but is found in the authoritative collections of traditions about the Prophet Muhammad and his Companions, known as *hadith*. See Kecia Ali, "Prohibited Acts and Forbidden Partners: Illicit Sex in Islamic Jurisprudence," chap. 4 in *Sexual Ethics and Islam*.
2. Ibn Rushd, *The Distinguished Jurist's Primer: A Translation of* Bidayat al-Mujtahid, 2 vols., trans. Imran Ahsan Khan Nyazee (Reading, UK: Centre for Muslim Contribution to Civilization, Garnet, 1994–1996). These and all other dates refer to the common era. I have slightly altered Imran Ahsan Khan Nyazee's translation of this passage.
3. Ahmed Hassan, "Translator's Preface to the Chapter on Marriage," in *Sahih Muslim: Being Traditions of the Sayings and Doings of the Prophet Muhammad as Narrated by His Companions and Compiled Under the Title Al-Jami'-us-Sahih*, 4 vols., trans. 'Abdul Hamid Siddiqi (1977; New Delhi: Kitab Bhavan, 1995); and Muslim ibn al-Hajjaj al-Qushayri, *Sahih Muslim*, 8 bks. in 2 vols. (Egypt: Maktabah wa Matbu'ah Muhammad 'Ali Sabih wa awlad, n.d. [1963?]).
4. The quotation is from Mohammad Ali Syed, *The Position of Women in Islam: A Progressive View* (Albany: State University of New York Press, 2004) 36.
5. Mathias Diederich, "Indonesians in Saudi Arabia: Religious and Economic Connections," chap. 6 in *Transnational Connections and the Arab Gulf*, ed. Madawi Al-Rasheed (London: Routledge, 2005) 128–146.
6. U.S. Department of State, Bureau of African Affairs, *Slavery, Abduction, and Forced Servitude in Sudan*, International Eminent Person's Group (2002), http://www.state.gov/documents/organization/11951.pdf (accessed July 11, 2009).
7. Mende Nazer and Damien Lewis, *Slave: My True Story* (Cambridge, MA: PublicAffairs, 2005).
8. Hamid Algar, *Wahhabism: A Critical Essay* (Oneonta, NY: Islamic Publications International, 2002) 57.
9. Ahmal Alawad Sikainga, "Slavery and Muslim Jurisprudence in Morocco," *Slavery and Abolition* 19 (1998) 64–66, 70. But for a more nuanced view of the Muslim debates, see William Gervase Clarence-Smith, *Islam and the Abolition of Slavery* (New York: Oxford University Press, 2006) 114; intriguingly, in the case of the Sudan, British colonial regulation may have led to more religiously focused justifications for slavery.
10. Bernard Lewis, *Race and Slavery in the Middle East: An Historical Enquiry* (Oxford: Oxford University Press, 1990) 80f.
11. Ehud Toledano, *Slavery and Abolition in the Ottoman Middle East* (Seattle: University of Washington Press, 1998) 127.
12. Fatwas by the Permanent Committee, in Muhammad bin 'Abdul-'Aziz al-Musnad, collector, *Fatawa Islamiyah: Islamic Verdicts* (Riyadh, Saudi Arabia: Darussalam, 2002) 5:96–99. Group fatwas issued by some Saudi scholars stress that enslavement of prisoners would be legal "if any lawful Islamic war took place today between the Muslims and the disbelievers," according to the ruler's decision; in the absence of lawful "*Jihad* against the disbelievers... it is not permissible to establish or institute slavery." Yet the descendants of those who were lawfully enslaved remain in bondage "until [they] are granted the opportunity to obtain [their] freedom." See also Clarence-Smith, *Islam and the Abolition of Slavery*, 184, 221.
13. Leila Ahmed, *Women and Gender in Islam: Historical Roots of a Modern Debate* (New Haven, CT: Yale University Press, 1992) 72–101. Broadly, see Shaun E[lizabeth] Marmon, "Domestic Slavery in the Mamluk Empire: A Preliminary Sketch" in *Slavery in the Islamic Middle East*, ed. Shaun E[lizabeth] Marmon (Princeton, NJ: Markus Wiener, 1999) 1–23.
14. Kecia Ali, *Marriage and Slavery in Early Islamic Law* (Cambridge, MA: Harvard University Press, 2010).
15. Zahra Ayubi, "American Muslim Women Negotiating Divorce" (senior thesis, Women's and Gender Studies Program, Brandeis University, 2006).
16. Ibn Kathir, *The Life of the Prophet Muhammad*: Al-Sira Al-Nabawiyya, 4 vols., trans. Trevor Le Gassick (Reading, UK: Garnet, 2000); and Aysha Anjum Hidayatullah,

"Mariyah the Copt: Gender, Sex, and Heritage in the Legacy of Muhammad's *Umm Walad*" (master's thesis, University of California, Santa Barbara, 2005).

17. The text continues: "In Islam, not multiple marriages but illicit sex—pre- or extramarital fornication and adultery—is immoral. Islam limited the number of female consorts to four (but recommended one), and with this the proviso that all were brought under the protective umbrella of legal marriage." Henry Bayman, *The Secret of Islam: Love and Law in the Religion of Ethics* (Berkeley, CA: North Atlantic, 2003) 173. Italics in the original.
18. See, in addition to other verses cited below, Qur'an 2:178, 16:75, and 30:28. All Qur'anic citations are to chapter followed by verse.
19. Qur'an 2:177.
20. Qur'an 4:92, 58:3, and 24:33.
21. Qur'an 2:221, 4:25, and 24:32f.
22. See Qur'an 23:5f and 70:29f. Although in some instances these references are gender-neutral, the possibility that such verses permitted women's, or for that matter men's, access to male captives or slaves was never seriously countenanced.
23. See Ingrid Mattson, *A Believing Slave is Better Than an Unbeliever: Status and Community in Early Islamic Society and Law* (Ph.D. diss., University of Chicago, 1999) 131–141, for a discussion of these issues, and the suggestion that the Qur'anic verses may make a distinction between permissible sex with war captives and (impermissible) sex with female slaves obtained in another fashion.
24. In addition to Mattson, *Believing Slave*, see Jonathan Brockopp, *Early Maliki Law: Ibn 'Abd Al-Hakam and His Major Compendium of Jurisprudence* (Leiden, Netherlands: Brill, 2000) 192–205, on the early development of regulations surrounding the *umm walad*.
25. Mattson, *Believing Slave*, 134.
26. Ahmed, *Women and Gender in Islam*, 67, 79–101.
27. See Qur'an 4:3; and Muhammad ibn Idris al-Shaf'i, *Al-Umm* (Beirut: Dar al-Kutub al-'Ilmiyya, 1993) 5:215.
28. Muhammad Ala-ud-din Haskafi, *The Durr-ul-Mukhtar: Being the Commentary of the Tanvirul Absar of Muhammad Bin Abdullah Tamartashi*, trans. B. M. Dayal (New Delhi: Kitab Bhavan, 1992) 24. I have altered B. M. Dayal's translation of this passage in several respects.
29. Lewis, *Race and Slavery*.
30. See Ehud Toledano, "Representing the Slave's Body in Ottoman Society," *Slavery and Abolition* 23 (2002) 57–74. Also see Leslie P. Peirce, *The Imperial Harem: Women and Sovereignty in the Ottoman Empire* (New York: Oxford University Press, 1993) for a full study of the subject.
31. David Brion Davis, *In the Image of God: Religion, Moral Values, and Our Heritage of Slavery* (New Haven, CT: Yale University Press, 2001) 125.
32. Ghazi A. Algosaibi, *Revolution in the Sunnah*, trans. Leslie McLoughlin (London: Saqi, 2004) 10.
33. Algosaibi, *Revolution in the Sunnah*, 37f. There are similar reports in Muslim, *Sahih Muslim: Being Traditions of the Sayings and Doings of the Prophet Muhammad as Narrated by His Companions and Compiled Under the Title Al-Jami'-us-Sahih*, 4 vols., trans. 'Abdul Hamid Siddiqi (1977; New Delhi: Kitab Bhavan, 1995) 2:732f. See Muhammad Ibn Isma'il Al-Bukhari, *The Translation of the Meanings of Sahih Al-Bukhari*, trans. Muhammad Muhsin Khan (Arabic–English rev. ed., New Delhi: Kitab Bhavan, 1987) 7:103.
34. Algosaibi, *Revolution in the Sunnah*, 40f.
35. Ahmad ibn Naqib al-Misri, *Reliance of the Traveller: A Classic Manual of Islamic Sacred Law*, ed. and trans. Nuh Ha Mim Keller (Evanston, IL: Sunna, 1991; rev. ed., Beltsville, MD: Amana, 1999) 529. *Reliance of the Traveller* is a work of the Shafi'i school of law (Arabic: *madhhab*), one of four major Sunni schools that have dominated Muslim history alongside one major and several minor Shi'i schools.
36. Al-Misri, *Reliance of the Traveller*, ix.

37. Al-Misri, *Reliance of the Traveller*, 459.
38. 'Abd al-Aziz ibn 'Abd Allah ibn Baz, et al., "Concerning Polygyny," in *Islamic Fatawa Regarding Women: Shariah Rulings Given by the Grand Mufti of Saudi Arabia Sheikh Ibn Baz, Sheikh Ibn Uthaimin, Sheikh Ibn Jibreen and Others on Matters Pertaining to Women*, ed. Muhammad bin Abdul-Aziz al-Musnad, trans. Jamaal Al-Din M. Zarabozo (Riyadh, Saudi Arabia: Darussalam, 1996) 178. He is responding to a questioner who partially quotes Qur'an 4:3, mentioning orphans but avoiding the portion of the verse discussing "what your right hands possess." On the interconnections between polygyny and slavery, see Zeeshan Hasan, "Polygamy, Slavery, and Qur'anic Sexual Ethics," *Star Weekend Magazine*, August 30, 1996, http://www.liberalislam.net/polygamy.html (accessed May 6, 2006).
39. Toledano, *Slavery and Abolition*, 122–129 remarks on the Muslim view of Muslim slavery as humane and, in particular, distinct from chattel slavery as practiced in the American South.
40. Fazlur Rahman, *Major Themes of the Qur'an* (Minneapolis: Biblioteca Islamica, 1980) 48. See also Amira Mashhour, "Islamic Law and Gender Equality: Could There be a Common Ground? A Study of Divorce and Polygamy in Sharia Law and Contemporary Legislation in Tunisia and Egypt," *Human Rights Quarterly* 27 (2005) 568f.
41. There are, however, limits to its usefulness as an interpretive approach. See Kecia Ali, "Timeless Texts and Modern Morals: Challenges in Islamic Sexual Ethics," in *New Directions in Islamic Thought: Exploring Reform and Muslim Tradition*, ed. Christian Moe et al. (London: I.B. Tauris, 2009) 89–99.
42. See, for instance, Majid Khadduri, "Marriage in Islamic Law: The Modernist Viewpoints," *American Journal of Comparative Law* 26 (1978) 213–218; Azizah Y. Al-Hibri, "Islam, Law, and Custom: Redefining Muslim Women's Rights," *American University Journal of International Law and Policy* 12 (1997); and Mashhour, "Islamic Law and Gender Equality," 569. Mashhour argues that "what is definitely clear in the Qur'an is that all its texts encourage the release of slaves." Amina Wadud expressed a similar view in *Qur'an and Woman: Rereading the Sacred Text from a Woman's Perspective*, 2nd ed. (Oxford: Oxford University Press, 1999) 101, but makes a different and, I think, more persuasive argument in her later essay, "Alternative Qur'anic Interpretation and the Status of Muslim Women," in *Windows of Faith: Muslim Women Scholar-Activists in North America*, ed. Gisela Webb (Syracuse, NY: Syracuse University Press, 2000) 14f.
43. Khadduri, "Marriage in Islamic Law," 217; Fatima Mernissi, *The Veil and the Male Elite: A Feminist Interpretation of Women's Rights in Islam*, trans. Mary Jo Lakeland (Reading, MA: Addison-Wesley, 1991) 139; and Wadud, *Qur'an and Woman*, 9.
44. Qur'an 39:18.
45. Qur'an 7:189, 30:21.

IV

Ancient Origins of the Problem

7

"She Shall Not Go Free as Male Slaves Do": Developing Views About Slavery and Gender in the Laws of the Hebrew Bible

David P. Wright

Biblical law and narrative describe a world that is quite agreeable to a man—specifically a man who is successful in his occupation or is wealthy, and one who is an Israelite. If you are not an Israelite, male or female, you might end up as a chattel slave, you and your children permanently enslaved, passed on as property from one generation to the next, and ruthlessly beaten. If you are a female chattel slave, you should expect to submit sexually to your master. If you are an Israelite male but unsuccessful in your trade or otherwise poor, you might be enslaved for some time, even your whole life, to pay off a debt, and be subject to beatings. If you are an Israelite woman, you might be enslaved to pay off your father's or husband's debts, and you could be forced to marry your father's creditor.

When I teach the passages of the Hebrew Bible that reflect these customs in my university classes, female students usually respond with dismay and disbelief. More than men, they are willing to admit that something is amiss. The Bible does not promote the values that they hold. They feel a glaring sense of contradiction. They have heard—and may believe—that the Bible models what society should be, but they clearly perceive and are disturbed by the subordination of women in biblical texts. In contrast, for many male students the text matches their experience of empowerment. Though many of the customs are not suited to their ideals—none aspires to be a debt slave or to own one, though many would aspire to be employers or possibly creditors, and employers and creditors can be exploitive—the text validates male control of the economy and polity and male dominance in gender relationships. The text represents a society that is advantageous to males. It validates their perception of how they fit into the world, and it supports their goals. In short, the Bible ratifies a male vision of social, economic, and political success.

The custom of slavery is found throughout the Hebrew Bible, and even has God setting forth laws that authorize the practice of slavery and includes praise for the owners of slaves. For example, the stories of Genesis tell us that Abraham and the other exemplars of piety owned slaves.[1] Their human property is mentioned positively—along with their animals, gold, and silver—as a sign of wealth and prestige. God is even said to have provided them with this property. Abraham's slave, who went to Syria to get a wife for Isaac, tells Laban, Rebekah's brother, "Yahweh has blessed my master greatly and he has become rich. He has given him flock animals, cattle, silver, gold, male slaves and female slaves, camels, and asses."[2] In addition, some of the wives of Abraham and Jacob were slaves.[3] All of these slaves were chattel slaves, that is, slaves owned as permanent property. Presumably these slaves were foreigners, taken captive in war, purchased on the slave market, or descended from enslaved people acquired in these ways. For example, Hagar, Sarah's slave, whom she gives to Abraham for procreation, is an Egyptian.

The Bible also speaks of another type of slave, debt slaves. These were poor Judeans or Israelites forced into slavery by creditors to pay off debts. In real life, such persons may have remained enslaved most of their lives, though debt slaves could theoretically pay off their debts or buy themselves out of enslavement, perhaps with the help of members of their extended family. The book of Amos condemns egregious examples of this practice: "For the three atrocities of Israel, for four I will not turn [its punishment] back: for their selling the innocent for silver, and the poor for a pair of sandals."[4] But Amos does not condemn debt slavery outright—only what it considers unjustified debt slavery. Later, in the Persian period, Nehemiah deplores developments in the practice of debt slavery and goes so far as to institute a release of debts to remedy the situation, but this appears to be a reaction to the enslavement of those of the national group rather than a rejection to debt slavery per se.[5] The Pentateuch—the first five books of the Hebrew Bible (also called the Torah)—provide the most detail about debt slavery. These works accept it, and they protect the interests of the creditor-owners at least as much as they protect the enslaved.

This essay looks specifically at the debt-slave laws of the Pentateuch and particularly the laws as they pertain to women. It will explore this topic specifically in the three major and distinct collections of law within that larger work: the Covenant Code in Exodus, the laws of Deuteronomy, and the Holiness Legislation, mainly in Leviticus. (These collections will be defined more specifically later on.) The goal is to inform readers of how scholars approach the text and to show those who value the text a way to understand its disconcerting expression of male domination and enslavement. Slavery was taken for granted throughout the ancient world, from Mesopotamia to Egypt. This historical background to the biblical text helps a reader realize that even though it is considered sacred and even represented as having been dictated by a deity, the text does not transcend its broader Near Eastern cultural context, in which slavery was considered a valid social and economic institution. This study will also go further to point out that the laws of the Pentateuch reflect differing and evolving views about slavery. The laws on slavery in each successive collection depend on and respond to problems in earlier collections. Thus within the Pentateuch we find a procession of authors struggling, just as modern readers do, with ethical and other dilemmas in prestigious and authoritative texts. The solution of later legislators was to amend and even rewrite the received texts to include new application or meaning. The later writers did not hold themselves to established dictates but used their experience and perspectives to creatively reenvision the meaning of the earlier legislation.

The Law Collections of the Pentateuch and the Technique of Literary Revision

First, some background. People read the Bible in very different ways. Many believing Jews and Christians today consider Moses to be the author of the Pentateuch, comprising the multiple law collections that we will be considering. Many academics, including those who are active in religious congregations, have come to recognize that the Pentateuch and its laws were actually written down over the centuries by various unknown individuals or groups and that the text broadly reflects the concerns of these various authors and their culture.[6] They have learned to acknowledge and even expect a divergence of views between different parts of the biblical text. They also see that the views expressed by the text may reflect imperfections deriving from the human hands that produced them. This perspective is particularly helpful when it comes to understanding the Bible's slavery laws, especially as they express social ideals against which we modern readers recoil, and because clear contradictions exist between the various collections of law in the Pentateuch.

An emerging hypothesis explaining the textual development of the various law collections of the Pentateuch helps further clarify the nature and relationship of the various laws on slavery. Until now, academic scholarship has generally believed that the various collections were composed to reflect or encode the practices of the Israelites at various points and places in their history. They were seen as more or less transcripts of what went on, or what was expected to go on, in everyday legal engagements. It is now becoming clear that the various law collections of the Pentateuch take up and revise preexisting written law sources to a significant extent. This is not to say that law practices of the time of a particular writer did not influence the formulation of laws expressed by the writer in the text. But the texts appear to have developed as revisions of earlier law. Each successive law composition responded to and corrected, as well as expanded, existing legislation. This helps explain the divergent views expressed in biblical laws.

Before we review the three main collections of law found in the Pentateuch that deal with slavery, it is important to understand something about the authors' orientation in the world. Unfortunately, we do not know any specifics about the individual authors. We do not know their names, partly because in antiquity it was less important who wrote a text than what was written. Moreover, there was a tendency to ascribe or tie a composition pseudonymously to a leading figure of the past (such as Moses), in order to give it an aura of authority. In any case, we can be quite certain that the various law texts that we are considering were written not just by human beings but by men. There is little evidence that women were trained as scribes. What is more, the male scribes behind our texts would have been connected to institutions of power and wealth. Early on, this would have been the royal court and later, the priestly class connected with the temple, especially when the monarchy ceased to function as a political institution after the fall of Jerusalem in 586 BCE.[7] These well-positioned individuals and the institutions that supported them would have had little incentive to rescind or even question the practice of slavery. In addition, although the authors of the three main law collections of the Pentateuch shared a common general institutional foundation, each nevertheless lived in a somewhat different historical and social context. This helped to generate the distinctive laws in the different collections.

The earliest of the three collections is the Covenant Code, found in Exodus 20:23–23:19.[8] According to the narrative context of Exodus, this collection was revealed to Moses immediately after the revelation of the Ten Commandments (Exodus 20:1–17). When the people expressed fear about experiencing the divine theophany, Moses alone approached the deity and received the content of the Covenant Code. Despite this narrative explanation, the Covenant Code is actually based primarily on the Laws of Hammurabi and written about six hundred years after the time that Moses was thought to live.[9] The Laws of Hammurabi was the best known law composition of culturally dominant Mesopotamia. Hammurabi was a king of ancient Babylon from about 1790 to 1750 BCE, long before there was an Israel. He authorized the creation of his law collection as propaganda to demonstrate his sense of justice and to validate his rule. The Covenant Code has many laws similar to those of Hammurabi and a comparable order of laws and themes. The Covenant Code probably used Hammurabi's text as a model during the late Neo-Assyrian period between 740 and 640 BCE, when the Assyrian empire in Mesopotamia held decisive political and cultural sway over Israel and Judah. The Laws of Hammurabi were being copied by Mesopotamian scribal schools at this time, almost a millennium after their original composition. Before this time, there was little or no contact between the Israelites and Judeans in Canaan and Mesopotamia. The text does not make sense as a product of the time of Moses, who, if a historical personage, would have lived around 1250 BCE. The creation of the Covenant Code appears to have had the ideological goal of responding to Assyrian imperialism. One of its creative techniques was to replace Hammurabi as the author of law with Yahweh, the God of Israel, a change that is especially visible in the laws that begin and end the collection (Exodus 20:23–26, 22:20–23:19).

The second major Pentateuchal law collection is the set of laws of Deuteronomy, mainly in chapters 12–26 of that book. The basic laws of these chapters were created not long after the Covenant Code's laws, probably by 620 BCE, the time of Josiah, who used the laws as the basis of his reform (2 Kings 22–23). Deuteronomy's laws rely upon a number of sources, including the earlier Covenant Code. Deuteronomy used the same techniques of legal revision on its sources that the Covenant Code used to recast the Laws of Hammurabi. The changes that Deuteronomy made to the Covenant Code's legislation, plus the evidence of other sources that Deuteronomy used, indicates that it sought to replace or at least *amend* the Covenant Code rather than to simply supplement or expand it.[10] Indeed, Deuteronomy 5 retells the story of the revelation of the Ten Commandments at Sinai just as Exodus 19–20 tells it, but it does not include the story of the revelation of the Covenant Code. Instead, it substitutes the content of the laws of Deuteronomy for the laws of the Covenant Code. Other sources that Deuteronomy used include the Assyrian treaty (see Deuteronomy 13 and 28), a group of laws about family, marriage, and sexual relations, which may ultimately go back to Mesopotamia (scattered in Deuteronomy 21–25); and a text on dietary practices (Deuteronomy 14, also used by Leviticus 11). Deuteronomy transformed an Assyrian-treaty text in the same way that the Covenant Code transformed the Laws of Hammurabi, by replacing the Mesopotamian monarch with Yahweh.

The third major body of Hebrew biblical law is the Holiness Legislation. It is concentrated in Leviticus 17–26, and scholars have given these chapters the label "Holiness Code." But certain chapters and passages in the books of Numbers and Exodus also belong to the Holiness Legislation.[11] This set of laws was written not long after Deuteronomy. The laws were probably written partly as a reaction to Neo-Babylonian oppression around 600 BCE and were expanded in response to the Babylonian destruction of the Judean Kingdom, which occured in 586. The Holiness Legislation builds in part on the laws found in both the Covenant Code and Deuteronomy. It is primarily based, however, on the Priestly Law and Narrative (including the detailed laws having to do with the wilderness tabernacle), which are found in other places in Leviticus as well as Genesis, Exodus, and Numbers.[12] Although it could be argued that Deuteronomy only amended the Covenant Code, the Holiness Legislation (along with its Priestly Law and Narrative foundation) quite clearly sought to supplant and otherwise replace the Covenant Code and Deuteronomy.

That the three collections appear together in the Pentateuch is because of the work of later editors in the Persian period sometime after 500 BCE, who created an anthology of different law collections and narratives pertaining to the early history of Israel. Their editorial techniques and sentiments allowed them to place together contradictory bodies of law and story, much like modern literary anthologies might bring together works by different authors.

As we examine the topic of debt slavery in the three law collections just described, for good or bad, we will combine the interests of the historian and the ethical critic.[13] Engaging in ethical criticism of ancient texts, or any text, is a precarious process. All such judgments are made according to the worldview and experience of the modern interpreter and the perceived context (historical, political, economic, and so forth) of a custom. Imposing an outside measure on a text from an entirely different time and culture is questionable. Sometimes a practice becomes reasonable, or at least understandable, once we recognize its place within its own cultural setting. Furthermore, ethical criticism is at odds with historical analysis, which generally seeks to limit itself to reporting historical data and reconstructing a narrative from it, not making value judgments. Nevertheless, examining the ethical differences between ideas expressed in different texts is permitted for a historian who analyzes those texts in terms of the history of ideas, as long as one text is not privileged over another by virtue of some prior assumption (for example, a belief that it is a revealed text or is well known, or that it has or should have personal meaning). In any case, ethical criticism becomes appropriate for a reader when a text like the Bible is brought to bear on public policy and the life of modern religious communities. To the extent that it is thought to be a guide for modern society, the Bible may be assessed according to the perspectives of social justice within that society.

One of the things that we will discover is that the successive law texts themselves appear to be concerned with resolving ethical problems in their source laws. They seek to improve the institution of debt slavery in one way or another. But, alas, none of them abolishes it. Moreover, every step forward seems to be accompanied by an unintended consequential step or two backward. Theological interests, to whatever extent they may have led to improvements, also led to points of idealization that generated new difficulties. For the biblical writers, the goal seems to be less legislation for humanitarian relief and more aggrandizement of the deity for ideological purposes.

In what follows, I provide a fictional tale to exemplify and give perspective to each set of biblical slavery laws, followed by a discussion of the respective legislation.

The Sale of a Daughter in Exodus 21 of the Covenant Code

During the reign of Hezekiah, king of Judah, lived a very poor Judean named Baruch. He had a wife and two children, a son and a daughter—Tobit and Shoshanna. He farmed a small plot of land north of Jerusalem. Because this did not produce enough to sustain his family, he took a loan to expand his farm. To secure the loan, he put up his children as surety. Unfortunately, the entire kingdom was stricken with drought, and Baruch could not produce crops to sell and thus pay his debt.

His creditor, as law allowed, pressed his claim and took Baruch's son into debt bondage. Tobit worked off part of the debt over the course of the next six years. Throughout this time, the creditor often thrashed Tobit to make him work harder. During Tobit's final years of servitude, the creditor supplied him with a wife. He thought the robust Tobit would produce offspring that would supply valuable labor for the estate in future years. Tobit's wife was an Egyptian whom the creditor had acquired as a permanent chattel slave through his business dealings. Tobit's labors were mitigated somewhat by the joy that he shared with his wife. Their delight was increased by the birth of two sons.

When Tobit's six years of servitude were complete, he had to make a decision. He could go free and return to his father's household but without his wife and children. They would remain the property of the creditor. Alternatively, he could become a permanent slave to the creditor and thus remain with his wife and children. He chose the latter option. He formally declared that he loved his master, his wife, and his children and refused the option of release. He went with his creditor to the local sanctuary to have his ear pierced before God as a sign of his interminable bondage.

Tobit's initial six-year period of servitude did not satisfy the total debt of his father. Consequently, Baruch had to surrender his daughter Shoshanna to the creditor. Her sale meant that she would become the wife of the creditor or possibly of his son, if the creditor so wished. The creditor decided to take young Shoshanna for himself. In doing so, he was mainly concerned to produce offspring to bolster the economic well-being of his household.

But Shoshanna was not able to bear children—in those days, it was only women who were thought to be infertile. The creditor was therefore displeased with her. He wished that he could sell her to visiting Assyrian merchants or to his neighbor to recoup his loss. But this type of sale was prohibited. Unfortunately, neither Baruch nor his kin could afford to buy Shoshanna out of bondage. The creditor might have sent Shoshanna to her father anyway because law required the creditor to provide her with shelter, clothing, and food. But he kept her on in his household because she was, by definition, a slave. She could thus at least work in his household. She could also provide him with sexual diversion when he felt it necessary.

The foregoing tale articulates the laws and values found in the Covenant Code in Exodus 20:19–23:19. As noted earlier, the Covenant Code builds on the Laws of Hammurabi. Its debt-slave law in 21:2–11 builds specifically on Hammurabi Law 117 as a foundation and uses other laws from Hammurabi's text to flesh out the details. Hammurabi's basic law reads:

> If an obligation has come due for a man, and he sells his wife, son, or daughter, or he gives any (of them) (alternatively: he surrenders himself) for dependent debt servitude, they shall work in the house of their buyer or creditor for three years. In the fourth year their freedom shall be effected.[14]

Here a father may sell his wife, son, or daughter to pay off a debt that he has incurred, and the law may be read to indicate that he may also sell himself. The Covenant Code writers broke down the legislation and wrote two sets of laws on this topic. The first addresses the case of males who might become debt slaves (in Exodus 21:2–6):

> [2]If you acquire a Hebrew slave, he shall work for six years. In the seventh he shall
> go free, without further obligation. [3]If he came in by himself, he shall go free
> by himself. If he is the husband of a woman, she shall go free with him. [4]If his
> master gives him a woman and she bears him sons or daughters, the woman and
> her children shall belong to her master, and he (the male debt slave) shall go free
> by himself. [5]If the (male) slave should say, "I love my master, my wife, and my
> children; I will not go free," [6]then his master shall bring him to the God and bring
> him to the door or the doorpost. His master shall pierce his ear with an awl, and
> he will become a slave permanently.

The next unit of legislation deals specifically with a daughter who becomes a debt slave (Exodus 21:7–11):

> [7]If a man sells his daughter as a slave-woman, she shall not go free as male slaves
> go free. [8]If she is displeasing in the eyes of her master who has designated her
> for himself, he shall let her be redeemed. He shall not have power to sell her to
> a foreign people because he betrayed her. [9]If he designates her for his son, he
> shall treat her according to the law pertaining to daughters. [10]If he takes another
> (woman), he shall not withhold (the first wife's) food, clothing, and habitation.
> [11]If he does not do these three things for her, she may leave without further obli-
> gation; no payment is due.

Why does the Covenant Code allow a father to sell his daughter into slavery? The answer in part has to do with the view in Israelite law that female sexuality—the sexuality of a girl or woman—belongs to a man: a father, a husband, or a slaveholder. But more than this, the Covenant Code apparently saw a problem in its source text. If a daughter were to be given to a creditor to pay off a debt according to the rule in Hammurabi's laws, the creditor would no doubt take advantage of her sexually, especially because the woman would have to be unattached legally to another man.[15] Otherwise, her father would not be able to use her to pay off his debt, because her legal attachment would be to another male unassociated with the debt.[16] The Covenant Code telescopes the situation with a simple solution: the daughter sold into debt slavery must marry her new owner or his son.

Later in the collection, the Covenant Code appended a law that justified this legal reformulation of the law from Hammurabi's collection. Exodus 22:15–16 reads:

> [15]If a man seduces a maiden who is not betrothed, and he lies with her, he shall acquire her as a wife by paying the bride price. [16]If her father refuses to give her to him, he shall (still) weigh out silver as the bride price of maidens.

This legal footnote is probably based upon another earlier Near Eastern law. The Middle Assyrian Laws, originating from northern Mesopotamia between 1300 and 1100 BCE, include two parallel laws that say that a man who rapes or seduces an unbetrothed virgin must marry her.[17] In a case of rape, the assailant must hand his wife over to the virgin's father to be raped. If the rapist has no wife, he must pay the virgin's father triple the usual price for marriage to a virgin. In a case of seduction, the man who had intercourse does not need to hand over his wife, but he must still pay the tripled bride price. In both cases, the father has the right to refuse giving his daughter in marriage.

The Covenant Code included the rule on seduction (as opposed to rape) because this would have been closer to the situation imagined for sexual exploitation of a daughter in debt slavery.[18] The woman would have been effectively imprisoned, and such a power inequity would give the woman no choice but to "consent" to the creditor's advances. The Covenant Code simplified the penalty in its seduction law to a basic payment of the bride price. In the daughter debt-slave law, the Covenant Code removed the requirement of payment of the bride price to the father because he owed money to the creditor, who would have paid the bride price if this were a standard marriage arrangement. In these various laws, marriage was a way to legitimate sexual access to a woman, even after the fact. The law about selling a daughter as a debt slave moved such a legitimating marriage to the beginning of the transaction and thus made the daughter a lifetime slave wife of the creditor or his son.

An associated law in the Covenant Code says that if the creditor gives the debtor's daughter to his son, he is to treat the woman "according to the law pertaining to daughters" (Exodus 21:9; see citation above). This does not mean that the woman gains the status of a free woman but that the father-in-law cannot have sex with her. Hammurabi's laws include regulations about a father's sexual access to his daughter or daughter-in-law, and the Covenant Code appears to be referring to prohibitions such as these.[19]

The Covenant Code is concerned in other ways about sexual access to slaves. As noted above, the Laws of Hammurabi allow a debtor to sell his wife as a debt servant. The Covenant Code does not address this directly. But the law about a male slave cited in full above says that "if he [a male debt slave] comes in by himself, he shall go free by himself; if he is a husband of a wife, his wife shall go free with him" (Exodus 21:3). This appears to be saying that a wife by herself cannot enter into debt slavery. She comes in only with her husband. This regulation makes sense as part of the Covenant Code's attempt to control creditors' sexual access to women. It is theoretically less likely that the creditor will have sex with a woman whose husband is with her.

The law about the male slave also speaks of a case in which the creditor gives a male debt slave a wife and they have children. When it comes time for the release of the male debt slave, he can go free without his wife and children, or he can remain with his family by submitting himself to permanent slavery. The reason his wife and children cannot go free with him is that she is a chattel slave, and because of this, the children are chattel slaves. They are the possessions of the creditor. The father can remain with them only by himself becoming the equivalent of a chattel slave. Although this law overtly is concerned about the family relations of the slave, it is implicitly concerned about the creditor's use of the reproductive services of his slaves to increase his pool of slave labor. Thus, we see that the Covenant Code's concern about the sexual use of slaves is not so much a concern about the ethical treatment of another person as it is a concern about the legal avenues for using enslaved women's sexual reproductivity to increase slave labor. The marriage of the debtor's daughter to the creditor is also ultimately for producing slave labor. Note that if the creditor does not like the woman, he can let her be redeemed. In that culture, a chief reason a husband might not like his wife is her apparent barrenness.

In summary, the Covenant Code's reaction to the institution of debt slavery in Hammurabi's text is not to do away with it. Rather, it accepts debt slavery as legitimate and only answers technical questions that might arise in implementing the regulations. The modifications do not arise from ethical considerations but from problems inherent in legal logic observed in Hammurabi's laws. Cosmetically, it appears to make slavery more palatable because it provides legal avenues to control the sexual and reproductive exploitation of debt slaves. The new legislation, however, makes debt slavery more repressive compared to Hammurabi's rules.[20]

Female Debt Slavery in Deuteronomy 15

Judith had been married only a few years when her husband went off to war and died in the battle in which king Josiah of Judah also died. Left with two young children, Judith found it hard to provide food and otherwise sustain the family. Although she derived some income from a small olive grove, she needed to take out subsistence loans to make ends meet. Her mounting debts finally caught up with her, and she was forced to enter debt slavery to her creditor. She did not have the option of giving over her adolescent son or daughter to help pay off the debt because at that time, society was beginning to frown on using one person's labor to pay off another person's debt. Only the debt holder himself or herself could become enslaved for this purpose. Nonetheless, from a practical point of view, her children did provide the creditor with labor as they worked alongside their mother. That ideal, however, masked an underlying case of exploitation.

The change in custom that allowed only a debt holder to labor to pay off a debt brought with it another change: women laborers were to be treated just like men. They could serve a limited term of just six years, or they could choose to become enslaved to the creditor for life. This new ideal, however, was hard to realize in the case of a woman. Male creditors were as likely as ever to take sexual advantage of women, and this happened tragically in the case of Judith. One day when she was working in the creditor's home and others were away, he forced her to have intercourse with him. The elders of the community debated her case because there was no clear law on the subject. They determined that, similar to a case where a man must pay a bride price for an unbetrothed virgin whom he rapes, the creditor now had an economic liability to the woman. They gave her the choice of allowing this liability to offset her debt and go free or to remain with the creditor as his slave wife and receive a payment. Judith chose freedom. She was not completely destitute, however, because the elders also ruled that if she went free, the creditor had to provide her with the now-customary payment given at the end of a period of debt servitude that provided debtors with a foundation for a new economic life. Judith's creditor gave her a sheep; a goat; and a substantial provision of grain, wine, and oil.

This story reflects an interpretation of Deuteronomy's laws on debt slaves in chapter 15 of that book. These laws are squarely based on and develop the Covenant Code's legislation, examined earlier (Deuteronomy 15:12–18):[21]

> [12]If your brother—a male or female Hebrew—sells himself to you, he shall work for you for six years; in the seventh year you shall send him away free from you. [13]When you send him away free from you, you shall not send him away empty handed. [14]You shall give him a gift from your flock animals, from your threshing floor, and from your press; what Yahweh your God has blessed you with you shall give him. [15]You shall remember that you were a slave in the land of Egypt and that Yahweh your God redeemed you. Therefore I am giving you this command today. [16]If he should say to you, "I will not go away from you," because he loves you and your household, because it has been good for him to be with you, [17]you shall take an awl and place it on his ear and on the door. He will thus be a permanent slave for you. Thus shall you also do with your slave-woman. [18]Do not let this matter be difficult for you, when you send him away free from you, because with double the productivity of a hired person he has worked for you for six years, and Yahweh your God has blessed you in all that you have been doing.

Deuteronomy makes a number of changes to the Covenant Code's treatment of women in debt slavery. A primary modification is apparently limiting debt slavery to those who hold the debt. Note that as opposed to Exodus 21:4–6 (cited earlier), Deuteronomy's law does not say anything about the creditor giving a male a wife and the couple's having children. Furthermore, the reason for a male staying with a creditor in Deuteronomy is that he loves the creditor, not the wife and children provided by the creditor as found in the Covenant Code. Hence, one of the main indicators that the male debt slave may be an unmarried male adolescent, and therefore possibly the son of the one holding the debt, is removed. In addition, Deuteronomy also eliminates the case of a father selling a daughter, as found in Exodus 21:7–11. In Deuteronomy, a female debt slave is treated just like a male. She serves for only six years (v. 12), though she may extend this to a lifetime of servitude (note the end of v. 17). Thus, Deuteronomy removes another main indicator of servitude by one other than the debtor.[22]

A question remains about the relationship of a female debt slave to the creditor in Deuteronomy's laws. Nothing is said about marriage in this revised legislation. Deuteronomy's law on rape in 22:28f, similar to the Covenant Code's law on seduction (cf. Exodus 22:15f, cited earlier), may indicate that an unmarried female debt slave has to marry a raping or seducing creditor. But the rape law of 22:28f, which deals with a maiden and therefore one who is legally dependent upon her father, does not exactly fit the case of an independent debt-laden woman who enters servitude in chapter 15. Deuteronomy has not written decisive legislation on the matter. All that can really be said is that if according to 15:16f a woman were to decide to remain permanently with the creditor and declare that she "loved" him, this might allow for that relationship to be realized by marriage.[23]

Deuteronomy's reformulation of the Covenant Code's debt-slave laws reflects certain ethical improvements. Besides stressing individual responsibility and rejecting the enslavement of dependents, it overlays its consideration of debt slavery with the theological rationale that the creditor must pass the blessing he has received on to his departing debt slave in the form of a gift. Deuteronomy also emphasizes the ethnic relationship of the poor to the creditor by calling the debt slave a "brother," and in speaking of sending the enslaved debtor away, as the Hebrew says literally, "from with you," meaning perhaps away from the creditor's economic protection. Deuteronomy seems to assume that the creditor will only treat the slave well, so well that he or she will want to remain with the creditor after working off the debt. Further, the omission of a creditor's giving a wife to a male debt slave and a father's giving his daughter may seek to end legal authorization for increasing a creditor's labor pool through the procreation of slaves.

These revisions indicate that Deuteronomy's authors sensed difficulties with the debt-slavery law of its source. But it did not reject the practice. It used enhancements in theological and ethical descriptions to justify the institution. Such coloring is an idealization of a practice that in reality subjected certain human beings to the interests of others.[24]

The utopian character of Deuteronomy's law is revealed in the story of an attempt to enact the law as told in the book of Jeremiah 34:12–17. King Zedekiah forged a covenant that required the Israelite nation to set free all slaves who were fellow Israelites, both male and female. The entire people agreed but then reneged on the covenant, reenslaving both male and female slaves. Jeremiah delivers a ringing condemnation of this behavior. The language of the passage primarily reflects the legislation of Deuteronomy 15.

Debt Servants and Chattel Slaves in Leviticus 25

Joab fell upon hard times and was compelled, along with his wife and three children, to enter servitude in his creditor's household. There they were to labor as a family to pay off the debt that Joab had accrued from a failed trading operation. When the family arrived at their creditor's place, he announced to the destitute family that they were not true slaves. This status, he said, was reserved for foreigners that he had bought on the slave market, captured in war, or inherited from his father's estate. The creditor assured Joab that he and his family would be treated kindly, as if they were resident hired persons. The creditor told Joab that he should not worry if he saw any chattel slaves beaten. The law allowed this treatment only of foreign slaves; Joab and his family, as Israelites, would not be treated so callously.

Nevertheless, the creditor reminded Joab that there was a downside to his indenture. Though Joab and his family would be treated relatively well, they would have to work for thirty-seven years to pay off the debt. A new law had recently been instituted that rescinded the previous custom of six years of labor and replaced it with a requirement that debt labor coincide with the nationally observed jubilee year, which came every fifty years, and when all debts were canceled. Although those entering servitude just before the jubilee might work for only a year or two, others entering servitude just after the jubilee year might labor for their whole lives. Joab and his family landed on the long side of the jubilee cycle. Nonetheless, their creditor comforted them by noting that the nation was now living the divinely ordained Sabbath cycles, which would assure countrywide blessing and political security.

As the period of indenture began, a tragedy befell Joab and his family: his wife Miriam fell sick and died. But Joab had proved himself such a valuable worker that his creditor gave him a wife, Asenath, an Egyptian, from among his chattel slaves. This wife bore Joab two children, and they became Joab's delight as they grew.

The years passed, and when the jubilee came, all debts were canceled throughout the land. Joab, now quite old, was released with his children, including the two children born by Asenath. But Asenath remained with her owner because she was his property. Joab said goodbye sadly, and he and his children returned to their ancestral land and holdings to start a new economic life and to hope for financial success in the next jubilee cycle.

This tale reflects an interpretation of the debt-slave laws of the Holiness Legislation in Leviticus 25. This chapter presents a mix of elements that both improve and make worse the lot of a debt slave:

> 39When your brother becomes reduced to poverty with you and sells himself to you, you shall not make him labor as a (chattel) slave. 40He shall be with you like a resident hired person. He shall work with you until the jubilee year, 41and (then) he will go out from with you, he and his children with him, and return to his family, and return to his ancestral holding, 42for they are my slaves whom I brought forth from the land of Egypt. They must not be sold as (chattel) slaves are sold. 43Do not dominate them harshly, but fear your God. 44However, your male chattel slave and female chattel slave which belong to you from the nations around you, from them you may purchase male chattel slaves and female chattel slaves. 45Likewise from the resident immigrants with you, from them you may purchase (chattel slaves), and from their families which are with you, who bear children in your land. They will be your inheritable property. 46You may pass them on as an inheritance to your children after you, to take possession as inheritable property; permanently you shall extract labor from them. But you Israelite brothers shall not dominate one another harshly.

One way the Holiness Legislation ostensibly improves legislation about slaves is changing the terminology used. It avoids referring to debt slaves with the Hebrew terms for slaves used in the Covenant Code and Deuteronomy. It reserves these terms for foreign slaves in verses 44–46. This is really only a superficial change, because the individuals are still enslaved—they must relocate to live with the creditor and are under his or her authority. We can therefore justifiably still refer to them as slaves. The Holiness Legislation's distinction between debt and chattel slaves reinstates a distinction in Mesopotamian law, including in the Laws of Hammurabi.[25] The Covenant Code actually conflated legislation on debt and chattel slaves to create hybrid slave laws that spoke of both types of subjected individuals at the same time.[26]

In contrast to earlier laws about debt slaves, the Holiness Legislation's laws do not speak of female Israelite debt slaves. This may be a function of reserving the terminology for slaves to foreign slaves. When these slaves are discussed, the female appears (see v. 44). Without a specific term for an Israelite female debt slave, the Holiness Legislation cannot easily speak about them distinctively in its legislation. It is left to use the term "brother" (see v. 39), taken over from the laws of Deuteronomy. In Hebrew idiom, this can include females even though they are not specifically described. The main reason the Holiness Legislation does not speak about female versus male debt slaves, however, appears to be its overriding interest to distinguish between native debt slaves and foreign chattel slaves. In other words, the Holiness Legislation explores a legislative dichotomy different from that of the Covenant Code and Deuteronomy: Israelite versus foreign, rather than male versus female.

The only place where the Holiness Legislation hints at the role of females is the phrase that says "he will go out from with you, he and his children with him, and return to his family, and return to his ancestral holding" (v. 41; also v. 54). The topic of releasing the children was probably prompted by the Covenant Code's saying that the children of an Israelite debt slave and a chattel slave woman belong to the creditor and are not to be released (Exodus 21:4). The law in the Holiness Legislation may mean that the children of a slave wife given to the bound male debtor are to be released. That nothing is said about a wife here may indicate that a slave wife remains the property of the creditor and is not released.[27] Thus, for the Covenant Code, the status of the children of a chattel slave wife follows that of their slave mother, whereas in the Holiness Legislation their status follows that of their free father.

A more concrete improvement in the Holiness Legislation is its prohibition of the harsh treatment of Israelite debt slaves. Such slaves are to be treated like resident hired workers, without severity, that is, without beating the slaves to make them work. The Covenant Code, on the other hand, allowed such beating, even to the point where the slave might die, as long as the death did not occur the same day as the beating. It prescribes (Exodus 21:20f):

> [20]If a man strikes his male slave or his female slave with a rod and he dies under his hand, he shall be avenged. [21]But if he endures for a day or two, he shall not be avenged, because he is his property [literally: silver].

But the laws of the Holiness Legislation worsen the fortune of debt slaves, mainly by making the length of enslavement match the jubilee period—a period of national rest declared every fifty years. This is partly a development of the custom of debt release every seven years as described in Deuteronomy 15:1–11.[28] The other influences on the Holiness Legislation's jubilee are not clear, but it may have been an idealization of the custom of monarchs in the ancient Near East announcing the national release of debts. According to the logic of the jubilee law, a slave entering servitude just before the jubilee occurs would be subjugated for a relatively short time. But one entering just after the jubilee year would be subjugated for close to fifty years, nearly if not a whole lifetime. For this reason, the Holiness Legislation omits a law whereby the debt slave enters permanent servitude, as found in the Covenant Code and Deuteronomy; it would be superfluous.

The text also moves in a direction contrary to our contemporary ethical sense as it seeks to improve the case of native debt slaves by explicitly allowing for harsh treatment of foreign chattel slaves. But for one on the inside of Judean society, especially at a time when foreign domination led to the destruction of the Judean kingdom, its capital city and the temple there, such a prescription might sound wholly justified. In fact, Babylonian oppression may have led to the sharp articulation between slave types in the Holiness Legislation.

The Holiness Legislation has another significant passage about a female slave. Leviticus 19:20–22 presents a law about a man who has intercourse with a female slave designated for another man, when that woman has not yet been redeemed or given freedom. The law states that the two of them are not to be put to death for adultery because the woman is not yet free. (For the execution of adulterers, see Leviticus 20:10; cf. 18:20, 18:29.) But the man must still present some sort of remedy for the impropriety of his act; in this case, he is to sacrifice a ram as an offering of reparation at the sanctuary.

What is the status of the woman in this law? Here, the Holiness Legislation uses slave terminology for the woman, and therefore it is possible to think that she is a chattel slave. But when Leviticus 19:20 says that the woman has not yet been redeemed, it must include and may only refer to an Israelite debt slave because redemption is not primarily applicable to one who is a chattel slave.[29] For many casual readers of the Hebrew Bible, it may be a cause of consternation that a victim's slave status is a factor that mitigates the penalty imposed on a wrongdoer. But this is a common perspective, not only in the ancient Near East but also in biblical legal ethics (cf. Exodus 20:20f, 20:28–32).

Conclusion

As we have seen, the biblical slavery laws do more than just legislate. They are vehicles of ideological expression to define Israel in a context of foreign domination and call attention to the power of Israel's deity. An ideological function may also be perceived in other passages dealing with slavery in the Hebrew Bible. Genesis 9:20–27, for example, tells the story of Ham's seeing the nakedness of his father, Noah. When his father realizes what happened, he curses Ham's son, Canaan, and blesses Ham's brothers, Shem and Japheth, who covered their father's nakedness. Noah says:

> [25]Cursed be Canaan. He shall be a slave of slaves to his brothers. [26]...Blessed be Yahweh, the God of Shem. Canaan shall be their slave. [27]May God expand Japheth. May he dwell in the tents of Shem. May Canaan be their slave.

The passage seeks to justify the enslavement of Canaanites by Israelites and Judeans. According to Genesis 10:15–20, the inhabitants of Phoenicia, Syria, and Canaan—the latter being the land in which the Israelites and Judeans would settle, according to the biblical story—were thought to be Canaan's descendants. The curse on Canaan to be a slave to Shem, which includes the Israelites, in Genesis 9 correlates with the prescription for chattel slavery in Leviticus 25:44 that says: "Your male chattel slaves and female chattel slaves which belong to you from the nations around you, from them you may purchase male chattel slaves and female chattel slaves."

That Canaan's curse reflects the politics of the first millennium BCE is consistent with the drift of many of the other stories in Genesis. They are not accounts of actual ancient history but stories written in the first millennium that seek to explain and justify international and Israelite tribal relationships at that time. This is why some of the wives of Abraham and Jacob are portrayed as slaves: their lesser status explains the lesser status of the nations or even Israelite tribes that are described as descending from them genealogically.

That biblical law collections use and revise sources, and that both law and narrative serve ideological purposes points to the need for a careful historical reading of the biblical text before considering how it might bear on public policy, if at all. Assertions that the rules and morals found in the Hebrew Bible have direct application in the modern world are simplistic and lack critical rigor and academic support. My analysis indicates that the Bible does not so much provide answers but presents problems and questions for debate. The revision of law by successive biblical authors provides a model for the modern reader who seeks to read the text with appreciation, and it charts a way for religion to be self-critical. Just as each of the biblical law collections questioned and recast aspects of the earlier collections, so modern readers may question and even protest what the Bible says. They may also adopt behavior that incorporates principled perspectives derived from experiences and considerations broader than a reading of the Bible alone.

In modern discussions of ethical matters, the underlying questions that led to revisions in the biblical law are more important than the content of the law itself. Such questions can be as deceptively simple as, Under what conditions may one human being assert power over another? This question gains complexity when we remember that, in fact, certain human beings do possess power—often economic—over others. To what extent can the powerful coerce the dependent to do their bidding? Do periods of economic stress, such as the recession of 2008–2010, reveal patterns of behavior not entirely different from those described in Nehemiah 5:1–13 or other descriptions of debt slavery in the Bible? Other questions include those such as, How do international relations affect the formation of attitudes toward other humans? Do terrorist attacks like that of September 11, 2001 justify denial of basic human rights to those outside one's social or national group? The biblical texts may also get us to think about how the insularity of a community may create a mentality that leads to the subjection of others. Finally, a reading of the biblical slave laws may lead us to wonder if it is justifiable to deny human rights to individuals on the basis of *other* biblical laws or texts or to inflict archaic punishments as prescribed by the Bible. In short, although the Bible may provide a starting place for discussion, it is hardly the stopping place.

Notes

1. Genesis 12:16, 20:14, 24:35, 30:43, 32:6. The translation of the biblical text in this article is my own.
2. Genesis 24:35; cf. 30:43.
3. These include Abraham's slave wife Hagar and his other slave wives (Genesis 16:1–9, 21:9–14, 25:12; cf. 25:6); Jacob's slave wives Bilhah (29:29, 30:3–4, 30:7, 31:33, 32:23, 33:1f, 33:6, 35:22, 35:25) and Zilpah (29:24, 30:9f, 30:12, 30:18, 31:33, 32:23, 33:1f, 33:6, 35:26). The kings of Judah and Israel owned slaves, a manifestation of their prosperity but also power (2 Sam 20:3, 21:11; cf. 1 Sam 18:6). These are generally portrayed negatively compared to the patriarchs' slaves and slave wives.
4. Amos 2:6, 8:6; cf. 5:10–12.
5. Nehemiah 5:1–13. For (chattel) slaves among those who returned from Babylon in the Persian period, see Ezra 2:65; Nehemiah 7:67.
6. For a superb introduction to the academic study of the Hebrew Bible, see Marc Brettler, *How to Read the Bible* (Philadelphia: Jewish Publication Society, 2005) (also under the title *How to Read the Jewish Bible* [New York: Oxford University Press, 2007]). For discussions of the academic approach to the Bible from a Christian perspective with theological reflection, see James Barr, *The Scope and Authority of the Bible* (Philadelphia: Westminster, 1980) and Raymond Brown, *The Critical Meaning of the Bible* (New York: Paulist, 1981).
7. See William Schniedewind, *How the Bible Became a Book* (Cambridge: Cambridge University Press, 2004) for a discussion of the connection of scribal institutions with monarchy and a history of biblical scribalism.
8. Verse numbers follow the Revised Standard Version (in the Jewish Publication Society *Tanakh*, the verse numbering for the Covenant Code is Exodus 20:20–23:19). For an introduction to the different law collections of the Pentateuch, see Dale Patrick, *Old Testament Law: An Introduction* (Atlanta: John Knox, 1984).
9. For full discussion of the evidence, see David P. Wright, *Inventing God's Law: How the Covenant Code of the Bible Used and Revised the Laws of Hammurabi* (New York: Oxford University Press, 2009).
10. See Jeffrey Stackert, *Rewriting the Torah* (Forschungen zum Alten Testament 52; Tübingen: Mohr Siebeck, 2007) 282–302; and Bernard M. Levinson, "Is the Covenant Code an Exilic Composition? A Response to John Van Seters," in *In Search of Pre-exilic Israel*, ed. John Day (JSOTSup 406. London: T&T Clark, 2004) 272–325 at 283f. See generally Bernard M. Levinson, *Deuteronomy and the Hermeneutics of Legal Innovation* (New York: Oxford University Press, 1997).
11. See Israel Knohl, *The Sanctuary of Silence* (Minneapolis: Fortress, 1995); Jacob Milgrom, *Leviticus 17–22* (Anchor Bible Commentary 3A; New York: Doubleday, 2000) 1319–1364.
12. For passages of the Pentateuch belonging to the Priestly Source (=P) of the Pentateuch (which includes the Priestly Law and Narrative and the Holiness Legislation and Narrative), see Richard Elliott Friedman, *Who Wrote the Bible?* (New York: Summit,

1987) 246–255; for passages of the Holiness Legislation sorted out from Priestly Law and Narrative, see Knohl, *Sanctuary*, 104–106.

13. For a broad and insightful discussion of ethical criticism in the reading of literature, see Wayne Booth, *The Company We Keep: An Ethics of Fiction* (Berkeley: University of California Press, 1988).
14. For a translation of Hammurabi's Laws, see Martha Roth, *Law Collections from Mesopotamia and Asia Minor* (2nd ed.; Atlanta: Scholars, 1997) 71–142. Chap. 5 of Wright, *Inventing God's Laws*, provides an extensive analysis of debt slavery in the Covenant Code and discusses how these laws develop from the Laws of Hammurabi.
15. I thank Bernadette Brooten for making me aware of this dynamic in our early discussions about this essay.
16. The laws could theoretically embrace a case of a daughter returning home to live with her father as a widow or after divorce. But this would not be the primary case the law has in mind.
17. Middle Assyrian Laws, A, 55–56 (for a translation of these laws, see Roth, *Law Collections*, 153–194). There is debate about whether Near Eastern texts (including the Bible) consider women to possess their own sexuality, which raises the question of whether the terms "rape" or "seduce" in their modern sense are appropriate as a translation in cases such as this. Still, the texts make distinctions between forced intercourse and cases in which the woman is described as complicit to some degree, as found in the Middle Assyrian Laws (which are paralleled, respectively, by Deuteronomy 22:28f and Exodus 22:15f). Hence, I will use the terms "rape" and "seduction" in this relative and contextual sense, without attempting to flesh out the nuances and qualifications or larger cultural perspectives. For discussion, see Hilary Lipka, *Sexual Transgression in the Hebrew Bible* (Hebrew Bible Monographs 7; Sheffield, UK: Sheffield Phoenix, 2006) 245f and throughout.
18. Deuteronomy 22:28f is a parallel law but involving rape. See Wright, *Inventing God's Law*, 110–115 for a possible explanation of the relationship of this and Exodus 22:16f.
19. Laws of Hammurabi 154f.
20. It could be argued that the actual custom of debt slavery in Israel, as opposed to the Laws of Hammurabi, was more repressive, in which such slaves may have been enslaved for life (cf. Jeremiah 34, discussed later). Thus, the apparent lengthening of temporary debt slavery from Hammurabi's three to the Covenant Code's six years may have actually been limiting Israelite custom.
21. For a recent detailed analysis of the relationship of Deuteronomy's slave law to the Covenant Code, see Bernard M. Levinson, "The Manumission of Hermeneutics: The Slave Laws of the Pentateuch as a Challenge to Contemporary Pentateuchal Theory," in *Congress Volume Leiden 2004* (ed. André Lemaire; Vetus Testamentum Supplement 109; Leiden, Netherlands: Brill, 2006) 281–324; and Stackert, *Rewriting*, 142–164.
22. Only vv. 12 and 17 mention the female. The law is otherwise formulated in the masculine voice, as the translation given indicates. Some have argued that Deuteronomy's law originally only spoke of a male slave and that the phrases referring to females were later additions. See the "citation" of Deuteronomy 15:1 and 15:12 in Jeremiah 34:14, which does not include the female. But the Jeremiah citation is more of an interpretive paraphrase and may have omitted the female as part of this rendering.
23. Deuteronomy has another law about marriage to a slave woman. Deuteronomy 21:10–14 describes a case where an Israelite man goes to battle and takes a foreign female captive as a wife. After letting her mourn for a month for her apparently deceased mother and father, she becomes the man's wife. The benefit extended to her is that if the man turns out not to like her, she is to be freed and not sold as a slave because he has had intercourse with her.
24. Deuteronomy has another, short slave law (23:15f) with an ethical orientation: one is to give refuge to and not oppress a slave (apparently foreign) who flees his master (apparently because of harsh treatment).

25. See, for example, Laws of Hammurabi 196–214 for laws that include chattel slaves; and Laws of Hammurabi 115–117 for debt servants.
26. The passages in the Covenant Code that include both types of slaves at the same time are Exodus 21:2–11, 21:16, 21:20f, and 21:26f. This blending is probably to be seen in 21:32.
27. For discussion, see Milgrom, *Leviticus 23–27* (Anchor Bible 3b; New York: Doubleday, 2001) 2224.
28. The relation of seven-year cycles of debt release and debt-slave release is not made clear by Deuteronomy. Jeremiah 34, discussed earlier, interprets them as coterminous.
29. Milgrom, *Leviticus 17–22*, 1666, states that Leviticus 19:20–22 reflects a different source or tradition (i.e., Priestly) from Leviticus 25 (i.e., Holiness Legislation).

8

Early Christianity, Slavery, and Women's Bodies

Jennifer A. Glancy

Early Christian practices of slaveholding disturb me. I began to write about slavery in early Christianity because I wanted to know how it could happen that, twenty centuries ago, my fellow Christians saw nothing wrong with owning slaves. In the course of my research, I encountered the writings of many Christian scholars who asserted that slavery in the Roman Empire wasn't that bad. I knew that wasn't true. Roman slavery was different in significant respects from the images of plantation slavery familiar to most Americans. Roman slavery was not based on race, for example, and Romans ultimately freed a higher percentage of their slaves than Americans. Nonetheless, Roman slavery was brutal, vicious, and dehumanizing—a system of corporal or bodily control sustained by violence and the threat thereof. One dehumanizing practice common in the Roman Empire as well as the Americas was the treatment of slaves as the sexual property of their owners.

For generations of Christians, identification with the enslaved Israelites traveling toward a Promised Land of freedom has been a liberating strategy. As important as this strategy continues to be, I think it is also important to deal with the effect of slaveholding on early Christian communities. By confronting slaveholding's impact on these communities, we can begin to expose the diffuse but pervasive legacy of slaveholding on Christians today—a legacy that also insinuates itself more broadly into American civic life. Contemporary Christians find it less painful to recognize slaves among the first followers of Jesus than to acknowledge the role that slaveholders played in those circles. The presence of slaves in the first Christian communities does not pose a moral challenge to Christians today; the presence of slaveholders in those communities does. Why expose this shameful past? Because unrecognized, trauma does not simply disappear. Understanding the dynamics of ancient slavery, especially the dynamic of sexual exploitation, helps us recognize the lingering impact of slavery on contemporary Christian thought and practice.

I therefore raise a series of difficult questions. What did Jesus of Nazareth teach about slavery? Did conversion to Christianity have any impact on attitudes about slavery? How did the treatment of slaves as sexual property affect the development of Christian sexual ethics? And what does any of this have to do with women's bodies today?

We begin with the teachings of Jesus and Paul, teachings that carry the weight of biblical authority. As we will see, Jesus challenged his listeners to defy the status hierarchies of his day. Nevertheless, his teaching did not directly challenge slaveholders who might want to follow him. Paul proclaimed a gospel of freedom, yet his writings are inflected with the logic of slave relations. Ancient relationships of slavery were acted out at a bodily level: with a bold gait or a hesitant stride, with eyes staring boldly ahead or head lowered. Children learned to comport themselves in accordance with their statuses, slave and free. Baptism did not cancel a person's lifelong training as slave or free any more than it canceled lifelong training in what it meant to be male or female. Christian slaveholders continued to beat their slaves, even when those slaves were themselves Christian. These slaveholders also persisted in exploiting their slaves sexually. Ancient Christian theologians, who were far more likely to be slaveholders than slaves, demonstrated little if any awareness of the sexual vulnerabilities of slaves.

Christian indifference to the sexual exploitation of slaves continues to play itself out in various ways in contemporary churches and, more broadly, in modern American society. The impact of this legacy is complex. Effects vary for persons of differing social status, race, and age. For example, when a bishop treats a priest who has sexually abused a child as a wayward sinner who requires forgiveness and restoration to the clerical community while ignoring or minimizing the harm done to the child, the bishop's moral choices conform to the priorities of an ancient Christian tradition that exhibited scant concern for those who were unable to withhold consent to sexual activity. In a different vein, American society often denies persons of low social status the basic right to protect their own bodies. Many Americans view sexual violence in prisons, for example, as an ordinary component of state-mandated punishment rather than a violation of human rights. I hope that recognition of the pernicious impact of slaveholding on some of our typically unquestioned values and practices helps move us toward a sexual ethics that promotes the dignity of every person. In particular, I hope that Christian communities muster the resources to acknowledge the insidious impact of slavery on Christian sexual ethics and to work to eradicate the rotten fruits of that legacy. I will return to the implications of early Christian slaveholding for feminist sexual ethics at the close of this chapter.

Jesus, Paul, and Slavery

The Galilee, where Jesus grew up, was dominated by Rome in the first century. Slavery existed in Galilee, just as it existed throughout the Roman Empire. Although we do not have enough information to reconstruct the exact extent of slavery in the Galilee, Jesus' parables suggest that he was familiar with practices of slavery common throughout the empire. Jesus, who relied on imagery of fishing and agriculture in his parables, also relied on imagery of slaves and slaveholders. Paul, the most important writer of the first Christian generation, likewise exhibits familiarity with the institution of slavery. Jesus was acquainted with rural patterns of slavery; Paul was acquainted with urban ones. Neither Jesus nor Paul issues verdicts on the sexual use of slaves. Given the centrality of

Scripture to the lives and teachings of Christian communities, we will consider some key New Testament teachings related to slavery.

Although Jesus taught his followers to humble themselves, he did not condemn the institution of slavery. He did not grant slaves license to flee slavery. He urged his followers to act as slaves, not to liberate them. Jesus taught, "Whoever wishes to be first among you must be slave of all."[1] With this simple saying, he broke with the norms of the society in which he lived. Jesus related this teaching to the example of his own service and death: "For the Son of Man came not to be served but to serve, and to give his life as a ransom for many."[2] The Gospel of John, although it does not include this saying, narrates an episode that embodies its message. According to John, Jesus, in the hours before his betrayal, washed his disciples' feet and instructed them that they must likewise serve one another. "So if I, your Lord and Teacher, have washed your feet, you also ought to wash one another's feet. For I have set you an example, that you also should do as I have done to you."[3] Foot washing was a chore assigned to one of the least regarded slaves in a household, a role often played by women. By washing his friends' feet at the meal where he predicted his betrayal by one of those friends, Jesus defied the hierarchical and gender norms of his day. He embodied the part of the slave of all, a slave who desired "not to be served but to serve, and to give his life as a ransom for many."

John sets the scene for the foot washing. Imagine: Jesus leaves the place where he reclines at the table. He strips himself. He wraps himself in a towel, a towel he then uses to dry feet. When he finishes serving his followers, he dresses himself in his familiar garments and resumes his comfortable place at the table. The Beloved Disciple settles against him. To an ancient audience familiar with the practice of slavery, the image of a man kneeling to wash other men's feet graphically pictured Jesus' exhortation to his followers to imitate him by abasing themselves.

When I presented a draft of this chapter to the feminist theology group that meets at my church, Jesus' insistence that his followers should act as slaves elicited the sharpest discussion. We are a group of professionals and businesswomen, mostly White women and a few African-American women; some are Episcopalian, some Presbyterian, some Roman Catholic, and some with no use for organized religion. Our group includes women who struggle with addiction and women haunted by childhood abuse, both physical and sexual. Embracing the promise of a community without masters, some women spoke of the importance of participating in a community where all took turns washing feet. They spoke of what it meant to them to wash feet and, even more, to have their own feet washed. "Through love become slaves to one another," Paul instructs in his letter to the Galatians.[4] A number of women, however, expressed alienation from this teaching. After long struggles to define themselves apart from subordination and violence, it was too painful to embrace a self-image as a slave. Although I think that in Jesus' cultural context his instruction to become a slave of all subverted hierarchical relationships, I am sympathetic to those who are troubled by the teaching.

Despite the negative associations of the image for many feminists, I focus on the image of Jesus kneeling to wash feet in order to introduce the idea that ancient slavery was an embodied practice. As such, slavery was unquestioned in everyday life. Slavery conditioned bodies and perceptions of bodies. Individuals were trained at a basic level to stand, walk, and negotiate the world either as slaves or as free persons. A slaveholder who beat a slave did not consciously weigh the morality of her behavior. Slaveholders, like husbands and fathers, were expected to maintain order and decorum in their households. They used violence to do so. Jesus' commandment to his followers to be slaves to one another was countercultural because it urged them to adopt, consciously and voluntarily, the manner of a despised slave.

As I think about ways that bodies are trained to act out social roles, I rely on the concept of *habitus*, a concept I borrow from sociologist Pierre Bourdieu. He was concerned with what he called the logic of practice: ordinary and invisible operations by which a society perpetuates itself. Bourdieu adopted the Latin word *habitus*. In Latin, *habitus* refers to various dimensions of self-presentation: demeanor, bearing, expression, and posture, as well as manner of dress, especially mode of dress appropriate for a particular social status. For Bourdieu, *habitus* is "embodied history, internalized as a second nature and forgotten as history."[5]

What kind of knowledge is carried in the body? The knowledge of how loudly to laugh at a superior's joke, of how to braid hair (in one plait or many), of how to move through a crowd to avoid or attract attention—unquestioned things we seem to know instinctively. Through *habitus* a person is socialized, Bourdieu writes, "as an eldest son, an heir, a successor, a Christian, or simply as a man (as opposed to a woman)."[6] In other words, we carry knowledge in our bodies. Feminist philosopher Linda Martín Alcoff applies parallel logic to the knowledge that gendered and raced bodies carry in American society. "Greetings, handshakes, choices made about spatial proximity," she writes, "all reveal the effects of racial awareness, the assumptions of solidarity or hostility, the presumptions of superiority, or the protective defenses one makes when one routinely encounters a misinterpretation or a misunderstanding of one's intentions."[7] I find the concept of embodied knowledge helpful as I think about the ways that the practice of slaveholding affected the development of Christian sexual ethics.

"Slaves, obey your earthly masters in everything," writes the author of the Epistle to the Colossians.[8] What were the implications of this mandate for a believing slave whose owner expected sexual access? We have no way to answer this troubling question directly. There is no reason to think that slaveholders who were not church members had any motivation to modify their sexual behavior with Christian slaves. Perhaps some first- and second-century Christian slaveholders understood the gospel to require them to refrain from sexual activity with slaves, although no early Christian sources prescribe such a change in behavior.[9] Passages enjoining slaves to obey their owners also appear in the Epistle to the Ephesians, 1 Timothy, and Titus, all letters attributed to the apostle Paul.[10] I agree with the majority of New Testament scholars who dispute the attribution of these letters to Paul. They are part of the New Testament canon, but they are inconsistent with Paul's teachings in letters universally accepted as authentic. In his Letter to the Galatians, Paul proclaimed a new creation, no longer defined by the categories of the old creation. Paul writes, "For those who are in Christ there is neither Jew nor Greek, neither slave nor free, not male and female."[11]

But as Paul continues his argument in Galatians, he relies on the imagery of slavery. He develops an elaborate allegory based on distinctions between the free body of the matriarch Sarah, Abraham's wife, and the enslaved body of her slave Hagar. The story is from the Book of Genesis. Barren, Sarah gives Hagar to Abraham as a sexual surrogate. Hagar bears Abraham a son, Ishmael. After Sarah bears her own son, Isaac, Hagar and Ishmael are abandoned to the desert. In Paul's allegorical interpretation, Hagar symbolizes "the present Jerusalem," that is, the Jerusalem church, while Sarah symbolizes "the Jerusalem above." Although the details of Paul's allegory need not concern us, Sarah and Hagar are central to the story I tell in this essay, and we will return to them, to the imperious slaveholder and the frightened slave. For now, though, I simply want to point out the tension between Paul's proclamation of an end to the distinction between slave and free and his subsequent reliance on imagery that depends on a distinction between the bodies of free women and the bodies of slave women. Paul's development of the Sarah-Hagar allegory does not explicitly sanction slavery. He does not, in the letters authentically attributed to him, dictate a one-sided obedience of slaves to slaveholders. Nonetheless, his choice of imagery suggests that the *habitus* of slavery imbues his thinking. The figures of Hagar and Sarah were familiar to Paul from Scripture. An essential reality of slavery evoked by the story, the sexual availability of enslaved women, was also familiar to Paul, a citizen of the Roman Empire, from his own culture.

Bourdieu's concept of *habitus* helps us appreciate why it was difficult for the first Christian generations to recognize slavery as a moral wrong. John's narration of Jesus washing feet subverts status hierarchy, but it relies on the *habitus* of slavery to do so. Paul preaches a gospel of freedom, but he expresses this message in images that repeat embodied patterns of slave relations. These men simply take slavery for granted. In the next section, we consider more thoroughly the sexual exploitation intrinsic to ancient slavery. We also consider how such exploitation would have conditioned the bodies of women, both slave and free. What might the instruction to "become a slave to all" have meant to a woman, free or slave? Surely, Jesus did not mean that women should make themselves sexually available to all; yet for many women, sexual exploitation was central to their experiences of slavery.

Slavery, Freedom, and Women's Bodies

Roman culture was the matrix of early Christianity. Thinking about the effects of slavery on Christian bodies, on the bodies of women and men, of slaves and freepersons, requires awareness of the sexual dynamics of Roman slavery. In order to help us visualize the corporal impact of slave relations, we will focus on a character well known to ancient audiences, the Trojan Queen Hecuba. Hecuba's reduction to slavery brings into sharp relief the contrast between the sexual conditioning of free bodies and of slave bodies.

In the mid-first century, around the time that Paul wrote his letters to Christian communities from Asia Minor to Rome, the Roman philosopher and playwright Seneca composed a play entitled *The Trojan Women*. The plot of *The Trojan Women* focuses on the fate of the royal women of Troy who become captives of the Greeks after the final defeat of the city at the end of the long and bitter Trojan War. The women, like other war captives throughout antiquity, are destined to be sold as slaves. They await news of the identities of their new masters, the very men who have slaughtered their husbands, sons, and brothers.

Hecuba, Trojan queen, addresses the women of the vanquished city to prepare them for inevitable enslavement. She speaks to her companions in defeat: "Let the crowd expose its arms in readiness; ungird your breasts, letting fall your garments, and let the body be stripped even to the womb. For what marriage do you cover your breasts, O captive modesty [*pudor*]?"[12] Hecuba declaims, at once appropriately and ironically, with royal authority. Shaping her elocution is a lifetime of privilege, but that privilege, with Troy itself, is burnt to ash. The women to be distributed as booty include Hecuba, her daughters, and her widowed daughters-in-law.

Seneca visually dramatizes reduction of status by contrasting the modest dress of a free woman and the shameful exposure of an enslaved woman. Because the royal Trojan women have lost the ability to shield themselves from the intrusive gaze and touch of men, Hecuba charges them to bare their breasts. Then, she sighs, "There, this manner of dress [*hic habitus*] satisfies me." The training and habits of a lifetime shape Hecuba's royal countenance as she commands her subjects, now her former subjects. A garment can be slipped off the shoulders and knotted about the hips, but a deeply cultivated habit of authority cannot be so easily dropped. Romans expected that they should be able to recognize, by dress and other details of a woman's self-presentation, her status. According to Roman law, liability for an insult against a respectable young woman was lessened if the woman was dressed in a manner more appropriate to a slave.[13] Hecuba's words are thus bitter. The royal women will no longer dress to signify sexual exclusiveness but rather sexual availability.

In Elaine Fantham's translation, Hecuba directs her remarks to the personification of "captive modesty." "Modesty" is Fantham's translation of the Latin word *pudor*, a word that cannot be captured in a single English word or phrase.[14] *Pudor* connotes not only modesty but also a sense of shame, chastity, an awareness of what is proper, and attention to propriety—especially sexual propriety in conduct, dress, and speech.[15] *Pudor* evokes not only chastity but also a reputation for chastity. *Pudor* belongs to the free woman. The personification of *captive pudor* to whom Hecuba speaks is thus a paradoxical creature, for the slave, in elite Roman eyes, lacks *pudor*.[16]

Inability to maintain corporal integrity, vividly evoked by Hecuba in her directions to the Trojan women to disrobe, characterizes the condition of a slave. An elite woman, previously assured that her status protects her against sexual violation, confronts the familiar realities of slavery with new eyes. She no longer views the slave's sexual availability with contempt but with horror. As slaves, as sexual property, the Trojan women must retrain their bodies, exposing themselves to the gaze of men outside their own families. What would it mean to become the slave of all? Consignment to the category of slave undermined a woman's claim to chastity (*pudor*). Even an enslaved woman who avoided sexual use by her owner lacked the reputation essential to *pudor*. The fact of enslavement cast doubt on her sexual history. The freeing of slaves was common in the Roman Empire, far more common, of course, than reduction of royalty to the status of chattel. Freed slaves, however, did not enjoy the same social status as freeborn persons. Their bodies, habituated by a lifetime of slavery, conveyed a sense of continuing subordination. In particular, freedwomen, who had been vulnerable in their youth to the sexual appetites of their owners, could not enjoy the same reputation for *pudor* enjoyed by freeborn women.

Seneca the Elder, the father of the philosopher and playwright Seneca, composed a series of fictional legal disputes. In one of these invented debates, an elite freeborn woman's bid for a priesthood was challenged because she had been kidnapped, enslaved, and forced to display herself in a brothel, even though she claimed to have maintained her virginity, in the end by killing an armed man who tried to force her to have sex—a wildly implausible scenario. Although the woman is vindicated by the trial, the arguments of her detractors illustrate the widespread ancient perception that female slaves had no claim to chastity (*pudor*). The detractors argued that, even if she somehow managed to avoid defloration, her vulnerability as a slave undermined her claims to sexual purity: "Do you regard yourself as chaste just because you are an unwilling whore?—She stood naked on the shore to meet the buyer's sneers; every part of her body was inspected—and handled."[17]

Elite authors cared more about the indignities and sufferings of women raised as aristocrats than about the indignities and sufferings of women raised as slaves. More fundamentally, they were *aware* of the potential indignities an aristocratic woman might endure but oblivious to any humiliation a slave woman might suffer. How did it affect enslaved children to grow up with the knowledge that they were the sexual property of their owners? What does the body learn from being stripped and fondled in public? What knowledge did slaves bear in their bodies, and how did this knowledge inform their moral imaginations? A child raised as a slave acts out the scripts of slavery at a bodily level. At the same time, she rewrites and resists these scripts in order to create meaning in her life.

The speech composed by the playwright Seneca for Queen Hecuba contrasts the sexual habituation of a free woman and the sexual habituation of a slave woman. The sexual vulnerability of an elite woman reduced to slavery elicited sympathy from an ancient audience, sympathy denied to women raised as slaves. As we will see, that indifference to the sexual susceptibility of enslaved women colored ancient Christian interpretations of the biblical figures of Sarah and Hagar.

Sarah and Hagar

Women and men who joined the early church did not shed their deeply habituated postures and manners when they walked into congregational gatherings. The waters of baptism did not wash away the lifelong branding of slave relations. Christian congregations welcomed slaveholders. We look in vain for evidence to suggest that most Christian slaveholders treated their slaves substantially differently than did pagan slaveholders. Christian slaveholders relied on violent means to discipline their slaves, who were sometimes their brothers and sisters in Christ. Moreover, the sexual dynamics of Roman slavery infected Christian practice. Christian congregations tolerated slaveholding members who sexually exploited household slaves. Indifference to the moral harm of sexual coercion persisted. We can trace the impact of ancient Christian toleration of sexual exploitation of slaves through interpretations of the biblical figures of Sarah and Hagar by two Christian theologians: the apostle Paul in the first century and the esteemed fourth-century bishop of Milan, Ambrose. Paul and Ambrose did not view the habituation of slave women to sexual exploitation as morally problematic. In fact, they blamed Hagar for her desperate plight. Paul and Ambrose do not, however, exhaust Christian interpretation of Hagar. American Christian interpretations of Hagar demonstrate that this same biblical text can be a resource for women, especially Black women, who resist oppression.

So deep was Paul's conditioning by the *habitus* of slavery that he could move from a conscious declaration that the categories "slave and free" were outmoded in the new creation (Galatians 3:28) to his development of the Sarah-Hagar allegory in Galatians chapter four, an allegory I have already introduced. In his critique of the Jerusalem church, which is assimilated in the allegory to Hagar, Paul writes, "But just as at that time the child who was born according to the flesh [Ishmael, son of the slave woman Hagar] persecuted the child who was born according to the Spirit [Isaac, son of the free woman Sarah], so it is now also. But what does scripture say? 'Drive out the slave and her child; for the child of the slave will not share the inheritance with the child of the free woman.' "[18] Genesis, however, does not narrate a persecution of Isaac by Ishmael. According to Genesis, when Sarah sees Isaac and Ishmael playing together, she demands, "Cast out this slave woman with her son; for the son of this slave woman shall not inherit along with my son Isaac."[19]

Paul closes the allegory without telling the whole story. He does not mention that God responds to Hagar's distress by assuring her that her son, like Sarah's son, will be the ancestor of a great nation. He does not mention that at Hagar's bleakest moment when she turns away from her own son because she cannot stand to see him die of thirst in the desert, God meets her in her distress. A spring moistens the arid desert. Paul does not temper his midrash, that is, his version of the Genesis story, with sympathy for the moral position of the slave. Quite the opposite. In Paul's version, the free woman's hostility is attributed to the slave child, and the slave woman's encounter with her God is left untold. Paul's interpretive choices are shaped by the slaveholding *habitus* of the early Roman Empire.

Ambrose, the fourth-century bishop of Milan, was a descendant of an established and well-placed Roman family. At the time he wrote, Christianity had been administered as the imperial religion. Old habits die hard. The slaveholding men in Ambrose's churches were still conditioned by ancient Roman *habitus* to assume as a matter of course that they had the legal, cultural, and moral right to use their slaves sexually. In an essay on Abraham, Ambrose commented on the story of Sarah and Hagar. The biblical account of Abraham conceiving a son by his wife's slave created a problem for Ambrose. If Abraham could carry on with a female slave, a Christian man might ask, why can't I? Ambrose offered several justifications for his counsel to men to avoid sexual relations with their slaves. He told men that they, like their wives, were obligated to sexual exclusivity. He also pointed out that some wife might take her husband's sexual liaison with a slave as a pretext for divorce. He urged women, in turn, to refrain from jealousy.

Most of all, Ambrose sympathizes with Sarah's perception of Hagar as "uppity." He apparently perceives the same phenomenon in his own world. A female slave who is her owner's concubine, he writes, becomes arrogant and insolent toward her mistress.[20] He knew that, regardless of his exhortations, many Christian men would continue to have sex with their slaves. He therefore wrote that Christian men who regrettably pursued sexual relations with their slaves should insist that those slaves subordinate themselves to their mistresses. Ambrose, like Paul, develops the implications of Hagar's story in the context of a cultural script unconcerned with the moral and physical costs of bondage for a slave. Paul blamed the enslaved child for the maltreatment of mother and child. Ambrose blamed the uppity slave woman for defying her mistress. Neither Paul nor Ambrose hinted at the moral harm done to the slave. They treated her as a source, not a victim, of immorality.

Ambrose's moral imagination centers on Abraham's choices rather than those of Hagar. Not all readers of the story share Ambrose's point of view. Indeed, as we shall see, Islamic tradition celebrates the faithfulness of Abraham's God to the slave woman Hagar and her son Ishmael. In her treatment of African-American appropriations of Hagar's story, Kimberleigh Jordan argues, "The actual *physical* location of the reader can also reflect one's experience of freedom and liberty. Where one's body is and how it is oriented serves as a canvas of learning."[21] Jordan argues that a reader's reactions to Abraham and Hagar depend "on his or her relationship to embodied power."[22] Gender, race, and privilege (or lack of privilege) shape our readings.

For example, Eliza Poitevent Nicholson was a Southern White Christian woman. She was also a newspaper publisher who engineered the recovery of the *New Orleans Picayune* from debt in the late nineteenth century. Nicholson composed a narrative poem entitled "Hagar." Nicholson's Hagar was a resourceful woman whose devotion to Abraham was unreciprocated. To conclude her poem, Nicholson composed these words for Hagar to address to Abraham:

> The wrongs that you have done this day
> To Hagar and your first-born, Ishmael,
> Shall waken and uncoil themselves, and hiss
> Like adders at the name of Abraham.[23]

Unlike Paul and Ambrose, Nicholson, with her distinctive history as a woman wrangling with powerful men in the publishing trade, was able to imagine Hagar as a woman capable of speaking against the powerful man who wronged her.

The figure of Hagar has been especially important to African-American women. Ambrose of Milan was unable to feel the moral and physical harm done to Hagar. African-American women, however, have felt that harm in their bones. Jordan writes that African-American women "have known unfreedom through their bodies—the Middle Passage, enslavement, rape, poor labor conditions, parenthood, segregation, poverty, and so forth. For the most part, their lives can be seen as an embodied interpretation of Hagar."[24] From the period of slavery to the present, many African-American women have explicitly named themselves daughters of Hagar. In a classic work of womanist theology, Delores Williams lays out the significance of Hagar for Black women's religious experience. Black women have known sexual exploitation, betrayal by White women, hunger, abandonment, and single motherhood. But, like Hagar, they have carried on. In their survival, as in their struggles, they have known that God is with them.[25]

Habitus is conservative, even tenacious. When we come into contact with new information and new symbolic patterns, we are likely to react out of our primary conditioning, particularly our training in gender and social status.[26] As Linda Martín Alcoff comments of American society, "race and gender consciousness produces habitual bodily mannerisms that feel natural and become unconscious after long use; they are thus very difficult to change."[27] So Seneca's Hecuba, waiting to learn the name of the man who will be her master, still speaks as queen. Ancient Christians who heard the Pauline baptismal formula proclaiming that within the body of Christ there was no slave or free, no male and female, continued to act out of deeply conditioned *habitus*.[28] So, ultimately, without making a conscious choice to replicate the gender and status divisions of Roman society within the churches, Christians translated their training in what it meant to be human, a humanity always incarnate in a body marked by gender and social location, into their prescriptions for what it meant to live as Christians. Seneca's powerful depiction of Queen Hecuba helps us apprehend the distinction Roman culture created between the sexually conditioned bodies of free women and of slave women. Interpretations of Hagar by Paul and Ambrose illustrate the degree to which ancient Christianity was shaped by and perpetuated a slaveholding *habitus*.

Paul and Ambrose are not the only Christian interpreters of Hagar, however. Women interpreters, especially African-American women, approach the story of Sarah and Hagar from their own cultural locations. I will return to the story of Hagar at the conclusion of this chapter as I consider resources for articulation of a feminist sexual ethics. Before that step, I examine the story of another Roman woman, a story that highlights the different ways in which Romans viewed the sexual violation of free woman and the sexual use of enslaved women. This distinction between women who deserve protection and women who do not persists in American thinking today in both public and private spheres.

Lucretia

The legend of Lucretia dates to the early Roman Republic, long before the rise of Christianity. Throughout antiquity, Christian theologians, steeped in Roman culture, continued to rely on the legendary Lucretia to illustrate their arguments on women's chastity. The story of Lucretia offers another example of the horror elicited by the sexual violation of freeborn women among elite Romans, including, eventually, elite Christians. In this section, I contrast this horror with the casual Christian acceptance of the vulnerability of slave women to sexual violence.

According to legend, Lucretia was the wife of the soldier Collatinus, who boasted to his fellow soldiers in military camp about his wife's virtue. He convinced them to ride by night to his home. Although other wives were notorious for attending banquets in their husbands' absence, the beautiful and virtuous Lucretia spent her time spinning wool, even into the night. When the company of soldiers arrived, unannounced, they found Lucretia hard at work. The sight of the virtuous Lucretia inflamed Tarquinius, the son of the last king of Rome. He was at least as impassioned by her virtue as her beauty. Tarquinius later returned to seduce the chaste wife. When Lucretia refused his advances, he threatened to kill her and one of his own male slaves. He taunted that he would place the corpses together in bed and then announce that he killed them because he caught them having sex.

Pudor, specifically, the horror that others would believe her body had been sexually penetrated by a slave, induced Lucretia to capitulate to Tarquinius's sexual demands. Afterward, she sent for her father and husband from their military encampment. After narrating the events, she begged them to avenge the wrong. Both father and husband assured her that she was not guilty. The Roman historian Livy claims that she replied, "Though I acquit myself of the sin, I do not absolve myself from punishment; nor in time to come shall ever unchaste woman live through the example of Lucretia."[29] With that, she plunged a sword into her own breast and died. The incident supposedly incited sufficient anger to catalyze the revolt that brought the Roman monarchy to a close.

Because Christians were shaped by Roman *habitus*, the legend of Lucretia exerted a powerful hold over their imaginations. For example, Jerome, a fourth-century Christian theologian, wrote, "The virtue of a woman is, in a special sense, purity. It was this that made Lucretia the equal of Brutus, if it did not make her his superior, since Brutus learnt from a woman the impossibility of being a slave."[30] (Brutus led the revolt against the Roman monarchy.) What does Jerome mean by his statement that Lucretia taught "the impossibility of being a slave"? For Jerome, it seems, only a free woman could be truly virtuous. The absence of *pudor* was the daily lot of many female slaves. In her unwillingness to live with compromised *pudor*—to live, that is, like a female slave—Lucretia embodied the special virtue of a woman, a virtue associated with her legal and social status as a free woman.

The moral importance of a woman's physical integrity became an obsession among many early Christians—an obsession defined as a woman's quintessential virtue. Such virtue was not equally accessible to all women. Only in unusual circumstances did a free woman deal with the question of whether forcible sexual violation compromised her honor. Slave women faced this dilemma routinely. Lucretia's story points to the tensions in ancient Christian attitudes toward the virtue of slaves, who had no choice in their sexual use by their owners. The failure of Christian sources to consider the choices of slaves confronted by forcible sexual demands underscores the degree to which a Roman *habitus* conditioned Christians to accept the sexual vulnerability of servile bodies.

A partial exception to this rule is Basil of Caesarea. Basil, who wrote in the fourth century, believed that the fact of slavery or of freedom informed a person's very potential for virtue. He cited as a mystery why a wicked person flourished while a righteous person suffered, "why one man is a slave, another free, one is rich, another is poor (and the difference in sins and virtuous actions is great: she who was sold to a brothelkeeper is in sin by force, and she who immediately obtained a good master grows up with virginity)."[31] Sensitive to the constraints under which women were forced to act, Basil specified that women who were corrupted by force should not be held responsible for that corruption. He added, "Thus even a slave, if she has been violated by her own master, is guiltless."[32] Nonetheless, as Bernadette Brooten notes in her introduction to this volume, Basil did not assign a church penalty to the Christian men who used their slaves as sexual outlets, although he was clearly aware of the prevalence of such behavior.

The situation of a free woman threatened by rape evoked consternation. The mundane situation of a slave whose owner made routine demands for sex did not. Basil's reasoning that a woman who was coerced to have sex against her will should be considered innocent was atypical among theologians of his era. Some Christian theologians praised women, at least elite women, who chose death over rape.[33] Ambrose of Milan excited controversy when he used the resources of the Church to redeem Christians who had been captured by pagans, a danger in northern Italy in the fourth century. He commented that it was good when "a man is redeemed from death, or a woman from barbarian impurities, things that are worse than death."[34]

Ambrose praised the legendary Pelagia of Antioch. Pelagia, threatened with rape, dressed herself as a bride and killed herself. The would-be rapists turned their predatory attention to Pelagia's mother and sisters. The mother and sisters drowned themselves. They chose a baptism, Ambrose eulogized, after which they could not sin.[35] Ambrose composed a speech for Pelagia that underscored the relationship of liberty to chastity (*pudor*): "I die willingly, no one will lay a hand on me, no one will harm my virginity with his shameless glance, I shall take with me my purity and my modesty unsullied...Pelagia will follow Christ, no one will take away her freedom, no one will see her freedom of faith taken away, nor her remarkable purity."[36] Pelagia died willingly. She followed Christ, in Ambrose's view, by refusing to be a slave to all. She died with liberty and *pudor* intact.

Ambrose was aware of the sexual vulnerabilities of slaves. Commenting on the story of the patriarch Joseph—who was, as a slave in Egypt, the target of his mistress's sexual overtures—Ambrose wrote, "It was not within the power of a mere slave not to be looked upon."[37] Yet, as we have seen, when Ambrose wrote about Abraham and Hagar, he did not express concern for Abraham's injury to Hagar's chastity. Nor did he suggest that Hagar, like Pelagia, should have killed herself to avoid sexual tainting. For Ambrose, Hagar's sin was not a violation of chastity, apparently because Ambrose considered her beneath chastity. Her sin, he alleged, was haughtiness toward her mistress.

Would choosing life over death have been praiseworthy for a slave threatened with rape by her owner? That such questions did not arise for Christian writers attests to their deep-seated habituation to the privileges of free bodies and the vulnerabilities of enslaved bodies. The possibility that a slave woman would be sexually violated against her will did not produce the horror elicited by the forcible sexual violation of a free woman.

In *The City of God*, Augustine drew on the Lucretia legend to discuss chastity. Augustine relied on Lucretia to challenge Christians who, like Ambrose, held that forcible sexual violation entailed moral compromise.[38] Augustine reasoned that, if purity could be sullied against a person's will, then purity would rank not among virtues but among bodily goods. He concluded that if a woman was sexually penetrated against her will, she remained as pure as she was prior to the violation.[39] To make his point, Augustine returned to the example of Lucretia. He judged her guilty of murder. Augustine's logic was, if Lucretia did not share Tarquinius's lust, then taking her own life entailed killing an innocent woman. Her guilt as a murderer was mitigated only if she secretly shared Tarquinius's lust.[40] Augustine contrasted conventional conceptions of *pudor* and the proper chastity of a Christian woman. His take on the story of Lucretia thus challenged the traditional values of the Roman elite, with their insistence that physical violation signaled moral deficiency.[41]

Augustine wrote *The City of God* as he confronted growing chaos in the Roman Empire at the close of the fourth century. Attacks endangered the personal security of many persons, creating terror and fear that exceeded actual physical harm to the population. Why did God permit chaste Christian women to be molested? Augustine asked women to consider the possibility that arrogance about their chastity led God to punish them through violation of their bodily integrity, a punishment that nonetheless did not compromise their claims to chastity.[42] Augustine implied that elite women were often arrogant in their dealings with women of lower status who could not adhere to conventional standards of chastity. God thus permitted the elite women to be subjected to the sexual violations routinely endured by slaves.[43] Augustine accepted the habituation of bodies to various social statuses as he called on all Christians to accept their social positions with humility. No matter how well-intentioned the slaveholders, such humility exacted a higher price from slaves, who were, one infers, expected to accept sexual exploitation with equanimity.

A belief that rape morally stains its victims survives even today. In antiquity, the belief was rarely challenged. A woman's *pudor*, including her reputation for sexual modesty, could not survive forcible sexual violation. A few Christians eventually challenged this formulation, yet even their arguments underscore the grip of Roman *habitus* on Christianity. Both Basil and Augustine taught that women who were sexually violated against their will were guiltless. Yet both Basil and Augustine assumed that women of lower social status, particularly slaves, would be routinely subjected to sexual violations from which elite women were routinely (but not always) protected. Basil and Augustine, like other Christians in antiquity, simply accepted that women of differing social statuses enjoyed differing degrees of corporal protection and sexual integrity. This belief persists today in various guises. In working to enact a feminist sexual ethics, the right of all women, men, and children to protection from sexual coercion is a high priority.

Water in the Desert

Early Christian complicity in the sexual exploitation of slaves disturbs me. Even more upsetting to me than the early Christian embodiment of slaveholding norms is the many ways in which American culture today reads moral distinctions in the bodies of persons of different social statuses: rich, poor, Black, White, Native American, Latino/a, male, female. Rapists of Black women are less likely to be charged and receive fewer convictions and lighter prison sentences than rapists of White women, for example.[44] I'm not advocating longer prison sentences. What a body learns in prison is deleterious to the health, both to the incarcerated person and to his or her post-incarceration community. We should, however, think about why the rapes of Black women are treated less seriously than the rapes of White women.

I doubt that many people would endorse such blatantly disparate treatment. So why are prosecutors reluctant to press charges when an African-American woman has been raped? Why are juries more likely to acquit men accused of raping Black women? Despite an apparent consensus against racial discrimination, our actual behavior as a society continues to embody racial prejudice. In the case of rape, the insult to Black women is consistent with an ancient tradition that regards some women as lacking status and therefore lacking the right to protect the privacy and integrity of their own bodies. In the United States, this tradition can be traced directly to attitudes toward African-American women's sexuality during the era of legal slavery.

Early Christian sexual ethics were infected by the sexual dynamics of Roman slavery. That infection still courses through the Christian body. The Church requires healing. Christians today who are horrified to learn of the sexual exploitation of slavery are too often silent about the exploitation of other persons who are not in a position to say "no" to sexual advances: prisoners, for example, and children in homes, churches, and other settings. I've asked how growing up as the sexual property of a slaveholder affected female slaves in antiquity. We should urgently ask how growing up with sexual coercion and violence affects girls and boys. Why are so many churches that speak loudly about sexual ethics reluctant to speak of the damage that incest, sexual harassment, and rape wreak on the Christian body? The Feast of the Holy Innocents, December 28, is a day set aside in the church calendar to mourn Herod's slaughter of Jewish babies.[45] On the Feast of the Holy Innocents, my church offers a service of healing for those affected by childhood sexual abuse, a service written and planned by survivors of such abuse. Healing begins.

A change in *habitus* is tough to legislate. Nevertheless, although *habitus* is conservative, it is not immutable. Those of us who are active in our churches, synagogues, and mosques look there for moral leadership. Can our traditions, Scriptures, and rituals offer resources for fundamental change, for healing? I earlier highlighted the iconic image of Jesus as he kneels to wash his followers' feet, a gesture defiant of hierarchy that is still ritually reenacted by Christians. I close the essay with another image, one that has likewise generated enduring ritual action: the image of Hagar's joy when she finds water in the desert. This is an image that Paul and Ambrose omit in their versions of the story and that African-American women always remember. Hagar, a slave woman who bore her owner's child, a mother raising a son on her own, is cast out to a barren expanse. She and her son, famished and parched, face death. Yet they survive. In a moment of supreme despair, Hagar discovers that God is with her when a spring moistens the arid desert.

In Islam, this spring is called Zam Zam, and Hagar's epiphany is ritualized as part of the *hajj*, the pilgrimage to Mecca all Muslims are enjoined to make, if they can, once in their lifetime. During the *hajj*, each pilgrim, female or male, puts their body in Hagar's place as she runs in terror between the hills of Safa and Marwa, seeking water for herself and her son. I don't know what the Muslim pilgrim feels or what the body learns running between Safa and Marwa. The ritual, however, invites identification with the slave woman's physical location. The pilgrim rejoices in God's faithfulness to the slave woman and her son. For the many women who live their lives thirsting between Safa and Marwa, the Scriptures and rituals of Judaism, Christianity, and Islam still promise springs of rejuvenation.

Notes

1. Mark 10:44; cf. Matthew 20:26–27, 23:11; Mark 9:35; and Luke 22:26.
2. Mark 10:45; cf. Matthew 20:27.
3. John 13:14f.
4. Galatians 5:13.
5. Pierre Bourdieu, *The Logic of Practice*, trans. Richard Nice (Stanford, CA: Stanford University Press, 1980) 56.
6. Bourdieu, *Logic of Practice*, 58.
7. Linda Martín Alcoff, *Visible Identities: Race, Gender, and the Self* (New York: Oxford University Press, 2006) 108.
8. Colossians 3:22–25, especially 3:22.
9. For a fuller treatment, see Margaret Y. MacDonald, "A Reassessment of Colossians 3:18–4:1 in Light of New Research on the Roman Family," *New Testament Studies* 53 (2007) 94–113.
10. Ephesians 6:5–8; 1 Timothy 6:1f; Titus 2:9f.
11. Galatians 3:28; 6:15.
12. Seneca, *Trojan Women*, lines 87–91. Translation adapted from Elaine Fantham, *Seneca's Troades: A Literary Introduction with Text, Translation, and Commentary* (Princeton: Princeton University Press, 1982) 132.
13. *Digest of Justinian* 47.10.15.15.
14. At the outset of her kaleidoscopic treatment, Carlin A. Barton identifies *pudor* as an "inhibiting emotion." Barton, *Roman Honor: The Fire in the Bones* (Berkeley: University of California Press, 2001) 202; discussion of *pudor*, 197–269.
15. Cf. *Oxford Latin Dictionary*, s.v. *pudor.*
16. Noted by Fantham, *Seneca's Troades*, 227; Atze J. Keulen, ed., *L. Annaeus Seneca Troades: Introduction, Text and Commentary* (Leiden, Netherlands: Brill, 2001) 141.
17. Seneca, *Controversies* 1.2, esp. 1.2.3; Seneca, *Declamations*, trans. M. Winterbottom (2 vols.; Loeb Classical Library, Cambridge, MA: Harvard University Press, 1974).
18. Galatians 4:29f.
19. Genesis 21:10.
20. Ambrose, *On Abraham* 4.26; Ambrose, *On Abraham*, trans. Theodosia Tomkinson (Etna, CA: Center for Traditionalist Orthodox Studies, 2000) 14.
21. Italics original. Kimberleigh Jordan, "The Body as Reader: African-Americans, Freedom, and the American Myth," in *The Bible and the American Myth: A Symposium on the Bible and Constructions of Meaning*, ed. Vincent L. Wimbush (Studies in American Biblical Hermeneutics 16; Macon, GA: Mercer University Press, 1999) 105–121, esp. 107.
22. Jordan, "The Body as Reader," 114.
23. Eliza Poitevent Nicholson, "Hagar," *Cosmopolitan* 16 (1893) 10–13. For more on Nicholson's poem, see Janet Gabler-Hover, *Dreaming Black/Writing White: The Hagar*

Myth in American Cultural History (Lexington, KY: University of Kentucky Press, 2000) 131.
24. Jordan, "The Body as Reader," 117.
25. Delores Williams, *Sisters in the Wilderness: The Challenge of Womanist God-Talk* (Maryknoll, NY: Orbis, 1993) 15–33; 245f, n. 2.
26. Bourdieu, *Logic of Practice*, 62.
27. Martín Alcoff, *Visible Identities*, 108.
28. Galatians 3:28.
29. Livy 1.58.10; *The History of Rome*, trans. B. O. Foster (14 vols.; Loeb Classical Library, Cambridge, MA: Harvard University Press, 1919–1959).
30. Jerome, *Against Jovinianus* 1.49; see also 1.46.
31. Basil of Caesarea, *On Psalm 32* 5; Saint Basil, *Exegetic Homilies*, trans. Agnes Clare Way (Fathers of the Church 46; Washington, DC: Catholic University of America Press, 1963).
32. Basil, *Epistles* 199.49.
33. For further discussion of Lucretia in early Christian writings, see Dennis Trout, "Re-Textualizing Lucretia: Cultural Subversion in the *City of God*," *Journal of Early Christian Studies* 2 (1994) 53–70.
34. Ambrose, *On Offices of Ministers* (*De officiis*) 2.28.
35. Ambrose, *On Virgins* (*De virginibus*) 3.7.32–37.
36. Ambrose, *Epistle* 37.
37. Ambrose, *On Joseph* 5.22.
38. Trout, "Re-Textualizing Lucretia."
39. Augustine, *City of God* 1.17; Augustine, *The City of God Against the Pagans*, trans. George McCracken (7 vols.; Loeb Classical Library, Cambridge, MA: Harvard University Press, 1957–1972).
40. Augustine, *City of God* 1.19.
41. Trout, "Re-Textualizing Lucretia," 67.
42. Augustine, *City of God* 1.28.
43. Augustine, *City of God* 1.28.
44. Elizabeth Kennedy, *Victim Race and Rape* (Waltham, MA: Feminist Sexual Ethics Project, Brandeis University, 2003), http://www.brandeis.edu/projects/fse/slavery/slav-us/slav-us-articles/slav-us-art-kennedy-full.pdf (accessed June 19, 2009); and Jennifer C. Nash, *Black Women and Rape: A Review of the Literature* (Waltham, MA: Feminist Sexual Ethics Project, Brandeis University, 2009), http://www.brandeis.edu/projects/fse/slavery/slav-us/slav-us-articles/Nash2009-6-12.pdf (accessed August 3, 2009). For related analysis, see Toni Irving, "Borders of the Body: Black Women, Sexual Assault, and Citizenship," *Women's Studies Quarterly* 35 (2007) 67–92.
45. Matthew 2:16–18.

9

Gender, Slavery, and Technology: The Shaping of the Early Christian Moral Imagination

Sheila Briggs

We think of sexuality as something natural that all human beings possess. Even when we acknowledge a range of sexual behaviors and attitudes, we tend to assume that these remain stable across time and across cultures. Therefore, when it comes to sexual ethics—our beliefs about the moral principles governing sexuality—we may allow for a wide spectrum of values and opinions, but we also see these as addressing the same issues in every time and place. It is not surprising, then, that when we read the New Testament, we suppose that Jesus and the first Christian leaders faced the same sort of sexual questions that we do today. Christians, who accept the Bible as a moral authority or at least see it as an ethical guide, expect its sexual teachings to be relevant to their lives and their society in the twenty-first century because they think that their sexuality and questions about sex are not really different from those of Christians in the first century. It may be troubling, especially to Christians, that sexuality and our attitudes toward it vary greatly in different historical periods and cultures. The New Testament is a historical document, written at a particular time in a society that held very different assumptions about what was obvious and natural about sex. One crucial element in the sexual lives and thinking of people in the ancient world was the all-pervasive fact of slavery. This is something that most of us would like to ignore, and Christians are likely to insist that New Testament sexual ethics were not founded on the acceptance of slavery. But let us look at the response of the apostle Paul to prostitution, as an example of how early Christians thought within ancient moral frameworks.

In antiquity, few writers had moral objections to prostitution. Most prostitutes were slaves, and their employment as prostitutes was consistent with the exploitation of their sexuality by their owners, which was not perceived as a moral problem. The use of prostitutes was widespread even among Jews and Christians. The early Christian community at Corinth saw nothing wrong in Christian men visiting brothels, at least until the apostle Paul rebuked them. But when we look more closely at Paul's condemnation of prostitution in 1 Corinthians 6:13–18, we find that the moral problem for him was *not* the sexual exploitation of the prostitute, who in no sense chose to enter into prostitution. His sole concern was the male body, which he saw as dishonored through sex with a prostitute. Worse, if it were a Christian male body, that dishonor would pollute the body of Christ. We find similar objections in non-Christian writers of antiquity: it is the male body that is dishonored, not the female body that is exploited.[1]

Paul was *not* outraged at the sexual exploitation of enslaved prostitutes, because slavery was entwined with every aspect of the Greco-Roman society in which he lived. The moral imagination of early Christians was shaped—and constrained—by the circumstances of their everyday lives, including the entertainment available in the Greco-Roman city. At the heart of this essay lies a story about the intersection of gender, slavery, and technology. During this period, ancient technological innovation culminated in the amphitheater. Ancient inventions found their place in the amphitheater, from concrete for building to water-powered organs for music. It was the triumph of Roman engineering, both in its massive architecture and in the complex machinery, that was used to stage its spectacles and to provide huge sunshades for its spectators. The amphitheater transformed ancient culture in ways very similar to how cinema and television have had their impact on our own modern culture. These vast round open-air theaters provided mass entertainment on an unprecedented scale. Thousands could watch the spectacular shows that were like nothing ever seen before. What they saw affected how they felt about each other and about themselves. The amphitheater was also closely associated with the rule of the emperor, a newly established form of government when Christianity began. For the grand scale of its events, the amphitheater required a massive supply of human beings subject to limitless exploitation. It is not surprising that the amphitheater developed in a society where slaves were available for exploitation. In the amphitheaters, the violent character of the entertainment fed on society's acceptance of routine violence toward slaves in everyday life while turning it into something extraordinary and spectacular. The sexuality of slaves was a disposable commodity for their owners, and the exploitation of slaves was intensified in the amphitheater when the violence took on a sexual tinge.

From comments about "Christians and lions," we are aware that early Christianity belonged to the world of the amphitheater. But Christians were not just victims in the arena—they were also spectators. I am going to explore how Christians' experience in the amphitheater shaped how they thought about sexuality. There was nothing novel about early Christian sexual ethics, but as we shall see, distinctive Christian sexual practices did develop over time. Early Christians derived their moral codes from what they approved of in the standards of behavior of the Greco-Roman world. The educated Christian elite, as well as the mass of Christians, had their attitudes to life in general and sexuality in particular shaped by the ubiquitous presence of both slavery and the amphitheater.

Ancient Life and the Amphitheater

Everyday life shapes our views of ethics and morality, just as much as we are shaped by what we are taught explicitly about right and wrong. Indeed, our moral imagination is crafted at least as much by our experience as by more formal moral codes. Our moral attitudes also include more than ideas about how we believe we should conduct our lives; they include sensibilities—what we *feel* is the right way to act. Moral sensibilities are only half conscious; they include our assumptions about what the world is like and how we ought to live in it. The inhabitants of the Roman Empire, including early Christians, were scarcely aware of how slavery shaped their world, because they took it for granted. Similarly, subtle changes in Greco-Roman society and culture, including changes brought by the invention of the amphitheater and what happened within it, went unnoticed. Gradually, those subjected to limitless exploitation in the arena came to be drawn from much broader social ranks than slaves. The amphitheater wove sexual exploitation and sexual violence even deeper into the fabric of ancient society. The effects of the amphitheater are visible in changing attitudes toward sexuality in the Greco-Roman world, and Christians too were influenced.

Prostitution and its link to slavery in the ancient world play an important role in our story about the intersection of gender, slavery, and technology. The link between slavery and technology appears in one of the most influential discussions of slavery in the ancient world. Aristotle defined the slave as a "living tool" who could use inanimate tools to create the material fabric of human society.[2] Slaves who were prostitutes had their bodies used as a tool like the loom, the mill, or the dyeing vat to produce income for their owners. A slave's sexual labor was as morally acceptable as any other form of labor. In Roman society, prostitutes and gladiators were either slaves or lower-class persons considered no better than slaves. Our story takes off when the prostitutes joined the gladiators in the amphitheater, because from then onward, sexuality became entangled in the arena's spectacles. Furthermore, the development of Christianity would be affected by the amphitheater's influence on sexuality.

The roots of the amphitheater and of slavery itself lie in what used to happen to prisoners captured in war. Slavery is a social death that substitutes for the physical death of those conquered in war.[3] The enslaved lose all ties to kin, homeland, and culture and become absorbed as extensions of their owners' bodies. Again, the link of slavery to technology appears: the owner can wield a hammer with his own hand or vicariously through the hand of a slave. The substitution of social for physical death may be only temporary because in many slaveholding societies, including Rome in the Republican era, owners possess the power of life and death over their slaves. By exercising that right, they display their social status and reinforce the social hierarchy. Therefore, the gladiator who fights to the death for the amusement of his or her master is the embodiment of the physical death that could await those defeated in war combined with the social death that was the inevitable fate of the slave.

Gladiatorial combats (*munera*) originated as part of aristocratic funeral rites. The early Christian writer Tertullian wrote, "Men believed that the souls of the dead were propitiated by human blood, and so at funerals they sacrificed prisoners of war or slaves of poor quality bought for the purpose."[4] Gladiators were originally chosen from two related groups: prisoners of war and slaves. Later, free persons of the lower classes would be added to the gladiatorial ranks. A few gladiators achieved a renown that contemporary scholars compare to that of pop stars, and a few became wealthy. Nevertheless, their profession was always despised because of its link to slavery, the lowest social status. If a gladiator were a free citizen, then Roman law translated its social contempt into *infamia*, a designation that imposed several legal and social disabilities. Gladiators were not the only group of lowborn free persons tainted with *infamia*. Other professions associated with slaves and with persons who had previously been enslaved carried the same social stigma, among them actors and prostitutes.

Roman society was very hierarchical, and that hierarchy rested upon the distinction between those who possessed honor, the free citizens, and those who lacked it, the slaves. The category of *infamia* gave precise legal expression to the belief of the Roman upper classes that some free persons fell into an ambiguous position in the social hierarchy in that they were free but shared the slave's dishonor because they associated closely with slaves.[5]

In the Greco-Roman world, as in other slaveholding societies, an individual's lack of honor had sexual implications. Because slaves were without honor, their owner could freely exploit the sexuality of both males and females. Most prostitutes were slaves, as were many actors and other entertainers. Musicians and mimes were drawn from the slave class and were also used as sex workers. Gladiators too were entertainers, and this label carried over into the social view of their sexuality. Roman writers depicted male gladiators as lustful and as the sex toys of the most disreputable women (and sometimes men) of the elite. Although most gladiators were men, there were women among their ranks. The combats of women were no less bloody than those of men, and included an element of sexual titillation.

The reputation of women performers as sex workers was not an ancient version of a contemporary celebrity scandal. Entertainment in Greco-Roman society was the public display of the social hierarchy: there were those who paid for the entertainment, those who watched the entertainment, and those who *were* the entertainment. The elite held civic offices that included the honor and financial obligation of putting on public shows. The public display of the elite's wealth and nobility needed a foil. The social, and often sexual, degradation of the entertainer supplied it. The sexual availability of the female entertainer served to contrast her dishonor with the chastity of honorable citizens' wives and daughters.

In a culture that equates female honor with chastity, it is always degrading for a woman's sexuality to be put on public display. In tracing changes in the way female sexuality was put on display in Roman culture—changes driven by the invention of the amphitheater—our starting point is an annual religious festival called the Floralia that took place between April 28 and May 2. Dating back to the third century BCE, the festival was notorious for drunkenness and unbridled sexual conduct. One feature of this celebration caught the imagination of ancient and modern commentators: the "naked prostitutes" described as doing a striptease at this festival. The earliest evidence for this sex act at the Floralia dates from the Early Empire (late first century BCE), when Ovid remarked that more sexually explicit entertainment was allowed on stage during the festival.[6] Ovid paints the festival as a lighthearted affair popular with the prostitutes themselves. Early in the first century CE, Valerius Maximus reported that mimes performed nude at the Floralia.[7] We have no record of how the women felt about the festival, but these early writers give no particular emphasis to their sexual humiliation.

Two centuries later, after the invention of the amphitheater, this has changed. At the turn of the third century CE, the Christian writer Tertullian gives a more detailed account of the sex shows of the Floralia and explicitly refers to the women performers as prostitutes. They not only performed nude; their appearance on stage was an advertisement for their sexual services. Tertullian stressed their humiliation and remarked that the misery of the prostitutes was increased by the presence of women in the audience. Tertullian argued that the public display of the prostitute's degraded sexuality was, in terms of what he considered the utter shame of their everyday existence, nonetheless a moment of acute humiliation. Once a year, he says, even the prostitutes get to blush at their total lack of chastity.[8] Tertullian's account can be taken simply as moralizing by a Christian writer bitterly opposed to all public entertainment, which he viewed as tainted by idol worship and morally corrupt. Nonetheless, it is a typical example of the way in which Greco-Roman society used the degradation of the enslaved prostitute as a foil for the honor of the chaste free woman.

Tertullian's account places the sex shows of the Floralia in the amphitheater. Did the new location of the spectacle in the amphitheater lead to the increasing degradation of the women performers? To answer that question, we must trace the development of the amphitheater.[9] Gladiator fights became popular entertainment with Roman soldiers, and army veterans built the first amphitheaters to house them. These amphitheaters were temporary wooden structures. It was not until 30 or 29 BCE that the first permanent amphitheater in Rome was built in the southern Campus Martius. From then on, their development in size and numbers was greatly accelerated by two factors: technological innovation—the invention of concrete allowed the building of much larger structures—and the change in Roman government from republic to principate. The emperors needed to legitimate their new form of government through the public representation of their supreme authority and unlimited power. Although the gladiators were the main attraction in the amphitheater, other spectacles also came to be staged there, and soon the "naked prostitutes" appeared as well.

The violence of the gladiator's combat stamped everything else that occurred in the amphitheater. In the regular schedule, gladiatorial combats were the main attraction, taking place from the afternoon onward. The morning was devoted to the exhibition and hunting of wild and often exotic animals. After these hunts (*venationes*) came the public executions (*damnationes*) during the long lunchtime interlude. The amphitheater was not the only place where executions were carried out, but a deadly logic linked executions with gladiatorial combats. One equivalent of a death sentence imposed upon criminals and rebels was to be "condemned to the games" (*damnati ad ludos*). Capital punishment became a way to recruit gladiators to satisfy the insatiable public appetite for blood in the arena. Carrying out executions in the amphitheater served that desire and radically changed the way they were conducted. The critical moment came in the reign of Nero, when he decided to combine executions with theatrical displays.[10] Condemnations to the beasts (*damnati ad bestias*) became increasingly common. The executions remained distinct from the hunts in the program, but the use of wild animals and the machinery of the amphitheater allowed the emperors to turn executions into gruesome reenactments of myths and legends.

Roman attitudes to crime and punishment fostered the fusion of punishment and entertainment. The Romans had no sense of the inalienable dignity of the human person. Condemned criminals were stripped of any *dignitas* they might have held, and therefore it was fitting to subject them to torture and humiliation. Part of the disgrace of execution was to be exposed naked to one's fate. Although both men and women had to endure this, the nudity of female criminals in particular took on sexual connotations that the amphitheater turned into sadistic spectacle.

The introduction of theatrical flourishes into executions in the amphitheater led to a search for ways to add even greater drama and novelty. Technological innovation and the absolute vulnerability of the condemned meant that there was virtually no bar to the re-creation of even the most lurid Greco-Roman myths.[11] The Roman poet Martial writes of seeing the myth of the mating of Pasiphae with a bull acted out in the amphitheater.[12] Another example appears in Apuleius's *Metamorphoses*. Although this is a work of fiction, his description of the execution may not be entirely made-up.[13] Lucius, a man transformed into an ass, has been sold to a leading citizen of Corinth who has ambitions for high office and in pursuit of them is staging a three-day spectacle involving gladiators and wild beasts.[14] In the meantime, a woman of high birth has become sexually attracted to Lucius the ass and has procured his sexual services.[15] Lucius's master sees the potential of this sex act for spicing up his show, but obviously the woman of high rank cannot participate in such a performance. Instead, the leading citizen is able to obtain a woman sentenced to the beasts.[16] This woman, a serial killer, is wealthy and of high social status, but that does not spare her from the most humiliating form of public execution. We do not follow the details of her fate because at this point, the intelligent ass escapes.

Apuleius's work provides broader insight into attitudes toward women's sexuality in a culture where Christianity was spreading and early Christians were forming their views on sexuality. Despite the novel's fantastic plot, its portrayal of Greco-Roman society is realistic. Lucius, who like his author is a man of considerable education and social standing, narrates the novel and offers moral commentary on what he encounters in his life as an ass. What is most striking for the modern reader is Apuleius's utter lack of compassion for the woman condemned to be raped and then torn apart by animals. The horror is not at the woman's fate, but that a man of high social rank (Lucius, trapped inside the body of an ass) will be subjected to public disgrace in the arena and die a shameful death. Lucius wishes he could commit suicide "rather than be defiled by the contagion of the female criminal and feel the ignominy of disgrace at a public show."[17]

The arena scene is the climax of a long string of tales of wicked women, tales that become more lurid as the novel progresses. There are very few good women in the *Metamorphoses*, and they are seriously outnumbered by the bad ones. Women are depicted as possessing every vice and prone to commit any crime; they are especially accused of being unfaithful wives and given to every sexual excess. These are not stories just about slaves, prostitutes, and entertainers, but about women of free and respectable, even high, birth. The author places the proposal of an act of bestiality for the execution of the condemned woman after presenting a woman of high rank willingly having sexual intercourse with an ass. The juxtaposition of these stories suggests that Apuleius is equating women's sexuality with criminality. Bestiality is not meant to reveal the inhumane treatment of women in a society on a brutal quest for evermore stimulating entertainment. It is meant to reveal the worthlessness of the female sex.

Reading Apuleius raises disturbing questions about the impact of the public sexual humiliation of women on perceptions of women and their sexuality, especially when that humiliation was taken to sadistic extremes in the amphitheater. The "naked prostitutes" of the Floralia had served to accentuate the social distinction between themselves and honorable free women in the audience. But the sexual content of the executions in the amphitheater worked to undermine the differences among classes of women. Among Apuleius's wicked women we find the baker's wife, who is the epitome of female evil. She is an enemy of chastity and a monotheistic believer, either a Jew or more likely a Christian, given Apuleius's North African background.[18] Although we are not told of her fate because the narrator-ass is sold away, we are left to assume that the detection of her adultery, witchcraft, and role in her husband's murder would lead her to a similar fate as the woman condemned to be raped and slain by beasts.

This fictional account of a presumably Christian woman was written at a time when Christian women were actually meeting death in the amphitheater. Christians were included in the theatrical forms of execution from Nero's reign onward. At the turn of the second century, the *First Letter of Clement*, written from Rome, records how in the bloody theater of the arena, Christian women were cast as Danaids and Dirce, "suffering terrible and unholy outrages." The daughters of Danaus slew their husbands, a choice of myth that injected the motif of women's criminal sexuality into the executions. And Dirce, according to myth, was tied to a wild bull and dragged to her death.[19]

When gender, slavery, and technology intersect with Christianity in the amphitheater, our story takes a new twist. With the entry of these Christian women martyrs into the arena, we hear for the first and only time the voices of the naked women whose sexuality was displayed in the amphitheater. But the experience and attitudes of the naked martyrs were not necessarily the same as those of the naked prostitutes/entertainers, or even typical of women condemned to death in the arena. The Christian martyrs subverted the official and conventional cultural meanings of the spectacular execution. Instead of enduring terrible public humiliation, they saw themselves as entering into the glory of heaven; instead of their abused and broken bodies displaying the power of the emperor, their courage under excruciating physical suffering gave testimony to the power of God.[20] Thus, it is not the elite male view of Apuleius and his wicked, sexually depraved baker's wife that prevails; it is the self-presentation and communal understanding of the young Roman matron Perpetua, who was martyred in the amphitheater of Carthage in 203 CE.[21]

Solidarity between Enslaved and Free

Perpetua was a well-educated woman from a wealthy and distinguished family.[22] The fact that a woman of her rank could end up naked in the arena demonstrates how the appetite for violent exhibitions spread degrading capital punishment far beyond the slaves for whom it was devised. Perpetua was condemned for converting to Christianity in violation of an imperial edict, but as a Christian martyr she resisted the view of women's sexuality implied by the tortures of the amphitheater.

In Perpetua's prison diary, she recounts the last in a series of visions that she had before her execution. On the day before her death, she saw herself naked in the arena, but her nudity was transformed from public humiliation into the sign of her readiness to struggle with and defeat the devil. "My clothes were stripped off, and suddenly I was a man," she says.[23] Instead of being a criminal about to meet a cowardly death, she is an athlete bravely and skillfully defeating her opponent in a boxing match. This contest resembles gladiatorial combat: if she is defeated, her opponent will slay her with a sword.[24]

When Perpetua is actually brought naked into the amphitheater, she is not alone. Beside her is the slave and fellow Christian Felicitas. In their nudity, the noble Roman matron has been reduced to the status of the female slave. A traditional Roman would expect Perpetua to feel unbearable shame and other respectable women to be deterred from sharing her impiety. Nevertheless, a new Christian sense of self has emerged that rejects such an understanding. The author of the martyrdom account implies that in the amphitheater, Perpetua's consciousness was in the realm of her visions because she was quite unaware of her ordeal.[25] The author also stresses the solidarity of Perpetua with Felicitas:[26]

> And seeing that Felicitas had been crushed to the ground, she went over to her, gave her hand, and lifted her up. Then the two stood side by side.[27]

The tortured female body has become a site of holiness that is available to both slave and free.

In the minds of the Christian martyrs and their communities, the humiliation of the amphitheater could not compete with the power of God. Divine miracles would overshadow its spectacles and bring eternal shame to those who sought honor by putting on its shows. Tertullian's *On Spectacles*, written in Carthage in the period of Perpetua's and Felicitas's death in the amphitheater of Carthage, reminded Christians of the "other spectacles" that Christ's second coming would inaugurate.[28] God will provide Christians with an entertainment more lavish than anything the rich and powerful could ever provide. Indeed, such people—rulers who announced their divinization and governors who persecuted Christians—will find themselves among those condemned to far worse tortures than were ever devised for the amphitheater.[29] The imperial ideology is overturned.

The history of the amphitheater and the fate of Roman society became inextricably linked. The development of the amphitheater came at the height of Roman expansion in the centuries around the beginning of the first millennium. Julius Caesar, Claudius, and Nero had a plentiful supply of prisoners of war and others enslaved through conquest to expend by the thousands. But after the second century, the empire ceased to expand and the supply of prisoners of war and slaves declined. The popular appetite for spectacles did not lessen, however, and by now this appetite was so entwined with the representation of imperial power that the Roman authorities did not want to abandon the bloody entertainments they put on for the mob.

Weakening legal protections for the lower classes gave them in some respects the status of slaves, so that freeborn Romans became subject to the humiliation of death in the arena. The later Empire also broadened the scope of capital offenses. A criminal offense could be construed so that even a member of the elite like Perpetua was subjected to the degrading punishments once reserved for slaves. And the persecution of Christians increased. The need for bodies to display and slaughter did not necessarily *cause* the persecution of Christians and the criminalization of the lower classes, but one *effect* of these measures was to increase domestic sources of human bodies for spectacles at a time of diminishing foreign supply.

Changes in the society and culture of the Roman Empire were not only external. Amphitheaters were able to accommodate huge audiences. Their spread throughout the Roman Empire created a common experience for its inhabitants—but also meant shared insecurity. The blurring of the boundary between slave and free must have led many spectators at a *damnatio* to realize that in a time of increasingly oppressive imperial legislation, they too could die in the arena.

I have tried to show how the trajectory of the "naked prostitutes" from the festival of the Floralia to the later spectacles exacerbated the sexual humiliation of female slaves and of women treated as slaves. By the final centuries of the Roman Empire, the blurring of the boundary between slave and free in the public display of female sexuality in the amphitheater collapsed the distinction between harlot and honorable free woman. In Apuleius's writing, all women possessed a criminal sexuality. Considered alongside the real historical life of Perpetua and what we know of early Christian women's attraction to sexual asceticism, Apuleius's account of the sexual excesses of the baker's wife seems a bizarre caricature. But imagine Apuleius sitting in the amphitheater of Carthage with about 30,000 other spectators and watching a *damnatio* in which a naked Christian woman perished. Seeing the sexual degradation of a woman belonging to a religion Apuleius despised could have contributed to his creation of the wicked baker's wife.

Along with pagans like Apuleius, Christians were among the spectators in the amphitheater, and what they saw shaped their faith. Tertullian's *On Spectacles* was addressed to Christians who saw no conflict between their faith and enjoyment of the public sex shows and the human blood sports of the arena. Today's reader may find his condemnation of all drama and athletic contests downright puritanical, but Tertullian should at least be credited for the insight that seeing people being killed for fun and naked women humiliated in public was wearing on the soul of the spectator. That was a decidedly minority opinion in antiquity.

The ancient Christian moral imagination was formed during a time when the technology of the amphitheater turned death and sexuality into a grand public exhibition. Christians, condemned to play a role in that spectacle, used the act of martyrdom to rework the meaning of death and sexuality and the connection between them. As members of the body of Christ and citizens of heaven, their physical bodies were transformed into unearthly ones that could not be shamed or destroyed in the arena. In this act of transcendence, the early Christians left behind that which was vulnerable to the tortures and sexual humiliation of the arena—ordinary human physicality and sexuality.

At the same time, however, ancient Christian writings that extol asceticism present the sexual humiliation of women in the arena as part of the ordinary, problematic nature of sexuality, rather than as a distortion of it.

A work called the *Acts of Paul and Thecla* shows its author as a fierce proponent of sexual renunciation for Christians but a proto-feminist in affirming women's ability to make their own choices and display leadership. In this fictional work, Christianity is "the word of virginity," which women embrace

Figure 9.1 *Saint Thecla with Wild Beasts and Angels.*
Thecla in the amphitheater, protected from the lion by the lioness and surrounded by angels, Roman Egypt, fifth century CE.

Source: The Nelson-Atkins Museum of Fine Art, Kansas City, Missouri. Purchase: William Rockhill NelsonTrust, 48–10. Photograph by Jason Miller.

despite sexual coercion by men. Thecla, the hero, constantly finds herself in sexual danger but with divine aid and the help of other women overcomes every threat to her virginity. As a direct result of her resistance to male sexual coercion, she ends up in the amphitheater twice! The second time she is condemned for fighting off the sexual advances of an elite man who may have mistaken her for a slave and thus saw her as sexually available.[30] The text alludes to the sexual violation that frequently befell condemned women in prison when Thecla requests that she remain "pure" until she has to face the beasts, and a wealthy woman takes custody of her. Both times, Thecla is cast into the arena naked, but at the climax of the story, the Christian virgin is not allowed to endure a public display of her sexuality. Thrown into the arena, she is saved by a miracle that surrounds her with a cloud of fire that keeps beasts at bay and hides her nudity.[31]

The *Acts of Paul and Thecla*, dating from the middle of the second century CE, drew their audience (and possibly their author) from among circles of Christian women who followed or were attracted to an ascetic way of life. Because both sexes attended the amphitheater, these women would have seen its violence and sexual humiliation of women. The point of theatrical executions was to make free women feel disgust and distance themselves from the female criminals through honorable and pious behavior. Yet some women would have understood the brutal treatment of women in the amphitheater as part of the general male sexual coercion of women in society. The *Acts of Paul and Thecla* actually portray solidarity between the condemned Christian woman and the women spectators; they vehemently protest Thecla's sentencing and even try to hinder her execution.

The moral imagination of early Christians was shaped by the amphitheater and its spectacles. Yet the reaction of early Christian women may not have matched our modern view that such treatment of *any* woman is inhumane. Free Christian women shared their culture's perceptions of honor and shame and their link to the distinction between slave and free. Most likely, free Christian women redefined the virtuous woman as she who was able to resist male sexual coercion. The fictional Thecla is presented as a counterweight to the view that even highborn women were given to sexual vice. Thecla is not conventionally chaste, but neither is she the unfaithful wife; her redefined and Christian sense of female virtue leads her to reject all sexual activity, even within marriage. The amphitheater scenes in the Acts *of Paul and Thecla* show how the spectacles of the arena contributed to many women's alienation from their sexuality in a society where all women were subjected to male sexual coercion.

The triumph of Christianity in the fourth century did not put an end to the sex shows and spectacles. The gladiatorial combats continued and naked prostitutes were still on display. In the reign of Constantine, the Christian writer Lactantius complained about the stripteases of the Floralia.[32] Later in the fourth century, John Chrysostom reproached the men in his Christian congregation in Antioch for watching the aquatic displays of "naked prostitutes."[33] Christianity's rise to power also did not mean the end of slavery or the sexual exploitation of slaves. In the late fourth century, the Roman Empire was failing, and Christians were not interested in reforming its social order.

The somber, introspective mood of the last decades of the Roman Empire found its most powerful expression in the life and work of Augustine, the Christian thinker who exerts the greatest influence on the theology and ethics of later Western Christianity. Augustine came from the same region and social background as Apuleius (the elite of Roman North Africa), and for the first thirty years of his life, he seems to have had similar interests and aspirations. But then he converted to Christianity and, although the Catholic Church did not demand this, he gave up a successful career and the prospect of a socially advantageous marriage. For him, such sacrifice was the necessary consequence of a serious commitment to Christianity. He was not alone among the educated male elite in making these choices. It was a given for Augustine that the "earthly city," as he referred to the late Roman society he knew, was founded on violence. The appropriate response of a Christian was to renounce it.

Augustine was keenly aware of the violence permeating his society—and of the amphitheater as a site of this violence.[34] In his spiritual autobiography, *Confessions*, he described and reflected upon everyday life. It includes an account of Augustine's mother's married life and the household in which he grew up. Augustine notes approvingly that slave girls were whipped for spreading what he considered malicious gossip about his mother, Monica, to her mother-in-law. What may shock a modern reader most, however, is Augustine's acceptance of free and elite husbands' severe physical abuse of their wives:

> Indeed many wives married to gentler husbands bore the marks of blows and suffered disfigurement to their faces. In conversation together they used to complain about their husbands' behavior. Monica, speaking as if in jest but offering serious advice, used to blame their tongues. She would say that since the day when they heard the so-called marriage contract read out to them, they should reckon them to be legally binding documents by which they had become slaves. She thought they should remember their condition and not proudly withstand their masters.[35]

Slavery here is a metaphor for marriage, and it is accurate in certain ways. Augustine readily accepted the right of the male head of household to punish his wife as well as his slaves. Augustine praises Monica for her forbearance in never quarreling with her husband over his sexual infidelities. Augustine provides no details about his father's sexual partners, but his slaves would have been sexually available to him. Augustine does not approve of his father's behavior, but the household and the relationships within it belong to the earthly city of violence and unchastity.

Augustine's attitudes to sexuality, like those of his contemporaries, Christian or not, were molded by the experience of everyday life. The long historical entanglement of sexuality with slavery and violence was not easy to overcome. For Augustine and other ancient Christians, the renunciation of sexuality along with a more general withdrawal from social institutions seemed the only way to live a spiritual life. The ancient Christians were never able to break free from views forged in part by the intersection of gender, slavery, and technology in the spectacles of the amphitheater.

The German philosopher Nietzsche wrote that Christianity in the ancient world gave the god of love, Eros, poison to drink. I would argue, it is more accurate to say that Christianity reacted against the poisoned erotic imagination that it encountered. Sexual pleasure, ancient Christians came to believe, corrupted the soul. This is not an entirely unreasonable view given the sexual desires surrounding slave bodies generally and the tortured bodies of the arena in particular. The ancient Christians left the West with a legacy of sex-negative and body-negative attitudes that we today have not overcome. This inherited suspicion of sexual pleasure reflects the standpoint of the free Christian male spectator who has come to abhor the sexual enjoyment that he once found in the amphitheater. Unfortunately, this suspicion of sexuality does not promote empathy with the slave or the victim on the arena floor. Today, some Christians still show greater concern for the harms done to the soul of the person who gives in to sexual desires than for the harms done to the body and soul of the person victimized by another's sexual desire.[36]

In the last half century, feminist theology has helped to create a more liberal version of Christianity and has shifted the focus of ethical concern away from those who have played dominant social and sexual roles toward those who have been disadvantaged and abused. Feminist theologians want to build positive views of sexuality and affirm sexual pleasure but without trivializing or ignoring sexual exploitation and coercion. This is a formidable task because social inequality tends to play into erotic fantasies of domination and control. One example is the global sex trafficking of women. It approximates a contemporary form of slavery in bringing poor and foreign women into a country for exploitation by those who have sex with them and those who profit from their abuse and humiliation. Just as the free male citizen in the ancient amphitheater could enjoy the sexual spectacles and tortures on the arena floor, while never wanting his wife or daughters subjected to them, so the modern consumer of the services of trafficked women engages in forms of sex that he thinks too degrading, physically painful, or dangerous to ask of his wife or girlfriend. It is much easier psychologically for men to sexually abuse women when their sexual inequality is reinforced by social and cultural differences.

Although nearly everyone would condemn the exploitation of sex trafficking, fewer perceive the subtler ways in which the legacy of slavery contributes to the social inequality and cultural contempt that shape our beliefs about sexuality. The history of ancient slavery and the Roman amphitheater shows how toleration of everyday cruelties desensitizes humans to extraordinary violence and abuse of other humans. Ancient society decided that slaves were without honor and thus morally worthless, and it decreed that criminals could be sexually exploited to the most extreme degree. Torture and degradation in the amphitheater was the result. Ancient Christians never repudiated Roman decisions about honor and worthiness in spite of their experience with martyrdom. Christianity therefore lacked any tradition it could use to challenge the stereotype of the slave as sexually deviant, an image that emerged in later slaveholding societies such as America before the Civil War. Unlike in the ancient world, slaves in the New World were color-coded. So even after the abolition of slavery in the United States, the taint of a criminal sexuality was passed on to the descendants of slaves. Obvious examples of the persistence of such stereotypes today are racist assumptions that black men are more likely to be rapists and black women prostitutes.

The Legacies of Slavery and a Critique of Human Suffering

The United States has moved from being a slave society to a prison society, from a color-coded system of slavery to the disproportionate criminalization and incarceration of persons of color, especially African Americans. In terms of numbers incarcerated, the length of their imprisonment, and the conditions of prisoners, the United States has a larger and more brutal prison system than any other Western country. The sexual abuse of prisoners is part of an ideology of punishment that strips inmates of all rights and sees them as disposable beings who deserve to suffer. The United States also has the peculiar legal status of the felon, which stigmatizes a person and removes their civil rights beyond their incarceration, in some states even permanently. It resembles the Roman legal status of *infamia* that designated ways in which people who were not slaves could be treated as such.

Many of those who work to support prisoners or advocate their rights are Christians or other religious believers. These advocates deny society the right to strip persons of their basic requirements for human flourishing as a form of punishment for having been judged to have committed wrongdoing. Such believers hold that placing some people beyond the scope of compassion diminishes our moral vision. Yet this remains a minority view in the churches despite the centrality of compassion and forgiveness to the gospel message of Jesus. Christianity in many quarters still lacks a basic sensibility that there is something wrong about making any human being suffer for any reason. The legacy of slavery has hampered such a fundamental critique of human suffering because in traditional Christian societies, the imposition of suffering on some people under slavery was accepted as inevitable or even deserved. In a slave or post-slavery society, what a person is and what a person does coalesce into rigid notions of social identity. "People like that," we say (especially of African Americans), "behave like that and therefore deserve to be treated badly." Such social expectations tend not only to be self-fulfilling; they also justify socially imposed suffering without ever placing the coercion and violence of the social order under moral scrutiny.

The martyrdom of Perpetua and Felicitas was a moment in ancient Christianity when the solidarity of slave and free undid the ideological work of the arena and confounded the opposition of slave and free, shame and honor. But an ancient Christian critique of slavery that could sustain and expand this moment did not exist, and this moment did not lead to a critique capable of transforming a society. Therefore, contemporary attempts to question and perhaps challenge assumptions that sanction human suffering require understanding how we can enlarge our moral imagination. The ancient moral imagination was limited because it saw slavery and so much of the social arrangements of its world as inevitable and unchangeable. Modern experience has shown that new values can transform society.

Nobody can step outside of their everyday experience and the moral assumptions that go with it. Moral change comes with social change—when the conditions of everyday life change so radically that we find the old moral assumptions inadequate to make sense of our world. Social change opens up opportunities for us to train our moral sensibilities to be more sensitive to the suffering of others and to devise new daily practices that allow us to recognize injustice and cruelty.

I am not making the argument that we can excuse Christians in the past for their acceptance of slavery and their tolerance of the violence and sexual abuse it entailed because they could only live up to the standards of their times. Slavery may have been morally wrong in all times and places, but the recognition of its moral evil may only be possible at a historical point when social change reveals it. It is therefore pointless to castigate ancient Christians, not because they could not have done better, but because we cannot change the material limitations of the past. In the modern world, Christians have been able to go beyond exhorting slave owners to kindness and chastity and demand the abolition of the institution of slavery itself. What social change enabled Christians to rethink and revise their everyday practices and moral assumptions? The technology that enabled the industrial revolution played a role in fuelling social change, but technological innovation in itself is morally ambiguous. In the case of the Roman amphitheater, it intensified human exploitation and degradation. Even in modernity, technology was an ambivalent motor of moral progress. In the nineteenth century, the conditions of the early industrial factory were often compared to those of slavery. Modern technology disrupted the social order, but this did not automatically lead to social reforms. A society in flux makes it possible for its members to subject social practices like slavery to ethical critique, but they still need to choose new ethical commitments that direct technology to replace inhumane conditions of labor, including slavery.

The new moral values and social attitudes that abolished slavery are relevant to overcoming slavery's legacy today. First, the social pessimism of an Augustine does not help. Unless one believes that a better society makes for better human beings, there is no motivation to break down oppressive social hierarchies. Second, modern religious communities had access to a discourse of human equality and rights that had become the framework for modern secular society. We are so used to the mainstream faith communities identifying human dignity and human rights as core *religious* values that we forget that these were adopted from a secular society (sometimes with much resistance in more conservative Christianity). Admittedly, as faith communities today are eager to point out, modern Western conceptions of human equality and rights do have roots in religious ideas and practices. Yet, it is in modern secular society that the discourse of human equality and rights was developed and led to tangible achievements in everyday life for millions of people.

Early Christian remembrance of the martyrdom of Perpetua and Felicitas countered the imperial ideology of the amphitheater but did not have an available discourse of human equality and rights to put in its place. Religious conservatives may denounce "secular values," but it is participation in secular society that makes believers and non-believers attentive to the conditions of daily life, which in turn shape human values. Modern secular values thus discourage

Augustine's spiritual escape from a corrupt, oppressive, and violent society. Human dignity and equality as secular values cannot find fulfillment in the dispositions of the soul; they require implementation in the ordinary, everyday life of society and its political framework—in labor laws, health and safety regulations, and in the political enfranchisement of all adult citizens in a democratic government. Modern Western secular society transformed Christianity. Instead of Augustine's stark opposition between the violent earthly city and the peaceful city of God, modern Christians, engaged in secular communities, have sought to build the city of God in the earthly city.

Ironically, the *defenders* of slavery in the modern world were right. Its abolition was a moral slippery slope. If one could do away with one of the relationships of social hierarchy that biblical writers saw as an inevitable strand in the social fabric, then none of the other strands of hierarchy and control was safe. Wives could then stop obeying their husbands and even challenge the general subordination of women to men. When gender roles were questioned, the conventions and regulations of sexuality were opened to scrutiny. The opponents of the Equal Rights Amendment in the United States were right in suspecting that women's rights would strengthen the demand for gay rights. Even without passage of the ERA, there has been a vast change in sexual norms in a relatively short time: domestic violence has been criminalized and gay sex decriminalized. Yet this moral shift has not been arbitrary or unprincipled; it has been directed toward an expansion of human rights, human equality, and human dignity.

In a technology-driven information society and global economy, rapid change is the one inevitable fact. We need to be alert to how our everyday lives are being reshaped and how our responses to the suffering of others are being formed—especially in the media that inform and entertain us. If we fail to do this, then the progressive modern agenda of human rights and equality will be lost. Our sexual as well as our religious lives are at stake in what we demand and work for in our social future. Long ago, two young mothers were separated from their children, imprisoned, and finally executed in an amphitheater. Their blood still cries out—not for vengeance, as Tertullian believed—but for compassion, because this is the primary virtue to be realized in the sexual, and in every other, aspect of our lives.

Notes

1. Compare the view of the Stoic philosopher Musonius Rufus in *Fragments* 12.221–222.
2. Aristotle, *Politics* 1253b.
3. Orlando Patterson, *Slavery and Social Death: A Comparative Study* (Cambridge, MA: Harvard University Press, 1982) 5–10, 38–41.
4. Tertullian, *On Spectacles* (*De spectaculis*) 12.2.
5. Another fundamental characteristic of slavery, as elaborated by Orlando Patterson, is that the slave is defined as a person without honor. Patterson, *Slavery and Social Death*, 77–101.
6. Ovid, *Fasti* 4.946. For the association with prostitutes, see *Fasti* 5.349–352. Juvenal, in the second half of the first century CE, mocks women gladiators (or women amateurs playing the role of gladiators) who are participating in the Floralia; Juvenal, *Satires* 6.247–250.

7. Valerius Maximus, *Memorable Deeds and Sayings* 2.10.8. Valerius Maximus and later Seneca (*Epistles* 97.8) claim that Cato put a temporary halt to the prostitutes' striptease in the middle of the first century BCE. Seneca describes the women as harlots (*meretrices*).
8. Tertullian, *On Spectacles* (*De spectaculis*) 17.3–4.
9. Discussions of the technical and architectural as well as social and ideological aspects of the amphitheater can be found in D. L. Bomgardner, *The Story of the Roman Amphitheatre* (New York: Routledge, 2000); Alison Futrell, *The Roman Games: A Sourcebook*, Blackwell Sourcebooks in Ancient History (Oxford: Blackwell, 2006); Futrell, *Blood in the Arena: The Spectacle of Roman Power* (Austin: University of Texas Press, 1997); and Donald G. Kyle, *Spectacles of Death in Ancient Rome* (New York: Routledge, 1998).
10. My discussion of Roman spectacle is informed by K. M. Coleman, "Fatal Charades: Roman Executions Staged as Mythological Enactments," *Journal of Roman Studies* 80 (1990) 44–73; and Coleman, "Launching Into History: Aquatic Displays in the Early Empire," *Journal of Roman Studies* 83 (1993) 48–74.
11. "The sophisticated stage properties and mechanisms of the amphitheatre...would have enhanced the semblance of realism and stimulated greater efforts to emulate it. Limits of propriety were observed on the dramatic stage; but in the *damnationes* performed in the amphitheatre, dramatic scenes that had hitherto been acted out in the theatre as mere make-believe could now be created and played out for real." Coleman, "Fatal Charades," 68.
12. "Whatever legend tells, the arena materializes for you [Caesar]." Martial, *On the Spectacles* (*De spectaculis*) (6) 5. See Coleman, "Fatal Charades," 63f.
13. Coleman, "Fatal Charades," 64.
14. Apuleius, *Metamorphoses* 10.18.
15. Apuleius, *Metamorphoses* 10.21–22.
16. Apuleius, *Metamorphoses* 10.23.
17. Apuleius, *Metamorphoses* 10.29. The translation of the *Metamorphoses* is taken from Apuleius, *The Golden Ass*, trans. P. G. Walsh (New York: Oxford University Press, 1994) 211.
18. Apuleius, *Metamorphoses* 9.14.
19. *First Letter of Clement* 6.2.
20. For a provocative study of the Christian resignification of suffering, see Judith Perkins, *The Suffering Self: Pain and Narrative Representation in the Early Christian Era* (New York: Routledge, 1995) 104–123.
21. For an excellent study of Perpetua and her historical context, see Joyce E. Salisbury, *Perpetua's Passion: The Death and Memory of a Young Roman Woman* (New York: Routledge, 1997). See also Elizabeth A. Castelli, *Martyrdom and Memory: Early Christian Culture Making*, Gender, Theory, and Religion Series (New York: Columbia University Press, 2004) 69–133.
22. "[W]ell-born and liberally educated." *Passion of Saints Perpetua and Felicitas* 2.1.
23. *Passion of Saints Perpetua and Felicitas* 10.7. Translation from Herbert Musurillo, *The Acts of the Christian Martyrs: Introduction, Texts and Translations* (Oxford: Clarendon, 1972) 119.
24. *Passion of Saints Perpetua and Felicitas* 10.7. Gladiators, who suffered social contempt as well as enjoying public adulation, often tried to redefine themselves as athletes, a much more highly esteemed identity. This practice, attested in the surviving commemorations of gladiators in the Greek East, has been suggested as a source for the imagery of Christian martyrdom as athletic contest. See David S. Potter, "Entertainers in the Roman Empire," in *Life, Death, and Entertainment in the Roman Empire*, ed. Potter and D. J. Mattingly (Ann Arbor: University of Michigan Press, 1999) 323.
25. *Passion of Saints Perpetua and Felicitas* 20.8–9.
26. *Passion of Saints Perpetua and Felicitas* 20.6.
27. *Passion of Saints Perpetua and Felicitas* 20.6; see Musurillo, *Christian Martyrs*, 129.

28. Tertullian, *On Spectacles* (*De spectaculis*) 30.2.
29. Tertullian, *On Spectacles* (*De spectaculis*) 30.3.
30. For this interpretation, see Jennifer A. Glancy, *Slavery in Early Christianity* (New York: Oxford University Press, 2002) 14.
31. *Acts of Paul and Thecla*, 29 and 34.
32. Lactantius, *Divine Institutes* 1.20.10.
33. John Chrysostom, *Homily on Matthew* 7.
34. Augustine's friend and later fellow convert to Christianity, Alypius, is dragged unwillingly by other students in Rome to a gladiator show. Despite his initial resistance, Alypius is eventually drawn into the shared experience of the spectators. "As soon as he saw the blood, he at once drank in savagery and did not turn away. His eyes were riveted. He imbibed madness. Without any awareness of what was happening to him, he found delight in the murderous contest and was inebriated by bloodthirsty pleasure. He was not now the person who had come in, but just one of the crowd which he had joined, and a true member of the group which had brought him...he took the madness home with him so that it urged him to return not only with those by whom he had originally been drawn there, but even more than them, taking others with him." Augustine, *Confessions* 6.8.13; see *Confessions*, ed. and trans. Henry Chadwick (Oxford: Oxford University Press, 1991) 101.
35. Augustine, *Confessions* 9.9.19; see Chadwick, ed., *Confessions*, 168f.
36. This attitude has contributed greatly to the problem of child sexual abuse getting so out of hand in the Roman Catholic Church because it was seen as a breach of the priest's obligation to chastity rather than as a crime against the child.

V

Why Sexual Ethics Needs History

10

"As If She Were His Wife": Slavery and Sexual Ethics in Late Medieval Spain

Debra Blumenthal

In 1476, a Russian slave woman named Rosa appeared before a royal court in the city of Valencia and demanded her freedom. Describing how she and her late master had slept together in the same bed and "ate together at one table," Rosa's legal representative contended that her master had treated her more "like his concubine" (*com si fos una concubina sua*) than his slave. Indeed, he emphasized, she had given birth to two of his children: a daughter named Lucrecia and a son named Julia. For these reasons, he insisted, she was legally entitled to be awarded "freed" status. Rosa claimed her freedom under the kingdom of Valencia's legal code, the *Furs de València*, which said: "Any Christian man who lies with his female slave and has a son or daughter by her, that son or daughter should immediately be baptized and both the mother and the son (or daughter) shall be free."[1] Countering contemporary prejudices that slave women were sexually promiscuous, Rosa appeared before royal officials and publicly declared herself to be her master's faithful companion and the mother of his children. In the process, she exposed the underlying tensions between slavery's practical reality, namely the absolute authority masters had over their slave women, and the demands of Christian ethics, that is, how a "good Christian" *ought* to treat the mother of his children.

More than twenty-five years previously, Arnau Castello, a notary working in the royal chancery, had purchased Rosa in the port of Naples. At that time, Arnau was a young bachelor making his fortune in this newly conquered corner of the Aragonese empire and Rosa was "a pretty, young, white slave woman between eighteen and twenty years in age." Because Arnau already owned a slave woman "who served him" (that is, cooked and cleaned for him, as well as performing other menial, "domestic" chores), Rosa's legal representative said she had been accorded a distinct and loftier position in her master's household. In the four years they lived together in Naples, their relationship was more akin to that of lovers than master and slave. In Naples, Rosa gave birth to their first child, Lucrecia, and though Lucrecia died in infancy, in the course of her brief life Arnau allegedly had embraced her as his daughter. When Arnau moved back to Valencia to get married and set up a new household, he took Rosa with him, a choice that Rosa's legal representative said reflected their special bond. Indeed, Rosa's advocate stressed, even after Arnau married, he would continue to lie carnally with Rosa, "just as he had done so before." Thus, when Rosa gave birth to their second child, a "very handsome and noble-looking" boy named Julia, Arnau again celebrated the event like any proud father: coordinating the infant's baptism and inviting his closest friends to be the child's godparents (*compares*). Although this child too died within his first year, Julia's death was not due to paternal neglect. Arnau reportedly had hired a wet nurse and willingly shouldered all of the expenses for his son. Noting that all of these things were public knowledge and evident to anyone in their community, Rosa's advocate affirmed that they established her privileged status as her master's lover and the mother of his children, a position that automatically entitled her to freedom.[2]

As the essays in this collection amply demonstrate, sexual exploitation often was a distinguishing feature of the enslaved woman's experience. What is perhaps most notable about the dynamics of master-slave relations in late medieval Spain, however, was that an increasingly vocal group of Christian slave owners in the Mediterranean port of Valencia claimed that *they* were the ones being victimized. Expressing alarm at both their slave women's powers of seduction and their legal savvy, masters and their heirs portrayed slave women as calculating temptresses who used their sexuality as a weapon. They protested that their slave women were manufacturing false and frivolous paternity claims in an effort not only to secure their liberation but also to slander their masters' reputations.

Analysis of fifteenth-century court records reveals that slave women like Rosa could and did file lawsuits demanding their liberty on a variety of different grounds . Not infrequently, they demanded their liberation on the grounds that they had given birth to their master's child. By recasting their masters' sexual domination of them as a relationship of affection, by embracing the role of mother of their masters' children, slave women like Rosa could secure their freedom.

This article explores the interface between slavery and sexuality in late medieval Spain and how Christian ethics affected the practice of slavery and the dynamics of master-slave relationships. I examine a series of lawsuits (*demandes de libertat*) filed by enslaved women in late medieval Valencia in which they demanded their emancipation on the grounds of having given birth to their master's child. After describing the context in which this law was written, I demonstrate how it functioned actually to buttress slavery's legitimacy as a "Christian" institution.[3]

In responding to these suits, Christian slave owners in late medieval Spain (like slave owners at other times and places) claimed that they were appalled by their slave women's licentiousness. In their testimony, they related shocking incidents demonstrating their slave women's powers of seduction and prodigious sexual appetites, and they (like slave owners at other times and places) bemoaned the tenuous control they had over their slave women's shameless behavior. Yet what slave owners in fifteenth-century Valencia were most *particularly* scandalized by was their slave women's litigiousness. Expressing outrage that these "lewd and lascivious" slave women were questioning *their own* moral character—accusing them of engaging in adulterous and extramarital affairs and implying that they were the type of man who would deny his own children—slave owners condemned the royal courts for enabling slave women like Rosa to slander them.

In my archival research, I have encountered close to one hundred *demandes de libertat* filed by enslaved men and women before the Valencian court of the governor between 1425 and 1520. About a third of them, thirty-three of ninety-four, concerned either slave women who claimed that they had given birth to their master's child or the children of slave women who claimed that their biological fathers had been free persons.[4] In the kingdom of Valencia, if a child's biological father was free, the child likewise was to be considered legally free.[5] So successful were these slave women in filing what were in essence paternity suits demanding their freedom, that contemporaries became noticeably alarmed. Slave owners lobbied for the enactment of a royal decree, issued in 1488, barring slave women from receiving a court hearing if their master, the purported biological father, swore that the child was not his.[6]

Although this lawsuit filed by Rosa against her master stands as further evidence of the sexual exploitation of enslaved women across eras, cultures, and countries, her protests echoed misgivings and convictions that her intended audience (including slave owners) would have shared. Rosa's contemporaries saw a real tension between a master's absolute authority over his slave women, including the right to have sex with them, and legal and customary dictates concerning the way an "honorable" Christian master ought to treat his slave women. Although Rosa's demand for recognition of her rights as the mother of her master's child was enunciated more than five centuries ago, it highlights the enduring character of the problem we address today. Masters, mistresses, and slaves in fifteenth-century Valencia already recognized the difficulties of reconciling the principles of Christianity with the logic of slavery.

The Port of Valencia: Between the Mediterranean and the Atlantic

The city of Valencia at this time was a major hub in the Mediterranean slave trade. As early as the fourteenth century, Greek, Russian, Tartar, and Circassian slaves acquired in the Black Sea clearinghouses of Tana and Caffa and then shipped westward through eastern-Mediterranean ports were being sold in the city. These predominantly Orthodox Christian or pagan slaves were displayed alongside Muslim captives seized by Christians battling Muslim forces in southern Spain and North Africa. Toward the latter half of the fifteenth century, with the conquest of the Canary Islands and the beginning of Portuguese exploration of the coast of West Africa, the slave population became even more diverse, as the entrance of enslaved Canary Islanders and Black Africans into the marketplace signaled a shift from a Mediterranean- to an Atlantic-centered slave trade. Given this diversity in origins, slave status was not a "black"/"white" distinction in the late medieval Mediterranean world. Slave status was not limited to one particular ethnic and/or religious group. In fact, white European Christians were equally vulnerable to the depredations of pirates. Thousands languished in the captivity of Muslim masters in the Nasrid Sultanate of Granada and in ports such as Bougie, Tlemcen and Oran dotting the North African coastline.[7] In the late medieval Mediterranean world, "captives of good war" (the term for legitimately acquired slaves) included civilians as well as pirates, children as well as adults, Christians as well as Muslims and Jews, "whites" as well as "blacks," and women as well as men.

Masters and Slaves: The Responsibilities and Perquisites of Male Heads of Households

Slavery in the late medieval Mediterranean world was predominantly domestic and artisanal in character. Slaves lived in their masters' and mistresses' households and worked alongside free persons, performing many of the same tasks as servants and apprentices. The boundary between slave and free, in consequence, was oftentime distressingly fuzzy, a problem compounded when masters formed sexual liaisons with their slave women. It was likely in an effort to preserve the distinction between slaves and free persons that laws were adopted to regulate the status of children born of slave-free unions. It is these laws that provide the context for enslaved women's lawsuits demanding freedom, claims that offer us a window into the dynamics of the master-slave relationship.

Admittedly, the language used in these claims, counterclaims, and witness depositions was formulaic. The court-appointed legal advocates for the enslaved women worked from a well-worn script. But the formulas themselves, I would argue, are significant. They reveal what society expected of the master-slave relationship, what contemporaries regarded as proper "Christian" conduct for both slaves and masters.

Contemporaries readily acknowledged that masters had absolute authority over their slave women, including the right to have sex with them. At the same time, however, their testimony in these lawsuits indicates that there were clear expectations about how an "honorable" or "good Christian" master treated his slave women. Plaintiffs and defendants in these freedom lawsuits frequently affirmed the responsibility of masters, as heads of household or *paters familias*, to nurture and protect all of their dependents, including their slave women. They understood this obligation to include guarding these women's chastity by protecting them from sexual predators. For some masters, particularly those who were married, this obligation extended to renouncing "the master's prerogative" to sexually exploit his slave woman's body. To cite a couple of examples that illustrate these expectations, a slave woman charged with "whorish" behavior protested that it was impossible for her to have behaved in the manner charged because her master was a "good Christian" who kept all his slave women "very well guarded."[8] Another man, charged with impregnating his former slave woman, protested that he was a good Christian master. Therefore, he insisted, "he was not accustomed to treat his slave women in that manner."[9]

This concern with protecting a slave woman's chastity, of course, was almost entirely self-interested. A man of honor, first and foremost, protected the members of his household. A sexual assault on a member of his household, even a slave woman, was viewed as an attack on the honor of her master. Slave owners often sued individuals for impregnating their slave women; such crimes were generally regarded as a form of theft. A master's dependents were also expected to respect and preserve their master's honor by not violating his slave women's chastity. For example, upon learning that his squire had impregnated his slave woman, a Valencian nobleman chased the offender out of his household, brandishing a knife.[10]

A master's honor, moreover, was also tightly bound to the behavior and "honor"—read "chastity"—of his female dependents. A slave woman's "misbehavior" reflected poorly on her master. It was for this reason that masters expressed a considerable amount of anxiety, bordering on paranoia, about the sexual appetites of their slave women. Society expected an "honorable" Christian head of household to retain control over the behavior of *all* of his dependents, especially his slave women.

The "ideal" Christian master, then, did *not* have sexual relations with his slave women. He did so only in the event of an "emergency," that is, when his wife was away visiting relatives, or for sound "medical" reasons, such as for the relief of kidney stones.[11] Nevertheless, engaging in sexual intercourse with one's slave woman was not in and of itself subject to censure. It was a common, accepted practice, particularly when the master was a bachelor. Arnau Castello, whom the Russian slave woman Rosa named as the father of her child, for example, had (at the time of her child's conception) not yet been married. Still, the practice remained highly problematic because it blurred the distinction between slave and free, insider and outsider. When a master impregnated his slave woman, a property relationship was definitively transformed into a kin relationship. Pregnancy and motherhood, for this reason, could have profound repercussions for a slave woman's legal status.[12] Was the slave woman in question a piece of movable property or a family member?

Indeed, contemporaries of all socioeconomic backgrounds in fifteenth-century Valencia were well aware of this problem and the fact that bearing their masters' children offered slave women a path to freedom. When (ca. 1456) a Russian slave woman named Anna informed her master, the Valencian nobleman Marti de Vaguena, that she was carrying his child, he reportedly congratulated her, saying, "Take good care of the fetus, because through it you will have good fortune."[13]

Demandes de Libertat: Protests from "Chaste" and "Devoted" Slave Women

Although masters and mistresses presented slave women as unable to even aspire to Christian ideals of chastity or motherhood, slave women, in their *demandes de libertat*, advanced the exact opposite contention. In their lawsuits, they presented themselves either as paragons of sexual virtue who had been cruelly violated, or as their masters' faithful and devoted concubines.

Rather than hold their masters' sexual exploitation of them up for censure, some slave women noted how their masters' attention had earned them special treatment. They recounted, often in great detail, how their masters recognized and occasionally even fulfilled their obligations to them as both concubines and the mothers of their children. Hence, in her *demanda de libertat*, a slave woman named Ysabel emphasized how well her master had treated her during her pregnancy, "like a woman who was carrying his child." Witnesses on Ysabel's behalf recounted how her master, a baker, exhorted her not to overexert herself, gave her the choicest treats from his bakery, and had her sleep in his chamber every night.[14] Arguing that these and other actions, such as coordinating their infant's baptism, constituted a master's implicit acknowledgment of paternity, slave women portrayed themselves as bound to their masters by ties of affinity.

In the deposition filed on the aforementioned Anna's behalf by her court-appointed attorney, we see this argument taken one step further: Anna's relationship with her master was likened to a marriage.[15] The third "contention" (*capitol*) of her complaint read:

> Likewise it is said and submitted that the said Marti de Vaguena has lain carnally with the said Anna, his former slave woman, and lay with her every night in one bed as if she was his wife (*com si fos sa muller*) and he impregnated her with said daughter and thus he has said and confessed this in the presence of said slave woman as well as other persons worthy of faith.[16]

Anna's claim that she had been treated "as if she was his wife" might very well have been exaggerated. Even if true, her experiences might have been unusual. Nevertheless, she and her advocate are not likely to have advanced this argument if such a relationship would not have seemed credible to the court.

Indeed, despite the vehement denials that they voiced in public, masters reportedly did acknowledge these relationships in private. A farmer related how the nobleman Jofré d'Anyo confessed to him that he was the father of his "white" slave woman's daughter. When the farmer said, "Then Maria is free and her daughter as well," Jofré responded that although this "certainly" was the case, he could not afford to make such an admission publicly. It would cause his wife "to harbor ill will" toward him and the slave woman, and that had to be avoided at all costs because the slave woman was wet nurse to his wife's children. Jofré explained, "She is my daughter but, so as not to displease my wife, I would not dare say so."[17] Although relations between enslaved and free women were not invariably hostile, masters typically described their wives as "jealous" of their slave women and maintained that although they had to honor their responsibilities to their slave-concubines, their wives held an even greater claim over them. When Arnau Castello's cousin, a widow, rebuked him for failing to award Rosa her freedom, Arnau reportedly replied, "Cousin, how could I do this? I would like to but don't you know how forceful my wife is? Even though I want to do this I cannot."[18]

Masters presented themselves as torn. On the one hand, to please their wives and preserve harmony in the household, men felt pressure to repudiate their slave-concubines and deny their natural children. On the other hand, legal and social mores dictated that as the father he had an obligation to acknowledge and take responsibility for the slave mother and child. A man found to have denied his own child and repudiated a concubine would be dishonored in the eyes of the community for failing to honor his responsibilities.[19]

Thus, when a slave woman filed a paternity suit against her master, she was reviled not only for the tensions her claims triggered between herself and her mistress, but also for the stigma that would taint her master as her accusations of neglect echoed through the community. Thus, although Jofré d'Anyo's widow insisted that her husband was secure in the knowledge that he was not the father of his slave woman's child, he so feared the possibility that she might claim otherwise that he "was anxious to kill her."[20]

Masters contended that their slaves filed false paternity suits not only to win their freedom but also to destroy their master's reputation. When a "dark-skinned" slave woman named Johana "the Bearded" filed an unsuccessful demand for liberty, her master chastised her for not trusting him to do the right thing. Outraged that his slave woman was publicly questioning his integrity, he shouted, "Come here evil woman! You have defamed me and are defaming me in many places throughout the city, going around and saying to everyone that you are carrying my child! Don't you think that I have a soul and that I fear God so that if you are pregnant with my child I will make you free?"[21]

Some enslaved female plaintiffs, indeed, went so far as to directly and explicitly question their master's Christian character and, in so doing, assumed a morally superior position to their masters. Successfully deflecting the assaults on her character launched by her master's heirs, an enslaved woman named Ysabel steadfastly asserted that she was entitled to freedom as her master's concubine and the mother of his children. She maintained that her master had not only impregnated her twice but had "deflowered her" (*haguda fadrina*) when she was only eleven years old. When her master's heirs contended that he had been a "good Christian such that if he indeed had been the father of these children, he most certainly would have freed Ysabel," she retorted that his actions, coupled with his failure to acknowledge her status and free her in his will demonstrated that he had been neither a good man nor a good Christian. Indeed, she boldly stated that she imagined that his soul was burning "in the infernal flames" (*en mig dels inferns*)![22]

Admittedly, these court records do not allow us to know how these enslaved women saw their own sexuality. Although in their lawsuits slave women described themselves as embracing the "Christian" values of their masters, such as chastity, it may be that they were simply deploying the paternalistic rhetoric of their masters for their own ends. Moreover, as Mia Bay points out in her essay in this volume on Sally Hemings, a woman's "choices" under slavery were severely circumscribed. Indeed, another grounds for which an enslaved woman could demand her freedom—and expose her master and/or mistress to public censure for not protecting her chastity—was forcible prostitution. In 1462, an enslaved woman named Caterina contended that her mistress, Ursola Vinader, "used her improperly, prostituting her, holding her for the purposes of illicit gain and to commit the sin of public carnality, making her lie carnally with men and collecting the payments made for this." Claiming that Ursola "made" her have sex with more than 1,000 men, Caterina argued that Ursola "should lose [her claim over] her and she [Caterina] should be made free."[23] Two years later, an enslaved woman named Johana charged this same Ursola with forcing her "against her will" to work as a prostitute. In her *demanda de libertat*,

Johana stressed that her mistress had to continually beat her into submission, particularly when her mistress wanted her to "work" (that is, lie carnally with men) on sacred days like "Holy Friday or the vigils of the Virgin Mary."[24]

However much masters and mistresses in late medieval Iberia might have attempted to impose a model of sexual behavior based on the paired and reversed identities of "slave" and "free," slave women and their advocates energetically opposed such stereotyping. In their eyes, the category of "respectable" women could and did include slave women. Slave women appearing before the courts contended that they numbered among the ranks of honorable Christian women and thus deserved certain protections and even a modicum of respect. When slave women went to court to contend that they had given birth to their masters' children, they were demanding recognition of their special status.

Although these sexual relationships were inherently coercive, in the lawsuits they filed against their masters we can detect compelling reasons for slave women to have sex with their masters: as a strategy to secure better living conditions and perhaps even win their freedom. Though these relationships were by no means consensual, a slave woman's sexuality and her childbearing potential were two of a limited number of tools at her disposal to improve her lot. Certainly I do not mean to suggest here that a couple of dozen slave women and/or their children fundamentally altered the status quo. The vast majority of slave women remained firmly under the thumb of their masters. Nonetheless, it remains striking that the demands of these few were treated seriously and heard, and that a significant proportion of these enslaved mothers and/or their children (fifteen of thirty-three plaintiffs) actually prevailed in court and won their freedom.

These court cases reveal how masters' sex rights posed ethical dilemmas and troubled contemporaries even in the late fifteenth century. On the positive side, this discomfort was effectively exploited by a few privileged slave women to secure their liberation. On the negative side, the very fact that slave women had the right to advance their complaints and receive a hearing made it easier for slave owners to preserve their paternalistic pretensions. The imposed silence of the vast majority of slave women who did not secure a hearing, many of whom were probably also sexually exploited, enabled masters to maintain their position as good, God-fearing, Christian masters who struggled to instill strong Christian morals in their lewd and lascivious slave women.

Concluding Thoughts

The *demandes de libertat* filed by Rosa, Ysabel, Anna, Johana, and others demonstrate the strength of these individual enslaved women, revealing their ability to resist slavery's power over their lives and those of their children by refusing to accept the masters' image of them as loose women. They also demonstrate the strength of misgivings in their society about how the principles of Christian ethics fit with the logic of slavery. Fifteenth-century Valencians grappled with issues similar to those addressed throughout this book: the moral dilemmas provoked by the sexual exploitation of slave women. And yet, although individual slave women might have benefited from this soul-searching and these crises of conscience, the institution of slavery remained. Slave women remained vulnerable to sexual exploitation. Most slave women did not have the means or the social connections to get a hearing. Many of these slave plaintiffs relate harrowing tales of how their masters beat or whipped them to intimidate or physically prevent them from pursuing their claim to freedom. Indeed, Rosa herself was ultimately pressured into withdrawing her claim. Arnau's wife eventually granted Rosa her freedom but presented it as a beneficent act on her own part, not in recognition of Rosa's legitimate claim to freedom as the mother of her master's child.[25]

Although the lawsuits bear testimony to the inherent tension between the Christian value of chastity and Christian support for slavery, they also highlight the power of the Christian male head of household to duck these expectations. Even though his peers may have expected him, as a man of honor, to guard the chastity of the women and girls living in his household, they seem to have forgiven him if he slipped up and had sex with his slave women. *They* were the seductresses, temptresses, and sexual predators. Slavery allowed the double standard to flourish—particularly as long as a master's testimony was valued more than a slave woman's.

These court records also demonstrate how slavery persisted, and even thrived, in late medieval Christian societies. Although the earliest Christians lived under Roman rule, and thus may have been powerless to abolish its system of slavery, for generations after "Christianization," both secular and church authorities continued to sanction slaveholding: the physical, psychological, and sexual exploitation of one group of human beings by another. Indeed, even as Rosa, Ysabel, Anna, and Johana were suing for their freedom, the papacy sanctioned the expansion of the African slave trade, which facilitated the rise of the Atlantic world slave system.[26] Rather than being incidental to Christianity, slavery was an important institution within it for eighteen and one-half centuries.

At the same time, these court records from late medieval Iberia illustrate the particularities of U.S. slavery. As authors in this volume document, many male slaveholders in the United States and some of their descendants claimed sexual rights for themselves while publicly denying that they were exercising them, even though law and society granted virtually no rights to the women or their children. The complete denial of rights—even of identity—of enslaved women in the United States is strikingly different from the recognition—however limited—accorded to enslaved women in late medieval Valencia and, as Kecia Ali shows in this volume, in Islamic law.[27]

Notes

1. "Tot chrestià qui jaurà ab cativa sua e n'haurà fill o filla, que aquell fill o filla sia tantost batejat e que sien franchs la mare e-l fill o la filla." Germà Colon and Arcadi Garcia, eds., *Furs de València*, vol. 5 (Barcelona: Editorial Barcino, 1990) 110 (Llibre VI. Rúbrica I, XXI).
2. Archivo del Reino de Valencia [hereafter ARV] Gobernación 2343: M. 4: 37r; #2344: M. 12: 9r–10r.
3. Medieval historians have long debated how the spread of Christianity affected the institution of slavery in Western Europe. Although some scholars, such as Marc Bloch, argue that the spread of Christianity contributed to the decline of slavery, more recent work finds the opposite. As George Duby writes, "Christianity did not condemn

slavery; it dealt it barely a glancing blow." Scholars still, however, often tend to portray the predominantly urban and domestic slavery that persisted in the late medieval Mediterranean world as "a rather benign institution" that promoted the assimilation and integration of ethnically distinct peoples. It has been argued that with cheap domestic labor in high demand after the Black Death wiped out as much as half the population of Europe, enslavement was only temporary. Enslaved women traditionally would convert to the religion of their owners, eventually earn their freedom, and ultimately intermarry with members of the local free population. Moreover, some scholars have argued that Christianity and Islam both helped soften the treatment of enslaved men and women because masters began to see the slaves worshipping next to them as human rather than cattle, and the slaves themselves found in their faith a justification of their desire for freedom. See Marc Bloch, "How and Why Ancient Slavery Came to an End," in *Slavery and Serfdom in the Middle Ages*, trans. William R. Beer (Berkeley–Los Angeles, CA: University of California Press, 1975) 1–31, especially; Georges Duby, *The Early Growth of the European Economy, Warriors and Peasants from the Seventh to the Twelfth Centuries* (Ithaca, NY: Cornell University Press, 1974) 32; Stephen Bensch, "From Prizes of War to Domestic Merchandise: The Changing Face of Slavery in Catalonia and Aragon, 1000–1300," *Viator* 25 (1994) 85; Jacques Heers, *Esclaves et domestiques au Moyen Age dans le monde méditerranéen* (Paris: Arthème Fayard, 1981); and Pierre Bonnassie, *From Slavery to Feudalism in Southwestern Europe*, trans. Jean Birrell (Cambridge: Cambridge University Press, 1991) 31f.

4. In addition, I encountered two further cases in which slave women demanded their freedom on the grounds that they had been forcibly prostituted. A more extensive discussion of these two cases appears in the text.
5. "E si jau ab cativa que no sia sua e n'haurà fil o filla que aquel fil o filla sia aytantost batejat e que sia franch de tota servitut." Germà Colon and Arcadi Garcia, eds., *Furs de València* 5:110 (Llibre VI, Rúbrica I, XXII).
6. "Com sovint s'esdevinga que les catives dels habitants en lo regne de València se jaen carnalment ab los scuders, moços e altres de la casa de lur senyor, e encara ab altres for a de la dita casa, e se emprenyen e aprés quan pareixen dien que lo part és de lur senyor e que per açò són franques, provehim e ordenam que les dites sclaves, per la dita rahó, no obtinguen o puixen obtenir franquea, si lur senyor jurarà que la criatura no és sua ab jurament, al qual se haja a star e altrament no obtinga libertat." Germà Colon and Arcadi Garcia, eds., *Furs de València* 5:110 (Llibre VI, Rúbrica I, XXII).
7. See, most recently, Robert C. Davis, *Christian Slaves, Muslim Masters: White Slavery in the Mediterranean, the Barbary Coast, and Italy, 1500–1800* (London: Palgrave Macmillan, 2003).
8. ARV Gobernación 2394: M. 4: 18v; #2395: M. 11: 37r–46r.
9. ARV Gobernación 2314: M. 9: 37r.
10. ARV Gobernación 2398: M. 1: 29v; #2399: M. 23: 35r–43v.
11. ARV Gobernación 2310: M. 3: 31r; ARV Gobernación 2311: M. 12: 1r–17v; M. 17: 1r.
12. Although Valencian law was distinct from other regions of the Crown of Aragon in awarding freedom to enslaved women who gave birth to their master's child, it had much in common with the laws governing master-slave relations in neighboring Islamic regions. As Kecia Ali demonstrates in "Slavery and Sexual Ethics in Islam" in this volume, Islamic law also stipulated that enslaved women who bore their master's children were entitled to a privileged status as *umm al-walad*. Though, in contrast with Valencian law, they were not entitled to immediate liberation, they were to be freed automatically upon their master's death. See Joseph Schacht, "umm al-walad," in *Encyclopaedia of Islam*, vol. 4 (Leiden, Netherlands: Brill, 1934) 1012–1015. Although some scholars have speculated that Valencian law might have been influenced on this point by Islamic practice, given the kingdom of Valencia's large Muslim population, no direct linkage has yet been established.
13. ARV Gobernación 2314: 15r; #2317: 234r–235v.
14. ARV Gobernación 2394: 102r; #2395: 38r–47v.

15. Both Kecia Ali, "Slavery and Sexual Ethics in Islam," and Gail Labovitz, "The Purchase of His Money: Slavery and the Ethics of Jewish Marriage," in this volume, analyze the ways in which the categories of slavery intertwine with those of marriage in early Islamic jurisprudence and early rabbinic law.
16. ARV Gobernación 2314: 15r; #2317: 234r–235v.
17. ARV Gobernación 2304: M. 3: 45r; #2305: M. 11: 8r-23v; M. 20: 13r–21v; #2306: M. 25: 16r–17v; M. 26: 36r–37v; 42r–43r; M. 29: 19r–v.
18. ARV Gobernación 2343: M. 4: 37v; #2344: M. 12: 9r–10r.
19. Julio Caro Baroja, "Honor and Shame: A Historical Account of Several Conflicts," in *Honour and Shame*, ed. J. G. Peristany (London: Weidenfeld and Nicholson, 1965) 118.
20. ARV Gobernación 2304: M. 3: 45r; #2305: M. 11: 8r–23v; M. 20: 13r–21v; #2306: M. 25: 16r–17v; M. 26: 36r–37v; 42r–43r; M. 29: 19r–v.
21. ARV Gobernación 2310 M. 3: 31r; #2311: M. 12 1r–17v; M. 17: 1r.
22. "E dix que no era bon xristia puix no la jaquia franqua e la anima sua ne vull en mig dels inferns." ARV Gobernación 2394: M. 4: 18r; #2395: M. 11: 37r–46v.
23. "[U]ssant mal de la dita sclava e prostituhint aquella e tenint la a guany inlicit e a peccat publich de carnalitat fahent la jaure carnalment ab homens e ella prenent ne loguer...que per aquella haver mes a guanyar la dita Caterina que aquella auria perduda e que seria franqua." For Caterina's *demanda de libertat*, see ARV Gobernación 2310: M. 3: 41r, #2311: 110r–114v. Unfortunately, we don't know the outcome of her lawsuit.
24. "[A]quella feya gitar carnalment ab homens tot l'any specialment lo divendres sant o en les vigilies de la verge Maria ultra voluntat de la dita Johana." For Johana's *demanda de libertat*, see ARV Gobernación 4848: M. 1: 17v; #2305: 5v–7v. Unfortunately, we don't know the outcome of her lawsuit.
25. ARV Gobernación 2383: M. 20: 1r.
26. For English translations of Pope Alexander VI's papal bulls, "Inter Caetera (1493)" and "Dudum Siquidem (1493)," see the documentary appendix to Junius P. Rodriguez, *The Historical Encyclopedia of World Slavery* (Santa Barbara, CA: ABC-CLIO, 1997). It bears noting that Pope Alexander VI (born Roderic Llançol, a.k.a. de Borja) was originally from Xàtiva, a city located about sixty kilometers south of Valencia. See also Robin Blackburn, *The Making of New World Slavery: From the Baroque to the Modern, 1492–1800* (New York: Verso, 1997) 102–125; and James Muldoon, "Spiritual Freedom—Physical Slavery: The Medieval Church and Slavery," *Ave Maria Law Review* 3 (2005) 65–93.
27. See Kecia Ali, "Slavery and Sexual Ethics in Islam," in this volume.

11

Love, Sex, Slavery, and Sally Hemings

Mia Bay

"Among the blacks is misery enough, God knows" Thomas Jefferson maintained in *Notes on the State of Virginia* (1787), "but no poetry...Their love is ardent, but it kindles the senses only, not the imagination." By way of example, he critiqued the work of Phillis Wheatley, who rose to fame as an enslaved teenager in the late 1760s, with the publication of her early poems. "The compositions under her name are beneath the dignity of criticism."[1] Jefferson's conviction that a young black girl who grew up in bondage would know little of love and even less of poetry is worth noting today as Americans again revisit his relationship with another enslaved teenager, Sally Hemings. There, Americans often find an interracial romance that has some celebrating Hemings as a "founding mother."[2]

Long dismissed as a nasty rumor rather than romance, Jefferson and Hemings's liaison evidently began sometime in the late 1780s, not long after the publication of *Notes on the State of Virginia*. It was first made public in 1802, when a disaffected Republican journalist named James Callender charged that President Jefferson was keeping "one of his slaves, as his concubine, her name is SALLY."[3] Never much of a scandal, Callender's charges did not derail Jefferson's political career. But stories of a relationship between Sally Hemings and Thomas Jefferson have lived on, gaining new and different dimensions as they are retold. The subject of both pro- and anti-slavery doggerel during the antebellum era, Hemings became fodder for romantic fiction in the twentieth century, which saw her sharing "a forbidden love" in Barbara Chase-Riboud's novel, *Sally Hemings,* a 1979 bestseller that inspired equally romantic screen adaptations such as *Jefferson in Paris* (1995) and *Sally Hemings: An American Scandal* (2000).[4]

Only recently has the story received widespread attention as something other than rumor or romantic fiction. Jefferson tacitly denied Callender's allegations in 1802, and most twentieth-century historians followed his lead.[5] Conventional wisdom denied the liaison until 1998, when DNA tests performed on modern-day descendants of the Hemings and Jefferson families documented a blood tie between the two families. "Jefferson Fathered Slave's Child" blared in newspaper headlines across the globe. Strikingly absent since then, however, has been any effort to place the relationship within the everyday sexual ethics of the slave system. Even Jefferson's historians and biographers, who long dismissed any relationship between Jefferson and his slave maid as improbable, at least in part because it would have reflected poorly on Jefferson's character, have been quick to read the DNA shared by their descendants as evidence of a consensual and perhaps even loving relationship between Jefferson and Hemings.[6] Moving abruptly from denial to romance, such scholars stress that the Virginia leader and his house slave were not as divided by race and slavery as they might seem. Hemings was, after all, a very fair-skinned young woman of mixed-race lineage, they point out: Jefferson may well have seen her as white. Moreover, "in status, Sally was barely a slave," and therefore we can be quite sure that she was a willing partner to Jefferson—she may even have "seduced him."[7]

Although impossible to prove, such conjectures have proliferated ever since the DNA evidence linking Hemings and Jefferson was released. By recoloring Hemings as white and stressing that she may have derived certain advantages from her relationship with Jefferson, contemporary commentators manage to keep the Jefferson–Hemings relationship within the realm of romance and consent—rather than slavery or rape. Whereas Sally Hemings's son Madison described his mother as his father's "concubine," Jefferson's modern-day historians avoid this distinctly unromantic formulation in favor of a retelling of the Jefferson-Hemings story that plays down Jefferson's ownership of Hemings. Only by romanticizing Sally Hemings as "founding mother," rather than speaking of her as Jefferson's slave concubine, can Americans preserve the reputation of a revered founding father, and with it, an image of a racial past that is not beyond redemption.

But discussions of Jefferson and Hemings that gloss over their master-slave relationship fictionalize the American past, obscuring much of what we do know about the ways in which the power-based relations of bondage shaped such relationships. We may wish to see the relationship between Jefferson and Hemings as consensual, and even loving.[8] But in doing so, we lose sight of the historical context in which it took place. Neither Jefferson nor Hemings left any record of their feelings for each other, loving or otherwise. Whatever they were, we can be quite sure that the terms of their liaison were not dictated by Sally's feelings for Jefferson. The two met at a time when enslaved African-Americans had no right or reason to think of themselves as individuals with the liberty and autonomy to make choices, and slave owners' sexual claims to slave women were a matter of property and power, not human frailties and desires. Moreover, any lost history of a loving relationship between Jefferson and Hemings—if we could find it—need not be redemptive. Love is an emotion that can coexist with all sorts of brutal exercises in power, from incest to spousal abuse, without redeeming or even changing the coercion and emotional and physical violence at the heart of such phenomena. Love may not redeem or deny slavery; it may not even change it.

Romanticizing the liaison between Jefferson and Hemings is a dangerous business. It risks preserving Jefferson's reputation at the cost of ignoring the sexual exploitation and familial losses inscribed across the Hemings family's history and the history of American slavery more generally. Our modern-day wish to see a founding couple in Hemings and Jefferson does not speak to an improved historical understanding of the relationship between the two. Rather, it testifies to our continuing unwillingness to face the history of sexual exploitation that is one of slavery's legacies.

Law, Love, and Interracial Intimacy in Jefferson's Virginia

Although we will never know exactly what transpired between them, we do know that Jefferson owned Hemings all her life and that their relationship took place within a power structure that fostered many similar relationships. Affectionate or not, such couplings were a product of a specific social and legal context, rather than of unmediated emotional and sexual impulses. Jefferson's claim to Hemings's body and reproductive capacities was a matter of both custom and law. Slave owners' rights over their human property were a product of calculated decisions by slaveholding legislators such as Jefferson—white men exempted themselves from laws that penalized both white women and free blacks from interracial intimacies.

Virginia's April 1691 law against interracial marriage, for example, made all the children of such unions illegitimate and penalized their mothers. Calling upon the authority of both the colony's legislature and the Church of England, which presided over Britain's American colonies as well, Virginia law deemed the mulatto children of white women "bastards" and sentenced their mothers to the hefty fine of fifteen pounds—payable to "the Church wardens of the parish where she shall be delivered of such child."[9] But neither the Virginia legislature nor the Anglican church regulated unions between white men and slave women. Enslaved women were already barred from any legally recognized form of marriage, and like their mothers, slave children were the property and legal responsibility of their owners. Whereas the fathers of freeborn children could be sued for child support, white men were free to father slave children without raising or supporting them and could even profit by doing so when they fathered children by their own slaves. Regardless of who fathered them, slave women's children brought tremendous profits to the slave system. "I consider a woman who brings in a child every two years more profitable than the best man on the farm," Jefferson told a correspondent in 1820. "What she produces is capital, while his labors disappear in mere consumption."[10]

Moreover, white men who fathered children with free black women were largely immune to punishment after 1700. The eighteenth century saw Virginia courts increasingly abandon any attempt to prosecute the fathers of illegitimate children, interracial or otherwise. White male sexual behavior did not require close regulation in the racialized patriarchy that had taken shape in colonial Virginia because the vital categories of race and freedom followed the mother. But white women were subject to severe legal punishments when they bore mixed-race children. Colonial-era penalties included corporal punishment and fines, and they would have become even more severe after the Revolution, if left up to Thomas Jefferson. During the Revolution, Jefferson headed a committee charged with drafting laws for the state of Virginia. The idealistic young lawyer believed Virginia's colonial legal code included "many very vicious points which urgently required reformation."[11] A staunch advocate

$\frac{q}{2} + \frac{C}{2} = \frac{a}{8} + \frac{A}{8} + \frac{B}{4} + \frac{C}{2}$. call this e. (eighth) who having less than $\frac{1}{4}$ of a. or of pure negro blood, to wit $\frac{1}{8}$ only, is no longer a mulatto. so that a 3d cross clears the blood.

from these elements let us examine other compounds.

for example, let h. and q. cohabit. their issue will be

$\frac{h}{2} + \frac{q}{2} = \frac{a}{4} + \frac{A}{4} + \frac{a}{8} + \frac{A}{8} + \frac{B}{4} = \frac{3a}{8} + \frac{3A}{8} + \frac{B}{4}$ wherein we find $\frac{3}{8}$ of a. or of negro blood.

let h. and e. cohabit. their issue will be

$\frac{h}{2} + \frac{e}{2} = \frac{a}{4} + \frac{A}{4} + \frac{a}{16} + \frac{A}{16} + \frac{B}{8} + \frac{C}{4} = \frac{5a}{16} + \frac{5A}{16} + \frac{B}{8} + \frac{C}{4}$ wherein $\frac{5}{16}$ a. makes still a mulatto.

let q. and e. cohabit. the half of the blood of each will be

$\frac{q}{2} + \frac{e}{2} = \frac{a}{8} + \frac{A}{8} + \frac{B}{4} + \frac{a}{16} + \frac{A}{16} + \frac{B}{8} + \frac{C}{4} = \frac{3a}{16} + \frac{3A}{16} + \frac{3B}{8} + \frac{C}{4}$ wherein $\frac{3}{16}$ of a is no longer mulatto.

Figure 11.1 Jefferson's Calculations of Negro Blood and the Right to Freedom.
In an 1815 letter to attorney Francis C. Gray, Thomas Jefferson drew up the equations represented here to explain how Virginians understood the cleansing of "negro blood" over generations. Jefferson wrote in response to a query from Gray, who had asked him to supply a legal definition of the term "mulatto." In replying to Gray, Jefferson used his equations to calculate that a person who was three-sixteenths black was no longer mulatto. "This does not establish freedom," he added. "But if [a person with less than one-fourth 'pure negro blood'] be emancipated, he becomes a free white man."

Source: Jefferson to Francis C. Gray, March 4, 1815, Thomas Jefferson Papers, Series 1: General Correspondence, 1651–1827, Library of Congress: American Memory, http://memory.loc.gov/master/mss/mtj/mtj1/047/1200/1205.jpg (accessed January 13, 2010).

of freedom of religion, Jefferson seized the opportunity to end the Anglican church's dominion over Virginia, in favor of establishing a wholly secular state government. But he made no move to abolish the sanctions against interracial sex established under the former colony's theocratic legal codes. Instead, Jefferson's proposed "Bill Concerning Slaves" replaced the fines the colony had once levied against white women who consorted with black men—which were payable to the church—with even harsher penalties. "Any white woman" who had a child "by a negro or mulatto," he proposed, should be banished from the state, along with the child, although this measure proved too harsh for Virginia's legislature.[12]

Enslaved women were of course exempt from such penalties. But they were equally exempt from legal protection from sexual violence—both before and after the Revolution. Indeed, the distinctive status of enslaved women in Southern jurisprudence calls into question the very terms used by modern observers attempting to make sense of the emotions that gave rise to the Jefferson–Hemings relationship. In particular, recent historical speculations have centered on whether the relationship between the two was driven by "rape or romance," or marked by "coercion or consent." Such alternatives are largely anachronistic when applied to any relationship between a slave woman and a white man in the American South.

The first of these alternatives, the rape of an enslaved woman, was neither a legal offense nor a recognizable phenomenon in Hemings and Jefferson's world. From the beginning of the eighteenth century through the Civil War, there is no record in American courts of any white man's conviction for raping an enslaved woman, either his own or another's.[13] Although rape was both a crime against property and a sex crime, prevailing definitions of rape excluded from prosecution men who violated enslaved women. Bondswomen possessed no property in themselves; they could not even pursue litigation on their own behalf. Moreover, unlike white women, they had no relatives entitled to litigate for them. When a white woman was raped, her father or husband was entitled to claim damages for any injuries, as well as for the violation of his property rights. But for an enslaved woman, only her master had a legal claim to her labor and reproductive capacity. And because any child who resulted from the rape would constitute a valuable addition to his property, or his "capital," to borrow Jefferson's term, rape did no damage to the owner's investment.[14]

Moreover, insofar as eighteenth-century Americans understood rape as a crime against women as well as against property, African-American females also fell outside the law. Regardless of whether they were free or enslaved, women of African descent had no socially recognized claim of protection against sexual assault. On the contrary, their race excluded them from the conceptions of female fragility and sexual honor that made rape and other forms of male sexual assault punishable by law. In early America, rape most often received serious legal attention when the rapist could be assumed easily capable of overpowering his victim—an assumption that excluded black women. From 1643 onward, colonial Virginia classified black women as physically stronger than white women by subjecting them to the same labor tax as male workers. White women's labor was not subject to tax. Along with children, and colonists classified as too elderly to work, white women were defined as dependents.[15]

In addition to being deemed physically stronger than white women, by the eighteenth century, black women were also classified as more licentious and wholly invulnerable to rape on that account. Slavery gave men untrammeled sexual access to black women, which in turn fostered the development of powerful racist and sexist ideologies that defined black women as lustful by nature and incapable of modesty or sexual restraint. Such ideas dated back to the first European encounters with African women, in which European travelers conflated the abbreviated clothing worn by these inhabitants of the tropics with lewdness and mistook African tribal dances for orgies.[16] The system of racial slavery that emerged in the colonial South did nothing to dispel these European fantasies. Instead, slavery made the sexual exploitation of black women possible, and that exploitation reaffirmed white beliefs in the promiscuity of black women. Slave owners did not allow enslaved women to marry or readily resist the advances of any man and pressured them to have as many children as possible, then viewed the results of their own actions as further evidence of the licentious character of black women.

Indeed, they deemed black women sexually insatiable. Believed to possess a sexual stamina that allowed them to serve their lovers "by Night as well as Day," black women were also supposed to have sexual skills that could render men "callous to all the finer sensations of female excellence." Moreover, they were also reckoned to be more than willing to share their sexual expertise with any number of partners, as can be seen in one slave owner's claim that he "did not know more than one Negro women that he could suppose to be chaste."[17] Likewise, Thomas Jefferson, no stranger to such ideas, thought that "the commerce between the two sexes" among the slaves was "almost without restraint."[18]

Not surprisingly, such convictions provided Southern whites with yet another justification for not defining the rape of enslaved females as a crime.

Right through the slavery era, sexual violence against black women routinely went unpunished. Only in 1859 did one Southern court take the unusual step of invoking prohibitions against child rape to prosecute a male slave for the rape of a slave girl who was less than ten years old, but the conviction was soon overturned. In George v. the State of Mississipi, the lawyer whom the male slave's owner hired to challenge the verdict successfully argued that "[t] he rape of a slave was essentially not rape."[19] Because slaves had no legal right to marriage and were not known for their sexual restraint, he contended, slave women merited no legal shield against rape: "[T]he regulations of the law, as to the white race, on the subject of sexual intercourse, do not and cannot, for obvious reasons, apply to slaves; their intercourse is promiscuous, and the violation of a female slave would be a mere assault and battery."[20] His argument prevailed, although its implicit endorsement of child rape may well have embarrassed Mississippi legislators at a time when slavery was under assault—the following year saw the state move to outlaw the attempted or actual rape of black and mulatto females under twelve by black or mulatto men, punishable by whipping or death. Rapes perpetrated by white men remained licit, as did sexual assaults against black women older than twelve.[21]

This Southern legal tradition may seem to have little bearing on our understanding of the relationship between Sally Hemings and Thomas Jefferson because their interactions never resulted in any sort of litigation. But it does help illuminate the narrow field of choices that framed relationships between slave women and their owners, calling into question recent scholarly attempts to define the relationship between Jefferson and Hemings as either consensual or coercive. In particular, the low status of black women in Southern law suggests that consent and coercion cannot be considered actual alternatives in the lives of enslaved women.

Moreover, Hemings and Jefferson's relationship took shape in a world in which the boundaries between consensual and non-consensual sex were blurred even outside the slave–owner relationship. In eighteenth-century America, rape was classified above all as a form of illicit sex. Like adultery and fornication, rape was attributed to passions not easily isolated to just one partner. A product of female as well as male passions, it could occur, in part, because women's passions sometime overruled their "verbal resistance" to sex. Accordingly, rape was difficult to prosecute even when the victim was white because men might interpret resistance as flirtatious encouragement. Such suspicions were born of eighteenth-century understandings of gender, which held that women lacked the intellectual ability to control their sexual impulses. As far as white women were concerned, by the nineteenth century, such assumptions had begun to be tempered by the idea that "respectable women" might behave in ways that counteracted "men's baser instincts."[22] But these enlightened new ideas did not apply to enslaved black women, both because their race was held to be naturally lewd and promiscuous and because, as slaves, black women had no claims to respectability and little control over their behavior.

Accordingly, black women's lack of any meaningful legal or social control over their own bodies and sexual choices poses an obvious and perhaps insurmountable challenge to any romantic approach to the Jefferson–Hemings liaison. At the heart of romance lies the presupposition of a voluntary relationship between two people—not an easy assumption when one of the romantic partners is a slave. Yet many recent commentators are remarkably confident that Jefferson's relationship with Sally Hemings was a product of her choices as well as his. Bypassing the thorny issue of whether slave women actually had meaningful choices when it came to navigating sexual interactions with their owners, they revisit the Jefferson-Hemings relationship to find evidence that Hemings entered into it freely.

Sex in the City: Thomas Jefferson and Sally Hemings in Paris

Thomas Jefferson's relationship with Sally Hemings began in France in the 1780s, after Congress dispatched Jefferson, Benjamin Franklin, and John Adams to Europe to negotiate America's commercial treaties with Europe. Jefferson arrived in Paris in 1784 and was joined there in 1787 by his eight-year-old daughter Polly who, on Jefferson's request, traveled to France to visit her father in the company of "a careful negro woman."[23] For this task, Jefferson's relatives selected Sally Hemings, a Monticello house servant and sister to James Hemings, also enslaved to Jefferson. James had accompanied Jefferson to Paris, where he served as his valet and trained as a chef. Sally was a thirteen- to fourteen-year-old girl whose sexual relationship with Jefferson, then in his mid-forties, evidently began some time after she moved into the townhouse that Jefferson rented on the Champs-Elysées. According to Sally's youngest son, Madison, whose testimony supplies much of this information, Hemings was pregnant with Jefferson's child when the Jeffersons returned to Virginia in 1789. Sally Hemings was initially reluctant to return home with them, but she agreed to do so after Jefferson promised her "extraordinary privileges... [and] made a solemn pledge that her children should be freed at age twenty-one years."[24]

These facts tell us almost nothing about the character of the relationship between Jefferson and Hemings. Madison Hemings's testimony on his parents' relationship was limited to a brief newspaper interview conducted in 1873 and supplies no more details than those described above. Madison does not speak of how the relationship began, only of a pledge made afterward, and his mother's long service as Jefferson's "concubine."[25] But his unromantic tale remains enough to assure Jefferson scholars that the relationship was voluntary on both sides. Madison's description of the promises Jefferson made to Hemings even strikes recent Jefferson scholars as clear evidence of a consensual agreement or "bargain" between Jefferson and Hemings. Indeed, some scholars now suggest that Hemings pursued Jefferson to better her lot.[26]

A resurrection of the character defense so long used to deny that Jefferson could have had a relationship with Sally, this claim of a "bargain" overlooks the historical and social context in which it took shape. It asks us to believe that the middle-aged Jefferson fell prey to the machinations of a teenage plantation slave who pursued him to Paris in the hope of securing unspecified advantages that would better her position as a slave. They would not have included freedom, if Sally were following her mother's example as longtime sexual partner to Jefferson's father-in-law. Sally's mother Betty Hemings secured liberty neither for herself nor her children as a result of her liaison with John Wayles.

Surely, the vulnerable partner was Sally, not Jefferson. We have no reason to believe that Sally was especially mature for her age. On the contrary, her youthful demeanor made an unfavorable impression on Abigail Adams, who met Sally with Polly Jefferson in London upon the girls' arrival. Hemings was "quite a child," Adams wrote Jefferson in the spring of 1787, horrified to find young Polly traveling under the supervision of a slave girl only a little older than her charge. Sally, she scolded Jefferson, "wants more care than the child and is wholly incapable of looking after her [Polly] without some superior to direct her." Adams added that the sea captain with whom the two girls had traveled confirmed her view: "Captain Ramsey is of the opinion that she [Hemings] will be of so little service to you that he had better carry her back with him."[27] Jefferson paid no attention, and Sally remained in Paris, even after Polly joined her older sister Martha at the convent school where Jefferson sent both girls.[28] Left alone with Jefferson in his Paris townhouse, Hemings evidently grew up quickly, as did many female slaves her age. The "child" was pregnant two years later when she returned home with the Jefferson family.

Hemings's youth and possible pregnancy should factor prominently in any analysis of her interactions with Jefferson because they challenge current assumptions that Hemings could easily have chosen to live her life as a free woman in France.[29] Because the exact date when Hemings negotiated the terms of her return to America with Jefferson is not known, we cannot know for sure whether she was pregnant at that time. But at the very best, the bargain that Hemings struck with Jefferson was a deal between a teenage slave and her owner. At worst, it was an arrangement between a pregnant teenage slave and her owner—as the mention of children strongly suggests. What other options did Hemings have? The prospect of freedom clearly appealed to her, but she had no property, had only recently learned to speak French (and may not have been fluent), and had less than two years' experience as a lady's maid. Moreover, no evidence exists to suggest she could read or write. A couple of her siblings could, but Jefferson provided no education for his slaves and feared that a mastery of writing "would enable them to forge papers, when they could no longer be kept in subjection."[30]

We do know that Hemings's brother James ultimately struck his own bargain with Jefferson, traveling back to Virginia with his sister in return for the promise of wages for his labor and eventual emancipation. Jefferson had brought James Hemings to France "for the particular purpose of learning French cookery" and, once in Paris, he had arranged to have the young slave trained in French cooking and the French language at "great expence [*sic*]." By the time the Jefferson family left Paris, Hemings had become an accomplished cook and worked as Jefferson's *chef de cuisine*, a position he would continue to hold until Jefferson freed him in 1796. Clearly anxious to recoup his investment, Jefferson agreed to manumit James Hemings only after the latter finished training another slave to take over his job, which gave James some bargaining power. But it seems unlikely that Sally Hemings's sexual involvement with Jefferson, if under way when she negotiated her return, would have given her similar leverage.[31] Rather, assuming she was pregnant at that time, it helped eliminate any possibility of Sally's finding a way to achieve her liberty and support herself in France.

Questions about Hemings's choices, and whether she had any, are more likely to be illuminated by examining the lives of slave women than by speculating about the unknown and unknowable character of her emotional relationship with Jefferson—although such speculations loom large in most recent discussions of Hemings.[32] Both Southern law and slave testimony suggest that modern notions of consent had little relevance to the sexual relationships between slave owners and their female slaves. Enslaved women had virtually no power to avoid these liaisons, which meant that the slave owner rarely had to force an enslaved woman to have sex. He had it within his power to make giving in the best choice she had.[33] Slave women agreed to what they could not refuse.

Among the slave owner's powers of coercion were all the powers that Jefferson held over Sally in Paris. He controlled her daily routine, the amount of work she did, and where she did it, in case he wanted to be alone with her.[34] Accordingly, as we look back on their relationship, any arguments we care to make about consent, volition, or romance must be framed with reference to a power structure that challenges the very meaning of all three terms. Hemings lacked the freedom to reject Jefferson's sexual overtures, making it impossible to assess whether she was a willing participant in their long liaison. Given the inequities in power between the two, we must assume that Hemings and Jefferson negotiated their relationship around his wishes rather than hers.[35]

Indeed, Sally had no options that were not entirely bound up with her status as Jefferson's slave—and no real choices. Even if she had managed to remain in France, she had no hope of escaping Jefferson's influence, as the Virginia patriarch owned her mother and five siblings. Moreover, she had no way of severing herself from Jefferson without permanently separating herself from both her immediate family and the close-knit slave community in which she was raised—a prospect made all the more difficult by her slave origins.

Sally Hemings's World

Plantation slaves such as Hemings defined themselves in reference to their communities within in the slave quarters. There, they found refuge from the slave identity imposed on them in the "big house," developing a community organized around kinship rather than coercion. Within the quarters, enslaved African-Americans developed a communal identity that made little reference to liberal notions of the self that stress individual freedom and choice, ideas that inform contemporary discussions of Hemings's "choices." Commonplace today, such liberal notions of an autonomous self were defined largely in opposition to chattel slavery by political philosophers such as Jefferson, who wished to free white men from the shackles of British dominion, and later, Federalist political tyranny.[36] These notions never included African-American slaves and had little application to the communal world of the slave quarters, where freedom was at best an elusive goal, and people were defined and sustained by family ties rooted in the social arrangements that had long organized the West African societies from which most African-Americans originated.

In such societies, each individual occupied a place in "the lines of kinsmen...stretching backward and forward through time."[37] On a less spiritual plane, a network of attachments embracing both blood relations and fictive kin was crucial to African-American survival under slavery, especially among women. Enslaved African-American women relied on other women to help them through pregnancy and labor. Moreover, the female slave network worked together to raise their community's children. Women met the grueling demands of child care and bondage by sharing their domestic responsibilities, a practice made all the more necessary by the fact that many of them, including Sally's mother, Betty, were single parents.

A mother of twelve, Betty Hemings bore six children for her owner, John Wayles, before his death in 1774, when her youngest child, Sally, was a year old. At that time, the Hemings family became the property of Thomas Jefferson, Wayles's son-in-law. As the female head of her household, Betty was in good company because slave women frequently outnumbered slave men on plantations in the Chesapeake during the Revolutionary era.[38] The region lost many slave men during the war; enslaved men were more often subject to sale than women, and therefore more likely to run away or secure permission to marry a woman from outside the plantation. Moreover, the white men who fathered slave children rarely served as parents to them, creating still more single mothers. Given such demographics, female blood ties, rather than romantic love, were at the heart of many of the most enduring relationships formed by slave women.[39]

Family considerations would have made any idea of remaining in France an agonizing and perhaps impossible choice for Sally Hemings (and her brother James). Any desire that Hemings might have had to free herself from Jefferson or slavery had to be balanced against the fact that Jefferson owned her family. Remaining abroad would have required Sally and James to abandon not only their mother and siblings but generations of Hemings kin, just as the very young Sally was expecting her first child. Their family spanned five generations and constituted one-third of Jefferson's 130 slaves by the time of his death in 1826. Never dispersed from the plantation, the Hemingses were an exceptionally close-knit family, united by both proximity and blood ties obvious even to outside observers. Jefferson's grandson remembered that "Mr. Js Mechanics and his entire household of servants with the exception of an under cook and a driver consisted of one family connection and their wives." The bond was even more meaningful to family members such as James and Sally's nephew Peter Fossett, who noted that "a peculiar fact about [Jefferson's] house servants is that we were all related."[40] What these family ties meant to Sally we can never know. But it is safe to assume that they held some importance to her.

Hemings's social context should also figure prominently in any conclusions about the character of her interactions with Jefferson. Some recent commentators seem to disagree, however, arguing that because Sally bore only Jefferson's children, she must have loved him and he must have loved her, just as most husbands and wives over time have found love despite the profound inequalities between them.[41] Here again, love conquers all. But was Hemings free to take other lovers among Monticello's male slaves? All were owned by Jefferson, and chose their partners only with his permission. Although one can certainly hope that Hemings and Jefferson found happiness with each other, their long monogamous union provides no real evidence of it.

No proof exists to suggest that Jefferson took other lovers, or that Sally's children had more than one father. But their union cannot be equated with enduring and exclusive relationships outside the slave–master relationship because Hemings lacked both the freedom available to white women in illicit relationships and the protections offered to legally married women. Indeed, nowhere was Hemings's lack of freedom more evident than in the limits of her family ties to Jefferson.

"Mama's Baby, Papa's Maybe"

Among the benefits that free women have traditionally garnered from marriage are family ties and financial support for their children. But family ties and familial obligations, as normally understood in the West, were one of the great casualties of enslavement. As cultural critic Hortense Spillers observes, enslaved African-Americans saw family as one of "the mythically revered privileges of free and freed communities." With few exceptions, American slaves were denied "the vertical transfer of a bloodline, or a patronymic, of titles, and entitlement, or real estate and cold hard cash, from fathers and sons, and the supposed free exchange of affectional ties between a male and the female of his choice."[42] The Hemings family was no exception.

According to Sally's son Madison, the Hemings family came to Monticello already bearing a legacy of family ties severed by slavery. They took their name from their great-grandfather, an English ship captain named Hemings, who sailed between England and Williamsburg. Hemings met and had a child with Madison's great-grandmother, producing Elizabeth Hemings, who would become Sally's mother. Anxious to claim his "own flesh and blood," Hemings tried to buy his child, offering "an extraordinarily large price for her." But her owner John Wayles, who later became Jefferson's father-in-law, would not part with her at any price, evidently because mixed-race children were still a rarity at that time, "and the child was so great a curiosity that its owner desired to raise it himself that he might see its outcome." Thus began a family history of fatherlessness. "Capt Hemings soon afterward sailed from Williamsburg never to be seen again," Madison concluded. "Such is the story that comes down to me."[43]

And so the story continued. John Wayles took Elizabeth Hemings, who was known as "Betty," as his sexual partner after his wife died, and together they had six children. Wayles employed the Hemingses as house servants rather than field hands, just as Jefferson would do with Sally and her children. But despite their blood ties with the Wayleses, Betty and all her children remained slaves, even after Wayles's death. After he died, the Hemings family became the property of Jefferson and his wife, Martha Wayles Jefferson. Martha was, of course, also half-sister to Sally and her siblings under any conventional notion of kinship. But such understandings of kinship carried little weight in the American South, where, as Hortense Spillers observes, "under the conditions of captivity, the offspring of the female does not 'belong' to its mother, nor is s/he related to the owner, though the owner 'possesses' it... often fathered it, *and*, *as often*, without whatever benefit of paternity."[44] Betty Hemings and her children entered the Jefferson household as property rather than as relatives of Martha Wayles Jefferson; and Sally and the children she bore with Jefferson were Jefferson's property rather than his family.

Indeed, they figure in Jefferson's papers only as such, receiving notice primarily in his records of the slaves he owned. Jefferson's plantation accounts are almost the only source available on Sally Hemings's life once she returned to Monticello. In his Farm Book, "he recorded, just as he did for other slaves, the birth of Sally Hemings's children, the clothing she and other housemaids received, and her meat and cornmeal rations."[45] The departure of two of Hemings and Jefferson's children is recorded only in plantation records. Beverly and Harriet, the couple's two oldest children, achieved their freedom in the early 1820s by running away, which earned them a brief notation as runaways in Jefferson's Farm Book. But otherwise, Jefferson, who evidently permitted the siblings to run off and even instructed his overseer Edward Bacon to supply Harriet with fifty dollars in travel funds, recorded no reaction to the permanent departure of two of his offspring.[46]

"We were the only children of his by a slave woman," his son Madison Hemings noted in 1873, providing testimony that suggests that the relationship between his parents was indeed long-standing and monogamous. But he makes no claim to a familial relationship with Jefferson. Instead, he notes that his father, although "uniformly kind to all around him... was not in the habit of showing particularity or fatherly affection to us children." By contrast, Jefferson, Hemings goes on to observe, was "affectionate toward his white grandchildren, of whom he had fourteen, twelve of whom lived to manhood and womanhood."[47] Madison Hemings's laconic account of his father's domestic life is confirmed in Jefferson's correspondence as well as other contemporaneous accounts of life at Monticello. A loving father to his daughters Polly and Martha, Thomas Jefferson was a doting grandfather to their children, showering his family with so much affection that contemporary observers were hard put to imagine him as anything other than a virtuous family man. When Margaret Bayard Smith, the wife of one of Jefferson's Republican allies, newspaper editor Samuel Harrison Smith, visited Monticello in 1809, she was charmed to find the recently retired statesman presiding over a race among his grandchildren, which ended with the youngest coming back "panting and out of breath to throw themselves into their grandfather's arms, which were opened to receive them; he pressed them to his bosom and rewarded them with a kiss." Later, when they "called upon him to run with them, he did not long resist and seemed to delight in delighting them." Those who painted Jefferson "as a slave of the vilest passions," she reflected with reference to the Hemings scandal, should "come here and contemplate this scene."[48]

By contrast, visitors took a wholly different kind of note of the Hemings family's presence at Monticello. Even before Sally's children were born, foreign visitors were sometimes startled to find that Jefferson owned slaves who "neither in point of colour nor features, shewed the least trace of their original descent."[49] But even after Sally's children were born, and the Hemings-Jefferson scandal broke, none of Jefferson's visitors ever testified that Jefferson showed any partiality to his fair-skinned slaves. An open secret, the relationship between

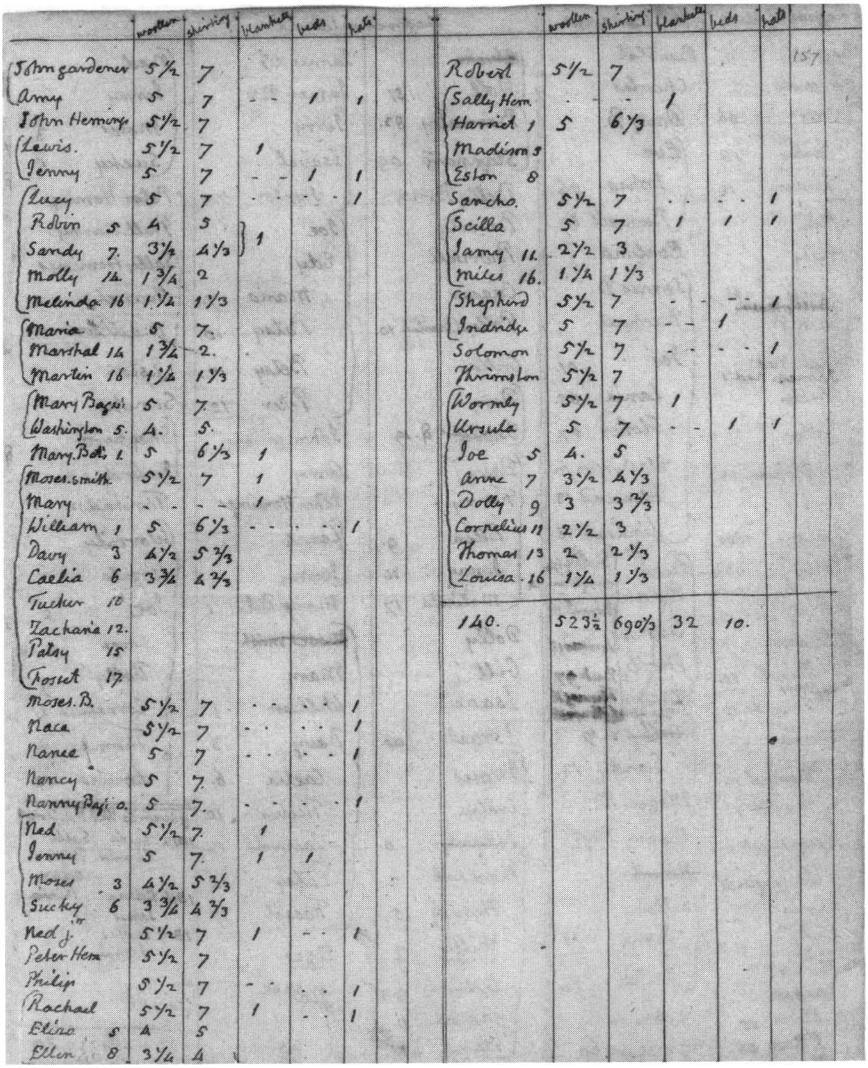

Figure 11.2 The Hemingses Listed in Jefferson's Farm Book.

The names of Sally Hemings and her children were listed among those of Jefferson's other slaves in the plantation records he kept in his Farm Book (1774–1825). On page 157 of the book, for example, Jefferson listed the allocation of woolens, shirting, blankets, beds, and hats that he distributed to his slaves, including Hemings and her children.

Source: Farm Book, 1774–1824, page 157, Thomas Jefferson Papers: An Electronic Archive, Massachusetts Historical Society, http://www.thomasjeffersonpapers.org/ (accessed January 13, 2010. Courtesy of the Massachusetts Historical Society.

	woollen	shirting	blankets	beds	hats		
						157	
Robert	5½	7					
Sally Hem.	· -	-	1				
Harriet 1	5	6⅓					
Madison 9							
Eston 8							
Sancho.	5½	7	. .	- .	1		
Scilla	5	7	1	1	1		
Jamy 11.	2½	3					
Miles 16.	1¼	1⅓					
Shephard	5½	7	- -	- -	1		
Indridge	5	7	- -	1			
Solomon	5½	7	- -	- -	1		
Thrimston	5½	7					
Wormly	5½	7	1				
Ursula	5	7	- -	1	1		
Joe 5	4.	5					
Anne 7	3½	4⅓					
Dolly 9	3	3⅔					
Cornelius 11	2½	3					
Thomas 13	2	2⅓					
Louisa 16	1¼	1⅓					
140.	523½	690⅓	32	10.			

Figure 11.3 Detail of image in Figure 11.2.

Hemings and Jefferson could be denied once exposed because Jefferson did not single out his slave family for special attention.

In visual terms, his son Eston Hemings would have betrayed his father's paternity had Jefferson been less circumspect. Jefferson's grandson Thomas Jefferson Randolph once told his friend Henry S. Randall that his grandfather owned one slave who "at some distance or in the dusk... might be mistaken for Thomas Jefferson—He said in one instance, a gentleman dining with Thomas Jefferson, looked so startled as he raised his eyes from the latter to the servant behind him, that his discovery of the resemblance was perfectly obvious to all." But Jefferson himself, Randolph went on to say, "never betrayed the least consciousness of the resemblance."[50]

Jefferson's failure to acknowledge Eston and his other slave children calls into question recent scholarly attempts to move Jefferson's relationship with Hemings outside the parameters not only of slavery but of the messy history of race mixture as well. Historians once doubted whether Jefferson could have even been attracted to Hemings, not least because the founding father was famously contemptuous of the physical appearance of African-Americans. Writing in *Notes on the State of Virginia*, he bemoaned the "eternal monotony which reigns on their countenances, that immoveable veil of black which covers the emotions of all other race." And now, as scholars struggle to reconcile Jefferson's distaste for the black physiognomy with his long-standing interracial relationship with Hemings, Hemings is changing color. Hemings's mixed-race ancestry has received new emphasis from scholars who suggest that Jefferson saw his "mighty near white" slave as "not really black" and therefore engaged in a relationship better understood as "sex with a servant" than as a slave-master liaison.[51] But here again, the history of slavery falls out of such considerations of Jefferson, as does the fate of Hemings's children. Racism was not incompatible with the sexual exploitation of slave women—far from it. The founding father lived in a world in which slave women were often expected to serve their masters in the bedroom as well as the fields, and the "fancy trade" in light-skinned women that would emerge in nineteenth-century America was already in the making.[52] Within this trade, near-white women were highly valued precisely because they were enslaved commodities rather than free white women.[53] And their enslavement was nowhere more evident than in matters of descent, which were the matrilineal exception to America's generally patrilineal social order. Whatever the admixture of white blood, slave status followed the condition of the mother for Jefferson's mixed-race children.

Though his descendants were among the very few Jefferson slaves to end up free, the former president did very little to secure their freedom against the vicissitudes of his precarious finances. All of Hemings and Jefferson's children remained in slavery until 1821 or 1822, when Beverly and Harriet ran away. Their younger siblings, Madison and Eston, remained in bondage until Jefferson died, but his will provided for their freedom at age twenty-one. Jefferson also petitioned the state legislature to allow Madison and Eston, along with the three other slaves named in his will, to remain in Virginia once emancipated, a step necessitated by an 1806 Virginia law requiring manumitted slaves to leave the state. The Hemings children's pathways to freedom were neither generous nor secure. Neither Harriet nor Beverly was on Jefferson's petition securing Madison and Eston legal permission to remain in Virginia. They are unlikely to have had free papers because the debt-ridden Jefferson, who owed most of what he owned to creditors, did not free them so much as let them run away. And Madison and Eston, who received nothing but freedom in Jefferson's will, were apprenticed to their uncle, John Hemings, until age twenty-one. Whatever the nature of Sally Hemings's relationship with Jefferson, so long as she and her children were enslaved, she must have known some of what former slave Hannah Crafts described as "the fear, apprehension, the dread and deep anxiety always attending that condition in a greater or less degree." To be sure, Hemings held a relatively privileged position in Jefferson's household. But could Sally Hemings have been immune from the anxiety that Crafts maintains afflicted even the most fortunate of slaves? As Crafts noted, "There can be no certainty, no abiding confidence in the possession of any good thing. The indulgent master may die, or fail in business. The happy home may be despoiled of its chiefest pleasures, and the consciousness of this embitters all their [the slaves'] lot."[54]

At the very least, Hemings must have had mixed feelings about the careful provisions Jefferson made for the security of his white family, despite his precarious finances. By the time of his death in 1826, Jefferson had many beloved grandchildren but only one living legitimate child, his elder daughter Martha, who had eleven children with Thomas Mann Randolph Jr., whom she married in 1790. Her less robust younger sister, Polly, died tragically young at age twenty-five, survived by only one child. Jefferson's immense attachment to both of his daughters can be seen in his reaction to Polly's death. Utterly bereft, he wrote his friend John Page, "I have lost...even the half of all I had. My evening prospects now hang on the slender thread of a single life. Perhaps I may be destined to see even this last chord of parental affection broken!"[55] But Jefferson was spared this sorrow and would ultimately speak of Martha as "the cherished companion of my early life and the nurse of my age."[56] Not surprisingly, he also left her the bulk of his estate, including his 130 slaves. Always in debt himself, Jefferson worried about Martha's long-term financial future well before his death because his daughter's family was large and her husband chronically insolvent. Ultimately, however, Jefferson managed to provide for Martha and her family by way of a trust designed to shield her patrimonial inheritance from her husband's financial liabilities.

Administered by Jefferson's grandson Thomas Jefferson Randolph and two other executors "for the sole and separate use and behoof of my daughter Martha and her heirs," the trust supported the Randolphs at the cost of Jefferson's slaves, most of whom were sold to help pay off Jefferson's many debts.[57] At an immense estate sale in 1827, they were auctioned off alongside horses, mules, cattle, farm equipment, and household goods. Fifty years later, Jefferson's grandson still remembered the "sad scene," likening it to "a captured village in ancient times when all were sold as slaves."[58] Among the sold, the memories were still more haunting. Eleven-year-old Peter Fossett had barely known he was a slave until he was "suddenly...put up on the auction block and sold to strangers." His family was "scattered all over the country, never to meet each other again until we meet in another world." And Peter himself would remain in bondage among strangers for thirty-five years, despite repeated attempts to escape.[59] One of the very few Jefferson slaves spared from sale was Sally Hemings, who was valued at fifty dollars in the estate papers. Hemings lived out her life in Charlottesville with her sons Madison and Eston, having been given her "time" by Jefferson's heirs. Grants of "time" were an unofficial form of freedom that circumvented Virginia laws requiring manumitted slaves to leave the state.

Free at last, Hemings and her children may well have found their freedom bittersweet. It came alongside the dispersal of many of their friends and relatives and did not bring back Beverly and Harriet, who were never granted legal freedom in Virginia and thus never returned there. Indeed, in the end, the experiences of the Hemings family are perhaps best encapsulated in an 1838 story that is not true. That year, the Jefferson-Hemings scandal resurfaced in a new item that held that the "daughter of Thomas Jefferson" had been "sold in New Orleans for one thousand dollars."[60] Marshaled in service of the abolitionist movement, this story is false but not implausible because the fate of the couple's only surviving daughter, Harriet, is not well documented to this day and was not documented at all in the antebellum era. I say it is false because, although little is known about what happened to Harriet after she left for Philadelphia with the small store of cash Jefferson passed on to her, there is no evidence to suggest that she ever reentered slavery. According to her brother Madison, Harriet passed into the white world after she left Monticello, a prudent subterfuge for an ex-slave with no free papers.[61]

Both the uncertainties in Harriet's story and her separation from her family speak to the wrenching contradictions that the slave system fostered in the behavior of men such as Jefferson. An apostle of democracy whose love of freedom did not keep him from having a slave family, Jefferson was also a loving father whose love of family did not extend to acting as a father to his slave children. The relationship between Jefferson and Hemings can only be read as romance when constructed in isolation from all other evidence about how they lived their lives. Once the precarious status of Hemings's fatherless children is taken into account, along with the fact that Jefferson left them no inheritance but their own freedom, all romantic conceptions of the relationship collapse. Once the children are considered, it is all too clear that Jefferson's feelings for Hemings, whatever they may have been, never overcame what Hortense Spillers has called the "American grammar" of slavery, in which race and bondage often combined to trump kinship. Throughout their long association, Jefferson saw Hemings's children as something other than his own relatives, suggesting that any feelings he may have had for her neither redeemed nor denied the stark inequities that divided this slave owner from his slave mistress.

In this respect, as in others, Jefferson was a typical slave owner. He was not among those rare masters who defied their society's conventions by living openly with slave women, acknowledging the children produced in their unions, and/or naming their enslaved families as their heirs—men who truly might be said to have honored love over slavery, if such a thing is possible. Instead, Jefferson honored the far more conventional dictum that French visitor Alexis de Tocqueville observed when he visited the antebellum United States: "To debauch a Negro girl hardly injures an American's reputation: to marry her dishonors him." Accordingly, Jefferson's liaison with Hemings is best understood as a sexual association that falls outside the categories we use to describe relationships in which neither party is classified as chattel. This proposition may not cast Jefferson in a flattering light. But in the end, I am not sure it says anything different about Jefferson than he says about himself, at least implicitly, in *Notes on the State of Virginia*.

Describing the impact of slavery on the slaveholder in that work, Jefferson seems little inclined to claim the "honor" so often attributed to him by his biographers. Instead, he describes a set of power relations in which honor is highly unlikely. "The whole commerce between master and slave is a perpetual exercise of the most boisterous passions and the most unremitting despotism on the one part," he wrote, "and degrading submissions on the other. Our children see this and learn to imitate it...and [are] thus nursed, educated in tyranny...The man must be a prodigy who can retain his manners and morals undepraved by such circumstances." These words, coming from a man whose dislike of slavery did not prevent him from owning slaves, suggest that Jefferson did not see himself as a prodigy. Instead, they hint that Jefferson was painfully aware of the ways in which slavery corrupted domestic relations by fostering interracial sexual relationships that were an integral part of the "whole commerce between master and slave." He may have been speaking with at least unconscious reference to his own private life when he confessed with reference to slavery, "I tremble for my country when I reflect that God is just; that his justice cannot sleep forever."[62]

Notes

1. Thomas Jefferson, *Notes on the State of Virginia*, ed. David Waldstreicher (Boston: Bedford/St. Martin's, 2002) 178. Initially published in newspapers, Phillis Wheatley's early poems were collected and published in a 1773 publication entitled *Poems on Various Subjects, Religious and Moral*, which is reprinted in *The Collected Works of Phillis Wheatley* (New York: Oxford University Press, 1989).
2. Rhys Isaacs, "Monticello Stories Old and New," in *Thomas Jefferson and Sally Hemings: History, Memory, and Civil Culture*, eds. Jan Lewis and Peter Onuf (Charlottesville: University Of Virginia Press, 1999) 27.
3. James Callender, *Richmond Recorder*, September 1, quoted in Michael Durey, *"With the Hammer of Truth": James Thomson Callender and America's Early National Heroes* (Charlottesville: University of Virginia Press, 1990) 159.
4. Barbara Chase-Ribound, *Sally Hemings* (New York: Avon, 1980); *Jefferson in Paris*, directed by James Ivory, Merchant Ivory Productions, Touchstone Pictures, 1995; and *Sally Hemings: An American Scandal*, directed by Charles Haid, Echo Bridge Home Entertainment, 2000.
5. Notable exceptions include Annette Gordon-Reed, *Thomas Jefferson and Sally Hemings: An American Controversy* (Charlottesville: University of Virginia Press, 1997). Published shortly before the DNA tests were conducted, legal scholar Gordon-Reed's book made an impressive case for a Jefferson–Hemings relationship even before the DNA tests issued the final blow. Less successful in reaching scholars was Fawn Brodie's *Thomas Jefferson: An Intimate History* (New York: Norton, 1974). A Book-of-the-Month Club Selection that received favorable reviews in the popular press, Brodie's argument for an intimate relationship between Jefferson and Hemings won few converts. See Jennifer Jensen Wallach, "The Vindication of Fawn Brodie," *Massachusetts Review* 43 (2002) 283.
6. Likewise, Annette Gordon-Reed, who never denied the Jefferson–Hemings liaison, casts their relationship in a similarly romantic light. Although largely dedicated to

showing that the possibility of the Jefferson–Hemings relationship was supported by available evidence, her book *Thomas Jefferson and Sally Hemings* suggests that the relationship between the two may have been "loving" (230). Gordon-Reed expands on this suggestion in her subsequent book on the subject, the Pulitzer Prize–winning *The Hemingses of Monticello: An American Family* (New York: Norton, 2008), which appeared too late to be considered in any detail in this essay. However, to the extent that Gordon-Reed portrays the relationship between Sally Hemings and Thomas Jefferson as a love affair, absent new evidence of any kind, some of this essay's questions may well be put to this work. Indeed, historian Eric Foner raises some of them in his illuminating review of the book, which emphasizes, "Gordon-Reed's portrait of an enduring romance between Hemings and Jefferson is one possible reading of the limited evidence. Others are equally plausible." Foner also critiques Gordon-Reed for her suggestion that in emphasizing the nonconsensual character of many master–slave relationships, "opponents of racism and critics of slavery" run the risk of labeling female slaves as "inherently degraded." Gordon-Reed, *The Hemingses of Monticello*, 319; Foner, "The Master and the Mistress," *New York Times*, October 5, 2008. This essay suggests that the inequality of power between young female slaves, such as Sally Hemings, and their owner might well have been degrading to both parties and provided virtually no real opportunity for such women to exercise the consent and free will usually associated with romantic relationships.

7. Christopher Hitchens, *Thomas Jefferson: Author of America* (New York: HarperCollins, 2005) 61; and E. M. Halliday, *Understanding Thomas Jefferson* (New York: HarperCollins, 2003) 98.
8. "Many of us want to see to signs of hope in the story of Sally Hemings and Thomas Jefferson... Perhaps, in wanting to see in the complex history of slavery simply the story of a man and a woman, we hope to discover some measure of love that might redeem—or deny—the brutal exercise of power." Lewis and Onuf, eds., "Introduction," *Thomas Jefferson and Sally Hemings*, 12.
9. Virginia (Colony), *Act 3*, *The Statutes at Large: Being a Collection of All the Laws of Virginia from the First Session of the Legislature, in the Year 1619*, vol. 2, ed. William Waller Hening (1823; reprint, Charlottesville: University of Virginia Press, 1969) 493; and Virtual Jamestown, "Laws on Slavery," http://www.virtualjamestown.org/laws1.html (accessed August 3, 2009).
10. Thomas Jefferson to John Wayles Eppes, Monticello, 1820, in *Thomas Jefferson's Farm Book with Comments and Relevant Extracts from Other Writings, ed.* Edwin Morris Betts (Princeton: Princeton University Press, 1953) 45f.
11. Thomas Jefferson, "Autobiography" (1821), in *The Life and Writings of Thomas Jefferson*, eds. Adriene Koch and William Peden (New York: Modern Library, 1998) 37.
12. Jefferson's proposed legislation read, "If any white woman shall have a child by a negro or mulatto, she and her child shall depart the commonwealth within one year thereafter." Report of the Revisors, "A Bill Concerning Slaves," in Thomas Jefferson, *The Works of Thomas Jefferson*, Federal Edition, vol. 2, 1771–1779 (New York: Putnam's Sons, 1904–1905); and Online Library of Liberty, "Thomas Jefferson, The Works of Thomas Jefferson, 12 vols.," http://oll.libertyfund.org/title/755/86132 on 2008-06-26 (accessed August 3, 2009). See also Charles Frank Robinson II, *Dangerous Liaisons: Sex and Love in the Segregated South* (Fayetteville: University of Arkansas Press, 2003) 7; and Paul Finkelman, "Jefferson Against Slavery: 'Treason Against the Hopes of the World,'" in *Jeffersonian Legacies*, ed. Peter Onuf (Charlottesville: University of Virginia Press, 1993) 195.
13. Sharon Block, *Rape and Sexual Power in Early America* (Chapel Hill: University of North Carolina Press, 2006) 65.
14. Kathleen M. Brown, *Good Wives, Nasty Wenches, and Anxious Patriarchs* (Chapel Hill: University of North Carolina Press, 1996) 207.
15. Brown, 117.
16. Deborah Gray White, *Ar'n't I a Woman? Female Slaves in the Plantation South* (New York: Norton, 1985) 29.

17. White, *Ar'n't I a Woman?* 30f.
18. Thomas Jefferson, *Notes on the State of Virginia*, ed. David Waldstreicher (Boston: Bedford/St. Martin's, 2002) 179.
19. *George (a slave) v. State*, 37 Miss. (1859) 320.
20. *George (a slave) v. State*, 37 Miss. (1859) 320.
21. See Peter W. Bardaglio, "Rape and the Law in the Old South: 'Calculated to Excite Indignation in Every Heart,'" *Journal of Southern History* 60 (1994) 749–772; Christina Accomando, *The Regulations of Robbers: Legal Fictions on Slavery and Resistance* (Columbus: Ohio State University Press, 2001) 158; and Jennifer Wriggins, "Rape, Racism and the Law," *Harvard Women's Law Journal* 6 (1983) 759.
22. Sharon Block, *Rape and Sexual Power in Early America* (Chapel Hill: University of North Carolina Press, 2006) 17, 51.
23. "The Memoirs of Madison Hemings" originally appeared in "Life Among the Lowly, No. 1," *Pike County (OH) Republican*, March 13, 1873, and is reprinted in Annette Gordon-Reed, *Thomas Jefferson and Sally Hemings: An American Controversy* (Charlottesville: University of Virginia Press, 1997) 246.
24. Madison Hemings, "The Memoirs of Madison Hemings" [as told to S. F. Wetmore], "Life Among the Lowly, No. 1," *Pike County (OH) Republican*, March 13, 1873, *Frontline*, PBS.org, "Jefferson's Blood," under "Chronology," http://www.pbs.org/wgbh/pages/frontline/shows/jefferson/cron/1873march.html (accessed August 28, 2009).
25. Madison Hemings, "The Memoirs of Madison Hemings."
26. Acclaimed Jefferson biographer J. M. Halliday, for example, contends that the relationship that developed between Jefferson and his slave maid must be reconciled with "Jefferson's honor and humanity and...respect for human dignity." "What if *she* seduced *him*?" he suggests, as a way of resolving this issue. Sally's mother, Betty, "had tremendously improved her lot as a slave by becoming John Wayles's consort after the death of his third wife," so she may well have wished to see her daughter do the same. Indeed, Halliday speculates, the fact that Sally accompanied Polly Jefferson could have been the result of "clever maneuvering" on her mother's part, and "it is hard to believe that Betty Hemings failed to give her lively, pretty daughter advice on how to behave toward Master Jefferson upon entering his household." In other words, the relationship was Sally's choice. On his own in Paris, having failed to secure the affections of Maria Cosgrove—a married woman whom he wooed during his European sojourn—Jefferson was "vulnerable." E. M. Halliday, *Understanding Thomas Jefferson* (New York: HarperCollins, 2003) 98.
27. Abigail Adams to Thomas Jefferson, June 27, 1787, and July 6, 1787, The Thomas Jefferson Papers Series I: General Correspondence, 1651–1827, Library of Congress.
28. In a letter written shortly after his younger daughter's arrival in Paris, Jefferson told his sister that Polly was "now in the same convent with her sister and will come and see me once or twice a week." The two girls remained in the convent school until shortly before the Jefferson family returned to Virginia. It is conceivable that Sally went with them but more probable that she remained at the Jefferson town house on the Champs-Elysées. "To Mrs. Bolling," July 23, 1787, Paris, in Sarah Randolph Jefferson, *The Domestic Life of Mrs. Jefferson* (New York: Frederick Ungar, 1958).
29. Joshua Rothman, *Notorious in the Neighborhood: Sex and Families Across the Color Line in Virginia* (Chapel Hill: University of North Carolina Press, 2007) 17.
30. Thomas Jefferson's views on this subject were recorded by Monticello slave Israel Jefferson in his 1873 interview "Memoirs of Israel Jefferson" in "Life Among the Lowly, No. 1," *Pike County (OH) Republican*, December 25, 1873. In practice, no Monticello slaves appear to have been offered instruction in either reading or writing by Jefferson—although some, such as Jefferson's son Madison Hemings, who "induced the white children" to teach him how to read, managed to find other tutors; Madison Hemings, "The Memoirs of Madison Hemings." On slave life at Monticello, see Lucia Stanton, *Free Some Day: The African American Families of Monticello* (Chapel Hill: University of North Carolina Press, 2001).

31. Rothman, *Notorious in the Neighborhood*, 20.
32. Deborah Gray White, *Ar'n't I a Woman? Female Slaves in the Plantation South* (New York: Norton, 1985) 38.
33. Sharon Block, *Rape and Sexual Power in Early America* (Chapel Hill: University of North Carolina Press, 2006) 74.
34. Block, *Rape and Sexual Power*, 71.
35. Block, *Rape and Sexual Power*, 71, 74.
36. On the limitations of liberal notions of self with regard to enslaved humanity, see Walter Johnson, "On Agency," *Journal of Social History* 37 (2003) 112–124, 115.
37. Philip Morgan, *Slave Counterpoint: Black Culture in the Eighteenth Century Chesapeake and Lowcountry* (Chapel Hill: University of North Carolina Press, 1998) 535.
38. Mary Beth Norton, *Liberty's Daughters: The Revolutionary Experience of American Women* (Glenview, IL: Forsman) 65f.
39. Deborah Gray White, *Ar'n't I a Woman? Female Slaves in the Plantation South* (New York: Norton, 1985) 133.
40. Lucia Stanton, *Free Some Day: The African American Families of Monticello* (Chapel Hill: University of North Carolina Press, 2001) 105f.
41. Hortense Spillers, "Mama's Baby, Papa's Maybe: An American Grammar Book," in *Black, White, and In Color: Essays on American Literature and Culture* (Chicago: University of Chicago Press, 2003) 218.
42. Spillers, 217.
43. Madison Hemings, "The Memoirs of Madison Hemings" [as told to S. F. Wetmore], "Life Among the Lowly, No. 1," *Pike County (OH) Republican*, March 13, 1873, *Frontline*, PBS.org, "Jefferson's Blood," under "Chronology," http://www.pbs.org/wgbh/pages/frontline/shows/jefferson/cron/1873march.html (accessed August 28, 2009).
44. Spillers, 216.
45. Stanton, *Free Some Day*, 112.
46. Jefferson's instruction to Bacon are recorded in "The Private Life of Jefferson," an account of the memories of Jefferson's overseer Edward Bacon, recorded by Reverend Hamilton Wilcox Pierson. First published 1862, it is reprinted in James A. Bear, ed., *Jefferson at Monticello* (Charlottesville: University Press of Virginia, 1967) 102.
47. Madison Hemings, "The Memoirs of Madison Hemings."
48. Margaret Bayard Smith, "The Haven of Domestic Life," in *Visitors to Monticello*, ed. Merrill D. Peterson (Charlottesville: University Press of Virginia, 1989) 53.
49. The Duc de la Rocefoucauld-Liancourt, "A Frenchman Views Jefferson the Farmer," in Peterson, *Visitors to Monticello*, 21.
50. Henry S. Randall to James Parton, June 1, 1868, in the Papers of James Parton, Houghton Library, Harvard University.
51. Thomas Jefferson, *Notes on the State of Virginia*, ed. David Waldstreicher (Boston: Bedford/St. Martin's, 2002) 176. Sally is described as "mighty near white" in a memoir dictated to Charles Campbell by Isaac Jefferson, "Memoirs of a Monticello Slave," in James A. Bear, ed., *Jefferson at Monticello* (Charlottesville: University of Virginia Press, 1967) 4. Joshua Rothman suggests that Hemings was "not really black"; see *Notorious in the Neighborhood: Sex and Families Across the Color Line in Virginia* (Chapel Hill: University of North Carolina Press, 2007) 47. And Jefferson biographer Andrew Burstein writes that as a woman who was by descent a quarter black at most, Sally Hemings "must *not* have represented blackness...to Jefferson...black skin repelled him"; see Andrew Burstein, *Jefferson's Secret: Death and Desire at Monticello* (New York: Basic, 2005) 148f.
52. Madison Hemings, "The Memoirs of Madison Hemings" [as told to S. F. Wetmore], "Life Among the Lowly, No. 1," *Pike County (OH) Republican*, March 13, 1873, *Frontline*, PBS.org, "Jefferson's Blood," under "Chronology," http://www.pbs.org/wgbh/pages/frontline/shows/jefferson/cron/1873march.html (accessed August 28, 2009).
53. On the "fancy trade," see Deborah Gray White, *Ar'n't I a Woman? Female Slaves in the Plantation South* (New York: Norton, 1985) 37; Walter Johnson, *Soul by Soul: Inside*

the Antebellum Slave Market (Cambridge, MA: Harvard University Press, 1999) 113–115, 154f; and Edward E. Baptist, "'Cuffy,' 'Fancy Maids,' and 'One-Eyed Men': Rape, Commodification, the Domestic Slave Trade in the United States," *American Historical Review* 106 (2001) 1619–1650.

54. Hannah Crafts, *The Bondwoman's Narrative*, ed. Henry Louis Gates (New York: Warner, 2002) 94.
55. Jefferson to Governor John Page, June 25, 1804, in *The Memoirs, Correspondence and Private Papers of Thomas Jefferson*, vol. 4 (H. Coburn and R. Bentley, 1829; digitized on Google Books, 2007) 19.
56. Jefferson to Thomas Jefferson Randolph, February 8, 1826, in Sarah Randolph Jefferson, *The Domestic Life of Mrs. Jefferson* (New York: Frederick Ungar, 1958) 415.
57. "The Will of Thomas Jefferson," in Samuel H. Sloan, *The Slave Children of Thomas Jefferson* (Lynchburg, VA: Orsden, 1992) 292.
58. Thomas Jefferson Randolph, *Recollections*, Virginia University Library (1837), quoted in Lucia Stanton, *Free Some Day: The African American Families of Monticello* (Chapel Hill: University of North Carolina Press, 2001) 142.
59. Peter Fossett, "Once a Slave of Thomas Jefferson," *New York World*, January 30, 1898; reprinted, *Frontline*, PBS Web site, "Jefferson's Blood," under "Slaves Story," http://www.pbs.org/wgbh/pages/frontline/shows/jefferson/slaves/memoir.html (accessed August 4, 2009).
60. This allegation appeared in variety of abolitionist newspapers. See for example, "Sale of a Daughter of Tho' Jefferson," *Liberator* (Boston), September 21, 1838.
61. According to Madison Hemings, "Harriet married a white man of good standing in Washington City, whose name I could give, but will not for prudential reasons." He also noted that she had children "never suspected of being tainted with African blood in the community where she lives," and that he had not talked to her in more than ten years. Madison Hemings, "The Memoirs of Madison Hemings" [as told to S. F. Wetmore], "Life Among the Lowly, No. 1," *Pike County (OH) Republican*, March 13, 1873, *Frontline*, PBS.org, "Jefferson's Blood," under "Chronology," http://www.pbs.org/wgbh/pages/frontline/shows/jefferson/cron/1873march.html (accessed August 28, 2009).
62. Thomas Jefferson, *Notes on the State of Virginia*, ed. David Waldstreicher (Boston: Bedford/St. Martin's, 2002) 175, 195.

12

Breaking the Silence: Sexual Hypocrisies from Thomas Jefferson to Strom Thurmond

Catherine Clinton

There's not enough troops in the Army to force the Southern people to break down segregation and admit the Negro race into our homes, and into our churches.

—Strom Thurmond, 1948

A few months after the death of one of the most infamous political champions of racial segregation in U.S. history, the American public was mesmerized when a soft-spoken seventy-eight-year-old black woman stood before cameras in December 2003 to announce that she was Strom Thurmond's daughter. Thurmond's heirs responded with the following statement: "The Thurmond family acknowledges Ms. Essie Mae Washington-Williams's claim to her heritage." Political mudslinging over allegations of interracial sex date back to the earliest days of the republic, but Ms. Washington-Williams provides a perspective rarely heard publicly: that of a member of a so-called shadow family. "It's a part of history," she said. "It's a story that needs to be known. And so this is why I decided to come out and talk about it. And to bring closure to all of this."[1]

Shadow families are not uncommon in American history because white, often relatively wealthy and powerful men would take black women as sexual partners and produce children with them. Most often, those families remained unacknowledged, though the phenomenon has become widely recognized. Sometimes, members of shadow families were abandoned or mistreated, either by the man or by his legitimate white heirs. A white father and husband rarely left his legitimate heirs for his shadow family. Usually, only political rivals hoping to smear a man's reputation spoke publicly of a shadow family. Polite Southern society, meanwhile, would criticize a man who did not keep his shadow family sufficiently secret.

Today, interracial sex, although no longer the public taboo it once was, remains a difficult topic in our national conversation about race. In 2008, the racial heritage of Democratic candidate Barack Obama complicated the racial politics of the presidential campaign.[2] Obama's family heritage turned the shadow family on its head. In contrast to the clandestine and coercive relationships of the past, Obama's European American mother and Kenyan father lived openly and produced an out-of-the-shadows family.

For most of American history, "wrong side of the blanket" babies of mixed race were not a topic for serious discussion but racial debris to be swept under the carpet. Is there anything more to be had from a discussion of the American history of miscegenation than a titillating thrill? Uncovering lost chapters of American history involving interracial sex generally, and shadow families specifically, serves at least two purposes. It honors the stories of those denied a voice, like the Thurmond-family servant Carrie Butler, impregnated with Strom's illegitimate child when she was fifteen years old. And it helps Americans understand the different perceptions of sexuality, motherhood, and fatherhood that result from the diverging experiences of persons enslaved and free, white and black, male and female. In the United States, we need to understand this history in order to build a more just future upon an unjust past.

The topic of interracial sex in a slaveholding society raises uncomfortable truths about the relations between the sexes and the races. The subject reveals how property and propriety intertwined during the formation of a distinct national psyche. It raises questions about how much control enslaved women actually exercised over their own lives; the extent to which American slave owners honored or challenged the taboo concerning interracial sex; and the contradictions between American values as professed and as practiced.

What is spoken, implied, or left unsaid; what is documented and verifiable; what constitutes solid evidence; whose hearsay is admissible; what is true and untrue, proven or without foundation; what wounds and festers or withers in the spotlight of exposure; what continues to elude: all remain part of the sexual hypocrisies that taint the discourse of American race relations, past and present. Acknowledgment and affirmation, denial and discrediting remain part of the contested terrain of this discourse, as eruptions within the headlines and inflammatory historical debates demonstrate.

Public scandals over sensational cases involving white men and black women have been around from the very founding of the nation. Consider the accusations about presidential candidate Thomas Jefferson's relationship with the enslaved Sally Hemings during the 1800 election, and the rumors about Bill Clinton's interracial sex life and a mixed-race, illegitimate Clinton baby that swirled during the 1992 presidential campaign.[3] These exposures were not designed to offer African American women or their descendants any justice. They were intended to embarrass the public figures involved, or supposedly involved, in these illicit interracial entanglements. These clashing public and private perspectives and contested paternities reflect the corrosive effects of slavery's long shadow.

Racial differentiation and sexual regulation were paramount concerns in the colonial era, when black, red, and white; and indentured, enslaved and free; as well as male and female found their desires too often at cross purposes. The difficulty of ascertaining paternity—a threat to the conventions and laws governing the inheritance of property—and the rising numbers of mixed-race children induced authorities to attempt to resolve their problems with a stroke of the pen. In December 1662, the Virginia assembly passed legislation declaring that the offspring of enslaved women inherited their mothers' status, and other colonies followed suit.[4] This law provided errant males with an incentive to prefer enslaved women as sexual partners: childbirth would increase a slave owner's wealth by increasing his property holdings. White society was concerned about sex between white women and black men, too—free as well as enslaved.

By April 1691, the Virginia assembly led the way, once again, because of alarm over "abominable mixture and spurious issue." Thereafter, any white woman who gave birth to a "mulatto" was heavily fined (with the fine payable to the officials of the Anglican church); if she could not pay, she was sentenced to five years' servitude and her child might be sold into servitude until the age of thirty.[5] When other methods failed, lawmakers eventually introduced banishment to prohibit mixture of the races because free persons continued to cohabit and struggled to legitimate unions regardless of the color line.[6] Generally, laws evolved to prevent interracial couples from creating recognized unions and to ban all sexual contact between white women and black men.[7] Suffragist Elizabeth Cady Stanton argued that campaigners for women's rights and advocates of racial equality should form political alliances. She saw white women and blacks as logical political allies, suggesting that the political threat that together they posed to white male power included an implicit threat to white male sexual domination as well.[8]

The links between enslavement and sexuality seem obvious to the modern eye. Whether or not evident to those involved, enslaved men and women were certainly subject to physical restraints with an implicitly sexualized component: collars, cuffs, ropes, and other symbols of subjugation. Slaves were also subjected to public nudity; one of the first laws of racial differentiation in the Virginia colony was that white indentured servants might not be stripped for punishment, unlike blacks.[9] Whipping itself was an extension of male will, and lashing can suggest a form of sexual sublimation.

Perhaps the most highly charged aspect of slavery was its most elemental: control. Slaveholders wanted to maintain absolute control over their human chattel. Yet many interactions between whites and blacks, men and women, were not simply about control over labor but also about feeding the sexual appetites of the powerful and about the degradation of those made to feel powerless.[10]

This inevitable element of force makes it difficult for us to understand the precise sexual dynamics of interactions between the enslaved and their owners. We do not know exactly how the actors of the past viewed their own roles and those of others, but we do know that the slave system was consistently coercive. Therefore, one could argue, every act of sex between a master and a slave was the equivalent of non-consensual sex—in other words, rape. The belief that all slaves were utterly powerless appeals to both blacks and whites—for very different reasons. Yet that may do an injustice to both the enslaved and the slave owner. Historian Annette Gordon-Reed challenges the assumption "that no master and slave woman ever experienced a mutual sexual or emotional attachment to one another." In Gordon-Reed's view, an enslaved woman recognized the difference between a master who would accept her refusal of his advances and a master who would force her to have sex—and so should we.[11]

In trying to untangle the strands of understanding and behavior within antebellum Southern culture, we see that a stain seemed to mar all relationships between slave and free, and it especially tainted all bonds between enslaved women and slave-owning men. After all, in the antebellum South, if a slave woman raised her hand against a man, even to protect her own body, she was committing a crime. Enslaved women, most of all, knew that the sexual dynamics of slavery forced them to negotiate treacherous shoals, without protection under the law.[12] In her 1868 memoir, Elizabeth Keckly recalls a humiliating experience when a member of her master's church expressed a desire to whip her without cause. She resisted, and explains her resistance to her readers: "Recollect, I was eighteen years of age, was a woman fully developed, and yet this man coolly bade me take down my dress."[13]

Questions of individual choice and personal affection run through discussions of the shadow family relationship of Sally Hemings and her owner, Thomas Jefferson. This may be because of the length of their relationship, which spanned nearly forty years and may have produced all six of her children. The image of a romantic relationship may also reflect fascination or discomfort with the clash between the American perception of Jefferson as a man dedicated to liberty and equality and the fact that he was a slaveholder who believed in racial segregation. The Jefferson-Hemings story reflects several important elements of the discussion of interracial sex and shadow families, including the question of how much control enslaved women had over their destiny; the hypocrisy of slave owners; and the prejudice of a white society that claims to stand for liberty and justice for all while giving more weight to white and male and powerful voices than to the voices of women and blacks and slaves.

Sally Hemings was herself the child of a shadow family. She was the illegitimate mixed-race daughter of Jefferson's father-in-law, which made her half-sister to Jefferson's wife, Martha. The sexual relationship between Jefferson and Sally Hemings apparently began after Martha Jefferson's death in 1782. Jefferson made his wife a deathbed promise that he would not remarry, and he kept his word. Perhaps Martha Jefferson regretted her own experiences with two stepmothers and did not want her three young daughters to experience a similar fate. Perhaps Martha Jefferson had positive feelings toward Sally Hemings's mother as her father's longtime sexual partner. Whatever the "feelings" of the parties involved, this pattern of a shadow family was a persistent part of the landscape for the Southern gentry.

The dangers of such liaisons had been with the republic since its inception.[14] During Jefferson's presidency, critics labeled him "First Hypocrite."[15] That campaign was built on fears about what and whom this Founding Father may have fathered.[16] Jefferson himself never acknowledged as his own any of Sally Hemings's children, though he freed two in his will and let two others escape. He did not free Sally Hemings. Generations of his white descendants denied the relationship, though 1998 DNA testing revealed that Jefferson was probably the father of at least one of Sally Hemings's children. Highly charged debates over Jefferson's personal politics and sexual attitudes flare up periodically.[17] Many years after Jefferson's death, the scandal leapt into the headlines again with the 1853 publication of a novel by African American abolitionist William Wells Brown, *Clothel: Or the President's Daughter.* The topic reappeared in 1873 with the publication of Madison Hemings's reminiscences in the *Pike County (Ohio) Republican*, in which he reported that he and three of his siblings were Jefferson's children.[18]

The debate has revealed race- and gender-based assumptions to which some contemporary Americans cling. Generations of white historians dismissed the Hemingses' accounts of their descent. But in 1997, Annette Gordon-Reed's *Thomas Jefferson and Sally Hemings: An American Controversy* provoked serious re-examination of the evidence and raised the stakes for discussion: How much longer would scholars demonstrate selection bias with their research methods—crediting white hearsay while dismissing black testimony? How much longer would historians waffle on the issue of interracial liaisons and shadow families?[19] Gordon-Reed's recent prize-winning study biography, *The Hemingses of Monticello: An American Family* (2008), has further raised the bar of historical research as she has brought a shadow family out of the shadows with her powerful scholarly analysis.[20]

Today, the majority of American historians and certainly the American public accept the reality that Thomas Jefferson fathered children by Sally Hemings, an enslaved woman with whom he lived in both Paris and Virginia.

How much control did Sally Hemings have over her own life? What was the nature of her interaction with Jefferson? Answers vary, depending on the beliefs of those providing them. Eminent historian Garry Wills even suggested in 1974, in reviewing Fawn Brodie's *Thomas Jefferson: An Intimate Biography*, that Sally Hemings and Jefferson both benefited from a relationship that was purely sexual, undeniable, and just not very interesting: "She was like a healthy and obliging prostitute, who could be suitably rewarded, but would make no importunate demands. Her lot was improved, not harmed, by the liaison."[21] This casual dismissal of the topic has been refuted by the past half century of scholarly debate.

Sally Hemings may have been an agent of her own destiny. She may not have viewed herself solely within the framework of slavery, especially as she came of age in Paris, where she lived for some time with Jefferson and one of his daughters and was paid wages. She may have explored her options as a desirable woman in close proximity to an older, unattached man. Perhaps she demanded her children's freedom as the price for returning to Virginia with Jefferson. Doing her justice as an individual requires considering that she might have drawn her identity from her role as the half-sister of Jefferson's wife. And that being a deceased wife's sister could enhance her status with a widower.[22] She "may have welcomed any advances that Jefferson might have made."[23] What were her choices; what were her strategies? We may never know for sure, but the historical records demand that we consider Sally Hemings as an actor in her own life.

There is no known evidence of Sally Hemings's thoughts and feelings, but there is a vast and expanding literature that chronicles liaisons between free whites and enslaved blacks during the antebellum era and the consequences of these.[24] This research challenges the history that we were taught in school, underscoring the now-familiar hypocrisy of the slaveholder and helping to fill out the picture of the shadow family and what it has passed down to U.S. society.

No slave woman's story has been more powerfully explored than that of Harriet Jacobs, whose remarkable narrative, *Incidents in the Life of a Slave Girl*, appeared under the pseudonym of Linda Brent in 1861.[25] Jacobs wrote with great pathos about her experience with a predatory owner: "I now entered my fifteenth year—a sad epoch in the life of a slave girl. My master began to whisper foul words in my ear." Her "soul revolted against the mean tyranny. But where could I turn for protection?"[26] Jacobs knew that her master already had eleven slave children, but this mixed-race paternity was referred to only in whispers within the slave community. Her master wanted to have sex with her, but he was also keen to "conceal his crimes" because some "outward show of decency" was required.[27] All of this transpired just after her master had become a member of the Episcopal Church, and Jacobs complained, "the worst of the persecutions I endured from him were after he was a communicant."[28]

This emphasis on the show of decency in the Old South was roundly criticized at the time. British commentator James Buckingham issued a familiar indictment in 1840: "The men of the South especially are more indelicate in their thoughts and tastes than any European people; and exhibit a disgusting measure of prudery and licentiousness combined, which may be regarded as one of the effects of the system of slavery, and the early familiarity with vicious intercourse to which it invariably leads."[29]

The racial and sexual double standard that evolved in the slaveholding states gave elite white men a free pass for their sexual relationships with black women, as long as the men neither flaunted nor legitimated such unions. As one observer declared in 1824, "Indeed in the Southern States, the ladies would be very angry, and turn anyone out of society who kept a white woman for his mistress; but would not scruple even to marry him, if he had a colored one, and a whole family of children by her."[30] "Hypocrisy" became a watchword for white Southern politicians, a tradition continued into the present.[31]

Such hypocrisy could and did produce crises when men overstepped the boundaries meant to preserve the racial and sexual status quo. Usually, free and enslaved women and enslaved children bore the brunt of the fallout.

When Mississippi slaveholder Thomas Foster Jr. abandoned his sixteen-year-old wife, Susan, in 1823 to take up with a slave woman named Susy, Susan Foster complained to her father-in-law, who promised to intercede on her behalf. On his sickbed and fearing death, Foster promised to banish Susy if only his wife would return to him. She did so, but when Foster recovered his health, he abandoned his wife and family—stealing away on Christmas Day 1826 with Susy and the rest of his slaves. He never saw his wife and children again.[32] The story did not end happily for Susy. Foster sold her within a few years.

Slaveholders sometimes deluded themselves about the blessings they bestowed on their shadow families. South Carolina Senator James Henry Hammond had extreme sexual appetites.[33] His wife Catherine apparently tolerated his taking one of his slaves, Louisa, as a sexual partner after purchasing her in 1839, but when he began having sex with Louisa's twelve-year-old daughter in 1850, Catherine Hammond left her husband. Hammond refused to change his ways and defended his choices, saying, "I cannot free these people...It would be cruelty to them." Hammond wrote his son Harry with instructions in 1856: "Do not let Louisa or any of my children or possible children be slaves of Strangers. Slavery *in the family* will be their happiest earthly condition."[34] Hammond was a pro-slavery ideologue who had no trouble using biblical verse to support his political beliefs about "domestic slavery."[35]

Problems of property, legitimacy, and inheritance appear and reappear in accounts of shadow families. Distinguished South Carolinian Henry Grimke willed his enslaved sexual partner, Nancy Weston, to his white son and heir, Montague. Grimke told Montague that Nancy Weston and her sons were to be treated as members of the family. But when Montague married in 1860, he ordered his half-brother Archibald to serve in his household. When Nancy Weston protested, he put her in the workhouse. Archibald ran away, soon followed by his brother Frank. When Archibald was captured, he and his brother John were sold off. Later, Grimke's sisters, both authors and abolitionists, took his mixed-race sons under their protection. Their actions contrast with the deliberately cruel treatment meted out by Montague.[36] Indeed, the Grimke sisters broke completely with their family over questions of religion and ethics, especially in their support for women's rights and their antislavery beliefs, which were totally alien to their slaveholding upbringing. They had left their family's Episcopal Church and had become members of the Religious Society of Friends (the Quakers) during visits to the North, and had even exiled themselves to the North to pursue a course independent from their South Carolina heritage.

Richard M. Johnson, the Kentucky war hero who rose to the office of vice president in 1837, preferred liaisons with African American women and never legally took a wife. Johnson maintained a lengthy relationship with a "mulatto housekeeper," Julia Chinn. The couple produced two daughters, Imogene and Adaline. Problems arose when Johnson refused to deny their parentage, educated his daughters, and married them both off to white husbands. Johnson also deeded over estates and provided financial security for his children.[37] His private life was dragged into the headlines when his name was put forward as a presidential running mate in 1835. The article said Johnson was living with "a young Delilah of about the complection [*sic*] of Shakespeare's swarthy Othello who is said to be his third wife; his second...he sold for infidelity." The indignant journalist commented, "Neither now nor at any time would I act so in defiance of public opinion."[38] Johnson's scorn of secrecy was his crime, not his choice of sexual partners.[39]

Such choices resonate through the generations among both black and white citizens of the United States. Pauli Murray, lawyer, poet, and Episcopal priest, recalls that during visits to Cornelia, her light-skinned grandmother in North Carolina, Cornelia would tell her, "Hold your head high and don't take a back seat to nobody. You got good blood in you—folks that counted for somebody—doctors, lawyers, judges, legislators. Aristocrats, that's what they were, going back seven generations right in this state."[40] It took Murray years of research, digging up buried relationships, to discover her family's secret. In

1844, Cornelia was born a product of rape and dishonor so shameful that her white ancestors, the Smiths, had to move from their North Carolina hometown to a more isolated residence on a plantation. The two white male heirs to the Smith planter fortune never married, and their sister Mary spent her life caring for her four mixed-race nieces. Murray suggests her white ancestors "were doomed to live with blunted emotions and unnatural restraints, to keep up appearances by acting out a farce which fooled nobody and brought them little comfort."[41]

A fire wall of hypocrisy surrounded the ticking time bomb of sexual secrecy nestled in the heart of American slaveholding. The system not only functioned with this fundamental flaw built into it; it thrived. It was a system based on the alleged inhumanity of African and African American slaves, yet it exploited that most human impulse—sexual desire—to perpetuate itself. Recognition of the soul and humanity of the enslaved would upend the entire operation—and had presented problems for North American slaveholders from the outset. In 1661, Virginia lawmakers passed statutes stating that the conversion of an enslaved heathen to Christianity would not bring any change in legal status. Religious leaders in Anglo American settlements walked a fine line.[42] They welcomed all into the fold but kept segregated flocks—and they preached doctrines that differed according to the color of the congregation. Colonial ministers' tasks included the reinforcement of obedience among slaves and silence about the masters' failings.

Challenges to the slavery system from both inside and outside the church began in the colonial era, spreading and rising into radical antislavery agitation in the 1830s. The linkage of slavery and sex gave reformers a handle. Firebrand abolitionists in the North decried the "brothels" on plantations. A small number of white women reformers bemoaned the "breakup of families" caused by slavery and the wrongs it inflicted on women, although it was not always clear whether their sympathies lay with the white wives abandoned by husbands seeking enslaved sex partners, or with the enslaved women who were denied choice and coerced into sex with white men. But calls for reform mostly came from residents of the Northern states.

Rarely did members of the white Southern community do more than gossip among themselves about the powerful men who crossed the color line. But some religious leaders did challenge society's code of silence about the sexual exploitation of enslaved women. The Reverend Charles Colcock Jones was one. The master of several plantations in coastal Georgia as well as an influential Presbyterian leader and scholar, Jones was living at his Macintosh County plantation, Maybank, in the summer of 1860 when he hired a young man to assist him with the book he was writing. The young man, William States Lee, was the son of a South Carolina clergyman. He was in Georgia to establish a school for young women.[43] While Lee was staying with the Jones family, he took a fancy to an eighteen-year-old household slave named Peggy. When Peggy gave birth to a light-skinned daughter the following year and named her Eva Lee, Jones confronted her. She confessed to having sex with Lee, which outraged the good reverend on several levels. Jones was angered that Lee had "debauched a young Negro girl" and lamented that Lee was "the only man who has dared to offer to me personally and to my family and to my neighbors so vile and so infamous an insult. You are the only man who has ever dared to debauch my family servants—it being the only instance that has occurred—and to defile my dwelling with your adulterous and obscene pollutions."[44]

Jones said the evidence against Lee—Peggy's confession, the timing of Lee's visit in relation to Eva's birth, and the child's resemblance to Lee—was "amply sufficient to warrant the submission of the case to the session [as the council of church elders was known] of the Columbus church for action."[45] Lee denied the accusation and urged wealthy and prominent men to hush the matter up because public accusations could derail Lee's plans to start a school for young ladies. Lee's cronies took Jones to task and attacked Peggy's credibility. But Jones persisted. After further investigation, he told the church elders that Lee's sexual interaction with Peggy was part of a pattern of debauchery. Another young black woman had also become pregnant. Lee had her punished and denied her claim that she had borne his child, though it was of mixed race. Jones was appalled, saying, "With all the circumstances and evidences before me, he is a guilty man."[46] The matter never officially went before the church authorities, and Lee went unpunished by his fellow Presbyterians. The rarity of any challenge to a white man's predatory sexual prerogative makes Jones's effort stand out in the annals.[47]

These are only a handful of the fascinating, complicated stories about the sexual and political dynamics of slavery for enslaved women. We have no idea how many thousands remain undocumented. There is absolutely no question that these liaisons were neither rare nor out of the ordinary. So how is it that so few have turned up in historical accounts until recently, when we know such relations took place? And how is it that interracial sex is prevalent in contemporary fiction and popular culture but shadow families remain conspicuously absent from any political discourse that goes beyond mudslinging?[48] As so much of the carefully parsed debate over race during the 2008 presidential campaign demonstrated, American political discourse remains cloaked in a thin veneer of hypocrisy. The recently revealed story of Strom Thurmond's shadow family and the experience of his daughter Essie Mae Washington-Williams reveal that Americans are still living with the hypocritical legacy of slavery today.

Thurmond made the cover of *Time* magazine in 1948 as leader of the breakaway States Rights Democratic Party, the Dixiecrats. As a staunch segregationist, he railed, "There's not enough troops in the Army to force the Southern people to break down segregation and admit the Negro race into our homes, and into our churches."[49] In 1954, he won a seat in the Senate as a write-in candidate, a feat that has not been equaled since. He also set another record, as the longest-serving member of the Senate (48 years), before his death in June 2003 at the age of 100. Thurmond stood fast against civil rights until his 80s, when times had changed dramatically enough that this representative of traditional values had to change as well.

One of his earliest biographers extolled Thurmond's upbringing: "The family attended Edgefield's Baptist church regularly, and lived by a strict code of ethics, having no tolerance for compromise between right and wrong."[50] The public required Thurmond, like most white Southern politicians, to attend church regularly and to display his faith in other public ways. He might pray in public and invoke the Scriptures in his political speeches, among other demonstrations of piety. At the same time, during his youth and into his later years, Thurmond was notorious among his friends as a ladies' man.[51] He was elected governor as a bachelor and married relatively late in life, in 1947, and then again after he was widowed. His second wife was a former Miss South Carolina who was twenty-two to his sixty-six. The marriage enhanced his reputation for virility and burnished his vanity.[52]

There was a secret side to Thurmond's family life, as well. During investigations of Thurmond's racial attitudes in August 1948, the Baltimore *Afro American* reported that Thurmond's father had a shadow family. The paper quoted a black woman who said she and Thurmond were related: "Mrs. Eva Thurmond Smith said, 'I remember well when Gov. Thurmond used to visit my grandfather, and they used to sit and eat and talk for hours. I remember asking my grandfather why did that white man always visit our home. My grandfather told me they were brothers.' "[53]

Thurmond continued the tradition. When the daughter of the Thurmonds' African American cook gave birth to a light-skinned daughter in 1925, many blamed Strom Thurmond, who had been living at home in Edgefield when fifteen-year-old Carrie Butler became pregnant.[54] Thurmond left for Florida shortly after Carrie's pregnancy became evident, but returned within a year and was elected president of the Baptist Young People's Union.[55]

Carrie Butler remained in Edgefield and gave birth, but then she and her daughter left the county. Unable to provide for her child, she sent her baby to live with her sister in Pennsylvania, Mary Washington. The child did not see her mother again until she was thirteen, by which time her mother was dying of an incurable liver disease. Carrie Butler brought her daughter south at that time to meet her father. Ms. Butler eventually died in a charity hospital in 1948, at age thirty-eight.[56]

Thurmond began providing his mixed-race daughter with financial support in 1941. He arranged for her to attend all-black South Carolina State College, where she met the man she would marry, Julian Williams. After her husband, a lawyer, died in 1964, Thurmond volunteered to provide financial support for his daughter while she raised her four children. Thurmond family couriers delivered cash over the years, but exact amounts are impossible to calculate. Washington-Williams considered these payments proof of her father's affection. Yet she recognized that a trade-off was involved. "As the illegitimate daughter of a famous white supremacist," Washington-Williams writes, "I was under a lifetime gag order."[57]

Washington-Williams and her father kept in touch over the years, and they kept their secret. She took her first child, Thurmond's first grandchild, to visit the senator in his Washington office. He met with her children on a visit to the West Coast. For all those years, Washington-Williams spoke of Thurmond as a "family friend," though reporters became more persistent during Thurmond's last two decades.[58] Thurmond never publicly denied that he had fathered a mixed-race child, but he never acknowledged it, either. Washington-Williams always regretted that her father did not acknowledge her paternity.[59] Finally, after years of keeping Thurmond's secret and her own, and after his death, Essie Mae Washington-Williams broke the silence.

Only very recently have blacks been willing to confide such stories, and even more recently have whites been willing to listen. Sharing across the color line can be a daunting experiment because black and white experiences and understandings may differ so greatly.[60]

W. E. B. DuBois, nearly a century ago, said he was able to forgive the white South many things—its Lost Cause, its slavery, its "pride of race"—but he could not forgive the "wanton and continued and persistent insulting of the black womanhood which it sought and seeks to prostitute to its lust." DuBois condemned both "Southern gentlemen" and "Northern hypocrites."[61] The slaveholding South, though, turned hypocrisy into an art form. Statesmen who were slaveholders made public reference to "my family, black and white," with an absolutely maddening sense of disassociation, without a dollop of shame or drop of irony. If white patriarchs in the Old South wished to pretend slavery was one big happy family, then modern researchers were left to discover that it was not just dysfunctional but fostered abuse and incest.

The father figure (slaveholder) could sexually abuse his female charge (surrogate daughter). The mother figure (white mistress) was much less likely to abuse her male charges (enslaved men), but she might. More often, the mistress played silent accomplice to the patriarch's abuse and perversity. And the black-female–white-male union could be a symbolically incestuous coupling because of the maternal role the "Mammy" played.[62]

It is a story of scandal that has been in the public eye and on the lips of society since the founding of the United States, but it has not been a topic for exploration, discussion, understanding, or healing. Washington-Williams stood in front of cameras and microphones to unburden herself of a lifelong secret because she hoped that the healing could begin. Washington-Williams said she came forward not for money or celebrity but because she wanted the truth to be told.[63] We will never have the full dimensions of her mother's story, but hearing her daughter break her silence is an historic event.

Washington-Williams's stab at closure can have an opposite and still positive effect—opening the floodgates of testimony. As Pulitzer Prize–winning journalist Colbert King notes, "As riveting as the Essie Mae Washington-Williams story may be to those hearing it for the first time, it is by no means unique. There are in America today thousands of stories just like hers."[64]

Recognition that Strom Thurmond fathered a black child and that Thomas Jefferson's DNA matches that of descendants of former slave Eston Hemings provides an opportunity to launch discussions for and about those seeking rights and justice within our society. All of these confirmations, discoveries, and historical debates draw us more deeply into a swirling vortex of deeper understanding, where silence may fall away, even long shadows may fade, and stories that need to be told can become part of reconciled pasts and shared futures.

Notes

1. Essie Mae Washington-Williams, interviewed by Dan Rather, *60 Minutes II*, CBS News, December 17, 2003, http://www.cbsnews.com/stories/2003/12/17/60II/main589138.shtml (accessed November 7, 2008). See also Washington-Williams's autobiography with William

Stadiem, *Dear Senator: A Memoir by the Daughter of Strom Thurmond* (New York: HarperCollins, 2005).

2. Articles began to appear early in 2007 discussing Barack Obama's racial background, heritage, affiliation, and loyalty; see an early piece in the *San Francisco Chronicle*, Leslie Fulbright, "Obama's Candidacy Sparks Debates on Race: Is He African American if His Roots Don't Include Slavery?" February 19, 2007, http://www.sfgate.com (accessed August 8, 2009). Some commentaries and pieces were merely exploratory, such as Jason Carroll, "Is Barack Obama Black or Biracial?" CNN.com, June 9, 2008, http://edition.cnn.com/2008/POLITICS/06/09/btsc.obama.race/ (accessed August 8, 2009). And many more reflect the intensity of debates over identity politics. On March 18, 2008, Barack Obama gave a major address—now known as his "race speech"—that laid out his perspective on race in America and offered insight into his own views and identity. Obama's election as president has not in any way quelled this debate, as issues ranging from concerns about Obama's birth certificate (spawning a "birther" movement) to the president's offering an opinion on the July 2009 arrest of black intellectual Henry Louis Gates, continue this media storm about race relations.
3. Allegations that President Bill Clinton fathered an illegitimate black child were circulated widely in 1992, reignited during his 1996 reelection campaign, and printed in the London *Daily Mail*, in a column by James Dalyrmple on January 14, 1997. Clinton detractors continued to promote this claim in spite of the lack of verifiable evidence. The rumor was given some credence in 1996, when a thinly veiled novel about Bill Clinton's 1992 presidential campaign, *Primary Colors* (New York: Random House), written anonymously (the author was later revealed as veteran political reporter Joe Klein), included the seduction of a black girl—the daughter of a family friend—by the white candidate, and an elaborate cover-up; a 1998 film version of the book starring John Travolta (directed by Mike Nichols, Universal Pictures) expanded interest in the allegations.
4. Virginia (Colony), *Act 12*, *The Statutes at Large: Being a Collection of All the Laws of Virginia from the First Session of the Legislature, in the Year 1619*, vol. 2, ed. William Waller Hening (1823; reprint, Charlottesville, VA: University of Virginia Press, 1969) 170, http://www.virtualjamestown.org/laws1.html#15 (accessed July 13, 2008). See also Joel Williamson, *New People: Miscegenation and Mulattoes in the United States* (New York: Free, 1980) 7.
5. Virginia (Colony), *Act 16*, *The Statutes at Large: Being a Collection of All the Laws of Virginia from the First Session of the Legislature, in the Year 1619*, vol. 3, ed. William Waller Hening (1823; reprint, Charlottesville, VA: University of Virginia Press, 1969) 86–88, http://www.virtualjamestown.org/laws1.html#36 (accessed July 13, 2008).
6. Paul Finkelman, "Crimes of Love, Misdemeanors of Passion: The Regulation of Race and Sex in the Colonial South," in *The Devil's Lane: Sex and Race in the Early South*, ed. Catherine Clinton and Michele Gillespie (New York: Oxford University Press, 1997). See also Leon Higginbotham and Barbara Koptyoff, "Racial Purity and Interracial Sex in the Law of Colonial and Antebellum Virginia," *Georgetown Law Journal* 77 (1989) 1989–2008.
7. Peter Bardaglio, "'Shameful Matches': The Regulation of Interracial Sex and Marriage in the South Before 1900," in *Sex, Love, Race: Crossing Boundaries in North American History*, ed. Martha Hodes (New York: New York University Press, 1999).
8. "There is a Procrustean bedstead ever ready for them, body and soul, and all mankind stands on alert to restrain their impulses, check their aspirations, fetter their limbs, lest, in their freedom and strength, in their full development, they should take an even platform with the proud man himself," wrote Stanton. See Catherine Clinton, *The Other Civil War: American Women in the Nineteenth Century* (New York: Hill and Wang, 1984) 70. On sexualized imagery, see in particular Ron Walters, "The Erotic South: Civilization and Sexuality in American Abolitionism," *American Quarterly* 25 (1973) 177–201.
9. Virginia (Colony), *The Statutes at Large: Being a Collection of All the Laws of Virginia from the First Session of the Legislature, in the Year 1619*, vol. 3, ed. William Waller Hening (1823; reprint, Charlottesville, VA: University of Virginia Press, 1969), http://www.virtualjamestown.org/laws1.html (accessed July 13, 2008).

10. See Kenneth Greenberg, *Honor and Slavery: Lies, Duels, Noses, Masks, Dressing as a Woman, Gifts, Strangers, Humanitarianism, Death, Slave Rebellions, the Proslavery Argument, Baseball, Hunting, and Gambling in the Old South* (Princeton, NJ: Princeton University Press, 1996) 41; Catherine Clinton, "Souls of Darkness: Dominance and Submission in the Narratives of Frederick Douglass and Harriet Jacobs," in *The Problem of Evil: Slavery, Race, and the Ambiguities of Reform*, ed. Steven Mintz and John Stauffer (Amherst, MA: University of Massachusetts Press, 2007).
11. Annette Gordon-Reed, *Thomas Jefferson and Sally Hemings: An American Controversy* (Charlottesville, VA: University of Virginia, 1997) 109f.
12. See Karen A. Getman, "Sexual Control in the Slaveholding South: The Implementation and Maintenance of a Racial Caste System," *Harvard Women's Law Journal* 7 (1984) 120–127; and Thelma Jennings, "'Us Colored Women Had to Go Through a Plenty': Sexual Exploitation of African American Slave Women," *Journal of Women's History* 1 (1990) 45–74.
13. Elizabeth Keckley, *Behind the Scenes: Or, Thirty Years a Slave and Four Years in the White House* (1868; reprint, New York: Oxford University Press, 1988) 33. On the correct spelling of Keckly's name, and other important biographical information, see Jennifer Fleischner, *Mrs. Lincoln and Mrs. Keckly: The Remarkable Story of the Friendship Between a First Lady and a Former Slave* (New York: Broadway, 2003).
14. See especially James Hugo Johnston, *Race Relations in Virginia and Miscegenation in the South, 1776–1860* (1937; reprint, Amherst, MA: University of Massachusetts Press, 1970) and Joel Williamson, *New People: Miscegenation and Mulattoes in the United States* (New York: Free, 1980).
15. See Annette Gordon-Reed, *Thomas Jefferson and Sally Hemings: An American Controversy* (Charlottesville, VA: University of Virginia, 1997). See also Douglass Adair, "The Jefferson Scandals," in *Fame and the Founding Fathers: Essays*, ed. Trevor Colbourn (New York: Norton, 1974) 160–191; Dumas Malone and Steven Hochman, "A Note on Evidence: The Personal History of Madison Hemings," *Journal of Southern History* 41 (1975) 523–528; Virginius Dabney and Jon Kukla, "The Monticello Scandals: History and Fiction," *Virginia Cavalcade* 29 (1979) 52–61; Scot A. French and Edward L. Ayers, "The Strange Career of Thomas Jefferson: Race and Slavery in American Memory, 1943–1993," in *Jeffersonian Legacies*, ed. Peter Onuf (Charlottesville, VA: University of Virginia Press, 1993); and Carolyn J. Powell, *What's Love Got to Do with It? The Dynamics of Desire, Race, and Murder in the Slave South* (Champaign: University of Illinois Press, forthcoming).
16. See also Henry Wiencek, *An Imperfect God: George Washington, His Slaves, and the Creation of America* (New York: Farrar, Straus, and Giroux, 2003) and Roger Wilkins, *Jefferson's Pillow: The Founding Fathers and the Dilemma of Black Patriotism* (Boston: Beacon, 2002).
17. For a useful timeline, consult *Frontline*, PBS.org, "Jefferson's Blood," under "Chronology," http://www.pbs.org/wgbh/pages/frontline/shows/jefferson/cron (accessed November 9, 2008).
18. Madison Hemings, "The Memoirs of Madison Hemings" [as told to S. F. Wetmore], "Life Among the Lowly, No. 1," *Pike County (OH) Republican*, March 13, 1873, *Frontline*, PBS.org, "Jefferson's Blood," under "Chronology," http://www.pbs.org/wgbh/pages/frontline/shows/jefferson/cron/1873march.html (accessed August 28, 2009).
19. Gordon-Reed, *American Controversy*, 117. See also Catherine Clinton, "Southern Dishonor: Flesh, Blood, Race, and Bondage," in *In Joy and in Sorrow: Women, Family, and Marriage in the Victorian South 1830–1900*, ed. Carol Bleser (New York: Oxford University Press, 1991).
20. Gordon-Reed's *The Hemingses of Monticello: An American Family* (New York: Norton, 2008) won the 2008 National Book Award for nonfiction and the 2009 Pulitzer Prize for history, and has been awarded other book prizes, with honors continuing to be bestowed.
21. Garry Wills, "Uncle Thomas's Cabin," *New York Review of Books*, April 18, 1974.

22. Catherine Clinton, *The Plantation Mistress: Woman's World in the Old South* (New York: Pantheon, 1982) 78f.
23. Gordon-Reed, *American Controversy*, 164.
24. See especially Adele Logan Alexander, *Ambiguous Lives: Free Women of Color in Rural Georgia, 1789–1879* (Fayetteville, AR: University of Arkansas Press, 1991); Terry Alford, *Prince Among Slaves* (New York: Harcourt Brace Jovanovich, 1977); Carol Bleser, ed., *Secret and Sacred: The Diaries of James Henry Hammond, a Southern Slaveholder* (New York: Oxford University Press, 1988); Catherine Clinton, "Caught in the Web of the Big House: Women and Slavery," in *Black Women in United States History*, vol. 1, ed. Darlene Clark Hine (New York: Carlson, 1990); Clinton, "Southern Dishonor"; Catherine Clinton, "'With a Whip in His Hand': Rape, Memory, and African-American Women," in *History and Memory in African-American Culture*, ed. Genevieve Fabre and Robert O'Meally (New York: Oxford University Press, 1994); Clinton and Gillespie, *Devil's Lane* (see note 6); Virginia Dominguez, *White By Definition: Social Classification in Creole Louisiana* (New Brunswick, NJ: Rutgers University Press, 1986); Jacquelyn Dowd Hall, "'The Mind That Burns in Each Body': Women, Rape, and Racial Violence," in *Powers of Desire: The Politics of Sexuality*, ed. Ann Snitow et al. (New York: Monthly Review, 1983); Darlene Clark Hine, "Rape and the Inner Lives of Southern Black Women: Thoughts on the Culture of Dissemblance," in *Southern Women: Histories and Identities*, ed. Virginia Bernhard et al. (Columbia, MO: University of Missouri Press, 1992); Martha Hodes, *White Women, Black Men: Illicit Sex in the Nineteenth-Century South* (New Haven, CT: Yale University Press, 1997); Martha Hodes, ed., *Sex, Love, Race: Crossing Boundaries in North American History* (New York: New York University Press, 1999); Jacqueline Jones, *Labor of Love, Labor of Sorrow: Black Women, Work, and the Family from Slavery to the Present* (New York: Basic, 1985); Kent Anderson Leslie, *Woman of Color, Daughter of Privilege: Amanda America Dickson, 1849–1893* (Athens, GA: University of Georgia Press, 1995); Melton Alonza McLaurin, *Celia, a Slave* (Athens, GA: University of Georgia Press, 1991); Patricia Morton, *Disfigured Images: The Historical Assault on Afro-American Women* (New York: Greenwood Press, 1991); Edward Ball, *Slaves in the Family* (New York: Farrar, Straus, and Giroux, 1998); Nell Irvin Painter, *Southern History Across the Color Line* (Chapel Hill: University of North Carolina Press, 2002); Judith Schafer, "'Open and Notorious Concubinage': The Emancipation of Slave Mistresses by Will and the Supreme Court in Antebellum Louisiana," *Louisiana History* 28 (1987) 115–182; Jennifer Wriggins, "Rape, Racism, and the Law," *Harvard Women's Law Journal* 6 (1983) 103–141; Lisa Cardyn, "Sexual Terror in the Reconstruction South," in *Battle Scars: Gender and Sexuality in the American Civil War*, ed. Catherine Clinton and Nina Silber (New York: Oxford University Press, 2006); and Carolyn J. Powell, *What's Love Got to Do with It? The Dynamics of Desire, Race, and Murder in the Slave South* (Champaign: University of Illinois Press, forthcoming).
25. See Harriet A. Jacobs, *Incidents in the Life of a Slave Girl: Written by Herself*, ed. L[ydia] Maria Child, edited and with an introduction by Jean Fagan Yellin (1861; reprint, Cambridge, MA: Harvard University Press, 1987) and Jean Fagan Yellin, *Harriet Jacobs: A Life* (New York: Basic Civitas, 2004). Jean Fagan Yellin's authoritative edition of *Life of a Slave Girl* appeared in 1987, providing a much-needed corrective to popular misconceptions that the narrative was either a fake or written by a white abolitionist in Jacobs's stead. See also William L. Andrews and Henry Louis Gates Jr., ed., *The Civitas Anthology of African American Slave Narratives* (Washington, DC: Civitas/Counterpoint, 1999) and Harriet A. Jacobs, *Incidents in the Life of a Slave Girl*, ed. Valerie Smith, The Schomburg Library of Nineteenth-Century Black Women Writers (New York: Oxford University Press, 1988).
26. Jacobs, "The Trials of Girlhood," chap. 5 in *Incidents* (see note 25).
27. Jacobs, "The Trials of Girlhood," chap. 5 in *Incidents*.
28. Jacobs, "The Church and Slavery," chap. 13 in *Incidents*.
29. James Silk Buckingham, *The Slave States of America* (London: Fisher, 1842) 2:241.

30. William Newnham Blane, *An Excursion Through the United States and Canada During the Years 1822–23* (1824; reprint, New York: Negro University Press, 1969) 204.
31. As Essie Mae Washington-Williams echoed, "the tragedy here was the hypocrisy and the secrecy." Washington-Williams and Stadiem, *Dear Senator*, 105.
32. See Terry Alford, *Prince Among Slaves* (New York: Harcourt Brace Jovanovich, 1977).
33. See Carol Bleser, ed., *Secret and Sacred: The Diaries of James Henry Hammond, a Southern Slaveholder* (New York: Oxford University Press, 1988).
34. Bleser, *Secret and Sacred*, 19.
35. See Bleser, *Secret and Sacred*; see also Drew Gilpin Faust, *James Henry Hammond and the Old South: A Design for Mastery* (Baton Rouge: Louisiana State University Press, 1982).
36. See Mark Perry, *Lift Up Thy Voice: The Grimké Family's Journey from Slaveholders to Civil Rights Leaders* (New York: Viking, 2001) and Gerda Lerner, *The Grimké Sisters from South Carolina: Rebels Against Slavery* (Boston: Houghton Mifflin, 1967).
37. Leland Winfield Meyer, *The Life and Times of Colonel Richard M. Johnson of Kentucky* (New York: Columbia University Press, 1932) 322f. See also Carolyn J. Powell, *What's Love Got to Do with It? The Dynamics of Desire and Race in the Slave South* (Champaign: University of Illinois Press, forthcoming). It was fortunate that Johnson deeded estates to his children because when he died, his brother went to court to declare that Johnson had left no heirs.
38. Meyer, *Richard M. Johnson*, 341, 422.
39. When he was nominated at the Democratic convention in Baltimore, the Virginia delegation walked out. See Clinton, *Plantation Mistress*, 216f.
40. Pauli Murray, *Proud Shoes: The Story of an American Family* (New York: Harper and Row, 1978) 33.
41. Murray, *Proud Shoes*, 47.
42. Virginia (Colony), *Act 12, The Statutes at Large: Being a Collection of Laws of Virginia from the First Session of the Legislature, in the Year 1619*, vol. 2, ed. William Waller Hening (1823; reprint, Charlottesville, VA: University of Virginia Press, 1969) 170, http://www.virtualjamestown.org/laws1.html#15 (accessed July 13, 2008).
43. Erskine Clarke, *Dwelling Place: A Plantation Epic* (New Haven, CT: Yale University Press, 2005) 395f.
44. Clarke, *Dwelling Place*, 403.
45. Clarke, *Dwelling Place*, 404.
46. Clarke, *Dwelling Place*, 404f.
47. Just as the trial, conviction, and execution of a white man for the murder of a slave woman, his own property, in antebellum North Carolina—after a vicious campaign of torture against her—provides unique insight into slaveholding horrors. See Carolyn J. Powell, "In Remembrance of Mira: Reflections on the Death of a Slave Woman," in Patricia Morton, ed., *Discovering the Women in Slavery: Emancipating Perspectives on the American Past* (Athens, GA: University of Georgia Press, 1996).
48. From Barbara Chase-Riboud's *Sally Hemings: A Novel* (New York: Viking, 1979) to Toni Morrison's prize-winning *Beloved: A Novel* (New York: Plume, 1988) to Halle Berry's Academy Award–winning performance in *Monster's Ball* (directed by Marc Forster, Lions Gate, 2001).
49. Jack Bass and Marilyn W. Thompson, *Ol' Strom: An Unauthorized Biography of Strom Thurmond* (Atlanta: Longstreet, 1998) 112.
50. Alberta Lachicotte, *Rebel Senator: Strom Thurmond of South Carolina* (New York: Devin-Adair, 1966) 4.
51. Nadine Cohodas, *Strom Thurmond and the Politics of Southern Change* (Macon, GA: Mercer University Press, 1994) 33.
52. Much was made of the image of Thurmond standing on his head in the foreground, with his new bride posed in the background, for a *Life* magazine feature on the newly married forty-six-year-old governor.
53. Bass and Thompson, *Ol' Strom*, 112.

54. Bass and Thompson, *Ol' Strom*, 273–275. This was the conclusion of William Walton Mims, who owned and operated the *Edgefield Advertiser*. Mims was not an impartial observer, as he confessed that "Thurmond is Satan's agent for South Carolina. He is my mortal enemy." But Mims also tape-recorded interviews with local folks who had been around in the 1920s, and extensively researched the matter. In 1972, Mims broke the story of a mixed-race daughter, with the banner headline: "Sen. Thurmond is Unprincipled—with Colored Offspring—While Parading as a Devout Segregationist."
55. Bass and Thompson, *Ol' Strom*, 38f.
56. Carrie Butler's sad story is woven into her daughter's memoir: Essie Mae Washington-Williams and William Stadiem, *Dear Senator: A Memoir by the Daughter of Strom Thurmond* (New York: HarperCollins, 2005).
57. Washington-Williams and Stadiem, *Dear Senator*, 160.
58. For a good summary of attempts to uncover this story, consult "Colored Offspring," chap. 22 in Jack Bass and Marilyn W. Thompson, *Ol' Strom: An Unauthorized Biography of Strom Thurmond* (Atlanta: Longstreet, 1998; Columbia, SC: University of South Carolina Press, 2003). See also Marilyn W. Thompson, "What a Family Secret Begat: Essie, Strom and Me; For One Reporter, 1981 Tip Finally Yields the Big Story," December 21, 2003, *Washington Post*, Style section.
59. Washington-Williams and Stadiem, *Dear Senator*, 104f, 120, 190f, 204.
60. See, for example, Susan Tucker, ed., *Telling Memories Among Southern Women: Domestic Workers and Their Employers in the Segregated South* (Baton Rouge: Louisiana State University Press, 1988).
61. W[illiam] E[dward] Burghardt DuBois, *Darkwater: Voices from Within the Veil* (New York: Harcourt, Brace, and Howe, 1920) 172.
62. See Charles Herbert Stember, *Sexual Racism: The Emotional Barrier to an Integrated Society* (New York: Elsevier, 1976); Dorothy E. Roberts, *Killing the Black Body: Race, Reproduction, and the Meaning of Liberty* (New York: Pantheon, 1997); M. M. Manring, *Slave in a Box: The Strange Career of Aunt Jemima* (Charlottesville, VA: University of Virginia Press, 1998); Cheryl Thurber, "The Development of the Mammy Image and Mythology," in *Southern Women: Histories and Identities*, ed. Virginia Bernhard et al. (Columbia, MO: University of Missouri Press, 1992); Micki McElya, *Clinging to Mammy: The Faithful Slave in Twentieth-Century America* (Cambridge, MA: Harvard University Press, 2007); and Kimberly Giselle Wallace-Sanders, *Mammy: A Century of Race, Gender, and Southern Memory* (Ann Arbor: University of Michigan Press, 2008).
63. Washington-Williams and Stadiem, *Dear Senator*, 160.
64. Colbert I. King, "A Story Much Older than Ol' Strom," *Washington Post*, December 20, 2003, Editorial section.

VI

Should the Bible Form the Basis of Public Policy?

13

The Bible, Slavery, and the Problem of Authority

Sylvester A. Johnson

Slavery in the United States occupied national attention and inspired religious, legal, and political battles to an extent that few other issues have. It became one of the most fiercely and continually debated controversies in the nation's history, leading to massive legal and cultural changes. In this essay, I examine two factors regarding the Bible that shaped the nature of American debates over slavery. First, the Bible is steeped in the ideology of slavery. It comprises writings by authors who conformed to their societies' customs in embracing slavery as a legitimate practice. Second, the Bible was a symbol of tremendous *authority*, making it difficult for abolitionists challenging the legitimacy of slavery to use the Bible convincingly in their arguments. Because so few individuals ever conceived of challenging the Bible itself, religious debates over slavery typically concerned what the Bible meant and not the problem of human brutality, per se.

In what follows, I examine major trends in biblical debates to demonstrate how both pro-slavery and abolitionist activists appealed to scripture, given its support of slavery. I also explain why the authority of the Bible itself has posed such a tremendous problem in American discourses of public morality. In doing so, I aim to clarify what the history of religion and slavery implies for a contemporary feminist ethics of freedom and equality. I emphasize that public contention over sexual equality has emerged today in a fashion similar to that of the slavery controversy, making powerful claims about morality based on religion and the Bible that few are willing to question. As the history of abolitionism makes apparent, however, only by challenging the authority of powerful symbols can society expand freedom and rights to dominated peoples.

Race and Slavery Debates in the Colonial Era

The emergence of Protestantism in the 1500s meant that what the Bible said became more important than any other source of Christian authority.[1] And what the Bible actually said about slavery, although clearly supportive of the institution, was not perfectly satisfying to either supporters or opponents of slavery. Biblical writers took slavery for granted as a normal and acceptable part of life in the ancient world but provided no explicit justification for the race-based (i.e., Black) slavery that was America's system; this was a challenge for pro-slavery Americans. Abolitionists, on the other hand, struggled to find scriptural support for their position. No aspect of the Bible was more important to American audiences than the story of Noah and his sons in Genesis 9 and 10, in which Noah curses the descendants of his son, Ham, with slavery. Both American and European interpreters of the Bible used the Noah legend to explain racial identities and race-based slavery.[2] The result was the identification of Africans as the lowest variety of human beings and Europeans as the supreme race—the most intelligent, civilized, and culturally advanced. As White intellectuals defined these different kinds or races of human beings, they also tried to explain how these differences arose, and they sought biblical justification for America's near-exclusive enslavement of Blacks.

In 1700, a Puritan judge named Samuel Sewall (1652–1730) wrote the first systematic attack on the institution of slavery in America. His tract, *The Selling of Joseph*, was an attempt to respond to common justifications of racial slavery in colonial America. He began his argument by stating that all peoples are "sons of Adam" and "have equal right unto liberty." Referring to Psalms 115:26 and Acts 17:26–29, Sewall stated that God had made "of one blood all nations," so that no people could deny their fundamental human kinship with others. In other words, he insisted that his White readers consider Africans to be fellow human beings. He also quoted Exodus 21:16, which prescribed death as punishment for anyone who stole another person. This death sentence, he urged, was a sure indication from God that slavery was immoral and not to be tolerated.[3]

Sewall's challenge helps us to understand early American defenses of African slavery. The first argument commonly used to support slavery drew on the legend of Noah to claim that Africans were descendants of the biblical character Ham and were therefore cursed to suffer slavery; thus, Sewall began his attack on slavery by asserting that no one could tell whether Noah's curse were still in effect or not. Besides, he reasoned, even if Ham's descendants were cursed, it did not follow that Puritan settlers were justified in enslaving Blacks. Moreover, he reminded his readers, many biblical commentators pointed out that Noah cursed Ham's son Canaan and not Ham himself. Sewall next responded to the claim that slavery exposed Africans, categorized as "heathens," to Christianity. Did the end justify the means? asked Sewall. If it were immoral to deprive human beings of liberty, then nothing could make it right.

Third was the more legalistic claim that the trans-Atlantic slave trade was lawful because the many wars among African nations produced legitimate captives who could legally be bought and sold. But every war, Sewall countered, involved a wrong side and a right side, making every war morally unlawful. And "an Unlawful War can't make lawful Captives." If New England settlers, he asked, were overtaken by militants and sold into slavery, would they not protest their condition as unjust? Should not the same moral protest apply to Africans? Finally, there was the claim that Abraham, the great hero of faith in biblical tradition, had slaves "bought with his money, and born in his house." But Sewall challenged this attempt to justify American slavery. Under what circumstances had Abraham purchased these slaves? No one could tell, he insisted. Thus, it was best to refrain from making a case for enslaving these "sons of Adam," Sewall said, citing Leviticus 25:39 and 46, and Jeremiah

34:8. The Leviticus text forbade Hebrews from enslaving one another; the Jeremiah text urged Hebrew slaveholders to follow this mandate. If such laws operated in Judaism, what about Christianity? Sewall's own religious convictions, of course, led him to view Christianity as superior to all other religions. Christians, in their moral superiority over ancient Jews, would extend this ban on slavery to their relations with all peoples, not merely their own kindred.[4]

Despite Sewall's claim that all people were "sons of Adam," Sewall's emphasis on the humanity of Africans was very limited; he never entertained the idea that Africans should live as citizens among Whites. Africans were too different, he believed; their "Conditions, Colour & Hair" made it impossible for them to be considered legitimate members of White settler society, despite the fact that White slaveholders regularly made sexual use of their Black slaves and produced children. He urged his fellow White Christians to use White indentured servants instead of African slaves. This would foster a society that could eventually be free of any Blacks.[5]

In response to Sewall's arguments against slavery, John Saffin, a Puritan minister and lawyer, took up the pen to provide the first systematic American *defense* of slavery in 1701, one year after Sewall's tract was published. Slavery, Saffin argued, was perfectly consistent with the rigid moral standards of Puritan faith and Christian morality. This cycle of defending slavery in the wake of criticism of the institution emerges as a pattern in American history.

Freedom and Slavery in the Early Republic

The American Revolution intensified the traffic in ideas about freedom and slavery in the colonies as they headed toward an independent national status. It was in this context that the early abolitionist Samuel Hopkins (1721–1803) employed some key themes that later activists would echo. In one of his influential treatises, "Slavery of the Africans," Hopkins used the form of a conversation between two imaginary characters, one supporting and the other opposing slavery. This dialogue allowed Hopkins to present the most common biblical defenses of slavery and to explain why he thought them inadequate. He recognized that slavery became more controversial in the wake of the American Revolution. White colonists had acted on their desire to be independent of Britain, so in 1776, Hopkins presented a copy of his appeal to members of the Continental Congress. Hopkins was aware that the Bible did not condemn slavery. The Hebrew Scriptures assumed that Israelite slavery was normal and just. And writings in the New Testament instructed slaves to remain enslaved. So how was Hopkins to convince his readers that American slavery was wrong when supporters of slavery quoted scriptures to justify the institution?

Hopkins first addressed the use of the Noah legend in Genesis 9, which slavery supporters used to identify Africans as the sons of Ham and therefore cursed with slavery. Ham, Hopkins observed, was not cursed; only Ham's son Canaan was cursed. And Africans were not descended from Canaan but from different sons of Ham. This meant that on the basis of Genesis 9, Whites were no more justified in enslaving Blacks than Blacks were justified in enslaving Whites. And anyone who used this scripture to argue for American slavery was misinterpreting the Bible.[6]

Of course, myriad texts from the Hebrew Scriptures regulated the ownership of Hebrew and non-Hebrew slaves. Supporters of slavery pointed to such texts in order to demonstrate that the Bible did not condemn slavery. But Hopkins argued that biblical instructions about slavery did not apply to modern African enslavement because God had given the Israelites, as a chosen people of God, special instructions and permissions that did not apply to any other peoples. These particular instructions, he said, included the command to practice genocide against the natives of Canaan, the "promised land." But this was no warrant for Americans to practice genocide.

Hopkins also countered arguments based on New Testament scriptures that condoned slavery. Texts such as Colossians 4:1 and 1 Corinthians 7:21 instructed slaves to remain enslaved or to submit to their masters. These texts were commonly attributed to Paul, the most celebrated New Testament writer. Did this not clearly indicate that slavery was consistent with Christianity? No, declared Hopkins. In making this argument, Hopkins first acknowledged that not every form of slavery was unjust. An individual, he stated, might be justly enslaved in three ways: (1) debt slavery, in which a person was sentenced to work without pay in order to pay off a debt, (2) punitive slavery, a sentence handed down as punishment for a crime, and (3) voluntary slavery, the common ancient practice whereby an individual agreed to serve as a slave in exchange for food and shelter to avoid starvation or squalor. The first two conditions, according to Hopkins, would require a civil magistrate to administer a period of servitude. If any slaves under these just circumstances accepted Christianity, then Paul was instructing them to abide by their obligation to servitude.[7] But none of these conditions applied to modern African slavery, wrote Hopkins.

Furthermore, to claim that slavery was just simply because Paul did not condemn it was like saying governments are just simply because Paul did not condemn them. Such would be "contrary to known fact." This point was especially clear to Hopkins's White readers, who were then preparing to revolt against their own earthly government, that of the British King George, despite Paul's instructions in Romans 13 to submit to government authority. Hopkins explained Paul's theology as accepting the existence of worldly institutions without necessarily condoning everything about those institutions. The same logic, he insisted, applied to Paul's instructions concerning slavery.[8]

Many supporters of slavery pointed to African religions as demonic and evil, and they identified slavery as the principal means for converting Africans to Christianity. According to this argument, if slavery were ended, millions of Africans would continue to live in spiritual darkness. Hopkins fully agreed with this view of African religion and supported the conversion of Africans to Christianity. But he countered this claim in support of slavery by pointing out that most slaveholders prevented their slaves from conversion to Christianity because slaves associated conversion with attaining freedom. Besides, he stated, Europeans had introduced much warfare, violence, and racism into Africa by creating an unprecedented demand for slaves and by conquering a number of African nations. The trade of slaves for rum, in addition, had unleashed the devastating force of alcoholism in Africa. This had taught Africans to despise Christianity, wrote Hopkins. Instead of drawing heathens to spiritual light, Africans were being taught that Christianity brought destruction and trouble.

Hopkins quoted Habakkuk 2:15, which condemned any who "giveth his neighbour drink, that puttest thy bottle to [him], and makest [him] drunken also, that thou mayest look on their nakedness" (King James Version).[9]

At the root of Hopkins's opposition to slavery lay his condemnation of the trans-Atlantic slave trade, in which millions of Africans died in the 1700s and 1800s before even reaching the Americas. In addition, Hopkins acknowledged, Africans throughout the Americas were often worked to death within just a few months, only to be replaced by more victims whose deaths quickly multiplied into the hundreds of thousands every few years. No scripture, declared Hopkins, could justify this deathly traffic in human beings. And American slavery could not exist without the slave trade. Therefore, American slavery had no moral justification. What would become of White Americans who wrongly used scriptures to justify their enslavement of Africans? God demanded justice, Hopkins insisted, and White Americans would bring upon themselves God's curse if they continued to enslave Blacks. The only escape lay in the immediate abolition of slavery and the slave trade.[10]

Both Samuel Sewall and Samuel Hopkins were deeply compromised in their ability to oppose slavery because they relied on biblical authority. Because each had to admit that the Bible did not oppose slavery, they were left to demonstrate that biblical slavery did not apply to the American situation, a weak strategy at best. Nevertheless, abolitionist dissent such as theirs challenged the trans-Atlantic slave trade and achieved partial success; in 1808, the U.S. Congress ceased to recognize the trans-Atlantic transport of African slaves as legal, but the new policy only slowed the influx of Africans into the United States. The trans-Atlantic slave trade did not actually end until the 1860s, during the Civil War. In addition, the ban guaranteed unprecedented wealth for White businessmen involved in the *domestic* trade in African slaves because obtaining slaves directly from Africa became more difficult. Virginia, in fact, became the leading state in breeding Africans for sale throughout the slaveholding United States. As one consequence of this ban, abolitionists turned their attention away from the slave trade and toward the status of slavery itself. By the early 1800s, even Sewall's acknowledgment of the legitimacy of voluntary debt slavery had lost favor; abolitionists were coming to view slavery in any form as patently immoral.

This era was also influenced by a series of religious revivals known as the Great Awakenings. These revivals began in the early 1700s and continued in waves during the early 1800s. Revivalism became a permanent fixture in the American religious landscape. These meetings were frequently tinged with anti-slavery sentiment. Not all revivalists were opposed to slavery, and most White anti-slavery revivalists still viewed Blacks as racially inferior. In fact, some of the most popular revivalists in American history, such as Jonathan Edwards and George Whitefield, the British evangelist to America whose sermons enthralled thousands of listeners at a time, approved of slaveholding while emphasizing that all races of peoples were equal in their guilt before a wrathful God. Both Edwards and Whitefield also personally enslaved Africans.[11]

Evangelical revivalism nevertheless provided an early platform for promoting abolitionist interpretations of the Bible. This was partly due to the revivalists' tendency to emphasize human guilt and sin. It was not uncommon for revival preachers to target slavers as ungodly, fiercely hurling their preachments against the institution of slaveholding and promising divine wrath as punishment. In addition, many early evangelists of the Great Awakenings identified with the Baptists, many of whom embraced anti-slavery sentiment, or with the Methodists, who interpreted Christianity with a particular concern for socially marginal peoples—the poor, uneducated, sickly, and imprisoned. Methodism aligned itself with the growing anti-slavery movement in Britain, and Methodist evangelists in America typically held to this position, with the Methodist Church deciding in 1784 that no slaveholder would be recognized as a member.

African American Biblical Interpretation, 1820s–1840s

Evangelical denunciations of slavery were partly influenced by African American converts to Protestantism. Their influence emerged most forcefully through the method used by Black interpreters of the Bible in opposing slavery. They argued that the Exodus narrative of redemption from Egyptian slavery was also applicable to the situation in America. They read the Bible story of Israelites being rescued from slavery as evidence that God opposed slavery and would aid victims of the institution. Nathaniel Paul, an African American minister of New York, dwelled on this theme in his sermon of 1827 celebrating the abolition of slavery in the state of New York.[12] Even better known was the African American abolitionist David Walker, who viewed the Exodus narrative as a key for interpreting the proper biblical stance on slavery in his *Appeal to the Coloured Citizens of the World*, published in 1829. Walker argued that White slaveholding Christians were the most vile and hypocritical of all peoples. If they did not end slavery immediately, God would violently destroy them. Few abolitionists matched the anger and passion of Walker in his *Appeal*: "Have not the Americans the Bible in their hands? Do they believe it? Surely they do not. See how they treat us in open violation of the Bible!!" He quoted Matthew 6 on the Golden Rule, asking whether Whites would want Blacks to enslave their White children, selling them off and whipping them as cruelly as Whites sold and whipped their Black slaves. Quoting Revelation 22:11, Walker emphasized the wrath of divine judgment if American slavery were not ended immediately. As he outlined the physical brutalities and psychological terrors of slavery that dehumanized its Black victims, Walker repeatedly cited the imperative of a "God of justice" who promised to mete out punishment against a slaveholding America. Walker's *Appeal* was soon banned, but this only increased its popularity.[13]

Other African American interpreters such as James Pennington (1809–1870) opted for a different approach, attempting to represent Blacks as historical agents by locating them in biblical narratives. Pennington was born into slavery on January 15, 1809.[14] He fled to New York, educated himself, and became an influential minister of both Presbyterian and Congregationalist churches. He devoted his knowledge of the Bible to the abolitionist cause and to defending the human status of Blacks.[15] In 1841, he published *A Textbook of the Origin and History of the Colored People*. The book was largely a commentary on scripture in which Pennington argued against the idea that Noah's curse, or any other part of scripture, justified Black slavery in America. The curse issued in Genesis 9 held no authority, Pennington wrote, because Noah was drunk when he spoke it. And true prophecy came not from the "spirit of wine" but from the "spirit of God." Pennington used stories from Genesis that referred to Egypt and Ethiopia to argue that ancient Blacks were in fact builders of powerful civilizations and developers of important arts and sciences. He was inaugurating what would become a major concern of subsequent African American interpreters of scripture in the nineteenth century—using the Bible to argue that Blacks were historical figures of great interest who had established civilizations and developed technologies and arts, not an inferior race of slaves.[16]

Pennington also drew upon scripture to argue that the theory of natural rights used to justify the American Revolution proved that slavery was wrong. His Thanksgiving sermon of 1842 combined secular and religious arguments to challenge laws that required the return of fugitive slaves to their masters. He based his sermon on the first part of Isaiah 28:18: "And your covenant with death shall be disannulled, and your agreement with hell shall not stand" (KJV). Under the rubric "Covenants Involving Moral Wrong are Not Obligatory Upon Man," Pennington pondered the ultimate source of morality. If the law required citizens to help slaveholders by capturing escaped Blacks, would it not be un-Christian to break the law? Pennington's answer was a resounding "No!" Morality was derived from God, he argued. Human-made laws could never make immoral acts moral. "No law, Covenant, or agreement, can legalize wrong in such a sense, as to give it the character of moral rectitude." Because the U.S. Constitution allowed slavery, Pennington subordinated the Constitution to the Declaration of Independence, which proclaimed that "all men are created equal" and were granted certain "unalienable" rights by God, most notably "freedom."[17]

Pennington's strategy was to relate natural rights to morality and place both above human law, following the American colonists who had rebelled against the British monarch even though he had the legal right to tax the colonies and to control them politically. The only basis for the American Revolution was a moral principle, not a legal one. The American justification for revolution was based on the idea of freedom as a quality with which human beings were born; this was the freedom described as unalienable—it could never be separated, removed, or taken away from the individual. On this same basis, Pennington argued, Americans who obeyed the constitutionally based laws enforcing slavery violated divine law and transgressed the spirit of the Declaration of Independence.

The text of Isaiah indicated what would happen to those who supported anti-Black legislation. Their covenant was with death. Pennington also invoked another scripture from Isaiah 16:3–4: "make thy shadow... hide the outcasts," that is, give shelter to those fugitives seeking refuge.[18] He hoped that the emphasis on social justice in the Isaiah texts would prick the conscience of his congregation and his readers, inspiring them to recognize that morality was based on a higher law—on God's authority—and that even federal law did not outweigh this divine authority. Pennington's efforts to interpret the Bible through natural-rights theory resonated with several other influential abolitionists, including Frederick Douglass, a former slave who sternly distinguished between what he termed "slaveholding religion" and the "Christianity of Christ." Nevertheless, like Sewall and Hopkins, Pennington never questioned fundamental assumptions in the Bible and thus assumed the legitimacy of slavery in biblical narrative.

Race and Sex in Abolitionism

The growth of organized opposition to slavery during the 1830s and 1840s prompted vigorous defenses of the institution. Among the most vicious and mean-spirited attempts to justify the enslavement of Blacks was that of the Northern pro-slavery writer Josiah Priest. In 1843, two years after Pennington's *Origin and History* appeared, Priest published a book entitled *Slavery, as It Relates to the Negro, or African Race.* In this work, Priest described Africans, whom he identified as "the race of Ham," as the most vile, filthy-minded, lewd people in all of human history. He argued that slavery fulfilled the divine will of God as reflected in the Noah legend. But Priest also presented slavery as a way of protecting White Americans from the dangerous sexuality of Blacks. The Black race, according to Priest, was the creator of idolatry and polytheism. In addition, the people most despised and constantly associated with evil in biblical tradition—from Canaanites who were deemed worthy of genocide; to Sodomites whose very name has become a reference to illicit sex; to Jezebel, who represents the image of women as dangerous traps, luring the innocent with their evil sexual power—all were the Black descendants of Ham, according to Priest. Priest tried to persuade his readers that maintaining slavery was in keeping with Christianity and was necessary to hold the immoral nature of Blacks in check. The iron yoke of slavery was the only barrier between White innocence and Black sin, and the well-being of the nation depended upon preserving the institution. Crystallizing his message to White American readers, Priest proclaimed that Blacks were so sexually depraved that "they consider any restraint laid on their promiscuous sexual intercourse, a hardship of the most grievous and oppressive nature." Wherever Blacks were found, in times ancient and modern, under paganism or Christianity, they were, Priest claimed, "forever the same gross, brutal, fierce, sensual, and devilish characters, as a people, in reference to sexual commerce."[19]

Priest's ideas were powerful, influential, and widely entertained. In his effort to explain why democratic principles of freedom did not apply to Africans, Thomas Jefferson, among the most refined intellectuals and political leaders of his era, took a similar tack, describing Blacks as animalistic in their sexual nature. Black women were so beastly, he claimed, that apes in Africa preferred to have sex with them rather than with female apes.[20] Georges Cuvier, a French scientist who dissected and preserved the genitals of a Black woman in 1816, made the same claim. This idea that Blacks were sexually perverse or had especially voracious sexual appetites was an authoritative trend in American thought that stretched from elites to the masses.[21]

This tactic of invoking sexual danger in order to bolster support for slavery indicates the linkages between ideas about race and slavery, on the one hand, and on the other, American claims about morality and order that focused on sexuality. As abolitionism gained momentum in the 1840s and 1850s, the movement brought greater attention to sexuality in several ways. Most prominent, although least spoken of, was the fact that slavery provided the basis for the concubine system that defined thousands of households in America. Until American slavery was abolished, the aristocracy of White slaveholding men typically maintained a White wife for social status while reserving one or more enslaved Black women from whom they forced sexual services. The rights that slave masters exerted over their human chattel were total and included sexual control. The White fathers, furthermore, enslaved any Black offspring resulting from concubinage. Mary Boykin Chestnut, the White wife of a pro-slavery general, wrote of the parallel between America's slaveholding households and the biblical ones of ancient times in this system of concubinage. "Like patriarchs of old," she lamented, "our men live in one house with their wives and their concubines."[22] This power relationship required that slaves be ineligible for marriage; the occasional rituals of union among slaves did not bind one slave to another in law or in practice; slaves were bound only to their masters. This situation only exacerbated the hypocrisy of White supremacist claims that Blacks were sexually deviant by nature.

Perhaps the clearest, most sweeping analysis of slavery's linkage with concubinage and sexual violence was that by David Ruggles (1810–1849), an acquaintance of James Pennington. Unlike Pennington, Ruggles was neither a minister nor a former slave; he had been born to free Black parents and was an entrepreneur, editor, and bookseller. As secretary of New York City's Committee of Vigilance, he aided and sheltered fugitive slaves, and he confronted Whites who detained free Blacks as escaped slaves.[23] He drew heavily on the Bible to inveigh against slavery and what he viewed as the hypocrisy of White Christian churches that supported the system. In *The Abrogation of the Seventh Commandment by the American Churches*, published in 1835, Ruggles condemned slavery as an adulterous system. At its root, American slavery was "licentiousness of intercourse between the sexes, constant, incestuous, and universal." He explained how White slaveholders regularly used the Black women they enslaved for sexual gratification. He pointed to the rapid increase in mixed-race slaves (typically the children of their White owners) as irrefutable evidence that American slavery was anchored in sexual brutality. As a measure of insult added to injury, slaveholders flouted the bonds of monogamous marriage while denying the institution of marriage to slaves. Given this reality, Ruggles argued, White women—especially the White wives of Southern slaveholders—should have been the most vocal opponents of the system because they occupied a unique position "in all of the mightiness of their legitimate...influence." Instead, most were silent and that, in his view, meant they were the chief cause of slavery's continuation.[24]

By accentuating the relationship between the institution of slavery and sexual oppression, abolitionism provided White and Black women with a platform for activism at a time when being a public woman was viewed as shameful and immoral. When Maria Stewart, an African American abolitionist of the A. M. E. Church, began her public speaking career in the 1830s at Boston's Franklin Hall, she became the first of any American women to attempt such a feat. Stewart faced fierce opposition, ensuring that her public speaking stint was short-lived. But she succeeded in bringing public attention to the role that Black women could play in opposing slavery, racism, and sexism. Reading against the grain of biblical patriarchy, Stewart sought to convince her listeners that Christianity was compatible with the anti-slavery position and with equality of the sexes.[25] White female activists like Elizabeth Cady Stanton and Lucretia Mott followed Stewart in establishing the public lecture circuit as a way to promote the anti-slavery cause. This positioned them as founding leaders of organized feminism. When they met for the Seneca Falls Convention in New York in 1848, this gathering marked the emergence of feminism as an institutional movement in the United States. The convention's Declaration of Sentiments included the charge that in marriage, a woman was "compelled to promise obedience to her husband, he becoming, to all intents and purposes, her master." Here again, the language of slavery was front and center in the ideology of moral reform.[26]

Several ideological themes appeared as undercurrents in the biblical debates over slavery just before the Civil War. These included equality, patriarchalism, and rising opposition to urban decadence at a time when the public was increasingly asked to contrast urban industrial capitalism (northern) with slave-based agrarian production (southern).[27] The move by female abolitionists into public life as speakers, fundraisers, and activists led defenders of slavery to link slavery and patriarchal control of women in their discourse. Pro-slavery writers of the 1840s and 1850s increasingly presented slavery as a noble solution to the growing problem of social disorder, urban misery, and poverty. Theologians such as the Presbyterian minister James Henley Thornwell (1812–1862) argued that slavery was not only consistent with American democracy but also essential for its success.

Thornwell was among the ablest defenders of American slavery. He pointed to the so-called "household codes" of the New Testament to relate American slavery to the biblical patriarchal order, drawing on popular images of the White male father who ruled his household of women, children, and slaves in faithful adherence to the Bible. Thornwell emphasized that all White men had the right to own property, particularly slaves; this was the crux of their equality as White men. As patriarchs, they ruled their households and guaranteed the integrity of the social order by ruling their women, children, and slaves—all of whom required protection, provision, and guidance from their superiors. Equality did not mean that men were no different from these inferiors in their household; instead, American equality guaranteed rule among equals—White men—over those in their charge. Louisa Susanna McCord (1810–1879) also used such biblical injunctions to justify White male order over women and slaves. McCord was famous for her defense of both Black slavery and women's subordination to their husbands, drawing on scriptures such as 1 Peter 2:18 and 1 Peter 3:1, which instructed slaves and women to be submissive to the male head of the household. Both slavery and subordination, in this view, were essential to the American socioeconomic order.[28]

Presbyterian minister Benjamin Palmer (1818–1902), who led the First Presbyterian Church of New Orleans, also portrayed the slaveholding South as the guardian of social order. The foundation of order was, in his view, Christian fidelity to a biblically sanctioned way of life based on rule by White men. Palmer described society as a hierarchical combination of social units with the family as its foundation. Just as the American household needed a father to rule over a wife and children and to protect and instruct them, so did the nation need civic authorities who provided security. This model also applied to the races, Palmer insisted. The childlike races of Indians and Blacks needed to be ruled by the wiser, more powerful race of Whites—specifically White men. Slavery was the means of guaranteeing that this divinely willed social order protected the ignorant Black race and controlled it. Dismantling the institution of slavery would bring social chaos. It would be like removing patriarchal rule from the household: Who would then govern the children and women? With no male leader, Palmer reasoned, the family would crumble. Palmer's sermons and essays of the 1850s and 1860s encouraged pro-slavery activists to view themselves as joining in a sacred battle against disorder, social decay, dangerous feminism, and racial anarchy.[29]

As the anti-slavery movement grew in the 1850s, the institution of marriage increasingly became the object of scrutiny and greater resistance, largely because the nature of American slavery forced the public to recognize that marriage, like slavery, legally and culturally condoned male domination of women. White married women were unable to hold property, so anything they had owned before marriage became the husband's property. White married women were also unable to possess legal personhood (like minors today) and thus could not be agents in legal transactions. White husbands possessed the legal right to force sex from their White wives. These same circumstances typically existed for free Blacks as well, and for Native Americans who were not living under the more permissive laws of their own nations. It became clear to many White Americans that domination existed in degrees and that the slave's lack of power over his or her own person was eerily similar to White women's lack of power over theirs. Before the end of the Civil War, more than seventy communal societies emerged throughout the country, offering members social support through collective ownership and sexual arrangements that radically departed from the dictates of marriage and monogamy.[30]

It was clear to radical reformers that religious authority and cultural norms stood in the way of their efforts to expand rights and freedoms. During the summer of 1858, a number of activists gathered in Rutland, Vermont, for what they called a Free Convention. They promoted a vision of a society that would free America's African slaves, liberate women from sexism, and unshackle sex and love from the institution of marriage. Among the most celebrated speakers was Julia Branch, a self-proclaimed "free-lover." Her rousing speech identified marriage as the cause of women's suffering and revealed hypocritical attitudes toward sexuality and power in American religion. Defenders of marriage announced their desire to "keep woman virtuous and respectable," Branch said. What they really meant, she argued, was that White men should continue enjoying their sexual exploitation of Black concubines and of White women employed as prostitutes. This double standard meant that a woman participating in sex outside of marriage became "an outcast and a thing to be despised," while the men who benefited from her sexual services were considered gentlemen. Branch reasoned it was "to the marriage ceremony" that a woman was "indebted for her wrongs, for her aching heart, her chains, her slavery."[31] Radical movements like the Free Convention were the exception in nineteenth-century America in fiercely and openly rejecting biblical authority and denouncing the elevation of religious traditions above human and bodily freedom. Their analyses of power, sexism, and slavery were perceptive and bold. And yet, because they rejected the most venerated symbols of power, such as the Bible and the U.S. Constitution, they were easily vilified and dismissed as a wanton threat to social well-being.

Responses to the Free Convention ranged from amusement to indignation. Few Americans were willing to challenge symbols of authority like marriage and Christian orthodoxy. With regard to the enslavement of Blacks, the Free Convention's resolution could not have been clearer when it resolved, "Slavery is a wrong which no power in the Universe can make right; therefore, any law, constitution, court or government, any church, priesthood, creed or Bible, any Christ or any God that by silence or otherwise authorizes man to enslave man, merits the scorn and contempt of mankind."[32] Such a forceful, unapologetic rejection of symbols of authority—religious and secular—stunned the public. Some newspapers even refused to mention what they viewed as an immoral and obscene affair. One resident of Rutland voiced the outrage of the majority when he accused those gathering of polluting the pure air of such a virtuous town with their "licentious and blasphemous out-pourings."[33] Others wondered what would lead such a "venomous," "radical" group to choose a town "so peaceful, retired, and virtuous, wherein to ventilate their horrible doctrines."[34]

Same-Sex Rights

This essay's analysis of the ways in which the powerful present "unquestionable" pillars of authority in making their claims for continued domination demonstrates the relevance of the slavery debate to contemporary struggles for freedom. Whereas denying freedom to Blacks was publicly defensible (even laudable) in the nineteenth century, today it is the gays and lesbians of America who are easy targets for persecution. Innumerable clergy established public careers and spearheaded movements for religious renewal before the Civil War based on opposing freedom for Black slaves; the same occurs today with respect to gays and lesbians. The twenty-first-century legacies of the slavery debate include the use of the Bible to back claims about how society should be structured and public campaigns for moral vigilance in the name of *unfreedom*. Both are visible in today's strident denunciations of same-sex freedom. America has a deep history of reserving rights and freedoms for some while denying the same to others, based on the claim that certain groups are naturally or divinely condemned to a marginal existence. This social disposition lies at the heart of the scar that slavery has left on the American psyche, and it is central to what Orlando Patterson has portrayed in examining American freedom fundamentally as a product of slavery and the United States as essentially a slave society.[35] Once, the public and institutional denial of freedom to Black slaves seemed a legitimate, morally defensible, and reasonable matter of course—given what the Bible had to say about slavery. Today, it is the denial of same-sex freedom that is presented as legitimate, morally defensible, reasonable, and most importantly, biblically based.

When Supreme Court Chief Justice Warren Burger explained his support for discrimination against gays in a 1986 ruling, he drew on a rhetorical trove of ideas about "decency" and religious values that few would publicly reject. Burger concurred with a majority ruling against a gay defendant who challenged Georgia's anti-sodomy legislation. He wrote, "There is no such thing as a fundamental right to commit homosexual sodomy," which Georgia defined as "any sexual act involving the sex organs of one person and the mouth or anus of another."[36] With a biblical view of history in mind, Burger insisted that state suppression of homosexuality has "very ancient roots" in "the history of Western civilization," including "Judeo-Christian moral and ethical standards." Burger even implicitly sanctioned the ancient Roman practice of execution as a means of sexual suppression. Quoting the eighteenth-century English lawyer William Blackstone, Burger denounced oral and anal sex among homosexuals as an "infamous crime against nature," and "as an offense of 'deeper malignity' than rape, a heinous act 'the very mention of which is a disgrace to human nature,' and 'a crime not fit to be named.'" After linking the Bible to English common law and that, in turn, to Georgia's suppression of homosexuality, Burger asserted that what was at stake in denying legal rights to gays was nothing less than thousands of years of "moral teaching."[37]

This style of employing secular referents like "Western civilization" and "human nature" simultaneously invokes religious (specifically Christian) claims that, in this instance, depend upon violent histories of hatred to persecute marginalized sexualities.[38] Burger, in just a few sentences, zipped from biblical lands and times to modern America, presenting the latter as the image of the former. He wantonly ignored the fact that biblical marriage was polygamous, embraced slavery and concubinage, and denied the legal possibility of rape as an offense against one's spouse—all of these aspects conflict with current U.S. legal opinion. The anti-gay motivation of his argument, moreover, is revealed by his implied consent to *heterosexual* sodomy, which he refuses to name or condemn. More recent opposition to extending sexual freedom to same-sex couples also draws upon images of religious traditions. By employing the term *family* to signify heterosexual nuclear households and *marriage* to signify the union of a heterosexual pair, organizations like the American Family Association and Focus on the Family claim that their objective is to preserve the traditional biblical view of marriage, ignoring the fact that marriage in the United States has been continually changed and re-created through legal codes and cultural practices, so that it is fundamentally at odds with ancient Near Eastern and Roman systems of marriage represented in the Bible.[39]

The growing movement to stem sexual freedom and equality is effective largely because it employs symbols of religion, family, and nation with smooth efficiency. Unfortunately, few supporters of sexual equality today are willing to challenge the symbols themselves. Thus, like the majority of abolitionists of old, they are left with the crippling strategy of fighting over the meaning of symbols that support oppressive social arrangements as the status quo, instead of rejecting the legitimacy of these symbols as an appropriate basis for challenging oppression. As supporters of the Free Convention realized more than a century ago, the direct approach to examining the roots of authority—specifically, elevated symbols of religion—is crucial to highlighting the roots of human suffering.

Conclusion

Given the modern history of the Bible and its role in the persistent domination of the weak by the powerful, what should be the nature of contemporary responses to scriptures in light of the American slavery debate? Scholars have repeatedly advanced our ability to understand how the Bible promotes and fundamentally depends on oppressive structures like imperialism, ethnocentrism, sexism, and slavery (although scripture is not reducible to any of these). Mary Daly analyzes how theology based on the patriarchal male deity (the biblical deity) has led to destructive consequences for women and men. Rosemary Ruether's narrative history explains the biblical heritage of hatred against women. Musa Dube shows how imperialism shaped the earliest Christian strategies of expansion as well as very recent Christianization enterprises. Regina Schwartz analyzes biblical theology to interpret the destructive tendencies of a focus on ethnicity. And Delores Williams cautions against romanticizing biblical narratives as stories of liberation by demonstrating how the Bible often assumes that some people will suffer divine injustice. It is patently inexcusable for interpreters to idealize the Bible as innocent or less than complicit in human suffering. Perhaps Itumeleng Mosala puts it best when he suggests that the Bible is not just a book: it is a weapon in the struggle over social power. For this reason, intellectuals who study scripture must realize their potential to mitigate the destructive consequences of this power struggle. Inasmuch as the Bible demonstrates a history of struggle (between slaveholders and slaves, men and women, peasants and landholders, colonizers and colonial subjects, and so on), it usually reflects ruling-class interests. This is particularly so with regard to slavery. These writers have rightly called for contemporary interpreters of scripture to make visible this element of biblical texts so that readers might learn how to recognize and to subvert ruling-class ideas masquerading as common sense.[40]

Vincent Wimbush makes a similar point in slightly different language when he says that anyone interested in the relationship between scriptures, human suffering, and power must move beyond asking, What is the meaning of the Bible? in order to understand the relationship between the Bible and meanings. The Bible is a cultural tool, a vehicle for imposing a particular meaning on the world. It is a product of human activity that is chiefly concerned with maintaining a particular vision of the world. We must never allow biblical debates to mislead us into thinking that the Bible is the issue and that all will be well if only we can extract its pristine truth. The Bible is not the issue. Social power is the issue. For this reason, interpreters of scriptures bear an ethical responsibility to show readers that scripture is not an innocent category—it is always concerned with asserting a vision of social order, whether or not that vision of order serves the interests of social victims.[41]

The failure of biblical theology to provide a convincing rejoinder to supporters of slavery diminished the relevance of theology to public policy in the decades immediately following the Civil War.[42] Consideration of the role of the Bible in public policy must move beyond the tired impasse of debating what the Bible *really* means. The historical record makes abundantly clear that "what the Bible says" will never provide sufficient support for freedom. Using the Bible to argue for particular public policies requires Bible readers to subjugate themselves to scriptural authority, becoming psychological slaves of their scriptures. There is nothing wrong with deriving inspiration or encouragement from scriptures or any other human writings. There is something perverse, reprehensible, and ironic about encouraging enslaved peoples or their allies to hand over authority to any texts or writings—canonical or not, religious or secular—and thus bind themselves to ideologies rooted in brutality and hatred. Biblical authority is merely one form of human power that disguises itself as transcendent and otherworldly. Allegiance to biblical authority curtails human action and human choices and opens the door for perpetuating oppression in the name of a higher law.

The paramount lesson from the history of biblical debates over slavery is that no authority should ever supersede the right of dominated peoples to become free. Any people who hesitate to oppose slavery, bigotry, and inequality because they must first consult their scriptures are possessed of a dangerous mindset. Correcting this misperception means recognizing that the Bible and other authority symbols are ethically ambivalent; because they derive from histories of conquest, they embody ideologies of domination. And it will require teaching contemporary readers to stop identifying automatically with the heroes of religion, politics, and history. In the case of the Bible, this means rejecting the legitimacy of power narratives (such as those celebrating patriarchs over women and slaves or Yahweh's prophets slaughtering those of Baal) and understanding the history of power. Many religious communities will not want to do this. Readers are often enthralled by John's Apocalypse, or the *Left Behind* book series celebrating the messianic slaughter of evildoers; it is counterintuitive to give up cheering for the Israelites while reading of their genocide against the Canaanites. Yet, it is precisely because scriptural authority makes it possible to exert psychological control over slaves and their would-be allies that such a shift must occur. There is no concept of domination more complete than slavery—unmitigated control and ownership of another. And there are few nations that have emerged from history so indelibly shaped by slavery as the United States. The legacy of slavery, for this reason, requires us to respond honestly and earnestly to the relationship between "acceptable" symbols of authority and unjust systems of domination. The work of ending human suffering demands nothing less.

Notes

1. Colin Kidd, *The Forging of Races: Race and Scripture in the Protestant Atlantic World, 1600–2000* (New York: Cambridge University Press, 2006) 20–25.
2. Most people take for granted the idea of race. They believe in their racial identity as a biological reality. Nevertheless, modern race categories are just that, modern. Before the 1400s, people did not see themselves as natural members of human groups organized

along the lines of White, Black, Hispanic, Asian, and so on. Today, a White person who lives in North Dakota will easily identify as a member of the same racial group as a White person living in Italy or South Africa, but this style of imagining identity would never have occurred to people in the ancient world. Language, immediate ancestry, geography, and tribal or national kinship were premodern ways of understanding group identity; even skin color and religion sometimes formed the basis of group identity. All of these might be legitimately described as "ethnic" or "racial." But these categories were not global and do not match modern racial categories. Furthermore, although it is true that genetics determines one's biology, genetic differences do not at all align with race categories. Some people share more genetic similarity with members of other racial groups than they do with members of their own. In fact, the most genetically diverse people in the world are those inhabitants of Southern Africa who are racially classified as Black.

Modern ideas about race began to emerge during the era of European colonial expansion in order to explain the physical and cultural differences between Europeans and the peoples who lived in the Americas, Africa, and Asia. Racial classification began during the era of the trans-Atlantic slave trade, developed to justify the enslavement of Africans. See David M. Whitford, *The Curse of Ham in the Early Modern Era: The Bible and the Justifications for Slavery* (Burlington, VT: Ashgate, 2009); Sylvester A. Johnson, *The Myth of Ham in Nineteenth-Century American Christianity: Race, Heathens, and the People of God* (New York: Palgrave Macmillan, 2004); David Goldenberg, *The Curse of Ham: Race and Slavery in Early Judaism, Christianity, and Islam* (Princeton: Princeton University Press, 2003); Stephen Haynes, *Noah's Curse: The Biblical Justification of American Slavery* (New York: Oxford University Press, 2002); and Thomas Virgil Peterson, *Ham and Japheth: The Mythic World of Whites in the Antebellum South* (Metuchen, NJ: Scarecrow, 1978). On racial classification, see Audrey Smedley, *Race in North America: Origin and Evolution of a Worldview* (Boulder, CO: Westview, 1993); Robert E. Hood, *Begrimed and Black: Christian Traditions on Blacks and Blackness* (Minneapolis: Fortress, 1994); Colin Kidd, *Forging of Races*; and Benjamin Braude, "The Sons of Noah and the Construction of Ethnic and Geographical Identities in the Medieval and Early Modern Periods," *William and Mary Quarterly* 54 (1997) 103–142.

3. Samuel Sewall, *The Selling of Joseph* (Boston: Bartholomew Green and John Allen, 1700) 1–3.
4. Sewall, *The Selling of Joseph*, 3.
5. Sewall, *The Selling of Joseph*, 2.
6. Samuel Hopkins, *A Dialogue Concerning the Slavery of the Africans*, in *Timely Articles on Slavery* (1776; reprint, Miami: Mnemosyne, 1969) 563.
7. Hopkins, *A Dialogue Concerning the Slavery of the Africans*, 564–566.
8. Hopkins, *A Dialogue Concerning the Slavery of the Africans*, 568.
9. Hopkins, *A Dialogue Concerning the Slavery of the Africans*, 557.
10. Hopkins, *A Dialogue Concerning the Slavery of the Africans*, 552–555.
11. Joanna Brooks, *American Lazarus: Religion and the Rise of African-American and Native American Literatures* (New York: Oxford University Press, 2003) 33–35.
12. Eddie S. Glaude, *Exodus! Religion, Race, and Nation in Early Nineteenth-Century Black America* (Chicago: University of Chicago Press, 2000) 60.
13. David Walker, *David Walker's Appeal to the Coloured Citizens of the World*, ed. Peter Hinks (1829; reprint, University Park: Pennsylvania State University Press, 2000) 11, 13, 40.
14. Herman E. Thomas, "Toward an Understanding of Religion and Slavery in J. W. C. Pennington," *Journal of the Interdenominational Theological Center* 6 (1979) 148–156.
15. James W. C. Pennington, *The Fugitive Blacksmith; or, Events in the History of James W. C. Pennington*, 3rd ed. (1850; reprint, Westport, CT: Negro Universities Press, 1971) 55.

16. James W. C. Pennington, *A Textbook of the Origin and History of the Colored People* (1841; reprint, Detroit: Negro History Press, 1969) 17f.
17. James W. C. Pennington, *Covenants Involving Moral Wrong Are Not Obligatory Upon Man: A Sermon Delivered in the Fifth Congregational Church, Hartford, on Thanksgiving Day, November 17th, 1842* (Hartford: H. T. Wells, 1842) 3f.
18. Pennington, *Covenants Involving Moral Wrong*, 10.
19. Josiah Priest, *Slavery, as It Relates to the Negro, or African Race, Examined in the Light of Circumstances, History and the Holy Scriptures; with an Account of the Origin of the Black Man's Color, Causes of His State of Servitude and Traces of His Character as Well in Ancient as in Modern Times: With Strictures on Abolitionism* (Albany: Van Benthuysen, 1843) 146, 164, 270–280, 320f.
20. Thomas Jefferson, *Notes on the State of Virginia*, in *Basic Writings of Thomas Jefferson*, ed. Philip Sheldon Foner (1782; reprint, New York: Halcyon, 1950) 145.
21. T. Denean Sharpley-Whiting, *Black Venus: Sexualized Savages, Primal Fears, and Primitive Narratives in French* (Durham: Duke University Press, 1999) 27.
22. Nancy Cott, *Public Vows: A History of Marriage and the Nation* (Cambridge, MA: Harvard University Press, 2000) 43.
23. "David Ruggles," in *Notable Black American Men*, ed. Jessie Carney Smith (Detroit: Gale Research, 1998), http://galenet.galegroup.com/servlet/BioRC (accessed June 28, 2009).
24. David Ruggles, *The Abrogation of the Seventh Commandment, by the American Churches* [1835], in *Early Negro Writing, 1760–1837*, ed. Dorothy Porter (Boston: Beacon, 1971) 478f.
25. Milton Sernett, *African American Religious History: A Documentary Witness*, 2nd ed. (Durham: Duke University Press, 1999) 202–210.
26. Cott, *Public Vows*, 48.
27. Elizabeth Fox-Genovese and Eugene D. Genovese, "The Divine Sanction of Social Order: Religious Foundations of the Southern Slaveholders' World View," *Journal of the American Academy of Religion* 55 (1987) 211–233; J. Albert Harrill, *Slaves in the New Testament: Literary, Social, and Moral Dimensions* (Minneapolis: Fortress, 2006) 184–187.
28. Fox-Genovese, "Divine Sanction of Social Order," 217, 225. A lucid discussion of Thornwell's and other White evangelical support of slavery is that by Mark Noll, *The Civil War as a Theological Crisis* (Chapel Hill: University of North Carolina Press, 2006).
29. Haynes, *Noah's Curse*, 130–132.
30. Cott, *Public Vows*, 71.
31. "Radicals in Council," *New York Times*, June 29, 1858.
32. "Radicals in Council," *New York Times*, June 29, 1858.
33. "Radicals in Council," *New York Times*, June 29, 1858.
34. "The Free Convention," *New York Times*, June 30, 1858.
35. Orlando Patterson, *Rituals of Blood: Consequences of Slavery in Two American Centuries* (Washington, DC: Civitas/Counterpoint, 1998); and *Freedom in the Making of Western Culture* (New York: Basic, 1991).
36. Unlike Burger, the Georgia statute did not differentiate heterosexuals from homosexuals but simply proscribed anal and oral sex. Burger implicitly condoned anal and oral sex among heterosexuals by consistently discussing "homosexual sodomy" while refusing to include heterosexuals.
37. *Bowers v. Hardwick* (1986), 478 U.S. 186; 106 S. Ct. 2841; 92 L. Ed. 2d 140; 1986 U.S. LEXIS 123; 54 U.S.L.W. 4919.
38. Janet Jakobsen and Ann Pellegrini, *Love the Sin: Sexual Regulation and the Limits of Religious Tolerance* (Boston: Beacon, 2004) 35–45.
39. Michelle Goldberg, *Kingdom Coming: The Rise of Christian Nationalism* (New York: Norton, 2006).

40. Mary Daly, *Beyond God the Father: Toward a Philosophy of Women's Liberation* (Boston: Beacon, 1973); Rosemary Radford Ruether, *Sexism and God-Talk: Toward a Feminist Theology*, rev. ed. (Boston: Beacon, 1993); Musa Dube, *Postcolonial Feminist Interpretation of the Bible* (St. Louis: Chalice, 2000); Regina M. Schwartz, *The Curse of Cain: The Violent Legacy of Monotheism* (Chicago: University of Chicago Press, 1997); and Delores S. Williams, *Sisters in the Wilderness: The Challenge of Womanist God-Talk* (Maryknoll, NY: Orbis, 1993). See Itumeleng Mosala, "Why Apartheid Was Right About the Unliberated Bible: Race, Class, and Gender as Hermeneutical Factors in the Appropriation of Scripture," *Voices from the Third World* 17 (1994) 151–159; and his *Biblical Hermeneutics and Black Theology in South Africa* (Grand Rapids, MI: W. B. Eerdmans, 1989). See also Elizabeth Schüssler Fiorenza, *Bread Not Stone: The Challenge of Feminist Biblical Interpretation*, tenth anniversary ed. (Boston: Beacon, 1995).
41. See the introduction to Vincent L. Wimbush, ed., *African Americans and the Bible: Sacred Texts and Social Textures* (New York: Continuum, 2000).
42. Mark Noll, *The Civil War as a Theological Crisis*, 159. Noll discusses theological debates over slavery in the years leading up to the Civil War, and he analyzes the war's impact on the public theology of White evangelicals. He concludes that White Americans retreated from biblical theology after the war largely because biblical theology suddenly seemed inadequate for resolving public-policy issues.

14

The "Purity of the White Woman, Not the Purity of the Negro Woman": The Contemporary Legacies of Historical Laws Against Interracial Marriage

Fay Botham

Introduction

In early June of 1958, eighteen-year-old Mildred Delores Jeter and twenty-four-year-old Richard Perry Loving drove across the state line from their hometown of Central Point, Virginia, to Washington DC. Sweethearts for some six years, Mildred, who was part black and part Cherokee with a light-brown complexion, and Richard, who was of English-Irish descent, had decided to get married in the District of Columbia. Once their union was legalized there, they returned home to Central Point and began to build their life together.

The Lovings' matrimonial bliss ended abruptly about five weeks later. During the wee hours of a sultry July night, three county police officers entered the Lovings' home through their unlocked front door. Sheriff R. Garnett Brooks and his two deputies found their way into the couple's bedroom, shined a flashlight in their faces, and demanded to know what they were doing in bed together. When Mildred answered, "I'm his wife," and Richard directed the officers to the District of Columbia marriage certificate that hung on the wall, Sheriff Brooks curtly informed them that their marriage was not valid in the state of Virginia. He then arrested the bewildered young couple and hauled them off to jail. There they were charged with violating Virginia Code 20–54, which made it a criminal offense "for any white person in this State to marry any save a white person, or a person with no other admixture of blood than white and American Indian," and Code 20–58, which prohibited "any white person and colored person" from leaving Virginia to evade Code 20–54.[1]

A grand jury indicted Mildred and Richard for "cohabiting as man and wife against the peace and dignity of the Commonwealth."[2] The Lovings pleaded guilty to the charges, and the Honorable Judge Leon M. Bazile sentenced each to one year in the Caroline County jail. A compassionate man, the judge suspended the sentence. But he did so only on the condition that they agree to leave Virginia and not return together for twenty-five years. The heartbroken couple—banished from their own state—went to live with relatives in Washington.

In 1966 the Lovings' case, aptly named *Loving v. Virginia*, went to the U.S. Supreme Court. As the Lovings' attorneys prepared their arguments for court, Richard Loving begged his attorney, "Mr. Cohen, tell the court I love my wife, and it is just unfair that I can't live with her in Virginia."[3] Mr. Cohen heeded his client's plea and offered an explanation of the laws that cut right to the heart of the matter. In his presentation before the justices, Cohen stated that Virginia's laws against interracial marriage were a remnant of slavery and that such laws were concerned only with preserving the "purity of the white woman, not the purity of the Negro woman." Cohen said that Mildred Loving's "purity" did not concern Virginia lawmakers in the same way that a white woman's would, and that such laws thus robbed black women, and indeed, all black people, of their human dignity.

In June of 1967, after nine long years of fighting for the legality of their marriage, Mildred and Richard Loving finally received the news they longed to hear. The court ruled that Virginia's ban on interracial marriage violated Americans' Fourteenth Amendment rights to due process and equal protection under the law and was therefore unconstitutional.[4] Chief Justice Earl Warren delivered the court's unanimous opinion. "Under our Constitution," he wrote, "the freedom to marry, or not marry, a person of another race resides with the individual and cannot be infringed by the State."[5] The court's decision validated the Lovings' marriage, and ended the nation's 300-year history of laws prohibiting marriage across the color line.

Anti-miscegenation laws in the United States—laws that banned marriage between white people and black people—reflected an historical system of sexual ethics rooted in racism and sexism. The United States is one of three countries in the world that banned marriage between white people and black people or other persons of color. Only Nazi Germany and South Africa share this dubious distinction. Under Hitler's regime, the Nazis enacted the infamous Nuremburg Laws of 1935, which included the Law for the Protection of German Blood and German Honor. This law barred both sex and marriage between "Jews and citizens of German or some related blood."[6] The Nuremberg Laws ended with the arrival of the victorious Allies in 1945. Similarly, South Africa banned sex between white prostitutes and black men in 1902, broadened this law in 1927 to include sex between all whites and "Africans," and in 1949 enacted a law that made illegal any marriage between Europeans and non-Europeans. This law remained in place until 1985.

In South Africa and Germany, legal bans on interracial sex and marriage began and ended during the twentieth century. But American prohibitions began in the 1600s—almost as soon as white Europeans and black Africans set foot together on the shores of the New World—and lasted, in some cases, until the turn of the millennium. At one time or another in the history of the region now known as the United States, all but eight territories or states restricted or outlawed interracial sex and/or marriage.[7] After the Civil War and the emancipation of slaves, these laws multiplied rapidly and gained a new name: anti-miscegenation laws.[8] In some Western areas, marriage between whites and Native Americans, Chinese, Mongolians, Japanese, Filipinos, or "Hindoos" were prohibited, as well as those between whites and African Americans.[9] For a short time after the Civil War, Mississippi lawmakers made marriage between white and black persons a felony punishable by life imprisonment.[10] Lawmakers in Alabama, Tennessee, North Carolina, Florida, Mississippi, and South Carolina even amended their state constitutions to include bans on interracial marriage.[11] And in two of these six states, Alabama and South Carolina, the state constitutional bans remained in place until 2000 and 1998, respectively—some thirty years *after* the U.S. Supreme Court declared them unconstitutional.[12]

Where did these laws come from? What do old laws against interracial marriage have to do with religion and sexual ethics, slavery and gender? And how can thinking about the answers to these questions benefit us today? I examine each of these questions in turn. First, I explore the connections between laws against interracial sex and marriage and the enslavement of Africans in the early American colonies. Next, I consider how ideas about race, gender, and sexuality underlay the laws, and the consequences of these ideas for sexual ethics, both during and after the era of slavery. Then, I turn to the period after the Civil War to analyze how Christian beliefs and biblical interpretations bolstered anti-miscegenation laws and the ideology of racial segregation. Finally, I examine what lessons this history holds for attempts to understand the relationship between social change, claims about truth, and biblical interpretation, on the one hand, and contemporary debates on same-sex marriage, on the other.

The Historical Origins of Laws Against Interracial Sex and Marriage

Two factors begin to account for the origin of prohibitions of interracial sex and marriage in the British colonies: race-based slavery and notions of gender. In part, laws barring interracial sex and marriage originated from the unprecedented development in the Americas of race-based slavery.[13] To be sure, every culture that legalized slavery faced the problem of clarifying the legal status of children born from sexual and marital unions between enslaved and free persons: were such children legally free, or enslaved? But the shift to race-based slavery significantly complicated the issue in that one's legal status as free or enslaved potentially became visible in one's body. Earlier systems of slavery did not readily demarcate between the free and the enslaved by body type. Race-based slavery presented a new way for people to make assumptions about who was who: an African would always be enslaved, while an English person would always be free. So a child born from one English parent and one African parent presented a mixed racial category—called mulatto—that was neither white nor black, and thereby confused the legal distinction of free versus enslaved. Colonists thus attempted to eliminate the possibility of creating mixed-race individuals by enacting laws that punished white-black couples for having children or attempted to prevent their union altogether. White colonists were attempting to keep their separate categories separate.[14]

British colonial laws on interracial sex and marriage were also intertwined with notions of gender. Early colonial laws especially targeted British women for having sexual relations with African men, both in and out of wedlock.

Children born to unmarried, indentured white women presented troubling financial and legal problems for early colonists.[15] If the father was unavailable to provide for the child's upbringing, was the woman's master then required to support her children, and if so, how was he to be compensated for that support? And what of a child born to an indentured white woman and an enslaved African man? Certainly an enslaved father receiving no compensation for his labors could not support his child. Early colonial laws resolved the financial problem of illegitimate children born to indentured women by requiring the mother to labor for additional years beyond her original term of indenture and also by consigning her children to serve until they reached adulthood.

Virginia was among the first colonies to address the situation of mixed-race babies born to unwed parents. Under traditional English law, the children of enslaved-free unions inherited the legal status of their fathers.[16] But Virginia's legislators turned traditional slave law on its head. In 1662, the legislature contravened centuries of slave law by ruling that "children got by an Englishman upon a Negro woman shall be bond or free according to the condition of the *mother*."[17] With this one seemingly small change, English colonial legislators reshaped slave law to benefit forever the white slaveholder, while condemning the child to lifelong slavery. Further, the change not only absolved the slaveholder from all sexual relations—even rape—with African women, it also made unions with African girls and women all the more attractive to white men, in that any resulting offspring became the man's property.

This transformation in law, in which the legal status of offspring derived from the mother's status, replaced centuries of legislative tradition and became the standard practice in American slave law from the colonial era through Emancipation. The consequences for girls and women of both races were far-reaching and formidable. White women having children by enslaved men lost these children to slavery, and black women were stripped of any protections from the predations of white or enslaved men. Maryland enacted a law in 1664 that punished indentured white women both for marriage to enslaved African men and for any resulting offspring. Although the law did not expressly prohibit intermarriage, it did make it an unappealing option: "Whatsoever freeborne woman shall intermarry with any slave," the statute declared, "shall serve the master of such slave during the life of her husband; and . . . all the issues of such freeborne women, so married, shall be slaves as their fathers were."[18] In other words, free white women were punished for marrying enslaved African men by becoming enslaved themselves, as were the children they bore. Under this law, only white women (not white men) were condemned to slavery for marrying the African person they loved.

Such laws reveal cultural presumptions about the dependency of white women, who were deemed unable to care for their children without a man's financial support, and also about the expectation that if they were not threatened with punishment, white women were likely to make foolish choices, such as consorting with enslaved men. Further, Maryland's law reinforced colonial conceptions of the appropriateness—and the naturalness—of white male dominance, reflecting the English legislators' mission to retain dominance over white girls and women as well as over all Africans, enslaved or free. White male beliefs about race and gender, as well as their belief in their own right to rule, thus formed the central assumptions behind, as well as the goals of, laws regulating interracial sex and marriage.

These laws empowered white males to fulfill these aims. They enabled white slaveholders to benefit from the labor of the indentured white woman, at least throughout her enslaved husband's lifetime, and of her offspring, who were demarcated as non-white and condemned to slavery in perpetuity. And as all other laws pertaining to slavery, these regulations gave white men absolute control over black men.

In the British colonies, then, laws banning and punishing interracial sex and marriage emerged in the context of race-based slavery. The laws purported to retain racial and legal distinctions between African and English, and enslaved and free, though as we have seen, this aim was more rhetorical than actual. Moreover, the laws were directly connected to English notions about gender, and most especially, about the dependence and sexual purity of white girls and women.

Sexual Ethics and Gender

Notions of gender—of both masculinity and femininity—undergirded legislation on interracial sex and marriage, and these notions help to explain the intensity of white Americans' hostility toward these unions. At every turn, laws on interracial sex and marriage reinforced the emerging ideology of separateness—not only the notion of the difference between the categories of enslaved and free, but also the idea of a distinct and radical difference between white and African. Early statutes punishing interracial sex and marriage anticipated what would become a far more elaborate ideology of racial separateness, or put another way, an ideology of the perverseness of interracial—and especially black–white—unions.[19]

A 1691 Virginia law clearly conveys the emerging animosity toward the union of English and African persons, and especially toward their hybrid offspring. The statute famously stated,

> And for the prevention of that abominable mixture and spurious issue Which hereafter may increase in this dominion, as well by negroes, mulattoes, and Indians intermarrying with English, or other white women, as by their unlawful accompanying with one another, Be it enacted by the authoritie aforesaid, and It is hereby enacted, That for the time to come, whatsoever English or other white man or woman being free shall intermarry with a negro, mulatto, or Indian man or woman bond or free shall within three months after such marriage be banished and removed from this dominion forever, and that the justices of each respective countie within this dominion make it their particular care, that this act be put in effectuall execution.[20]

Categorizing interracial children as an "abominable mixture and spurious issue," and forever banishing their parents from the colony, Virginia legislators left no doubt about their revulsion at the idea of mixing categories that they insisted must be separate. Underlying this hostility toward racial crossbreeding was an almost neurotic anxiety for white womanhood: the law suggested that white girls and women were dependent, sexually untrustworthy, and in need of white male protection. The law also conveyed colonial notions of masculinity. According to this belief system, 1) white men were independent and dominant over all women and non-white males; and 2) black men threatened the safety of white females and thus needed to be kept in check by white men. Perhaps most troublingly, black girls and women were so insignificant as to merit no attention at all.[21]

Although Virginia's law theoretically punished white women and men for intermarriage with black persons and Indians, early laws on interracial sexuality did not generally condemn or penalize non-marital relationships between white men and African women. Implicit in the failure to punish such unions and to denounce them with the same vehemence as those between white women and black men were several key colonial assumptions about gender. First, this double standard implied that not all girls and women were equal: black females were not worthy of protection by white men in the way that white females were. Inherent to black femininity, in this view, was their sexual availability. Sexual domination and exploitation of African girls and women was expected and assumed. In addition, the law implied that although white girls and women might make foolish sexual choices, they possessed a level of virtue that black females never had, and thus were worthy of white male protection. Black girls and women deserved no such protection and were considered available to any male's sexual advance. For both black and white females, these laws sanctioned and maximized white male freedom and dominance and female dependence. Laws punishing or prohibiting sex and marriage across the color line conveyed the white male colonial right to establish and assert supremacy over his charges.

Contradictory beliefs about white femininity ensured that white men asserted control over white female sexuality. On one hand, whites viewed white femininity as pure, innocent, and vulnerable to deception and sexual predation and thus dependent upon white male protection. Some believed that white girls and women experienced little sexual desire but that they needed protection from the male sexual impulse. Others believed white girls and women to be sexually untrustworthy. Proponents of this view believed that white girls and women were subject to the same sexual desires as everyone else but that their weak female minds impaired their good judgment, so they were likely to seduce or be seduced and thus required supervision. Both of these versions of white female sexuality required white men to monitor white women's sexuality and reproductive power. Good men needed to oversee female actions so that devious men did not compromise white female virtue. Hence, laws on intermarriage were developed to protect white girls and women from their own sexual desire and intellectual ineptitude and from the sexual urges of men—especially the fabled animalistic sexuality of black males.[22]

The flip side of the white male fixation about white female sexuality was the almost complete disregard for the safety and protection of black girls and women. The absence of clauses about black girls and women in interracial marriage laws implies that whites viewed them as so insignificant as to merit no attention at all. And they received no attention—and thus no protection—because in the white mind, black girls and women were promiscuous and sexually aggressive and thus sexually available. Sexual domination, debasement, and exploitation of black girls and women was expected and assumed. These laws implied that black girls and women could be beaten, raped, mutilated, or subjected to any other horrific acts without penalty for the perpetrator(s).

Laws on interracial sex and marriage also conveyed cultural notions of masculinity. By not restricting or punishing white men for their sexual indiscretions or the sexual coercion of females, these laws upheld white male sexual independence. And by penalizing sex and marriage between white females and black males, the laws conveyed the belief that white men must control black male sexuality. White men were empowered to regulate the sexual behavior of all girls and women and non-white males.

The laws also implied that black men threatened the safety of white females and thus needed to be kept in check. Indeed, whites conceived of black male sexuality as animalistic and wild, promiscuous and uncontrollable, just like that of black females. Black boys and men therefore needed to be controlled, and white men were obliged to do it. These beliefs about black sexuality—conceptions of black men as sexual predators stalking white girls and women—explain why whites feared black males so deeply. And they also clarify why white men desired black girls and women. Black female sexuality was viewed as animalistic and hence more attractive than white female sexuality. Indeed, it seems that white male anxiety about everyone else's sexuality stemmed from fears about their own sexual appetites. White males appear to have subconsciously feared that black boys and men, and white girls and women, all felt the intense sexual desires that they did.

As the enslavement of Africans and African Americans became the basis of the colonial and early American economy, more colonies and states enacted bans on interracial sex and marriage. Indeed, these laws tended to be the rule rather than the exception. But laws prohibiting marriage between whites and blacks continued even after slavery ended. In fact, although these laws originated because of slavery, they proliferated after the emancipation of African Americans. Even in regions where slavery had never been practiced, and where very few African Americans resided, state legislatures still criminalized interracial marriage. And despite the efforts of numerous interracial couples to fight these laws and gain the freedom to marry the person they loved, state and federal courts time and time again refused to grant them this freedom. It seems, in fact, that laws against interracial marriage became more important during the era of segregation than during slavery. After all, what greater purpose did segregation serve than to separate blacks and whites at the marriage altar? Sadly, many white Americans actually turned to their Bibles to find support for their beliefs.

The Role of Christianity in Laws Against Interracial Marriage

In 1998, South Carolina residents went to the polls to vote on whether to remove the ban on interracial marriage from the state constitution.[23] The referendum sparked renewal of an old debate about the role of interracial marriage in the divine order. Republican State Representative Lanny Littlejohn offered his views on the matter, explaining his opposition to intermarriage as based on his Southern Baptist upbringing. Interracial marriage "is an example of how humanity has fallen since they lived in the Garden of Eden," he asserted.[24] National Public Radio caught wind of the referendum and Littlejohn's remarks and interviewed him. In the interview, Littlejohn reiterated that interracial marriage was "not what God intended when he separated the races back in the Babylonian days."[25] Although these remarks might strike many contemporary Americans as odd, they represent a well-established historical perspective on interracial marriage—one that bears directly on the historical reasons for laws banning intermarriage and on unique interpretations of biblical stories.

In the years preceding the Civil War, pastors and defenders of slavery commonly cited the story of Noah's curse from Genesis 9 as a justification for slavery, and particularly for the enslavement of Africans.[26] Following the Civil War and the emancipation of slaves, a justification for slavery was no longer necessary, but a new need did emerge: to justify racial *segregation*. Biblical interpreters turned to Genesis 10–11, which they said explained the origin of racial groups through the dispersion of Noah's sons to different parts of the globe. Interpreters of the dispersion story asserted that God scattered Noah's sons, representing the forebears of the African, Caucasian, and "Oriental" races, to different continents and thus indicated God's intention for the human races to live separately from one another. These interpretations comprise a theology of separate races. Represented in the thought of many white Southerners, this theology depicts racial "mixing" as contrary to God's plan for humanity, and in some versions, as the reason for the biblical flood. To adherents of the theology of separate races, the Genesis stories communicated not merely a historical explanation for African slavery and subjugation and for racial inequality but also God's mandate for the segregation of whites and blacks, especially in marriage.

Over the years a variety of thinkers expressed these ideas. By the turn of the twentieth century, the theology of separate races had gained wide currency among mainstream white Southerners as the religious justification for Jim Crow policies, including laws against interracial marriage. In 1903, the Reverend W. S. Armistead asserted that although God "interposed no *scriptural* barrier on *physical differences*...God has drawn the line—*a continental one*. To remove it would be to reflect on the wisdom of God; to remove it would be the ruin of the negro race; to abolish it would be to destroy the white race morally and religiously."[27] Like many other white Southerners, Armistead asserted that God had separated the races and shown His divine opposition to interracial marriage, thus providing a biblical basis for anti-miscegenation laws.

The list of proponents of the separate-races theology goes on and on. At least two other bishops and two Southern senators expressed similar notions.[28] And as calls for racial equality became stronger during the early years of the civil rights movement, the theology of separate races emerged from the lips of Southern pastors with greater frequency and in increasingly strident tones. In 1948, Presbyterian pastor J. David Simpson of Mississippi published an essay unambiguously titled "Non-Segregation Means Eventual Inter-Marriage." In his article, Simpson boldly proclaimed that "the Scriptures teach Segregation, and most positively do not teach the pattern of non-segregation" being urged by non-Southerners.[29] The Reverend Guy T. Gillespie, president emeritus of Mississippi's Belhaven College, made similar remarks when he addressed a church synod five months after the momentous 1954 *Brown v. Board of Education* ruling. He cited the Genesis stories as one of the bases for racial segregation and proclaimed God as "responsible for the distinct racial characteristics which seem to have become fixed in prehistoric times, and which are chiefly responsible for the segregation of racial groups across the centuries and in our time." Like Simpson, Gillespie admitted that the "chief reason for segregation is the desirability of preventing such intimacies as might lead to intermarriage and the amalgamation of the races."[30] Pastor Carey Daniel of the First Baptist Church of West Dallas baldly deemed God to be the "original segregationist" and "Satan as the original integrationist."[31] Daniel even included a map in his sermon to show that God had dispersed Noah's sons and their progeny to separate continents.

Versions of the theology of separate races also appeared outside of the American South. One memorable instance involved President Harry S. Truman. In 1963, the *New York Times* reported a brief exchange between a reporter and the former president in which Truman, a progressive and a supporter of integration, remarked that interracial marriage "ran counter to the teachings of the Bible."[32] The fact that the onetime occupant of America's highest political office uttered this statement suggests the extent to which the theology of separate races saturated the thinking of even well-meaning, well-educated, and otherwise-progressive white Americans.

This interesting history illustrates that Representative Lanny Littlejohn's 1998 remarks captured not only the theology of separate races but also the reasons for the vehemence of white Americans' animosity toward interracial marriage. To proponents of this perspective, interracial sex and marriage utterly contradicted God's plan for humanity. The post–Civil War Southern white theology of separate races thus formed the biblical basis for white Christian perspectives on white supremacy, racial purity, and segregation and for laws against interracial marriage.

During the one hundred years following the American Civil War, several influential cases cited the theology of separate races as a legitimate basis for anti-miscegenation statutes. From 1867 to 1967, courts upheld laws against interracial sex and marriage based on racist and sexist conceptions of sex, race, and gender and fortified by biblical interpretations. Time and time again, courts deemed interracial unions to be unnatural and contrary to God's law, and affirmed the constitutionality of laws criminalizing interracial sex and marriage.

In 1867, the Supreme Court of Pennsylvania based its memorable ruling, *Philadelphia & West Chester R.R. Co. v. Miles*, on the separate-races theology. Rather than marriage across the color line, this case considered the right of Pennsylvania railroad companies to segregate passengers by race. In this decision, Chief Justice Daniel Agnew ruled segregation in railroad cars constitutional, citing the theology of separate races as proof of the distinct nature of the races, and thus as the "reasonable ground" for segregating white people and black people. "Why the Creator made one white and the other black, we know not," he declared, "but the fact is apparent and the races distinct, each producing its own kind, and following the peculiar law of its constitution."[33] Chief Justice Agnew provides a theology of separate races as a legitimate basis for a legal argument.

Several subsequent anti-miscegenation cases cited *Philadelphia*, demonstrating that case's influence, the popularity of the separate-races theology, and the legal system's sanction of this theology. Two years after the *Philadelphia* decision, in *Scott v. the State*, the Supreme Court of Georgia wrote what would become one of the most commonly cited passages in anti-miscegenation cases. The judgment declared,

> The amalgamation of the races is not only unnatural, but is always productive of deplorable results. Our daily observation shows us, that the offspring of these unnatural connections are generally sickly and effeminate, and that they are inferior in physical development and strength, to the full-blood of either race. It is sometimes urged that such marriages should be encouraged, for the purpose of elevating the inferior race. The reply is, that such connections never elevate the inferior race to the position of the superior, but they bring down the superior to that of the inferior. They are productive of evil, and evil only, without any corresponding good.

The author insisted that moral and social equality between the races did not and could never exist, for "the God of nature made it otherwise, and no human law can produce it, and no human tribunal can enforce it."[34] The ruling is clear: God intended for blacks and whites to be separate and unequal in all social relations, and most definitely in marriage.

Case after case cited the theology of separate races as a legitimate basis for anti-miscegenation laws well into the twentieth century.[35] In fact, when Mildred and Richard Loving appeared in a Virginia court in 1965 to ask that their convictions be overturned, the judge denied their request and reaffirmed the validity of Virginia's anti-miscegenation statutes. He concluded with the following words:

> Almighty God created the races white, black, yellow, malay, and red, and he placed them on separate continents. And but for the interference with his arrangement there would be no cause for such marriages. The fact that he separated the races shows that he did not intend for the races to mix.[36]

Despite the end of racial slavery a century before, the sexual and marital ethics embodied in postbellum anti-miscegenation laws continued to control citizens' behavior. Worst of all, many Americans believed that legal bans on interracial marriage bore God's stamp of approval. As late as 1983, sixteen years after the *Loving* decision, the Supreme Court ruled on a case involving interracial relations. The Court upheld the Internal Revenue Service's revocation of tax-exempt status for Bob Jones University, which forbade its students to be "partners in an interracial marriage," to date "outside of their own race," or to "espouse, promote, or encourage others to violate the University's dating rules and regulations."[37] The Court ruled,

> It would be wholly incompatible with the concepts underlying tax exemption to grant the benefit of tax-exempt status to racially discriminatory educational entities, which "exer[t] a pervasive influence on the entire educational process." ... Whatever may be the rationale for such private schools' policies, and however sincere the rationale may be, racial discrimination in education is contrary to public policy.[38]

The Lessons of the American History of Anti-Miscegenation Law

In the conclusion of her book *What Comes Naturally*, historian Peggy Pascoe observes that since the 1967 *Loving* decision, the history of anti-miscegenation laws has been "buried, denied, or pushed aside." This has been done to the point that by the turn of the twenty-first century, individuals holding racist beliefs about interracial marriage had been largely "displaced by an entire generation of young Americans who found it difficult to believe that interracial marriage had *ever* been illegal."[39]

According to Pascoe, the tendency of the American public to "forget" this part of history has resulted in several erroneous beliefs: that "the demise of miscegenation law had been inevitable," that miscegenation laws were "outdated remnants of a long-distant past," that "marriage should be considered a private matter of individual choice," and that "race classification in the law was deeply un-American."[40]

As my essay demonstrates, Americans have also forgotten the religious justifications for bans on interracial marriage, as well as those in support of gender- and race-based discrimination generally. *Forgetting* contributes not only to falsely sanitized understandings of religious belief in American history but also to the misperception that racism, sexism, and prejudices against both interracial marriage and multiracial individuals are no longer problems with which we must contend. Yet couples seeking to adopt children of a race different than their own face suspicions about their motivations, and parentless white children remain more in demand by adoptive couples than parentless black children.[41] Moreover, individuals growing up in inter- or multiracial families often struggle with the ways in which American culture fails to acknowledge the complex nature of their identity.[42]

By *remembering* the historical foundations of laws against interracial marriage, we gain insights into marriage in the contemporary United States, and particularly, into the debate over same-sex marriage. There are remarkable parallels between the issues, though we must also keep in mind the differences. Interracial marriage was a punishable criminal offense for nearly 300 years, and couples that violated the law often faced not merely prosecution but also the threat of torture or death at the hands of lynch mobs. During certain times and in certain places, an interracial couple—particularly when that couple consisted of a white woman and a black man—took their lives into their hands by associating with one another. Although same-sex couples feel similarly restricted from displays of affection and are sometimes even in mortal danger, they do not share the 300-year history derived from a system of chattel slavery and established from a sociopolitical structure based upon the domination of one group over another.

Yet there is much to learn from remembering the history of American laws against interracial marriage. One of the most important lessons is the danger of using biblical precepts as a basis for public policy. Although it may well constitute a basis for sexual ethics, in our pluralistic society the Bible is not a legitimate basis for law. As we have seen, advocates of the separate-races theology chose to highlight some biblical passages and to ignore others. Opponents of same-sex marriage employ similar strategies in their biblical interpretations. They argue that sexual relations between same-sex couples are unnatural and forbidden by God. They cite Leviticus 20:13, which in the King James Version states, "If a man also lie with mankind, as he lieth with a woman, both of them have committed an abomination: they shall surely be put to death; their blood shall be upon them." They also cite passages from the Christian Testament, such as Romans 1:24–27, which notes that women lusted after women, and men lusted after men, actions for which they "receiv[ed] in themselves that recompense of their error." According to this interpretation, God deemed same-sex relations "unseemly" and an "abomination," and therefore homosexual relations should not be tolerated, much less sanctioned with the holy rite of matrimony or legitimized by the state. Unlike the biblical passages offered by proponents of the separate-races theology, the reader does not have to make enormous interpretive leaps to arrive at the conclusion that God found same-sex relations offensive.

Nevertheless, one problem with such an interpretation of biblical passages is this: of all the behaviors deemed in the Bible to be offensive or even worthy of capital punishment, proponents of this view have selected homosexuality as *the* issue that merits the attention of American lawmakers. They completely ignore other biblical issues that earn just as much, or even more, condemnation in the Bible. Consider, for example, Deuteronomy 21:18–21, on "stubborn" children. According to this passage, "stubborn and rebellious" children who do not obey their parents should be stoned to death. Similarly, although Leviticus 20:10 commands that both parties to adultery be put to death, no conservative Christian organization urges a return to biblical laws that would terminate the lives of thousands of unfaithful marriage partners. And perhaps even more to the point, Exodus 22:25 enjoins, "If thou lend money to any of my people that is poor by thee, thou shalt not be to him as an usurer, neither shalt thou lay upon him usury." Yet no Christian leader has urged that Congress pass laws criminalizing banks, credit-card companies, and other consumer lending services for practices directly violating biblical injunctions.

Clearly, then, those who rage against the "homosexual agenda" have elevated same-sex relations over many other biblical topics as the most salient issue for contemporary law and public policy. Some insist that God's law never changes, so neither should ours. Although one can appreciate the reverence with which advocates of these views hold biblical precepts, the fact is that it is not God's law that is at issue, per se. Rather, the issue is how we understand what exactly God's law is. As we have seen, during the 1950s and 1960s some white Southern Christians genuinely believed that God prohibited interracial marriage. But today, such ideas seem not merely ludicrous to most people—they are almost unknown by younger generations of Americans.

Current disagreements between conservative Christians and proponents of same-sex marriage—like those between segregationists and integrationists during the last century—center on the insurmountable differences wrought by each side's worldview. One group perceives the existence of unchanging absolutes, while the other emphasizes the importance of contingency and context. These differences shape each side's approach to interpretation. Some Christians' regard for what they consider to be literal biblical interpretation prevents them from recognizing that they are still interpreting the text through the prism of their own beliefs and assumptions. A reader's beliefs about the text she is reading shape her interpretation of it. A reader who "knows" that she is reading a true document and understands it literally, as part of her faith in God and as part of her certainty about how the world works, will interpret that text in ways that reinforce her understanding of the world and of her faith.

Religious conviction enhanced and reinforced biblical segregationists' sense of certainty about what they knew of the world, and their convictions about the world shaped their interpretation of what they saw in the world. The result was an insulated, self-perpetuating system for making sense of change. This, I contend, is the very same system that today influences contemporary Christians convinced that homosexuality is an abomination. The means by which we evaluate what we believe that we "know" in fact shape the ways in which we interpret texts, our experiences, and the world.

My analysis of laws against interracial marriage suggests that there really is no eternal or immutable standard of biblical interpretation; rather, the ways in which we interpret the Bible do in fact change. Beliefs about what constitutes God's "unchanging" law change as well. These change because people—not God—interpret the passages. People—not God—decide what constitutes God's law and what constitute the most important biblical principles.

At one time, biblical justifications for the enslavement of African peoples rang as clear as a church bell. But such notions shifted during the nineteenth century. By the twentieth century, all but the most recalcitrant fringes of American culture saw slavery as a moral evil.

At one time, it seemed perfectly reasonable to interpret Genesis 10–11 as the historical explanation for why racial groups existed on separate continents and thus as proof of God's command for legalized segregation. Such ideas now seem preposterous.

And although today some Christians assert that the unchanging laws of God, or the unchanging teachings of the church, have forever prohibited loving relationships between same-sex partners, or the ordination of women, I hope that Americans will begin to see that their interpretations of select biblical passages in fact reflect beliefs stemming from what we choose to see at a given moment in time.

Despite the fierceness with which the Christian Right decries the "homosexual agenda" today, based upon what we have observed with white segregationists of the past, it is possible that opponents of same-sex marriage will one day see that all adults possess the right to marry and to determine the terms of their intimate relationships, so long as they are consensual relationships grounded in an ethics of non-violence and in the equal distribution of power between each partner.

Although religious belief often comforts people trying to make sense of the world, we should strive to come to terms with *un*certainty rather than to control it. We should aim to recognize that knowledge is unstable, captive to its historical moment and the fleeting truths that inform every historical era. We would do well to develop ethical values that challenge systemic oppression and inequalities, while maintaining the humility to recognize that those values are far more the consequences of our historical moment and personal perspectives than of any absolute truth.

Notes

1. *Code of Virginia*, 1950, vol. 4, quoted in "Jurisdictional Statement," in *Landmark Briefs and Arguments of the Supreme Court of the United States: Constitutional Law*, eds. Philip B. Kurland and Gerhard Casper (Arlington, VA: University Publications, 1975) 694f.
2. *County of Caroline v. Richard Loving and Mildred Jeter*, Commonwealth of Virginia, Loving Case File, Central Rappahannock Heritage Center, Fredericksburg, Virginia.
3. Kurland and Casper, "Oral Arguments," *Landmark Briefs and Arguments*, 971.
4. The concept of due process derived from clauses in the Fifth and Fourteenth Amendments providing that neither federal nor state governments unfairly "deprive any citizen of life, liberty, or property, without due process of law." Enacted in 1866 following the Civil War, the Fourteenth Amendment aimed to reiterate the clause in the Fifth Amendment to establish a principle of fairness in law, most particularly for black citizens in the postwar South. Similarly, the Fourteenth Amendment's equal protection provision guaranteed citizens, and particularly African Americans, the right to be treated equally in both the procedures and principles of law, such that the government must treat every person the same as it treats other persons in similar circumstances.
5. *Loving v. Virginia*, 388 U.S. 1, 12 (1967).
6. For a brief comparison of anti-miscegenation laws in Germany, South Africa and the United States, see Randall Kennedy, *Interracial Intimacies: Sex, Marriage, Identity, and Adoption* (New York: Vintage, 2003) 241f; and Peter Wallenstein, *Tell the Court I Love My Wife: Race, Marriage, and Law—An American History* (New York: Palgrave Macmillan, 2002) 255f.
7. The only states that never illegalized interracial marriage were Alaska, Connecticut, Hawaii, Minnesota, New Hampshire, New Jersey, Vermont, and Wisconsin.
8. The term "miscegenation" was coined in 1863 to mean "the mixture or blending of the races." It comes from the Latin words *miscere*, meaning "to mix," and *genus*, meaning "race" or "people."
9. It is important to note here that not all interracial marriages were illegal. Even in regions banning interracial marriage, an African American person could marry a person from India, a Chinese person could marry a Japanese person, or a Filipino person could marry a Navajo person. In reality, the only group that these laws concerned was white people, insofar as all such laws imposed restrictions only on *whites and* members of other racial groups. There were no such laws restricting or banning sex or marriage between persons of "non-white" races.

10. Wallenstein, *Tell the Court*, 81f. According to Wallenstein, this law lasted only five years.
11. See Francis Newton Thorpe, ed., *Constitutions, Colonial Charters, and Other Organic Laws of the States, Territories, and Colonies* (Washington, DC: Government Printing Office, 1909): Alabama, vol. 1, 124; Florida, vol. 2, 758; Mississippi, vol. 4, 2125; North Carolina, vol. 5, 2843; South Carolina, vol. 6, 3317; and Tennessee, vol. 6, 3469.
12. Even though the laws remained part of the state constitution in Alabama and South Carolina until 2000 and 1998, respectively, the statutes were unenforceable, due to the U.S. Supreme Court's ruling in *Loving v. Virginia*.
13. On the development of racial slavery, see Winthrop D. Jordan, *White Over Black: American Attitudes Toward the Negro, 1550–1812* (New York: Norton, 1968), and particularly the first two chapters, 3–98. For a concise overview of the relationship between American slavery and bans on interracial sex and marriage, see Kennedy, *Interracial Intimacies*, 41–69.
14. Jordan, *White Over Black*, 178.
15. "[A]fter the 1660s, courts focused more exclusively on the monetary damages owed to masters by female servants and their lovers than on the moral nature of the sexual transgression." Kathleen M. Brown, *Good Wives, Nasty Wenches, and Anxious Patriarchs: Gender, Race, and Power in Colonial Virginia* (Chapel Hill: University of North Carolina Press, 1996) 191. Indeed, protecting the financial investments of slave owners and masters of indentured servants was one of the most fundamental prima facie causes of American laws on interracial marriage and sexual unions.
16. White legislators in Maryland soon realized that "such a law legally encouraged masters to force marriages between servant women and slave men in order to gain more slaves for themselves," so they revised the law in 1681. See Martha Hodes, *White Women, Black Men: Illicit Sex in the Nineteenth Century South* (New Haven, CT: Yale University Press, 1997) 29.
17. Virginia (Colony), *Act 12*, *The Statutes at Large; Being a Collection of All the Laws of Virginia, from the First Session of the Legislature in the Year 1619*, vol. 2, ed. William Waller Hening, (Richmond, VA: Franklin Press, 1819–1823) 170, http://www.virtualjamestown.org/laws1.html#15 (accessed June 5, 2009). Emphasis added.
18. *Proceedings and Acts of the General Assembly of Maryland, 1637–1664*, vol. 1 (Baltimore: Maryland Historical Society) 533f.
19. On "race mixture," see George Fredrickson, *White Supremacy: A Comparative Study in American and South African History* (New York: Oxford University Press, 1981), especially 94–135.
20. Virginia, Act 16, *Statutes at Large*, vol. 3, 86–88, http://www.virtualjamestown.org/laws1.html#36 (accessed June 5, 2009).
21. As Randall Kennedy observes about a later era, the "paucity of antebellum cases featuring black female victims of sex crimes is in itself eloquent testimony to the extreme vulnerability of black women." Kennedy, *Interracial Intimacies*, 176.
22. On the relationship between white womanhood and anti-miscegenation laws, see Brown, *Good Wives*; W. J. Cash, *The Mind of the South* (New York: Knopf, 1941) 86; Jordan, *White Over Black*; Peggy Pascoe, "Miscegenation Law, Court Cases, and Ideologies of 'Race' in Twentieth-Century America," *Journal of American History* 8 (1996) 44–69; Carter Woodson, "The Beginnings of Miscegenation of the Whites and Blacks," *The Journal of Negro History* 3 (1918) 335–353.
23. The constitutional ban had remained in place even though the state's anti-miscegenation laws had been unenforceable since the 1967 Loving case.
24. "Many Support Wiping Out Mixed-Race Marriage Ban," *Herald-Journal* (Spartanburg, SC) February 7, 1998, A1 and A10.
25. *Morning Edition*, "Interracial Marriages on the Rise," National Public Radio, April 15, 1999.
26. Not surprisingly, there is no mention of "race" or "Africans" in the Genesis stories. To learn how this interpretive tradition developed, see Stephen Haynes, *Noah's Curse: The*

Biblical Justification of American Slavery (New York: Oxford University Press, 2002); Sylvester Johnson, *The Myth of Ham in Nineteenth-Century American Christianity: Race, Heathens, and The People of God* (New York: Palgrave Macmillan, 2004); and Fay Botham, *Almighty God Created the Races: Christianity, Interracial Marriage, and American Law* (Chapel Hill: University of North Carolina Press, 2009).

27. W. S. Armistead, *The Negro Is a Man: A Reply to Professor Charles Carroll's Book, "The Negro is a Beast, or, In the Image of God"* (1903; reprint, Miami, FL: Mnemosyne, 1969) 36, 537, 539. Armistead's emphasis.
28. For example, see Rev. William Montgomery Brown, *The Crucial Race Question, or, Where and How Shall the Color Line Be Drawn?* (Little Rock, AR: Arkansas Churchman's, 1907) xxvii; Theodore Bratton, "The Christian South and Negro Education," *Sewanee Review* 26 (1908) 297; *Congressional Record*, 55th Cong., 3d sess., 1899, 32: 1424; and *Congr. Rec.*, 71st Cong., 2d sess., February 7, 1930, 3234. For detailed analyses of these individuals, see Botham, *Almighty God*, chap. 4.
29. Rev. J. David Simpson, "Non-Segregation Means Eventual Inter-Marriage," *The Southern Presbyterian Journal* (March 15, 1948) 6.
30. Rev. G. T. Gillespie, D.D., "A Christian View on Segregation" (Winona, MS: Association of Citizens' Councils, 1954) 9, 8. Pastor Kenneth R. Kinney recorded similar ideas in "The Segregation Issue," *The Baptist Bulletin* (October 1956) 9.
31. Carey Daniel, *God, the Original Segregationist and Seven Other Segregationist Sermons* (n.p., n.d.).
32. "Truman Opposes Biracial Marriage," *New York Times*, September 12, 1963.
33. *Philadelphia & West Chester R.R. Co. v. Miles*, 2 Am. Law Rev. 358, 358f (1867).
34. *Scott v. the State*, 39 Ga. 321, 323, 324f, 326 (1869).
35. See Botham, *Almighty God*, chap. 5.
36. "Order Denying the Defendants' Motion to Vacate Judgment and Set Aside Sentence," *Commonwealth of Virginia v. Richard Loving and Mildred Jeter*, January 22, 1965. Loving Case File, Central Rappahannock Heritage Center, Fredericksburg, Virginia.
37. *Bob Jones University v. United States*, 461 U.S. 574, 581, 582 (1983).
38. *Bob Jones University v. United States*, 461 U.S. 574, 596.
39. Peggy Pascoe, *What Comes Naturally: Miscegenation Law and the Making of Race in America* (Oxford: Oxford University Press, 2009) 292, 296.
40. Pascoe, *What Comes Naturally*, 292f.
41. Kennedy, *Interracial Intimacies*, 447f.
42. See Rachel F. Moran, *Interracial Intimacy: The Regulation of Race and Romance* (Chicago: University of Chicago Press, 2001).

VII

The Stories We Tell

15

Mammy's Daughters; Or, the DNA of a Feminist Sexual Ethics

Frances Smith Foster

The Personal Is Political

I am a woman who was once a girl who loved to read stories. I readily imagined myself as Heidi though I wasn't Swiss, as Wilma Rudolph though I couldn't run fast, and as Wonder Woman though I had no gold tiara and was not and never would be really good with a lariat. My imagined self merged into my experienced self, and both were affected by the self I was told I was or should become. I am a literary historian who believes that our stories reflect and define our identities. I am one of those who affirm that we can know what is true, and that we must tell the truth if we are to be free. Like many of my ilk, I take it as gospel that sometimes the only way truth can be told is through fiction. Not coincidently, I am an African American woman reared in segregated neighborhoods, educated in a segregated school system, graduated with honors from predominantly white universities, and instrumental in founding the first women's studies department and one of the first black-studies departments in the nation. And I am one who has defied the odds by making and keeping intimate friendships with women who do not share the same stories.

I tell you this so you may know why I essay as I do. Self-definitions and social constructs are not made in petri dishes and do not grow in a vacuum. Who one is, or is thought to be, directly affects what one thinks, says, and does. Who says what, when they say it, and under what circumstance—in other words, the context of the text—are essential to interpreting and assessing definitions, narratives, and assumptions.[1]

I essay to show that though slavery has been abolished in the United States for many generations, slavery's shadows continue to distort or diminish the blossoming of interracial friendships. Our language about slavery and the stories we tell about slavery make it especially difficult for women and girls whose ancestors are assumed to have been on opposite sides then to be friends now. The familiar narratives of antebellum America inextricably interweave African American women with illicit or excessive sexuality and often implicate Euro-American women as accessories to the crimes against them. I propose a vision of feminist sexual ethics that begins by recognizing the degrading assumptions at the heart of our definitions of womanhood, our narratives of enslaved women, and our suppositions about relationships between enslaved women and women who enforced or profited from their enslavement.

A proper beginning to rapprochement now is for us to expand the vocabularies we use for naming and defining our foremothers and to listen to narratives told from a greater diversity of perspectives. It's not all about words, of course. Slavery is the single most defining element of U.S. history and cultural systems. Before African American women and other American women can consider themselves sisters or even friends, unfair, unjust, and misinformed laws, customs, and habits must change. Any ethic that does not lead to changes in behavior has limited value. Nonetheless, recognizing the power of the traditional definitions, narratives, and assumptions that we use can go a long way toward dispelling slavery's shadows over women and girls. In redefining who is and was our kind and our kin, we can free ourselves and help free others from the shame and disrespect that shackle us today. It all begins with recognition of the power of language, stories, and assumptions.

On Sorority Row

Once upon a time, not so long ago, we thought that women and girls would lead the way into a new world harmony. Women's rights advocates had already reconstructed the color and contours of the Civil Rights Movement to espouse the claims of women and others regardless of culture, creed, or sexuality. The progression from the Civil Rights Act to the Equal Rights Act had seemed natural, and even after the ERA failed, women continued to believe that sisterhood was powerful and that the personal was political. They continued to define themselves, shape new narratives, and challenge traditional assumptions. Like their antebellum foremothers, whose stories are less known but powerfully suggestive, masses of women and girls went public with their claims to life, liberty, and the pursuit of happiness within and outside of their homes. In the United States especially, they proclaimed that women shared the oppression of patriarchy even if they did not, for various reasons, share the joys of motherhood. "Sisterhood is powerful," they swore, insisting that inclusive politics required personal as well as structural realignments. With women in politics, we would have a kinder, gentler great society. With desegregation, soccer moms and Parent-Teacher Association members, like those who worked for the same company or studied in the same university, would work together to nurture and to negotiate.

But change was not easy. Anger, hurt, misunderstandings, and resistance marked attempts to cooperate or even to communicate. For example, on college campuses, sorority row allowed, and sometimes even welcomed, chapters of historically black organizations, such as Alpha Kappa Alpha, Delta Sigma Theta, and Zeta Phi Beta. But their national charters, if not the local chapters themselves, resisted attempts to integrate. Women's rights advocates, and especially feminists, had particular difficulties putting their theories into practice. While they earnestly advocated sisterhood, their planning sessions, collaborative projects—almost any but the most casual conversations—regularly erupted into quarrels, and decorum gave way to insults, snaps, slaps, and, yes, tears. Some women's studies advocates abandoned the field for other, less stressful social movements. Some moved their focus from practice to theory. None was excused from having to work hardily to reassess, refine, or redirect familiar practices, goals, and assumptions.

That was more than fifty years ago. In the first decade of the twenty-first century, with few exceptions, sisterhood is still more a matter of coexistence and cooperation on particular projects than of the global sisterhood or integration we envisioned. In most multicultural environments, women of various heritages get along well enough. Some go to lunch, shop, and exchange visits and birthday presents. Bridal showers and even bridal parties are sometimes multicultural. In times of trauma, women of European, Asian, and African ancestry often consider themselves to be their sisters' keepers. But despite decades of desegregated schools, workplaces, and televised soap operas; despite, especially, the several generations of feminists whose rhetoric and rituals generally espoused inclusive and global sisterhood, the students with whom we study and hang out, the women with whom we worship, the mothers with whom we car pool, and the girlfriends with whom we vacation usually look just like us.

The question that haunts us is, why?

The answer is not simple, but one particularly significant factor is the stories we tell. These stories include the definitions, narratives, and assumptions that we and others use to create ourselves within our worlds. Not all of these stories are healthy. Scholars such as Elizabeth V. Spelman in her book *Inessential Woman* have taught us to interpret and critique the ways in which race, class, and gender affect our perceptions of self and society. Susan Sniader Lanser, Susan Stanford Friedman, Emilie M. Townes, Gloria Anzaldua, Barbara Christian, and others have helped us see and discuss the impact of stories and storytellers—to learn what Beverly Guy-Sheftall called the "words of fire" that we might prefer to redefine or ignore.[2] Evidence abounds that our perceptions, expectations, and experiences shape the stories we tell and that the stories we tell shape our perceptions, expectations, and experiences. Still, the knowledge that some parts of our stories are dysfunctional or diseased has not yet prompted any general effort to develop counter-definitions, counter-narratives, and counter-assumptions that will help us move past the old stories that deform our identities and our relationships.

The volume in which this essay appears is fundamentally concerned with definitions, narratives, and assumptions about slavery. For my part, I am arguing that definitions of womanhood, narratives of slavery, and our (sometimes unconscious) assumptions about sex and sexuality shadow the lives of women and girls through time and over space. Media-made clouds of myths and stereotypes about those who were enslaved and those who enslaved in the antebellum United States cross national and cultural boundaries. These defective stories have kept the new story of sisterhood from gaining traction in our minds and in our lives. But we can repair, reconstruct, and heal by using and spreading counter-definitions, -narratives, and -assumptions.

Beginning with the Word

In the lexicon of pre–Civil War United States English, adult females were readily defined by their physical appearance and social status into four categories:

"women," "ladies," "maids," and "wenches." "Women" were mature and comfortably settled in their rightful gender roles. Some "women" were considered more womanly than others. They sat in their parlors, sometimes on a pedestal, and made orderly, happy homes infused with piety, decorated with embroidered antimacassars, and resounding with the patter of obedient little feet. These women, generally differentiated as "true women," were fetishes for a cult that sacrificed their lives in marriage to men of substance and significant social standing. "Ladies" were women of property or the property of landed men. Young "ladies" were ofttimes known as "maids." All "ladies" and "maids" were "women," but not all "women" were or could claim the prerogatives of "ladies." Many "maids" earned that sobriquet because they associated with or served "ladies." In early American English, a "wench" was a female of the lower social orders and had little, if any, claim to respect, honor, or deference. A "wench" worked indoors and outdoors. She did the dirty work, and that work dirtied her. Indeed, the assumption was that in her subordinate position, she would routinely be subjected to sexual exploitation. A "wench" was defiled, a strumpet or a consort, or both.

In most American histories, a young woman of African descent was, at best, a "wench." She was servant to others, and she served men in ways that ladies, women, and wives could not or would not. Whether she was raped or seduced or neither, she was assumed to be sexually available and "prematurely knowing in evil things." In her postmenopausal years, especially if she had nursed the children of ladies and true women, a black "wench" might be redefined as an "aunt," or she might receive the highest accolade that this society awarded a woman of African descent. She might become "Mammy." In the language of today, we have pretty much forgotten "wench," and we have not remembered that "Mammy" was then a synonym for "Mama." In the early nineteenth century, "Mammy" was a term of endearment and appreciation used by African Americans and Euro-Americans alike. (In the twenty-first century, we avoid using the word "Mammy" because we tend to define a mammy as a woman of African descent who nurses other people's children.)

And Mammy was all the name she had or needed. To call Mammy by any other name would make it more difficult to discount her life previous to, or separate from, the white family she serves. To consider Mammy outside of the white family's own domestic spaces and personal needs would lead to a clash of identities that would compromise her value to whites as the family retainer. In historical narratives, in memories, and in imagination, too, Mammy is not a respectable woman, but she is a beloved paragon of practical domesticity. Though herself not a lady, a black Mammy was able to teach little white girls and remind their mothers how to display appropriate behavior, to dress tastefully, to wear elaborately coifed hair, and to generally feel beautiful, desirable, and at home in the white domestic sphere.

To know Mammy by any other name, to consider Mammy as a black female with a life beyond her role of nurse and nurturer—such a reconception of a familiar figure would compromise the image of pure womanhood that the black woman prodded and petted little white girls into assuming. In suggesting the possibility that Mammy was a woman exploited by her white family rather than slavishly devoted to them, this new story about Mammy would cast a pall over the masculine rectitude of blackface performer Eddie Cantor and Southern gentlemen who would give the world to be back in the arms of the black woman who suckled them. The stories we usually tell about antebellum African American women have only two female characters: the asexual Mammy and the hypersexual Jezebel/Hagar. Depending upon the narrator's inclination to present her as vixen or victim, Jezebel/Hagar is either the treacherous seducer or the sexual surrogate.[3] The biblical Jezebel was a pagan woman who used her body shamelessly to trick and to control; she has been reviled as the "mother of harlots" and "a whore and a witch."[4] The biblical Hagar obeyed her mistress's command and lay with her master, conceived a child, and was ultimately banished into the wilderness. Our society regards neither persona as dignified, demure, or particularly pious. Neither invites our respect or admiration. Jezebel and Hagar are the same soiled sexual being. Whether she worked all day in someone else's house or in the fields picking someone else's crops, it was believed that at night an African American woman—except Mammy—regularly serviced men's sexual desires.

Black Herstory

Unfortunately, such stereotyping of antebellum women of African descent is not solely the figment of the imaginations of racist propagandists. African American writers themselves have promulgated such definitions and narratives. One of the most influential and referenced books about an African American sheroic woman is Zora Neale Hurston's *Their Eyes Were Watching God*.[5] Here the Mammy–Jezebel/Hagar myth is repeated when Janie's grandmother recites the archetypal genealogy of African American womanhood: "You know, honey," Nanny told Janie, "us colored folks is branches without roots and that makes things come round in queer ways...Ah was born back due in slavery so it wasn't for me to fulfill my dreams of whut a woman oughta be and to do. Dat's one of the hold-backs of slavery...Ah didn't want to be used for a work-ox and a brood-sow and Ah didn't want mah daughter used dat way neither. It sho wasn't my will for things to happen lak they did."[6]

Hurston's summary of Nanny's life, Nanny's daughter's rape, and Janie's erotic response to Johnny Taylor's kisses may be defined as evidence that, as Nanny said, "nothing can't stop you from wishin." But it is also one that confirms generations of indecorous behavior by enslaved women and their resulting ineligibility for our respect, admiration, and emulation. Moreover, Janie's trail of husbands feeds into myths of African American women making bad marriages and, even in the good ones, suffering abuse.

"Back due in slavery," Nanny says, African American women were slaves. This notion prevails despite the fact that from the time the first African woman arrived in the colonies until slavery was officially abolished in the United States, thousands of Africans and their descendants were not slaves for life. Many were never enslaved at all. In 1850, for example, the United States census numbers at least half a million free people of African descent. They were approximately 10 percent of the African American population, the same percentage attributed to Americans of African descent in the 1950s. African American women who were free, and many of those who were not, married, lived together in family groups, and adhered to standards of conduct that met or surpassed those for "true women." Nonetheless, most use "African American" and "slave" as synonyms for that time period. Zora Neale Hurston and other African Americans perpetuate that definition and repeat stories peopled with wenches known as Jezebel/Hagar or Mammy.

As Mammy, an African American foremother may have been beloved by those whom she served or doted on. But to them she could never be a "true woman." She, and any other African American female, was not even a "woman." A Mammy is postmenopausal, unfeminine, asexual, and more loyal to her charges than to her own children. In fact, a profound silence shadows the early or other lives of those who became Mammies. Their bright-red dresses and large breasts mark their possible past lives as wenches, but their bandanas and clean white aprons serve as chadors, covering their bodies and veiling their pasts, symbolizing and affirming that Mammies have become as pure and as domesticated as a black woman can be. Historians such as Catherine Clinton have demonstrated that "Mammy" was born in the postbellum era and not during slavery.[7] But having stereotyped all African American women as slaves or daughters of slaves, and neatly characterized Mammy as a devoted domestic servant in the home of her superiors, the popular imagination prefers historical fantasies over historical facts.

In the popular imagination, for better or for worse, Mammy is a depiction of black motherhood and domestic servitude that elicits fierce emotion and extreme positions as well as contradictory and ambivalent but vociferous responses. Her devotion, common sense, and even, on some level, moral authority are acknowledged, but Mammy is not a "true woman." Perhaps she is, or was, married, but the bonds of her matrimony do not form the center of her life. Mammy is not a model of maternity, either. Regardless of reason or reaction, Mammy's devotion to children does not qualify her as an ideal mother because the children she nurses are not her own. Whether voluntary or not, the black Mammy's ministrations are to white children. It doesn't matter whether for love or money or to save her own life—if she did bear children of her own, she has abandoned them.[8]

The best that we can say is that Mammy is domestic and dutiful, a larger-than-life presence who brings order and decorum into the families that she apparently loves and loyally serves. We disagree about her value. Some, usually those who are not African American, praise, present, or represent Mammy in literature such as Harriet Beecher Stowe's *Uncle Tom's Cabin* and on kitchen counters as cookie jars. Quaker Oats' Aunt Jemima brand is just one example of how well Mammy sells as a source of substance and satisfaction. From another perspective, usually African American, Mammy is either reviled or revised. Among the revisionists are Toni Morrison, Betye Saar, Halle Berry, and Kara Walker. Representations and re-presentations cover a wide range of expression, but one basic image is deeply ingrained in our culture. As the expensive and extensively publicized legal battle between the executors of Margaret Mitchell's *Gone with the Wind* and the publishers of Alice Randall's *The Wind Done Gone* illustrate, when one tries to show Mammy as other than the lower-than-but preferable-to-Nanny, battles over image and counter-image and the life-and-death struggle over Mammy are fierce and not for the fainthearted or less powerful. If, therefore, the most positive image of African American foremothers is tinged with negativity and conflict, how then can we expect modern-day women to willingly identify themselves as Mammy's daughters?

Mammy's Daughters

In 1986, at the height of the confluence of the women's movement and the black-studies movement, Sherley Anne Williams published a novel, or as she defined it, a meditation on history. This idea originated with her lived experience. As a girl in Fresno, California, Sherley Anne Williams loved U.S. history. She loved it until someone told her there was no place in the antebellum United States where she would not have been a slave. Daunted but not defeated, she searched beyond the most popular and accessible historical narratives to try to understand what life offered a girl or woman like her during the era of slavery. She discovered two factual stories that sparked her imagination. One was about a white woman who in 1830 was discovered to have sheltered fugitive slaves on her isolated farm in North Carolina. The other was about a pregnant black woman in Kentucky who helped lead a slave rebellion in 1829. Williams writes, "How sad, I thought then, that these two women never met."[9]

Dessa Rose is Sherley Anne Williams's "What if, once upon a time, not so long ago…?" It is an experiment in imagination designed to complement better-known historical narratives, to create new stories that may reshape our views and identities. Williams meditates on the conditions under which her enslaved ancestors may have had common experiences or even positive, strengthening relationships with the enslaving ancestors of many women with whom she now lived and worked. Williams imagines the possibilities of a deep and abiding friendship between a white woman and a black woman in the antebellum period. Hers is a narrative of how such a relationship might have developed within the constraints of the stories told during the slave era. Hers is a meditation upon how our history can affect our lived experiences.

Dessa Rose contributes to our understanding of the importance of our own narratives in multiple ways. But for this occasion, I focus upon a scene wherein the nascent friendship of a white woman and a black woman is diseased by antagonistic definitions, narratives, and assumptions. Dessa had been listening to Ruth as she chatted about her childhood and waxed nostalgic about her memories of mutual affection between her and "Mammy." Ruth mused, "She used to dress me so pretty" and began to elaborate upon the clothes Mammy had made her and how Mammy's fashions enhanced Ruth's social status. Dessa interrupted Ruth's reminiscences, saying, "Wasn't no 'mammy' to it…Mammy ain't made you nothing!" Dessa argued that "'Mammy' ain't nobody's name, not they real one," and dared Ruth to prove the validity of her narrative by using Mammy's "real name." Dessa knew that if Mammy were a person with whom Ruth really shared an intimate relationship, then Ruth ought to know who Mammy was. "What's Mammy's name?" Dessa demanded a definition of terms.

The narrator relates the scene that follows this way:

> "See! See! You don't even not know 'mammy's' name. Mammy have a name, have children." … "She didn't." The white woman, finger stabbing toward her

> own heart, finally rose. "She just had me! I was like her child." ... "What was her name then?" Dessa taunted. "Child don't even know its own mammy's name. What was mammy's name? What—" "Mammy," the white woman yelled. "That was her name."[10]

This exchange occurs just about halfway through the novel and marks the women's recognition that their respective narratives hindered the development of a relationship that was the only practical way for either to live a free, healthy life. Their conversation, though painful, released them from the scripted roles of mistress and enslaved and eventually moved them to a partnership based upon a mutually defined story. But, at first, Dessa and Ruth are at a loss for words. "What's her name then?" is Dessa's relentless question. And Ruth cannot answer. Ruth had called her "Mammy" for so long that Ruth had forgotten that the woman who raised her had ever had another name. Ruth knew she once knew Mammy's name just as she knew, or needed to believe, that she and Mammy had had a private and loving relationship. But in the face of Dessa's verbal assault, Ruth cannot remember, and without knowing that name, she cannot make her story about their special relationship viable.

"Her name was Rose," Dessa shouts. The narrator tells us that Ruth defended her story in this way: " 'You are lying,' the white woman said coldly; she was shaking with fury, 'Liar!' she hissed." As Dessa recites the names of each of the ten living children of the woman whom she called "Mammy" but whose name she knew was "Rose," Ruth rushed from the room.[11] Williams shows that the narrative that positioned these two women in opposition could be countered by better information, more precise definitions, parallel narratives, and revised assumptions.

The conflict between the narratives of Ruth, a white woman, and Dessa, a black woman, was one of self-protection and respect. Both women, after all, had been right. Dessa was the ninth child born to and named for her mammy, whose name was Rose. Ruth's mammy had been the parent that her birth mother was not. Later, Ruth recalled that Mammy had been "Dorcas" until Ruth's birth mother redefined Dorcas as "Mammy" because she "thought the title made her seem as if she had been with the family for a long time."[12] The conflict between Ruth and Dessa was less about whether Mammy loved either, or both, than it was about their perceptions of who had made them feel so loved. Ruth's "Mammy" was not Dessa Rose's "Mammy." Yet their separate perceptions of Mammy were similar. For both, Mammy was a compassionate, competent, and wise caregiver who instructed, petted, punished, and protected them from girlhood into adulthood. For both the black woman and the white woman, Mammy was the maternal presence in their lives that made them understand their intrinsic value and taught them their rightful roles in society.

Like the fictitious Ruth in *Dessa Rose*, real people today forget, if they ever knew, that Mammy was not a real person in antebellum America and that the women we know as "Mammy" had other names as well. In the twenty-first century, most of us have perceptions of early African American women that do not jibe with the assertions or lived experiences of many African American women, then or now. We "know" that slavery made African American women into wenches, concubines, prostitutes, or victims. We "know" that during the era of legalized slavery, African American women could not, did not, and perhaps should not, expect to marry as a virgin. We "know" these things even when facts and some fiction make other conclusions equally or more valid. So our dominant cultural narrative views African American women, especially those of the antebellum period, as one-dimensional beings. Their bandanas are the emblems of their servility. Their clean white aprons cover their red dresses and any lingering stains that might provide evidence of previous experiences of concubinage, prostitution, rape, or other defamation. To become sisters is to assume common parentage. It is easier today to assume white paternity of a Tom, Dick, or Harry than it is to imagine sharing the same Mammy, let alone claiming Jezebel/Hagar as one's grandmother. Given the either-or situation created by the story we tell about antebellum African American women as sycophant or sexpot, there's still little place for a friendship of equals.

Slave Narratives

Slavery, so the usual story goes, is passé—at least in the United States of America. It is history. The peculiar institution was an embarrassing detour on the road to becoming the world's greatest democracy, but the Civil War and a few Constitutional amendments put us back on course. That was "Then." "Now" is Multicultural and Diverse with Liberty and Justice for All (except perhaps for same-sex couples and pagans). Today, the power and the glory of being Condoleezza Rice, Colin Powell, or Barack Obama is clear evidence that African ancestry doesn't matter much anymore. Our media and our moguls assure us that we live in a postracial society wherein equal opportunity allows anyone with the right stuff to zoom from the underclass to the upper class in a fraction of a lifetime. They point to Oprah Winfrey, Bill Cosby, and Denzel Washington as proof that an impoverished family history need not portend an impoverished future. Stories on the evening news and on talk radio reveal there are more than a few pedestrians who continue to tread footpaths of racial bigotry, but more often the stories we hear proclaim that the majority of our nation cruises on the harmony highway. So persistent and pervasive is this myth that folks who attribute negative experiences to racial prejudice are accused of "playing the race card."

To be sure, some stories of today's social situation acknowledge that a disproportionate percentage of the descendants of former slaves are among America's most disadvantaged. They brandish statistics that characterize far too many of Uncle Tom's and Aunt Jemima's great-grandchildren as uneducated, incarcerated, physically diseased, and socially deviant. But we do not hear these stories along with the accounts portraying the military, the universities and colleges, and the workplace as equal-opportunity institutions. The moral of the stories that we do hear is mixed. Some assume the underclass is inferior, irresponsible, or hard-headed. Some acknowledge systemic barriers but interpret them as inevitable consequences of class or cultural preferences.

Here it is important to note that the stories we tell are not static. They do evolve, but generally in response to irritants in the environment. We have today the beginnings of other, newer narratives that challenge the tired, old saws of racial inferiority because more scientists are declaring race biologically insignificant. The new science says that stories about the hierarchy of races, with whites at the top of the developmental heap, are not borne out by the facts.[13] The American Anthropological Association is one of several academic entities that has officially proclaimed race to be a socially constructed idea, not a biological fact.[14] There is at least as much difference between the DNA of members of one so-called race as there is between members of different "racial groups." "Racial" differences exist, say these social scientists, because we created narratives and definitions to validate the attitudes we already held and to justify the behaviors we already exhibited. Our fictions have become truths.

Nowadays, it is harder for us to assume that biological birds of a feather just naturally flock together. But we really do not condone blacks chirping that their color means they experience the environment differently than whites do.

Although this essay is not about "race," per se, race is the first indication for most people thinking about who they are and where they come from. In the United States—and thanks to our influence, in most of the Western world—to be recognized as an African American is to be defined as the descendant of slaves. To be the descendant of an African American slave woman is not to be pure, in several meanings of the term. Such assumptions quash the empathy that would allow us to see ourselves as sisters with a shared parentage, and hinder our efforts to create and sustain relationships that are equal and empowering.

Call Me "Mrs."

It is possible to change our stories. We have done it before. In the nineteenth century, African American print culture constructed counter-narratives about respectable black women, women whose domestic and maternal impulses centered upon their own families and kinfolk. Perhaps the most prominent new story is that of the Virtuous Wife, "The Mrs." In the early twenty-first century, "Ms." has made its way into the dictionary as a term desired by many because it is free of information about a woman's marital status. Today, it may seem odd, if not counter-revolutionary, that so many progressive African American women insisted upon being identified as "Mrs." But remembering the images of that time—the Mammy and the Jezebel and the Hagar—heightens our understanding of the power of the challenge that "Mrs." posed to those familiar stories.

In comparison to "Mammy," "Mrs." connoted a respectable identity beyond that of servant or slave. It stifled the proprietary notions of employers, enslavers, and self-centered, emotionally needy individuals like Ruth in *Dessa Rose*, with her cry, "She had just me!" In the nineteenth century especially, "Mrs." was a term of respect. It conferred a femininity that assumed dignity and entitlement to a certain deference. A "Mrs." had worth as a woman because she had been chosen by a "Mr." as the object of his affection, protection, and provision. A "Mrs." had a "Mr." for whom she had vowed to forsake all others. She was not asexual. In the nineteenth century especially, a "Mrs." was usually a "Mother." Regardless of her social status or employment outside the home, a "Mrs." had her own children, her own family circle, where she was the center and moral compass. Proclaiming oneself to be a "Mrs." was an act of self-definition that directly and clearly countered the old definitions of Mammy and Jezebel/Hagar.

Nineteenth-century African American women writers almost always countered externally imposed definitions, narratives, and assumptions by signing themselves as "Mrs." and asserting their spiritual, aesthetic, and intellectual acumen. They did this regardless of whether they were then married, how long they had been married, or in some cases, despite the fact that they had never been married. The earliest extant public lecture given by a woman in the United States was published in 1831: "Religion and the Pure Principles of Morality, The Sure Foundation on which We Must Build by Mrs. Maria W. Steward" [*sic*]. The *Liberator* of October 8, 1831, further identified "Mrs. Maria W. Steward" as "a respectable colored lady of this city" whose "production is most praiseworthy and confers great credit on the talents and piety of its author." Other examples include *Religious Experience and Journal of Mrs. Jarena Lee, Giving an Account of Her Call to Preach the Gospel* (1849), *Memoirs of the Life, Religious Experience, Ministerial Travels and Labours, of Mrs. Zilpha Elaw*... (1849), *A Narrative of the Life and Travels of Mrs. Nancy Prince*... (1850), *Moses: A Story of the Nile* by Mrs. F. E. W. Harper (1869), *The Life of Mrs. Edward Mix, Written by Herself* (1880), *A Brand Plucked from the Fire: An Autobiographical Sketch* by Mrs. Julia A. J. Foote (1886), and *The House of Bondage*... by Mrs. Octavia V. Rogers Albert (1890).

The early African American press is full of essays, stories, and poetry about marriage and respectable behavior. From its earliest manifestations, African American publishers offered new narratives about African American women who were neither Mammy nor Jezebel/Hagar. Consider the first issue of the first African American newspaper, *Freedom's Journal*, which appeared in 1827. Its articles assumed the morality and value of African American women. One was "Mary Davis, a True Story."[15] Mary Davis's husband was conscripted into the military, so despite her advanced pregnancy, Mary had to leave her son with a woman she hardly knew and go find work. The woman kidnapped the boy, but Mary Davis was physically unable to pursue her. As soon as the baby was born, Mary set out, infant in arms, to find her lost child. The story ends without reference to the father's fate but with mother and children happily reunited. Whether they were enslaved or not, African Americans particularly understood the dangers and difficulties that beset wives and mothers involuntarily separated from their partners. Insofar as hers is a story of a desperate mother's journey through a wilderness to save her child, Mary Davis does bear some resemblance to the biblical Hagar, but she was not a concubine. She was a respectable woman who through no fault of her own had to fend for herself and her children. She was brave, determined, and triumphant. She was what Johnnetta B. Cole has coined a "shero."[16]

"Mary Davis, a True Story" is but one of a multitude of counter-narratives promoted in the African American press. There is no sign of Mammy or Jezebel. Indeed, often enough, writers such as Maria W. Stewart directly challenged the legitimacy of domestic servitude. "How long," asked Stewart, "shall the fair daughters of Africa be compelled to bury their minds and talents beneath a load of iron pots and kettles?"[17] Stewart and others, including Mrs. Jarena Lee, Mrs. Frances E. W. Harper, Mrs. Nancy Prince, and Mrs. Zilpha Elaw, also asserted that African American women have "minds capable and deserving of culture," that "innocence and virtue" are valued and encouraged in African America, and that "respectable we now consider ourselves but we might become a highly distinguished and intelligent people."[18]

Although "Mrs." was important as a counter to the prevailing stereotypes about African American women, with most nineteenth-century African American writers, an even more definitive expression of respectability was what Mrs. F. E. W. Harper called "Enlightened Motherhood." Enslaved or free, an African American woman's first priority was her family's safety and security. Harriet Jacobs's *Incidents in the Life of a Slave Girl* makes this clear when her grandmother vetoes Linda Brent's plans to run away from an abusive master. Grandmother (the name by which the narrator most consistently refers to this African American woman) tells her that she cannot seek freedom for herself if it requires abandoning her children. "Stand by your own children, and suffer with them till death," Grandmother declares. "Nobody respects a mother who forsakes her children; and if you leave them, you will never have a happy moment."[19] Linda Brent was in grave personal danger, but rather than abandon her children, she hid for six years and eleven months in an attic crawl space. From that "loophole of retreat," she could sew clothes for her children, watch them, and intervene with their caregivers on their behalf. And despite the necessity of hiding and her inability to directly succor her children, Brent felt the sacrifice was fitting. "I was not comfortless," she said. "I heard the voices of my children."[20]

"Matrimony," by Daniel A. Payne, represents another genre of counter-definitions for Jezebel/Hagar and Mammy. Writing for the *Repository of Religion and Literature and Science and Art*, Payne declares, "O! woman, remember thy dignity. Thou art not a mere thing, to minister to man's unholy pleasures, nor a toy for him to play with, neither an idol for him to worship. Thou wast made to be a vessel of honor, promotive of the glory of God... mother, to train immortal spirits to love, serve and adore the King of the Universe" (January 1859).[21] Payne argues that African American women were not created to be the subordinate of all whites or of black men. African American women had innate dignity; they were essential to God's design; they were holy vessels with the commission to train immortal spirits in divine love, service, and adoration—and "matrimony" was the occasion by which they fulfilled their holy obligations. In the twenty-first century, periodicals such as *Ebony*, *Essence*, and *American Legacy* continue the tradition of telling stories that counter the stereotypes. Nevertheless, African American counter-definitions, -narratives, and -assumptions do not dominate in our society.

Can You Say "Dr. Rice"? Can You Say "Wardrobe Malfunction"?

Today we rarely say the word "Mammy" without some degree of consternation or disparagement (some even feel a bit uncomfortable using Aunt Jemima pancake mix or Mrs. Butterworth's syrup).[22] But Mammy lives, especially in caricature and insults. Earlier I mentioned Condoleezza Rice as one of the "power and glory" symbols of postabolition progress. She is. But slavery's shadows fall over Dr. Condoleezza Rice, also. During her term as national security adviser, this multilingual, concert-pianist Ph.D. was most often addressed as "Dr." in tones dripping with sarcasm and patronage, especially during congressional hearings or just before an attack upon one of her edicts or actions. She was usually referred to by her given name. Even so, almost immediately following her nomination as secretary of state, which made her fourth in the line of succession for the presidency, the mainstream media renamed her with the diminutive of "Condi," and political cartoonists increasingly depicted her as George Bush's Mammy. One cartoon shows a picture of Rice on a box of "Uncle Dubya's Condoleezza Rice."[23] The drawing has been modified to resemble the representation of Aunt Jemima on the pancake-mix box. In reference to the notorious search for weapons of mass destruction in Iraq, another syndicated cartoonist redefines Condoleezza Rice in relation to the movie *Gone with the Wind* with the headline "Condoleezza Rice in the Role of a Lifetime."[24] Combining the wench Prissy with Scarlett's Mammy, this drawing shows Condoleezza Rice sitting barefoot in a rocking chair trying to get an aluminum tube to suck a baby bottle. The caption reads, "I knows all about aluminum tubes! Correction: I don't know nuthin' about aluminum tubes..." Although Condoleezza Rice had been a Stanford University provost who supervised a $1.5 billion budget, 14,000 students, and a star-studded faculty of about 1,400, Pat Oliphant, a Universal Press Syndicate artist, consistently depicted her as a big-lipped parrot with buckteeth. John Sylvester, a radio host, described Condoleezza Rice as "a servile black, laboring slavishly for the Bush White House...an 'Aunt Jemima.'"[25]

The shadows of Jezebel/Hagar also followed Secretary Rice. M. E. Cohen depicts Bush's bedroom with a double bed and a twin bed is on the right side. Laura Bush sleeps on the far left side, her back to the president. The president is saying to the woman in the twin bed, "Wake up, Condi! I'm making you the secretary of state today." Another cartoon shows Rice and Bush sharing a bed. It is one of several that jumped upon an alleged "slip of the tongue" Condoleezza Rice made at a dinner party: "As I was telling my husb—as I was telling President Bush..."[26] In contrast, Aaron McGruder, an African American cartoonist not known to shy away from controversy, uses neither the Mammy nor the Jezebel/Hagar image. In a May 1, 2005, reference to an apparent attempt to soften Condoleezza Rice's image and adopt a "more feminine look," McGruder draws her as Darth Vader dressed in a form-fitting but discreet floor-length ball gown.[27] My point here is not whether Dr. Condoleezza Rice deserves respect or should not be named as a hawkish, conservative, dangerous political leader. My point is that despite our narratives of a nation progressing steadily along the highway of racial harmony, when push comes to shove, definitions of African American women as either Mammy or Jezebel/Hagar quickly come into play.

In today's climate of torrid verbiage regarding marriage and sexuality, who is and who is not eligible for marriage, how reproduction and sexuality should be expressed or regulated, and what is and what is not appropriate female behavior, slavery's shadow obscures and interferes with the growth and status of girls and women. Despite our tolerance of, and even admiration for, the brash behavior of Madonna, Paris Hilton, and the "Desperate Housewives," we continue to hold separate standards, influenced by race and by class, for the sexual behavior of men and of African American women. In the widely discussed halftime show at the 2004 Super Bowl, Justin Timberlake ripped the bodice of Janet Jackson and briefly exposed her breast on prime-time television. The Super Bowl halftime incident could have been defined as an ignominious conclusion to a fine artistic performance, a bold marketing device for Jackson's upcoming CD release, or even a humiliating experience for an unfortunate woman.

But after a brief fumbling for the appropriate explanation, it was defined as a "wardrobe malfunction." At the time, no one accused Janet Jackson of exposing her own breast; Justin Timberlake did the deed. But the narrative of that incident is now known as "Janet Jackson's 'wardrobe malfunction.'" Subsequent narratives did not address the question of what the gesture had been intended to mean or whose idea it actually was, as much as the fact that Janet Jackson's breast was briefly revealed. In an MTV era, when Victoria's Secret and Abercrombie & Fitch market to affluent buyers via televised fashion shows and photographic tableaus that qualify as soft porn, this brouhaha over a quick glimpse of breast seems odd indeed—unless one factors in race. A white man ripped open a black woman's clothing, and the black woman was blamed. Of course! Janet is Jezebel's daughter.

To Be Continued...

One of the counter-narratives that I learned as a child was that sticks and stones might break my bones, but words would never hurt me. It helped—some. Unfortunately, it's not enough to protect one's self-image from the talons of the dysfunctional and inaccurate stories we tell. Definitions, narratives, and assumptions do hurt individuals and groups. Action and identity are connected. Names and definitions trigger, form, and inform assumptions, and those suppositions are often more effective than sticks and stones in damaging psyches and shaping opportunities. Especially in legal, political, and social situations where symbols are reality, words control behavior through mandatory definitions, prescribed behaviors, and regularized assumptions.[28] The identities imposed upon us shape how we act, how we see ourselves, and how we see others.

Embedded and damaging stories like those of Mammy and Jezebel, and the more accurate and empowering stories that we create to counter them, are crucial to forming a feminist sexual ethics that can begin to dissipate slavery's shadows over women and girls. Scholars such as Hilde Lindemann Nelson and George Lipsitz and writers such as Sherley Anne Williams and Zakes Mda have carefully defined and argued extensively for the value of counter-narratives.[29] Franz Fanon, Toni Morrison, and Claudia Tate are among the intellectuals who have theorized the importance of language in defining the roles that individuals play in society.[30] We may assume that interactions based on the roles assigned to us are natural and normal. But these interactions are often choreographed—our behavior is determined by our assumptions about how different kinds of people behave. Those assumptions shaping our interactions have been created, just as the Mammy stereotype was created. They did not arise naturally. And we can change them.

Public policy grows from the actions and beliefs of individuals—their definitions, narratives, and assumptions. Reparation or remodeling can begin with individuals recognizing and accepting and using counter-definitions, -narratives, and -assumptions. Educational, legal, and religious institutions; arts projects and business practices; and fraternities—and sororities—can begin to dispel slavery's shadows by bringing publicity to and encouraging the use of appropriate counter-stories. Textbooks must do more than include units on the Civil War and civil rights, and classes must stop devoting merely a single day to the contributions of "others" to our society or teaching the histories of Other Americans as supplements to "American" history. These institutions and groups must redefine our society as part of a continuing process of defining, narrating, and assuming our future, present, and past. They must tell the stories and encourage the re-creation of stories that best fit our positive desires.

To integrate sorority row, to play together as well as work efficiently and effectively, to become sister-friends, we must examine the stories that guide our definitions and assumptions. We must understand that the origins of degrading or degraded stereotypes of African American women as mammy or mistress, as welfare queen or the truly disadvantaged, are easy to trace back to our perception of African American women as the descendants of slaves. We must cultivate counter-narratives of empowerment. This is easier to do when we learn the definitions, narratives, and assumptions that African Americans who witnessed slavery employed. African American print culture does not dismiss or mitigate the evils of slavery. It is clear about the psychological and physical damage slavery wrought upon all those who lived under its shadow. But it does also declare that asexuality or immorality were not the only options for African American women—that Mammy, Jezebel, and Hagar were not the only names by which women of African heritage could or should be called.

In *Nobody Knows My Name*, James Baldwin encapsulates what I propose as a first step. Baldwin wrote in 1961 that the United States had fallen short of the "standard of human freedom with which we began. The recovery of this standard demands of everyone ... a hard look at [themselves]. For the greatest achievements must begin somewhere, and they always begin with the person."[31] Beginning with ourselves, we must review the assumptions that we have about who and what ancestors our would-be sisters have, the names by which we call them, and the narratives that keep us from seeing ourselves as part of that family story. In considering the cultivation of new stories in ourselves, we bring the light of logic to the shadows of slavery that haunt us. We realize that Mammy had other names that she may have preferred and that may be more accurate. We can adopt her self-definition, or we can adapt our own in its light.

To lessen slavery's shadow over women and girls, we can begin with something as simple as understanding that some antebellum African American women were, and preferred to be addressed as, "Mrs." We need to respect the inextricable interweaving of sexual ethics in how we know and value ourselves and others. As a mighty oak from a little acorn does grow, so too might the freedom standard upon which our country was founded, aided by the goals of sisterhood (and brotherhood) that underlay the Civil Rights Movement, and encouraged by the friendships that our desegregation of public places has made easier. By transplant or by evolution, we can realize a new, improved story of who we are.

Notes

1. "Personal identity, understood as a complicated interaction of one's own sense of self and others' understanding of who one is, functions as a level that expands or contracts one's ability to exercise moral agency...The connection between identity and agency poses a serious problem when the members of a particular social group are compelled by the forces circulating in an abusive power system to bear the morally degrading identities required by that system." Hilde Lindemann Nelson, *Damaged Identities, Narrative Repair* (Ithaca, NY: Cornell University Press, 2001) xi–xii.
2. Racism, prejudice, and stereotypes were discussed intensely in the late 1980s and early 1990s. Among the most articulate, perceptive, and influential discussions, see Elizabeth Spelman, *Inessential Woman: Problems of Exclusion in Feminist Thought* (Boston: Beacon, 1988); Susan Sniader Lanser, *Fictions of Authority: Women Writers and Narrative Voice* (Ithaca, NY: Cornell University Press, 1992); Susan Stanford Friedman, *Mappings: Feminism and the Cultural Geographies of Encounter* (Princeton: Princeton University Press, 1998); Emilie M[aureen] Townes, *Womanist Justice, Womanist Hope* (Atlanta: Scholars Press, 1993); Gloria Anzaldúa, *Borderlands/La Frontera: The New Mestiza* (San Francisco: Spinsters/Aunt Lute, 1987); Barbara Christian, *Black Feminist Criticism: Perspectives on Black Women* Writers (New York: Pergamon, 1985); and Beverly Guy-Sheftall, *Words of Fire: An Anthology of African-American Feminist Thought* (New York: New Press, 1995).
3. Many feminist and womanist scholars, such as Emilie Townes, Cheryl Townsend Gilkes, and Renita Weems, have written about ways in which Hagar and Jezebel influence our concepts. Some, such as Jacqueline Grant and Wilma Ann Bailey, have directly considered differences of ethnic and cultural heritages in interpretations. See, for example, Bailey, "Black and Jewish Women Consider Hagar," *Encounter* (Winter 2002) 37–45.
4. These quotations are from "Jezebel," on the Latter Rain Page, a Web site of radical Christian fundamentalist Jay Atkinson, http://latter-rain.com/eschae/jezebel.htm (accessed July 17, 2009). However, these and other terms are regularly used in titles of books, e.g., Lesley Hazleton, *Jezebel: The Untold Story of the Bible's Harlot Queen* (New York: Doubleday Religion, 2007) and scholarly journals, e.g., *Theology and Sexuality* 13, no. 3 (2007); *French Forum* 32, no. 1–2 (2007); and *Feminist Studies* 1, no. 2 (1972).
5. Hurston names Janie's grandmother "Nanny," a word in which the "n" is only one letter or one pen stroke removed from "m" in "mammy." Janie's statement, "...Ah never called mah Grandma nothin' but Nanny, 'cause dat's what everybody on de place called her" foregrounds "Nanny's" lost name. Zora Neale Hurston, *Their Eyes Were Watching God* (1937; reprint, Urbana, IL: University of Illinois Press, 1978) 20.
6. Hurston, *Eyes Were Watching God*, 31.
7. Catherine Clinton, *Tara Revisited: Women, War and the Plantation Legend* (New York: Abbeville, 1995).
8. Clair Huxtable is an exception that proves the rule. She is an attorney whose job outside the home does not hinder her effectiveness as the mother of five children. White children—or any other children—matter only as they are related to the goings on in Clair's own family. But the hue and cry with which this depiction was greeted as unrealistic and unrepresentative of black life—as well as the focus on Bill Cosby, who plays her physician husband—demonstrate that Clair's non-mammy representation renders her unacceptable and relatively invisible.

9. Sherley Anne Williams, *Dessa Rose* (New York: William Morrow, 1986) 5.
10. Williams, *Dessa Rose*, 119.
11. Williams, *Dessa Rose*, 118f.
12. Williams, *Dessa Rose*, 123.
13. "DNA studies do not indicate that separate classifiable subspecies (races) exist within modern humans. While different genes for physical traits such as skin and hair color can be identified between individuals, no consistent patterns of genes across the human genome exist to distinguish one race from another. There also is no genetic basis for divisions of human ethnicity." Human Genome Project Information, "Will Genetic Anthropology Establish Scientific Criteria for Race or Ethnicity?" U.S. Department of Energy Office of Science, Human Genome Program, http://www.ornl.gov/sci/techresources/Human_Genome/elsi/humanmigration.shtml (accessed June 17, 2009).
14. American Anthropological Association Executive Board, "Statement on 'Race,'" May 17, 1998, Statements and Referenda of the American Anthropological Association, http://www.aaanet.org/stmts/racepp.htm (accessed June 17, 2009). Since issuing this statement, the AAA has partnered with the Ford Foundation and the National Science Foundation on the "Race Project," an award-winning series of exhibitions, interactive Internet sites, and teaching resources.
15. Samuel E. Cornish and John B. Russworm, eds., "Mary Davis: A True Story," *Freedom's Journal*, March 16, 1827. The narrative is set in England, so Mary Davis was not necessarily of African ancestry. However, the article was published in a newspaper for, by, and about African Americans and is consequently influenced by its context. Clearly, readers are expected to identify with the heroic mother.
16. Many linguists have noted that "hero" is a masculine-gendered term without a feminine synonym. Johnnetta B. Cole, Ph.D., is widely accepted to have coined the phrase "shero" as an equivalent to "hero." Dr. Cole uses the term consistently in interviews, essays, and speeches. See *Spelman's First Female President*, June 28, 1996, Johnnetta Cole Interview, Academy of Achievement, http://www.achievement.org/autodoc/page/col0int-1 (accessed June 17, 2009). An example of the term's popularity is the establishment of the "Shero Hall of Fame" by the National Association of Black Female Executives in Music and Entertainment.
17. Maria W. Stewart, *Maria W. Stewart: America's First Black Woman Political Writer: Essays and Speeches*, ed. Marilyn Richardson (Bloomington, IN: Indiana University Press, 1987) 38.
18. Stewart, *Maria W. Stewart*, 38, 60.
19. Harriet Ann Jacobs, *Incidents in the Life of a Slave Girl: Contexts, Criticism*, ed. Nellie Y. McKay and Frances Smith Foster (1861; reprint, New York: Norton, 2001) 75.
20. Jacobs, *Incidents*, 92.
21. Daniel A. Payne, "Matrimony," *Repository of Religion and Literature and of Science and Art* (January 1859).
22. An interesting comparison can be made with the introduction of Obama Waffles and Palin Mooseburger Helper during the 2008 presidential election. Although bloggers argued about whether racism and/or sexism underlay these entrepreneurial ventures, many also consistently evoked Aunt Jemima pancake mix in their discussions. See West Wing Waffles, http://www.obamawaffles.com (accessed August 13, 2009).
23. The cartoon "Uncle Dubya's Condoleezza Rice" was posted at "About.com: Political Humor," http://politicalhumor.about.com/library/images/blpic-uncledubyarice.htm (accessed February 15, 2005). Condoleezza's surname, "Rice," strengthens the Mammy/Aunt Jemima image, because "Uncle Ben's Rice" is also a popular brand. Uncle Ben, a.k.a. Uncle Tom, is Mammy/Aunt Jemima's consort.
24. The cartoons by Jeff Danziger and Pat Oliphant were ublished in major newspapers, including the *New York Times* and *Washington P st*, leading up to and after Dr. Rice was named secretary of state in 2005. (These images could also be found on Web sites such as http://www.politicalcartoons.com/ and http://politicalhumor.about.

com/, accessed August 6, 2009.) Shortly before Rice's nomination, a blog entry presented a selection of the cartoons in an editorial; see "Racist Cartoons of Condoleezza Rice?" Alas, a Blog, posted November 20, 2004, http://www.amptoons.com/blog/archives/2004/11/20/racist-cartoons-of-condoleezza-rice/ (accessed August 19, 2008).

25. Shock jock John "Sly" Sylvester made these comments on November 17, 2004, during his radio show "Sly in the Morning" on WTDY (1670 AM) in Madison, WI. Having received much criticism for his comments, he subsequently apologized to Aunt Jemima for having called Rice by that name, and on a later show gave away Aunt Jemima pancake mix and syrup.
26. Racist political cartoons that depict popular narratives of slavery to vilify contemporary Americans of African descent are not limited to women and girls; we can find similar stereotypical narratives about Barack Obama. Though Obama himself is not a descendant of African American enslaved people, this seems not to matter to those narratively disadvantaged who conflate all Americans of African descent as descendants of chattel who had been legally defined as three-fifths human.
27. Aaron McGruder, "The Boondocks," *Atlanta Journal-Constitution*, May 1, 2005.
28. "Mandatory identities set up expectations about how group members are to behave, what they can know, to whom they are answerable, and what others may demand of them." Nelson, *Damaged Identities*, xii.
29. Nelson, *Damaged Identities* and Williams, *Dessa Rose*. Others have also written extensively on establishing empowering counter-narratives; see George Lipsitz, *Time Passages: Collective Memory and American Popular Culture* (Minneapolis: University of Minnesota Press, 1990) and Zakes Mda, *Cion* (Johannesburg: Penguin, 2007).
30. Frantz Fanon, *Black Skin, White Masks*, trans. Charles Lam Markmann (New York: Grove Weidenfeld, 1991); Toni Morrison, *Playing in the Dark* (Cambridge, MA: Harvard University Press, 1992); and Claudia Tate, *Psychoanalysis and Black Novels* (New York: Oxford University Press, 1998).
31. James Baldwin, *Nobody Knows My Name: More Notes of a Native Son* (New York: Dial, 1961) 116.

VIII

Restorative Justice

16

Enslaved Black Women: A Theology of Justice and Reparations

Dwight N. Hopkins

Introduction

Many black women who had been enslaved in the United States never doubted that their God would do right where others had done wrong. They believed that God would not allow the great suffering of black women's bodies and minds to go unanswered. Some type of restitution and reparations were in order. After the hell of the Civil War, Mrs. Lucy Delaney exclaimed, "Slavery! Cursed slavery! What crimes has it invoked! And, oh! What retribution has a righteous God visited upon these traders in human flesh!"[1]

Mrs. Maria W. Stewart displayed similar confidence in her God's justice in her 1834 autobiography. She wailed against America's "foul and indelible stain" and declared this a nation marked "for thy cruel wrongs and injuries to the fallen sons [and daughters] of Africa." God, she wrote, would plead the case of the oppressed against the oppressor and would provide "charity," even if it was a "small return" for the suffering of black women and men. Marshaling evidence in her argument for reparations, Mrs. Stewart asserted, "We will tell you, that it is our gold that clothes you in fine linen and purple, and causes you to fare sumptuously every day; and it is the blood of our fathers, and the tears of our brethren that have enriched your soils. AND WE CLAIM OUR RIGHTS."[2]

Some decades after the Civil War, Mrs. Callie House led a movement of more than 300,000 ex-slaves to petition the government to pay them pensions for their labor. Mrs. House organized through churches, including her own, the Primitive Baptist, which was largely composed of poor people. Mrs. House, who did heavy manual labor as a washerwoman in Nashville, proclaimed in 1899, "My Whole Soul and body are for this ex-slave movement and are willing to sacrifice for it." Indeed, Mrs. House was imprisoned for "fraudulently" giving the hope of an old-age pension to ex-slaves.[3]

These faith testimonies and the nation's history urge us to rethink the relationship between the need to repair the effects of slavery, on the one hand, and ideas about collective responsibility on the other. The process of considering rights and responsibilities regarding reparations for slavery might help restore the material and spiritual health of America.

Many Americans today deny that they are reaping benefits from the past system of slavery. They perceive no connection between their lives and the need to restore justice for today's black women based on wrongs incurred during the period when Americans owned other humans as chattel. Yet Americans belong to a nation that codified and bolstered the trade in human flesh and prospers from it to this day.

A variety of arguments are offered against the payment of restitution (returning something lost or stolen) or reparations (making amends for doing wrong) for slavery:[4]

1. "Since slavery ended quite some time ago, the nation should get over it and move on." In fact, the nation's legacy of injustice continues to play out in its economic system and in the spiritual makeup of its people.
2. "My family did not own slaves." This may be true. The issue, however, is not one of tracing connections to past individual slaveholders. Rather, the issue is recognizing the system of disproportionate benefits given to some U.S. citizens and denied to others as a direct and immediate result of the U.S. slavery system.
3. "African Americans already have privileges manifested in affirmative action programs." In fact, these programs affect miniscule numbers of people. They have not benefited the majority of blacks, who are working-class, non-professional, and working-poor people.
4. "I don't believe in white superiority." Again, the issue is the responsibility of our society as a whole, and the fact that whatever one's beliefs, non–African Americans continue to benefit from the wealth that whites accrued from uncompensated black labor during the slavery era.
5. "Reparations will divide blacks and whites." But blacks and whites are already divided; wealth, income, residential, job, health, education, and other indicators of well-being all show a racial hierarchy and disparity. The playing field is not level.

Although cognizant of these concerns, in this essay I lay out how the faith commitments of Mrs. Delaney, Mrs. Stewart, and Mrs. House can hint at ways to move beyond our slaveholding legacy to establish the more just order that they imagined. Forging just relations among people and within institutions requires rectifying past wrongs and the persistent racial and gender discrimination that grows from them. The route to rectification involves producing healthy individuals and public policy and a reconstructed economic system. Taking the faith of these women seriously is a first step along that path.

I argue that a more just order has to include restorative justice, a type of reparations that I advocate in this essay. Restorative justice begins with an apology from the wrongdoer. In the case of American slavery, this means the government and corporations, a process that has begun with the apology for slavery issued by the House of Representatives in 2008.[5] Public apology soothes the spiritual hurt of the abused. And the apology enables the oppressor group to start lifting its burden of guilt. In addition, restorative justice requires listening to the victims of the crimes, trauma, or sin at issue, hearing their stories, and engaging with the forms of repair that they suggest. Finally, the victims' statements of forgiveness relieve the culpable party of guilt.

In restorative justice, both parties take on active, interactive roles. The perpetrator speaks an apology. The aggrieved accepts the apology or at least enters into dialogue. The advantaged group hears the case of the disadvantaged. The wrongdoer repairs the relationship by providing material compensation for the wrong. The victim advances more forgiveness. Community is formed through restoring justice with forgiveness and reconciliation. Both parties undergo healing through their words and actions.

Ultimately, restoring justice to the victims enhances the rebuilding of right relations among all parties, both the perpetrators and the injured petitioners for relief. At its root, restorative justice brings material and spiritual healing, that is, it involves caring for the whole person and the entire nation.[6] With healthy individual and corporate bodies, reconciliation follows. From a theological perspective, restorative justice entails healing, forgiveness, and community.

Theology, in the context of restorative justice, explains how people understand their situation in relation to faith in a divinity who heals the brokenhearted and heals shattered systems. Mrs. Delaney, Mrs. Stewart, Mrs. House, and many other enslaved and formerly enslaved black Americans knew that God would always take care of the victims and make things right. Their conviction provides a conceptual framework for thinking about the possibility of reparations.

During the great suffering of slavery, enslaved African and African American women were not paid for laboring in the Big House, in the fields, and in their own slave shacks. No one compensated them for serving as the objects of white male lust. And they have not received restitution for the physical or psychological trauma of their transgenerational suffering. From roughly 1441 (when the first group of enslaved Africans were taken to Portugal) to 1865 (the end of the Civil War), black women were forced to surrender their bodies and their families to the whites who owned them. As a result, a small group of elite men of one race accumulated unmerited, unearned wealth. They passed that wealth down to their sons and, to a lesser degree, daughters, who also handed it on down through the generations. This legacy contrasts with the legacy enslaved African American women left to their children, one that includes rage, shame, pride, and a fierce belief in justice. Although wealth brought numerous opportunities to the white descendants of slaveholders, its lack thereof continues to plague the descendants of the enslaved.

Progressive Christians understand that the actions of the community's members affect the rest of the community across time and space. These Christians, who feel connected with other Christians both past and present, want to atone for the past wrongs of Christian slaveholders. And they want to heed the calls of enslaved Christians from the past for some form of reparations. Christians in the United States can draw on the experiences of Mrs. Stewart, Mrs. Delaney, Mrs. House, and their sisters and cousins, and mothers and daughters, to explore theologically how to reduce the long-term damage of slavery by creating just policies in the present.

Theology and Justice

The reasons for considering theology and justice together might not be apparent at first glance. Many people—including many theologians—see Christianity mainly as offering a spiritual resolution to the material world's predicaments. That is, they think that there are two realms: a secular realm, which is this world, and a spiritual realm, which is God's realm. They see Jesus Christ's pure world as antagonistic to the sinful affairs of the earth. They think of sin mainly as personal and individual missteps on the part of individual women and men. One should not lie, steal, fornicate, curse, and so forth. In this way of thinking, sin consists of the multiple individual errors of each person on the globe. All have fallen short of God's justice and law. Therefore, sins that groups of people build into their societies, such as slavery, do not register as sins because there is no category for sins by a group. Many, or even most, nineteenth-century white Christians saw no sin in slavery. In this view, it would not be sinful to worship in a church built by enslaved persons or to hold stock in a transportation company using tracks laid by enslaved workers. This fracturing of life into spiritual and material realms is typical of the conservative theology of many Pentecostal, Charismatic, and Prosperity Gospel preachers.

Liberal and mainstream theology also does not give us an adequate mission to form a more just society. Some church people from the Episcopalians, Presbyterians, United Methodists, and Roman Catholics believe in the concept of social sin. They correctly highlight social justice in God's created world. But the rabid individualism of American culture creates a counterweight to this acknowledgment of social sin, with the result that these same Christians do not feel responsible unless they have directly participated in society's wrongdoing. Thus, these theologies do not deal adequately with racism or with the ways in which slavery allowed whites to accumulate wealth for free, because both of these problems originated in the past and not the present. Considering the notion of social justice lacking in these theologies, Sheila Briggs observes,

> Social justice requires that we take responsibility not only for our own actions, but also for those of our communities. Since communities endure over time, then this responsibility is not just for what happens during our individual lifetime, but is trans-historical and therefore must address the consequences of slavery, because they have survived with our communities.[7]

Summing up my argument thus far, it is clear that both the two-realms theology and the theology of personal responsibility overshadowing communal obligations lack a fundamental definition of justice as collective accountability. They do not help us understand how to address the past, present, and persistent inequities of the American slavery system.

Human accountability, including accountability for our social structures, is central to theology. Theology is, in fact, an accountability discipline. The word "theology" derives from two Greek words, *theos*, which means "God," and *logos*, which means "word" or "reason." Theologians pose questions about God and about the interaction between God and human beings. Are humans faithful to God? What is the faith to which God has called them? Do their actions reflect that faith? Theologians are also constantly adapting Christian tradition to present circumstances. Theology challenges Christians to live by what they believe and urges them toward a faith that addresses the pressing moral issues of the day. The unfinished business of slavery is a pressing moral issue for our day. We can learn to address this issue by remembering the faith of enslaved black women who understood that faith must include justice.

Black Women's Experience

Enslaved black women's theology differed from that of their slave masters not only because they disagreed ideologically. Enslaved African American women believed differently because their material life circumstances differed so greatly from that of their owners. The sins of life as these women experienced them begged for the implementation of justice in the material world, if not for enslaved women, then for their generations to come. Divine justice lacks statutory limits of time and space. The theology of a God who created nature for all humans to share arises out of the concrete circumstances of enslaved black women's earthly plight and prospects. A theological basis for reparations for black women thus requires an investigation of what these women gave and what they did not receive.

The unpaid labor of African women, and subsequently African American women, starts with their capture on the West Coast of Africa.[8] This heinous encounter began the white redefinition of these women's identities to serve the needs of their owners. From the time they were abducted, sold, or traded into the European Christian slave system, their owners used these women as (1) laborers, (2) reproducers of laborers, and (3) sexual objects of white male lust.

African women, along with men, were sold or traded to white businessmen who usually waited for their arrival on the Atlantic coast of Africa. Adventuresome white men carried out direct attacks on African communities. In some cases, white entrepreneurs paid African clans to capture other linguistic groups, bought Africans who were already prisoners or war, or otherwise applied divide-and-conquer tactics among African peoples.[9]

The first experience of African women reduced to slavery was the trauma of being captured by force and removed from family, familiar surroundings, the faith of the clan, and the fun memories of being safe and loved. Then came the grueling days of walking from the interior to the sea in what were called caravans. Many died along the way.

On the shore, the second part of their becoming exiles from Africa unfolded. They were housed in small, crowded shacks called barracoons, or they were lodged underground in slave castles. More deaths, the stench of body waste, the lack of food and water, and rape by white men became routine.

After weeks in stifling heat and inhuman living conditions on the coast, the months-long final leg of their forced exile commenced for these women; they were forced aboard slave ships headed for the Caribbean or the Americas. On the sea, African women underwent cruel rituals of rape at the hands of crewmen and European adventurers. Impregnated women were already carrying future laborers for the system of bondage that waited for them in the so-called New World.

When the ships arrived, the surviving Africans were not necessarily sold immediately. Some prospective buyers came out to the ships to examine women's breasts and reproductive areas to gauge their productivity and reproductivity. African women (and men) might remain in cramped ship's quarters for weeks awaiting sale. Even when Africans were unloaded from the ships (with names like *Jesus*, *Mary*, and *Brotherhood*) and dragged ashore, they might be kept in coastal dungeons so prospective buyers could consider their reproductive capabilities. The eventual purchase of these captured Africans meant they had to walk miles, hours, and days to their new shacks on slave plantations. Along the way, some died exhausted from traveling on foot.

Forced Labor

Enslaved African and African American women labored without pay so that a small group of elite white men could accumulate wealth and pass it on to their descendants. Owners of plantations and factories gained immense unearned profits from several centuries of unpaid African and African American labor. Black women worked as house slaves around the master, mistress, and their children. They worked in the field performing the same duties as black men. And they toiled at night carrying out chores for their own enslaved family. All three forms of uncompensated labor yielded free wealth accumulation for white men and their families.

House work began at an early age for girls. Several former enslaved women recalled this dynamic:

> When I was about six years old they take me into the big house to learn to be a house woman, and they show me how to cook and clean up and take care of babies...help the cooks and peel the potatoes and pick the guineas and chickens...I had to get up way before daylight and make the fire in the kitchen fireplace and bring in some fresh water, and go get the milk.[10]

After these elaborate preparations performed by a six-year-old baby-child, then "Old Master and Old Mistress" came in for breakfast. The little girl's next job was to stand silently behind her white owners and shoo off the flies while they enjoyed a full meal.

Another former enslaved elderly woman remembered, "When I was nine years old, dey took me from my mother an' sol' me." Furthermore, she tells how "Massa Tinsely made me de house girl." Jobs entailed making beds, cleaning the house, standing quietly in the mistress's room until she noticed the nine-year-old, lowering the shades throughout the house, filling water pitchers, and arranging towels on wash stands. The child was not allowed to ever sit down, especially in the presence of white people.[11]

Older women engaged in more sustained toil. Some wove thread into cloth to make clothes and blankets for the plantation owner. After the weaving was done, slaves took the materials to the dyeing room where another black woman, knowledgeable in roots, leaves, barks, and berries, brought to the cloth the colors of the rainbow. The final stage in this use of African American women's labor with clothing was sewing the dyed cloth into the items demanded by the slave master.[12]

And then there was the cooking. White families enjoyed the luxury of not having to grow, harvest, prepare, cook, or serve food to themselves. Black women worked hard in the kitchen all day to produce meals for others. Black women grew the fruits and vegetables, nurtured and then slaughtered the livestock, and milked the cows. After fetching the firewood, they prepared a scrumptious meal for the plantation owners.[13]

Enslaved women also worked in the fields. In the Southern economy, slaves and land ownership were the two major sources of white wealth until the Civil War.[14] Forced field work was even given to little girls. The testimony of formerly enslaved women attests to these chores. "When I was a little bitty girl dey used to make a scarecrow outen me. Dey'd make me git up fo' daybreak an' go out into de cornfields an' set dere till way pas dark..." Another youngster was the "gap tender," that is, the one who opened and closed fence gates, called gaps, so that white people could walk and ride through any time of the day. In contrast to her having to stand all day controlling the gate, she describes the freedom of movement of farm animals: "De cattle am 'lowed to run where dey wants, here, there and all over." Children worked in groups when it came to "pickin' de bugs off de terbaccy leaves." And a very small child was forced to labor with a hoe in order to scrape cornfields.[15]

Adult women were expected to work as hard as grown men. "I split rails like a man," said one former enslaved woman. Others echoed her experience. "I drive the gin, what was run by two mules." And in these words: "My mama could hunt good as any man." Another exclaimed, "I toted bricks...I fired de furnace..."[16] Women repaired roads, rolled and cut logs, set rail fences, fed chickens and pigs, and took care of the horses on the plantation.

Enslaved African American women worked alongside men in the rice fields of South Carolina, on tobacco plantations in Virginia, and in sugarcane fields in Louisiana. Cotton became king in Dixie with the 1793 invention of the cotton gin, a mechanical device that removed seeds from the raw crop. Women participated in every phase of the cotton production process. They "plowed fields; dropped seed; and hoed, picked, ginned, sorted, and moted cotton." Though picking 120 to 200 pounds of cotton a day indicated a good average worker's ability, some women doubled that amount, picking 400 to 500 pounds per day. Even while pregnant, black women were forced, under penalty of the whip, to pick cotton.[17] The coldest months of cotton picking, like January, saw them working with frostbitten and bleeding hands and feet.

Enslaved women also labored in businesses linked to the growing industrial Southern economy. They were ditch diggers and lumberjacks. They worked in iron foundries and coal mines, where they replaced animals pulling trams in Southern mines. They were 50 percent of the workforce that produced the Santee Canal in South Carolina. They labored on Louisiana levees and helped build Southern railroads still used today.[18]

After a day of heavy labor, enslaved black women further enriched their owners by returning to their own slave homes to prepare their family to return the next morning to work for the slave master. Late at night in a slave shack, they mended clothes; cooked their meager meals; helped the sick; made soap and candles; grew, preserved, and stored food; dyed thread and wove cloth to make clothes; churned butter; conjured natural home remedies for wounds and illnesses; and heard the reports of emotional and physical pain felt by their children and husbands.

The Body as Producer of Wealth

Plantation owners saw the bodies of black women as machines for producing more workers who could be either sold to the highest bidder at the slave markets on Wall Street or in Charleston, South Carolina, or who could remain as laborers on the estate where the black person was born. Both circumstances yielded income and wealth for the white owner. "Breeders" were enslaved women set aside to be impregnated by both white and black men in order to birth laborers at no cost to their owners.[19]

This view of black women's bodies as machines for the creation of wealth was not the spontaneously generated way of life of a few white landowners. Quite the contrary. State and local governments institutionalized the subordination of black women's reproduction through legislation.[20] Early on, when the first group of a little more than three women, along with about seventeen men, was brought to Jamestown, Virginia, in 1619, some African women began to lose their reproductive rights. In 1662, the Jamestown legislature declared all children born of enslaved black women to be enslaved.

Despite the laws they made against miscegenation, plantation owners used African and African American women's bodies whenever the men chose to satisfy their lust for sex, for power, and for the creation of property. They fashioned at least three forms of sexual injustice: (1) they exercised their privileged white male right to black women's bodies; (2) they chose husbands for black women; and (3) they rented black men out as studs to impregnate black women.

Formerly enslaved women remembered clearly the first form of sexual injustice. Mrs. Savilla Burrell reported, "Old Marster was the daddy of some mulatto children." Other plantation owners segregated black women to use for sex. Any man could visit the segregated group to rape a black woman and then go about his business. Mrs. Mattie Curtis recalled, "Mr. Mordicia [the slave master] had his yeller gals in one quarter to themselves and these gals belong to the Mordicia men, their friends, and the overseers. When a baby was born in that quarter, they'd send it over to the black quarter at birth." When a girl baby was produced, she grew up and was sent back to the light-skinned women's quarters, where she "had more children for her daddy or brother."[21] Those children counted as free wealth expanding their master's holdings.

Other men performed a ritual of gang rape on little girls. A formerly enslaved woman retells the history of her sister during chattel days:

> My sister was given away when she was a girl. She told me and ma that they'd make her go out and lay on a table and two or three white men would have sex with her before they'd let her up. She was just a small girl. She died when she was still in her young days, still a girl.[22]

Christian plantation owners and their white wives aped the powers of God by deciding which black men enslaved African American women could marry or live with. Mrs. Hilliard Yellerday, a survivor of slavery days, retold her memory of this customary practice: "Some of them [black women] had children at the age of twelve and thirteen years old. Negro men six feet tall went to some of these children."[23] One mistress gave her servant direct orders about whom to have babies with and whom not to: "Don't you ever let me see you with that ape again," threatened the mistress. "If you cannot pick a mate better than that I'll do the picking for you."[24]

Beyond free access to black women's bodies and forced partnering, plantation owners also institutionalized breeding to create a future enslaved workforce that was tall and strong. Owners hired out enslaved black men like bulls to stud black women on other plantations. An ex-slave testifies, "Dey uster take women away fum dere husbands an' put wid some other man to breed jes' like dey would do cattle." And just as prize bulls carried out a daily routine of fathering offspring, so too did black men function as basic sperm donors: "Dey always kept a man penned up an' dey used im' like a stud hoss."[25] These various forms of forced reproduction created wealth for white owners. Mrs. Tempie Herndon knew well her value to her master: "I was worth a heap to Marse George 'cause I had so many chillen. De more chillen a slave had de more dey was worth."

Finally, light-skinned black women earned a premium for their owners when sold to businesses in such commercial centers as New Orleans. The so-called fancy trade was an exclusive market for white men who traveled to New Orleans, Charleston, St. Louis, or Lexington to purchase women of varying hues (mulatto, quadroon, octoroon) to use as prostitutes or concubines. The sexual violence of their white fathers, grandfathers, and great-grandfathers rendered these women vulnerable to continued trauma caused by requiring them to submit sexually to white men.[26]

Enslaved African American women were not only physically abused. They suffered psychological abuse as well. Black mothers had no choice but to watch the sale of their children in slave markets up and down the eastern seaboard.[27] "Babies was snatched from deir mother's breasts and sold to speculators," recounted one former female slave. Another remembered how the master and a speculator (the slave buyer) walked among enslaved black folk working in the fields. When the African Americans were together eating later that night, a mother looked frantically among the slaves who had returned from the field. Not seeing her child, she knew the white master had sold him. She exclaimed: " 'De speculator, de speculator.' Den de tears roll down her cheeks, cause maybe it her son or husband and she knows she never see 'em again."[28] Another master, who had just sold a black woman's child, told her, " 'Stop that sniffing there if you don't want to get a whipping.' "[29]

Slave masters also created stereotypes of black women in order to justify their inhuman treatment and to wear down their self-esteem. The damage done by these stereotypes continues to dog our society to this day.[30]

One deceptive stereotype is the Mammy character. In the white imagination, Mammy was asexual, a female lacking the natural libido of healthy women. This overweight, maternal martyr ran the Big House of the master and sacrificed herself day and night to maintain order and discipline in the cooking and cleaning, the administration of house affairs, and the compassionate nurturing, protection, and rearing of white children. Mammy was a superwoman.

She was trustworthy, respectful, and loyal; some even called her an aristocrat. In reality, this white psychological projection undercut black women's self-esteem by rendering their actual lives invisible.[31]

If the Mammy myth was of the asexual woman, the opposite extreme in the denial of the reality of the lives of enslaved black women was the lie of the Jezebel. Jezebel, the ultimate temptress, woke up each day and schemed to have uncontrollable sex. Her *raison d'etre* was fulfilling the sexual fantasies and desires of white men. Mammy led men to heaven. Jezebel led them to hell. Mammy lacked libido. Jezebel epitomized the libido. White men and their women described Jezebel as lewd, addicted to the pleasures of the flesh, and ravished by wild lust. Her body burned in constant need of a man. The myth became so powerful that some slave masters placed newspaper ads depicting their enslaved women as able to please any man by night and by day because of their fiery and promiscuous nature.[32]

Slavery's Legacy and Black Women's Theology

Black women's enslaved experiences provide a factual basis for developing a theology of justice through reparations. In addition, the legacy of wealth accumulation during slavery has created huge discrepancies between contemporary whites and blacks, especially African American women, increasing the need for a theology of justice that involves reparations.

Wealth is not only income, or a paycheck. Inherited wealth passed down through generations in white families is the key to the reparations owed to black women. Indeed, inherited wealth in the white community is the basis of contemporary black-white inequality.

Wealth means economic assets, including pension funds, houses and other real estate, works of art, businesses, cars, cash, and stocks and bonds. Wealth includes land, natural resources, commercial buildings, trust funds, "down payments and closing costs for first-time homebuyers, college tuition, large cash gifts, and loans, as well as old-fashioned bequests at death."[33] Wealth is also home equity, savings accounts, silver, and antiques. One has wealth when one owns and controls capital and resources. One has income when one gets a salary or works for someone else. Wealth provides opportunities, including the ability to pass wealth along to one's children.[34]

The net worth of our parents, grandparents, and earlier generations heavily influences wealth because most private wealth in the United States is inherited.[35] Although whites, especially the richest families, have accumulated wealth through inheritance, generation after generation, African Americans have not seen growth in their net assets. In 1865, the year the Civil War ended, blacks owned 0.5 percent of all U.S. wealth. In 1990, they owned 1 percent. Virtually no progress has taken place.[36]

American wealth is concentrated in very few hands. Since the days of the European and European American Christian slave trade, 80 percent of family wealth has come through inheritance, not individual savings.[37] The wealthiest 1 percent of families owns 47 percent of America's financial wealth (businesses, real estate, buildings, other financial instruments, stocks, and bonds), and the United States continues to undergo a redistribution of wealth upward.[38] According to a study by the U.S. Federal Reserve, as of 2007 the typical African American family held ten cents in wealth for every dollar held by the typical white family. That is a decline from 2004, when the typical African American family had twelve cents in wealth for every dollar held by a white family.[39] At every income level, white households have significantly higher median wealth than black households earning similar amounts of money. At the highest income level, white net worth is $133,607, compared to $43,806 for blacks. At the lowest income level, net worth for typical white households is $17,066, compared to $2,400 for black households.[40] Among women, white widows have more than $15,000 in assets on average, but black widows have no assets.[41] A 2006 study found that white female heads of household earn an average of $13,202 annually and have $23,530 in net worth, compared to $10,245 earned on average annually by black female heads of household, who have a net worth of $500 on average.[42]

After slavery, the U.S. government and individuals continued to foster the development of white wealth and to cripple the creation of black wealth. The Southern Homestead Act of 1862 was intended to provide land to former slaves, but only four thousand out of four million blacks in the South submitted applications, in large part because blacks lacked the capital necessary to work the poor land that was on offer.[43] The Federal Housing Authority, established in 1934, practiced racial discrimination for many years in deciding who got cheap mortgages and who did not.[44] In the private sector as well, blacks suffered discrimination; less than 1 percent of all mortgages went to blacks between 1930 and 1960.[45] A 1991 study found that commercial banks rejected black mortgage applicants twice as often as they rejected white applicants.[46] The G.I. Bill of Rights that sent tens of thousands of veterans to college and provided hundreds of thousands with low-cost mortgages included numerous built-in barriers to black participation that only widened the black-white wealth gap.[47] The United States Department of Agriculture has acknowledged decades of discrimination against black farmers in its lending programs.[48]

Equality for African American women will never come in the United States until the state and federal governments address the legacy of unequal wealth accumulation begun in the slavery era. Today's unequal distribution of wealth is not the result of harder-working whites reaping their just rewards compared to feckless African Americans. It is the direct result of generations of whites exploiting black labor. Wealth gaps occur along both racial and gender lines, revealing themselves in terms of cultural capital such as networks developed through sports, camps, pre-college education, contacts, friendship, and after-school activities; milestone life events, including gifts for college, weddings, and first home purchase; and willed assets after death.[49] This system of wealth differences began during the great suffering of the slave trade.

Though unpaid forced laborers, black women maintained a faith in God's future justice, if not for themselves, then for their children and grandchildren. Even though enslaved women did not develop a systematic theology, their experiences of justice and faith help us to craft our own theology of justice.

Theology of Justice

Enslaved black women's historical experiences, coupled with the effects of slavery that African American women still experience in today's socioeconomic system, suggest a way for us to create our own theology of justice.[50] This theology draws on the biblical emphasis on equality and justice in both the Old and New Testaments.

A Biblical Basis

African American women's cry for equality and justice in all of creation suggests the need for us to re-read the Bible from the perspective of equality and justice. These women's experiences and faith inspire us to reinterpret the creation narrative in Genesis (of the Hebrew Scriptures) and understand what it tells us about the foundations of a healthy community. The principles of equality and justice enunciated by these women can provide a lens through which to read scripture. For example, in Genesis, Yahweh takes dust and combines it with divine breath to give birth to humanity. And humanity is created to be in harmony with the rest of nature—birds, plants, fish, animals, air, water, wind, and earth. In Genesis 1:26, the initial command of the divinity is for humanity to be responsible stewards over all of the created order. Yahweh leases responsibility to all people to tend to the gardens of the Creator. Metaphorically, the sin of Adam and Eve lies in their turning away from the divine intention for humans to live in harmony with each other and with nature and adopting instead a focus on selfish individual pursuits. Enslaved black women longed for equal stewardship over all things and creatures on the earth. They believed that God would provide the opportunity for them to have wealth to enjoy family and experience the joy of living. Though injured by slavery, black women used a justice faith to repair damage done to them and their families. Sojourner Truth speaks to such a theological point in the following debate with a white slave mistress:

> I tell you. I stretched up and felt as tall as the world. "Missus," says I, "I'll have my son back again!" She laughed. "You will, you nigger? How you goin' to do it? You ha'nt got no money." No Missus but God has enough, or what's better! And I'll have my child again.[51]

Indeed, through the kindness of various people, including a group of Quakers in a neighboring town, Truth was introduced to and given money to pay for a sympathetic lawyer who found and returned her son. Truth understood this as fulfillment of her prayers to God, whose egalitarian benevolence "shields the innocent, and causes them to triumph over their enemies."[52] Thus, God allowed Truth to share in divinely given wealth and obtain her son once again. The oppressor class assumes that wealth creation is their private realm. They believe in Jesus, but with a theology that separates his heavenly realm from the troubles and pain of the earthly world. But this theology contradicts the original creation narrative in which Yahweh leases responsibility to humankind as stewards, not as exploiters of black women's flesh. A theology of justice based on faith in universal access to the fruits of the world realized justice for Truth and can do so for contemporary African American women as well.

According to this reading of Genesis, all private pursuit of individual desire rather than communal good flows from the original sin of the parents of all humankind. The primary theological point is that we are not working toward the God-given balance and harmony of equal sharing in divine creation. Consequently, restoring just relations requires sharing the bountifulness of Yahweh's created order equally among all people.

Similarly, the experiences and faith of enslaved black women help us to read the Hebrew Scriptures as a liberation document offering justice to those at the bottom of society, those who have been wronged by the elite's hoarding of the world's resources. The Hebrew people had been held in slavery under one of the most powerful rulers in that era. The Egyptian pharaoh commanded a great army, much land, and enormous wealth. Yet Yahweh delivered these enchained people and granted them their share of the created order, symbolized by Canaan, the land flowing with milk and honey. For enslaved African American women hearing this story, the message is that Yahweh not only fights one's battles and achieves one's emancipation, the divinity also ensures the provision of land, food, and other resources for the earth's poor to share in. Like Genesis, the sacred text helps us see a way to restore hope by working toward a world of equality and justice.

The Christian Scriptures

The Christian Scriptures also offers a religious basis of a theology of justice in which the bottom stratum of society wins the struggle to participate equally in God's creation. Martha Griffith Browne, writing in her autobiography after slavery was abolished, attests to the inevitable judgment that plantation owners will face for their unjust treatment of others in God's creation. She uses the message of Jesus Christ as a lens for developing this notion. Mrs. Griffith Browne [leave full name as is] draws on the "sheep and goat" story in Matthew 25, in which Jesus is the ultimate judge and provides the only criterion for entering heaven: Does one help the poor and oppressed? Slavery exploited and robbed one group within society, and its perpetrators will one day face "the divine rule." The exploiters "will stand with a fearful accountability before the Supreme Judge. Then will there be loud cries and lamentations, and a wish for the mountains to hide [the slave masters] from the eye of Judicial Majesty."[53] The poor ultimately experience a new material reality where they participate equally in all that God has created. In her specific reference to Matthew 25, Mrs. Griffith Browne points to the only place in the Christian Bible where Jesus gives direct, unambiguous instructions on how Christians are to enter heaven. Here heaven is a reconfigured social arrangement; it is shared wealth and social harmony. Mrs. Griffith Browne read the Bible and concluded that justice is restored to those who aid the oppressed.

The fact that Matthew concludes its story with the entrance into a new society based on the sharing of the divine bounty is not surprising. Jesus ends where he began in the Christian Scriptures. The slave community was well aware of the book of Luke, chapter 4, where Jesus gives his first public sermon or speech. A divinity incarnated on earth reveals the sole purpose of the divine among humankind—to preach good news to the poor, to announce release for all captives, to give sight to the blind, to set at liberty those who are oppressed, and to realize Jubilee—the year of universal emancipation. Jesus's sole intent through his birth narratives and life on earth was to break the chains preventing the dispossessed from becoming full human beings equal to all others. And Jesus, as Mrs. Griffith Browne read Matthew 25, would make a way out of no way to bring this about.

Conclusion

The historical experiences, faith, and biblical interpretations of enslaved black women examined in this essay can assist us on the path to recognizing the need for and creating a theology of justice. One key to this search for a theology of justice is the following: we must begin to see a theology of justice as a way to assign collective accountability for slavery and its consequences. Today's black-white and black woman–white woman's wealth disparities do not result primarily from whites' hard work and blacks' laziness. The disparity flows from inherited economic, political, and social advantages and inherited economic, political, and social disadvantages.

As Sheila Briggs argues,

> Whites have inherited advantages simply through their membership in a trans-historical community that has accumulated the material resources that were produced in slavery and a later racially discriminatory society. Since individual benefit depends on collective identity, then moral responsibility for the injustice of wealth distribution cannot be restricted to a purely personal and individual level, but must be assigned to the trans-historical social group that collectively enjoyed the benefits.[54]

In sum, while whites have continued to benefit from wealth held by whites, blacks continue to suffer the economic, political, and social costs of their lack of wealth, which is a direct result of the slavery era. One group has consistently benefited from black labor, and another has consistently suffered. The historical facts, and the lives and beliefs of enslaved black women together encourage us to position collective responsibility at the center of a theology of just reparations. Healing would benefit the progeny of both the slave owner and the enslaved. Restorative justice with forgiveness and reconciliation presents one path toward a healthy America.

Notes

I am appreciative of Jill Hazelton for suggesting improvements in the outline of this essay.

1. Lucy Delaney, "From the Darkness Cometh the Light, or, Struggles for Freedom," in *Six Women's Slave Narratives*, ed. Schomburg Library of Nineteenth-Century Black Women Writers (1857; reprint, New York: Oxford University Press, 1988) 14.
2. Maria W. Stewart, "Productions of Mrs. Maria W. Stewart Presented to the First African Baptist Church & Society of the City of Boston," in *Spiritual Narratives*, ed. Schomburg Library of Nineteenth-Century Black Women Writers (1835; reprint, New York: Oxford University Press, 1988) 17–21.

3. See Mary Frances Berry, *My Face Is Black Is True: Callie House and the Struggle for Ex-Slave Reparations* (New York: Knopf, 2005) 7, 212.
4. For more on these and other arguments, see Christopher Hitchens, "Debt of Honor," in *Should America Pay? Slavery and the Raging Debate on Reparations*, ed. Raymond A. Winbush (New York: HarperCollins, 2003) 172–179; and Molly Secours, "Riding the Reparations Bandwagon," in *Should America Pay?* 286–298, 399.
5. *Apologizing for the Enslavement and Racial Segregation of African-Americans*, HR 194, 110th Cong., 2nd sess., *Congressional Record* 154, no.127, daily ed. (July 29, 2008): H 7224.
6. See Mark S. Umbreit, "Restorative Justice in the Twenty-First Century: A Social Movement Full of Opportunities and Pitfalls," *Marquette University Law Review* 89 (2005) 251.
7. This comes from e-mail correspondence with Sheila Briggs on April 2, 2008.
8. Native Americans were also enslaved in the colonies and the United States, and small numbers of Native Americans and African Americans are known to have owned slaves. This analysis focuses on the experiences of African American women owned by whites as most typical of plantation-system slavery in the United States.
9. References for the following paragraphs: Darlene Clark Hine and Kathleen Thompson, *A Shining Thread of Hope: The History of Black Women in America* (New York: Broadway, 1998); Angela Yvonne Davis, *Women, Race, & Class* (New York: Vintage, 1983); Jacqueline Jones, *Labor of Love, Labor of Sorrow: Black Women, Work, Family from Slavery to the Present* (New York: Vintage, 1986); William St. Clari, *The Door of No Return: The History of the Cape Coast Castle and the Atlantic Slave Trade* (New York: BlueBridge, 2007); David E. Stannard, *American Holocaust: The Conquest of the New World* (New York: Oxford University Press, 1992); and Robin Blackburn, *The Making of New World Slavery: From the Baroque to the Modern, 1492–1800* (New York: Verso, 1997). For the complicity of some Africans in the European Christian slave trade, see Saidiya Hartman, *Lose Your Mother: A Journey Along the Atlantic Slave Route* (New York: Farrar, Straus, and Giroux, 2008).
10. Dorothy Sterling, ed. *We Are Your Sisters: Black Women in the Nineteenth Century* (New York: Norton, 1984) 7.
11. Sterling, *We Are Your Sisters*, 7. See also George P. Rawick, ed., *The American Slave: A Composite Autobiography: Supplement, Series 1*, vol. 6, *Alabama Narratives* (Westport, CT: Greenwood, 1978) 183; and Rawick, ed., *The American Slave*, vol. 7, *Mississippi Narratives, Part 2*, 400. See also Patricia Hill Collins, *Black Feminist Thought: Knowledge, Consciousness, and the Politics of Empowerment* (New York: Routledge, 2000) 46–52.
12. Sterling, *We Are Your Sisters*, 17; and Deborah Gray White, *Ar'n't I a Woman? Female Slaves in the Plantation South* (New York: Norton, 1985) 115.
13. See also Gerda Lerner, ed., *Black Women in White America: A Documentary History* (New York: Vintage, 1973) 17–22.
14. Claud Anderson, *Black Labor, White Wealth* (Edgewood, MD: Duncan and Duncan, 1994) 133f.
15. Quoted in Sterling, *We Are Your Sisters*, 8.
16. Quoted in Sterling, *We Are Your Sisters*, 13.
17. Jacqueline Jones, *Labor of Love, Labor of Sorrow: Black Women, Work, Family from Slavery to the Present* (New York: Vintage, 1986) 15–18.
18. Angela Yvonne Davis, *Women, Race, & Class* (New York: Vintage, 1983) 10.
19. Davis, *Women, Race, & Class*, 7.
20. For example, see in this volume Fay Botham, "The 'Purity of the White Woman, Not the Purity of the Negro Woman': The Contemporary Legacies of Historical Laws Against Interracial Marriage"; and Catherine Clinton, "Breaking the Silence: Sexual Hypocrisies from Thomas Jefferson to Strom Thurmond." See also Pamela Bridgewater, "Ain't I a Slave: Slavery, Reproductive Abuses and Reparations," *UCLA Women's Law Journal* 14 (2005).

21. Quoted in Darlene Clark Hine and Kathleen Thompson, *A Shining Thread of Hope: The History of Black Women in America* (New York: Broadway, 1998) 98.
22. Quoted in Dorothy Sterling, ed. *We Are Your Sisters: Black Women in the Nineteenth Century* (New York: Norton, 1984) 25.
23. Quoted in Hine and Thompson, *Shining Thread of Hope*, 80.
24. Quoted in Jacqueline Jones, *Labor of Love, Labor of Sorrow: Black Women, Work, Family from Slavery to the Present* (New York: Vintage, 1986) 34.
25. Dwight N. Hopkins, *Down, Up, and Over: Slave Religion and Black Theology* (Minneapolis, MN: Fortress, 1999) 63.
26. Deborah Gray White, *Ar'n't I a Woman? Female Slaves In The Plantation South* (New York: Norton, 1985) 37.
27. Pamela Bridgewater, "Ain't I a Slave: Slavery, Reproductive Abuses and Reparations," *UCLA Women's Law Journal* 14 (2005).
28. Quotes are from Dorothy Sterling, ed. *We Are Your Sisters: Black Women in the Nineteenth Century* (New York: Norton, 1984) 10, 43, respectively.
29. Quoted in Darlene Clark Hine and Kathleen Thompson, *A Shining Thread of Hope: The History of Black Women in America* (New York: Broadway, 1998) 98.
30. See in this volume Frances Foster, "Mammy's Daughters; Or, the DNA of a Feminist Sexual Ethics"; Dorothy Roberts, "The Paradox of Silence and Display: Sexual Violation of Enslaved Women and Contemporary Contradictions in Black Female Sexuality"; and Emilie M. Townes, "From Mammy to Welfare Queen: Images of Black Women in Public-Policy Formation."
31. White, *Ar'n't I a Woman?* 45–56.
32. Deborah Gray White, *Ar'n't I a Woman? Female Slaves in the Plantation South* (New York: Norton, 1985) 29–32. See also Yanick St. Jean and Joe R. Feagin, *Double Burden: Black Women and Everyday Racism* (Armonk, NY: Sharpe, 1999) 5–15 and 100–105; and Patricia Hill Collins, *Black Feminist Thought: Knowledge, Consciousness, and the Politics of Empowerment* (New York: Routledge, 2000) 72–75, 81–84.
33. Thomas M. Shapiro, *The Hidden Cost of Being African American: How Wealth Perpetuates Inequality* (New York: Oxford University Press, 2004) 10f.
34. Melvin L. Oliver and Thomas M. Shapiro, *Black Wealth/White Wealth: A New Perspective on Racial Inequality* (New York: Routledge, 2006) 2, 203.
35. Meizhu Lui et al., *The Color of Wealth: The Story Behind the U.S. Racial Wealth Divide* (New York: New, 2006) 2. Also review Dalton Conley, *Being Black, Living in the Red: Race, Wealth, and Social Policy in America* (Berkeley, CA: University of California Press, 1999) 5 and 10f; and Claud Anderson, *Black Labor–White Wealth: The Search for Power and Economic Justice* (Bethesda, MD: PowerNomics, 1994).
36. Conley, *Being Black*, 25.
37. Shapiro, *Hidden Cost*, 61; and Lui, *Color of Wealth*, 8.
38. Oliver and Shapiro, *Black Wealth*, 201; and Shapiro, *Hidden Cost*, 44. On the wealth-redistribution figures, see Lui, *Color of Wealth*, 13.
39. Meizhu Lui, "The Wealth Gap Gets Wider," Op-Ed, *Washington Post*, March 23, 2009.
40. Thomas M. Shapiro, *The Hidden Cost of Being African American* (New York: Oxford University Press, 2004) 47–49.
41. Melvin L. Oliver and Thomas M. Shapiro, *Black Wealth/White Wealth: A New Perspective on Racial Inequality* (New York: Routledge, 2006) 126.
42. Oliver and Shapiro, *Black Wealth/White Wealth*, 274.
43. Jay R. Mandle, "Continuity and Change: The Use of Black Labor After the Civil War," *Journal of Black Studies* 21 (1991) 420.
44. Oliver and Shapiro, *Black Wealth/White Wealth*, 17f.
45. Meizhu Lui et al., *The Color of Wealth: The Story Behind the U.S. Racial Wealth Divide* (New York: New, 2006) 11.
46. Oliver and Shapiro, *Black Wealth/White Wealth*, 19.
47. Ira Katznelson, *When Affirmative Action Was White* (New York: Norton, 2006) 113–124.

48. Shaila K. Dewan, "Black Farmers' Refrain: Where's All Our Money?" *New York Times*, August 1, 2004.
49. Melvin L. Oliver and Thomas M. Shapiro, *Black Wealth/White Wealth: A New Perspective on Racial Inequality* (New York: Routledge, 2006) 154–159.
50. For extended treatment of enslaved women's theology, see Joan M. Martin, *More Than Chains and Toil: A Christian Work Ethic of Enslaved Women* (Louisville, KY: Westminster John Knox, 2000); Dwight N. Hopkins and George C. L. Cummings, eds., *Cut Loose Your Stammering Tongue: Black Theology in the Slave Narrative*, 2nd ed. (Louisville, Kentucky: Westminster John Knox, 2003); and Dwight N. Hopkins, *Down, Up, and Over: Slave Religion and Black Theology* (Minneapolis, MN: Fortress, 2000).
51. Quoted in Martin, *More Than* Chains, 82. See also Olive Gilbert, *Narrative of Sojourner Truth* (New York: Penguin, 1998) 30.
52. Gilbert, *Narrative of Sojourner Truth*, 20.
53. Martha Griffith Browne, *Autobiography of a Female Slave* (1857; reprint, New York: Negro Universities Press, 1969) 21f.
54. From e-mail correspondence with Sheila Briggs on April 2, 2008.

IX

A Meditation

17

A Visit from the Old Mistress[1]
(Oil on Canvas by Winslow Homer)

Florence Ladd

Why has she come from over yonder?
She calls up our miseries on her plantation,
ploughing her fields, picking her cotton,
nursing her children, our own neglected
for their ease. She ain't sorry for her ways,
just sorry we done quit slaving.

Crossing the sill of our cabin, she opens
old wounds: our meals her leftovers,
our clothes rags from her trunks; harsh words,
hard work; thrashings; rape of our daughters,
sale of our sons, stillness of hanging bodies
at carnival lynchings we were forced to see.
Our hearts heavy, hers stony.
Dare she tarry?

Why won't they come to see me?
Poor piccaninies turned ornery
now manumitted, they took leave
of my God forsaken plantation
forgetting the years I took care
of them, by rights my property.

Crossing these fields gone fallow
as cotton rots and vultures flock,
I reckon I'll not redeem the land,
stand proud again without hands
black and quick to plant and pick.
Bereft, lonesome, and weary,
I need their shiftless company.
But dare I tarry?

Note

1. The reader may view Homer's painting at the Smithsonian American Art Museum of the Smithsonian Institution in Washington, DC. Visit the Smithsonian Web site, "CivilWar@Smithsonian," under "Slavery and Abolition," http://www.civilwar.si.edu/slavery_visit.html.

Epilogue

Mende Nazer, with Bernadette J. Brooten

Editor's Note

Mende Nazer, internationally known anti-slavery activist, was enslaved for six years in the Sudan as a young girl and later escaped in London, after having been sent there by her Khartoum owner to the owner's sister. Slave: My True Story, *which Nazer co-wrote with journalist Damien Lewis, opened the world's eyes to slavery in the Sudan.*[1] *Before speaking out about her ordeal, Nazer had to weigh potential reprisals by the repressive Sudanese government against her relatives still living there versus the fate of the countless enslaved persons to whom her book might draw attention. Fortunately, the intense international media attention to the book has thus far protected Nazer's family.*

In 2005, I asked Mende Nazer to join the Feminist Sexual Ethics Project at Brandeis University to inspire others to work to end slavery, both in the Sudan and worldwide, and to help scholars better understand the dynamics of slavery. The scholars, activists, and artists in this volume finely delineate the historical, geographical, and religious differences among the varying forms of the enslavement of girls and women. Exceedingly few slave narratives by women have come down through history, and even today, very few women escape slavery and have the opportunity to tell their story. Although Mende Nazer's enslavement differs in numerous respects from some of slavery's past forms, her insights can sharpen both our historical and moral imagination.

I asked Nazer to share her reflections on the various contributions in this volume. What follows are her responses to my questions. English is Nazer's third language, learned as an adult; her first is that of the Nuba Mountains where she was born in central Sudan, and her second is Arabic. Thus, although now fluent in English, Nazer needed help in formulating her thoughts on this volume in English. As with her collaboration with Damien Lewis in writing her two books, the thoughts are Nazer's own. As we worked together, Nazer always insisted on finding just the right phrase; she is both parsimonious and precise in her speech.

Brooten: As a woman who was enslaved for six years in the Sudan, how do you respond to the content of this book?

Nazer: I am disturbed that Muslim, Jewish, and Christian texts allow slavery and that Jewish, Christian, and Muslim people practiced slavery for so many hundreds of years. In everything that I have learned from the authors of this volume, I have not found a form of slavery that was better than others. That includes the religious forms of slavery, in the Jewish Bible, the Christian Bible, and the Qur'an. Among those texts, there are some differences, but the differences do not change what it is to be enslaved. I understand that some Jewish, Christian, and Muslim people believe that their religions made slavery more humane. But I don't think that any form of slavery is humane.

As a Muslim, I totally disagree with Muslims who say that Islamic slavery was not harsh. I want to know what experience those people have had with slavery. Have they even spoken to anyone who has been enslaved? People who say that their religion's form of slavery is not as harsh as other forms are trying to cover up the real situation.

Before working on this project, I did not know that the Qur'an allows slavery. I was also troubled to learn about the history of slavery in Muslim communities. Kecia Ali writes that people in these communities also held slaves before Islam, which makes me wonder where human beings ever got the idea to enslave other human beings in the first place.[2] If there had never been slavery in the world, people would be more shocked to find slavery today in the Sudan and elsewhere. I do not understand why the Prophet Muhammad accepted the gift of two slave sisters. How can a human being give one human being to another? The Prophet is a model to us, and I have always heard that he was very kind. Does the Prophet's accepting human beings as a gift mean that he treated those sisters as slaves? Kecia Ali describes how the Prophet took Mariyya as a concubine and how he freed her when she had a child with him. I am surprised that the Prophet took her as a concubine. Why did he not marry her first and then have the child with her? Mariyya came from Egypt, and her family must have been in Egypt. Where did she go once she was freed? Did her child go with her?

I am also disturbed that the Islamic jurists Ibn Rushd and Mohammad 'Ala al-Din Haskafi allowed men to have sex with their slave-women. How can that be ethical? These legal opinions have hurt women for centuries.

I appreciate Kecia Ali's mentioning slavery-like conditions today. I have a friend who signed a contract to work in Saudi Arabia. Her employer took away her passport and treated her like a slave. In fact, that one household alone had fifteen to twenty-five workers, all of whom the employers treated horribly. The house itself was so huge that you cannot imagine it, and the masters had guards posted all day and all night. Some workers were not paid at all. Their only wages were their food and a place to sleep. When we think about slavery, we have to think about these slavery-like conditions as well.

Based on my own experience, I see that Frances Smith Foster understands how important it is to have a name.[3] *Dessa Rose* reminds me of my enslavement. I can understand why Dessa protests to Ruth that Mammy has a name and has her own family. I can see why Dessa is upset even though Ruth is saying nice things about Mammy. Calling a person by her name gives her status, an identity. This reminds me of when I was in slavery and other women would come to the house and say about me, in front of me, "How can we get one like 'her'?" I was especially upset when the children called me by the curse word that their mother used. I would bend down and whisper to them, "My name is Mende," and I would smile, so maybe they would not go and tell their mom. I was too terrified to protest when their mother called me by the curse word. I start with the assumption that children are innocent. But when they called me by the curse word, *yebit*, I began to think that they were not innocent. This verbal abuse was central to trying to make me feel worthless as a human being, and I still struggle with the effects.

I found Jennifer Glancy's thinking about how slavery shapes your body to be helpful.[4] No one even told me how to hold my body, but I knew what I had to do. I held my head down, my shoulders down, and my whole body down. I spoke softly so that the masters would not say that I was not respecting them. Enslaved people today still have to call their slaveholders "Master." Without the masters saying anything, my body was trained. Glancy writes about clothing as part of the way to recognize who was enslaved and who was a slaveholder. My masters' and their children's clothing was beautiful, but they gave me an old dress to wear that was not my size and did not show my shape at all. And even then, my shape was not my real shape, because I was in slavery, and my body was hunched over.

Frances Smith Foster is working on what it will take for Black women and white women to be friends and to really work together.[5] For me, I cannot imagine being friends with someone from northern Sudan. I think that if I tried to be friends with a woman from northern Sudan, we would argue about slavery, and she would consider herself superior to me. In the Sudan, even though there is only a small difference in color between the north and the rest of the country, there is still racism. The Northerners define themselves as Arab and as white, and they call everyone else Black. They think that every Black person can be their slave.

Sylvester Johnson's essay about Americans using the Bible to defend as well as challenge slavery shocked me.[6] How could anyone think that Black people are naturally suited to slavery and that Black women are animal-like in their sexuality? What Josiah Priest said about Black women's sexuality is simply not true. Why did these men not recognize that the women's masters forced them to have sex? What evidence did the slaveholders have that Blacks are "naturally suited" to slavery? How can it be natural to be enslaved? Why were Blacks not trusted to be free? This modern racism is not in the Qur'an or the Bible. But I am still disturbed that slavery appears in these books.

I agree with Catherine Clinton and the others who write about miscegenation.[7] It does not make sense to me. If white people support segregation, then they should avoid Black people. I cannot understand how Strom Thurmond sent his own daughter to a segregated Black school. This is all illogical.

In Dwight Hopkins's essay, he calls for reparations for slavery in the United States.[8] I do not agree, because I think that reparations mean putting a monetary value on human life.

Brooten: What do you most want us to know about your time of enslavement?
Nazer: My belief in God is the most important thing in my life. I have been Muslim since I was born, and I started learning the Qur'an in Arabic at an early age. There are so many beautiful verses (Arabic: *'ayat*) in the Qur'an that can help you and can guide you through your life. Praying five times a

day is the foundation of my life. Under slavery, my masters tried to keep me from praying. I think that they thought I was imitating them or that I'm not good enough to be a Muslim and to pray. They said that prayer is not for Black people. But I persisted in my prayers, because prayer was the only moment in which I could be alone and speak to my God. I felt held by God, to whom I could tell my requests.

I am one of the very few who have escaped slavery and been able to tell what it means to be a slave. There is no good kind of slavery. Whether you are in slavery for six days or six years, it is horrible. One day in slavery can be equivalent to six years. I mean by that, that the hard work you do, and the verbal abuse you experience, and the sexual abuse you undergo—all those horrible things can happen to you in that one day.

In my experience, slavery is not only about physical abuse, about having to work for unlimited hours every day, not being allowed to sleep enough, and having to work when you are sick, and work even under all circumstances. Verbal abuse can include not calling you by your name, which makes you feel that you are not human. In the United States, even dogs have names.

My masters were trying to take my identity away. Not only did my masters, including even their children, not call me by my own name, which had been given to me by my loving parents—instead they called me by a curse word for the whole six years—they were trying to rob me of my identity. Finally, they took away the last remaining connection between me and my family, and me and my village by tearing away the beads that my mother had made especially for me and given to me as a gift.

All of this and other verbal and emotional abuse were meant to make me feel worthless, even worse than I felt at the beginning. All of this abuse and damage continues to affect me every day and will for the rest of my life.

Brooten: As a Muslim woman of faith and as a woman who has experienced enslavement, what do you think about the Qur'anic texts on slavery?

Nazer: When I was in Muslim primary school in the Nuba Mountains in the Sudan, before I was captured and carried off into slavery, I was taught lessons from the Qur'an. I learned by heart one of the *surahs* (chapters) that includes verses that illustrate the meaning of Islam to me. These verses explain how people should treat one another (Qur'an 90:12–18). The Qur'an says that good Muslims must follow a steep path in life. This path includes freeing slaves and providing food to the poor and to orphans in times of famine. This is difficult guidance to follow. The Qur'an says that all human beings are equal, like the teeth of a comb. The Arabic phrase "like the teeth of a comb" is an incredible description of human equality.

But I have since learned that the Qur'an includes what look to me like contradictions, or injustice. The Qur'an says that Muslims should not have sex outside of marriage: "Do not go near illicit sex [Arabic: *zina*], as it is immoral and an evil way" (Qur'an 17:32).[9] But other verses in the Qur'an allow masters to have sex with their slave-girls and slave-women. For example, the Qur'an's *Surah* 23, called "The Believers," begins by stating that those who will receive spiritual rewards live by certain moral precepts, including restrictions on their sexual behavior. But the fifth and sixth verses give men permission to have sex with the women that they own, saying that right-living believers are those:

> [5]Who abstain from sex,
> [6]Except with those joined to them in the marriage bond, or (the captives) whom their right hands possess,—for (in their case), they are free from blame.[10]

Traditionally, the Arabic phrase, "whom [or what] their right hands possess" is understood to mean enslaved women.[11]

I have trouble understanding the justice of these two verses absolving slave-masters of guilt for having sex with women in their possession. In my view, slave-masters who have sex with their slave-women should be considered guilty of illicit sex because enslaved persons are human beings. Slavery is a brutal institution based on force and domination. Enslaved people live in terror, and people should not assume that they have the same choices as free people. An enslaved woman has no choice but to submit to the will of her master. He is doing wrong in owning her, and he is doing wrong in forcing himself on her.

When I was a young girl enslaved in Khartoum, a man visiting the house attacked me, attempting to force me into sex. I was able to resist until another person entered the room, and he gave up. If he had been able to force me, I believe that it would have been immoral for him and not for me, because I was a slave and would have been the victim of his power over me.[12] If my own master had forced me, that too, in my view, would have been illicit sex (Arabic: *zina)* for him and not for me.[13]

In another verse, the Qur'an commands Muslims to let their slave-men and slave-women marry, if they are good, and goes on to say that if they are poor, Allah will provide for them (Qur'an 24:32). Being able to marry could help enslaved people lead a normal life, which would be a mercy for them. For me, loneliness was the worst aspect of enslavement. Marriage would give you a sense of belonging, because otherwise you feel that you belong nowhere.

Qur'an 24:33 speaks of Allah's compassion for slave-women. Slave masters are prohibited from forcing their slave-women into prostitution, if the women desire chastity. If the masters nevertheless force them, Allah will have mercy on the women. But I wonder how often masters have really followed what the Qur'an says. I also wonder whether slave-women have ever really had a choice.

Brooten: What about passages in the Jewish and the Christian Bibles on slavery?

Nazer: David Wright states about the biblical lawgivers, "They seek to improve the institution of debt slavery in one way or another. But, alas, none of them abolishes it."[14] Based on my own experience, I think that if you really want to protect the poor, you do not allow debt slavery in the first place.

In the same way, the laws in Exodus 21:1–11 and 21:20f, regulating the keeping of slaves, do not help the slaves.[15] If people think that six years in slavery is not that bad, they have no idea what even one day of slavery means. Beyond that, while some people think that gaining freedom after six years would be an unambiguously good thing, facing freedom can be challenging. In order to be free, to establish a new life, you have to find people who can help you.

The story that David Wright created to explain these laws is beautifully written, and it makes me sad.[16] It is clear to me that Tobit could not go out of slavery because he had established his own loving family. If he left slavery, he would be in agony, knowing that his children would be in slavery forever. In my life, once I gained my freedom, I was afraid to return to the Nuba Mountains out of fear that once I had children, they might be carried off into slavery as I was. I wanted to be somewhere safe, where my children could enjoy freedom. For that reason, I can especially imagine how Tobit's wife felt, knowing that their children would never be free. I can also imagine, in Wright's story, that Shoshanna at least found some comfort in the hope that she could see her family again. When I was enslaved in Khartoum, my master decided to send me as a "gift"—as if I were a parcel—to her sister in London. But I did not want to be sent to England. I had already been isolated from my family for years and had little hope of ever seeing them again, but I continued to hope that my family was alive. As long as I was in the Sudan, we were at least in the same country, and I could hope that I would see them once again. I had no idea that I could gain my freedom in England.

These laws in Exodus give masters ways to manipulate enslaved people. Giving an enslaved man a wife can be a very good way of controlling him, so that he will never want to be free, so that he will prefer staying with his family in slavery. I wonder whether enslaved men had a choice about whether or not to accept a wife from the master. Were they told that if they accepted a wife and had children with her, they would have to leave their families behind in slavery after six years?

The New Testament says: "Children, obey your parents in everything, for this is your acceptable duty in the Lord" (Epistle to the Colossians 3:20).[17] If you allow slavery, this verse becomes impossible to live by. When I read this, I thought, "How could I obey my parents, when I was dead to them?" I was disturbed to read this verse, because people who are enslaved young see their childhood cut short. The separation of the child from their parents creates enormous distress for both. I was taken away from my parents, and I did not even know if they were alive, and they did not know if I was alive.

Slavery has often separated children from their parents, which is logical—from the master's perspective. Slavery strips away your identity. Isolation, especially from parents, has a long-term psychological effect and is a means of control. Slave masters try to shut the door between you and the outside world. The kidnapping of children to enslave them is the first step in that process. The captors try to cut the ties between the child and the parents. In my case, they did not succeed because our strong bond is what kept me going. I maintained my respect for my parents.

"Children, obey your parents" and slavery do not mesh. Even if both the children and the parents live with the master, fear will get in the way of the children obeying their parents. The children will be confused and torn between the parents and the master. Verse 21 reads: "Fathers, do not provoke your children, or they may lose heart." In an enslaved family, a father does not have control of his children. The father will know that if the master says something to the children, the children will listen to the master and not to him. When the children do not listen to him, the father may provoke them so that they lose heart. He may regret treating them harshly because he knows that the children have no choice. Slavery creates an endless circle of trauma.

Colossians 3:22–25 reads:

> [22]Slaves, obey your earthly masters in everything, not only while being watched and in order to please them, but wholeheartedly, fearing the Lord. [23]Whatever your task, put yourselves into it, as done for the Lord and not for your masters, [24]since you know that from the Lord you will receive the inheritance as your reward; you serve the Lord Christ. [25]For the wrongdoer will be paid back for whatever wrong has been done, and there is no partiality.

When I first read this passage, I thought that it is completely beside the point. Slaves do not obey their masters because someone in church teaches them to. They follow their masters' orders out of sheer terror. Slaves try to do exactly what the master says, not to please them, but to avoid being beaten, or psychologically abused, which is actually worse than the physical abuse meted out to enslaved people. The word "obey" does not even apply to slaves. You obey someone whom you love, and love must come naturally. Slaves do not love their masters; they fear their masters, but the masters misinterpret fear as obedience.

These verses feel threatening to me. When I was enslaved, I feared God independently of my master. My fear of God had nothing to do with the master, and I think this distinction is true in all religions. I fear God because of my direct relationship with God. Tying "pleasing the master" to "fearing God" suggests that God and the master are comparable. Every day slaves fear being punished by their masters, but God will not punish them straightaway. For this reason, slaves might fear their masters more than God, and that distorts their relationship with God.

Colossians 4:1 reads: "Masters, treat your slaves justly and fairly, for you know that you also have a Master in heaven." Again, why is the same word used for both the slave-master and for God? What does "justly and fairly" mean? I had no experience of this in slavery. If there were rules or laws protecting slaves from abuse, then I could imagine what "justly and fairly" might mean, but this passage contains no rules. Even if there were rules, I would worry whether church leaders would believe slaves' allegations of abuse.

After reading the story of Hagar, Sarah, and Abraham, I think it was a horrible freedom that Hagar had in the desert.[18] She did not know if she would survive, or if traders would come and enslave her again. But then she realized that God was with her. When pilgrims go on the hajj (the annual Muslim pilgrimage to Mecca), they feel Hagar's joy and her plight. But I do not know that people on the hajj think of Hagar as a slave-woman. I especially do not think that Arabs, who have had slaves and who have slaves, would think of themselves as slaves.

I have questions about Jesus.[19] Maybe he was not against slavery because he did not have any relatives who were enslaved. Or maybe he did not have the political power to help people get out of slavery. But I still wonder why he did not tell his followers, "If you follow me, you should free your slaves." I think that by washing his followers' feet, Jesus was trying to be humble and to show his followers that he was not better than them. But do people really understand what it means to be a slave? And did Jesus' death really help to free people? After his death, people were still in slavery and still are today.

Brooten: What do you think that these essays about history, religion, and slavery mean for today?

Nazer: I call upon scholars of these religions not only to describe slavery in these historical texts, or to compare the different forms of slavery in these texts, but also to find religious solutions to these texts' toleration of slavery. Description and comparison are not enough.

My question for scholars and for the readers of this book is, what is the solution? Slavery is not moral, ever. But religious leaders have said that it can be moral. There is a contradiction between seeing the Bible as an absolute guide and recognizing that slavery is always immoral.

You have told me that most religions today do not support slavery, to which I then replied, "What does that mean exactly? That they are denying that it exists?" If you oppose slavery, you should work to stop it. Given that the Bible and the Qur'an tolerate slavery, I wonder how these religions will find a solution. Christians, Jews, and Muslims practiced slavery for centuries.

People have to face up to the truth: slavery still exists. People need to listen to those who have experienced slavery if they want to begin to understand it. And even listening is not enough to imagine the horrors of slavery. Some of you may say, then how can we ever understand slavery? I can only say that no one can understand slavery except for the person who has experienced it. But reading and listening to those who have experienced slavery can help people to begin to be aware of what an atrocity slavery is and has always been. And remember, only a very small number of people have escaped slavery in our world today, and an even smaller number have been able to write or speak about their experiences. Most enslaved people are still in slavery. And most of those who have escaped live in terror.

I urge scholars, jurists, ethicists, and theologians to continue to do research and to think deeply about slavery, and I urge readers to find ways to stop slavery and to overcome its legacy.

Readers can write to political leaders to urge them to investigate allegations of enslavement and to take action to stop slavery here and internationally. Call upon the media to expose slavery wherever it occurs. The Western countries and their media have a crucial role to play in ending slavery and slavery-like conditions. Without my book and the Western media coverage of my case, my family in the Sudan might not be alive today.

People should be aware in their neighborhoods. If they see anything suspicious, they should intervene and ask questions. Neighbors and friends who see a child working in a household may be that enslaved child's only hope for escape. When I was enslaved in London, I stayed with another family while my masters were on vacation. Not knowing that I was enslaved, they asked me whether their friends paid me. Out of fear, I said that they did, but their question was a turning point for me. From that point on, I was determined to gain my freedom. What if everyone paid attention to their neighbors and asked hard questions if they saw a suspicious situation? In some settings, the police may be of help, whereas in others, the police are corrupt and collaborate in slavery.

People have to stop and think about the best way to help. Even one individual can make all the difference.

Notes

1. Mende Nazer and Damien Lewis, *Slave: My True Story* (New York: Public Affairs, 2003). The narrative of Nazer's return in 2006 to visit her family in the Nuba Mountains of the Sudan has appeared in German, but not yet in English: Mende Nazer, Damien Lewis, and Karin Dufner, *Befreit: Die Heimkehr der Sklavin* (Munich: Droemer, 2007).
2. Kecia Ali, "Slavery and Sexual Ethics in Islam," in this volume.
3. Frances Smith Foster, "Mammy's Daughters; Or, the DNA of a Feminist Sexual Ethics," in this volume.
4. Jennifer A. Glancy, "Early Christianity, Slavery, and Women's Bodies," in this volume.
5. Foster, "Mammy's Daughters," in this volume.
6. Sylvester A. Johnson, "The Bible, Slavery, and the Problem of Authority," in this volume.
7. Catherine Clinton, "Breaking the Silence: Sexual Hypocrisies from Thomas Jefferson to Strom Thurmond," in this volume; Mia Bay, "Love, Sex, Slavery, and Sally Hemings," in this volume; and Fay Botham, "The 'Purity of the White Woman, Not the Purity of the Negro Woman': The Contemporary Legacies of Historical Laws Against Interracial Marriage," in this volume.
8. Dwight N. Hopkins, "Enslaved Black Women: A Theology of Justice and Reparations," in this volume.
9. Translation by Kecia Ali, written communication, July 17, 2009.
10. Abdullah Yusuf Ali, trans., *The Qur'an Translation*, 3rd U.S. ed. (Elmhurst, NY: Tahrike Tarsile Qur'an, 1998). For this and two additional translations of these verses, see University of Southern California, Center for Muslim-Jewish Engagement, under "Translations of the Qur'an, Surah 23," http://www.usc.edu/schools/college/crcc/engagement/resources/texts/muslim/quran/023.qmt.html (accessed July 17, 2009).
11. See also Qur'an 4:3 and Qur'an 70:29. See Kecia Ali, "Slavery and Sexual Ethics in Islam," in this volume, 107.
12. Classical Islamic law is in agreement with this point. Kecia Ali, written communication, July 17, 2009.
13. See Ali, who notes that in classical Islamic law, based on Qur'an 23:5f and other verses, slave masters had the right to have sex with their unmarried slave-women. "Slavery and Sexual Ethics in Islam," 107.
14. David P. Wright, "'She Shall Not Go Free as Male Slaves Do': Developing Views About Slavery and Gender in the Laws of the Hebrew Bible," in this volume, 125.
15. Exodus 21:2–11 reads:

> [2]If you acquire a Hebrew slave, he shall work for six years. In the seventh he shall go free, without further obligation. [3]If he came in by himself, he shall go free by himself. If he is the husband of a woman, she shall go free with him. [4]If his master gives him a woman and she bears him sons or daughters, the woman and her children shall belong to her master, and he (the male debt slave) shall go free by himself. [5]If the (male) slave should say, "I love my master, my wife, and my children; I will not go free," [6]then his master shall bring him to the God and bring him to the door or the doorpost. His master shall pierce his ear with an awl, and he will become a slave permanently. [7]If a man sells his daughter as a slave-woman, she shall not go free as male slaves go free. [8]If she is displeasing in the eyes of her master who has designated her for himself, he shall let her be redeemed. He shall not have power to sell her

> to a foreign people because he betrayed her. [9]If he designates her for his son, he shall treat her according to the law pertaining to daughters. [10]If he takes another (woman), he shall not withhold (the first wife's) food, clothing, and habitation. [11]If he does not do these three things for her, she may leave without further obligation; no payment is due.

Exodus 21:20f reads:

> [20]If a man strikes his male slave or his female slave with a rod and he dies under his hand, he shall be avenged. [21]But if he endures for a day or two, he shall not be avenged, because he is his property [literally: silver].

Translations from Wright, " 'She Shall Not Go Free,' " in this volume, 125.

16. Wright, " 'She Shall Not Go Free,' " in this volume, 125.
17. The translation from Colossians here and in what follows is from the New Revised Standard Version.
18. Genesis 16:1–16; 21:1–21; discussed by Jennifer A. Glancy, "Early Christianity, Slavery, and Women's Bodies," in this volume, 143.
19. Discussed by Glancy, "Early Christianity, Slavery, and Women's Bodies," in this volume, 143.

Notes on Contributors

KECIA ALI is assistant professor of religion at Boston University. Her research interests center on Islamic religious texts, especially jurisprudence, and women in both classical and contemporary Muslim discourses. Her book, *Sexual Ethics and Islam: Feminist Reflections on Qur'an, Hadith, and Jurisprudence*, grew out of her work for the Feminist Sexual Ethics Project at Brandeis University and was supported by post-doctoral fellowships at Brandeis and at Harvard. Currently, she is working on several books, *Marriage, Gender, and Ownership in Early Islamic Jurisprudence*; a biography of the jurist al-Shafi'i; *Marriage and Slavery in Early Islamic Law,* an examination of the use by jurists of the conceptual language of slavery to frame marriage laws; and *The Lives of Muhammad*, a look at biographies of the Prophet written over the centuries by Muslim and Western authors.

ELLEN M. BARRY is founding director of Legal Services for Prisoners with Children, a non-profit organization that advocates on behalf of incarcerated women and their families. She is co-chair of the National Network for Women in Prison, a U.S.-based coalition, which sponsors national roundtables for activists and advocates working with women in prison and with formerly incarcerated women. The organization also sponsors leadership training institutes by and for women who have done time. She is a founding member of Critical Resistance, which challenges the growth of the prison-industrial complex and its detrimental effect on education, health, and human services. She received a Soros Senior Justice Fellowship, a MacArthur Fellowship, and along with 999 other women activists, she was nominated for the Nobel Peace Prize.

MIA BAY is associate professor of history at Rutgers University and co-director of the Black Atlantic Seminar at the Rutgers Center for Historical Analysis. She is author of *The White Image in the Black Mind: African American Ideas about White People 1825–1930*; " 'See Your Declaration Americans!!' Abolitionism, Americanism, and the Revolutionary Tradition in Free Black Politics," in *Americanism: New Perspectives on the History of an Ideal*, edited by Michel Kazin and Joseph McCartin; and *To Tell the Truth Freely: The Life of Ida B. Wells*. Currently, she is working on a project that examines African American views on Thomas Jefferson. Together with Farah Jasmin Griffin at Columbia University, she is leading a new scholarly collaboration, "Towards an Intellectual History of Black Women."

DEBRA BLUMENTHAL is associate professor in the Department of History at the University of California at Santa Barbara. Her research and teaching interests are late medieval Iberian history; Muslim, Christian, and Jewish interaction in the medieval Mediterranean world; and comparative slavery. She is author of *Enemies and Familiars: Slavery and Mastery in Fifteenth-Century Valencia* (Conjunctions of Religion and Power in the Medieval Past) and *Enemies and Familiars: Muslim, Eastern and Black African Slaves in Late Medieval Iberia.*

FAY BOTHAM is visiting assistant professor of American Indian and Native studies in the Department of American Studies at the University of Iowa. Her teaching and research interests focus on the historical roles of Christianity on American conceptions of race, gender, sexuality, and marriage law, and on the religious psychology of racism in U.S. culture. Her collection of essays coedited with Sara Patterson, *Race, Religion, Region: Landscapes of Encounter in the American West*, was published in 2006, and her book, *Almighty God Created the Races: Christianity, Interracial Marriage, and American Law* in 2009.

SHEILA BRIGGS is **associate professor of religion and gender** at the University of Southern California. Her research interests lie in feminist theology in the areas of nineteenth- and twentieth-century German theology, early Christianity, theories of history, and modern liberation movements. She is a contributing author to *Spirit in the Cities: Searching for Soul in the Urban Landscape.* One of her current projects examines the relationship between attitudes toward gender and attitudes toward the Jewish Torah in the writings of the Apostle Paul. Another project examines the ways popular culture constructs an imaginary, nonexistent ancient past, as in the television series, *Xena: Warrior Princess.*

BERNADETTE J. BROOTEN is Robert and Myra Kraft and Jacob Hiatt Professor of Christian Studies and of women's and gender studies at Brandeis University. She is founder and director of the Brandeis Feminist Sexual Ethics Project, which aims to create Jewish, Christian, and Muslim sexual ethics rooted in freedom, mutuality, meaningful consent, responsibility, and female (as well as male) pleasure, untainted by slaveholding values. She has published articles and books on ancient Jewish and early Christian women's history, among them *Women Leaders in The Ancient Synagogue: Inscriptional Evidence and Background Issues* and *Love Between Women: Early Christian Responses to Female Homoeroticism*, which received the Lambda Literary Award, the Judy Grahn Award for Lesbian Non-Fiction, and the American Academy of Religion Award for Excellence in the Study of Religion, and was nominated for a National Book Award. She is currently writing a book on early Christian women who were enslaved or who owned enslaved laborers. She has held fellowships from the Harvard Law School, the Fulbright Foundation, the National Endowment for the Humanities, and other granting agencies, and has received a MacArthur Fellowship.

CATHERINE CLINTON is professor of American history at Queen's University, Belfast, and she is the author and editor of over twenty books, including *Reminiscences of My Life in Camp: An African American Woman's Civil War Memoir*; *Harriet Tubman: The Road to Freedom*; and *Fanny Kemble's*

Civil Wars. Her recent articles include: "Mary Modjeska Simkins" in *Notable American Women IV* and "The Emergence of Black Women's Voices and the American Civil War" in *Canadian and American Women*, edited by Valeria Gennaro Lerda and Roberto Maccarini. In 2008, she co-organized "Closing of the Slave Trades: Transatlantic Perspectives, An International Symposium," and in 2009, her latest book was published, *Mrs. Lincoln: A Life*.

FRANCES SMITH FOSTER is the Charles Howard Candler Professor of English and Women's Studies and chair of the Department of English at Emory University. Her specialties include African American family life before the twentieth century, African American literature, and the literature of slavery. She is author of *Written by Herself: Literary Production by African American Women, 1746–1892*; *Till Death or Distance Do Us Part: Love and Marriage in Antebellum African America*; and *Witnessing Slavery: The Development of the Ante-Bellum Slave Narrative*. She has edited, alone or jointly, the *Oxford Companion to African American Literature*; the *Norton Anthology of African American Literature; Love and Marriage in Early African America*; and editions of works by African American women, including *Minnie's Sacrifice, Sowing and Reaping, and Trial and Triumph: Three Rediscovered Novels by Frances Ellen Watkins Harper; Incidents in the Life of a Slave Girl* by Harriet Jacobs; and *Behind the Scenes* by Elizabeth Keckley.

JENNIFER A. GLANCY is the George and Sallie Cutchins Camp Professor of Bible at the University of Richmond, Virginia. As Catholic Biblical Association visiting professor, she has lectured on slavery and the New Testament at L'École Biblique et Archaeologique Française in Jerusalem. She has published numerous articles in *Journal of Biblical Literature*, *Semeia*, *Biblical Interpretation*, among others, and is coauthor of *Introduction to the Study of Religion*. Her *Slavery in Early Christianity* was chosen as a History Book Club selection, and she is working on a new book, *Early Christian Bodies*.

DWIGHT N. HOPKINS is professor of theology at the University of Chicago Divinity School and communications coordinator for the International Association of Black Religions and Spiritualities, a global project sponsored by the Ford Foundation. His works include *Being Human: Race, Culture, and Religion*; *Down, Up and Over: Slave Religion and Black Theology*; *Heart and Head: Black Theology Past, Present, and Future*; and *Shoes That Fit Our Feet: Sources for a Constructive Black Theology*. He is senior editor of the Henry McNeil Turner/Sojourner Truth Series in Black Religion, and coeditor of *Global Voices for Gender Justice and Cut Loose Your Stammering Tongue: Black Theology in the Slave Narratives*; *Walk Together Children: Black and Womanist Theologies, Church and Theological Education*; and with Marjorie Lewis, *Another World Is Possible: Spiritualities and Religions of Global Darker Peoples*.

SYLVESTER A. JOHNSON is assistant professor of religion at Indiana University, Bloomington. His research addresses the relationship between scriptures and race in the United States, the role of biblical narrative in the American religious imagination, and the postcolonial interplay of race, gender, and sexuality in the constitution of modern identities. His recent article, "Tribalism and Religion in the Work of Richard Wright," was published in *Literature and Theology*, and his book, *The Myth of Ham in Nineteenth-Century American Christianity: Race, Heathens, and the People of God* was selected for the American Academy of Religion's Best First Book Award in the History of Religions.

GAIL LABOVITZ is associate professor of rabbinic literature at the American Jewish University and chair of the Department of Rabbinics at the Ziegler School of Rabbinic Studies. Her publications and conference presentations have explored images of the nursing mother in early rabbinic sources, slavery and marriage in rabbinic thought, and the use of rabbinic sources for the study of women and gender in late antiquity. Among her publications are her contribution to *The Torah: A Women's Commentary*, edited by Tamara Cohn Eskenasi; and *Marriage and Metaphor: Constructions of Gender in Rabbinic Literature.*

FLORENCE LADD, a psychologist, is also an essayist, fiction writer, and poet. Her novel, *Sarah's Psalm,* received the 1997 Best Fiction Award from the American Library Association's Black Caucus. Her essays are included in *A Stranger in the Village*, in *Grandmothers: Granddaughters Remember*, in *Dutiful Daughters*, in *Father*, and in *Rise Up Singing.* She contributed a story to *At Grandmother's Table* edited by Ellen Perry Berkeley, and her poems have been published in *The Women's Review of Books*, *The Progressive*, *The Rockhurst Review*, and *Sweet Auburn.* With Marion Kilson, she is the coauthor of *Is That Your Child? Mothers Talk about Rearing Biracial Children.*

MENDE NAZER is an internationally known anti-slavery activist and coauthor of two books. Written with journalist Damien Lewis, *Slave: My True Story* is her narrative of the six years spent in slavery as a young girl before her escape in London, and it was this book that opened the world's eyes to slavery in the Sudan. Before speaking out, she had to weigh potential reprisals by the repressive Sudanese government against her relatives still living there versus the fate of the countless enslaved persons to whom her book might draw attention. Fortunately, the intense international media attention to the book has thus far protected her family. *Befreit: Die Heimkehr der Sklavin* with Damien Lewis and Karin Dufner, the story of her return to visit her family in the Nuba Mountains of the Sudan, has appeared in German but not yet in English.

NANCY RAWLES is author of three critically acclaimed and award-winning novels, which address issues of sexuality, violence, and racial oppression in the lives of their female protagonists. *Love Like Gumbo* won an American Book Award for its portrayal of a lesbian daughter's struggle for independence; *Crawfish Dreams*, selected for the Barnes and Noble Discover Great New Writers Program, relates an elder's coming to terms with the devastation of her community and the depression of her offspring; and *My Jim* tells the story of the wife and children of Mark Twain's famous enslaved character from *The Adventures of Huckleberry Finn.*

DOROTHY ROBERTS is Kirkland and Ellis Professor at Northwestern University School of Law, faculty fellow of the Institute for Policy Research, and faculty affiliate of the Joint Center for Poverty Research. She has written and lectured extensively on the interplay of gender, race, and class in legal issues concerning reproduction, motherhood, and child welfare. She is author of *Killing the Black Body: Race, Reproduction, and the Meaning of Liberty* and *Shattered Bonds: The Color of Child Welfare*; and contributing editor of *Mary Joe Frug's Women and the Law* and of *Sex, Power, and Taboo: Gender and HIV in the Caribbean and Beyond*, which grew out of a conference sponsored by a research initiative for which she serves on the executive committee. She is liaison to the board of directors of the Black Women's Health Imperative and the National Coalition for Child Protection Reform and is a member of an expert panel overseeing foster care reform in Washington State. The National Science Foundation has awarded her a grant to study the relationship between race-based biotechnologies and concepts of racial equality and identity.

Emilie M. Townes is Andrew W. Mellon Professor of African American Religion and Theology and associate dean of Academic Affairs at Yale Divinity School, an ordained American Baptist minister, and past president of the American Academy of Religion. In 2008, she organized the Middle Passage Conversations conference at Yale University. She is editor of two collections of essays, *A Troubling in My Soul: Womanist Perspectives on Evil and Suffering* and *Embracing the Spirit: Womanist Perspectives on Hope, Salvation, and Transformation*; and she is author of *Womanist Justice, Womanist Hope*; *In a Blaze of Glory: Womanist Spirituality as Social Witness*; *Breaking the Fine Rain of Death: African American Health Issues and a Womanist Ethic of Care*; and most recently, *Womanist Ethics and the Cultural Production of Evil.*

David P. Wright is professor of Bible and Ancient Near East studies at Brandeis University, where he teaches courses on the Hebrew Bible; Biblical and Near Eastern ritual, law and history; and Northwest Semitic languages. His research specialties are primarily Near Eastern and Biblical ritual and law in comparative perspective. He is author of *Inventing God's Law: How the Covenant Code of the Bible Used and Revised the Laws of Hammurabi*; *The Disposal of Impurity: Elimination Rites in the Bible and in Hittite and Mesopotamian Literature*; and *Ritual in Narrative: The Dynamics of Feasting, Mourning, and Retaliation Rites in the Ugaritic Tale of Aqhat*. He is chief editor of *Pomegranates and Golden Bells: Studies in Biblical, Jewish and Near Eastern Ritual, Law, and Literature in Honor of Jacob Milgrom* and coeditor of *Perspectives on Purity and Purification in the Bible.*

Acknowledgments

My deepest gratitude goes to the Ford Foundation for its major grants to the Feminist Sexual Ethics Project, out of which this book has grown. The foundation's long-term support enabled the book's authors to hold several colloquia and one major public conference leading up to this publication. Constance H. Buchanan, senior program officer, always supported bold and critical research and fostered serious intellectual exchange, provided training for project members to bring their insights into the public sphere, and urged everyone to remember the big picture, namely the transformation of religion and of society. Susan V. Berresford, former president, and Alison R. Bernstein, vice president of Education, Creativity, and Free Expression, generously met with me to learn about this work and increase its effectiveness. I especially thank Irene Korenfield for expertly managing the grants over the past years. I also thank Janice Petrovich, Lourdes Rivera, Paul Warren, Marian Sause, and the many other dedicated people at the foundation who have supported this project. I thank current president Luis A. Ubiñas for his continuing support for this project as part of his larger commitment to improving the lives of women worldwide. The Feminist Sexual Ethics Project's current program officer, Sheila Davaney, brings great energy and intellectual rigor to all of her work, devoting special attention to helping the project achieve its long-term goals of changing public and religious policies and thought about sexuality.

I also thank Margaret Wilkerson and Orlando Bagwell of the Ford Foundation for their support of a project on rape and victim race, as well as Elizabeth Kennedy and Jennifer C. Nash, who carried out the research, some of the results of which are reported upon in this volume.

I thank the John D. and Catherine T. MacArthur Foundation for a MacArthur Fellowship (1998–2003), which enabled me to develop this interdisciplinary project. I especially thank Daniel J. Socolow, director of the fellows program. In addition, I thank Joan Abrahamson, president of the Jefferson Institute, for organizing reunions of MacArthur fellows at which I presented works in progress on this project.

A Liberal Arts Fellowship in Law at Harvard Law School (1999–2000) provided me with necessary training and the first ideas on how to conceptualize this project.

I thank Denise Kimber Buell of Williams College for her initiative in inviting me to serve as Croghan Bicentennial Visiting Professor in Biblical and

Early Christian Studies in the spring of 2006, which enabled me to work more intensively on the subject of this volume.

Working with Jacqueline L. Hazelton on editing this book has been a privilege and a joy. She is an experienced journalist and current Brandeis doctoral candidate in international relations, and her vision of how each essay relates to the others and her knowledge of how the general public reads improved every essay. I cannot imagine a more dedicated collaborator.

Monique N. Moultrie deserves special thanks for her help in conceptualizing this volume and undertaking the initial research for it. Christine Wyman McCarty, Kristen Sutherland, and Leslie Shepherd have also each contributed to research and fact-checking. Copy editor Melony Swasey's sharp grasp of editorial style greatly strengthened the many details of this volume. Project coordinator Ellen C. Rounseville has patiently moved the project through each stage and has contributed her skills as a visual artist.

Brandeis University has been the ideal setting for the Feminist Sexual Ethics Project and for the creation of this volume. I especially thank President Jehuda Reinharz; Provost Mart Krauss; Dean Adam Jaffe; former Provost Irving Epstein; former Dean Jessie Ann Owens; former Dean Robin Feuer Miller; Associate Dean Elaine C. Wong, former chairs of Near Eastern and Judaic Studies Jonathan D. Sarna, Antony Polonsky, Marc Brettler, and David Wright; current chair of Near Eastern and Judaic Studies Sylvia Barack Fishman; former chair of Women's and Gender Studies Susan S. Lanser; and its current chair James Mandrell. The many staff members who have supported this work include Anne Lawrence, Joanne Arnish, Stanley M. Bolotin, Robert W. Silk, Richard Silberman, Paul O'Keefe, Gordon Simons, Mary E. Scott, Steven Locke, Brenda J. Berardinelli, Robin Trainor, Dennis C. Nealon, Lorna Miles Whalen, Marsha MacEachern, David E. Nathan, and Edward M. Callahan.

From 2003 to 2009, thoughtful, devoted students at Brandeis University and Williams College took on the difficult work of studying the relationship between slavery, women, and religion. These courses grew out of and contributed to the Feminist Sexual Ethics Project. I benefited from class discussions, Web postings, and the students' research papers. Many of these students went on to become campus leaders and to contribute to social justice in other ways. I thank the following students for their contributions: (2003) Emily Aronoff, Quinn Barbour, Farrah Bdour, Samantha Canniff, Magdalena Cupo, Leah Day, Jessica Freiman, Amanda Godlewski, Daniel Hirschhorn, Jonathon Horowitz, Shaoyi Jiang, Sara Kranzler, Jennifer Krueger, Alaine Marx, Erik Potter, Avni Shah, Radhika Shah, Brady Wheatley; (2004) Briana Abrahms, Matan Butbul, Gila Daman, Melissa Eng, Daniel Goodman, Tracy Latimer, Sze Xian Lee, Cassandra Loftus, Rachel Meisel, Shannon Mouzon, Abigail Pratt, Naomi Reden, Lauren Shapiro, Dong-Jin Shin, Hilary Spear, Emily Terrin, Shannon Trees; (2005) Avraham Allen, Noa Balf, Daniel Baron, Brooke Binstock, Liliana Canela, Talia Cohen, Ma'ayan Friedman, Bradley Goerne, Hilary Hammer, Benjamin Mernick, Margot Moinester, Ariella Newberger, Katharine Roller, Alexander Shaffer, Amanda Sherman, Hailey Teton, Shoshana Wirshup, Sarah Wolf; (2006) Elizabeth Atkinson, Elana Boehm, Meghan Bruck, Geoffrey Cohen, Jeffrey Couture, Justine Dowden, James Fruchterman, Shaina Gerad, Pamela Good, Anna Goodbaum, Murat Kemahlioglu, Anum Khan, Lauren

Kraus, Kristin Little, Catherine McConnell, Desiree Murphy, Elizabeth Saunders, Caitlin Smith, Kayla Sotomil, Erin Wise, Yin Zong; (2008) Gabriel Aikins-Addo, Jordana Barness, Angela Chau, Charity Frempomaa, Beth May Green, Julius Johnson, Yael Katzwer, Jacqueline Kohos, Jessica Krieger, Erin Lue-Hing, Dani Ngoc Nguyen, Gaspar Obimba, Efe Joy Ogbeide, Austin Paul Pena, Leah Silver, Dori Rivka Stern, Simone Wornum; (2009) Laurel Benoit, Michelle Gurt, Arielle Levinson, Marcie Lieberman, William Lodge, Rebecca Miller, Lee Russo, Jolie Whitebook, Malka Zeiger-Simkovich.

I thank the members of the advisory board of the Feminist Sexual Ethics Project: Leila Ahmed, Christine E. Gudorf, Anita F. Hill, Dwight N. Hopkins, Deborah L. Johnson, Florence C. Ladd, Susan S. Lanser, Linda C. McClain, Aminah Beverly McCloud, Judith Plaskow, Emilie M. Townes, and Constance W. Williams.

I would like to thank the following past and present staff members of the Feminist Sexual Ethics Project, whose participation in the project ranged from a few weeks to several years: Kecia Ali, Jennifer Beste, Marissa Collins, Shamila Daluwatte, Carly Daniel-Hughs, Akiva Fishman, Melissa J. De Graaf, Raja El Habti, Heather Gardener, Anne Gardner, Meghan Henning, Tracey Levine Hurd, Laura Hymson, Wathsala Jayamanna, Leslie Caroline Kelly, Gail Labovitz, Molly Lanzarotta, Keridwen Luis, Palak Mehta, Ava Morgenstern, Michael Morrel, Leslie Morrel-Norwood, Chrisann Newransky, Sanjeeta Singh Nggi, Samuel Nicolosi, Elizabeth Penland, Anne Marie Reardon, Anne Rodmann, Sara Ronis, Dawn Rose, Meera Lee Sethi, Francine Shron, Mini Singh, Michael Singer, Elizabeth Stevens, Judith Tick, Emma Wasserman, Melinda Weekes, Xiaolu Xiong, Humaira Zafar.

Douglas Gould and Company, including Rebecca Lowell Edwards, Thaler Pekar, Sharon Lewis, and Janan Compitello trained project members to communicate more effectively to a broader audience and brought visibility to the Feminist Sexual Ethics Project.

I thank Ann D. Braude, director of the Women's Studies in Religion Program at Harvard Divinity School, on whose advisory committee I served for a number of years. I presented on this research over the years at the annual meeting, both to fellow advisory committee members and to members of the national leadership board of the program. I especially thank Sally Bliss, Katherine Sharp Borgen, Ilene N. Brody, Celeste Callahan, Michelle Clayman, Patricia J. Cooper, Carol B. Duncan, Judith Gerberg, Lynda M. Goldstein, Jacquelyn Grant, Shahla Haeri, Virginia S. Harris, Arlene Hirschfield, Paula Hyman, Jill E. Janov, Julie A. Johnson, Katharine D. Kane, Alicia Kershaw, Anne Klein, Katherine Kurs, Mary Jo Joyce Myers, Karen Paget, Letty Cottin Pogrebin, Barbara R. Schwartz, Linda Bowen Scott, Michelle P. Scott, Andrea Berue Shapiro, Ruth Silver, Ruth L. Smith, Diane Mellish Stanbro, Ulrike Strasser, Linda Tarry-Chard, Diane Troderman, Alison Parks Weber, Marie Whiteside, and Joan Williams.

Elaine Pagels, Karen L. King, Melanie Johnson-DeBaufre, Elisabeth Schüssler-Fiorenza, Marianne Bjelland Kartzow, Halvor Moxnes, Turid Karlsen Seim, Dag Ø. Endsjø, Jorunn Økland, Kari Børresen, Deborah Bershel, Thandeka, Florence Ladd, Sue Houchins, Faith L. Smith, and Susan S. Lanser deserve special thanks for their help with several stages of the project.

In addition to the Ford Foundation, I thank Michelle Clayman, the New England and Maritimes Regional American Academy of Religion, and the Brandeis Provost's Conference Fund for providing financial support for the 2006 Brandeis conference "Beyond Slavery: Overcoming Its Religious and Sexual Legacy."

Special thanks are due to Linda E. Thomas and Dwight N. Hopkins for accepting this volume into the Black Religion/Womanist Thought/Social Justice series, and to Chris Chappell, Samantha Hasey, and Burke Gerstenschlager of Palgrave Macmillan Press.

I thank my sister, Barbara Brooten Job, for her encouragement and support over many decades.

I thank my dear friend Berni Zisserson, who read and commented on my introduction to this volume, and who brings joy and fun into my life.

Most of all, I thank the contributors to this volume, whose careful research, poetry, and desire to write clearly show their commitment to overcoming the legacies of slavery.

Bernadette J. Brooten

Index